中国近现代中医药期刊续编

第二辑

华北国医学院第二届毕业纪念刊
浙江中医专门学校校友会会刊
新中国医学院院刊
新中国医学院研究院第一届毕业纪念刊

王咪咪◎主编

2020年度北京市优秀古籍整理出版扶持项目

北京科学技术出版社

图书在版编目（CIP）数据

华北国医学院第二届毕业纪念刊；浙江中医专门学校校友会会刊；新中国医学院院刊；新中国医学院研究院第一届毕业纪念刊 / 王咪咪主编. -- 北京：北京科学技术出版社，2021.7

（中国近现代中医药期刊续编. 第二辑）

ISBN 978-7-5714-1483-2

Ⅰ. ①华… Ⅱ. ①王… Ⅲ. ①中国医药学－医学期刊－汇编－中国－近现代 Ⅳ. ①R2-55

中国版本图书馆CIP数据核字(2021)第049331号

策划编辑： 侍　伟　段　瑶
责任编辑： 侍　伟　王治华
文字编辑： 白世敬　刘　佳　陶　清　孙　硕　刘雪怡　吕　艳
责任校对： 贾　荣
图文制作： 北京艺海正印广告有限公司
责任印制： 李　茗
出 版 人： 曾庆宇
出版发行： 北京科学技术出版社
社　　址： 北京西直门南大街16号
邮政编码： 100035
电　　话： 0086-10-66135495（总编室）　0086-10-66113227（发行部）
网　　址： www.bkydw.cn
印　　刷： 北京捷迅佳彩印刷有限公司
开　　本： 787mm × 1092mm　1/16
字　　数： 466.2千字
印　　张： 51
版　　次： 2021年7月第1版
印　　次： 2021年7月第1次印刷

ISBN 978 - 7 - 5714 - 1483 - 2

定　　价： **890.00元**

序

2012年上海段逸山先生的《中国近代中医药期刊汇编》（下文简称“《汇编》”）出版，这是中医界的一件大事，是研究、整理、继承、发展中医药的一项大工程，是研究近代中医药发展必不可少的历史资料。在这一工程的感召和激励下，时隔七年，我所的王咪咪研究员决定效仿段先生的体例、思路，尽可能地将《汇编》所未收载的新中国成立前的中医期刊进行搜集、整理，并将之命名为《中国近现代中医药期刊续编》（下文简称“《续编》”）进行影印出版。

《续编》所选期刊数量虽与《汇编》相似，均近50种，但总页数只及《汇编》的1/4，约25000页，其内容绝大部分为中医期刊，以及一些纪念刊、专题刊、会议刊；除此之外，还收录了《中华医学杂志》1915—1949年所发行的35卷近300期中与中医发展、学术讨论等相关的200余篇学术文章，其中包括6期《医史专刊》的全部内容。值得强调的是，《续编》将1951—1955年、1957年、1958年出版的《医史杂志》进行收载，这虽然与整理新中国成立前期刊的初衷不符，但是段先生已将1947年、1948年（1949年、1950年《医史杂志》停刊）的《医史杂志》收入《汇编》中，咪咪等编者认为把20世纪50年代这7年的《医史杂志》全部收入《续编》，将使《医史杂志》初期的各种学术成果得到更好的保存和利用。我以为这将是对段先生《汇编》的一次富有学术价值的补充与完善，对中医近现代的学术研究，对中医整理、继承、发展都是有益的。医学史的研究范围不只是中国医学史，还包括世界医学史，医学各个方面的发展史、疾病史，以及从史学角度谈医学与其关系等。《续编》中收载的文章虽有的出自西医学家，但提出来的问题，对中医发展有极大的推进作用。陈邦贤先生在

《中国医学史》的自序中有“世界医学昌明之国，莫不有医学史、疾病史、医学经验史……岂区区传记遽足以存掌故资考证乎哉！”陈先生将其所研究内容分为三大类：一为关于医学地位之历史，二为医学知识之历史，三为疾病之历史。医学史的开创性研究具有连续性，正如新中国成立初期的《医史杂志》所登载的文章，无论是陈邦贤先生对医学史料的连续性收集，还是李涛先生对医学史的断代研究，他们对医学研究的贡献都是开创性的和历史性的；范行准先生的《中国预防医学思想史》《中国古代军事医学史的初步研究》《中华医学史》等，也都是一直未曾被超越或再研究的。况且那个时期的学术研究距今已近百年，能保存下来的文献十分稀少。今天能有机会把这样一部分珍贵文献用影印的方式保存下来，将是对这一研究领域最大的贡献。同时，扩展收载1951—1958年期间的《医史杂志》，完整保留医学史学科在20世纪50年代的研究成果，可以很好地保持学术研究的连续性，故而主编的这一做法我是支持的。

以段逸山先生的《汇编》为范本，《续编》使新中国成立前的中医及相关期刊保存得更加完整，愿中医人利用这丰富的历史资料更深入地研究中医近现代的学术发展、临床进步、中西医汇通的实践、中医教育的改革等，以更好地继承、挖掘中医药伟大宝库。

李经纬 九十老人

2019年11月于中国中医科学院

前　言

《汇编》主编段逸山先生曾总结道，中医相关期刊文献凭藉时效性强、涉及内容广泛、对热门话题反映快且真实的特点，如实地记录了中医发展的每一步，记录了中医人每一次为中医生存而进行的艰难抗争，故而是中医近现代发展的真实资料，更是我们今天进行历史总结的最好见证。因此，中医药期刊不但具有历史资料的文献价值，还对当今中医药发展具有很强的借鉴意义。

本次出版的《续编》有五六十册之规模，所收集的中医药期刊范围，以段逸山先生主编的《汇编》未收载的新中国成立前50年中医相关期刊为主，以期为广大读者进一步研究和利用中医近现代期刊提供更多宝贵资料。

《续编》收载期刊的主要时间定位在1900—1949年，之所以不以1911年作为断代，是因为《绍兴医药学报》《中西医学报》等一批在社会上很有影响力的中医药期刊是1900年之后便陆续问世的，从这些期刊开始，中医的改革、发展等相关话题便已被触及并讨论。

在历史的长河中，50年时间很短，但20世纪上半叶的50年却是中医曲折发展并影响深远的50年。中国近代，随着西医东渐，中医在社会上逐步失去了主流医学的地位，并逐步在学术传承上出现了危机，以至于连中医是否能名正言顺地保存下来都变得不可预料。因此，能够反映这50年中医发展状况的期刊，就成为承载那段艰难岁月的重要载体。

据不完全统计，这批文献有1500万～2000万字，包括3万多篇涉及中医不同内容的学术文章。这50年间所发生的事件都已成为历史，但当时中医人所提出的问题、争论的焦点、未做完的课题一直在延续，也促使我们今天的中医人要不断地回头看，思考什么才是这些问题的答案！

中医到底科学不科学？中医应怎样改革才能适应社会需要并有益于中医的发展？120年前，这个问题就已经在社会上被广泛讨论，在现存的近现代中医药期刊中，这一类主题的文章有不下3000篇。

中医基础理论的学术争论还在继续，阴阳五行、五运六气、气化的理论要怎样传承？怎样体现中国古代的哲学精神？中医两千余年有文字记载的历史，应怎样继承？怎样整理？关于这些问题，这50年间涌现出不少相关文章，其中有些还是大师之作，对延续至今的这场争论具有重要的参考价值。

像章太炎这样知名的近代民主革命家，也曾对中医的发展有过重要论述，并发表了近百篇的学术文章，他又是怎样看待中医的？此类问题，在这些期刊中可以找到答案。

最初的中西医汇通、结合、引用，对今天的中西医结合有什么现实意义？中医在科学技术如此发达的现代社会中如何建立起自己完备的预防、诊断、治疗系统？这些文章可以给我们以启示。

适应社会发展的中医院校应该怎么办？教材应该是什么样的？根据我们在收集期刊时的初步统计，仅百余种的期刊中就有五十余位中医前辈所发表的二十余类、八十余种中医教材。以中医经典的教材为例，有秦伯未、时逸人、余无言等大家在不同时期从不同角度撰写的《黄帝内经》《伤寒论》《金匮要略》等教材二十余种，其学术性、实用性在今天也不失为典范。可由于当时的条件所限，只能在期刊上登载，无法正式出版，很难保存下来。看到秦伯未先生所著《内经生理学》《内经病理学》《内经解剖学》《内经诊断学》中深入浅出、引人入胜的精彩章节，联想到现在的中医学生在读了五年大学后，仍不能深知《黄帝内经》所言为何，一种使命感便油然而生，我们真心希望这批文献能尽可能地被保存下来，为当今的中医教育、中医发展尽一份力。

新中国成立前这50年也是针灸发展的一个重要阶段，在理论和实践上都有很多优秀论文值得被保存，除承淡安主办的《针灸杂志》专刊外，其他期刊上也有许多针灸方面的内容，同样是研究这一时期针灸发展状况的重要文献。

在中医的在研课题中，有些同志在做日本汉方医学与中医学的交流及互相影响的研究，这一时期的期刊中保存了不少当时中医对日本汉方医学的研究之作，而这些最原始、最有影响的重要信息载体却面临散失的危险，保护好这些文献就可以为相关研究提供强有力的学术支撑。

在这50年中，以期刊为载体，一门新的学科——中国医学史诞生了。中国医学史首次以独立的学科展现在世人面前，为研究中医、整理中医、总结中医、发展中医，把中医推向世界，再把世界的医学展现于中医人面前，做出了重大贡献。创建中国医学史学科的是一批忠实于中医的专家和一批虽出身西医却热爱中医的专家，他们潜心研究中医医史，并将其成果传播出去，对中医发展起到了举足轻重的作用。《古代中西医药之关系》《中国医学史》《中华医学史》《中国预防医学思想史》《传染病之源流》等学术成果均首载于期刊中，作为对中医学术和临床的提炼与总结，这种研究将中医推向了世界，也为中医的发展坚定了信心。史学类文章大都较长，在期刊上大多采用连载的形式发表，随着研究的深入也需旁引很多资料，为使大家对医学史初期的发展有一个更全面、连贯的认识，我们把《医史杂志》的收集延至1958年，为的是使人们可以全面了解这一学科的研究成果对中医发展的重要作用。《医史杂志》创刊于1947年，在此之前一些研究医学史的专家利用西医刊物《中华医学杂志》发表文章，从1936年起《中华医学杂志》不定期出版《医史专刊》。（《中华医学杂志》是西医刊物，我们已把相关的医学史文章及1936年后的《医史专刊》收录于《续编》之中。）这些医学史文章的学术性很强，但其中大部分只保存在期刊上，期刊一旦散失，这些宝贵的资料也将不复存在，如果我们不抢救性地加以保护，可能将永远看不到它们了。

上述的一些课题至今仍在被讨论和研究，这些文献不只是资料，更是前辈们一次次的发言。能保存到今天的期刊，不只是文物，更是一篇篇发言记录，我们应该尽最大的努力，把这批文献保存下来。这50年的中医期刊、纪念刊、专题刊、会议刊，每一本都给我们提供了一段回忆、一个见证、一种警示、一份宝贵的经验。这批1500万～2000万字的珍贵中医文献已到了迫在眉睫需要保护、研究和继承的关键时刻，它们大多距今已有百年，那时的纸张又是初期的化学纸，脆弱易老化，在百年的颠沛流离中能保留至今已属万分不易，若不做抢救性保护，就会散落于历史的尘埃中。

段逸山、王有朋等一批学术先行者们以高度的专业责任感，克服困难领衔影印出版了《汇编》，以最完整的方式保留了这批期刊的原貌，最大限度地保存了这段历史。段逸山老师所收载的48种医刊，其遴选标准为现存新中国成立前保留时间较长、发表时间较早、内容较完备的期刊，其体量是现存新中国成立前期刊的三分之二以上，但仍留有近三分之一的期刊未能收载出版。正如前面所述，每多保留一篇文献都是在保留一份历史痕迹，故对《汇编》未收载的期刊进行整理出版有着重要意义。北京科学技术出版社秉持传承、发展中医的责任感与使命感，积极组织协调本书的出版事宜。同时，在出版社的大力支持下，本书入选北京市古籍整理出版资助项目，为本书的出版提供了可靠的经费保障。这些都让我们十分感动。希望在大家的共同努力下，我们能尽最大可能保存好这批期刊文献。

近现代中医可以说是对旧中医的告别，也是更适应社会发展的新中医的开始，从形式上到实践上都发生了巨大的改变。这50年中医的起起伏伏，学术的争鸣，教育的改变，理论与临床的悄然变革，都值得现在的中医人反思回顾，而这50年的文献也因此变得更具现实研究意义。

《续编》即将付梓之际，恰逢全国、全球新冠肺炎疫情暴发，在此非常时期能如期出版实属难得；也借此机会向曾给予此课题大量帮助和指导的李经纬、余瀛鳌、郑金生等教授表示最诚挚的感谢。

王咪咪

2020年2月

目　录

中国近现代中医药期刊续编·第二辑

华北国医学院第二届
毕业纪念刊

内容提要

本丛书所收录纪念刊包括《中国医学院第五届毕业纪念刊》《中国医学院第六届毕业纪念刊》《中国医学院第七届毕业纪念刊》《上海国医学院院刊》《上海国医学院辛未级毕业纪念刊》《新中国医学院院刊》《新中国医学院研究院第一届毕业纪念刊》《华北国医学院第二届毕业纪念刊》《浙江中医专门学校校友会会刊》，共11期。这些纪念刊多不定时、不定量发行，因此将它们收集起来有一定难度。但它们具有信息量大、学术信息广泛的特点，且内容有一定规律性、独特性，有一定的研究价值，故在本文中一并进行介绍。（所收录的这些刊物中有校刊与纪念刊装订在一起的情况，因二者有一定的联系，故亦一并介绍。）

这些纪念刊大体包括序言、祝福词、寄语、院史介绍等，学术内容多为教材、教师对学术的讨论及学生的毕业论文。（民国时期中医学校数量有限，办校者多为当时的中医大师或相关的社会名人，其院刊、纪念刊中的学术内容一般水平较高、影响较大。）

这些纪念刊内容之所以重要，是因为一个学科的发展水平与其和社会的衔接程度以及学术研究的深度、广度密切相关，并且会反映在此学科的教学活动中，因此，中医学校发行的学术期刊体现着不同时期、不同地域中医学术的发展水平，是近代中医学术发展的重要总结。当时的中医学校有的只有数年历史，有的已建校数十年。从收集到的纪念刊来看，其内容不只涵盖了中医内、外、妇、儿等临床各科，也包括药物、针灸等各方面的学术探讨。其中有中医临床辨证施治的内容，也有深入的理论探讨，尤其在一些中医理论较为成熟的领域，如温病的辨证论治方面的讨论就更丰富了，如《温病证治论要》《湿症之研究》《温病辨论》《湿温证治概要》《温热病治概论》，从这些文章可以看出当时的学者对这类学术问题讨论之深入。有些文章也探讨了其他领域，如《金元四大家学术之检讨》《中国脉学之鸟瞰》《〈内经〉之哲学的检讨》《国医治疗之原理》《宋元明清之伤寒著家录》《三焦考证》等。另外，有一部分是教材内容，随着中医学校所设科目的增加，中西医汇通的深化，这些内容都对近代中医学术发展产生了深远的影响，如当时所列的《百病概论讲义》《医家常识讲义》《生物学讲义》《理化学讲义》等都超出了中医学校原有课程的范围。可以说既开阔了学生的眼界，也在不断影响着中医的发展方向。细看每篇文章还可以发现一个很普遍的现象，那就是，当时的作者都或多或少地接受了中西医汇通的思想，对一些生理卫生知识也有了广泛的了解，都有意无意地提到了中医要改革、中医要科学化，虽然这些提法在当时还多有口号之嫌，但我们可以从中感受到社会的风气、潮流已影响到了中医学校的学子。因各纪念刊均有目录，有兴趣的读者可检索、阅读，在此不多赘述。

下面对本丛书中的纪念刊的内容简述如下。

1.《浙江中医专门学校校友会会刊》（第6期）

浙江中医专门学校于1916年由杭州中药行业发起筹建，1917年正式招收学生。近代著名中医傅嫩园先生是该学校的首任校长兼医务主任，至该期刊发行时，这所中医学校已成立了17年，很多从这里毕业的学生已成为中医界的栋梁，因此，该期刊讨论的话题更受到同行的重视。比如，其中的《伤寒究三焦温热参六经之我见》《〈内经〉之哲学的检讨》《我对中国医学的认识》等对当时的中医界有一定的影响。除此之外，“笔记”“医案”“杂俎”等栏目也都刊载了一些很有价值的学术文章。

2.《中国医学院第五届毕业纪念刊》《中国医学院第六届毕业纪念刊》《中国医学院第七届毕业纪念刊》

该期刊虽是纪念刊，但已形成规模，多年持续出版。其体例基本一致，除介绍该院教师、教授的基本情况外，还详细地刊载了学生的论文。该期刊每期刊载30余篇论文，共刊载了约100篇学术论文，从第5届纪念刊于1934年发行推溯，中国医学院约建于1925年。

3.《上海国医学院院刊》及《上海国医学院辛未级毕业纪念刊》

上海国医学院建于1929年，其校长是著名的社会活动家章太炎先生，这在很大程度上扩大了该学校在社会上的影响，学术上的主持人是教务长陆渊雷先生。近代中医的发展一直受到来自各方面的阻力，中医学校的创办最初也都是由民间而起。这所学校的特点之一就是从建校起就提倡并实行着中西汇通的办学方针。该学校还有两个显著的特点：一是集中了江浙一带广泛的中医人才；二是非常注意课程的设置和教材的编写。在院刊第1期的首论中，该学校的教务长陆渊雷先生就以“课程说明”为题讲述了学校的课程设置。该学校课程分为基础科学、基础医学、应用医学、研究门径、功令课目5类。基础科学包括理化、生物学、有机化学、国文、日文5项；基础医学则包括解剖生理学、胎生学、组织学、病原细菌学、医化学、病理总论、病理各论、医学常识8项；应用医学包括药物学、内科学、小儿科、妇人科、诊断学、医案、临床实习和卫生学；研究门径包括医学史、医经、中西医学书目提要、医论。功令课目具体课程未提及。从课程设置来看，该学校比起今天的中医药高等学府毫不逊色，这也正是我们收集这些文献的原因，这里面的很多观念不仅需要我们了解，而且需要我们学习。该院刊还涉及多科教材及教师们的一些学术讨论，值得阅读。

4.《华北国医学院第二届毕业纪念刊》

原中央国医馆副馆长施今墨先生原在1931年建立了北平国医学院，后与魏建宏等同道建立了华北国医学院。施今墨先生在该纪念刊自序中写道：“非振兴医术，决不足以自存，故敢断言，中医之生命，不在外人，不在官府，而在学术也。”我们可以从中看到老一代中医人对振兴中医的热情和决心。该纪念刊收录的二十几份毕业论文也是内容丰富，涉及多学科理论与临床的学术内容。

5.《新中国医学院院刊》并《新中国医学院研究院第一届毕业纪念刊》

朱南山先生于1936年创立新中国医学院，并附设新中国医院。该纪念刊刊载了当时的名医张赞臣的题词：“生活在这非常时期，畏缩、妥协，中国医学是不会复兴的。勇敢的战士们：听！这里角号声起了，前进吧！”此题词给人带来很大的鼓舞。对于该纪念刊刊名中的“新中国”，该学校教务长包天白先生在其“卷头语”中这样解释：“新之为新，以时新之；新之为新，以人新之。昔日之所新，今日旧之；今日之所新，他日旧之矣。故古书云：日日新，又日新。新固无永新也者，且思想文明，日有进步，一岁有新，一日有新，一时有新。”这也是该纪念刊取名“新”字的本意。

另外需要说明的是，该纪念刊第一期院刊与纪念刊装订在一起，院刊刊载的是医学院的老师、有经验的临床者所写的文章，而纪念刊刊载的是医学生的毕业论文。

王咪咪

中国中医科学院中国医史文献研究所

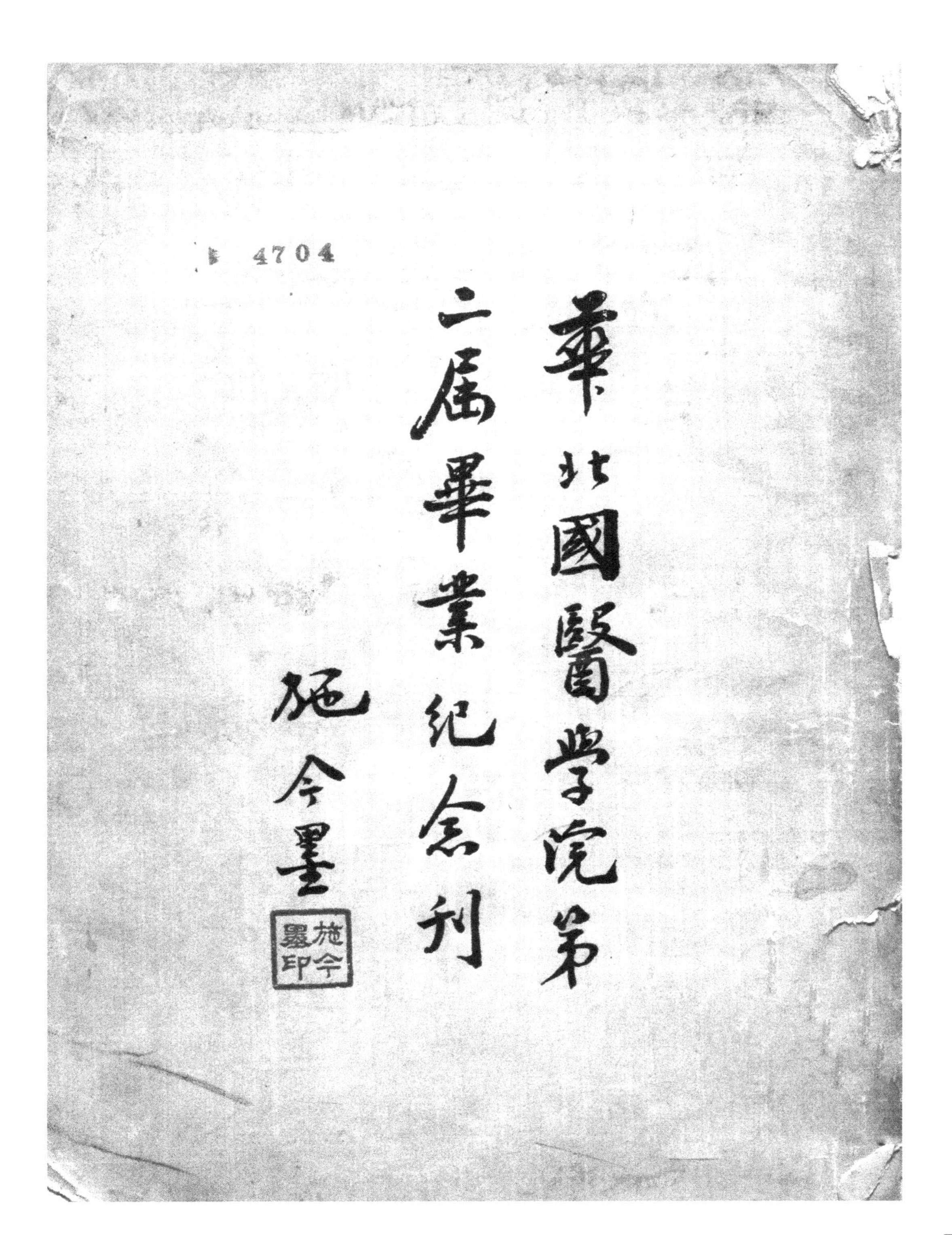
4704
華北國醫學院第二屆畢業紀念刊
施今墨
施今墨印

·白页·

華北國醫學院第二屆畢業紀念刊目錄

畢業論文

目錄

序

諸君亦知中醫之在今日，爲存亡絕續之秋乎，外見辱於西醫，謂氣化爲荒誕，內見輕於政府，成醫界之附庸，今墨於數年以前，早已逆知此變，今又隸於衛生行政，更可見吾人環境，非振興醫術，決不足以自存，故敢斷言中醫之生命，不在外人，不在官府，而在學術也，學術之成否，當然在乎學校，惟以材力棉薄，積年心血，僅成立華北一校，而所授學課，頗不完善，自視闕如，所望者，諸君已漸能深造，冀更努力前進，本本院之宗旨，舉凡病理方解，及審證用藥，一切皆以科學之方式而研究之，庶幾醫學革新，地位增進，而個人之醫業，日新月異而歲不同，此尤爲今墨所厚望者也，茲當本院第二屆畢業紀念，聊述此旨，願共勉之。

中華民國廿五年六月蕭山施今墨序於華北國醫學院

華北國立醫學院第二屆畢業紀念刊徵言

居今日而不能破浪乘風以成偉大之業復不能執戈衛國以建不世之勛而獨埋首臆下潛心古今醫籍同無情之草木相切磋與疾病呻吟之患者共晨夕殊無俚也然其事固甚微其責頗重大擴而言之拯斯民於夭札躋同胞於仁壽喻以良相非偶然也誠不宜自甘暴棄惟際此科學　盛時代西醫闡明生理解剖病理解剖等學說尚在孜孜求進不遺餘力中醫亟應資爲藉鏡凡關於不切實際之舊說一概屏除務取有效之治法擴張醫學之領域對中醫中藥隨時隨地盡力研究期有最新之發明而治西醫西藥所不能治之病不至登峯造極不止匪特醫界之光實亦病者之幸諸君畢業在邇聊述數語以作贈言

中州王宗哲

校門

共信不立

互信不生

互信不生

團結不固

本院略史

民國廿年，中央國醫館副館長施今墨先生，慨夫我國醫學日落人後，爰糾合醫界名宿，首先組織北平國醫學院，其目的欲以科學方法，整理中醫，培植專門人材，發展國醫教育，嗣因主張不同，不能達其目的，遂於廿一年春，同魏建宏，劉肇甄，陳公素，陸湘生諸先生，另設華北國醫學院焉，由北平國醫學院轉入本院之第一屆同學，已於廿四年暑期畢業矣。

本院成立之後，由施今墨先生兼任院長，魏建宏先生任教務長，經費方面，除徵收少數之學費外，不足開支者，概由院長補助之，至廿四年秋，魏建宏先生因赴日留學，遂辭教務之職，繼斯職者，則爲王念堂先生，王教務長就職以來，以已往辦學之經驗，對於院內一切，又力加整頓，較前更爲完備矣。

院址在北平西城大蔴線胡同，以其幽靜，擇爲校舍，尙喜適當也，附屬診療所，成於廿一年秋，診務甚爲發達，學生藉以實習，頗稱便焉。

當本院成立之初，學生廿餘人，僅一教室，五年於玆，逐漸發展，人數現近二百，授課則分四室，每年招考新生，而且逐級畢業矣，但以人數之加多，校舍反形狹仄，故雖擬定計劃，而多艱於設施，將來覓妥基地，另建分院，一切設施，當可依計劃而實行，此正本院積極籌辦者也。

中華民國廿五年六月

生先墨今施長院

秘書兼教務長
王孝先先生

會計課長
王孝曾先生

註冊課長
孫永年先生

訓育主任
趙仲虞先生

講義圖書管理員
劉少凝先生

文書課長
李幹清先生

內科教授
朱壺山先生

金匱教授
楊叔澄先生

傷寒教授
王仲喆先生

婦科教授
姚季英先生

藥物學教授
顧膺陀先生

中醫外科教授
趙紱文先生

醫學史教授
劉砥中先生

幼科教授
施光致先生

處方學教授
陸湘生先生

按摩學教授
曹錫珍先生

解剖學教授
姜泗長先生

西醫講師
陳岫青先生

病理學兼法醫學教授
施汝栢先生

眼科兼耳鼻喉科教授
張瑞祺先生

日文教授
樊哲民先生

國文教授
李仲翔先生

第二屆畢業同學全體合影

第三年級同學合影

第二年級同學合影

第一年級同學合影

本級略史

本級同學，爲本院第二屆，始業於民國二十一年秋，今年（二十五年）暑期畢業矣，本級原有三十餘人，其中之女同學，約佔五分之一，嗣因農村經濟之破產，家庭無以供給，華北時局之紊亂，父兄恐遭摧殘，實逼休學者，約有十餘人，至今得以畢業者，僅二十六人，其中之女同學，僅馮敬同學一人而已。

在此四年中，本級同學在院長施今墨先生指導之下，未有不以『救中醫救中國』，爲人人應負之責任，而羣策羣力焉，施先生主張，用科學方法，改進中醫，以西醫之長，補中醫之短，取西醫科學化之病理與診斷，用中醫經驗過之藥品與單方，關於一切中藥，本身所含之物質成分，務須研究，遇病所起之化學作用，更當明瞭，如此，既不掩人之長，而冒故與爲難之惡名，又不利權外溢，免受列強經濟之壓迫，豈非救中醫即所以救中國乎，此本級同學最後一年中，侍診於施先生之側，時所聆悉者也。

施先生診病，據病家所述，往往與西醫所檢查者恰合，病愈後，病家常問，診斷既然相同，奈何在某大醫院，治療數月（一年或半年）毫未見愈，服先生之藥，三五劑即霍然若失耶，先生每答之曰，西醫之診斷，確足取法，惟藥味不多，一遇複雜之病，即無對証之藥，不若中藥之配合，面面俱到，奏效較速也，此本級同學侍診時所共見者，亦心悅而誠服者也。

吾等所習之學科，除中醫必修科外，關於西醫各科，亦應有盡有，惜中醫教授，仍有根據五運六氣，五行生尅，以講病理者，不能與西醫生理解剖相脗合，竟使本級同學，對於玄虛之說，疑信參半，往往聚訟紛紜，莫衷一是，此施先生常引以爲憾者，然當此中醫人材尚未養成之際，實亦無可如何也。

本級同學畢業之年，正當中醫條例頒佈之日，已往之爭扎奮鬥，姑無論矣，將來如何改進，可使本身健全，如何發展，不至被人消滅，前途黯淡，危機四伏，若不繼續努力，開一光明之路，而使無懈可擊，恐終不免也，中醫條例，又何足恃哉。

人生不能有合而無離，亦不能常聚而不散，行將別矣，雖羣索居之苦，固不如同堂考業之樂也，雖然，果能聲氣相通，肝膽相照，千里如一室，天涯若比鄰，雖離散，庸何傷。

于有五記

丁鶴霄

丁君鶴霄，字鳴九，河北東光人。秉賦聰穎，性情温恭，與朋有交則有晏子之風；又富於藝術天才，摹仿當代名伶，無不畢肖。君之學識卓卓超出羣衆；自入本校以來，研究中西醫學，誠有一日千里之勢。對於虛勞一病，追求尤力焉！將來懸壺於世；其患虛勞病者庶幾有救星矣！吾與君別已一載；今因事返保路經母校，適値君行將卒業；故作此以爲紀念耳！

——哈蒞田——

有五姓于氏，魯之牟平人也。性樸直，寡言笑，好學不倦，富於研討。幼時，即潛心醫學，兼好國音古韻等學，曾不憚廿餘年之苦功，追求音韻定理，卒將現在國音之錯誤，一一指出，並發表於平市文藝戰線社刋行之文藝戰線內，即此亦足見其好學之一斑矣。

少元與君居屬同邑；民十六以還，又曾同事；今既同學而復同室，且年亦相若，故於君之品性學業知之最深。君幼讀書，長掌敎，即抱濟世活人之志，故暇輒瀏覽醫籍，診病處方往往得心應手，嘉惠於鄉里士女者，已不可以數計。迨民十七年後，即許身黨國，從事黨務工作，雖無暇爲人診病，但於方脈各書，亦未或釋手。既而對於黨務工作，頗感乏味，頓萌求學之志，乃決然來平。初不知有國醫學院之設，遂入民大之敎育系，及見本院招生，復轉入本院第二年級，其平日之孜孜好學，已爲同學所共見，無庸贅述矣。

今者畢業期屆，行將出而問世，以研究之心得，償素抱之志願，救人救國，君其勿怠！

同學弟楊少元謹言

于有五

于雲五

雲五居山東海陽，余居山東牟平，相距百餘里，初到校時，本不相識，以名字之關係，人皆以爲兄與弟也，洎乎熟識之後，同室相處，同行到校，無時或離也，以吾一日之長，雲五視余猶兄也，雲五天眞爛熳，誠懇可親，余亦視之猶弟也，相處數載，情同兄弟，一旦分袂，能不悵惘，姑書此以作臨別紀念云。

——有五——

華雲尤氏，字劍峯，冀之良鄉人，倜儻，美豐儀，誠翩翩少年也，與余共硯，四載於茲，相遇之情，有如兄弟，民廿一，負笈來平，就學本院，孜孜終日，未嘗少有倦容，中西醫術，雙方并進，就証西醫之科學，以發揚國醫之玄妙，終使理論貫通，不相枘鑿，如尤君者，可謂打消門戶，不存吳越之心者矣，今後勞燕紛飛，後會難期，故誌此以爲紀念云耳。

——古檀王汝燮撰贈——

尤華雲

王汝燮

王君字理民，冀之密雲人，性穎敏豪爽，精明幹練，爲人寡言笑富感情，嘗抱不爲良相，當爲良醫之志，民廿曾涉身仕途，時值變亂相尋，艱辛備嘗，嗣感世途荆棘，人事滄桑，乃憤然改轍而宗歧黃，於是負笈來院，居恒瀏覽東西醫籍，勤求博采，以資攻錯，嘗語人曰：『中國醫學非科學化，必歸天然之淘汰』，故力闢五行空論，重視實驗科學，不護短，不掩非，採西醫之長，發國醫之覆，以君所學，行君所志，摒斥物議，甘任非驢非馬之誚，誠先得我心之同志也。

浩與君每嘆相遇之遲，奈優雲年華，今也相別在邇，雖不免私心黯然，第唐王勃有詩云：『海內存知己，天涯若比鄰』，況吾志同道合，悠悠之心，豈關山所能阻耶，遂欣然而起，續之曰：『酌杯餞國手，且看杏滿林』。

學弟浩觀撰贈一九三六，五，七。

王逖斌

王君逖斌字實愷，浙江紹興人，久居平市因以爲籍焉，孤僻喜靜，寡言笑，勤攻讀，待人守己均至敦厚，每步庭中未曾與人共，喜參自然，今錄其吟一闋，辭旨清絕，詩云：『炎暑值長夏，步月倏四移，綠柳垂裊娜，白雲自逶迤，四時頻代謝，日月遞差池，徘徊悲萱堂，切怛莫我知，聚首共歡顏，不忍悲別離，』可知君襟曠達，稟賦獨厚也，前程遠大，其勉旃！

——冠民——

王國榮

王君國榮，字仁山，山東昌樂人也，性忠厚敦樸，學識淵博，攻習醫學，孜孜不懈，非但中醫綦有心悟，而西醫亦頗有研究，藝識精進，大有一日千里之勢，他日懸壺問世，即不能與扁鵲媲美，亦必爲醫界巨擘焉！

——谷嘉陰——

任君冠民，山西介休人，年弱冠即立志學醫，博覽羣籍，攻讀自勤，師友琢礪，學業孟進，爲人診病，每着手成春，君意猶有未足，復負笈北上，入本院以求深造，予一見之下，即訝其肅穆絕俗，吐囑湛麗，愛慕之心，乃油然生，課餘之暇，過從頗密，始知君邃於學者也，屢以疑難相請益，君皆口講指劃，剖晰毫毛，有茅塞頓開，撥雲見日之樂！顧君虛懷若谷，輙曰：爲學無方，所言未必盡是，殊不足以釋君惑，若有餘憾焉，然寓人皆知君於醫學有九折肱，非淺嘗躁進者所能幾及，一經播傳，致分求醫者日不暇給，君不獲已，姑揍其技，經診治，皆獲回春，見者徒嘆其術之神，殊不知養之有素也，君又熱心公衆事業，屢任本院同學會幹事暨東方快報大衆醫學欄主編，課餘又拜名師求教，其學業超儕輩，復具誠敬律己之精神，同學莫不高其品，羨其學，致敬禮焉，綿上晋士，高賢所棲，豈山岳靈氣盡鍾君身耶?!予得於君者獨多，値此黯然食梅之際，乃書此歸之，雪泥鴻爪，風雨故人，亦久要不忘云爾！

——季勤題於江郎賦別之日——

任冠民

邢樹恩

邢君樹恩，字健如，燕昌平人，余之知友也，心地慈柔，面貌和靄，少年老成，見者稱之，學識淵博，精中究西，他日懸壺問世，定能普濟衆生，今行將判別，聊書此以爲他日雪泥。

——高振家——

二五，四，於北平

李君之向，甘肅寧靜人也，民國廿一年，不遠千里，負笈來平，考入本校，探討醫術，可謂好學之士也，君自入校以來，無論中西醫學，莫不精研窮究，刻苦不倦，將來同籍懸壺，總不爲昔日之和緩，亦必爲今世之良醫也，吾與君同硯四載，情感頗深，行將卒業，各自西東，他日之會，不知何年，故作此以爲紀念云。

——王仁山——

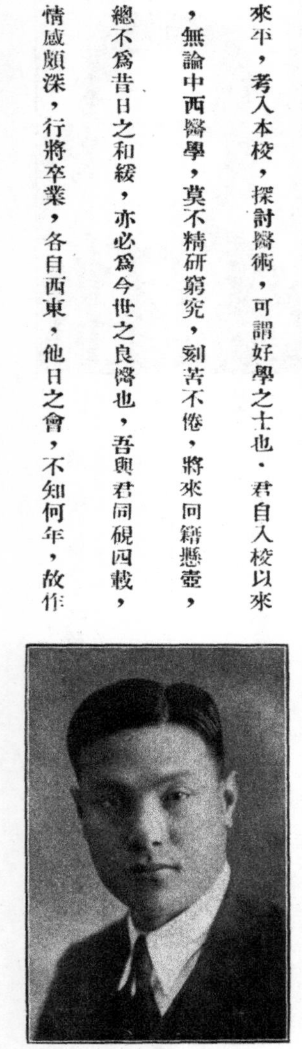

李之向

谷嘉蔭

谷君嘉蔭，字濟生，河北玉田人，少年英俊，聰明實有過人者，觀其書法之雋秀，語言之流利，即可知矣，拙著之國音研究中，有反切語一篇，谷君願學之，余曾告以數語，三五日即能言能聽焉，不有過人之聰明，豈能如此，以谷君之聰明，將來離學校而服務社會，爲人診病處方，決不至有誤，吾敢斷言也，雖然，中國社會不良，環境惡劣，勿將聰明誤用，尤厚望焉。

——有五贈言——

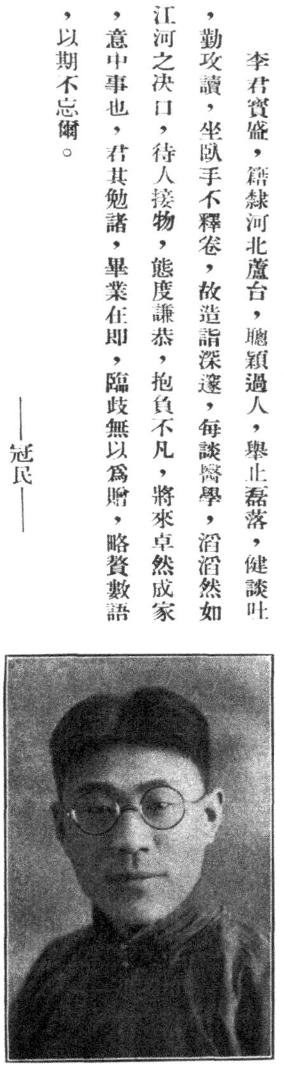

李君寶盛，籍隸河北蘆台，聰穎過人，舉止磊落，健談吐，勤攻讀，坐臥手不釋卷，故造詣深邃，每談醫學，滔滔然如江河之決口，待人接物，態度謙恭，抱負不凡，將來卓然成家，意中事也，君其勉諸，畢業在即，臨歧無以爲贈，略贅數語，以期不忘爾。

——冠民——

李寶盛

何世英

君性沉默。寡言笑。然每與談醫理，娓娓不倦。蓋積學深思之士也。去春應津市考試得冠軍焉。現懸壺津門，以君之學識。再益以經驗。前途遠大不卜可知。君津人也。名中以字行。

——鴻級——

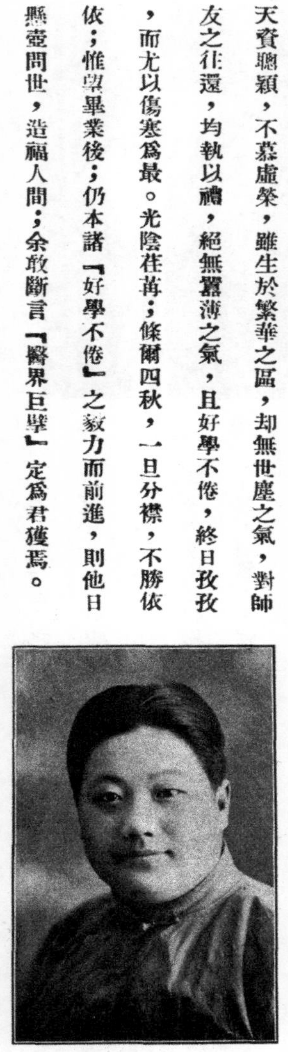

何君修仁，字春山，河北清苑人也，體魁偉，性誠篤，而天資聰穎，不慕虛榮，雖生於繁華之區，却無世塵之氣，對師友之往還，均執以禮，絕無囂薄之氣，且好學不倦，終日孜孜，而尤以傷寒爲最。光陰荏苒，倏爾四秋，一旦分襟，不勝依依；惟望畢業後，仍本諸『好學不倦』之毅力而前進，則他日懸壺問世，造福人間，余敢斷言『醫界巨擘』定爲君獲焉。

——仁山——

何修仁

吳兆祥

吳君兆祥字子禎，冀之滄縣人，先世以耕讀積慶，學術文章，淵源可敘，君賦深情感，嘗攻經史，文藻頗有可觀，倜儻卓犖，慷然有豪氣，民三卒業於警官學校，曾展轉歷任平津警務要職，勳績磊落，超然不羣，然君終以世態炎涼，雅不願爭祿位於公門，亦不願山林終老，其心其志，唯期拯救平民，於是銳心醫道，而於小兒科尤爲登堂入室，發顱顖之秘，運錢乙之方，憂人之憂，樂人之樂，君斯有之，君年長於全班，而品學又爲吾儕冠，故同學輩咸以「哥哥」稱之，浩與君共硯數年，知之深而慕之切，故特爲之敘。

學弟楊浩觀誌於故都

孟君世忱，河北大興籍，係北京匯文書院畢業生，與余昔爲硯弟，今爲衿兄，其爲人也，沈毅剛介，敏而好學，離校後，經英美紙烟公司，聘爲駐鄭城段段長，任事十餘年，以河南匪亂，奉慈命辭職北歸，自辦實業，略獲盈餘，即不再事營謀，仍回復其書生本色，終日手不釋卷，尤喜鑽研醫書，旋更進一步，考入名醫施公今墨所設國醫學院，以求深造，舊日同窗諸友，聞之咸相驚異，蓋因其年逾不惑，恐無此閒適之心也，然孟君以勤奮之故，今竟學成卒業，且將懸壺濟世矣，余欽其好學之勇，立志之堅，敬誌數言，聊示崇羡之意云爾。

中華民國第一丙子五月一日

灤縣老宜謹識

孟世忱

胡憲豐

胡君憲豐，字稔年，吉林長春人，其待人具慷慨之氣，其作事有果敢之能，誠一有膽有識寬宏大量之人也，畢業之後，本其所學，定能濟世活人，造福社會，觀其性格，吾能徵之矣。

——有五——

施君汝棠字召南，浙江蕭山人，敦厚誠樸無時下習氣，其令伯今墨院長，與令尊光致教授，皆當代名醫，故家學淵源，造詣特深，將來造福人羣，光大中醫學術，可預料也，君其勉旃。

——冠民——

施汝棠

徐德惠

徐君德惠，字雨蒼，籍隸北平市，性天真，喜詼諧，一語既出，舉座爲之絕倒，聰穎過人，仿習名人講演，名角唱作惟妙惟肖，同學皆樂與之近焉，其於醫學則中西並重，每發議論，博徵中西學理，源源有據，東方快報大衆醫學週刊常蒙其惠稿，鴻文碩論且使奧義大衆化，甚得讀者歡迎，因之通函求治問病者甚多，君不憚煩，必一一詳覆，余甚嘉其服務之精神，相交至契，常以運用科學方法改進國醫互相期許，今將卒業，此後所學所願均將一一實現，君其勉乎！書此以贈之，冀不忘也。

——冠民於求己書屋——

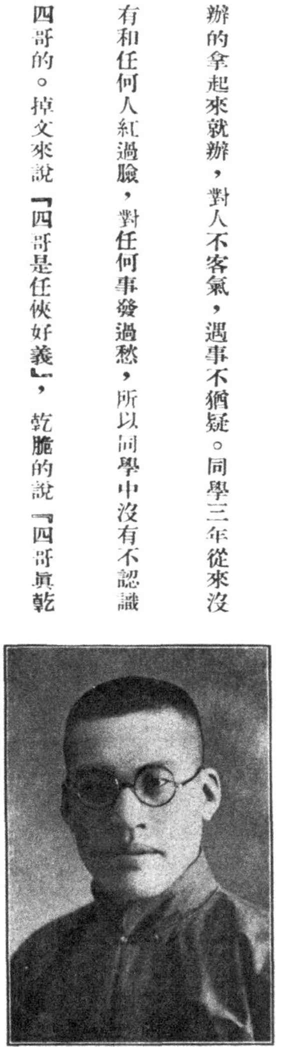

孫魁卿

四哥眞乾脆，無論對誰，該說的拿起來就說，無論何事該辦的拿起來就辦，對人不客氣，遇事不猶疑。同學三年從來沒有和任何人紅過臉，對任何事發過愁，所以同學中沒有不認識四哥的。掉文來說『四哥是任俠好義』，乾脆的說『四哥眞乾脆』！

——貴琳——

馮敬

說起馮小姐來，眞有點令人佩服的地方，大大方方的待人，誠誠懇懇的作事，坦坦當當不拘小節，說起學識來，外科爲其擅長，而小兒及婦科亦頗有研究，將來應世，定能爲我們這倒霉的國醫增光啊！

——康稷——

張玉秀

張君玉秀，河北安次人，少年英俊，忠實好學，在同級中，其年最幼，故皆以老弟呼之，年雖幼而不尚奢華，聰敏樸誠，君其當之無愧，對於醫學，用功不輟，課外餘暇，常與二三知己，研討靈素，於藥物學，尤有心得，將來前途，誠不可限量，今逢畢業之期，聊誌數語，以爲紀念。

——董啓肇——

董啓肇

董君啓肇，北平人也，性甚沈靜，天資聰敏，學問淵博，言論動聽，與朋友交，無虛無僞，言行之間，頗饒果斷之力，此誠鏗鏘磊落之少年也，君之研究醫學，孜孜不倦，不遺餘力，各家方書瀏覽殆盡，一旦出而問世，其能博獲盛名，定可預卜也。

——仁山——

楊君浩觀山東牟平人也，尊翁恕宸，爲海軍名宿，任職北洋艦隊，勳績卓著，君少依膝下，留故都有年，及長，不幸失怙，遂歸故里，而應對進退之節，均須躬行酬酢，不能遠離鄉里，乃從族人楊華亭先生習醫，專心致志，寒暑不稍輟，越二載，學果大進，小試鄉里，往往效如桴鼓，然君未嘗以爲足也，明年乃憤然以家務委之族人，負笈抵滬，入中國醫學院肄業，後以南方飲食不適，遂北歸燕京，翔亦與君共輪北上，此甲戌八月事也，君於中外醫籍，靡不涉獵，而藥物針灸諸科，因得華亭先生之指導，頗得其秘，君居好置書，置必待旦閱，每晨四時即披衣坐讀，雖至隆冬，寒氣逼人，亦未嘗輟也，一若世間至樂，捨典籍無可尋者，豈即古人之所謂奇男子者歟，君性曠達，不拘小節，擅國術，能琵琶，好詼諧，善戲謔，於平淡無奇處，輒能以一言解人頤，殆亦東方生之流亞也，家於養馬島，島間風景秀麗，甲於魯東，暇日叙談，嘗勸一遊其地，惜余以南返期迫，卒卒未果，王勃云：「物華天寶，人傑地靈」，君之明，君之達，豈有得乎山水者耶，翔每念及君言，不禁心響往之矣。

同學弟馬雲翔述于蘇州同里。

楊浩觀

魯延庭

魯君延庭，字文宣，遼寧營口人，性滑稽，喜談笑，舉止大方且具藝術天才，對於音樂圖畫，頗有研究，素蓄志建設影院事業，後感世道炎涼，人心不古，君心爲之轉變，不慕虛榮，追求實際專心向學，瀏覽方書，研究中西醫學，精益求精，對脉學一科，尤多發明，將來出而問世，運用實學，普濟衆生定可預卜也。

——胡憲豐——

聶君澍方，字林圃，北平人也，聰慧儉樸，爲人直爽，自幼即喜研究醫學，考入本院後，更孜孜不倦，對針灸一科，頗有心得，今春應北平市衛生局中醫考試，已被錄取，將來出而懸壺，濟世壽人，敢斷言也，君其勉之！

——谷嘉蔭撰——

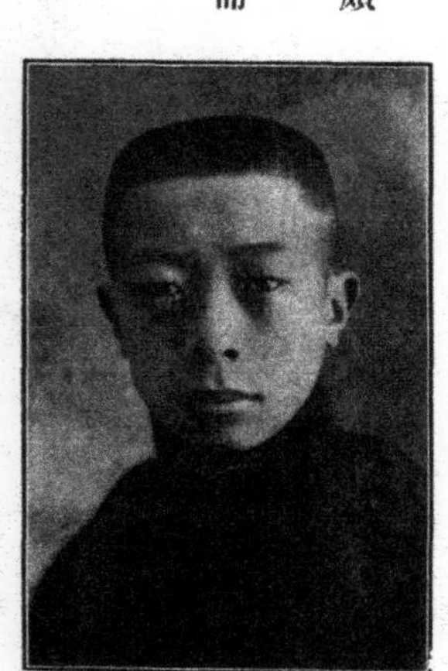

聶澍方

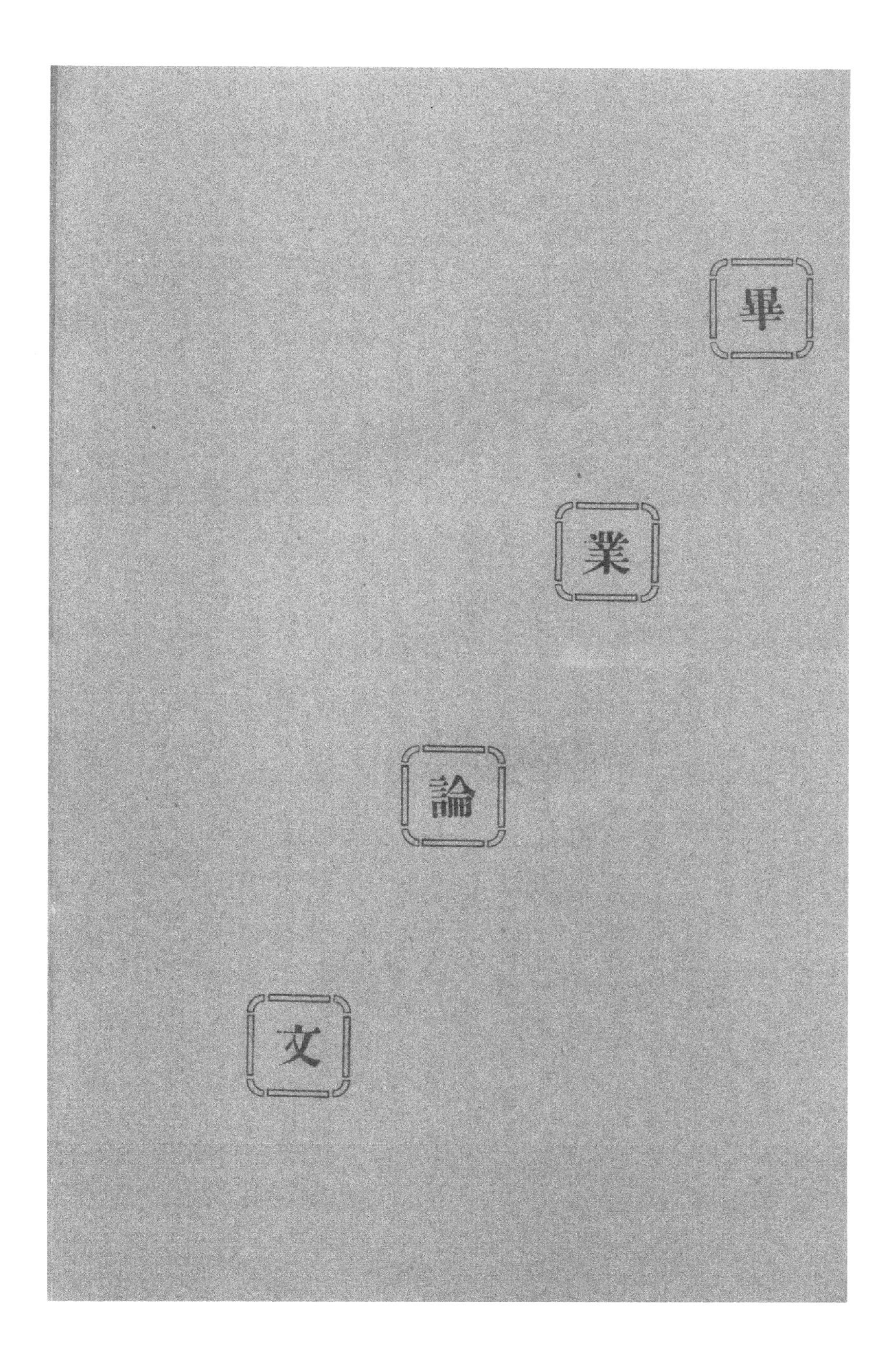
畢
業
論
文

·　白　页　·

虛勞病之研究

（以姓氏筆畫多少爲次序）

丁鶴霄

中醫之始。人皆知之。問之。則曰岐伯著經。神農創藥。至仲聖而集大成。迄今四千餘年。然仲聖以後。其間雖人才輩出。良醫濟濟。論其著述。則汗牛充棟。車載斗量。遞傳至今。猶未見我中醫有何長足之進步。宏偉之發展。且將淪入於淘汰之境，並加以不料學之名詞。于我中醫頭上。總以不科學名之。吾亦非敢自諱。但我中醫不科學處。非診斷上之不科學。非治療上之不科學。所不科學者。僅五運六氣之玄談而已。此等玄談。與醫中有價值之精華。揉雜一起。魚目混珠。使珠玉之寶光。爲沙粒所朦蔽。迄今猶未辨析剷除。是即中醫不科學之點。亦即未得發展之因也。今余以虛勞病之研究一題。闢釋玄談。不從臆說。以事實可證之生理病理現象。論述於後。彰其精華。釋其謬點。思學力苦淺。所得於師友者。未能聞一知二。觸類旁通。拙論是否有當。尙待賢達指正。

虛勞病包括極廣。統而言之。悉屬內傷。內傷者。虧損也。不爲陰虛。即爲陽弱。考陰陽二字。乃我中醫慣用之代名詞。寓意深奧。不背至理。所謂陰者。指津液指血。所謂陽者。指能力指氣。欲明陰之何以虛。陽之何以弱。則當首明氣血之來源與作用。故余於此先將氣血之生理狀態。及其相互之關係。解之於前。繼續將虛勞之原因病理及治療之方法。論之於後。俾閱者諸君較易明瞭耳。血液周流於全身。無時或已。無處不到。其運行之原動力。皆基於心臟之動作而發。心臟收縮。則血液由左心室而出。循大動脉。至身體各部。至毛細血管。移行於靜脉。復因心臟弛張之故。則血液歸於右心房。是謂之大循環。同時血液自右心房入右心室。由右心室上入於肺。肺將血中所含之炭氣呼出。復將養氣吸入。變爲新鮮之動脉血。下流於左心房。而達於左心室。是謂之小循環。中醫未明血液循環乃心臟收縮與弛張之力使然。故曰血之行由於氣之率。至其循環之作用約分爲四項。(一)供給養氣。輸送腸壁所吸收之營養素及內分泌腺所分泌之 Hormone 。於身體各部之組織。(二)吸收二養化炭及廢物。輸送於各排泄器官。使其排出於體外。(三)血液含有免疫物質。可以抗毒及殺菌。(四)調節週身體溫。血液之生理作用既明，今再研究其氣之所由來。氣之一說。在西醫則不講。其所講者爲新陳代謝。吾人臟器之發育。組織之生長。體格之健康。當需一定之營養。所需之營養。皆由於飲料及

虛勞病之研究 二

動植物之食品得來。人體所需之成份。如蛋白質。含水炭素。脂肪。無機鹽類。水份。維他命等。亦即飲食物所含之成份。然何以能使食物中所含之此種成份分解。而使人體吸收之。則不得不恃血液中所供給之養氣以養化之。吾人日常動作一切之消耗。所產生之廢物與炭氣。猶必賴血液之輸送以排洩之。營此種分解營養。及產生廢物之機轉者。西醫則謂之新陳代謝。即中醫所謂之氣化。在新陳代謝時。因其養化分解作用而生熱。同時加以臟腑肌肉之運動。血液之流行。因摩擦而亦生熱。此等熱度在西醫則謂之體溫。中醫則謂之陽氣。由斯可見。新陳代謝之機轉。由於血液循環之供給而發動。血液之滋生。猶藉新陳代謝之作用而始成。二者互爲因果。交相連繫。中醫所謂之陽虛不能生血。陰虛不能潛陽。即斯意也。以上所解。不過爲氣血生理之概要。今再將其病理情形。作進一步之研討如下。

夫虛勞之病。雖屬內傷。然在病勢上觀察。則有輕重之別。輕者爲虛。重者爲勞。虛之病由於氣血虧。勞之成由於虛之極。考其致病之因。大別爲六。有先天之因。有後天之因。有病後之因。有醫藥之因。有境遇之因。有外感之因。所謂先天之因者。乃指父母而言。或年已衰老。或乘勞入房。或病後入房。或妊娠失調。或色慾過度。此皆精血不充。致令所生之子夭弱。受胎之精血既虧。則臟器之根蒂亦弱。故後天易成勞損。如幼多驚風。骨軟行遲。發育不健。面色痿白。讀書善忘。語音不揚。是皆先天不足之徵。宜調護於未病之先。或預服補劑。或節養精血。未可以其無寒無熱。能飲能食。而恃爲無慮也。最可懼者。即父母有結核病。猶易遺傳於胎兒(結核之說詳於後。)所謂後天之因者。不外酒色過勞嗜慾飲食所傷。即內經所云。以酒爲漿。以妄爲常。醉以入房。慾竭其精。耗散其眞。則人之根源。從此而虛損矣。所謂病後之因者。由於病後血氣尙虧。失於調養。以勞動傷其氣。以縱慾損其陰。未幾。五臟俱虛。多致不救。所謂醫藥之因者。本非弱症。反以藥誤而成。或病非因感冒。而重用發散。或稍有停滯。而妄用攻下。或並無裏熱。而概用苦寒。或弱體感邪。未經表解。而患其虛。遂漫用補劑。致邪熱膠固。永不得解。凡此皆能使實者變虛。輕者轉重。切宜深辨。所謂境遇之因者。不外七情。例如鰥寡孤獨之人。悲感奇深，刺激匪淺。或富貴而「驕佚」滋甚。或貧賤而窘迫難堪。斯皆能亂人情志。傷人氣血。醫者當審。施以精神之治療。語言之開導。貧困者。卹之以財物。實醫者之美德也。凡人之七情六慾。其發動咸主宰於腦。無論何情所傷。皆虛其氣血。衰其腦力與神經。不應有如經文所謂喜怒憂思恐。傷心肝肺脾腎。局部臟器之分。所謂外感之因者。語云傷風不醒結成勞。若元氣有餘者。自能抗邪使出。不至爲害。若精血素傷。元氣不足者。則邪易內侵。日久則瘀邪化熱。消爍眞陰。體質羸瘦。骨蒸盜汗。咳嗽痰血。則勞病成矣。此中醫所談勞病之原因也。西醫則不然。中醫所謂之外邪。西醫則謂之細菌。中醫所謂之勞病。西醫則謂之結核。考中醫所以不講細菌者。蓋因我國科學。不甚進步。不能利用器械。化學。動物等之實驗。以輔助醫學之發展。細菌又非目力所能見。故有六氣外邪之說。以爲致病之因。歐西各國。科學倡明。日新月異。百業之振興。咸以科學爲主力。故醫學亦大有進步。例如研究細菌者。有顯微鏡之檢查。化學之染色。培養基之飼育菌苗。動物之試驗。等等方法。以供利用。助其成功。此我中醫之一大缺點。西醫謂勞病之起。先由於虛羸之體。營養缺乏。抵抗力減退。斯際結核菌若被吸入肺臟時。則即蔓延繁殖。將肺部之組織。變爲多數小結節。結節漸漸增大。被細菌侵蝕而破潰。腐爛之組織。隨痰咯出。故痰爲膿性而代血。是謂之肺結核。然結核菌倘有因痰及食物之下嚥。或血液及淋巴之流行。而傳入他臟者。發於胃者。爲胃結核。發於腸者。爲腸結核。發於腎者。爲腎結核。發於骨與淋巴等處者。則謂之骨與淋巴之結核。總觀上解。則西醫之結核症與中醫之勞病。在表面上觀之。似有極大之區別。然若細推其理。與得病後之經過症狀。則二者適相符合。其所不同者。僅名詞上之區別耳。孰知中醫之謂陰虛。即西醫所謂之貧血。或內分泌缺乏。中醫之謂陽虛。即西醫所謂之新陳代謝機能減退。中醫之謂元氣不足。即西醫所謂之抵抗力衰弱。中醫謂勞之成。由虛而損。由損而元氣傷。元氣傷之甚則成勞。西醫則謂之由於營養不良。由不良而致營養素缺乏。由缺乏而抵抗力衰弱。抵抗力衰弱已極則結核病生焉。故中醫有五勞。西醫則有肺結核。胃結核。腸結核。腎結核。肝結核。中醫有乾血勞。西醫則有子宮結核。(但乾血勞不一定皆爲子宮結核。而子宮結核可爲乾血勞之一種。)中醫有瘰癧瘡瘺。西醫則有淋巴腺結核。中醫有乳勞。西醫則有乳腺結核。由是以觀。中醫之勞病。可將西醫之結核病。完全包括於內。其致病之程序。皆爲由輕而重。由虧而損。由虛而成勞。中醫有何症。西醫亦有何症。病名對立。適相吻合。病原既如上述。今再將其症狀論之於下。

虛勞見症。首由虛起。虛有氣血之辨。症有陰陽之別。陰虛之症。爲燥煩。內熱。舌乾。苔膩。口渴。大便秘結。小便短赤。驚悸。怔忡。盜汗。少寐。頭暈。健忘。納穀無味。脉洪大而數。男子則夢遺滑精。女子則經期趕前。白帶

虛勞病之研究　四

漏下。以上諸症。證之於西醫。則爲貧血內分泌缺乏。及腦神經衰弱症。夫吾人之思想動作。七情六慾。興奮制止等作用。皆係神精之支配。而神精之主宰。則又統之於腦。腦必賴血液之營養。而始能施其功能。故氣血充足之人。則腦力健全。神精不失常軌。若一經貧血。或七精不節。則腦神經直接受其影響。遂發爲驚悸。少寐。頭暈。健忘。遺精。盜汗等衰弱現象矣。中醫未闇是理。以腦之作用。誤認爲心之作用。腦神經衰弱之症。咸歸之於心。故內經曰。心者君主之官。神明出焉。由此益見中醫之陰虛虧血症內。必包括有腦神經衰弱症矣。陽虛之症。爲無熱畏寒。舌潤無苔。口不渴。大便溏泄。小便清白。自汗厥逆。肢軟倦怠。嘔痢腹痛。食慾不振。脉沉細而遲。男子則陽痿精冷。女子則經期錯後。久不受孕。以上諸症。証之於西醫。則爲新陳代謝機能減退。及營養不良無力生血症。此外尙有五臟之虛。如心虛者驚悸。肝虛者痛眩。脾虛者吐泄。(脾指消化器。)肺虛者喘咳。腎虛者腰痛。小便不禁。(腎乃泌尿器。)其所顯之症狀。皆係各臟所司之病變。而病變之發生。又不得不歸究於氣血之虧耗。營養之缺乏耳。故氣血之虛。可爲他臟虛弱之總因。他臟之限局症。在氣血不足之全身症中。亦盡包括之。勞病症象。則甚於虛。因勞之成。由於虛之極。語云。百病乘虛而入。既云乘虛而入。當係外界有一種致病之因素。乘虛之時。抵抗力薄弱之際。侵入人體。此種因素。中醫謂之外邪。所謂風、寒、暑、濕、燥、火是也。西醫謂之細菌。結核構病之始。即勞病初成之期。中醫謂爲瘀邪化熱。煎爍精液。此時體質日漸羸瘦。氣血遞被剝奪。正氣虧損。精神倦怠。飲食減少。口乾咽燥。自汗盜汗。骨蒸煩熱。是等見症。勞病已成。然此不過爲勞病一般之症象。並非局部特有之症象。及至熱盛精竭。血絡受傷。並可現有出血症。而出血症之由來。西醫謂由於結核病竈潰後。創面細血管破裂。血液即由破裂處所滲出(出血之來源。視結核位於何臟。而定病名。)病既到此出血程度。則細菌之毒力可知矣。臟器之完整不保。生命之安危可慮。今將各種勞病之症狀。分而論之於次。以玆研討。

肺勞症狀。咳嗽咯血。或爲塊。或爲絲。與膿性或粘液性痰混出。味多醒臭。咯血日久。則肺部病竈即成空洞。因肺臟無感覺。雖已形成空洞。亦可無痛感。但病在淺表時。有時因咳嗽。亦可牽引肋膜神經痛。呼吸困難。氣短音低。此因空洞愈大。肺之吸入氣量愈少。氣量愈少。則養氣之供給不足。故不得不頻速呼吸。以代償不足之需。所以氣益顯短促也。同時並有脈搏細數。過午發熱。面白顴赤。盜汗羸瘦等症。此種肺勞。最爲常見。猶以三十歲以上之青年人爲多。

腸勞症狀。下痢腹痛壓痛。發熱盜汗。肌肉痿黃而消瘦。下痢次數並不頻繁。但甚頑固。多發生於鷄鳴時。中醫又曰鷄鳴瀉。呈所謂完穀下痢。常混有血液及濃汁。(且能檢查有結核菌之存在。)

腎勞症狀。腰部微痛尿血。尿內或有濃汁色混濁。身微熱。他種現象。倘不著明

瘰癧症狀。林巴腺結聚成核。累累如貫珠。或生於頸。或生於腋。初如豆粒。後如梅李。憎寒狀熱。咽項强痛。遷延日久。虛症俱現。變爲瘡勞。

乳勞症狀。乳中結核。小如栗子。大如胡桃。堅硬疼痛。根形散漫。串延胸肋腋下。其色或紫或黑。未潰先腐。外皮黴點。爛班數處。漸漸潰破。輕流白汁。重流臭水。即敗漿膿也。日久潰瘍。傷及深層。內病漸增。如午後煩熱。骨蒸盜汗。乾咳顴赤。形瘦食減等陰虛證。此時乳勞已成。則難治矣。

乾血勞症狀。婦人經閉不行。日久即成血勞。乾血勞爲婦科重症。其原因與上節所論一般勞病之原因。復有不同。故於此處另述之。本病原因甚爲複雜。總之可分二因。一爲全身之病變。月經受其影響。致經閉而不行。如因肺勞貧血萎黃病等之全身衰弱而起者有之。又精神之感動。因驚怖悲哀等。而經行突然閉止者亦有之。有時以衄血咯血痔疾創面等之出血。準一定時而來以代月經者。曰代償出血。一爲子宮本身之疾患。致經閉不行者。如子宮結核等症是也。上述之幾種勞病。除乾血勞有受全身虛弱之關係外。其他蓋皆爲結核菌之使然。但中醫中倘心勞肝勞之說。而在西醫則非結核病也。因心臟乃司血液循環之器官。血液流過往返其中。不適宜細菌生活之條件。且血中有殺菌之能力。故心臟無結核病。再觀中醫論心勞症狀者。亦爲驚悸。怔忡。盜汗。夢遺。健忘等症。與陰虛見症盡同。肝臟在西醫並非絕對無結核之可能。如肝硬變亦有因結核而成者。因肝爲實質之臟器。居於右季肋部裏層。非若肺之呼吸。胃腸之納飲食。可與外界細菌直接相抵觸也。故肝極不易有結核病。考肝之功用。不過分泌胆汁儲於胆囊。以備胃腸之消化。儲蓄肝糖。以供體內之消耗。而中醫之論肝者。則又神矣。肝屬木。肝主筋。肝行氣。肝司目。等等謬說。臆造而出。所以言肝之勞者。眼目之疾。神經之患。悉歸罪於肝。中醫之不科學處。亦實此類學說有以害之也。深望研究中醫之同志。注視斯

點。努力革新。發鬱明闇。光大固有之精華。增加正確之心得。則中醫之振興。可期而待矣。

治虛勞之症。首當知其禁忌。然後用藥庶不致誤。虛勞本係虧損不足之症。故用藥當以滋補榮養。增液益精。扶正培元爲目的。病傷於陰者。治宜甘寒。使陰回則津復。津復則熱自退。病傷於陽者。治宜甘溫，俾陽回則氣充。氣充則液自生，萬不可投以燥烈苦寒伐氣之品。助傷津液。剝奪正氣。致虛者愈損。勞者倍傷。促斃之道也。蓋虛勞之痰。由火逆而水泛。非二陳平胃縮砂等所開之痰。虛勞之火。因陰虛而火動。非黃栢芩連梔子等所清之火。虛勞之氣。由肺薄而氣窒。非青皮枳香蘇子等所利之氣。至於飲食所禁。亦同藥餌。胃弱忌用茴椒。煩渴少貪生冷。氣滯勿食辛辣。禁忌如此。治法列後。以下俱係古今成方。診病施用。因症加減。當有桴鼓之效。

人參養榮湯　治脾肺氣虛。營血不足。驚悸。健忘。盜汗。發熱。食少無味。身倦肌瘦。色枯氣短。毛髮脫落。小便赤澀。潮熱等症。

人參　白朮　黃耆　甘草　陳皮　桂心　當歸　熟地　五味子　雲茯苓　遠志　生薑　大棗

十四味建中湯　治榮衛失調。血不足。積勞虛損。體羸氣短。

當歸　白芍　白朮　寸冬　甘草　黃耆　半夏　人參　川芎　肉蓯蓉　肉桂　附子　苓茯　熟地　生薑　大棗

補中益氣湯　治氣虛陰虧。

黃芪　人參　甘草　歸身　橘皮　升蔴　柴胡　白朮　生薑　大棗

十全大補湯　治諸虛百損。五勞七傷。

人參　熟地　黃耆　白朮　當歸　白芍　肉桂　川芎　茯苓　甘草

十補丸　治氣血大虧之症

黃耆　白朮　萸肉　杜仲　續斷　棗仁　熟地　龍骨　人參　當歸　白芍　遠志

茯苓　山藥　五味子　研末蜜丸

七福飲　治心血虛而驚悸者。

人參　熟地　當歸　棗仁　白朮　甘草　遠志

四物湯　治一切失血體虛。或血虛發熱。

熟地　當歸　白芍　川芎

生脉散　治元氣虧損。肢體倦怠。氣短懶言。津液枯涸。脉微細者。

人參　麥冬　五味子

生地黃煎　治陰火盜汗

生地　當陽　黃耆　麻黃根　浮小麥　甘草　黃連　黃芩　黃栢

甘露飲　治血虛胃熱

枇杷葉　生地　熟地　天冬　麥冬　石斛　黃芩　甘草　枳殼

本事鱉甲丸　治勞嗽及鼻流清涕耳作蟬鳴眼見黑花一切虛症

鱉甲　地骨皮　五味子　研末蜜丸

定志安神丸　治心惕不臥

茯苓　茯神　人參　遠志　石菖蒲　龍骨　研末蜜丸　辰砂爲衣

洋參麥冬湯　治心經虛熱而痛

洋參　麥冬　當歸　生地　白芍　丹參　釵石斛　犀角　甘艸

秘旨安神丸　治驚悸神魂失守

人參　棗仁　茯神　半夏　當歸　白芍　橘紅　五味子　炙艸　研末蜜丸

茯神湯　治血極虛熱

茯神　人參　遠志　通草　麥冬　黃耆　桔梗　甘草

參苓建中湯　治潮熱

人參　茯苓　當歸　白芍　肉桂　甘草　前胡　細辛　麥冬　陳皮　半夏

清火滋陰湯　滋陰清火平虛熱

天冬　麥冬　生地　丹皮　赤芍　梔子　黃連　山藥　山萸肉　澤瀉　甘草　赤苓

麥門冬湯　治脈數極氣衰血焦

麥冬　人參　遠志　黃芩　生地　茯神　石膏　甘艸

琥珀定志丸　治思慮恐懼神志不安

琥珀　南星　人乳　人參　茯苓　茯神　硃砂　菖蒲　遠志　研末蜜丸

黃耆建中湯　治虛勞裏急諸不足

黃耆　芍藥　桂枝　甘艸　生薑　大棗　膠飴

滋補養榮湯　補肝血治筋極

遠志　白芍　黃耆　白朮　熟地　人參　五味　川芎　當歸　山藥　陳皮　茯苓　生地

萸肉

當歸補血湯　治諸血症

當歸　荊芥穗　生地　熟地　川芎　赤芍　黃耆　陳皮　大棗　烏棗

遠志飲　治心血虧損虛寒症

遠志　茯神　官桂　人參　酸棗仁　黃耆　當歸　甘艸

酸棗仁湯　治虛勞虛煩不得眠

棗仁　甘艸　知母　茯苓　川芎

獨參湯　治元氣虛弱

上等人參

歸脾湯　養血安神

人參　白朮　當歸　白芍　棗仁　黃耆　遠志　甘艸　龍眼肉

歸芍六君子湯　治氣血不足脾胃虛弱

當歸　白芍　人參　冬朮　茯苓　半夏　甘艸　陳皮

六味地黃丸　治腎水不足虛火上炎腰膝痿軟遺精夢洩

熟地　萸肉　山藥　丹皮　澤瀉　茯苓　研末蜜丸

附子理中湯　治脾胃虛寒

附子　乾薑　白朮　人參　甘艸　吳萸　肉桂　當歸　陳皮　厚朴

理中湯　治中焦脾胃虛寒兼治傷胃吐血

人參　甘草　白朮　乾薑

參附湯　治陰陽氣血暴脫

人參　附子　生薑　大棗

固精丸　補肝腎治色慾勞傷

黃栢　知母　牡蠣　芡實　蓮鬚　茯苓　遠志　龍骨　山萸肉　研末蜜丸

白龍丸　固精壯陽治房勞

鹿角霜　牡蠣　生龍骨　研末酒煮米糊和丸

巴戟丸　戢陽上汗斂精氣補眞元治肝腎兩虛

巴戟　白朮　五味　茴香　熟地　肉蓯蓉　人參　覆盆子　菟絲子　牡蠣　益智　龍骨

研末蜜丸

芡實丸　治色慾傷之陽虛者

芡實　蓮鬚　萸肉　蒺藜　覆盆子　龍骨　研末蜜丸

金剛丸　治腎虛骨痿

萆薢　杜仲　肉蓯蓉　菟絲子　研末酒煮猪腰子搗和丸

鹿角丸　治氣血衰憊骨虛脊痛

鹿角　牛膝　研末蜜丸

鹿胎丸　治色慾過度

鹿胎熟地　枸杞子　菟絲子　何首烏　金石斛　巴戟天　黃耆　人參　研末蜜丸

黃耆丸　功用補虛退熱潤燥

黃耆　麥冬　茯神　柴胡　甘草　生地　棗仁　郁李仁　杏仁　枸杞子　人參　黃芩

百合　枳殼　赤芍　知母　秦艽　鱉甲　研末蜜丸

清骨散　治骨蒸勞熱

柴胡　胡連　秦艽　鱉甲　地骨皮　青蒿　知母　甘草

青蒿鱉甲煎丸　治骨蒸勞熱

青蒿　鱉甲　柴胡　甘草　杏仁　桔梗　當歸　人參　地骨皮　赤芍　胡連　宣連

煎膏爲丸

河車丸　治骨蒸

河車　秋石　五味子　人參　乳粉　阿膠　鱉甲　地骨皮　人中白　柴胡　研末　用百部

青蒿　童便　陳酒　熬膏爲丸

知柏八味丸　治勞熱骨蒸虛煩盜汗

知母　黃栢　熟地　萸肉　山藥　丹皮　茯苓　澤瀉　研末蜜丸

柴胡散　治婦人骨蒸勞熱

柴胡　桑白皮　麥冬　赤苓　甘草　大黃　枳殼　百合　秦艽　紫菀　黃芩　赤芍

知母　木通　鱉甲　半夏　研細末

養榮湯　治婦人血海虛弱

白芍　川芎　熟地　姜黃　當歸　川姜　青橘皮　五加皮　海桐皮　白芷

鱉甲丸　治骨蒸勞熱經水不通

鱉甲　土瓜根　桂心　京三稜　丹皮　牛膝　大黃　訶子皮　琥珀　桃仁　研末蜜丸

加味逍遙散　治肝脾血虛嗜臥盜汗

歸身　白芍　茯苓　白朮　柴胡　甘草　丹皮　山梔　香附

牡丹湯　功用通經活血治婦人骨蒸經閉瘦弱

丹皮　桂木通　白芍　土瓜根　鱉甲　桃仁

澤蘭湯　治婦女血乾經閉肌肉羸瘦

澤蘭葉　當歸　白芍　甘草

益母勝金丹　調經行血

砂仁拌熟地　酒蒸當歸　酒蒸茺蔚子　土杭芍　酒香附　酒白朮　酒川芎　酒丹參

益母草　研末蜜丸

大黃䗪蟲丸　主治五勞虛極羸瘦婦人乾血勞症

大黃　䗪蟲　黃芩　甘草　桃仁　杏仁　芍藥　乾漆　虻蟲　乾地黃　水蛭

蠐螬　研末蜜丸

嘉禾散　治脾胃不和

茯苓　砂仁　苡仁　枇杷葉　人參　白豆蔻　桑白皮　檳榔　青皮　麥芽　五味子

沉香　杜仲　丁香　藿香　隨風子　石斛　半夏　大腹皮　木香　甘草　陳皮　神麯

八珍湯　治陰虛內熱脾胃虧損肌肉消瘦

當歸　川芎　白芍　熟地　人參　白朮　茯苓　甘草　生薑　紅棗

六君子湯　主治脾胃虛弱不能運化胸滿腹脹大便溏泄

人參　白朮　茯苓　甘草　半夏　陳皮

小甘露飲　治脾勞實熱咽喉腫痛

黃芩　升麻　茵陳　梔子仁　桔梗　生地　石斛　甘草　生薑

羊腎丸　治腎勞

熟地　杜仲　菟絲子　石斛　黃耆　續斷　肉桂　磁石　牛膝　沉香　五加皮　山藥

研末用雄羊腎兩對酒糊爲丸

金匱腎氣丸　治虛勞腰痛

熟地　山藥　山萸肉　茯苓　丹皮　澤瀉　附子　桂枝　研末蜜丸

月華丸　滋陰保肺專治肺勞

天冬　麥冬　生地　熟地　山藥　百部　沙參　川貝　阿膠　茯苓　獺肝　廣三七

研末蜜丸

保和湯　治肺勞欬嗽嘔吐膿血

知母　貝母　天冬　麥冬　款冬花　天花粉　苡仁　五味子　馬兜鈴　紫苑　百合　阿膠

當歸　百部　甘艸　紫蘇　薄荷　桑白皮　生薑　若吐血或痰中帶血加生地　藕節　蒲黃　小薊

紫菀散　治欬中有血虛勞肺病

紫菀　人參　茯苓　知母　桔梗　阿膠　川貝　五味　甘艸

金沸艸散　治肺感風寒咳嗽熱盛

金沸艸　麻黃　前胡　荊芥穗　甘艸　半夏　赤芍　研細末生薑湯送下

百合固金湯　功用補肺滋腎治喘咳痰血症

百合　芍藥　當歸　貝母　生甘草　生地　熟地　麥冬　玄參　桔梗

蔞貝散　治乳勞初起氣血充實者

瓜蔞　貝母　天南星　生甘艸　連翹　水煎加酒少許

神效瓜蔞散　治乳癰嬭勞

大瓜蔞　當歸　生甘草　乳香　沒藥　研末酒送

內消瘰癧丸　治瘰癧

夏枯草　玄參　青鹽　海藻　貝母　薄荷　天花粉　海帶　白蘞　連翹　熟大黃　生甘草

生地　桔梗　枳殼　當歸　硝石　研末酒糊丸

瘰癧膏　治瘰癧

金線鉤蝦蟆　蓖麻子仁　商陸(各四兩)　天南星　半夏　露蜂房　防風　蛇蛻(各二兩)　大黃

土木鱉　穿山甲　番木鼈　射干　川烏　草烏　枳殼　當歸　紅花　白芷　殭蠶　紫花地

丁　紫背天葵(各一兩)　活雄鼠　乾蟾(各一個)　芫花(一兩三錢)　巴豆肉　急性子(各五錢)

鯽魚(四尾)　用麻油三斤浸七日熬枯去渣復入淨鍋內　熬至滴水成珠秤熟油一斤入銀硃八兩收之成膏再下淨黃蠟

八兩再下乳香沒藥血竭兒茶各五錢麝香二錢潮腦二兩研細末同前藥攪勻收膏攤厚貼之

關於病原病理。研究頗見精細。足徵平日用功深有心得。若再精進不懈。前途大有希望。勉之爲要。

王仲哲評閱

●胎兒男女性之診斷法

楊浩觀

普通一般醫士診斷腹內胎兒男女的方法，完全是根據在胎婦腹部所聽得胎兒心跳次數而定的，這種也不過是由經驗得來的一種猜度方法，胎兒在腹內要是心跳的較慢，——在每分鐘一百二十次左右，這胎兒大半是男的；如果胎兒的心跳每分鐘在一百四十次左右，這大半是女的。

●治疰夏方

楊浩觀

有人一交夏令，便頭暈頭脹，胃納大減，作事厭倦精神痿靡，此即俗所謂注夏也，可以拘杞子，五味子等分研細滾水泡封三日，代茶飲之，自不注夏，其應如響。

●釋白通加豬胆汁湯用胆汁之理由

楊浩觀

據H. Langecker氏，曾發表胆酸對於胃腸吸收之影響一論文，謂：某種內服不現作用，或作用微弱之藥品，混胆酸而現其作用，或作用增強云云，果爾，則仲景白通加豬胆汁湯用胆汁之意，爲欲增加白通湯効，非如成無已所謂，胆苦入心而通脈，胆寒入肝而和陰，引湯藥使不被拒格等之謬說也。

傷寒百十三方證藥略解

于有五

緒言

傷寒論一書，中醫奉爲聖經，西醫引爲參考，誠一有價值之書也。余嘗取以熟讀，加以精思，覺其中之論證處方，雖根據古聖人之傳授，與古遺方之經驗，而其大而化之神而明之之處，非物格而後知至者，何能至此耶。其論三陰三陽也，無非指人之用能與體質，而分寒熱虛實與表裏邪正而言也。用能消失，屬熱屬實，屬表屬邪，三陽之病也。用藥以恢復其用能，而病自愈。體質損傷，屬寒屬虛，屬裏屬正，三陰之病也。用藥以健全其體質，病亦自愈。果能大用外腓，眞體內充，則陰陽俱無病矣。觀其臨床之際，見有此證，即用此方，如用此方，即用此藥，因病下藥，藥必對證，絲絲入扣，毫釐莫爽也。若不了解生理之構造，病理之起因，又焉有此明確之診斷，妥善之處方與用藥耶。其論證既莫不根據生理病理，而予以明確之診斷。其用藥又莫不視組織中應有之成分，何者太過，何者不及，取藥物之成分，加適當之配合，以補益之，或分解之，務使中和而後已。雖當時無科學之名，而考其實際，與今日之科學，則有若合符節焉。故吾謂傷寒論一書，誠一有價值之書也。謂爲生理學可，謂爲病理學亦可，謂爲診斷學可，謂爲方劑學亦無不可。惜遺稿殘缺不全，後世註家多所攙雜及附會，令人懷疑之處，在所不免也。玆將書中一百一十三方，及其主治之證，與所用之藥，逐條列後，並參考各家，附以簡明之解釋焉。如遇各家缺疑及含糊之處，管見所及，亦不敢私也。

桂枝湯　治頭疼發熱汗出惡風脈浮緩者。

桂枝（三兩去皮）　芍藥（三兩）　甘草（二兩炙）　生薑（三兩切）　大棗（十二枚擘）

汗出是散溫機能亢盛而不衰減。汗出而仍發熱，則知體溫之來源多於去路，是造溫機能亦有相當之亢盛也。此殆因造溫之神經中樞受刺激而興奮所致。體溫之來源多，且淺層動脉不收縮，故不惡寒。汗出而肌腠疏，故惡風。淺層動脉雖亦充血，然血管之神經，則隨皮膚汗腺同時弛緩，故脉緩而不緊。

桂枝內含揮發油及鞣酸，其氣香能刺激神經，其味酸有收斂之性，本方用之即攝斂淺層動脈之神經弛緩，此藥有補助心臟之作用，治上衝證，最爲有效。芍藥內含安息香酸及樹脂[illegible]酸等質，有行氣血與收斂之效，能緩和組織神經之攣急，並助組織之吸收。甘草內含葡萄糖，甘草糖，澱粉，樹脂，天門冬素，及蛋白質等，係鉀與鈣及甘草酸化合而成，性最中和，佐退熱藥，有淸火生津消腫之效，佐止嗽藥，有潤膜生涎化痰之力，佐瀉劑有滑腸助瀉之功，與止痛藥並用，則有和緩神經減痛之能，藥徵以爲主治急迫，即謂其性和緩也。生薑內含揮發油與一種香脂及澱紛等質，爲驅風健胃之劑，並降水毒之上逆。大棗含糖質甚多，有協芍藥以舒急攣之功。

桂枝加葛根湯　治太陽病項背強几几，反汗出惡風者。

桂枝(三兩去皮)　芍藥(二兩)　甘草(三兩炙)　生薑(三兩切)　大棗(十二枚擘)　葛根(四兩)

太陽病汗出惡風，即桂枝湯證也。因見項背強几几，故加以葛根。項背強，是因肌肉神經拘急也。肌肉神經拘急，是因津液不達，失其營養也。津液不達，而獨見於項背，是因項背神經稀少，故最易感受津液缺乏也。葛根內含澱粉最多，有發汗淸涼解熱之功，並能攝取消化器官之營養液，外輸於肌肉，故治項背強急也。

桂枝加附子湯　治太陽發汗，遂漏不止，其人惡風，小便難，四肢微急，難以屈伸者。

桂枝(三兩去皮)　芍藥(三兩)　甘草(二兩炙)　生薑(三兩切)　大棗(十二枚擘)

附子(一枚炮去皮破八片)

汗漏不止，是發汗太過，或藥不對證也。汗出太過，血漿被分泌過多，體內營養液因而不足，所謂傷津是也。體溫放散過多，細胞之生活力因而衰減，所謂亡陽是也。津傷而陽不亡，津能再生，陽亡津即不傷，津亦無以後繼，故治病不患津之傷，而患陽之亡，附子即所以回陽也。其人惡風，桂枝證仍在也，小便難，是因水分盡泄於皮膚，故無以下泄於膀胱也。四肢微急難以屈伸，是因體溫降低，津液缺乏，四肢之運動神經失養，亡陽之證也。附子辛溫大熱，其性善走，爲興奮強壯劑，能興奮全身細胞之生活力，起機能之衰弱，救體溫之低落。本方以桂枝湯暢血運，斂汗漏，以附子恢復細胞之生活力，正所以回陽也。

桂枝去芍藥湯　治太陽病下之後脉促胸滿者。

桂枝（三兩去皮）　甘草（二兩炙）　生薑（三兩切）　大棗（十二枚擘）

下之，是誤下之也。脉促，是心臟衰弱，張縮因有間歇也。胸滿，是胸部充血而無拘急之證，較結胸痞硬爲輕，變壞不甚也。

芍藥能緩和組織神經之拘攣，桂枝湯去芍藥，即治桂枝湯證而不拘攣者。

桂枝去芍藥加附子湯　治同前而微惡寒者。

桂枝（三兩去皮）　甘草（二兩炙）　生薑（三兩切）　大棗（十二枚擘）　附子（一枚炮去皮破八片）

微惡寒者，是造溫機能衰減也

桂枝湯去芍藥加附子，是治桂枝去芍藥湯證而惡寒者，亦即桂枝湯証不拘攣而惡寒者。

麻黃湯　治太陽病，頭痛發熱，身疼腰痛，骨節疼痛，惡風，無汗而喘者。

麻黃（三兩去節）　桂枝（二兩去皮）　甘草（一兩炙）　杏仁（七十個去皮尖）

太陽傷寒，乃散溫機能衰減之病也。頭部充血，三叉神經受壓迫，故頭痛。身疼腰痛，骨節疼痛，均是神經痛，其原因全因無汗而熱不退也。惡風亦即惡寒也。吸養排炭，以肺爲主，而皮膚副之，散溫泄水，以皮膚爲主，而肺副之，肺與皮膚，爲相助爲用之器官，一方失職，當然他方要起而代救，此無汗之所以喘也。

麻黃內含愛泛特林，爲發汗利尿之要藥，其作用能收縮內臟之血管，使血液轉輸於外，故外部皮下之微血管，被刺激而放大，汗腺之分泌因而增多，枝氣管之抽搐，因刺激而鬆弛，故能平喘。桂枝能解肌，其性是向上向外，故麻黃治表熱，必協桂枝以達放散體溫之目的，若排泄水毒，即不協桂枝矣。杏仁含有一種醱酵素，入於血中，能刺激大腦，麻醉全身，肺臟神經亦被麻木，故能制止咳喘。甘草性和緩，主治急迫也。

桂枝麻黃各半湯　治太陽病，得之八九日，如瘧狀，發熱惡寒，熱多寒少，其人不嘔，清便欲自可，一日二三度發，脉微緩者，爲欲愈也，脈微而惡寒者，此陰陽俱虛，不可更發汗更吐更下也，面色反有熱色者，未欲解也，以其不能得小汗出，身必癢，此湯主之。

桂枝(一兩十六銖去皮)　芍藥　生薑(切)　甘草(炙)　麻黃(各一兩去節)　大棗(四枚擘)

杏仁(二十四枚湯浸去皮尖及兩仁者)

動脈血管有兩種神經，一司擴張，一司收縮。太陽病之始，淺層動脈收縮而不擴張者，爲傷寒。擴張而不收縮者，爲中風。其後兩種神經交互興奮，則血管時而擴張，時而收縮。當其擴張時，熱血達表，則不惡寒而但發熱，當其收縮時，肌表不得血，則復惡寒，是即寒熱往來之少陽病。今得病八九日，如瘧狀，發熱惡寒，則似少陽証，然少陽當有嘔証，其人不嘔，非少陽也明矣。太陽病亦有遥傳陽明者，然陽明當惡熱，今則惡寒，陽明當有裏証，今則清便自可，亦非陽明也。此蓋桂枝證經日失治，故八九日尚未愈也。脉微脉緩，是氣血不復外趨於肌表。氣血不外趨，即太陽不復病，故爲欲愈。脉微而惡寒，由於體溫不足也。體溫不足，心臟亦必衰弱。心臟衰弱，其血必少。血少爲陰虛。體溫不足爲陽虛，陰陽俱虛，即不可發汗吐下也。面有熱色，是因汗液停於汗腺之末梢，未能排出皮膚，故有鬱積之熱，並令皮下作癢也。

桂枝麻黃各半湯，治桂枝湯麻黃湯二證相半者。

桂枝二麻黃一湯　治太陽形如瘧，日再發，汗出必解。

桂枝(一兩十七銖去皮)　芍藥(一兩六銖)　麻黃(十六銖去節)　生薑(一兩六銖切)　杏仁(十六個去皮尖)　甘草(一兩二銖炙)　大棗(五枚擘)

服桂枝湯，大汗出，脉洪大者，與桂枝湯。若形如瘧，一日再發者，汗出必解，宜桂枝二麻黃一湯。得之於大汗之後，桂枝證多於麻黃證，此無庸疑。大汗之後而形如瘧，則淺層血管乍張乍縮，當其縮時，必復閉汗，故仍用麻黃以發之。

白虎湯　治壯熱汗出，不惡寒，反惡熱，脉洪大滑數，脣舌乾燥，煩渴欲引冷者。

知母(六兩)　石膏(一斤碎綿裹)　甘草(二兩炙)　粳米(六合)

太陽病發熱不已，是造溫機能亢盛也。亢盛達到極點，皮膚雖儘量放散，亦不能與造溫相抵，此所以汗出雖多，而身仍壯熱也。心房之張縮強而速，故脉洪而數。淺層動脉擴張，使熱血達於肌表，以放散體溫，故脉大而滑。津液傷，唾腺粘膜不能如常分泌，故唇舌乾燥而渴。臟腑受高溫薰蒸，故煩。心下痞硬，則是因胃機能衰弱也。石膏味澀性斂，係硫酸鈣之含水結晶體，有收縮胃膜腺，中和胃酸，及下抑衝氣，不使血騰之能。以清水浸一夜，粉俱沉澱，水仍澄清，則味覺殮澀，醫藥所用之石膏，是取其鈣酸，鈣可以純水浸出也。所謂石膏不溶於水，是其硫酸成分不溶解也。發熱為肌肉細胞脉管血液等酸化太多，過度沸騰，津液開放，汗腺分泌，利用石膏之澀性，以息其沸騰降其高溫，故汗止熱退也。佐以知母之苦，以使其降，甘草之甘，以緩其勢，粳米之和，以養其液，使石膏澀性不能偏勝，引而歸於中和也。

白虎加人參湯　治白虎湯證而心下痞硬者。

石膏（一斤碎綿裹）　知母（六兩）　甘草（二兩炙）　粳米（六合）　人參（三兩）

心下痞硬，是因胃機能衰弱也。

人參含有一種巴那規倫，味甘且苦，治胃弱痞硬，及新陳代謝機能之衰減為主要目的。食慾不振，惡心嘔吐，消化不良，下利等症，為次要效用。除此而外用之必有害。

桂枝二越婢一湯　治太陽，發熱惡寒，熱多寒少，脉微弱者，此無陽也，不可發汗，此湯主之。

桂枝（去皮）　芍藥　麻黃　甘草（各十八銖炙）　大棗（四枚擘）　生薑（一兩二銖切）　石膏（二十四銖碎綿裹）

發熱惡寒，熱多寒少，若其脉浮緊，可以麻黃湯發其汗也。今脉見微弱，是機能衰減見於肌表，決不似淺層動脉血液充盈，脉現浮象之發汗証也。所謂無陽，即肌表機能不見亢盛也。

此湯清疎營衛，令待似汗而解也。其中發汗之藥，只麻黃一味。若謂石膏亦能發汗，殊不足信。石膏味澀，有收斂之能。凡與麻黃並用，雖用其除內熱，實亦防麻黃之過散。故此湯中雖有麻黃，亦決不能如麻黃湯之發汗也。除麻黃石膏外，即爲桂枝湯，用之亦不過滋陰和陽，調和營衛而已。

桂枝去桂加茯苓白朮湯　治服桂枝湯，或下之，仍頭項强痛，翕翕發熱，無汗，心下滿微痛，小便不利者。

芍藥(三兩)　甘草(二兩)　生薑(三兩切)　茯苓(三兩)　白朮(三兩)大棗(十二枚擘)

心下滿，是有水飲也。生理上，毛細動脈管常漏出液狀成分，以滲潤組織，而供其榮養，即是淋巴。此液更吸收組織之代謝產物，自組織腔輸入淋巴管，經淋巴總管，而入大靜脈，還歸血液。有時毛細管之漏出較多，則淋巴管之吸收還流，亦從而亢盛，藉以維持平衡。若毛細管漏出過多，淋巴管又不能儘量吸收，則停瀦於組織或體腔間。此液所停瀦，在肌肉間即爲水腫。在體腔及臟內，即爲水飲。淋巴管破裂，淋巴漏出，亦可成水飲。體中水分，有相當成分，若排泄之器官失職，肌肉及臟腑之水必加多，而變成水毒矣。無汗，則組織內之水分必加多，小便不利，則血中之水分必加多，此一定之理也。據本方之證象，宜發汗利水無疑矣。

茯苓白朮均能增高血壓，使腎臟之分泌機能亢進。茯苓利水去痰，白朮健脾燥溼，均爲去水毒之要藥，用之以利小便，實恰而且當。惟本方內，或云桂不當去，或云去桂爲去芍藥之誤。以證狀而論，頭項强痛，桂枝是不應去。心下滿微痛，係有水飲停瀦，凡逐水者，無論汗吐下，皆不用芍藥，則芍藥之當去亦無疑。發熱無汗，似乎又應加麻黃矣。

甘草乾薑湯　治誤汗吐逆，煩躁而厥者。

甘草(四兩)　乾薑(二兩炮)

自汗，小便數，必致津少血燥，再經誤汗，難免亡陽也。厥者，手足冷也，亦即亡陽之象也。煩躁是因血虛也。吐逆是因誤汗亡津，使胃之消化機能衰減以致上衝也。

甘草性平，生用能瀉熱除煩，並能解百藥毒，凡誤藥者皆宜之。乾薑辛溫，炮則辛苦，能除胃寒以止嘔，能宣脈絡以回陽，血虛發熱，與甘草同用，更爲有效。

芍藥乾草湯　治誤汗傷血，脚攣急者。

芍藥　甘草(各四兩炙)

誤汗則傷血，此必然之勢，血傷則血管即硬變矣，能不有攣急之證乎。

芍藥能和血除痺，爲弛緩神經之要藥，凡神經拘攣及痛疼者，用之效如桴鼓。甘草主急迫，亦有緩急之功也。

調胃承氣湯　治汗後惡熱，胃氣不和，譫語者。

大黃(四兩去皮酒洗)　甘草(二兩炙)　芒硝(半升)

胃氣不和，是食不消化致大便不暢快也。譫語，是內熱上衝影響到腦神經也。

大黃爲輕下劑，不但含有瀉酸，並含一種鞣酸，帶有斂性。在胃中能助胃液之不足，以促進其消化。至腸中能使腸蠕動亢進水分不及吸收，直達直腸。單服常服，反致大便乾結，是因其所含之鞣酸，較泄酸爲多，又有斂腸之功也。芒硝之主要成分爲硫酸鈉，服後能在消化器內，保其溶解本藥之水分，不令吸收，直至直腸，大便仍成稀薄。胃氣不和，難免腹內拘急，加甘草以治急迫也。

葛根湯　治太陽病項背强几几，無汗惡風者。

葛根(四兩)　麻黃(三兩去節)　桂枝(二兩去皮)　生薑(三兩切)　甘草(二兩炙)　芍藥(二兩)

大棗(十二枚擘)

本方即桂枝加葛根湯又加麻黃也。無汗惡風，乃散温機能衰減之病，本是麻黃湯證。以其項背强，因知津液不達。失其營養，致肌肉神經拘急也。津液既少，若以麻黃湯大發其汗，殊不相宜，故又立此方也。

葛根加半夏湯　治太陽與陽明合病，不下利但嘔者。

葛根湯原方加半夏(半升洗)

積水在腸而不吸收則爲利，積水在胃而不吸收則爲嘔，胃與腸皆稱陽明，故太陽病有嘔證與利證者，稱爲太陽陽明合病也。

半夏能使胃吸收水分之能力增加，主治嘔逆，爲鎮嘔之要藥。胃無吸收水分之能力，使胃中積水下降不及，滯塞不通，必致上衝而作嘔。以半夏止嘔降逆，無非燥胃中之溼，使胃吸收水分之能力增加，以綏下降之勢，不至滯塞不通耳。

葛根黃芩黃連湯　治太陽桂枝證，醫反下之，利遂不止，喘而汗出者。

葛根（半斤）　甘草（二兩炙）　黃芩（三兩）　黃連（三兩）

桂枝證熱在表，誤下則引熱入裏矣。引熱入裏，則肌表充血，變而爲腹腔充血矣。復腔充血，腸亦隨之而熱矣。此處之利，即協熱利也。喘是因內熱蒸騰，致肺部充血而膨脹也，與無汗而喘者不同。喘而汗出，是因喘而汗出也。

本方之重用葛根，乃取其輸運津液清涼解熱，減少腸中水分與熱度，以止協熱下利，不必有項背强之證也。黃芩能助胃酸之不足，以助消化之功能，至腸中略有激腸蠕動之效，入血內能減退組織細胞之氧化機能，以阻止體溫之增高。黃連能增胃液之不足，使消化機能亢進。又能刺激脉管運動之中樞神經，而使腸壁之脉管收縮。與痢病菌相遇，有制其繁殖與活動之力。二者均爲止痢之要藥。

大青龍湯　治太陽中風，脉浮緊，發熱惡寒，身疼痛，不汗出而煩躁者。

麻黃（六兩去節）　桂枝（二兩去皮）　甘草（二兩炙）　杏仁（四十枚去皮尖）　生薑（三兩切）

大棗（十二枚擘）　石膏（如鷄子大碎）

淺層動脉血液充盈，故現脉浮。皮膚汗腺同時收縮，故現緊象。大青龍湯之證狀，除煩躁一証，完全與麻黃湯相同，可知亦是散溫機能衰減也。煩躁屬內熱，又是造溫機亢盛也。造溫機能亢盛於內，散溫機能衰減於外，故大青龍証較麻黃證爲尤重也。

本方用麻黃湯發汗，以除身痛惡寒。石膏性澀，能息血液之沸騰，能降體溫之高漲，專爲除躁煩而用也。

小青龍湯　治傷寒表不解，心下有水氣，乾嘔，發熱而欬，或渴，或利，或噎，或小便不利，小腹滿，或喘者。

麻黃（去節）　芍藥　細辛　乾薑　甘草（炙）　桂枝（各三兩去皮）　五味子（半升）

半夏（半升洗）

傷寒表不解，必有發熱惡寒之象。心下有水氣，是在心之下，非在胃中也。乾嘔，欬，渴，噎，喘，爲心下有水氣必見之証也。肺炎及枝氣管炎等證，其發炎之部，常有炎性滲出物。此滲出之物，即心下之水氣也。心下蓄水，以致小便不利，亦必然之勢也。

本方爲急性呼吸器病之主方。用麻黃桂枝以發汗，使水從外而出也。細辛，乾薑，五味子，半夏，皆爲治欬與喘而設。乾薑溫肺。半夏降逆止嘔，兼能逐水。細辛辛散，主治頭痛鼻塞。五味子酸斂，主欬嗽而胃。細辛與五味子同用，一散一斂，具有開闔之妙，誠爲鎮欬之主劑。喘欬必振腹皮，甚至攣急，用芍藥以舒攣急，尤爲得當也。

桂枝加厚朴杏仁湯　治太陽，下之微喘者，表未解也。

桂枝（三兩去皮）　甘草（二兩炙）　生薑（三兩切）　芍藥（三兩）　大棗（十二枚擘）

厚朴（二兩炙去皮）　杏仁（五十枚去皮尖）

肺與皮膚，互相爲用，表未解者，最易致喘。宜解表而誤下之，能不使表熱內陷裏氣上衝而喘乎。

厚朴內含一種揮發性芳香成分，味苦辛，帶收斂性，主消痰下氣，並除腹痛脹滿。杏仁含有醱酵素，入於血中，能使肺臟神經麻木，故能止喘。以其表未解，故以桂枝湯解之也。

乾薑附子湯　治下之後，後發汗，晝日煩躁不得眠，夜安靜，不嘔不渴，無表證，脉沈微，身無大熱者。

乾薑（一兩）　附子（一枚生用去皮切八片）

下之復發汗，必致傷津，津傷則血虛，血虛則營養液之來源竭，細胞之生活力亦因之衰減，即變爲心臟衰弱之證矣。晝日煩躁不得眠，是血虛見陽光而愈燥，故不得眠也。夜而安靜，是夜間不煩躁，而能安眠也。此豈非貧血與心臟衰弱之表現乎。不嘔不渴，知非消化器病也。身無大熱，即無表證也。脉沈微，亦貧血與心臟衰弱之象也。

乾薑能令內皮發暖行血，並除煩躁。附子能與奮神經，增進體溫，振起全身細胞之生活力，實爲强心要藥。

桂枝加芍藥生薑人參新加湯　治發汗後，身疼痛，脉沈遲者

桂枝（三兩去皮）　芍藥（四兩）　甘草（二兩炙）　人參（三兩）　大棗（十二枚擘）　生薑（四兩）

發汗後，諸證皆去，惟身疼痛，是仍有餘邪也。脉沈，是淺層動脉不見充血。脉遲，是心臟跳動不足常度。此皆過汗亡津之象也。

本方以桂枝湯治其未解之邪。加芍藥生薑各一兩，人參三兩，以補其津液也。

麻黃杏仁甘草石膏湯　治發汗後，不可更行桂枝湯，汗出而喘，無大熱者。

麻黃（四兩去節）　杏仁（五十個去皮尖）　甘草（二兩炙）　石膏（半斤碎綿裹）

發汗後不可更行桂枝湯，以服桂枝湯而桂枝證已解也。汗出禁麻黃，無熱禁石膏，今汗出而喘無大熱者，反用麻黃與石膏，似乎不宜。殊不知麻黃發汗，必協桂枝，不協桂枝，則但治喘欬水氣。石膏清熱，必協知母或麻桂，不協知母麻桂，則但治煩渴。藥因配合之不同，而其功效亦異，此不可不知也。麻黃配杏仁甘草，能治疼痛及喘，配石膏能治汗出，本方配合之妙，尤不可不知也。

桂枝甘草湯　治發汗過多，其人叉手自冒心，心下悸，欲得按者。

桂枝（四兩去皮）　甘草（二兩炙）

發汗過多，血液必少，血少必致心臟衰弱及心下悸動。欲得按者，是內部氣虛而急迫，按之而覺少安也。叉手冒心，盖欲自按也。

本方之用桂枝，是因桂枝能强心，可使血壓不至低落，而心悸自愈。甘草主治急迫，用之以緩急者也。

茯苓桂枝甘草大棗湯　治發汗後，其人臍下悸者，欲作奔豚，此方主之。

茯苓（半斤）　桂枝（四兩去皮）　甘草（二兩炙）　大棗（十五枚擘）

臍下悸者，是因下焦素有水飲，因發汗引起上衝也。奔豚病，是起自少腹，上衝咽喉，如豚奔也。

茯苓利水。桂枝降衝。甘草緩急迫。大棗舒拘攣。奔豚之屬於水氣者，此方確有特效。

厚朴生薑甘草半夏人參湯　治發汗後，腹脹滿者。

厚朴（半斤炙去皮）　生薑（半斤切）　半夏（半斤洗）　甘草（二兩炙）　人參（一兩）

腹脹滿，是胃中有濕熱也。有濕則胃脹，有熱則發炎，即西醫所謂胃擴張及胃炎之証也。急性胃炎初起時，往往惡寒發熱頭痛，形似傷寒，但决非發汗所能愈。

本方用厚朴以消脹。用半夏以燥濕。用生薑以健胃，並降水毒之上逆。脹則拘急，故用甘草以緩急。滿係虛滿，故用人參以補虛。

茯苓桂枝白朮甘草湯　　治傷寒若吐若下後，心下逆滿，氣上衝胸，起則頭眩，脉沈緊，發汗則動經，身爲振振搖者。

茯苓（四兩）　　桂枝（三兩去皮）　　白朮（二兩）　　甘草（二兩炙）

吐下後必致胃虛。胃虛則吸收水分之能力即減退。心下逆滿，氣上衝胸，是胃有停水，不易下行，而致上衝也。凡上衝之病，必致腦部充血而至眩暈也。脈沈緊，是無表證也。發汗動經，身振搖者，則似發汗過多而欲亡陽之象。金匱云，膈間支飲，其人喘滿，心下痞堅，其脈沈緊。又云，心下有痰飲，胸脅支滿，目眩。又云其人振振身瞤劇，必有伏飲。則是胸滿頭眩，脈沈緊，身振搖等等，全是內有伏飲之證象也。

本方用茯苓白朮，利水健胃以蠲飲。用桂枝甘草，强心緩衝以助陽。水飲之停於中焦者，用之當無不立效。

芍藥甘草附子湯　　治發汗病不解，反惡寒者，虛故也，此湯主之。

芍藥（三兩）　　甘草（三兩炙）　　附子（一枚炮去皮破八片）

病不解，非表不解乃未復常之謂也。惡寒，是因過汗而致表虛也。附子辛溫大熱，能興奮全身細胞之生活力，起機能之衰弱，救體溫之低落，用之以除表寒，殊有特效。本方之用芍藥甘草，恐係兼有攣急證也。

茯苓四逆湯　　治發汗若下之，病仍不解，煩躁者。

茯苓（四兩）　　人參（一兩）　　附子（一枚生用）　　甘草（二兩炙）　　乾薑（一兩半）

汗下過甚，必致陽亡津傷也。病未復原而煩躁，其屬血虛發熱無疑矣。

茯苓主治心下悸利小便，由腸壁吸入血中，有增高血壓，使腎臟分泌機能亢進之作用。人參專治心臟衰弱及神經衰弱等症，由小腸吸入血中，能促進血液之進行，助長血球之產生，故能添精神，生津液。病後欲求恢復元氣者，尤爲不可少之藥。附子能興奮全身細胞之生活力，乾薑能合內皮發暖行血，並除血虛煩躁。甘草亦有補虛除煩之效。

本方之藥，均爲强壯劑，病後精神衰憊，乾嘔不食，腹痛下利，心悸惡寒，兼煩躁者，服之最爲相宜。

五苓散　治發汗後，脈浮，小便不利，煩渴欲飲水者。

猪苓(十八銖)　澤瀉(一兩六銖)　白朮(十八銖)　茯苓(十八銖)　桂(半兩去皮)

脈浮，是仍有表證也。小便不利，是腎臟機能減退失去分泌之效也。分泌水分之器官，既起障礙，則血液肌肉中，水毒充積，胃亦不免有積水矣。水毒在肌肉中，則見浮腫。積水在胃中，即見腹脹。腫脹往往與小便不利，同時發現，即此之故。體內既有積水，可見非亡津液也，而煩躁口渴，抑又何也。蓋唾腺及口腔粘膜，亦分泌水分之組織。腎臟失職，故亦影響及之也。此與亡津液之口渴，絕不相同，須留意焉。

本方以猪苓澤瀉茯苓利水，恢復腎臟機能，使小便自利。白朮燥濕，能吸收腸胃中之積水，間接亦爲利小便。桂枝解肌，助諸藥下行之力，亦欲使下注必先上通之意也。所謂桂枝降衝，亦不過開通上竅，平均上衝之氣壓耳。

茯苓甘草湯　治傷寒汗出而渴者，五散的主之。不渴者，此方主之。

茯苓(三兩)　桂枝(二兩去皮)　甘草(一兩炙)　生薑(三兩切)

發汗後，脈浮，小便不利，煩渴者，五苓散主之。不渴者，茯苓甘草湯主之。是茯苓甘草湯證，仍有脈浮之表證，與小便不利之裏證也。

茯苓利水，正爲小便不利而設。桂枝甘草生薑，係桂枝湯去芍藥大棗也。因脈浮而無攣急，故去芍藥大棗，只用桂枝生薑甘草以發散之也。若心下悸，上衝而嘔者，用此方當亦有效。

梔子豉湯　治發汗吐下後，虛煩不得眠，若劇者，必反覆顛倒，心中懊憹，此湯主之。

梔子(十四個擘)　香豉(四合綿裹)

心中懊憹，即虛煩之劇者。反覆顛倒，即不得眠之劇者。不得眠，是腦充血症狀。虛煩懊憹。是心臟充血症狀也。

梔子有解熱清血之效。香豉有解表除煩之功。二味性皆苦寒，用治上部充血之症，甚爲有效。

梔子甘草豉湯　治梔子豉湯證，中若少氣者。

梔子(十四個擘)　甘草(二兩炙)　香豉(四合綿裹)

甘草主治急迫，此方即治梔子豉湯而急迫者。少氣，或即急迫之謂也。

梔子生薑豉湯　治梔子豉湯證，中若嘔者。

梔子(十四個擘)　生薑(五兩)　香豉(四合綿裹)

生薑降逆止嘔，此方即治梔子豉湯而嘔者。

梔子厚朴湯　治傷寒下後，心煩腹滿，臥起不安者。

梔子(十四個擘)　厚朴(四兩)　枳實(四枚炒)

心煩與臥起不安，即梔子豉湯證中虛煩不得眠也。腹滿，是因下後內虛氣滯不通也。

厚朴散滿除煩，枳實寬中下氣，均爲氣積之要藥。

梔子乾薑湯　治傷寒醫以丸藥大下之，身熱不去微煩者。

梔子(十四個擘)乾薑(二兩)

宜汗而誤下之，則是表熱未去又致內寒也。寒熱交錯，故微煩也。

梔子苦寒，乾薑辛溫，一則清上焦之熱，一則溫下焦之寒，寒熱調和，而煩自除矣。

小柴胡湯　治少陽發熱，口苦耳聾，咽乾目眩，胸脅苦滿，心煩喜嘔，其脉弦者。又治太陽陽明二經，發熱不退，寒熱往來。

柴胡(半斤)　黃芩(三兩)　人參(三兩)　半夏(半升洗)　甘草(炙)　生薑(各三兩切)

大棗(十二枚擘)

若胸中煩而不嘔，去半夏人參加栝蔞實一枚。若渴者，去半夏加人參合前成四兩。若腹中痛者，去黃芩加芍藥三兩。若脅下痞硬，去大棗加牡蠣四兩。若心下悸小便不利者，去黃芩加茯苓四兩。若不渴外有微熱者，去人參加桂枝三兩，取微汗愈。若欬者，去人參大棗生薑加五味子。

口苦耳聾咽乾目眩，皆熱攻上焦也。胸脅苦滿，是不但肝脾脺三臟腫大，殆亦胸脅部之淋巴腺腫脹硬結也。心煩喜嘔，是病毒在膈膜，致胸脅部發炎，影響胃機能也。脈弦，是細而緊不浮不沈之象也。細爲血液少，緊爲血管硬，皆因發熱使然也。脈在浮沈之際，故知病在表裏之間也。動脈血管有兩種神經，一司擴張，一司收縮。擴張收縮，兩相平衡，即爲無病之象。若淺層動脈收縮而不擴張，即惡寒。擴張而不收縮，即發熱。發熱不退，寒熱往來，即擴張與收縮，失其平衡也。

柴胡氣味輕清，芳香疎泄，能促進腺體之分泌，有推陳致新之功能，爲治胸脅苦滿之聖藥。黃芩能消膈膜之發炎。人參能治胃衰痞硬，及新陳代謝機能之衰減。半夏主治嘔逆。生薑健胃止嘔。甘草大棗調和藥味，並有舒緩神經攣急之功用。

小建中湯　治傷寒陽脈濇，陰脈弦，法當腹中痛者。又傷寒二三日。心中悸而煩者，此方主之。

芍藥(六兩)　桂枝(三兩去皮)　甘草(一兩炙)　生薑(三兩切)　膠飴(一升)　大棗(十二枚擘)

陽脈，浮取之脈也。陰脈，沈取之脈也。濇主血少。弦則主痛。腹中痛，是胃腸痛也。胃腸因血少而虛燥，法當痛也。心中悸，是中氣虛也。與心下悸之有水氣不同。心煩亦因血少也。

本方即桂枝湯倍芍藥加膠飴也。芍藥主治攣急，爲止腹痛之主藥。治腹中痛，因宜倍之也。凡腹痛未有不上衝者，故用桂枝湯也。膠飴即飴糖也，係半流動之糖質，南方俗名淨糖，北方俗名糖稀，製乾菓之家，均用以提漿。茶壺茶杯上之茶垢，經日過久，以石鹼不能洗淨者，若置飴糖少許，以開水沖之，其垢立時自退，飴糖有去垢之力量，已足證明。小建中湯以飴糖爲主要之藥，而治腹中之痛。此種腹痛，係胃腸內壁積垢過多，障礙吸收養分之機能，以致胃腸枯燥攣急而作痛也無疑矣。

大柴胡湯　治太陽病未解，寒熱往來，嘔不止，心下急，鬱鬱微煩者。

柴胡（半斤）　半夏（半升洗）　芍藥（三兩）　黄芩（三兩）　生薑（五兩切）　枳實（四枚炙）
大棗（十二枚擘）

寒熱往來，嘔不止，少陽證也。心下急，鬱鬱微煩，陽明證也。此爲少陽陽明之合病。心下急，當是胃及横結腸之處，病毒挾食積爲內實，水毒不得下降，而致急迫也。

本方即小柴胡湯去人參甘草加芍藥枳實也。芍藥主治裏急，枳實開積下氣，二味爲大便不通必用之藥。人參主治胃衰，甘草能補胃弱，小柴胡證而兼內實者，固宜去之也。

柴胡加芒硝湯　治傷寒十三日不解，胸脅滿而嘔，日晡所發潮熱，已而微利，此本柴胡證，下之以不得利，今反利者，知醫以丸藥下之，非其治也，潮熱者實也，先宜小柴胡湯以解外，後以此湯主之。

柴胡（二兩十六銖）　半夏（二十銖）　黄芩（一兩）　生薑（一兩）　人參（一兩）　大棗（四枚擘）
芒硝（二兩）

此係少陽陽明併病，不得利本宜下之。以時發熱，病屬熱性無疑矣。凡熱性病之下劑，宜用富有消炎性之寒藥，煎湯頓服，以速其效。若以熱性之丸藥，既緩其勢，又增其熱，宜乎服後反利而熱不退也。

芒硝之主要成分爲硫酸鈉，苦鹹大寒，至胃腸中能保持容物之水分，不及吸收，直達直腸，使糞成爲溏薄，確爲下劑中富有消炎性者。

桃仁承氣湯　治太陽病不解，熱結膀胱，其人如狂，血自下者愈，其外不解者，尚未可攻，當先解外，外已解，但小腹急結者，乃可攻之，此方主之。

桃仁（五十個去皮尖）　大黄（四兩）　桂枝（二兩去皮）　甘草（二兩炙）　芒硝（二兩）

熱結膀胱，是邪結於下焦之謂，非但指膀胱也，其人如狂，是因熱結下焦血停爲瘀，遂致上衝影響及腦也。血下者愈，是熱不因汗而解而隨血而解也。小腹急結，急者，急痛上衝也，結者，內有堅結之物可觸而知也，此係陽證實證。若遇腸出血體温降落心臟衰弱者用之，其不償事者幾希矣。

桃仁破血行瘀，有推陳致新之功。大黃能刺激腸黏膜，使腸蠕動加速。芒硝能保持小腸內容物之液，直達直腸，使大便仍成稀薄。此三味皆爲攻下藥以去結者也。桂枝甘草，一治上衝，一治急痛，亦此證必用之藥也。

柴胡加龍骨牡蠣湯　治傷寒八九日，下之，胸滿煩驚，小便不利，譫語，一身盡重，不可轉側者。

柴胡（四兩）　龍骨　黃芩　生薑（切）　人參　茯苓　鉛丹　牡蠣　桂枝（各一兩半去皮）

半夏（二合半洗）　大棗（六枚擘）　大黃（二兩）

此證是小柴胡證兼小便不利大便燥結而帶驚悸之證也。其所以煩驚，或因誤下之後，又加温針所致也。

本方即小柴胡湯之半，而去甘草，加龍骨牡蠣桂枝鉛丹茯苓大黃也。鉛丹即黃丹，係用黑鉛和硝黃鹽礬煆煉而成，內服墜痰鎮心，解熱解毒，爲治驚癇癲狂之品。龍骨斂心鎮驚，並治心腹煩滿。牡蠣主治胸腹之動，並治驚狂煩躁。此三味皆爲鎮驚而設也。茯苓利小便，大黃通大便，桂枝去一身盡重也。

桂枝去芍藥加蜀漆牡蠣龍骨救逆湯　治傷寒脈浮，醫以火劫之，亡陽，必驚狂，臥起不安者。

桂枝（三兩去皮）　甘草（二兩）　生薑（三兩切）　大棗（十二枚擘）　牡蠣（五兩煅）　龍骨（四兩）

蜀漆（三兩去腥）

以火劫之，或熏，或熨，或燒針，以強逼其汗也。亡陽，是因過汗以致衛陽喪亡也。衛陽一亡，內熱上衝以補救，因而影響及腦，故必驚狂而至起臥不安也。

蜀漆乃常山苗，主治胸腹及臍下動劇，故有鎮驚之功能。本方用龍骨牡蠣協蜀漆以鎮驚。用桂枝以降衝。氣不上衝，驚狂自止，標本並治之法也。

桂枝加桂湯　治燒針令其汗，針處被寒，核起而赤者，必發奔豚，氣從小腹上衝心者，灸其核上各一壯，與此湯主之。

桂枝（五兩去皮）　芍藥（三兩）　生薑（三兩切）　甘草（二兩炙）　大棗（十二枚擘）

針處核起而赤，是因針未消毒而致針口紅腫也。奔豚之病，是氣從小腹上衝最甚者。

桂枝主治上衝，桂枝湯證上衝甚者，故必特加桂枝也。

桂枝甘草龍骨牡蠣湯　治火逆下之，因燒針煩躁者。

桂枝（一兩去皮）　甘草（二兩炙）　龍骨（二兩）　牡蠣（二兩）

煩躁，即救逆湯驚狂起臥不安之漸也，則是較救逆證爲輕矣。

本方用桂枝甘草以扶陽。用龍骨牡蠣以安神。若有上衝急迫胸腹有動之證，服之當可立效。

抵當湯　治太陽病，表證仍在，脈微而沉，反不結胸，其人發狂者，以熱在下焦，小腹硬滿，小便自利者，下血乃愈，所以然者，以太陽隨經，瘀在裏故也，此湯主之。

水蛭（熬）　虻蟲（各三十個去翅足熬）　桃仁（二十個去皮尖）　大黃（三兩酒洗）

此證與桃仁承氣證相同，但較重也。彼則熱結膀胱，此則熱結下焦，此其相同之處也。彼則小腹急結，此則小腹硬滿，彼則如狂，此則發狂，則有輕重之分矣。彼則血自下者愈，此則血不下，而斷其下血乃愈，辨證亦較難矣。彼則熱結膀胱，血因不行，滯而爲瘀，此則本有瘀血，而熱乘之，血有新瘀久瘀之分，故用藥亦有輕重之別也。水蛭又名馬蛭，北方俗名馬絛，或即馬蛭之轉音，形如蚯蚓而略粗，各處池沼溝渠中皆有之，每附動物之皮膚，而吮其血液，其體伸縮力最大，往往能從人之毛竅入於肌肉內。虻蟲一名蜚虻，北方俗名瞎虻，形如蠅而較大，恒吮牛馬血液爲食，故又謂之牛蠅。二物均喜吮動物之血，故有逐瘀破血之功。佐桃仁大黃，使之推陳致新，蕩滌邪熱，破瘀之力更大也。

抵當丸　治傷寒有熱，小腹滿，應小便不利，今反利者，爲有血也，當下之。

虻蟲（二十個去翅足熬）　水蛭（二十個熬）　桃仁（三十五個去皮尖）　大黃（三兩）

此證與抵當湯證同，惟病勢稍緩，故以丸藥緩下之。產後惡露不盡，凝結爲塊，平素用藥不效，須於再妊分娩後，用此方其塊盡消。

大陷胸丸　治結胸證，項亦强，如柔痙狀，下之則和，此方主之。

大黃(半斤)　葶藶子(半斤熬)　杏仁(半升去皮尖炒黑)　芒硝(半升)

結胸證，是膈上本有水飲，因太陽誤下，熱陷於裏，與水相結，遂成此證。其證按之有物，且硬且痛，與痞之滿而不痛稍異。痞爲氣隔不通，往往自動而成，不若結胸證皆因誤下也。痓應作痙，柔痙即桂枝加葛根湯之證。大陷胸丸證，亦是由外邪與水飲併結，不過稍輕於大陷胸湯證耳。

大黃芒硝，蕩滌實熱。杏仁消積下氣。葶藶子破結逐水，性雖較硝黃爲緩。其效屬於胸部，實亦對證之藥也。

大陷胸湯　治結胸熱實，脉沉而緊，心下痛，按之石硬者。

大黃(六兩)　芒硝(一升)　甘遂(一錢匙)

熱實，是有熱而大便不通也。脉沉，主病在裡也。脉緊，主心下痛也。按之石硬，結之甚者也。此爲大結胸證。甘遂爲急性之水瀉劑。服後胃內發熱，腸則絞痛，二三小時便即通矣。並繼之以水瀉。其性與巴豆略同，能刺激腸腺之蠕動，並吸收腸內血管之水分而成水瀉。其性實熱，而非寒也。與大黃芒硝併用，不但有迅下之效，亦有調解之功也。

小陷胸湯　治小結胸病，正在心下，按之則痛，脉浮滑者。

黃連(一兩)　半夏(半升洗)　括蔞實(大者一枚)

水結於兩脇及心下，謂之結胸，內實之證也。凡內實之證，按之未有不痛者。小結胸證，結胸證之輕者也。其證與痞相似，俱係胃內發炎。不過痞證按之雖痛，反覺少安，是欲得按者也。以其欲得按，故知無水而屬氣也。脉浮滑，是痰飲素盛，挾熱邪而內結之表現也。

黃連燥濕瀉火，爲消炎之聖藥。半夏除濕化痰，括蔞實清火降痰，均爲去毒水之要藥。只此三味，熱邪痰飲悉除矣。

文蛤散　治病在太陽，應以汗解之，反以冷水潠之，若灌之，其熱被劫不得去，彌更益煩，肉上粟起，意欲得水，反不渴者，服文蛤散，若不瘥者，與五苓散。

文蛤(五兩)　右一味爲散，以沸湯和一方寸匕服，湯用五合。

噀，含水噴也。灌，以水澆也。肉上粟起，肌膚汗腺收縮之表現也。意欲得水，煩熱故也，反不渴者，熱在肌表不在胃中也。表熱本應汗解，若以冷水噀之灌之，則肌表感寒，反使肌膚收縮，汗腺閉塞，表熱愈不得外散。爲噀灌之寒，體溫集中於肌表，故彌更益煩也。

文蛤即海蛤之有花紋者，殼煅爲粉，與牡蠣同功，能除煩渴，利小便，並能收斂浮越之氣。只此一味，恐難散濕熱之重邪，彌更益煩者，當是文蛤湯之誤。金匱內之文蛤湯中，文蛤五兩，麻黃生薑甘草各三兩，石膏五兩，杏仁五十個，大棗十二枚，方後並云，汗出即愈，用於此處，實爲恰當。

白散　治寒實結胸，無熱證者，與三物小陷胸湯，白散亦可服。

桔梗（三分）　貝母（三分）　巴豆（一分去皮心熬黑研如脂）　分讀去聲。

寒實結胸無熱証者，言結胸無熱證而不大便也。非謂有寒證也。

桔梗宣通氣血，能開胸膈滯氣，能緩峻下之劑。貝母除痰散結。巴豆吐下迅烈。三味相合，正治胸咽閉塞之劑也。

柴胡桂枝湯　治傷寒六七日，發熱微惡寒，支節煩痛，微嘔，心下支結，外證未去者。

柴胡（四兩）　黃芩（一兩半）　人參（一兩半）　半夏（二合洗）　甘草（一兩炙）　桂枝（一兩半）　芍藥（一兩半）　生薑（一兩半）　大棗（六枚擘）

此證係桂枝證與柴胡證兼見者也。發熱微惡寒，支節煩痛，是桂枝證。微嘔，心下支結，是柴胡証。

本方取桂枝湯，以除發熱惡寒支節煩痛之外証。取柴胡湯止嘔。並舒胸脅苦滿之悶氣。心下支結，即胸脅苦滿之証，不過較輕耳。

柴胡桂枝乾薑湯　治傷寒五六日，已發汗，而復下之，胸脅滿，微結，小便不利，渴而不嘔，但頭汗出，往來寒熱，心煩者，此爲未解也，此湯主之。

柴胡（半斤）　桂枝（三兩去皮）　乾薑（二兩）　括蔞根（四兩）　黃芩（三兩）　牡蠣（二兩熬）　甘草（二兩炙）

此係小柴胡湯加減之証也。因不嘔，故去半夏。因渴，故加括蔞根。因胸脅滿微結，(即脅下痞硬)故加牡蠣。因頭汗出與未解，(即外有微熱)故去人參加桂枝也。

半夏瀉心湯　治傷寒五六日，嘔而發熱者，柴胡湯証具，而以他藥下之，柴胡証仍在者，復與柴胡湯，此雖已下之，不爲逆，必蒸蒸而振，却發熱汗出而解，若心下滿而硬痛者，此爲結胸也，大陷胸湯主之，但滿而不痛者，此爲痞，柴胡不中與之，宜此湯。

半夏(半升洗)　黃芩　乾薑　人參　甘草(各二兩炙)　黃連(一兩)　大棗(十二枚擘)

心下滿而硬痛者，爲結胸証，是係誤下熱與水飲相結而成，內實之証也。痞係胃內發炎，不但因誤下，亦往往自動而成也。滿而不痛，是因氣隔不通，並無積物也。

半夏止嘔降逆，具宣通之力，故有散痞之功也。黃芩能助胃酸之不足，以助消化之功能。黃連能增胃液之不足，使消化機能亢進。二者均有消炎之力。對於胃炎，尤爲特效。乾薑散結氣。人參開胃口。甘草大棗補中緩急。諸藥相和，能使胃強炎消結散嘔止，而心下之痞自愈矣。

十棗湯　治太陽中風，下利嘔逆，表解者，乃可攻之，其人漐漐汗出，發作有時，頭痛，心下痞硬滿，引脅下痛，乾嘔短氣。汗出不惡寒者，此表裏未和，此方主之。

芫花(熬)　甘遂　大戟　右三味等分，各別擣爲散，以水一升半，先煮大棗肥者十枚，取八合，去滓，內藥末，強人服一錢匕，羸人服半錢，溫服之，平旦服，若下少病不除者，明日更服，加半錢，得快下利後，糜粥自養。

此証亦係裏有水飲，亦結胸一類之証也。但腸胃不實，下利嘔逆，此其異耳。下利嘔逆，本屬裏証，然得之於中風，又不能不顧其表也。汗出頭痛，均似表証。然汗出有時，頭痛而不惡寒，則知不在表矣。心下痞硬滿，引脅下痛，即心下水氣上逆，牽引胸脅而痛也。西醫所謂肋膜炎，蓋即此證也。乾嘔，是胃不和。短氣，是中氣虛。亦係裏證也。所謂裏不和者，即痰飲與熱邪塞於胸脅，以致種種病證之謂也。

芫花瀉五臟水飲，並治頭痛。大戟瀉六腑水飲，並治短氣。二味均爲逐水峻劑。而甘遂之峻烈又過之。此方之猛烈不可輕用可知矣。大棗能補腸胃，能和百藥，盖取其緩和甘遂等藥之烈性，而防其傷胃腸也。

大黃黃連瀉心湯　治傷寒大下後，復發汗，心下痞，按之濡，其脉關上浮者。

大黃（二兩）　黃連（一兩）

按之濡，是按之軟而不硬也。其非飲結而爲熱結無疑矣。痞即胃炎，此方消炎之力甚大，用之嘗有特效。若加黃芩一兩，更爲完善，即金匱瀉心湯也，此處或係遺漏，亦未可知。浮爲表脉，與此方之証不合，恐係後人所攙，不足憑也。

附子瀉心湯　治心下痞，而復惡寒汗出者。

大黃（二兩）　黃芩（一兩）　黃連（一兩）　附子（一枚炮去皮破別煮取汁）

此心下痞而兼表虛之証也。惡寒汗出，是因體温低落汗腺鬆弛故也。內部發炎，外表虛寒，寒温之藥並進，不亦宜乎。

大黃黃芩黃連，均能助胃液不足，以促進其消化，均爲消炎特效藥。附子强心，能起機能之衰弱，能救體温之低落，欲復表陽，舍此末由也。

生薑瀉心湯　治傷寒汗出，解之後，胃中不和，心下痞硬，乾噫食臭，脇下有水氣，腹中雷鳴下利者。

生薑（四兩切）　甘草（三兩炙）　人參（三兩）　乾薑（一兩）　黃芩（三兩）　半夏（半升洗）　大棗（十二枚擘）　黃連（一兩）

此係胃中停水食物停滯之証，即西醫所謂胃擴張及胃腸炎也。因胃中不和，故覺乾空，吐出酸水而帶食臭之氣也。腹中雷鳴下利，是因胃中水物不下，上氣不通，故致腸中雷鳴也。凡表熱過甚者，以血氣集中於肌表，往往致胃機能衰減。停水停食，皆胃虛也。

生薑半夏，能降水毒之上逆。黃芩黃連，均爲消炎之聖藥，並有治吐酸助消化之功能。人參乾薑，健胃理中，有使胃機能恢復之作用。甘草大棗，補中而兼調和藥味也。

甘草瀉心湯　治傷寒中風，醫反下之，其人下利日數十行，穀不化，腹中雷鳴，心下痞硬而滿，乾嘔，心煩不得安，醫見心下痞，謂病不盡，復下之，其痞益甚，此非熱結，但以胃中虛，客氣上逆，故使硬也，此湯主之。

甘草(四兩炙)　黃芩(三兩)　乾薑(三兩)　半夏(半升洗)　黃連(一兩)　大棗(十二枚擘)

此證與生薑瀉心湯證，大致相同，均為胃機能減退消化力衰弱之證。穀不化，即其明證也。心煩不安，證頗急迫，故增甘草之量，以緩其急也。或曰本方應有人參，以起胃機能之衰弱，亦非無理也。

赤石脂禹餘糧湯　治傷寒服湯藥，下利不止，心下痞硬，服瀉心湯已，復以他藥下之，利不止，醫以理中丸與之，利益甚，理中者，理中焦，此利在下焦，此方主之。復不止者，當利其小便。

赤石脂(一斤碎)　太乙禹餘糧(一斤碎)

傷寒誤下，下利不止，心下痞硬，本屬瀉心湯證。若以藥力未到，復以他藥下之，未有不致胃腸虛，下利仍不止者也。中焦虛寒，小腸吸收障礙之病，理中湯丸，固可與也。現因再三誤下，直腸滑脫，利在下焦，急應澀滑固脫，豈理中所能奏效者乎。

赤石脂內含炭酸鉀，主治洩痢腸澼女子帶下等病，以其味酸，並帶粘性，故有收斂之效也。禹餘糧係一種含有土質之養化鐵，主治赤白帶下，又能破瘀通血，有通澀兼用之功焉。

旋覆代赭湯　治汗吐下後，心下痞硬，噫氣不除者。

旋覆花(三兩)　代赭石(一兩)　人參(二兩)　甘草(三兩炙)　半夏(半升洗)　生薑(五兩)
大棗(十二枚擘)

本方與半夏生薑甘草三瀉心湯，均為治痞而設也。但彼重消炎，故用芩連。此重除噫，蓋以無炎症或炎症不重也。旋覆花能下氣消炎散結軟痞，並治噫氣。代赭石內含鐵質，故有養血之功，其性重墜，故有降氣除痰，平腦血，止驚悸之力。本方取其降氣也。本方與瀉心湯，除以芩連易此二味外，餘者大致相同也。

桂枝人參湯　治太陽外證未除，而數下之，遂協熱而利，利下不止，心下痞硬，表裏不解者。

桂枝（四兩）　人參（三兩）　白朮（三兩）　乾薑（三兩）　甘草（四兩炙）

協熱而利，是表熱未去，因誤下裏虛而作利，非表熱陷於裏而作利之謂也。表不解者，仍宜解表。裏不解者，又當**理中。表裏一解，而利自止矣。**利止則心下痞硬自散矣。

本方即理中湯加桂枝也。用桂枝以解表，用參朮薑草以理中，下利有表證者，此方最爲相宜。

瓜蔕散　治病如桂枝證，頭不痛，項不強，寸脈微浮，胸中痞硬，氣上衝咽喉，不得息者，此爲胸有寒也。

瓜蔕（一分熬黃）　赤小豆（一分）　右二味各別擣篩爲散已，合治之，取一錢匕，以香豉一合，用熱湯七合，煮作稀糜，去滓，取汁和散，溫頓服之，不吐者，少少加，得快吐乃止，諸亡血虛家，不可與瓜蔕散。

胸中痞鞕，則病毒在上，爲上實之證也。氣上衝咽喉不得息者，是痰涎上湧也。胸中有寒，即有痰也。凡病在膈上而屬陽證者，皆宜吐之。若證屬虛寒，須當禁吐，不可不知也。

瓜蔕，即甜瓜之蔕也，內含愛拉鐵林，味苦性寒，爲催吐之要藥。赤小豆雖爲利水消腫排膿散血之藥，而其豆腥之味，亦能引吐也。香豉有清熱解煩之功，胸中痞硬，難免不有梔子豉證之心中懊憹，其用香豉，蓋即此意也。

黃芩湯　治太陽與少陽合病，自下利者。

黃芩（三兩）　芍藥（二兩）　甘草（二兩炙）　大棗（十二枚擘）

此證當有身熱腹痛裏急後重等候，即急性胃腸炎赤痢之類也。

黃芩清胃腸之熱，芍藥止腹中之痛，甘草緩急，大棗補中，此爲治痢之正方。後世之芍藥湯治下痢，即由此方套出也。

黃芩加半夏生薑湯　治太陽與少陽合病，下利而兼嘔者。

黃芩（三兩）　芍藥（二兩）　甘草（二兩炙）　半夏（半升洗）　生薑（三兩切）　大棗（十二枚擘）

本方即黃芩湯加半夏生薑也。此二味能降逆止嘔，因有嘔證，故加之也。

黃連湯　治傷寒胸中有熱，胃中有邪氣，腹中痛欲嘔吐者。

黃連(三兩)　甘草(二兩炙)　乾薑(三兩)　人參(二兩)　桂枝(三兩去皮)　半夏(半升洗)　大棗(十二枚擘)

胸中有熱，胃中有邪氣，是上焦有邪熱也。腹中痛，則是腸痛也。此係胃熱腸寒之證，因上下之氣不和，失其通調之力，故致腹痛又欲嘔吐也。

本方即半夏瀉心湯去黃芩增黃連而加桂枝也。增黃連與乾薑相平，取其調和陰陽，不至偏熱偏寒也。腹痛必致上衝，桂枝主治上衝，間接以止腹痛也。

桂枝附子湯　治傷寒八九日，風濕相搏，身體疼痛，不能自轉側，不嘔不渴，脉浮虛而濇者。

桂枝(四兩去皮)　附子(三枚炮)　生薑(三兩切)　大棗(十二枚擘)　甘草(二兩炙)

體內之水，應有相當之成分，飲水過多，即不免出汗與小便，爲排泄其過量，而保持其相當之量也。若空氣中含濕氣過多，汗液已出汗腺者，不得蒸發，即流離於肌表。此未蒸發之汗，不得復出，則成濕病。濕爲毒水，故壅積於肌腠之間，能致身重及疼痛也。不嘔不渴，是證猶在表，裏無邪也。脉浮虛而濇，是邪盛正虛也。

本方之藥，與桂枝去芍藥加附子湯同，惟附子之分量特重耳。附子大熱純陽，能引發散藥與温暖藥，以逐在表之風寒，而袪在裏之寒濕。此二方之不同，亦惟在附子之多少而已。

桂枝附子去桂加白朮湯　治桂枝附子湯證而大便硬，小便自利者。

白朮(四兩)　附子(三枚炮)　甘草(二兩)　生薑(三兩切)　大棗(十二枚擘)

本方之去桂，蓋以無上衝證也。加白朮以其能燥濕也。大便硬，又似乎應加潤大便之藥矣。

甘草附子湯　治風濕相搏，骨節煩疼，掣痛不得屈伸，近之則痛劇，汗出短氣，小便不利，惡風不欲去衣，或身微腫者。

甘草(二兩炙)　附子(二枚炮)　白朮(二兩)　桂枝(四兩去皮)

風者，空氣也。濕者，體中應排泄之水分也。風濕相搏，即汗液蒸發，與飽含濕氣之空氣相搏之意也。骨節煩疼，是骨關節皆煩痛也。掣痛不得屈伸，是以手引之則痛，並不得屈伸也。近之則痛劇，是以手按之則更痛也。汗出短氣，是有表證而致呼喘急迫也。此證係濕證兼有水氣，故小便不利或身微腫也。惡風不欲去衣，亦風濕相搏之象也。

本方即桂枝甘草湯加附子白朮也。因有表證而致衝逆急迫，故用桂枝甘草。因有寒濕，故用附子白朮也。

炙甘草湯　治傷寒脉結代，心動悸者。

甘草(四兩炙)　桂枝(三兩去皮)　生薑(三兩切)　人參(二兩)　阿膠(二兩)　大棗(三十枚)

麻仁(半斤)　麥冬(半斤)　生地(一斤)

結代二脉，皆遲中停止之脉。蓋因血液虛少，不能充盈其脉管，故有時斷時續之象也。心動悸，亦因血不足也。此時惟有補中生血而已。

本方專為滋養心血潤滑脉絡而設也。炙甘草一味，已具補中養血通脉利氣之功矣。再加以地黃阿膠麥冬麻仁之滋潤，人參大棗之補益，其力尤大。用桂枝生薑之宣散，蓋恐藥性太膩，有損陽氣，使之調節耳。

大承氣湯　治陽明病，大實大滿，大便不通，腹痛大熱，其脉沈實者。

芒硝(三合)　大黃(四兩酒洗)　枳實(五枚炙)　厚朴(半斤去皮炙)

大實大滿，大便不通，皆熱結於裏之證也。必其脉沈實，臍腹堅硬，或叫痛不可按者，乃可以此湯下之。

厚朴下氣除滿。枳實寬中破結，芒硝潤燥軟堅。大黃攻積瀉熱。凡大便不通，確係實證者，用之無不立效。

小承氣湯　治陽明病潮熱，大便難，脉沈而滑，及內實腹痛者。

大黃(四兩酒洗)　厚朴(二兩去皮炙)　枳實(三枚大者炙)

本方即大承氣湯去芒硝也。此證係上焦痞滿，不似大承氣湯證，中有堅結，必用芒硝軟之潤之也。

猪苓湯　治渴欲飲水，小便不利，脈浮發熱者。

猪苓(一兩)　茯苓(一兩)　澤瀉(一兩)　滑石(一兩)　阿膠(一兩)

本方之證，與五苓散證無異。但五苓散證病在腎臟，雖小便不利，而小腹不滿，决不見膿血。猪苓證，病在膀胱尿道，其小腹必滿，又多帶膿血。臨床之際，不可不注意也。

蜜煎導方　治陽明病，自汗出，若發汗，小便不利者，此爲津液內竭，而大便雖硬，不可攻之，當須自欲大便，宜蜜煎導而通之，若土瓜根及大猪膽汁，皆可爲導也。

食蜜(七合)右一味於銅器內微火煎之，稍凝如飴狀，攪之勿令焦著，俟可丸，併手捻作挺，令頭銳，大如指，長二寸許，當熱時急作，冷則硬，以內穀道中，以手急抱，欲大便時乃去之。

猪膽汁方

大猪膽一枚，瀉汁，和少許法醋，以灌穀道內如一食頃，當大便出宿食惡物，甚效。

此二方爲津液內竭，腸胃乾燥，燥糞已至直腸，難出肛門之時，不宜攻下，另設導引之法也。津液枯者，宜用蜜導，邪熱盛者，宜用胆導，自有分別也。

茵陳蒿湯　治陽明病，發熱汗出者，此爲熱越，不能發黃也，但頭汗出，身無汗劑頸而還，小便不利，渴欲飲水漿者，此爲瘀熱在裏，身必發黃，此方主之。

茵陳蒿(六兩)　梔子(十四枚擘)　大黃(二兩去皮)

熱越，即熱發於外也。劑頸而還，即限於頸而不至頸下也。瘀熱，即鬱熱也。身發黃者，蓋因胆管發炎，而致閉塞，其胆汁不能輸於十二指腸內，反由津管混入血液，染著全身發黃也。瘀熱在裏，必賴汗出而散，若但頭汗出，而身無汗，裏熱必先影響肝臟而連及胆囊胆管也。此即西醫所謂急性熱病併發之黃疸也。

茵陳蒿苦平微寒，有解熱發汗淨血三作用，能排除組織中之胆汁色素，爲治黃疸之特效藥。梔子亦有解熱清血之效，並能消胆管及十二指腸之炎腫。大黃之功用，除蕩滌胃腸外，又有流通胆汁之效。本方之用大黃，雖爲蕩滌胃腸以去瘀熱，而對於胆管與十二指腸發生障礙之處，亦有直搗之力也。

吳茱萸湯　治食穀欲嘔，屬陽明也，此湯主之，得湯反劇者，屬上焦也。

吳茱萸（一升洗）　人參（三兩）　生薑（六兩切）　大棗（十二枚擘）

食穀欲嘔，是胃中虛寒，消化機能減退，致水穀不能下行，故欲嘔也。得湯反劇者，則是胸中有熱。屬上焦者，即胸中有熱之謂也。

吳茱萸味辛性溫，有溫中下氣止嘔之力。人參健胃，能使消化機能恢復。生薑降逆止嘔。大棗補胃益氣。屬於虛寒之嘔吐，本方皆可治之。

麻仁丸　治趺陽脉浮而濇，浮則胃氣强，濇則小便數，浮濇相搏，大便則難，其脾爲約，此方主之。

麻仁（二升）　芍藥（半斤）　枳實（半斤炙）　大黃（一斤去皮）　厚朴（一尺去皮炙）　杏仁（一升去尖熬研作脂）

趺陽者，古人候脾胃之脉也。即衝陽穴，在足背上，去大趾次趾之間三寸。浮濇相搏，即胃强脾弱之意。胃中之邪熱盛，故大便難。脾不能爲胃行其津液，但輸於膀胱，故小便數。古人之所謂脾，盖即指小腸之吸收作用而言也。腸部吸收腸管中水分之力强，吸收動脉血以自養之力弱，腸管之水分，皆滲入膀胱，致腸粘膜不能分泌粘液，以潤其大便，亦即脾約之意也。

本方即小承氣湯加麻仁芍藥杏仁也。麻仁爲滑利胃腸之專藥。芍藥除有收歛作用外，又有通利之效。杏仁除止喘嗽功能外，又有潤燥之用。虛弱老人之便秘，用此方緩下之，最爲相宜。

梔子柏皮湯　治傷寒身黃發熱。

梔子（十五枚擘）　甘草（一兩炙）　黃柏（一兩）

此黃證之發熱，與表證之發熱不同，但清其疸以退其黃，則發熱自愈矣。身黃發熱者，若無汗，宜用麻黃連翹赤小豆湯汗之。

梔子黃柏，均有解熱清血之效，身黃發熱者，用之並能退黃色，故治炎性黃疸，最爲有效。

麻黃連翹赤小豆湯　治傷寒瘀熱在裏，身必發黃，此湯主之。

麻黃(二兩去節)　連翹(二兩)　赤小豆(一升)　甘草(二兩炙)　生梓白皮(一升切)

杏仁(四十枚去皮尖)　大棗(十二枚擘)　生薑(二兩切)

本方與茵陳蒿湯，梔子柏皮湯，皆爲治黃而設也。但茵陳蒿湯重於通大便，是使瘀熱由大腸而解也。本方重於利小便，是使瘀熱由膀胱而解也。梔子柏皮湯，但清其熱，則是和解之法也。

麻黃爲發汗利水之藥。發汗必協桂枝。不協桂枝，即爲利水也。連翹赤小豆，均能消腫排膿清熱解毒，並有利小便之功能。用以清在裏之瘀熱，及排除黃色毒素，當有特效也。生梓白皮清熱殺蟲，煎湯可洗皮膚一切瘡疥及瘙癢。本方之用此藥，蓋亦爲去皮膚上之黃色毒素也。杏仁降氣，至血液中能減少組織中氯化機之攝取力量。生薑能降水毒之上逆，並能鼓動淋巴液之流行。用杏仁爲使血管不攝取黃色毒素。用生薑爲鼓動淋巴液流行，使黃色毒素迅速下降也。用大棗不過取其調和藥味耳。

桂枝加芍藥湯　治太陽病，反下之，因而腹滿時痛者。

桂枝(三兩去皮)　芍藥(六兩)　甘草(二兩炙)　生薑(三兩)　大棗(十二枚)

此證之腹滿時痛，是因太陽誤下，腹內抵抗藥力，因起拘攣而痛也。表邪未能，故用桂枝湯解表。腹部滿痛，故倍加芍藥以舒其攣急也。

桂枝加大黃湯　治太陽反下之，因而大實痛者。

桂枝(三兩去皮)　芍藥(六兩)　甘草(二兩炙)　生薑(三兩)　大棗(十二枚)　大黃(二兩)

此胃腸本有食毒，因太陽誤下，表邪與食毒相結而作痛也。表證未解，仍用桂枝湯以解表。腹內實痛，故增芍藥加大黃以去實止痛也。

麻黃附子細辛湯　治少陰病，始得之，反發熱，脉沈者。

麻黃(二兩去節)　細辛(二兩)　附子(一枚炮)

少陰病者，全身機能衰減之病也。外則體温不足，內則陰霾四佈，決不發熱也。惡寒而踡，小便色白，即其明證。脉沈，亦即內寒之表現也。發熱脉沉，此應從脉不從證。附子辛温大熱，能興奮全身細胞之生活力，起機能之衰弱，救體温之低落，實爲本方之主藥。麻黃善開毛竅，是助附子之力，由四旁以逐寒邪。細辛能通九竅，是引附子之熱，由上下以驅寒邪。皆爲驅寒而設也。若謂發熱是有太陽表邪，用麻黃細辛以散之，殊失本方之眞義。查仲景用麻黃之方，發汗必協桂枝。用細辛之方，不協麻黃，即協桂附或乾薑。皆爲引寒外出也。

麻黃附子甘草湯　治少陰病，得之二三日，微發汗，以二三日無裏證，故發汗也，此湯主之。

麻黃(二兩去節)　附子(一枚炮)　甘草(二兩炙)

本方之證，爲麻黃附子細辛湯較輕之證也。彼係辛温之劑，此係甘温之劑，亦爲温中以恢復機能衰減而設，決非爲發汗而設也。既謂少陰病，何得謂無裏證，傷寒論中，多後人攙雜之語，此處之微發汗，無裏證，恐亦屬此類也。

黃連阿膠湯　治少陰病，得之二三日以上，心中煩，不得臥者

黃連(四兩)　黃芩(一兩)　芍藥(二兩)　阿膠(三兩)　鷄子黃(二枚)

少陰病，爲全身機能衰減之病，亦即陽虛之病也。陽虛宜救其陽，若用滋陰之藥，此何異南轅而北轍，其不至僨事也幾希矣。心中煩，不得臥，全係陽亢之象，與惡寒而踡，但欲寐之少陰證，不但不相同，而實相對。本方全是一派寒涼滋潤之品，謂其治心中煩不得臥則可，謂其治少陰病則不可也。

附子湯　治少陰病，得之二三日，口中和，其背惡寒者，當灸之，此方主之。

附子(二枚生用)　茯苓(三兩)　人參(二兩)　白朮(四兩)　芍藥(三兩)

口苦口燥，是爲有熱。口中和者，是無熱也。背惡寒者，體温不足也。此皆爲少陰之證。此證灸鬲俞關元穴，當即可愈。無須藥也。本方又治少陰病身體痛，手足寒，骨節痛，脉沉者，此確爲其的證也。

附子與人參，均爲强壯藥。附子辛温大熱，能興奮全身細胞之生活力，起機能之衰弱，救體温之低落。人參微寒，

內含與葡萄糖類似之水素，入於血中，能促進血液之流行，助長血球之生產，使精神振興，體力强健。雖均爲强心要藥，而附子偏於用，故爲陽分之藥。人參偏於體，實爲陰分之藥。如係純陰亡陽之證，人參亦當忌用，此又不可不知也。茯苓白朮，均爲利水除濕藥，有恢復腎臟機能之作用。所謂身體痛，骨節痛，或係腎臟機能衰弱，因成濕而作痛，故用苓朮也。芍藥主治拘攣，爲行血止痛之藥，亦爲陰分藥，而非陽分藥也。

桃花湯　治少陰病，腹痛，小便不利，下利不止，便膿血者。

赤石脂（一斤一半全用一半篩末）　乾薑（一兩）　粳米（一升）

此證即今之赤痢也。痢疾之初起，是大腸發炎或紅腫，繼則潰瘍，終則穿孔而死矣。所謂白痢者，即腸內粘液及腸粘膜之上皮細胞混合之物也，此時之腸壁，不過發炎紅腫耳。若便膿血，則是已成潰瘍矣。腹痛，是因腸管內壅腐爛而作痛也。小便不利，是因下利不止，水分皆由大便而出也。

赤石脂內含炭酸鉀，有收歛作用，主治洩痢腸澼，並能止血。承氣湯內之用大黃，以其性寒，能使腸蠕動加速。因此可知乾薑性溫，必能使腸蠕動減輕也。西醫治腸出血證，必令病人靜臥或絕食，亦即使腸部安靜也。粳米不但益腸胃，且能長肌肉。用以治痢，即因腸壁腐爛，而使之長肌肉也。

猪膚湯　治少陰病下利，咽痛，胸滿煩者。

猪膚（一斤）　右一味，以水一斗，煑取五升，去滓，加白蜜一升，白粉五合，熬香，和令相得，溫分六服。

下利，是腸胃虛寒也。咽痛，是鬱熱上升也。胸滿心煩，是胸中滿悶，心中煩躁也，下利則是下焦有寒。咽痛胸滿心煩，又是上焦有熱之証也。此仍是痢疾之證。嘗見患痢之人，上焦多有發熱者。本方所治之證，應是下利而兼咽痛胸滿心煩者。重在下利。咽痛胸滿心煩，不過連帶之證耳。本方與桔梗湯同用，當更有效。

猪膚，當是猪表皮內之眞皮，內含膠質甚多，與阿膠有同樣功用。謂爲猪肉，誤也。白粉，即粳米之粉，有益腸胃長肌肉之功。白蜜潤滑，有通利大便以止腸澼之用，並有解毒殺菌緩痛之效。裏急後重者，用之甚相宜。合此三味，以治己成潰瘍之痢疾，定能獲效。至於能止咽痛，能除心煩，猶其餘事也。

甘草湯　治少陰咽痛者。

甘草（二兩生用）

此蓋喉頭發炎證，即西醫所謂急性喉粘膜炎是也。喉頭自覺熱燥而癢痛，並生白色粘沫。甚至黃厚若膿，粘膜紅腫而作痛。雖似白喉，却不發熱，故與白喉不同。俗云白喉忌表，蓋即指此類喉炎，非真白喉也。

甘草除主治緩急外，又有清熱解毒之效，入胃後，與胃液起作用，而分出葡萄糖及甘草糖，可佐唾液分泌增加，同時咽喉部之分泌亦增，能使附着之粘液痰沫，易於咳出，故治喉頭發炎，甚爲有效。

桔梗湯　治少陰咽痛，與甘草湯不差者，與此湯。

桔梗（一兩）　甘草（二兩）

與甘草湯不差者，非藥不對證，則是證重藥輕也。藥力不足，故宜加味以治之。

本方即甘草湯加桔梗也。桔梗爲清利咽喉之要藥，並有排膿之用。甘草治咽痛，是緩其毒之急迫也。若濁唾吐膿，則非甘草之所主。故其不差者，乃加桔梗也。

苦酒湯　治少陰咽中傷生瘡，不能語言，聲不出者。

半夏（洗破如棗核大十四枚）　雞子（一枚去黃）　右二味內半夏著苦酒中，以雞子殼置刀環中，安火上，令三沸，去滓，少少含嚥之，不差，更作三劑。

此乃咽喉腐爛者，較前證則又重矣。不能語言聲不出者，則是咽喉腐腫，而障礙氣息之出也。

半夏不但有消痰止欬之功，又能消腫止痛，爲咽喉腫痛之專藥。內含粘液，刺激性甚大。若生食少許，即覺口舌麻刺。少頃麻刺即入喉間，並逐漸加重。咽喉被其刺激，津液即加多。踰數小時之久，始覺胃中麻刺。少時即退。因知其功大半行於咽喉也。本方之用半夏，即取其刺激之性，使津多以消腫，麻木以止痛也。雞子白性微寒，有清風熱治腫毒之效能，並療咽喉之腫痛，發聲音之喑啞。觀水藥類之混濁者，加蛋清少許，立時變清，即可知其作用矣。苦酒，即醋也，味酸性斂，能使血管收縮，汗液減少，體溫降落，亦有消腫殺菌之功也。

半夏散及湯　治少陰咽中痛者。

半夏(洗)　桂枝(去皮)　甘草　右三味等分，各別擣篩已，合治之，白飲合服方寸匙，日三服，若不能散服者，以水一升，內散兩方寸匕，更煮三沸，下火令少冷，少少嚥之。

咽中痛者，咽中全痛也。此證與前證相似，或痛楚較甚焉。

桂枝性溫，爲强壯藥，除解肌外，並有鎮痛作用。咽痛服清涼劑而不效者，如服此方，其效如神，確爲少陰咽痛藥也。

白通湯　治少陰病下利者。

葱白(四莖)　乾薑(一兩)　附子(一枚生用)

此治寒瀉而兼頭痛之方也，亦即四逆湯去甘草而加葱白也。

葱白爲發汗利尿藥。能根治傷寒頭痛。入腸後能刺激腸粘膜，令其吸收作用强大。同時又能減少腸液之分泌，使大便燥結。並可殺死小部分之赤痢菌。是本方之用葱白，不但用其治頭痛，正所以用其治下利也。

白通加猪膽汁湯　治少陰病下利脉微者，與白通湯，利不止，厥逆無脉，乾嘔煩者，此方主之。服湯脉暴出者死，脉微續者生。

葱白(四莖)　乾薑(一兩)　附子(一枚生用)　人尿(五合)　猪膽汁(一合)　右五味，以水三升，去滓，內胆汁人尿，和合相得，分溫再服，若無胆，亦可用。

此寒熱不調之下利也。厥逆無脉，寒之象也。乾嘔煩者，熱之証也。本方與梔子乾薑湯，大致相同。用葱白乾薑附子以溫寒。用人尿胆汁以清熱。寒熱調和，無拒格之患，下利自愈矣。

眞武湯　治少陰病，二三日不已，至四五日，腹痛，小便不利，四肢沈重疼痛，自下利者，此爲有水氣，其人或欬，或小便自利，或不下利，或嘔者。

伏苓(三兩)　芍藥(三兩)　生薑(三兩)　白朮(二兩)　附子(一枚炮去皮破八片)

腹痛，小便不利， 肢沉重疼痛，下利，皆有停水之證也。或欬，或小便自利，或不下利，或嘔，亦屬停水之兼證。

茯苓爲利水之要藥，主治心下悸。芍藥主治攣急，爲腹痛必用之藥。生薑宣氣止嘔，有鼓動淋巴液流行之功，亦能消散水氣也。白朮能吸收腸胃中之積水，亦爲去毒水而設也。附子爲强心藥，心力一强，血液之流行如常，蓄積之水，自不能氾濫，而歸正流矣。本方並治太陽病發汗後，仍發熱，心下悸，頭眩，身瞤動，振振欲擗地者。此亦因汗多亡陽，以致胃陽虛而水飲停瀦也。

四逆湯　治下利清穀，三陰厥逆，惡寒，脉沉而微者。

甘草（二兩炙）　乾薑（一兩半）　附子（一枚生用去皮切八片）

此湯爲少陰病之主方，少陰者，全身機能衰減之病也。有因抵抗外感而起者，有因虛弱而成者，有陽證誤治過治而轉變者。亦有雖不誤治，日久自變者。得斯病者，必心臟衰弱，而兼貧血，於是體溫亦低落矣。下利清穀，胃腸虛寒也。厥逆，手足冷且拘也。惡寒，體溫不足也。脉沉而微，是因內部虛寒心臟衰弱也。如見欲寐之象，則知腦神經亦因心臟衰弱而貧血矣。

附子能興奮全身細胞之生活力，起機能之衰弱，救體溫之低落。乾薑能溫中止痢，去臟腑沉寒痼冷。甘草炙用，能補三焦元氣，而散表寒。本方辛溫大熱，凡三陰厥逆者，非此莫救。

通脉四逆湯　治少陰病，下利清穀，裏寒外熱，手足厥逆，脉微欲絕，身反不惡寒，其人面色赤，或腹痛，或乾嘔，或咽痛，或利止脉不出者。

甘草（三兩炙）　乾薑（三兩强人可四兩）　附子（大者一枚生用）

本方即四逆湯倍乾薑也。下利清穀，手足厥逆，脉微欲絕，是裏寒也。身不惡寒，面色赤，是外熱也。腹痛者，腸寒而蠕動亢盛也。乾嘔咽痛，是胃及咽喉枯燥也。利止脉不出，是腹痛下利時，腸蠕動亢盛而腹腔充血，淺層動脉因而貧血故也。此即格陽之證也。格陽又云隔陽或戴陽，即人體之陽氣，爲寒氣所隔不能相通之謂也。嘗觀屋內所設之暖汽管，中間曲折之處，如有爲冷汽所阻者，其前面之一部分，熱汽不能通過，即逐漸寒涼。若覓妥冷汽所隔之處，將冷汽放出，熱汽立即通過而暖矣，所放出之冷汽，亦即冷水也。蓋至曲折之處，因一時汽力不足之故，即變成冷水，愈變愈多，即將熱汽隔住矣。假設汽管無放汽之處，若在冷氣阻隔之處，加以火力，使冷汽蒸發，當亦能通。格陽之證，亦即暖汽管爲冷汽所阻之理也。四逆湯與通脈四逆湯之治少陰病，是以火力使冷汽蒸發之法也。麻黃附子細辛湯，與麻黃附子甘草湯之治少陰病，是開汽門放冷汽之法也。

四逆散　治少陰四逆，其人或欬，或悸，或小便不利，或腹中痛，或泄利下重者。

甘草　枳實　柴胡　芍藥　右四味，各十分，擣篩白飲和服方寸匙，日三服。

本方即大柴胡湯去大黃黃芩半夏薑棗加甘草也。爲治下利不止，胸脇苦滿，心下痞塞，腹中結實而痛，裏後重者。決非治少陰之方也。

烏梅丸　治傷寒脉微而厥，至七八日膚冷，其人躁無暫安時者，此爲臟厥，非蚘厥也，蚘厥者，其人當吐蚘，今病者靜，而復時煩，此爲臟寒，蚘上入其膈，故煩，須臾復止，得食而嘔，又煩者，蚘聞食臭出，其人當自吐蚘，蚘厥者，烏梅丸主之。又主久痢。

烏梅（三百枚）　細辛（六兩）　乾薑（十兩）　黃連（十六兩）　蜀椒（四兩去汗）　當歸（四兩）

桂枝（六兩）　附子（六枚炮）　人參（六兩）　黃柏（六兩）　右十味，異擣篩，合治之，以苦酒浸烏梅一宿，去核，蒸之五斗米下，飯熟，擣成泥，和藥令相得，內臼中，與蜜杵二千下，丸如梧桐子大，先食服十丸，日三服，稍加至二十丸，禁生冷滑物臭食等。

所謂臟厥蚘厥，當是一證。非蚘厥之非字，恐係亦字之誤。希哲云，此爲臟寒蚘上入其膈故煩，十一字爲一句，誠然。若臟厥蚘厥爲兩證，即如此讀法，亦覺不順，故吾謂當是一證也。今字以下，是前截之說明，非另一證象也，膚冷，靜之象也。躁無暫安時，亦即時煩也。臟厥，即臟寒也。何以煩，因蚘上入其膈也。何以當吐蚘，因得食而嘔，蚘聞食臭出。自當吐蚘也。仔細讀過，詳加分析，豈非一證乎。此證亦係寒熱錯雜之證。本方不但可用於蚘蟲之候，即久痢者，反胃者，胸際略痛者，用之皆有效。

烏梅酸澀而温，入腸則濇，入蟲則伏，入肺則斂，入筋與骨則軟，故能止利殺蟲，利筋脉，以及降逆除煩也。蜀椒，即川椒，味辛性温，有解毒殺虫散寒健胃及止冷痛吐瀉之效能。本方殺虫之藥，以此二味爲主。此外細辛黄連黄柏，亦有殺虫之效。用桂附乾薑以散寒，用人參當歸以補中，方中之藥雖雜，試用往往有效，豈可疑非仲景方遂廢之耶。

當歸四逆湯　治手足厥寒，脉細欲絕者。

當歸（三兩）　桂枝（三兩去皮）　芍藥（三兩）　細辛（三兩）　甘草（二兩炙）　通草（二兩）　大棗（二十五枚）

按本方之命名與證象，應是四逆湯加當歸也。今以桂枝湯去生薑代細辛增大棗，再加當歸通草，名曰當歸四逆湯，殊失命名之義，並與證治亦不合，恐仍係攙雜之誤。若桂枝湯證而血分閉塞者，或痢疾下血者，用此方當有效。日人用此方治凍瘡，奏效奇速，蓋取爲肌表調血之劑也。通草爲利尿之專藥，有利水道除濕熱之功能，亦非手足厥寒之藥也。

當歸四逆加吳茱萸生薑湯　治手足厥寒，脉細欲絕，其人內有久寒者。

本方即當歸四逆湯加吳茱萸二斤，生薑半斤也。內有久寒，當有腹中冷痛，嘔而下利之證象。蓋用吳茱萸生薑溫中止嘔也。

麻黃升麻湯　治傷寒六七日，大下後，寸脉沉而遲，手足厥逆，下部脉不至，咽喉不利，唾膿血，泄利不止者，爲難治，此方主之。

麻黃（二兩半）　升麻　當歸（各一兩一分）　知母　黃芩　萎蕤（各十八銖）　石膏　白朮
乾薑　芍藥　桂枝　茯苓　甘草（炙）　天冬（各六銖）

此係亡陽之證，急回其陽，尚恐不救。多用苦寒滋潤之藥，能不僨事。觀其用藥之駁雜，已足證非仲景方也。況藥之分量，既用銖，又用分，更足證是後人所攙雜者。本方寒熱之藥均有，若治陰陽錯雜之證，或有效也。

乾薑黃連黃芩人參湯　治傷寒本自寒下，醫復吐下之，寒格更逆吐下，若食入口即吐者，此方主之。

乾薑　黃連　黃芩　人參(各三兩)

此上熱下寒之証也。胃熱故食入即吐。腸寒故瀉也。上吐下瀉，確爲本方之的證。字句間費解之處，可不必問也。

本方即半夏瀉心湯去生薑半夏甘草大棗也。胃無水氣，有熱而嘔者，服之甚效。

白頭翁湯　治熱利下重，及下利欲飲水者。

白頭翁(二兩)　黃連(兩)　黃柏(三兩)　秦皮(三兩)

熱利，即所謂熱毒痢也。下重，即後重也。欲飲水者，是胃有熱也。

白頭翁有清熱凉血之功能，又有麻醉性，能刺激腸壁神經，使蠕動增速，爲治熱性下痢之要藥。秦皮有瀉熱明目濇腸止痢之效能，故可治眼，又可治痢。黃連黃柏，性質略同，均有消炎作用，並與痢菌相遇，有制止其繁殖與活動之力。以之治熱痢，均爲特效藥。

四逆加人參湯　治霍亂惡寒脉微而復利，利止，亡血也，此方主之。

四逆湯原方加人參(一兩)

惡寒脉微而復利，此霍亂必見之證也。利止，非病愈，乃亡血也。嘗見患霍亂證者，往往眼塌肉[illegible]，此即亡血之象也。此亡血，非見紅之失血證，乃血中之血清，因瀉水過多，而減少或乾枯也。

四逆湯能興奮組織細胞之生活力。人參能助血球與血清之生產。故霍亂亡血之後，用之極效。然危在頃刻，稍緩亦無救矣。

理中丸　治霍亂病嘔吐泄利，寒多不飲水者。

人參　乾薑　甘草(炙)　白朮(各三兩)

此胃寒之證也。腹中冷痛者，用本方亦能獲效。

通脈四逆加猪胆汁湯　治吐下已斷，汗出而厥，四肢拘急不解，脈微欲絕者。

通脈四逆湯原方加猪胆汁(四合)

吐下已斷，與四逆加人參湯証之利止，同爲陰虧也。汗出而厥，四肢拘急不解，脈微欲絕，則是亡陽之象，病尤急矣。陽亡爲全身機能消失之病。陰虧爲津液減少之病。本方以胆汁潤滑血液之枯燥，再以四逆湯興奮組織細胞之生活力，宜其機能恢復，血液流行，救危於頃刻之間也。

燒裩散　治傷寒陰陽易之爲病，其人身體重，少氣，小腹裏急，或引陰中拘攣，熱上衝胸，頭重不欲舉，眼中生花，膝脛拘急者

婦人中裩近陰處，取燒作灰　右一味，水服方寸匙，小便即利，陰頭微腫，此爲愈矣，婦人病，取男子裩燒服。

陰陽易，蓋即男女交接之謂也。易者，交易也。陰陽易病，交接後所得之病也。即俗云冷病是也。此病皆因交接後受寒而得。或食生冷之物，或涉寒凉之水，或被冷風所吹，均有得此病之機會。身體强壯或特殊者，有時犯之，亦未必皆病，但不可以此而遂忽之也。嘗見得此病者，未有不小腹裏急，引陰中拘攣，及膝脛拘急者。病甚危急，不治必死。蓋當交接之後，生殖器官，全部疲乏，在未復原之際，最不耐寒氣侵襲也。寒氣乘虛而入，或由胃腸，或由毛竅，賴淋巴之媒介，性腺之傳導，感應甚速也。小腹裏急，陰中拘攣，蓋係輸精管及陰莖睾丸全部痠痛也。膝脛拘急，不過受其連帶耳。病雖危急，若用婦女陰毛七剪，燒炭以熱黃酒冲服，立愈。此種治法，雖窮鄉僻壤，亦無不知之，其取意亦猶燒裩散也。余每用附子乾薑煎湯，送下婦女陰毛炭少許，亦甚效。此蓋男子之專病，婦人得之者，殊鮮見也。

枳實梔子湯　治大病差後勞復者，若有宿食加大黃。

枳實(三枚炙)　梔子(十四個擘)　香豉(一升綿裹)

大病差後勞復者，即大病新瘥，尙未復原，因勞動而復成病之謂也。勞則生熱，熱氣浮越，故以枳實下氣，梔子香豉解熱也。

牡蠣澤瀉散　治大病差後，腰以下有水氣者。

牡蠣　澤瀉　蜀漆(洗去腥)　海藻(洗去鹹)　括蔞根　商陸根(熬)　葶藶子(各等分)

右七味，異擣，下篩爲散，更於臼中治之，白飲和服方寸匙，日三服，小便利，止後服。

腰以下有水氣，是不但腹脹，而下肢亦腫也。上部腫脹宜發汗，下部腫脹宜利水，此一定法也。

牡蠣含石灰質甚多，止汗濇腸，有制水之功能。澤瀉爲逐水利尿之專藥。蜀漆主治胸腹及脇下動劇，故有散痞結消水脹之功。海藻破堅散結利尿消腫。括蔞根生津止渴，不但有排膿生肌之用，且有消腫之功。商陸根亦爲利水之藥，初服無效，數日後藥力始顯。葶藶子於肺能散結氣，於腎能利小水。本方之藥，除牡蠣爲制水之品，餘皆爲利水之品。一方築堤以防之，一方濬流以導之，則水自不汎濫矣。

竹葉石膏湯　治傷寒解後，虛羸少氣，氣逆欲吐者。

竹葉(二把)　石膏(一斤)　半夏(半升洗)　人參(三兩)　麥門冬(一升去心)　甘草(二兩)

粳米(半升)

虛羸者，虛弱羸瘦也。少氣者，短氣也。氣逆欲吐者，氣虛上逆而欲作吐也。此證如有煩熱而兼口渴，則與本方更相符矣。

本方即人參白虎湯之變方也。竹葉除煩。石膏清熱。半夏止嘔，兼能降氣。人參補病後之虛羸。麥冬添胃中之津液。用甘草以調諸藥。用粳米而助胃氣也。

結　論

綜觀前列諸方，主治之證雖繁多，總不外太陽陽明少陽之三陽，與太陰少陰厥陰之三陰。所用之藥雖不同，亦不過發汗攻下和解等法，以救陽偏，溫中驅寒調內等法，以制陰盛而已。既知陽偏之證，屬熱屬實，屬表屬邪。陰盛之證，屬寒屬虛，屬裏屬正。於診病時，再能辨其屬體屬用，則處方用藥，雖不敢謂決然奏功，亦可以無大過矣。所謂三陰與三陽，若根據生理病理，究屬何病，觀前方之主治與用藥，亦可概見。太陽病者，肌表病也。肌表驟遇外界冷氣，皮膚收縮，汗孔結閉，使排汗之機能消失，內熱不能外散，故有脈浮頭項強痛發熱惡寒等證象。陽明病者，胃腸之熱性病也。此病不但傳自太陽與少陽，亦有始病即屬陽明者。皆因內熱太盛，胃腸吸收水分過多，致使大便燥結。故胃家實也。少陽病者，膈膜病也。此病多因外邪內陷，熱毒薰蒸，時作時止，致胸脅部膈膜發炎，及肝脾膵三臟腫大，並影響胃之消化，故有口苦耳聾咽乾目眩，胸脅苦滿，心煩喜嘔，寒熱往來等證象。太陰病者，胃腸之虛寒病也。胃腸虛寒，消化力即減退。內蓄之水穀，因而醱酵爲瓦斯，或直至腸中使蠕動亢盛。故腹滿而吐，食不下，自利益甚，時腹自痛也。若經誤治，不但胸下結硬，並能下垢膩之物，甚至大腸潰瘍穿孔也。少陰病者，心臟痛也。此病不但血球細胞之活動力減退，並且不能繼續產生也。血球不能繼續產生，必致全身機能衰減，故有脈微細，但欲寐，惡寒而踡，小便色白等證象。厥陰病者，寒熱錯雜之病也。多因胃腸寒熱失常，使寄生之蚘蟲，尋覓溫度相當之處，遊走無定。或穿破腸壁而至腹腔，或充塞腸管，令人吐糞，或上出咽頭，穿入耳道，或轉入氣管，破壞肺部，凡此皆足致命。但必見吐蚘，方爲陰厥之的証。若僅手足厥寒，或嘔吐下利，則又屬諸少陰太陰矣。此不可不辨也。總之，三陽之病，係用能消失，多屬表邪與實熱。三陰之病，不但用能消失，體質亦受損傷，皆因正虛與裏寒。明乎此，則發汗攻下和解，與溫中驅寒調內等法，自不難因證而施矣。

綜觀全文，理論透澈，解釋詳明，其中之小建中湯，附子湯，猪膚湯，麻黃附子細辛湯，麻黃附子甘草湯，四逆湯，通脈四逆湯諸方，格陽，蚘厥，陰陽易諸病等見地，發前人所未發，尤足振聾啓聵，壽世之作也。

◉醫戒十二條

(一)醫之爲業，爲人而非爲己也，故不可躭安逸，不可邀名利，但以救人爲本務，除保存人之性命，治療人之疾病，解除人之痛苦外，更無所事事。

(二)醫者以治病爲務，故當但見病人，不當以其富貴貧賤而有所歧異，貧賤人雙行之淚，不讓富貴人一握之金也，願深思之。

(三)醫者當以病人爲正鵠，勿以病人爲弓矢，不可堅執一己成見，漫爾嘗試。

(四)學術固須精進，言行亦當注重，不可爲詭奇之言論，不可效時俗之行爲，一味虛僞，爲醫界羞。

(五)每日夜間，當更將晝間之醫案，再加考覈，詳細劄記，積久成書，爲已爲人，兩有裨益。

(六)診病不厭精詳，彼臨症粗疏而又妄自尊大者，最爲可惡。

(七)病即不治，須設法解其痛苦，切不可直言告之，便其絕望，亦不可忍心不救，有乖人道。

(八)病人果係素寒，務當利濟爲懷，切不可强索巨金，轉致其人於死。

(九)醫者當以篤實爲主，以沈默爲貴，酒色財氣是其大戒。

(十)對於同道，老者須敬之，少者須愛之，勿論前醫之得失，勿道他人之短長，亦不得傾軋嫉妒。

(十一)會商病情，斟酌方藥，當以病人之安全爲務，不可人執一見，互相紛爭，轉害病者。

(十二)病人信托之醫而竊商諸他醫，未知，愼勿與聞，然設明知其誤治間，亦不得漠視不言。

金匱諸證之病理及治法

于巽五

緒言

金匱仲景治雜病之書也，觀傷寒論原序云，『……幷平脉辨證，爲傷寒雜病論合十六卷，雖未能盡愈諸病，庶可以見病知源……』則知傷寒金匱本一書也，後世既分爲二，學者讀完傷寒論，再讀金匱，更覺豁然貫通矣，傷寒論以六經爲主腦，金匱以三因而論治，兩書實相表裏也，所謂三因者何，曰五臟情志所感，病從內生者爲內因，六淫邪氣所觸，病從外來者爲外因，飲食房室跌撲金刃所傷，不從邪氣情志所生者爲不內外因，千般疢難，總不越此三條，學者如能因此悟彼，觸類旁通，而推究其表裏虛實之理，與標本常變之道，無論數証合爲一證，或一證分爲數証，其證皆可以互參，其方亦可以互用，所謂神而明之，存乎其人者歟，茲參考各家，根據科學，說明諸證之病理，並列治療之全方，編訂成册，以備臨證處方時之遺忘，亦不無小補也。

痙濕暍病

痙病即項背强急也，發熱無汗爲剛痙，發熱汗出爲柔痙，皆因感冒外傷，血燥津傷，致神經失養，故項背間末稍運動神經，遂發痲痺痙攣也，發汗太多誤下傷津，皆能致痙，醫家不可不愼也。

括蔞桂枝湯　治太陽病，其証備，身體强几几然，脉反沉遲，此爲痙病，此湯主之。

括蔞根(二兩)　桂枝(三兩)　芍藥(三兩)　甘草(二兩)　生薑(三兩)　大棗(十二枚)

葛根湯　治太陽病，無汗而小便反少，氣上衝胸，口噤不得語，欲作剛痙，此湯主之

葛根(四兩)　麻黃(三兩去節)　桂枝(二兩去皮)　芍藥(二兩)　甘草(二兩炙)　生薑(三兩)

大棗(十二枚)

大承氣湯　治痙病胸滿口噤，臥不著席，脚攣急，必齘齒，可與此湯

大黃(四兩酒洗)　厚樸(半斤炙去皮)　枳實(五枚炙)　芒硝(三合)

濕病分內濕外濕二種，內濕者，因炎症所起之炎性滲出物也，炎症初期，患部之毛細血管擴張，呈充血症狀，血液之流動成分，及其固形成分，半滲出於管外，滲出管外之流動成分，名炎性滲出物，其停滯於體腔內者即爲飲，浸潤於組織中者即爲濕，甚者則爲水腫，此皆濕之類也，此外發於胃之痰飲，發於子宮之帶下，發於氣管之欬嗽，發於大腸之下痢，發於十二指腸之黃疸，亦皆屬於內濕，外濕者，空氣中飽含水蒸汽，則汗液之已出汗腺者，不得蒸發，因阻於腺口之內，不能浸出，則流於組織關節間，成爲濕病，此即外濕，非外界水分，能透於皮膚而客於人體之謂也。

麻黃加朮湯　治濕家身煩痛，發其汗爲宜，愼不可以火攻之，可與此湯，

麻黃(三兩去節)　桂枝(二兩去皮)　甘草(二兩炙)　杏仁(七十個去皮尖)　白朮(四兩)

麻黃杏仁薏苡甘草湯　治病者一身盡疼，發熱日晡所劇者，名風濕，此病傷於汗出當風，或久傷取冷所致也。

麻黃(半兩去節湯泡)　甘草(兩炙)　薏苡仁(半兩)　杏仁(十個去皮尖炒)

防已黃耆湯　治風濕，脈浮身重，汗出惡風者，

防巳(兩)　甘草(半兩炙)　白朮(七錢半)　黃耆(一兩一分)

桂枝附子湯　治傷寒八九日，風濕相搏，身體煩疼，不能自轉側，不嘔不渴，脈浮虛而濇者

桂枝(四兩去皮)　生薑(三兩切)　附子(三枚炮去皮破八片)　甘草(二兩炙)　大棗(十二枚擘)

去桂加白朮湯　治同前証若大便堅，小便自利者

白朮(二兩)　附子(一枚半炮去皮)　甘草(一兩炙)　生薑(一兩半切)　大棗(六枚)

甘草附子湯　治風濕相搏，骨節煩疼，掣疼不得屈伸，近之時痛劇，汗出短氣，小便不利，惡風不欲去衣，或身微腫者。

甘草(二兩炙)　附子(二枚炮去皮)　白朮(二兩)　桂枝(四兩去皮)

暍傷暑也，中熱也，其病在表，發熱惡寒，與太陽傷寒相需而不同，西醫所謂日射病，即此證也，酒家及衰弱之體

，有因中暍而卒死者，謂之暍死，即此證之重者，此証多屬虛寒，與冬日之傷寒陽証不同，傷寒因體溫不得放散而發熱。因血液不達於肌表而惡寒，所謂陰勝則寒，陽勝則熱也，中暍乃因津液不足而發熱，體溫不足而惡寒，所謂陽虛而寒，陰虛而熱也，津液不足，血中水分少，故脉弦細而芤，體溫不足，心搏動弛緩，故脉遲，陰陽俱虛，肌肉弛緩，神經失養，故身重而疼痛，此証宜因陽益陰，發汗殊不宜也，

白虎加人參湯　治太陽中熱者，暍是也，汗出惡寒，身熱而渴者

知母(六兩)　石膏(一斤碎)　甘草(二兩)　粳米(六合)　人參(三兩)

一物瓜蒂湯　治太陽中暍，身熱疼重，而脉微弱，此以夏月傷冷水，水行皮中所致也，此湯主之，

瓜蒂(二十個)　右剉，以水一升煑取五合，去滓，頓服，

百合狐惑陰陽毒病

百合病，係神經衰弱也，其証狀恍惚來去，不可捉摸，惟口苦小便赤脉微數，知其屬熱也，此證分先天後天兩種，關於先天者，多因雙親嗜酒，酣醉行房或受胎時有重病，則所生子女，最易患神經衰弱，關於後天者，多因精神過勞，苦心焦慮遂致神精衰弱，其最普通之證狀，爲失眠，健忘，思力減退，食慾不振，或善飢頭痛，眩暈，耳鳴，眼花，心悸等，而精神異常，尤爲本病之特徵，若持續既久，則視一切之事，皆不如意，甚至自殺者有之，

百合知母湯　治百合病發汗後者

百合(七枚擘)　知母(三兩切)

百合滑石代赭石湯　治百合病下之後者

百合(七枚擘)　滑石(三兩碎綿裹)　代赭石(如彈丸大一枚碎綿裹)

百合鷄子黃湯　治百合病吐之後者

百合(七枚擘)　鷄子黃(一枚)

百合地黃湯　治百合病不經吐下發汗，病形如初者

百合（七枚擘）　生地黃汁（一升）

百合洗方　治百合病，一月不解，變成渴者

以百合一升，以水一斗，漬之一宿，以洗身，洗已，食煮餅，勿以鹽豉也

括蔞牡蠣散　治百合病渴不差者

括蔞根　牡蠣（熬等分）　右爲細末，飲服方寸匙，日三服

百合滑散　治百合病變發熱者

百合（一兩炙）　滑石（三兩）　右爲散，飲服方寸匙日三

狐惑者，急性熱病也，狀如傷寒，而以咽喉或前後二陰之蝕爛爲主證，病人神情恍惚惑亂狐疑，故曰狐惑，此證之初起，應透發其皮膚以退其熱，若熱不透出，病毒不得循常軌排除，即潰決而蝕爛咽喉及二陰，痘瘡麻疹猩紅熱等，如透發不淨，往往發現此証，皆由溫毒使然也

甘草瀉心湯　治狐惑病狀如傷寒，默默欲眠，目不得閉，臥起不安，蝕於喉爲惑，蝕於陰爲狐，不欲飲食，惡聞食臭，其面目乍赤乍黑乍白，蝕於上部則聲嗄，宜此湯

甘草（四兩）　黃芩　人參　乾薑（各三兩）　黃連（兩）　大棗（十二枚）　半夏（半升）

苦參湯　蝕於下部則咽乾，此湯洗之

苦參（一升）　以水一斗煎取七升，去滓，重洗，日三次

雄黃熏法　蝕於肛者，此方熏之

雄黃一味，爲末，筒瓦二枚合之燒，向肛熏之

赤小豆當歸散　治脉數無熱微煩，默默但欲臥，汗出，初得之三四日，目赤如鳩眼，七八日目四皆黑，若能食者，膿已成也，此方主之，並治先便後血。

赤小豆（三升浸令芽出曝乾）　當歸（十兩）　右二味，杵爲散，漿水服方寸匙，日三服

陰陽毒病者，以發斑爲主證，有傷寒斑瘡候，有時氣發斑候，有熱病斑瘡候，有溫病發斑候，皆因失汗，或汗吐下後熱毒不解所致，其機能亢盛，屬實熱者，爲熱毒熱斑，機能衰弱，屬虛寒者，爲陰毒陰斑，始病時可看手指足趾，冷者是陰，不冷者是陽，若冷至二三寸者，病微，若至肘膝，爲病極，過此則難治矣，此病無常，或初病便有毒，或服藥經五六日以上，或十餘日不瘥，變成病者，其候身重背強，咽喉痛，糜粥不下，毒氣攻心，心腹煩痛，短氣，四肢厥逆，嘔吐，體如被打，發斑，若發赤斑，十生一死，若發黑斑，十死一生，蓋斑疹傷寒之類也。

升麻鼈甲湯　治陽毒病，面赤斑斑如錦文，咽喉痛，吐膿血，五日可治，七日不可治，此湯主之

升麻(二兩)　當歸(一兩)　蜀椒炒去汗(一兩)　甘草(一兩)　鼈甲(手指大一片炙)　雄黃(半兩研)

升麻鼈甲去蜀椒雄黃　治陰毒病，身痛如被杖，咽喉痛，五日可治，七日不可治，此湯主之，(即升麻鼈甲湯去蜀椒雄黃也)

瘧病

瘧病者，寒熱往來，發作有時之證也，西醫以爲此證之發，係瘧原虫之傳染其傳染之媒介，則爲蚊虫，此虫入於人之赤血球，每次分裂繁殖時，其人即發瘧，始惡寒，繼發熱，終則汗止熱退，瘧原虫之種類不同，其成熟分裂之期亦各異，故瘧有日數發，每日發，間日發，三日發等等之別也，然證諸事實，此病之流行，多在深秋與隆冬，多蚊之夏季，人反不病瘧，此說似不足信，中醫以六淫爲病原，正虛邪著，故久而不去也，此與西醫所謂健康人之體內，亦常有瘧原虫發見，其人所以不病者，以抗毒力充足，病菌在體內不能繁殖故也，病菌繁殖於體內，必因其人抗毒力衰減之故，因無抵抗力始染此病，其理實相同也，瘧病分瘧母，癉瘧，溫瘧，牡瘧，勞瘧，五種，瘧母者，即西醫所謂脾臟腫大也，脾臟何以腫大，蓋因急性鬱血，脾動脉遂生血栓，血栓栓塞，西醫以爲不治之証，中醫用行血消瘀之品，即溶解血栓也，癉瘧者，但熱不寒也，溫瘧者，先熱後寒也，或謂肺素有熱，或謂熱干於胃，總不外津液缺少也，牡瘧者，陰瘧也，外臺作牝瘧是也，勞瘧者，瘧病積久不瘥，表裏俱虛，客邪未散，元氣未復，病雖暫歇，小勞便發也。

鼈甲煎丸　治瘧病以月一日發，當十五日愈，設不差，當月盡解，如其不差，結爲癥瘕，名曰瘧母，急治之，宜此丸主之。

鼈甲（十二分炙）　烏扇（四分燒即射干）　黃芩（三分）　柴胡（六分）　鼠婦（三分熬）　乾薑（三分）　大黃（三分）　芍藥（五分）　桂枝（三分）　葶藶（一分熬）　石韋（三分去毛）　厚朴（三分）　牡皮皮（五分）　瞿麥（二分）　紫葳（三分熬凌霄）　半夏（一分）　人參（一分）　䗪蟲（五分熬）　阿膠（三分）　赤硝（十二分）　蜣螂（六分熬）　桃仁（二分）

右二十三味，爲末，取煅竈下灰一斗，清酒一斛五斗，浸灰，候酒盡一半，着鼈甲於中，煮令泛爛如膠漆，絞取汁，內諸藥，煎爲丸，如桐子大，空心服七丸，日三服，

白虎加桂枝湯　治温瘧者，其脉如平，身無寒，但熱，骨節煩疼，時嘔，此湯主之

知母（六兩）　甘草（二兩炙）　石膏（一斤）　粳米（六合）　桂枝（三兩去皮）

蜀漆散　治瘧多寒者，名曰牡瘧，此方主之

蜀漆（洗去腥）　雲母（燒二日夜）　龍骨（等分）

牡蠣湯　治牡瘧

牡蠣（四兩熬）　麻黃（四兩去節）　甘草（二兩）　蜀漆（三兩）

柴胡去半夏加括蔞根湯　治瘧病發渴者，亦治勞瘧

柴胡（八兩）　人參　黃芩　甘草（各三兩）　括蔞根（四兩）　生薑（二兩）　大棗（十二枚）

柴胡桂薑湯　治瘧寒多，微有熱，或但寒不熱，服一劑如神

柴胡（半斤）　桂枝（三兩去皮）　乾薑（二兩）　括蔞根（四兩）　黃芩（三兩）　牡蠣（二兩熬）　甘草（二兩炙）

中風歷節病

中風之爲病，卒然不省人事，口眼喎斜，手足不收，痰涎湧盛，幸而得蘇者，則半身不遂，帶病延奕，此爲腦溢血，與充血不同，若出血較多，往往心臟因之麻痺而立斃，出血較少者，即遺半身不身之證，大腦分爲左右兩半珠，運動神經之神經纖維，出於大腦。至延髓脊髓交界處，分左右交义，大腦左半球溢血，則右半身不遂，右半球溢血，則左半身不遂，病在大腦半球，影響到運動神經之神經纖維，故致對側之半身不遂也。

侯氏黑散　治大風，四肢煩重，心中惡寒不足者

菊花(四十分)　白朮(十分)　細辛(三分)　茯苓(三分)　牡蠣(三分)　桔梗(八分)　防風(十分)

人參(三分)　礬石(三分)　黃芩(五分)　當歸(三分)　乾薑(三分)　川芎(三分)　桂枝(三分)

風引湯　除熱癱癇

大黃　乾薑　龍骨(各四兩)　桂枝(三兩)　甘草　牡蠣(各二兩)　寒水石　滑石　赤石脂

白石脂　紫石英　石膏(各六兩)

防已地黃湯　治中風病如狂狀，妄行獨語不休，無寒熱其脉浮者，

防已(一分)　桂枝(三分)　防風(三分)　甘草(一分)

頭風摩散　治頭風　大附子(一枚炮)　鹽(等分)

附方

◉古今錄驗續命湯　治中風痱，身體不能自收，口不能言，冐昧不知痛處，或拘急不能轉側

麻黃　桂枝　人參　甘草　乾薑　石膏　當歸(各三兩)　川芎(一兩五錢)　杏仁(四十枚)

◉千金三黃湯　治中風手足拘急，百節疼痛，煩熱心亂，惡寒經日，不欲飲食。

麻黃(五分)　獨活(四分)　細辛(二分)　黃耆(二分)　黃芩(三分)

◉近效朮附湯　治風虛頭重眩苦極，不知食味，暖肌補中，益精氣

白朮(二兩)　附子(一枚半炮去皮)　甘草(一兩炙)

歷節病，即西醫所謂僂麻質斯是也，有短氣，自汗出，歷節疼痛不可忍，屈伸不得等證象，並皆發熱，關節腫痛，或因感冒而起，或受潮濕而起，多起於突然，卑濕之處多有之，高燥之處殊鮮見也，古人謂係汗出入水，汗出當風所致，其屬水毒無疑矣。

桂枝芍藥知母湯　治諸肢節疼痛，身體尫羸脚腫如脫，頭眩短氣，溫溫欲吐者。

桂枝(四兩)　芍藥(三兩)　甘草(二兩)　麻黃(二兩)　生薑(五兩)　白朮(五兩)　知母(四兩)　防風(四兩)　附子(一枚炮)

烏頭湯　治歷節病，不可屈伸疼痛者，又治脚氣疼痛，不可屈伸

麻黃　芍藥　黃耆　甘草(各三兩炙)　烏頭(五枚)

礬石湯　治脚氣衝心

礬石(二兩)　右一味以漿水一斗五升煎三五沸浸脚良。

◉崔氏八味丸　治脚氣上入，少腹不仁。

乾地黃(八兩)　山茱萸　薯蕷(各四兩)　澤瀉　茯苓　牡丹皮(各三兩)　桂枝　附子(各一兩炮)

◉千金越婢加朮湯　治肉極，熱則身體津脫，腠理開，汗大泄，厲風氣下焦脚弱。

麻黃(六兩)　石膏(半斤)　生薑(三兩)　甘草(二兩)　白朮(四兩)　大棗(十五枚)　惡風加附子一枚炮

血痺虛勞病

血痺者末稍知覺神經麻痺也，皆由身體虛，腠理開，邪入血而成也，古人云，風寒濕三氣雜至，合而成痺有以也，此証惟頑麻而無疼痛，與風痺頑麻疼痛兼有之証不同，不可不察也。

黃耆五物湯　治痺陰陽俱微，寸口關上微，尺中小緊，外証身體不仁，如風痺狀，

黃耆　芍藥　桂枝(各三兩)　生薑(六兩)　大棗(十二枚)

虛勞者，因勞而虛，因虛而病也，此証未有不內熱骨蒸者，即有一二虛寒者，亦必邪熱先見，其後逐漸隨正氣俱衰也，古人謂之陰虛不能藏陽，說雖腐陳却有至理存焉，盖體溫之造成，因體內炭水化物脂肪等，遇養氣而分解化合，而發生燃燒也，陰虛之陰，即指營養素中之炭水化物及脂肪也，若營養不良，不能攝取炭水化物及脂肪時，即爲陰虛，體工爲起救濟作用，不得不求體內其他物質代炭水化物，以供燃燒而生體溫，此所以先燒皮下之脂肪，再燒肌肉，終則燒血液而死矣，所謂陰虛而熱，即此理也，凡營養不良，機能衰減之証，古人皆視爲虛勞。

桂枝加龍骨牡蠣湯　治失精家，小腹弦急，陰頭寒，目眩，髮落，脈極虛芤遲，爲清穀亡血失精，脈得諸芤動微緊，男子失精，女子夢交，此湯主之。

桂枝　芍藥　生薑（各三兩）　甘草（二兩）　大棗（十二枚）　龍骨　牡蠣（各三兩）

天雄散　治法同前

天雄（三兩）　白朮（八兩）　桂枝（六兩）　龍骨（三兩）

小建中湯　治虛勞裏急，悸衄，腹中痛，夢失精，四肢酸疼，手足煩熱，咽乾口燥者。

桂枝（三兩去皮）　甘草（二兩炙）　大棗（十二枚）　芍藥（六兩）　生薑（三兩）　膠飴（一升）

黃耆建中湯　治虛勞裏急，諸不足者。

即小建中湯加黃耆一兩半

八味地黃丸　治虛勞腰痛，小腹拘急，小便不利者。　即崔氏八味丸　方見前

薯蕷丸　治虛勞不足，風氣百疾

薯蕷（三十分）　當歸　桂枝　神麯　乾地黃　豆黃卷（各十分）　甘草（二十八分）　芎藭

麥門冬　芍藥　白朮（各六分）　人參（七分）　柴胡　桔梗　茯苓（各五分）　阿膠（七分）

乾薑（三分）　白薟（二分）　防風（六分）　大棗（百枚爲膏）

酸棗仁湯　治虛勞虛煩不得眠

金匱諸證之病理及治法　

酸棗仁(二升)　甘草(一兩)　知母(二兩)　茯苓(二兩)　芎藭(一兩)

大黃䗪虫丸　治五勞虛極，羸瘦腹滿，不能飲食，食傷，憂傷，飲傷，房室傷，饑傷，經絡榮衛氣傷，內有乾血，肌膚甲錯，兩目黯黑，緩中補虛，此丸主之。

大黃(十分蒸)　黃芩(二兩)　甘草(三兩)　桃仁(一升)　杏仁(一升)　芍藥(四兩)　乾漆(一兩)

虻蟲(一升)　乾地黃(十兩)　水蛭(百枚)　蠐螬(一升)　䗪蟲(半升)

附方

◉千金翼炙甘草湯　治虛勞不足，汗出而悶，脈結悸，行動如常，不出百日，危急者十一日死。

甘草(四兩炙)　桂枝　生薑(各三兩)　麥門冬(半升)　麻仁　人參　阿膠(各二兩)　大棗(三十枚)　生地黃(一斤)

◉肘後獺肝散　治冷勞，又主鬼疰，一門相染

獺肝一具，炙乾末之，水服方寸匙，日三服。

肺痿肺癰欬嗽上氣病

此四者，皆呼吸器病也，肺痿是枯萎而無津液，其証屬虛，其欬不劇，或不欬，唾膿不臭，其人甚羸瘦，肺癰是潰爛而成空洞，其証屬實，其欬劇，唾膿臭，其人不甚羸瘦，肺癰如未穿孔，間有可愈者，肺痿則枯竭乾燥，鮮有愈者，此二証，即西醫所謂肺結核也，此証由結核桿菌竄入肺組織而起，先起炎症，上皮細胞繁殖堆積，成一硬固小結節，故曰結核，結核中無血管，因不得榮養，故易於壞死，壞死後成黃色乾酪狀物，久而軟化成糜粥狀，同痰唾排出於外，於是結核之中部成空洞，壁空洞又分泌多量膿液，以培養結核菌，其繁殖因之愈速，全肺空洞之多，往往有如蜂房焉，欬嗽爲肺之原發病，多因外感風寒而得，始則不過氣管與枝氣管發炎而已，治之得法，一藥即愈，若經誤治，即入肺部而成種種壞症矣，上氣即逆喘也，亦爲肺病必見之証，發現此証，均係肺脹與肺腫，以上四症，爲肺結核成功必經過之症也，此外如胸痛脈數，發熱出汗，嘔吐，消渴，唾濁沫，吐膿血，亦爲宜有之現象，惟

以古方治今之肺結核，皆不驗，蓋古時不常見此病，以無經驗，故未究其治法也。

甘草乾薑湯　治肺痿吐涎沫而不欬者，其人不渴，必遺尿，小便數，所以然者，以上虛不能制下故也，此爲肺中冷，多涎唾，以此溫之；若服湯已，渴者屬消渴

甘草（四兩炙）　乾薑（二兩炮）

射干麻黃湯　治欬而上氣，喉中水雞聲者。

射干（三兩）　麻黃（四兩）　生薑（四兩）　細辛　紫菀　款冬花（各三兩）　五味子（半升）　大棗（十枚）　半夏（半升）

皂莢丸　治欬逆上氣時時吐濁，但坐不得眠者。

皂莢（八兩刮去皮用酥炙）　右一味末之，蜜丸桐子大，以棗膏和湯，服三丸，日三，夜一服。

厚朴麻黃湯　治欬而脉浮者

厚朴（五兩）　麻黃（四兩）　石膏（如雞子大）　杏仁（半升）　半夏（半升）　乾薑（二兩）

細辛（二兩）　小麥（一升）　五味子（半升）

澤漆湯　治欬而脉沈者。

半夏（半升）　澤漆（三升以東流水五斗煮取一斗五升）　紫參（一作紫菀）　生薑　白前（各五兩）

甘草　黃芩　人參　桂枝

麥門冬湯　治火逆上氣，咽喉不利，止逆下氣者。

麥門冬（七升）　半夏（一升）　人參　甘草（各二兩）　粳米（三合）　大棗（十二枚）

葶藶大棗瀉肺湯　治肺癰喘不得臥者。

葶藶（熬令黃色擣丸如雞子大）　大棗（十二枚）

桔梗湯　治肺癰欬而胸滿，振寒脉數，咽乾不渴，時出濁唾腥臭，久久吐膿，如米粥者。

桔梗（一兩）　甘草（二兩）

越婢加半夏湯　治欬而上氣，此爲肺脹，其人喘，目如脫狀，脉浮大者。

麻黃(六兩)　石膏(半斤)　生薑(三兩)　大棗(十五枚)　甘草(二兩)　半夏(半斤)

小青龍加石膏湯　治肺脹欬而上氣，煩燥而喘，脉浮者，心有水，此湯主之。

麻黃　芍藥　桂枝　細辛　甘草　乾薑(各三兩)　五味子　半夏(各半升)　石膏(二兩)

附方

◉外臺炙甘草湯　治肺痿涎唾多，心中溫溫液液者。

方見虛勞

◉千金甘草湯

甘草一味，以水三斗，煑減半，溫分三服。

◉千金生薑甘草湯　治肺痿欬唾涎沫不止，咽燥而渴

生薑(五兩)　人參(三兩)　甘草(三兩)　大棗(十二枚)

◉千金桂枝去芍藥加皂莢湯　治肺痿吐涎沫

桂枝　生薑(各三兩)　甘草(二兩)　大棗(十二枚)　皂莢(一枚去皮子炙焦)

◉外臺桔梗白散　治欬而胸滿，振寒脉數，咽乾不渴，時出濁唾腥臭。久久吐膿如米粥者，爲肺癰。

桔梗　貝母(各三分)　巴豆(一分去皮熬研如脂)

◉千金葦莖湯　治欬有微熱，煩滿，胸中甲錯，是爲肺癰

葦莖(二升)　薏苡仁(半升)　桃仁(五十粒)　瓜瓣(半升)

奔豚病

奔豚係一種發作性疾病，當其發作時，如豚之從少腹上衝咽喉，痛而欲死，此証皆從驚恐得之，情志不舒之中年男女，多得此病，時作時止，則似神經病，然腹起瘕塊，其主病實在胃腸也，蓋因胃腸積氣過多。而累及衰弱之心臟

，遂發此証，此說頗近似。

奔豚湯　治奔豚氣上衝胸，腹痛，往來寒熱者。

甘草　當歸　芎藭　黃芩　芍藥(各二兩)　半夏　生薑(各四兩)　生葛(五兩)　甘李根白皮(一升)

桂枝加桂湯　治發汗後，燒鍼令其汗，鍼處被寒，核起而赤者，欲作奔豚，氣從小腹上至心，灸其核上各一壯，與此湯主之。

桂枝(五兩)　芍藥(三兩)　甘草(二兩炙)　生薑(三兩)　大棗(十二枚)

茯苓桂枝甘草大棗湯　治發汗，臍下悸者，欲作奔豚，此湯主之。

茯苓(半斤)　甘草(二兩炙)　大棗(十五枚)　桂枝(四兩)

胸痺心痛短氣病

古人所謂胸痺心痛，蓋即胃神經痛，及肋間神經痛也，決非西醫所謂狹心症及大動脉之炎症瘤症，等等不治之症，現本篇諸方，即可知矣，短氣者，呼吸雖數，而不能相續，似喘不搖肩，似呻吟而無痛，爲胸痺必見之現象，蓋因裏氣暴實，或痰非，或食物，得其升降之氣而然也。

括蔞薤白白酒湯　治胸痺病，喘息欬唾，胸背痛，短氣寸口脉沉而遲，關上小緊數者。

栝蔞實(一枚搗)　薤白(半升)　白酒(七升)

括蔞薤白半夏湯　治胸痺不得臥，心痛徹背者。

括蔞實(一枚搗)　薤白(三兩)　半夏(半升)　白酒(一斗)

枳實括蔞薤白桂枝湯　治胸痺心中痞，氣留結在胸，胸滿脇逆搶心者。

枳實(四枚)　厚朴(四兩)　薤白(半斤)　桂枝(一兩)　括蔞實(一枚搗)

人參湯　治同前

人參　甘草　乾薑　白朮(各三兩)

茯苓杏仁甘草湯　治胸痺胸中氣塞，短氣者。

茯苓(三兩)　杏仁(五十箇)　甘草(一兩)

橘皮枳實生薑湯　治同前

橘皮(一斤)　枳實(三兩)　生薑(半斤)

薏苡附子散　治胸痺緩急者

薏苡仁(十五兩)　大附子(十枚炮)　右二味杵爲散，服方寸匕，日三服。

桂枝生薑枳實湯　治心中痞，諸逆心懸痛者，

桂枝　生薑(各三兩)　枳實(五枚)

烏頭赤石脂丸　治心痛徹背，背痛徹心者。

烏頭(一枚炮)　蜀椒(一兩)　乾薑(一兩)　附子(半兩)　赤石脂(一兩)　右五味末之，蜜丸如桐子大，先食服一丸，日三服，不知稍加服。

附方

◉九痛丸　治九種心痛(一蟲，二注，三風，四悸，五食，六飲，七冷，八熱，九去來痛是也)

附子(三兩炮)　生狼牙(一兩炙香)　巴豆(一兩去皮心熬研如脂)　人參　乾薑　吳茱萸(各一兩)

右六味，末之，煉蜜丸如桐子大，酒下，强人初服三丸，日三服，弱者二丸，○兼治卒中惡，腹脹痛，口不能言，又治連年積冷，流注心胸痛，並冷衝上氣，落馬墜車血疾等，皆主之，忌口如常法。

腹滿寒疝宿食病

此皆消化器病也，腹滿即鼓脹之症，亦即西醫所謂急慢性腹膜炎。宿食即傷食之症，亦即西醫所謂急性胃腸炎，此二症多因積水積食所致，寒疝繞臍而痛，瘦人多得之，蓋腹肌單薄，風冷入內，致穀氣不行，氣必上衝而作痛，此

症宜用溫通之法，凡腸病腹膜病，痛而有寒症者，皆屬水氣此不可不知也。

厚樸七物湯　治腹滿，發熱十日，脉浮而數，飲食如故者。

厚樸（半斤）　甘草　大黃（各三兩）　大棗（十枚）　枳實（五枚）　桂枝（二兩）　生薑（五兩）

附子粳米湯　治腹中寒氣，雷鳴切痛，胸脅逆滿，嘔吐者。

附子（一枚炮）　半夏　粳米（各半升）　甘艸（兩）　大棗（十枚）

厚樸三物湯　治痛而便閉者。

厚樸（八兩）　大黃（四兩）　枳實（五枚）

大柴胡湯　治按之心下滿者，此爲實也，當下之，宜此湯

柴胡（半斤）黃芩（三兩）　芍藥（三兩）　半夏（半斤洗）　枳實（四枚炙）　大黃（二兩）　大棗（十二枚）

生薑（五兩）

大建中湯　治心胸中大寒痛，嘔不能食，腹中寒，上衝皮起，出見有頭足上下，痛而不可觸近者。

蜀椒（二合炒去汗）　乾薑（四兩）　人參（二兩）

大黃附子湯　治脇下偏痛發熱，其脈緊弦，此寒也，以溫藥下之，宜之。

大黃（三兩）　附子（三枚炮）　細辛（二兩）

赤丸方　治寒氣厥逆者。

茯苓（四兩）　半夏（四兩）　烏頭（二兩炮）　細辛（一兩）

右四味，末之，內眞朱爲包，如麻子大，先食，酒飲下三丸，日再，夜一服之，不知稍增，以知爲度。

大烏頭煎　治腹痛脉弦而緊，弦則衛氣不行，即惡寒，緊則不欲食，邪正相搏，即爲寒疝，寒疝繞臍痛，若發則，日汗出，手足厥冷其脉沈弦者，此方主之。

烏頭（大者五枚去皮不㕮咀）

右以水三升，煑取一升，去滓，內蜜二升，煎令水氣盡，取二升，强人服七合弱人服五合，不差，明日更服，不可日再服。

當歸生姜羊肉湯　治寒疝腹中痛，及脇痛裏急者。

當歸(三兩)　生薑(五兩)　羊肉(一斤)

右三味，以水八升，煑取三升，溫服七合，日三服，若寒多者，加生薑成一斤痛多而嘔者，加橘皮二兩，白朮二兩，加上薑者，亦加水五升，煑取三升二合服之。

烏頭桂枝湯　治寒疝腹中痛，逆冷，手足不仁，若身疼痛，灸刺諸藥不能治者，此湯主之。

烏頭五枚右一味，以蜜二斤，煎減半去滓，以桂枝湯五合解之，令得之一升，後初服二合，不知即服三合，又不知，復加至五合，其知者如醉狀，得吐者爲中病。

桂枝湯　桂枝(三兩去皮)　芍藥(三兩)甘艸(二兩炙)　生薑(三兩)　大棗(十二枚)

附方

◉外臺烏頭湯　治寒疝腹中絞痛，賊風入攻五臟，拘急不得轉側，發作有時，使人陰縮，手足厥逆。

即大烏頭煎方見上

◉外臺柴胡桂枝湯　治心腹卒中痛者。

柴胡(四兩)　黃芩　人參　芍藥　桂枝　生薑(各一兩半)　甘艸(一兩)　半夏(二合半)

大棗(六枚)

◉外臺走馬湯　治中惡心痛腹脹，大便不通。

巴豆(二枚去皮心敖)　杏仁(二枚)　右二味，以綿纏，搥令碎，熱湯二合，捻取白汁，飮之，當下，老小量之，通治飛尸鬼擊病。

◉大承氣湯　治寸口脉浮而大，按之反濇，尺中亦微而濇者，有宿食也，此湯主之，數而滑者實也，此有宿食，下之愈，宜此湯，下利不欲食者，此有宿食，當下之，宜此湯。

本方見前痙病中

◉瓜蔕散　治宿食在上脘，當吐之，宜此散。

瓜蔕(一分熬黃)　赤小豆(一分煮)　右二味，杆爲散，以香豉七合，煑取汁，和散一錢七，温服之，不吐者，少加之，以快吐爲度而止。

五臟風寒積聚病

五臟屬血，五臟風寒，盖即血管因感風寒而滯塞不通，或受寒濕而弛緩無力，旋覆花湯爲通絡之劑，甘薑苓朮湯爲除濕之方，觀此二方，可以知矣，積聚爲脾弱不運，食穀不化之症，腹膜間常有痞塊痞瘕，時發疼痛，其發作有一定之部位而不移動者，謂之積，發作無一定部位，且移動不居者，謂之聚，古人謂積爲陰氣，聚爲陽氣，即以其移動與不移動也。

旋覆花湯　治肝著，其人常欲蹈其胸上，先未苦時，但欲飲熱，此湯主之。

旋覆花(三兩)　葱(十四莖)　新絳少許

麻仁丸　治趺陽脉浮而濇，浮則胃氣强，濇則小便數，浮濇相搏，大便則堅，其脾爲約，此丸主之。

麻子仁(二二)　芍藥(半斤)　枳實(一斤)　大黃(一斤)　厚樸(一尺)　杏仁(一升)

右六味，末之，煉蜜爲丸如桐子大，飲服十丸，日三，以知爲度

甘薑苓朮湯　治腎著之病，其人身體重，腰中冷，如坐水中，形如水狀，反不渴，小便自利，飲食如故，病屬下焦，身勞汗出，衣裏冷濕，久久得之，腰以下冷痛，腰重如帶五千錢，此湯主之

甘草　白朮(各二兩)　乾薑　茯苓(各四兩)

痰飲欬嗽病

痰飲雖與呼吸器有關，然多爲消化器病，此不可不辨也，痰飲爲體液過贍之病，停潴於臟腑間者，曰痰飲，浸潤於組織中者，爲水氣，其病是由於粘液膜漿液膜之分泌亢進，及吸收循環排泄諸機能發生障碍而成，西醫所謂慢性胃擴張，及慢性胃炎之症，係胃力衰弱，食物及水分停滯胃中，不得下降於小腸，以成消化吸收，乃起營養障礙，胃中遂蓄多量粘液，即爲痰飲，飲雖有痰飲懸飲溢飲支飲之別，其致病之理，實相同也，欬嗽則爲喉頭氣管及支氣管發炎之症，初起時皆因外感而得，治不得法，即由淺入深，轉爲肺炎矣，醫家可不愼歟。

苓桂朮甘湯　治心下有痰飲，胸脇支滿，目眩者。

茯苓（四兩）　桂枝　白朮（各三兩）　甘草（二兩）

腎氣丸　治氣短有微飲，當從小便去之，苓桂朮湯主之，此丸亦主之。

方見中風歷節中

甘遂半夏湯　治病者脉伏，其人欲自利，利反快，雖利，心下續堅滿，此爲留飲欲去故也，此湯主之。

甘遂（大者三枚）　半夏（十二枚以水一升煑取半升去滓）　芍藥（五枚）　甘草（如指大一枚炙）

十棗湯　治脉沈而弦者，懸飲內痛，病懸飲者，此湯主之，

芫花（熬）　甘遂　大戟（各等分）　右三味，擣篩，以水一升五合，先煑肥大棗十枚，取八合，去滓，內藥末，强人服一錢匕，羸人服半錢，平旦温服之，不下者，明日更加半錢，得快下後，糜粥自養。

大青龍湯　治病溢飲者，當發其汗，大青龍湯主之，小青龍湯亦主之，

麻黃（六兩去節）　桂枝（二兩去皮）　甘草（二兩炙）　杏仁（四十個去皮尖）　生薑（三兩）

大棗（十二枚）　石膏（如雞子大碎）

小青龍湯　治同前

麻黃（三兩去節）　芍藥（三兩）　五味子（半升）　乾薑（三兩）　甘草（三兩炙）　細辛（三兩）

桂枝（三兩去皮） 半夏（半升大碎）

木防己湯 治膈間支飲，其人喘滿，心下痞堅，面色黧黑，其脉沈緊，得之數十日，醫吐下之不愈，此湯主之，虛者即愈，實者三日復發，復與不愈者，宜此湯去石膏加茯苓芒硝湯

木防已（三兩） 石膏（如雞子大二枚） 桂枝（二兩） 人參（四兩）

木防已去石膏加茯苓芒硝湯

木防已（三兩） 桂枝（二兩） 茯苓 人參（各四兩） 芒硝（三合）

澤瀉湯 治心下有支飲，其人苦冒眩者。

澤瀉（五兩） 白朮（二兩）

厚朴大黃湯 治支飲胸滿者。

厚朴（一尺） 大黃（六兩） 枳實（四枚）

葶藶大棗瀉肺湯 治支飲不得息者。

方見肺癰

小半夏湯 治嘔家本渴，渴者爲欲解，今反不渴，心下有支飲故也，此湯主之。

半夏（一升） 生薑（半斤）

已椒藶黃丸 治腹滿，口舌乾燥，此腸間有水氣，此方主之。

防已 椒目 葶藶（熬） 大棗（各一兩） 右四味，末之，蜜丸如梧子大，先食，飲服一丸，日三服，稍增，口中有津液，渴者加芒硝三兩。

小半夏加茯苓湯 治卒嘔吐，心下痞，膈間有水，眩悸者。

半夏（一升） 生薑（半斤） 茯苓（四兩）

五苓散 治瘦人臍下有悸，吐涎沫而顛眩，此方主之。

澤瀉(一兩一分)　猪苓(三分去皮)　茯苓(三分)　白朮(三分)　桂枝(二分去皮)

附方

◉**外臺茯苓飲**　治心胸中有停痰宿水，自吐出水後，心胸間虛，氣滿不能食，消痰氣令能食。

茯苓　人參　白朮(各三兩)　枳實(二兩)　橘皮(二兩半)　生薑(四兩)

◉**十棗湯**　治欬家，其脉弦，爲有水，此湯主之，支飲家，欬煩胸中痛者，不卒死，至一百日，或一歲，宜此湯。

方見前

◉**小青龍湯**　治欬逆已息，不得臥者，

方見前

◉**桂苓五味甘草湯**　治青龍下已，多唾口燥，寸脉沈，尺脉微，手足厥逆，氣從小腹上衝胸咽，手足痺，其面翕熱如醉狀，因復下流陰股，小便難，時復冒者，與此湯治其大氣衝。

桂枝(去皮)　茯苓(各四兩)　甘草(三兩炙)　五味子(半升)

◉**桂苓五味甘草去桂加薑辛湯**　治服前藥，衝氣即低，而反更欬胸滿者。

茯苓(四兩)　甘草　乾薑　細辛(各三兩)　五味子(半升)

◉**苓甘五味薑辛半夏湯**　治服藥欬滿即止，而更復渴，衝氣復發者，以細辛甘薑爲熱藥也，服之當遂渴，而渴反止者，爲支飲也，支飲者，法當冒，冒者必嘔，嘔者復內半夏以去其水。

茯苓(四兩)　甘草　乾薑　細辛(各三兩)　半夏　五味子(各半升)

◉**苓甘五味加薑細半夏杏仁湯**　治服前藥，水去嘔止，其人形腫者，加杏仁主之，其證應內麻黃，以其人遂痺，故不內之若逆而內之者，必厥，所以然者，以其人血虛，麻黃發其陽故也。

茯苓(四兩)　甘草　乾薑　細辛(各三兩)　五味子　半夏　杏仁(各半升去皮尖)

◉**苓甘五味加薑辛夏杏大黃湯**　治面熱如醉，此爲胃熱上衝熏其面，加大黃以利之也。

茯苓(四兩)　甘草　乾薑　細辛(各三兩)　五味　半夏　杏仁(各半升)　大黃(三兩)

方見前

◉小半夏加茯苓湯　治先渴後嘔，爲水停心下，此屬飲家，此湯主之。

消渴小便不利淋病

此皆泌尿異常之症也，消渴，即西醫所謂糖尿病，是因胰臟失其節制糖質代謝作用，不能分送適量糖質於各組織中，而專由小便排出也，此症多由房勞過度而得，因房室之影響內分泌，已有種種證明矣，小便不利，或因腎臟泌尿障碍，或因膀胱尿道發炎，原因甚多也，淋病是腎盂及膀胱結石，與後世淋菌傳染之淋症不同也。

腎氣丸　治男子消渴，小便反多，以飲一斗，小便亦一斗，此丸主之。

方見中風歷節篇中。

五苓散　治脉浮，小便不利，微熱消渴者，宜利小便發汗，此方主之。

方見痰飲篇中。

文蛤散　治渴欲飲水不止者。

文蛤(五兩)　右一味，杵爲散，以沸湯五合，和服方寸匙。

瓜蔞瞿麥丸　治小便不利者，有水氣，其人若渴者。

括蔞根(二兩)　茯苓　薯蕷(各三兩)　附子(一枚炮)　瞿麥(一兩)　右五味末之，煉蜜丸，桐子大，飲服三丸，日三服，不知，增至七八丸，以小便利，腹中溫，爲知。

蒲灰散　治小便不利者，此散主之，滑石白魚散茯苓戎鹽湯併主之。

蒲灰(七分)　滑石(三分)

右二味，杵爲散，飲服方寸匙，日三服。

滑石白魚散

滑石　亂髮　白魚(各三分)

右三味，杵爲散，飲服方寸匙，日三服，

茯苓戎鹽湯

茯苓(半斤)　白朮(二兩)　戎鹽(彈丸大一枚)

右三味，先將茯苓白朮煎成，入戎鹽再煮，分温三服，

白虎加人參湯　治渴欲飲水口乾燥者，

方見中暍中

猪苓湯　治脉浮發熱，渴欲飲水，小便不利者，

猪苓(去皮)　茯苓　阿膠　滑石　澤瀉(各一兩)

水氣病

水氣即水腫也，此證多因腎臟泌尿發生障碍，致使應排泄之水分，汎濫於組織中，遂發現腫脹，小便不利，即其明証也，亦有外感風邪，或受濕邪，而發現浮腫者，此類之證皆無汗，以其毛竅閉塞，無由排泄，所謂治水腫者，不外逐水發汗，職是故也，古人分此證爲五種，曰風水，曰皮水，曰正水，曰石水，曰黃汗，脉浮，四肢面目腫而惡風者，爲風水，其不惡風者，名曰皮水，脉沈，腹腫而喘者，名曰正水，其小腹腫而不喘者，名曰石水，黃汗之病發熱，胸滿，頭面及四肢均腫，汗出色黃，故名黃汗，此爲黃疸病中常見之證，汗之所以黃，因有胆汁，色素從汗液排泄之故也。

越婢加朮湯　治裏熱水一身面目黃腫，其脉沈，小便不利，故令病水假如自利，此亡津液，故令渴也，此湯主之，

即越婢湯加白朮(四兩)　方見下，

防已黃耆湯　治風水脉浮身重，汗出惡風者，此湯主之，腹痛加芍藥。

防已(一兩)　黃芪(一兩一分)　白朮(三分)　甘草(半兩炙)

越婢湯　治風水惡風，一身悉腫，脉浮不渴，續自汗出，無大熱者，

麻黃（六兩）　石膏（半斤）　生姜（三兩）　甘草（二兩）　大棗（十二枚）

防已茯苓湯　治皮水，四肢腫，水氣在皮膚中，四肢聶聶動者，

防已　黃芪　桂枝（各三兩）　茯苓（六兩）　甘草（二兩）

越婢加朮湯　治裏水裏水應作皮水，此湯主之，甘草麻黃湯亦主之，

方見上

甘草麻黃湯

甘草（二兩）　麻黃（四兩）

麻黃附子湯　治水之爲病，其脉沈小，屬少陰，浮者爲風，發其汗即已，脉沈者，宜麻黃附子湯，浮者宜杏子湯，

麻黃（三兩）　甘草（二兩）　附子（一枚炮）

杏子湯　恐是麻黃杏仁甘草石羔湯，或是麻黃杏仁薏苡甘草湯，

蒲灰散　治厥而皮水者，

方見消渴，

黃芪芍藥桂枝苦酒湯　治黃汗病，身體腫，發熱汗出而渴，狀如風水，汗沾衣，色正黃如蘗汁，脉自沈，從何得之，以汗出入水中浴，水從汗孔入得之，此湯主之，

黃芪（五兩）　芍藥　桂枝（各三兩）

桂枝加黃芪湯　治黃汗之病，兩脛自冷，假令發熱，此屬歷節，食已汗出，又身當暮盜汗出者，此勞氣也，若汗出已，反發熱者，久久其身必甲錯，發熱不止者，必生惡瘡，若身重，汗出已，輒輕者，久久必身瞤，瞤即胸中痛，又從腰以上必汗出，下無汗，腰髖弛痛，如有物在皮中狀，劇者不能食，身疼重，煩躁，小便不利，此爲黃汗，此湯主之。

桂枝　芍藥　生姜(各三兩)　甘草　黃芪(各二兩)　大棗(十二枚)

桂甘薑棗麻辛附子湯　治氣分心下堅，大如盤，邊明旋杯，此湯主之，

桂枝　生薑(各三兩)　細辛　甘草　麻黃(各二兩)　附子(一枚炮)　大棗(十二枚)

枳朮湯　治心下堅，大如盤，邊如旋杯，水飲所作，此湯主之

枳實(七枚)　白朮(二兩)

附方

◉外膏防已黃耆湯　治風水脉浮爲在表，其人或頭汗出，表無他病，病者但下重，從腰以上爲和，腰以下當腫及陰，難以屈伸，

方見濕温中

黃疸病

黃疸病者，初起時結膜先黃，終即全身皆黃也，甚者肌膚作暗褐色，名曰黑疸，亦即所謂陰黃也，其原因蓋因十二指腸或輸胆管發生炎症腫瘍，肝臟分泌之胆汁，因被阻塞，不能由輸胆管注入十二指腸，以助消化，直接入於肝靜脉毛細管，而混入血循環，故致肌膚發黃也，此症古分爲穀疸，女勞疸，酒疸三種，穀疸之狀，食畢頭眩，心忪怫鬱不而安發黃，由失肌大食，胃氣衝熏所致也，女勞疸之狀，身目皆黃，發熱惡寒，小腹滿急，小便難，由大勞大熱而交接，交接竟入水所致也，酒疸之狀，身目皆黃，心中懊痛，足脛滿，小便黃，面發赤斑，此虛勞之人，若飲酒多，進穀少者，則胃內生熱，因大醉當風入水所致也。

茵陳蒿湯　治穀疸寒熱不食，食即頭眩，心胸不安，久久發黃，此湯主之

茵陳蒿(六兩)　梔子(十四枚)　大黃(二兩)

硝石礬石散　治黃家日晡發熱，而反惡寒，此爲女勞得之，膀胱急，小腹滿，身盡黃，額上黑，足下熱，因作黑疸，其腹脹如水狀，大便必黑，時溏，此女勞之病，非水也，腹滿者難治，此散主之，

硝石(熬黃)　礬石(燒等分)　右二味爲散，以大麥粥汁和服方寸匙，日三服，病隨大小便去，小便正黃，大便正黑，是其候也，

梔子大黃湯　治酒疸心中懊憹，或熱痛者，

梔子(十四枚)　大黃(二兩)　枳實(五枚)　豉(一升)

桂枝加黃耆湯　治諸病黃家，但利其小便，假令脉浮，當以汗解之，此主之。

方見水氣病中

猪膏髮煎　治諸黃疸病

猪膏(半斤)　亂髮(如鷄子大三枚)　右二枚，和膏中煎之，髮消藥成，分再服，病從小便出

茵陳五苓散　治黃病

茵陳蒿末(十分)　五苓散(五分)　右二味，和，先食飲服方寸匙，日三服，

大黃硝石湯　治黃疸腹滿，小便不利而赤，自汗出，此爲表和裏實，當下之，宜此湯，

大黃　黃栢　硝石(各四兩)　梔子(十五枚)

小半夏湯　治黃疸病，小便色不變，欲自利，腹滿而喘，不可除熱，熱除必噦，噦者此湯主之，

方見痰飲中

小柴胡湯　治諸黃腹痛而嘔者，

柴胡(半斤)　黃芩(三兩)　人參(三兩)　半夏(半升洗)　甘草(炙)　生薑(各三兩)　大棗(十二枚)

小建中湯　治男子黃，小便自利，當與虛勞小建中湯

方見虛勞中

附方

瓜蒂湯　治諸黃

方見暍病中

千金麻黃醇酒湯　治黃疸

麻黃(三兩)　右一味，以美酒五斤，煮取二升半，頓服盡，冬月用酒，春日用水煮之。

驚悸吐衄下血胸滿瘀血病

此皆血症也，驚是驚恐，悸是心悸，均是心臟衰弱也，宜用强心之劑，吐血衄血，均係上部充血，胃口之血管破裂，血即由口而出，頸動脈之血管破裂，血即由鼻而出，宜用止血降血之劑，下血即腸出血也，腸結核，腸癰腫，及赤痢等，均有下血之可能，宜平腸部之充血，以減低其血壓，並用鎮靜止血，及修補破裂法，胸滿亦係有瘀血也，內部之血管破裂，已出血管之血，留著體內，即爲瘀血，日久不治，必成癆瘵，故治血証者，始則止血，繼則必消瘀和血也。

桂枝去芍藥加蜀漆牡蠣龍骨救逆湯　治火邪者，此湯主之。

桂枝(三兩去皮)　甘草(二兩炙)　生薑(三兩)　牡蠣(五兩熬)　龍骨(四兩)　大棗(十二枚)

蜀漆(三兩洗去腥)

半夏麻黃丸　治心下悸者，此丸主之，(按此方係治寒水心下悸者)

半夏　麻黃(各等分)　右二味，末之，煉蜜爲丸，小豆大，飲服三丸，日三服。

柏葉湯　治吐血不止者，此湯主之。

柏葉　乾薑(各三兩)　艾(三把)　右三味，以水五升，取馬通汁一升，合煮取一升，分温再服，千金加阿膠三兩亦佳。

黃土湯　治下血，先便後血，此遠血也，亦主吐衄。

甘草　乾地黃　白朮　附子(炮)　阿膠　黃芩(各三兩)　竈心黃土(半斤)

赤小豆散　治下血，先血後便，此近血也，此散主之。

方見狐惑中

瀉心湯　治心氣不足，吐血衄血者，此湯主之，亦治霍亂。

大黃（二兩）　黃連　黃芩（各一兩）

嘔吐噦下利病

此皆消化器病也，嘔者，口中出水之謂也，吐者，口中出食之謂也，皆因幽門狹窄或閉塞，食物及粘液，不能下降，故逆而上出也，慢性胃炎胃擴張胃弛緩胃多酸及胃與十二指腸潰瘍等病，皆有嘔吐之證象，亦有本非胃病，因他臟之病而引起嘔吐者，如急性心臟炎，急性肝臟炎，腎臟病，膀胱病，以及女子月經妊娠卵巢炎等是也，噦者，胃氣上逆也，蓋即乾嘔呃逆等證，係橫膈膜之間歇性痙攣病也，致噦之原因甚多，有因慢性腎臟炎或尿中毒而起者，有因胃擴張胃癌腸梗阻及消化困難而起者，凡此皆當究其原因而治之，徒治其標，無補也，下利者，包括泄瀉痢證而言也，泄瀉是胃中積水食物停滯，及小腸吸收障礙之病，宜利水燥濕和胃理中，痢證是大腸發炎紅腫潰瘍，及直腸滑脫之病，宜消炎排膿澀滑固脫，爲醫者，亦當分別而施治也。

吳茱萸湯　治嘔而胸滿者，又主乾嘔，吐涎沫，頭痛者。

吳茱萸（一升）　人參（三兩）　生薑（六兩）　大棗（十二枚）

半夏瀉心湯　治嘔而腸鳴，心下痞者。

半夏（半升洗）　黃芩　乾薑　人參（各三兩）　黃連（一兩）　大棗（十二枚）　甘草（三兩炙）

黃芩加半夏生薑湯　治乾嘔而利者。

黃芩（三兩）　甘草（二兩炙）　芍藥（二兩）　半夏（半升）　生薑（三兩）　大棗（十二枚）

小半夏湯　治諸嘔吐，穀不得下者。

方見痰飲中

猪苓散　治嘔吐病在膈上，後思水者解，急與之，思水者，此散主之。

猪苓　茯苓　白朮（各等分）　右三味，杵爲散，飲服方寸匙，日三服。

四逆湯　治嘔而脉弱，不便復利，身有微熱，見厥者，難治，此湯主之。

附子（一枚生用）　乾薑（一兩半）　甘草（二兩炙）

小柴胡湯　治嘔而發熱者。

柴胡（半升）　黃芩（三兩）　人參（三兩）　甘草（三兩）　半夏（半升）　生薑（三兩）　大棗（十二枚）

大半夏湯　治胃反嘔吐者。

半夏（二升洗）　人參（三兩）　白蜜（一升）

大黃甘草湯　治食已即吐者

大黃（四兩）　甘草（一兩）

茯苓澤瀉湯　治胃反，吐而渴，欲飲水者。

茯苓（半升）　澤瀉（四兩）　甘草　桂枝（各二兩）　白朮（三兩）　生薑（四兩）

文蛤湯　治吐後渴欲得水，而貪飲者，此湯主之，兼主微風脉緊頭痛。

文蛤　石膏（各五兩）　麻黃　甘草　生薑（各三兩）　杏仁（五十粒）　大棗（十二枚）

半夏乾薑散　治乾嘔吐逆，吐涎沫者。

半夏　乾薑（各等分）　右二味，杵爲散，取方寸匙，漿水一升半，煎取七合，頓服之。

生薑半夏湯　治病人胸中似喘不喘，似嘔不嘔，似噦不噦，徹心中憒憒無奈者。

半夏（半升）　生薑汁（一升）

橘皮湯　治乾嘔，噦，若手足厥者。

橘皮（四兩）　生薑（半升）

橘皮竹茹湯　治噦逆者

橘皮（二升）　竹茹（二升）　大棗（三十枚）　生薑（半斤）　甘草（五兩）　人參（一兩）

四逆湯　治下利後腹脹滿，身體疼痛者，先温其裏，乃攻其表，温裏宜四逆湯

方見上

桂枝湯

桂枝（三兩去皮）　芍藥（三兩）　甘草（二兩炙）　生薑（三兩）　大棗（十二枚）

大承氣湯　治下利三部脉皆平，按之心下堅者，宜此湯，治下利脉遲而滑者，實也，利未欲止，急下之，宜此湯，治下利脉反滑者，當有所去，下乃愈，宜此湯，治下利已差，至其年月日時復發者，以病不盡故也，當下之，宜此湯。

方見痙病中

小承氣湯　治下利譫語者，有燥屎也，此湯主之。

大黃（四兩）　厚朴（二兩炙）　枳實（大者三枚炙）

桃花湯　治下利便膿血者。

赤石脂（一斤一半剉一半篩末）　乾薑（一兩）　粳米（一升）

白頭翁湯　治熱利下重者。

白頭翁（二兩）　黃連（三兩）　黃柏（三兩）　秦皮（三兩）

梔子豉湯　治下利後更煩，按之心下濡者，爲虛煩也，此湯主之。

梔子（十四枚）　香豉（四合綿裹）

通脉四逆湯　治下利淸穀，裏寒外熱，汗出而厥者。

附子（大者一枚生用）　乾薑（三兩强人可四兩）　甘草（二兩炙）

紫參湯　治下利肺痛者。

紫參（半斤）　甘草（三兩）

訶黎勒散　治氣利者，（即氣與屎俱失也）

訶黎勒（十枚煨）　右一味，爲散，粥飲和，頓服。

附方

方見上

◉千金翼小承氣湯　治大便不通，噦數譫語。

◉外台黃芩湯　治乾嘔下利者。

黃芩　人參　乾薑（各三兩）　桂枝（二兩）　大棗（十二枚）　半夏（半斤）

瘡癰腸癰浸淫病

瘡癰是因內有壅結之毒，發爲軀表之炎症也，發炎之初，因化膿菌之刺激繼續不已被刺激處之毛細血管引起充血，白血球滲出血管外，包圍刺激物，即逐漸腫起，此時雖未成膿，因充血紅腫之故，按之未有不熱者，白血球既出血管，不得血液之榮養，日久死亡，即成膿汁，膿即白血球腐成之物也。腸癰者，即盲腸炎也，其疼痛在大腸自右腹角上行，與小腸相接處，此症皆因糞便中之硬物，及誤吞果核毛髮等，入於虫樣垂（即大腸與小腸相接處，下垂爲袋形者）中，往往不能排出，引起發炎，遂致化膿腐爛而作痛，及至穿孔，即無救矣，浸淫瘡者，蓋即黃水瘡之類也，初作顆粒，肌膚發赤，癢而搔之，則出黃水，黃水所沾，轉相蔓延，以其屬於濕瘡，漸染漸多，故名浸淫，謂爲淫瘡楊梅之屬，誤也。

薏苡附子敗醬散　治瘡癰之爲病，其身甲錯，腹皮急，按之濡，如腫狀，腹無積聚，身無熱，脈數，此爲腸內有癰膿，此散主之。

薏苡仁（十分）　附子（二分）　敗醬（五分）　右三味，杵爲末，取方寸匕，以水二升，煎減半頓服，小便當下。

大黃牡丹皮湯　治腸癰者，少腹腫痞，按之即痛如淋，小便自調，時時發熱，自汗出，復惡寒，其脉遲緊者，膿未成，可下之，當有血，脉洪數者，膿已成，不可下也，此湯主之。

大黃(四兩)　牡丹(一兩)　桃仁(五十個)　冬瓜仁(半升)　芒硝(三合)

王不留行散　治金瘡病

王不留行(十分八月八日採)　蒴藋細葉(十分七月七日採)　甘草(十八分)　桑東南根(白皮十分三月三日採)　川椒三分除目及閉口者汗　黃芩　乾薑　芍藥　厚朴(各二分)

王不留行蒴藋桑皮三味，燒灰存性，各別杵篩，合治爲散，服方寸匕，小瘡即粉之，大瘡但服之，產後亦可服，

排膿散

枳實(十六枚)　芍藥(六分)　桔梗(二分)　右三味杵爲散，取雞子黃一枚，以藥散與雞子黃相等，揉和令相得，飲和服之，日一服，

排膿湯

甘草(二兩)　桔梗(三兩)　生薑(一兩)　大棗(十枚)

黃連粉　治浸淫病

方未見，或即黃連一味之粉，乾敷瘡上。

趺蹶手指臂腫轉筋陰狐疝蚘蟲病

趺蹶恐爲跌蹶之誤，蓋傾跌之後，致蹶而不能如常人，能前步，不能後却，此運動神經受傷也，手指臂腫，是手指及臂發腫也，所謂痰涎留於胸膈上下，變生諸病，手足項背牽引疼痛，走易不定者，即此病也，轉筋之爲病，係運動神經痙攣也，此爲霍亂常見之証狀，陰狐疝氣，是睪丸發腫，臥則入小腹，行立則入陰囊，時上時下，如狐之出入無時也，其病當是睪丸炎，屬於腎臟病也，蚘蟲作痛是胃腸寒熱失常，寄生之蚘蟲，因溫度不宜遊走無定而作痛也。

藜蘆甘草湯　治病人常以手指臂腫動，此人身體瞤瞤，此湯主之。

方未見　蓋涌吐之劑也，

鷄屎白散　治轉筋病，其人臂脚直，脉上下行微弦轉筋入腹者，

鷄屎白

右一味爲散，取方寸匙，以水六合和，温服，

蜘蛛散　治陰狐疝氣偏有小大，時時上下者，此湯主之，

蜘蛛（十四枚熬焦）　桂枝（半兩）

右二味爲散，取八分一匙，飲和服，日再服，蜜丸亦可，

甘草粉蜜丸　治蚘虫病，令人吐涎，心痛發作有時，毒藥不止者，此湯主之，

甘草（二兩）　粉（兩）　蜜（四兩）

右三味，以水三升，先煮甘草，取二升，去滓，內粉蜜，攪令和，煎如薄粥，温服一升，差即止，

烏梅丸　治蛔厥者，其人當吐蚘，今病者靜，而復時煩，此爲臟寒，蚘上入膈，故煩，須臾復止，得食而嘔，又煩者，蚘聞食臭出，其人當自吐蚘，蚘厥者，此丸主之，

烏梅（三百個）　細辛（六兩）　乾薑（十兩）　黃連（一斤）　當歸（四兩）　附子（六兩炮）

川椒（四兩去汗）　桂枝（六兩）　人參（六兩）　黃栢（六兩）

婦人妊娠病

妊娠，非病也，然因此引起種種疾病，若不治之，每至不救，故亦不可忽視也，妊婦必有之証則爲惡阻，即時常嘔吐也，此因受妊之後，子宮營特殊生理，起一種反射刺戟，由延髓之嘔吐中樞，傳達於胃部之迷走神經所致，其証見飲食輒吐，舌乾而紅，渴不能飲，心中憒憒，頭輕目眩，四肢沈重，懈惰不欲執作，惡嗅食氣，欲啖鹹酸果實，多臥少起，大抵始於妊娠第二月之末，至第五月而自愈，亦有至極嘔吐至浮腫衰弱而死者，此外漏下，半產後下血

妊娠下血腹中痛，及全身浮腫，小便不利，亦常見之證也，

桂枝湯　治婦人得平脉，陰脉小弱，其人渴，不能食，無寒熱，名妊娠，此湯主之，於法六十日當有此證，設有醫治逆者，却一月，加吐下，則絕之，方見下利，

桂枝茯苓丸　治婦人有癥病，經斷未及三月，而得漏下不止，胎動在臍上者，爲癥痼害，妊娠六月動者，前三月經水利時胎也，下血者，後斷三月衃也，所以血不止者，其癥不去故也，當下其癥，此丸主之，

桂枝　茯苓　丹皮　桃仁(去皮尖熬)　芍藥(各等分)

右五味，末之，煉蜜和丸，如兔屎大，每日食前服一丸，不知，加至三丸。

附子湯　治婦人懷妊六七月，脉弦發熱，其胎愈脹，腹痛惡寒，少腹如扇，所以然者，子臟開故也，以此湯溫其臟。

方未見，或即傷寒附子湯。

膠艾湯　治婦人有漏下者，有半產後續下血都不絕者，有妊娠下血者，假令妊娠腹中痛，爲胞阻，此湯主之。

乾地黃(六兩)　川芎　阿膠　甘草(各二兩)　艾葉　當歸(各三兩)　芍藥(四兩)

當歸芍藥散　治婦人懷妊，腹中㽲痛，此散主之。

當歸　川芎(各三兩)　芍藥(一斤)　茯苓　白朮(各四兩)　澤瀉(半斤)

乾薑人參半夏丸　治妊娠嘔吐不止者。

乾薑　人參(各一兩)　半夏(二兩)

右三味，末之，以生薑汁糊爲丸，如梧子大，飲服十丸，日三服。

當歸貝母苦參丸　治妊娠小便難，飲食如故者。

當歸　貝母　苦參(各四兩)

右三味，末之，煉蜜丸，如小豆大，飲服三丸，加至十丸。

葵子茯苓散　治妊娠有水氣，身重，小便不利，洒淅惡寒，起即頭眩，此散主之。

葵子（一升）　茯苓（三兩）

右二味，杵爲散，飲服方寸匕。日三服，小便利則愈。

當歸散　治婦人妊娠，宜常服之。

當歸　黃芩　芍藥　川芎（各一斤）　白朮（半斤）

右五味，杵爲散，酒服方寸匕，日再服，妊娠常服即易產，胎無疾苦，產後百病悉主之。

白朮散　主妊娠養胎方

白朮　川芎　蜀椒（各三分去汗）　牡蠣

右四味，杵爲散，酒服一錢匕，日三服，夜一服，但苦痛加芍藥，心下毒痛，倍加芎藭，心煩吐痛，不能飲食，加細辛一兩，半夏大者二十枚，服之後，更以醋漿水服之，若嘔，以醋漿水服之，復不解者，小麥汁服之，已後渴者，大麥粥服之，病雖愈，服之勿置。

婦人產後病

新產婦人有三病，曰病痙，曰病鬱冒，曰大便難，此三者，爲產後必見之証，致病之由，皆因血虛津少也，此外又有惡露不盡，而致少腹疼痛，及產後中風，與產後下利等証依方施治，勿再傷其血而耗其津，服藥未有不愈者也。

小柴胡湯　治產婦鬱冒，其脉微弱，嘔不能食，大便反堅，但頭汗出，所以然者，血虛而厥，厥而必冒，冒家欲解，必大汗出，以血虛下厥，孤陽上出，故頭汗出，所以產婦喜汗出者，亡陰血虛，陽氣獨盛，故當汗出，陰陽乃復，大便堅，嘔不能食，小柴胡湯主之。

方見嘔吐中

大承氣湯　治病解能食，七八日更發熱者，此爲胃實，此湯主之。

方見痙病中

當歸生薑羊肉湯　治產後腹中㽲痛者。

方見寒疝中

枳實芍藥散　治產後腹痛，煩滿不得臥者。

枳實燒令黑勿太過　芍藥等分

右二味，杵爲散，服方寸匕，日三服，幷主癰膿，以麥粥下之。

下瘀血湯　治產後腹痛，法當以枳實芍藥散，假令不愈者，此爲腹中有乾血著臍下，宜此湯，亦主經水不利。

大黃（二兩）　桃仁（二十枚）　䗪虫（二十枚熬去皮）

右三味，末之，煉蜜和爲四丸，以酒一升，煎一丸，取八合，頓服之，新血下如豚肝。

大承氣湯　治產後七八日，無太陽證，少腹堅痛，此惡露不盡，不大便，煩燥發熱，切脈微實，再倍發熱，食晡時煩燥者不食，食則譫語，至夜即愈，宜此湯主之，熱在裏，結在膀胱也。

方見痙病篇中

陽旦湯　治產後中風，續續數十日不解，頭微疼，惡寒，時時有熱，心下悶，乾嘔汗出，雖久，陽旦症續在耳，可與此湯。

即桂枝湯　方見下利篇中

竹葉湯　治產後中風，發熱面正赤，喘而頭痛。此湯主之，

竹葉（一把）　葛根（三兩）　防風　桔梗　桂枝　人參　甘草（各一兩）　附子（一枚炮）

大棗（十五枚）　生薑（五兩）

竹皮大丸　治婦人乳中虛，煩亂嘔逆，安中逆氣，此丸主之。

生竹茹　石膏（各二分）　桂枝　白薇（各一分）　甘草（七分）

右五味，末之，棗肉和丸彈子大，以飲服一丸，日三夜一服，有熱者，倍白薇，煩渴者，加栢實一分。

白頭翁加甘草阿膠湯　治產後下利虛極者，此湯主之，

白頭翁　甘草　阿膠（各二兩）　秦皮　黃連　栢皮（各三兩）

附方

千金三物黃芩湯　治婦人在草蓐，自發露得風，四肢苦煩熱，頭疼者，與小柴胡湯，頭不痛，但煩者，此湯主之。

黃芩（一兩）　苦參（二兩）　乾地黃（四兩）

千金內補當歸建中湯　治婦人產後，虛羸不足，腹中刺疼不止，吸吸少氣，或苦少腹中急摩痛引腰背，不能飲食，產後一月，日得服四五劑爲善，令人强壯宜。

當歸（四兩）　枝桂（三兩）　芍藥（六兩）　生薑（三兩）　甘草（二兩）　大棗（十二枚）

婦人雜病

婦人雜病，爲婦女獨有之病，而不見有男子之謂也，婦人之所以異於男子者，以其有子宮也，所謂婦人雜病，其屬於子宮病無疑矣，經水中絕，血結子宮，爲熱入血室，小腹有球，蟲行至咽，爲臟燥，及一切經水不調，崩漏帶，皆屬子宮病，總之，婦人除妊娠產後，凡屬於子宮病者，皆謂之婦人雜病。

小柴胡湯　治婦人中風七八日，續來寒熱，發作有時，經水適斷者，此爲熱入血室，其血必結，故使如瘧狀，發作有時，此湯主之。

方見嘔吐篇中

半夏厚朴湯　治婦人咽中有如炙臠者

半夏（一升）　厚朴（三兩）　茯苓（四兩）　生薑（五兩）　蘇葉（二兩）

甘麥大棗湯　治婦人臟躁，悲傷欲哭，象如神靈所作，數欠伸，此湯主之。

甘草（三兩）　小麥（一升）　大棗（十枚）

小青龍湯　治婦人吐涎沫，醫及下之，心下即痞，當先治其吐涎沫，此湯主之，涎沫止，乃治痞，瀉心湯主之。

方見欬嗽中

瀉心湯 方見驚悸中

溫經湯 治婦人年五十所，病下利數十日不止，暮即發熱，少腹裏急，手掌煩熱，脣口乾燥，此屬帶下，何以故，曾經半產，瘀血在少腹不去，何以知之，其證脣口乾燥，故知之，當以此湯主之。

吳茱萸(三兩) 當歸 芎藭 芍藥 人參 桂枝 阿膠 丹皮 生薑 甘草(各二兩) 半夏(半升) 麥冬(一升去心)

土瓜根散 治帶下經水不利，小腹滿痛，經一月再見者。

土瓜根 芍藥 桂枝 䗪虫(各三分)

右四味，杵爲散，酒服方寸匙，日三服

旋覆花湯 治婦人得革脉，則半產漏下。

旋覆花(三兩) 葱(十四莖) 新絳(少許)

膠薑湯 治婦人陷經，漏下黑不解，此湯主之。

方缺，或即乾薑阿膠二味，膠艾湯加乾薑，亦可取用。

大黃甘遂湯 治婦人少腹滿，如敦狀，小便微難而不渴，生後者，此爲水與血俱結在血室也，此湯主之。

大黃(四兩) 甘遂 阿膠(各二兩)

抵當湯 治婦人經水不利下者。

水蛭(熬) 蝱蟲(各三十枚熬去足翅) 桃杏(二十個去皮尖) 大黃(三兩酒浸)

礬石丸 治婦人經水閉不利，臟堅癖不止，中有乾血，下白物者。

礬石(三分燒) 杏仁(一分)

右二味，末之，煉蜜和丸棗核大，內臟中，劇者再內之。

紅藍花酒　治婦人六十二種風，及腹中血氣刺痛者。

紅藍花(一兩)

右一味，以酒一大升，煎減半，頓服一半，未止再服。

當歸芍藥散　治婦人腹中諸疾痛，此方主之。

方見妊娠中

小建中湯　治婦人腹中痛，此湯主之。

方見虛勞中

腎氣丸　治婦人病，飲食如故，煩熱不得臥，而反倚息者，名曰轉胞，不得溺也，以胞系了戾，故致此病，但利小便則愈，此方主之。

乾地黃(八兩)　山藥　山茱萸(各四兩)　澤瀉　茯苓　丹皮(各三兩)　桂枝(一兩)　附子(一枚炮)

右八味，末之，煉蜜爲丸如桐子大，酒下十五丸，加至二十五丸，日再服。

蛇床子散　治婦人陰寒，溫陰中坐藥。

蛇床子

右一味，末之，以白粉少許，和令相得，如棗大，綿裹內之，自然溫。

狼牙湯　治少陰脉滑而數者，陰中即生瘡，陰中蝕瘡爛者，此湯洗之。

狼牙(三兩)

右一味，以水四升，煑取半升，以綿纏筋如繭，浸湯瀝陰中，日四遍，

膏髮煎　治胃氣下泄，陰吹而正喧，此穀氣之實也，此方主之。

方見黃疸中

小兒疳虫蝕齒方（此係小兒方疑非仲景方）

雄黃　葶藶

右二味，末之，取臘月猪脂鎔，以槐枝綿裹頭，四五枚，點藥烙之。

結論

上列諸證，既將病理說明，復將治法列入，無論內因之病，外因之病，及不內外因病。若因病下藥，當無不對證也，其中有證無方，或有方無證之處，雖是後世編次之錯誤，實亦遺稿殘缺所致也，或曰，金匱諸方，不如傷寒方之絲絲入扣，證諸事實，確乎如此，爲醫者，豈可膠柱鼓瑟，刻舟求劍，而不知所變通也哉。

根據固有病名，釋以近代學理，有融會貫通之妙，

◉漫談二則

浩觀

裘吉生曰：國醫之發明，當求之于小部書中，非怪論也，一人之精神才力，本極有限，發明豈易言哉，彼著書等身者，豈皆其所發明，初不過循循相因，縱其筆鋒，以欺後人而已。

古之著書者，惟恐其書之不得行於世，故每僞託名人神仙所作，故僞書獨多，有清之季尚有此風，今則不然，未有著書以學力，而惟恐其名之不知於世，輒偸竊連綴，以爲已有，故抄襲之風獨盛。

誰謂所費不多

◉數目驚人

朋友——您吸紙烟嗎？假使您是吸紙烟的，而且是吸了紙烟成癮，再假使您在二十歲時吸了癮，每月至少要費大洋一元，若把這一元大洋，每月儲蓄在銀行裏，開個廿年長期的零存整付，那麽，到四十歲就可得銀七百四十三元一角，在四十歲時，把這筆錢開一個二十年的長期存欵，年息一分，按月取息六元一角九分，再加上每月一元的紙烟費，合共每月七元一角九分，除一角九分不算外，把七元再按月儲蓄在銀行裏，作爲第二次的二十年的零存整付，到六十歲時可得銀五千二百零一元六角九分，這時那筆廿年長期存欵也到期了，合計銀五千九百四十四元七角九分，四十年的紙烟費，竟有這樣的驚人數目，且實際上，每月還不止一元的烟費呢，朋友！當你一枝在手的時候，想一想這個偌大的數目吓！

温病證治論要

尤華雲

▲溫病定義

溫病者，溫邪之毒爲病也，天地所偶生荒亂旱潦疵癘煙瘴非常之毒氣由人之鼻或口入於腹內，所謂中焦胃府受之，流入血分，伏鬱之爲熱爲火，即能發生奇奇怪怪不可名狀之病也，以非常邪毒之皆溫，故曰溫病，亦曰雜病，雜者，別於常氣而言也，亦曰汗病，因終有得汗自解也，俗曰溫疫，又今人所謂之傳染病。

▲四時不同之溫病

春夏秋冬俱有溫病，非僅春秋，表似傷寒，裏似溫病，其輕者爲感冒，其理治同於溫病，惟四時天氣不正，或春夏時行之瘟疫，感於癘氣，較溫病爲重，溫由鬱化，其氣溫熱，雖時間不同，而氣化則一，故秋分後立冬前，秋凉氣爽，忽寒忽暖，人感之而病，頭痛身疼但發熱不惡寒，脉浮數者，名冬溫，春分後夏至前，陽氣升動之時，忽寒忽暖，人感之而成病，頭痛身疼發熱脉浮數或不浮而洪大不惡寒者，名春溫，夏至後立秋前，陽光强烈，氣漲溫高，燠蒸之氣方盛，驟冷之風，人感而成病，頭痛發熱身疼脉浮而兼虛數，或不浮而數大，此名暑溫，夏末秋初，濕蒸充盛之時，忽冷忽暖，人感而成病，頭痛發熱身痛脉浮緩，是爲濕溫，夏日蒸發力强，水氣升騰，秋初則溫度漸低，熱而水氣飽滿，是爲濕氣，因濕盛之時間內成病，是爲濕溫，四時之間寒熱不勻體溫不能保其常度，肌膚不固，感而成病，頭痛鼻塞發熱惡寒鼻流清涕，嚏噴咳嗽，是爲感冒，天氣不正，穢敗充盈，人感而成病，長幼男女相似，傳染急速頭暈痛壯熱身痛脉浮而兼洪數，或不浮不沉，而滑數，症兼頭面腫脹呼吸氣臭濁，此名瘟疫，蓋人失調養，溫氣內畜，天氣外動，鬱熱內應，內外感觸引誘，乃各從其類而成病也。

▲溫病瘟疫傷寒感冒辨

溫病熱鬱在裏，熱盛鬱發毒性以成，熱愈高，則毒愈盛，熱即毒也，瘟疫亦毒熱內蒸，故溫病瘟疫皆因裏成表，初得總不外太陽陽明二經，但溫病漸化而成毒，瘟疫受病即是毒，略有不同，變蒸毒盛則一，解表攻裏治法相近，（溫但清解則疫兼逐穢）與傷寒表證不同，攻裏同，温病與傷寒別者，在惡寒不惡寒，渴不渴二者而已，然温病間有惡寒者，二三日後即自止，間亦有不渴者，二，三日後無不渴矣，傷寒阻於經絡，故脉多左大於右，温病則多由肺胃熱鬱，阻於三焦膜膝，故脉多右大於左，且右手獨盛，故傷寒温病瘟疫感冒，其現證身痛頭痛發熱皆無區別，惟傷寒則惡寒，温病瘟疫感冒則但發熱而不惡寒，雖惡寒亦輕，但温病瘟疫感冒多舌黃尿黃頭熱呼氣熱，雖惡寒亦與傷寒不同也。

▲温病特徵

温病特具之性質若何，蓋於風寒暑濕燥火六淫之時氣而外另爲一種荒亂旱潦瘋癘烟瘴不可思議之毒氣，其感受也，無老幼弱强貧賤，氣交流行，初觸若不自覺，漸積淪入血脈，及其發也，忽覺身心懍懍，即但發熱，不惡寒而病，亦或因饑飽勞碌焦思氣鬱，以致觸犯其邪，促其病發，而不因所觸，內熱鬱久自發熱者居多，與六淫外感之病，逈乎不同，外感大抵皆有觸即發，雖有如內經所云易時而病者，或四時之氣交錯而病者，然究與温病來源有殊，且各病皆不傳染也，惟温病富有最速最烈之傳染性，是其特徵也，或曰，伏邪異氣之甚者，亦傳染也，然既有傳染而病，則非伏邪異氣矣，即温病矣。

▲温病證治要則

中醫以張仲景爲醫聖，其温病論已失傳，而短簡殘篇所遺示吾人者，又爲王叔和誤入傷寒論中，幸有明達楊栗山者，搜討窮索，使温病經文復明於世，不可謂非吾人之福也，兹列舉經文於下，以爲温病施治之要則焉。

傷寒論平脉篇云，寸口脉陰陽俱緊者，法當清邪中於上焦，濁邪中於下焦，清邪中上，名曰潔也，濁邪中下，名曰渾也，陰中於邪，必內慄也，（慄，竦縮也，按經曰清邪，曰濁邪）明非風寒暑濕燥火六氣之邪也，另爲一種，乃天地之雜氣也，種種惡穢，上溷空明清淨之氣，下敗水土汚濁之氣，人受之，故上曰潔，下曰渾，中必內慄也。

按此段經文，上言温病病脉也，脉盛者屬內傷，陰陽俱緊，傷於內可知，與外感之傷寒脉浮緩浮緊自不相同，緊者陰陽搏激之現象，所謂洪長滑數也，下言温病病原也，中上焦，中下焦，陰中邪，由鼻口而入，直中內府可知，與中外之傷寒行身背行身前行身側自不相同，中內則血分受其害，以次方及血分，所謂由血分發出氣分也。

傷寒論又有曰，凡治温病，可刺五十九穴，成氏註以瀉諸經之温熱，謂瀉諸陽之熱，逆瀉胸中之熱，瀉胃中之熱，瀉四肢之熱，瀉五臟之熱也。

按此段顯言温病治法矣，其他方治雖不可考，由成註瀉熱引申之，自係治温大綱領，雖有表證，實無表邪，與傷寒表證温覆發散不同，足徵温病惟有瀉熱，不可汗也。

傷寒論又有曰，陽毒之爲病面赤斑斑如錦文，咽喉痛，吐膿血，五日可治，七日不可治，升麻鱉甲湯主之。

又曰，陰毒之爲病，面目青，身痛如被杖，五日可治，七日不可治，升麻鱉甲湯主之。

按此二段既明言温病病象，並出其方治矣，曰毒者，雜氣也，正傷寒爲時令之正氣，非毒也，即四時不節之異氣，亦不過陰陽偏盛之氣耳，仍未可以言毒也，言毒必爲荒亂旱潦疵癘烟瘴含有毒量之雜氣可知，此氣適中人之陽分，則爲陽毒，如中腑及中清竅，適中人之陰分，則爲陰毒，如中臟及中濁竅，其爲病也，即所謂大頭瘟，蝦蟆温，瓜瓤温，及痧脹等類是也，二證一方，並無大寒大熱之味，可見仲景所謂之陰毒，乃天地之雜氣，非風寒暑濕燥火之六氣，不過中毒有淺深，爲病有輕重，一而二，二而一，是以同用一方主之也。

觀於以上經論，則温病施治之途徑，已大可概見，故温病之爲患，乃得天地之雜氣，雜氣之邪，清者中人上焦，緣人之鼻氣通於天，如毒霧烟瘴流行，是雜氣清而浮於上者，即從鼻息上入於陽，而陽分受傷，久則發熱頭腫項强頸攣，與俗稱大頭温蝦蟆温之説符也治以加味凉膈散，增損雙解散，濁者中人下焦，緣人之口氣通於地，如水土物產所化，是雜氣濁而沉於下者，即從口舌下入於陰，而陰分受傷，久則臍築湫痛嘔瀉腹鳴足膝厥逆便清下重，與俗稱絞腸温治之以增損雙解散，軟脚温增損雙解散升降散，然從鼻口所入之邪，必先注中焦，分布上下，故中焦受邪，則清濁相干，氣滯血凝不流，其釀變即現中焦，所謂陰中於邪也，與俗稱瓜瓤温，治以加味凉膈散，疙瘩温增損雙解散，玉樞丹外敷，及傷寒論陰毒陽毒治以升麻鱉甲湯，玉樞丹，撥正散，此三焦定位分中之邪氣也。

若三焦邪濁溷爲一，則怫鬱薰蒸，口爛蝕斷，衛氣通者，游行經絡藏府，則爲癰膿，榮氣通者，嚏出聲嗢咽塞熱鬱不行，則下血如豬肝，如屋漏然，以榮衛漸通，猶非危矣，若下焦之陽下焦之陰，兩不相交，則脚氣於中難運，斯五液注下，而生氣幾絕矣，蓋温病之邪，由口鼻入，直行中焦，流佈三焦，散慢不收，去而復合，受病於血分，鬱久而後發出氣分，故其發也，有因外感者，有因饑飽勞碌，或焦思氣惱觸動而發者，而內鬱之熱，自然蒸動，不因所觸，但覺身心懔懔即發者，亦不少，一發則炎熱熾盛，表裏枯涸，其陰氣不榮，斷不能汗，且有發熱惡寒頭痛等表證，是爲怫熱在裏，浮越於外，並非表邪可比，實不可汗，（從經文刺穴瀉熱悟出）普通治法，急以逐穢爲第一要義，上焦如霧，升而逐之，兼以解毒，中焦如漚，疏而逐之，兼以解毒，下焦如瀆，決而逐之，兼以解毒，惡穢既通，乘勢追拔，勿使潛滋，所以温病非瀉則清，非清則瀉，原無多方，時有輕重緩急而救之，務要脉証兩得，然若脉證不相應，在温病應以病爲主，與傷寒之以脉爲主不同，夫温病純是火毒外發，固矣，而所謂因外感或饑飽勞碌焦思氣惱而起之病，有兩感，（表裏俱病，陰陽並傳）合病，（兩經或三經齊病）併病，（先見一經病未罷，又加一經病）之候，不可不辨，兩感如錢氏仲陽所云之邪氣，纔傷於府，縱情肆慾，即少陰與太陽兩感，勞倦竭力，飲食不調，即太陰與陽明兩感，七情不愼，疲精敗血，即厥陰與少陰兩感，此內之鬱熱爲重，外感爲輕，甚有無外感鬱久自發者，增損大柴胡湯，增損雙解散，增三黃石羔湯，爲兩解温病表裏熱毒之方也，地龍湯亦主之，合病併病雖較複雜，其病因亦猶是雜氣怫鬱，自裏達表，偶或饑飽勞碌，或憂思氣鬱，觸動其邪，以致暴發競起，數經齊病，或先後互病，甚有全無所觸，止是內鬱之熱自然蒸動而發者見太陽少陽合病，則用增損大柴胡，見三陽合併，則用加味涼膈散，見太陽陽明併病，則用神解散升降散增損雙解之類，見太陽少陽併病，則用增損大柴胡爲之兩解，裏氣清，表氣自透，無事發汗，而汗自通，若誤與發汗，則反成壞病矣（辨認證屬何經宜參傷寒論）總之，温病純爲毒火鬱熱，一發則邪氣充斥奔迫，上行極而下，下行極而上，即至脉閉體厥，證有繁簡，治惟清瀉，外無表邪，從無陰證，（本吳又可）凡發表温中之藥，一概禁用，（本陳良佐）是爲温病，證治之不二法門也，不過遇病認清主腦，譬如温氣衝心心經透出邪火，橫行嫁禍，乘其瑕隙虧損之處，現出無窮怪狀，令人無處下手，要其用藥，只在瀉心經之邪火爲君，而餘邪自退，每有其人腎元素虛，或適逢淫慾，一値温病暴發，邪陷下焦，氣道不施，以致便閉腹脹，至夜發熱，若漫用導氣利水之品，全無效驗，一投升降雙解，則能小便如注而癒，又一隅之虧，邪乘宿損，如頭風病腰腿病心病腹痛痰火喘嗽吐血便血崩帶淋瀝，皆可作如是觀，大抵邪行如水，唯注者受之，一着温病，舊病必發，治法先主温病，温邪退，而舊日之病不治可隨之自愈矣，不得主腦，徒治舊病，，不唯無益，而又害之矣，若夫四損之人，大勞大慾，久病衰老，氣血兩虛，陰陽並竭，又非一隅之虧可比，自可以正治施治，如眞氣不足者，氣不足以息，言不足以聽，或欲言而不能，感邪雖重，及無痞塞脹滿之證，眞血不足者，身萎黃面唇白，素或吐血衄血便血，或崩漏產後失血過多，感邪雖重，面目反呈赤色，眞陽不足者，或厥逆，或下利，肢體畏寒，口鼻氣冷，感邪雖重，及無燥渴譫妄之狀，眞陰不足者，肢體甲錯，五液乾枯，感邪雖重，應汗不汗，應厥不厥，是因辨證不明，誤汗誤下，以致津液愈爲枯涸，邪氣滯濇，不能轉輸也，凡遇此等，當從其損而調之，調之不愈者，可稍以常法正治之，正治不愈者，損之至也，一損二損，已難援救，三損四損，神工亦無施矣，凡此所述，於温病證治，大概略備，醫者病者得此，庶不致貽誤人已，倘欲精進，則有寒温條辨之原書在，又有温病條辨，温熱經緯熱病論等，可供參考，惟卷帙浩繁，殊未便於倉卒應用，故擇要彙敘，以便臨證易於翻覽焉。

▲温病脈診

温病之邪，從口鼻入內，無論中上中下，必先注中焦，故陽明胃府，實當其衝，胃與脾相表裏，職司五味，爲人身精液營養之本，其脉位屬右關，以中取爲正候，長爲本象，脉之滑爲實，數爲熱，洪爲火盛，雜氣之邪皆注於胃，則鬱而成熱，熱盛成火，隨精液伏於血分，則右脉見供長滑數，是即爲温病主脉，若傷寒外感等證，須於左手太陽求之，温病無與焉，今將温病與傷寒不同之點揭示於後，以作温病脉診之標準。

凡温病脉，不浮不沈，中按洪長滑數，右手反盛於左手，總由怫熱鬱滯，脉結於中故也，若左手脉盛，或浮而緊，自是感冒風寒之病，非温病也，凡温病脉，怫熱在中，多見於肌肉之分，脉不甚浮，若熱鬱少陰，則脉沉伏欲絕，非陰脉也，陽邪閉脉也。

凡傷寒自外至內，從氣分入，始病發熱惡寒，一二日不作煩渴，脉多浮緊，不傳三陰，脉不見沈，温病由內達外，從血分出，始病不惡寒而發熱，一熱即口燥咽乾而渴，脉多洪滑，甚則沈伏，此發表清裏之所以異也，

凡浮診中診，浮大有力，或浮長有力，傷寒得此脉自當發汗，此麻黃桂枝證也，温病始發，雖有此脉，切不可發汗，乃白虎瀉心證也，死生關頭，全於此分。

温病證治論要

凡温病，內外有熱，其脉沈伏，不洪不數，但指下沈伏而小急，斷不可誤爲虛寒，若以辛温之藥治之，是益其熱也，所以傷寒多從脉，温病多從證，蓋傷寒風寒外入，循經傳也，温病怫熱病內熾，溢於經也。

凡傷寒始本太陽，發熱頭痛而脉反沉者，雖曰太陽，實見少陰之脈，故用四逆温之，若温病始發，未嘗不發熱，頭痛，脈沉濇而小急，此伏熱之毒，滯於少陰，不能發出陽分，所以身大熱而四肢不熱者，此名厥，正雜氣怫鬱，火邪閉脈而伏也，急以鹹寒大苦之味，大清大泄之，斷不可誤爲傷寒，太陽始病，反見少陰脉沉，而用四逆湯温之，温之則壞事矣，又不可誤爲傷寒陽厥，愼不可下，而用四逆湯和之，和之則病益甚矣，蓋熱鬱元閉，陽氣不能交接於四肢，故脉沈而濇，甚至六脉俱絕，此脈厥也，手足逆冷，甚至通身冰冷，此體厥也，即仲景所謂陽厥，厥淺熱亦淺，厥深熱亦深是也，下之斷不可遲，非見眞守定通權達變者，不足語此。

凡温病，脉中取洪長數滑者輕，重則脈沉，甚則閉絕。

凡温病脈洪長滑數，兼緩者易治，兼弦者難治。

凡温病，脈沉濇小急，四肢厥逆，通身如冰者危，

凡温病，脉兩手閉絕，或一手閉絕者危。

凡温病，脈沉濇而微，狀如屋漏者，死。

凡温病，脉浮大而散，狀若釜沸者，死。

按傷寒温病，必須診脉施治，有脉與證相應者，則易於識別，若脉與證不相應，却宜審察緩急，或該從脉，或該從證，務要脉證兩得，即如表證脉不浮者，可汗而解，裏證脉不沉者，可下而解，以邪氣微，不能牽引抑鬱正氣，故脉不應下利脈實有病愈者，但得證減，後有實脉，乃天年脈也，又脉法之辨，以洪滑者爲陽爲實，以微弱者爲陽爲虛，不待問也，然仲景曰，若脉浮大者，氣實血虛也，內經曰，脉大四倍以上，爲關格，皆爲眞虛，陶氏曰，不論浮沉太小，但指下無力，重按全無，便是陰脉，此洪滑之未必盡爲陽也實也，景岳曰，其脉如有如無，附骨乃見，沉細微脫，乃陰陽沉伏閉塞之候，陶氏曰，凡內外有熱，其脉沉伏，不洪不滑，指下沉而小急，是爲伏熱，此危熱之未必盡爲陰也，虛也，夫

脉不可一途而取，須以神氣形色聲音證候，彼此相參，以決死生安危，方爲盡善，所以古人望聞問切四者缺一不可。

▲温病下證四診

古人以汗吐下和爲治病四法，以望聞問切爲診病四法，温病施治禁發汗，而吐（枝子豉湯吐虛邪，瓜蒂散吐實邪）和（小柴胡加減一法）二法，用者亦少，惟下證獨多至診法，則四者並重，且温病多從證，望聞問尤不可忽，故本編除脈診已列專章外，玆再將關於望問聞切四診參互並用之要訣，述於後，即以爲決定下證之南針焉。

大凡診病，首以判明陰陽，爲決定治法之大關鍵，惟陰陽二字，比物最廣，不可縷述，玆所取象，義在臟腑與寒熱也。

何謂陽，如問其病情，發熱，惡寒，頭痛，身痛，目痛，鼻乾，不眠，或脇痛寒熱而嘔，潮熱譫語，詈罵不認親疏，胸腹滿痛，能飲冷水，小便或黃或赤，或澀濁，或短數，大便或燥或秘，或膠閉，或熱下利，或熱結旁流，望其狀態，面紅光彩，唇燥舌黃，身輕易動，常欲開目見人，手足自温煖，爪甲自紅活，聞其聲息喜言語，聲響亮，口鼻之氣往來自如，切其脈搏必洪數滑實有力，此陽證之大略也。

何謂陰，望其狀態，或惡寒戰慄，面時青時黑，或虛陽泛上，面雖赤而不紅活光彩，身重難以轉側，或向壁臥，或蜷臥欲寐，或閉目不欲見人，懶言語，或唇青，或苔黑而滑，或瓜甲青紫，血不紅活，聞其聲息，或氣微難以佈息，或口鼻之氣自冷，聲不響亮，問其病情，或時燥時煩，心中擾亂而渴，但不能飲冷水，進而皮膚四肢，或手足厥逆，或熱在肌肉之分，重按殊無大熱，甚或陰勝冰手，切其脈搏必沉伏細小而無力，此陰證之大略也，雖是發熱，與陽證不同，慎不可以其面赤煩渴，誤作陽證施治也，（此在傷未傳寒中而爲陰證，與陰寒直中三陰而爲陰證，常有此象，其用藥自是理中四逆，白通一派，温病無陰證，然或四損之人，或素虛之人，但是根源本是温病，即必需温補，亦只可兼用滋陰之味，若峻用辛熱，眞陰立涸，不可救矣。）

然證有陰證似陽者，以陰盛於內，逼其浮游之火於外，於是其脈浮洪而遲，或沈細而疾，一息七八至，尺衰寸盛，望其狀態，面赤而煩燥，驚惶不定，聞其聲息，則時常鄭聲，或短氣，問其病情，身有潮熱，渴欲飲水，或咽痛，或嘔逆，大便祕結，小溲淡黃，雖類陽證，實眞陰也，若但見面赤煩渴咽痛，大便結，小便黃，妄投寒涼，死可立待，是者正傷寒，温病無陰證，惟有陽證似陰，爲温病所時有，且爲最重之候，是宜特別注意者也，陽證似陰，乃火極似水，眞陽證，假陰象，傷寒陽證熱極，失於汗下有此證，温病失下，此證更多，蓋火熱亢閉鬱於內，及見勝己之化於外，故凡陽厥，輕則手足逆冷，凉過肘膝，劇則通身冰冷如石，血凝青紫成片，脈沉浮濇，甚則閉厥，以上脈證，悉見純陰，何以斷其爲陽，蓋察其內證，聞其氣噴出如火，望舌黃黑，或芒刺，而唇裂，問狀譫語煩渴，咽乾，心腹痞滿脹痛，舌捲，囊縮，小便短赤，涓滴作痛，大便燥結，或膠閉，或挾熱下利，或熱旁流，或下血如豚肝，再審有屁臭者是也，此爲眞陽假陰，內熱外寒，大承氣湯，有潮熱者，六一順氣湯，熱甚者，合黃連解毒湯，在温病，增損雙解加味凉膈六一解毒承氣之類，斟酌輕重，消息治之，以助其陰而清其火，使內熱既除，外寒自伏，所謂水流濕温者此義也，用藥當否，生死反掌，可不愼哉。

上述爲陽證既經認明，輕者清之，重即下之，下證之表徵，不必得陽證之全，但見一二緊要之證，即可以下法蕩其鬱而止其燄，更爲分別如次。

▲計開温病下證數條

面黃身黃黃者土包也，面黃本湯明之脈榮於面，黃則熱包鬱於脾胃之中，熏灼上蒸於面，甚則身黃如橘子包，此則炎熱之象，治宜茵陳蒿湯合升降散，再酌病情，合三承氣湯下之，下後熱退，汗自出，黃自消矣，或以温酒洗之，（茵陳蒿湯，　茵陳（二錢）　枝子（二錢）　大黃酒浸（五錢）　再加山藥（一錢）　赤苓木通　黃芩　猪苓　黃栢　甘草　生薑　白朮（各錢）　名加味茵陳蒿湯）通治諸黃，內經曰，能合脉包，可以萬全，難經曰，望而知之謂神，故治病者，先要察包，然後審證切脈，參合以決吉凶也，肝熱則左頰先赤，肺熱則右頰先赤，心熱則額先赤，腎熱則頤先赤，脾胃熱則滿面通赤也，又面色黃爲温爲熱，白爲氣不調，青爲風寒，黃則陰寒也，如傷寒陰寒內盛，逼其浮陽之火行於面，亦發赤色，非熱證也，此爲戴陽，四逆湯加葱白，夫陽已戴於頭面，不知者更用表藥，則孤陽飛越更危矣，幸温病無此證。

目暗不明，目赤，目黃，目直視，目及拆，目者至陰也，五臟六腑精華之所係，水足則明察秋毫，目視如常面瞭瞭者，裏無邪也，至於目暗不明，乃邪熱居內焚灼，腎水枯涸，不能朗照，若赤，若黃，若瞑，若直視，若及折，邪俱在裏也，若不急也，則邪熱愈熾矣，並宜加味凉膈散加龍胆草，薛氏曰，凡開目而欲見人者，陽證也，目瞑者，必將衄也，目睛黃者，將發生身黃也，或瞪目直視，或戴眼反折，或目胞陷下（內多虛證）或眼暗而不知人者，（亦有虛證）皆難治也。

舌白苔，黃苔，黑苔，凡傷寒邪在表者，舌無苔，邪在半表半裏，白苔而滑，肺主氣而色白，故凡白苔，猶帶表證，只宜和解，禁用攻下，有尖白根黃、尖黃根白，或尖白根黑，及半邊黃白而苔滑者，雖證不同，皆屬半表裏，若傳裏則乾燥，熱深則黃，甚則黑也，然黑舌尙有二種，有火極似水者，爲熱極，有水極似火者，爲寒熱，細辨之，黑色亦自不同，熱極者，色黑而苔燥，或如芒刺，再驗必小便赤濇，大承氣湯下之，寒極者，色青灰而苔滑，再驗必小便清白，或淡黃，理中湯加附子温之，又温病與傷寒舌色不同，傷寒自表傳裏，舌苔必由白滑而變黃變黑，不似温病熱毒由裏達表，一發即是白黑黃諸苔也，故傷寒白苔不可下，黃則下之温病稍見黃白苔，無論燥潤，即以升降散加味凉膈散下之，黑則以解毒抑氣湯急下之，下後間有二三日裏證去舌尙黑者，苔皮未落也，不可再下，務在有下證方可下，又有一種舌，俱黑而無苔，此經氣，非下證也，姙娠多有此，陰證亦有此，又有一種舌，屢經汗下消導，二便已通，而舌上青灰色未退，或雖不濕潤，亦不乾燥，不可因其潤濕，妄投薑附，亦不可因其不濕潤，而誤與硝黃，此因汗下過傷津液，其脈必虛微無力，急宜救陰爲主，炙甘草湯，左歸丸料，或六味地黃丸料，合生脈散，滋其化源，又有一種舌，眞陰虧損，火勝津枯，乾燥涸極，脣裂，煤鼻，舌黑宜以凉水梨漿治其標，左歸六味滋其本，庶或可生，若執用承氣凉膈，則又殆矣，杜清碧三十六舌法，三十五舌屬熱，惟一舌屬寒，大抵熱多寒少，三十六法，已覺其煩，後增至一百有餘，直屬蛇足（大鵝梨削薄片放新汲水中，去渣飲汁，即梨漿是也）

舌白砂苔，舌紫赤色，舌上白苔，乾硬如砂皮，一名水晶舌，乃是白苔之時，津液乾燥，邪雖在胃，不能變黃，急下之，紫赤亦胃熱也，亦宜下之。舌芒刺，熱傷津液，此熱毒之最重者，急下之。

舌裂，日久失下，血液枯涸，多有此證，又熱結旁流，日久不治，在下則津液消止，在上則邪火毒熾，故有此證，急下之，裂自滿。

舌短，舌捲，舌硬，此皆邪氣勝，眞氣虧，急下之，舌自舒。

唇燥裂，唇焦色，口臭，鼻孔如烟煤，此胃家實，多有此證，急下之，鼻孔煤黑，温毒在胃更甚急下之。

口燥烟乾，氣噴如火，揚手擲足，小便極臭，小便赤黑，小便涓滴作痛，此皆內熱之極，急下之。

潮熱，邪熱在胃，宜下之。

善太息，此胃家實，呼吸不利，胸膈痞悶，每欲引氣下行，故然宜下之。心下滿，心下痛，心下滿痛，心下高起如塊，腹脹滿痛，腹痛按之愈痛，小腹滿痛，此皆胃家邪實，內結氣閉，急下之，氣通則已。

頭脹，頭脹痛，頭汗，頭痛如破，此皆胃家邪實，氣不下降，急下之，脹痛立止，頭汗亦宜下之，則熱越而徧身汗出矣。譫語，發狂，畜血如狂，此胃家實，陽邪勝也，急下之，有氣血兩虛燥煩如狂者，不可下，須辨言之。

温疹治法不外清散，增損雙解散加紫萍。

小便閉，此大便祕，氣結不舒，因而小便不通也，急下之，大便行，小便立解。大便燥結，轉屎氣極臭，此下之無辭，但是血液枯竭者，無表裏證，虛燥不可下，宜六味地黃丸料，加麥冬五味，煎成，入人乳減半飲之，又一方，用白菜自然汁，大麻仁冲生芝麻汁，（等分）入蜜和服，自通，或用蜜煎導法（蜂蜜入銅勺微火煎，稍凝，入皂角末五分，食鹽五分，併手作挺子，寸許尖銳，欲大便時入谷道內，自下，此仲景承氣變法也。）

大便閉，其人平日大便不實，一遇温邪，便蒸作極臭，狀如粘膠，愈蒸愈粘，愈粘愈閉，以致胃氣不能下行，温毒無自而出，不下即死，若得粘膠一去，無不愈者。

協熱下利，其人大便素或不調，邪氣乘胃，便作煩渴，一如素瀉泄稀糞而色不敗，但焦黃而已，午後潮熱，便作瀉泄，子後熱退，瀉泄亦減，次日不作潮熱，利亦止，爲病愈，若潮熱復作，利不止者，以增損大柴胡湯撤其餘邪，而利自止。

熱結旁流，此胃家實，邪熱壅閉，續得下利，純臭水，全然無糞，日三五度，或十數度，急以加味六一順氣湯下之，得結糞而利自止，服藥後不得結糞，仍稀水旁流，及所進湯藥，因大腸邪勝，失其傳送之職，知邪猶在也，病必不減，仍以前湯更下之，或用解毒承氣湯，如虛入人參，無參，以熟地一兩，歸身七錢，山藥五錢煎服，累效，蓋血不亡，氣亦不散耳。

脉厥，體厥，脉厥沉伏欲厥，體厥四肢逆冷，凉過肘膝，半死半生，通身如冰，九死一生，此邪火壅閉，陽氣不能四布於外，胃家實也，急以解毒承氣湯大清大下之，下後而鬱熱已解，脉和體溫，此爲病愈，若下後而鬱熱已盡，反見厥者，爲虛脫，宜補，若下後鬱熱未盡，仍見厥者，更下之，厥不回者死。

按温病厥逆皆下證，傷寒厥逆多兼下利，則陽熱變爲陰寒者十五，蓋木盛則胃土受尅，水穀奔迫，胃陽發露，能食則爲除中，木盛則腎水暗虧，汲取無休，腎陽發露，赤面，則爲戴陽，戴陽尚多可救，除中十不救下，所以温之灸之，以回其陽，仍不出少陰之成法也，但厥而下利，陰陽之機甚微，不可不辨也。

▲下後身仍厥熱不退，

温病下後，厥不回，熱仍盛而不退者，危證也，如脈虛人弱，不可更下，黃連解毒湯玉女煎淸之，不能不下，黃龍湯主之，若停滯已盡，邪熱愈盛，脉微氣微，法無可生，至此下之死，不下亦死，用大復甦飲，淸補兼施，宜散蓄熱，或有得生者，醫貫以六味地黃丸料，大劑煎飲，以滋眞陰，此亦有理。

▲下後脈反浮

裏證下後，宜脈靜身涼，今脈浮，身微熱，口渴，神思或不爽，此邪熱溢於肌表，裏無大留滯也，雖無汗，宜白虎湯，若大下後，或數下後，脈空浮而虛，按之豁然如無，宜玉女煎加人參，覆杯則汗解，以其人或自利經久，或他病先虧，或本病日久不痊，或反覆數下，以致通身血液枯涸，石羔知母麥冬辛凉除肌表散漫之熱邪，人參熟地牛膝滋陰以助周身之血液，於是經絡潤澤，元氣鼓舞，腠理開發，此邪從榮解汗化於液之義也。

▲下後脈復沉，

下證脈沉而數，下後脈浮，當得汗解，以熱邪溢於氣分也，今下後二三日，脈復沉者，餘邪復瘀到胃也，宜更下之，更後脈再浮者，仍得汗解，宜白虎湯，以白虎發汗，亦裏熱除而表邪自解之義，非比麻黃桂枝發散風寒也。

▲下後脉反數

應下失下，口燥咽乾而渴，身反熱減，四肢時厥，欲得近火擁被，此陽氣伏也，下後厥回，身復熱，脉大而反數，舌上生津，不甚飲水，此裏邪漸去，鬱陽暴伸也，柴胡清燥湯，以和解之，此證類近白虎，但熱渴既除，又非白虎所宜也。

▲下後身反熱

應下之證，下後當脉靜身涼，今反發熱者，此內結開，正氣通，鬱陽暴伸也，即如爐中伏火，撥開雖燄，不久自息，與下後脉反數義同。

▲下後胸反痞

邪氣留於心胸，令人痞滿，下之痞應去，今反痞者，以其人或因他病先虧，或因稟賦嬌怯，氣血兩虛，下之益虛，失其健運，邪氣留止，故使痞滿，今愈下而痞愈甚，若用行氣破氣之劑，轉成壞病矣，宜參歸養榮湯，中病即止。

▲下後邪氣復聚

裏證下後，脉不浮洪，煩渴減，身熱退，三五日後復發熱者，亦無傷食勞役，乃餘邪尚有隱伏，因而伏發，所必然之理，不知者每歸咎於醫家，誤也，再酌前方下之，愼勿過劑，以邪熱微也。

▲温病主治方案，

升降散，　温病者，雜氣爲病也，表裏三焦大熱，其證不可名狀者，此方主之，是爲温病總方，輕重皆可酌用，方內煉蜜丸名太極丸，以太極本無極，用治雜氣無聲無臭之病也，小兒用，加天竺黃一錢，胆星一錢，冰片一分，糯米湯和丸，如芡實大，名加太極丸，冷黃酒和蜜化服一丸，四五歲以下減半，二三歲以下用三分之一，此方較玉樞丹(萬應錠)配製尤良，君臣佐使引導六法俱備，主治，如頭痛眩暈，胸膈脹悶，心腹疼痛，嘔噦吐食者，如內燒作渴，上吐下瀉，身不發熱者，如增寒壯熱，一身骨節痛疼，飲水無度者，如四肢厥冷，身涼如冰，而氣噴如火，煩躁不寧者，如身熱如火，煩渴引飲，頭面猝腫，其火如斗者，如咽喉腫痛，痰涎壅盛，點水不能下咽者，如遍身紅腫，發塊如瘤者，如斑疹雜出，有似丹毒風瘡者，如胸高脇起脹痛嘔吐如血汁者，如血從口鼻出，或目出或牙縫出毛孔出者如血從大便出，甚如爛瓜肉屋漏水者，如小便濇淋如血滴點作疼不可忍者，如小便不通，大便火瀉無度，腹痛腸鳴如雷者，如便清瀉白，足重難移者，肉瞤筋惕者，如舌捲囊縮，或舌出寸許，絞擾不住者，聲音不出者，如譫語狂亂，不省人事，如醉如癡者，如頭痛如破，腰疼如折，滿面紅腫，目不能開者，如熱火神昏，形如醉人，哭笑無常，目不能閉者，如手舞足蹈，見神見鬼，似瘋顛狂𩬊者，如悞服發汗之藥，化爲亡陽之證，而發狂叫跳，或昏不識人者，外證不同，受邪則一，凡未曾服過他藥者，無論十日半月一月，但服此散，無不速效，

白殭蠶（二錢） 酒炒 全蟬退（一錢） 廣薑黃（三分去皮） 川大黃（四錢生用）

秤准右爲細末合研勻，病輕者分四次服，每服重錢八分二厘五毫用黃酒二盅，蜂蜜五盅，重者二錢四分三厘三毫黃酒盅半，蜜七錢五分調勻冷服最重者分二次服，每服重三錢六分五厘黃酒二盅，蜜一兩調勻冷服，煉蜜丸，名太極丸，服法同前，輕重分服，用蜜酒調勻送下，

升麻鱉甲湯　此經方也，治陽毒面赤斑斑如錦文咽喉痛，吐膿血及陰毒面目青，身痛被杖，咽喉痛，或温病心腹絞痛，大滿大脹，通身脉絡青紫，手足指甲色如靛青，口噤忙亂等危證，如霍亂之類，與玉樞丹撥正散增損雙解散同功。

玉樞丹　本方一名紫金靛，專治暴中雜氣病昏暈欲倒，如霍亂吐瀉，攪腸痧，青筋脹，心腹痛脹，陰陽二毒諸般危證，並一切山嵐瘴氣，水土不服，解諸毒，利關竅，通百病，奇效。

山慈菇（二兩去皮毛焙） 五倍子（二兩焙） 紅牙大戟（一兩五錢焙） 續隨子（一兩去殼去油）

硃砂（三錢研末） 明雄黃（三錢） 眞麝（三錢研末） 以上七味稱準合研勻於細石血內漸加糯米濃飲調和，燥濕得宜，杵千餘次，以光潤爲度，每錠重一錢，每服一錠，病重者連服二錠，取通利後，以温粥補之。

撥正散　專治雜氣爲病，陰陽毒，痧脹，及一切無名惡證，並食厥痰氣厥，吹服皆效

蓽撥 雄黃 火硝（各一錢） 冰片 麝香（各五分） 共爲細末男左女右，以筒吹鼻中，即甦，更以增損雙解散主之。

地龍湯　治瘟病大熱諸證

地龍，搗爛，入新汲水，攪淨浮油，飲其清汁

瘟病之邪，先由口鼻傳入，迨發作之後，則自內達外，自血分發出氣分治之本無多方，前已論及，茲將各方以類相從，輕則清之，有神解等六方，有外感表病，則兩清之，大柴胡雙解二方，重則瀉之，有涼膈等二方，虛極陰枯之候，有固本一方，誤服雜藥，有大小腹甦二方，亦爲輕病清劑，畜血衄吐咳咯便溺斑疹，以及婦人崩淋不止，有犀角地黃一方，婦人產後温病，更有三合一方。

神解散　温病初覺，憎寒，體重，壯熱，頭痛，四肢無力，徧身疼痛，口苦咽乾，胸腹滿悶者，此方主之，其妙不可盡述，温病初起，但服此藥，俱有奇驗，外無表藥，而汗液流通，裏無攻藥，而熱毒自解有斑疹者即現，而內邪悉除，此其所以爲神解也。

白殭蠶（一錢酒炒）　蟬退（五個）　神麯（三錢）　金銀花（二錢）　生地（二錢）　木通　車前（研）

黃芩（酒燒）　黃連　黃柏（鹽水燒）　桔梗（各一錢）水煎去渣　入冷黃酒（半小杯）

蜜（三匙和勻）冷服。

清化湯　温病壯熱，憎寒，體重，舌燥，口乾，上氣喘吸，咽喉不利，面頭浮腫，目不能開者，此方主之。

白殭蠶（三錢酒炒）　蟬退（十個）金銀花（二錢）　澤蘭葉（二錢）　廣皮（八分）　黃芩（二錢）

黃連　梔子（炒）　連翹（去心）　龍胆草（酒炒）　元參　桔梗（各一錢）　白附子（炮）

甘草（各五分）　大便實加　酒大黃（四錢）　咽痛加牛蒡子（炒研一錢）　頭面不腫去白附子水煎去渣

芳香飲　温病多頭痛，牙痛，心痛，脇痛，嘔吐黃痰，口流濁水，涎如紅汁，腹如圓箕，手足搐搦，身發斑疹，頭腫舌爛，咽喉痺塞等證，此雖怪怪奇奇不可名狀，皆因肺胃火毒不宣鬱而成之耳，治法，急宜大清大瀉之，但有血氣損傷之人，遽用大寒大苦之劑，恐火轉閉塞而不達，是害之也，此方主之，其名芳香者，以古人元旦汲清泉以飲芳香之藥重滌穢也。

元參(一兩)　白茯苓(五錢)　石膏(五錢)　蟬退(十二個)　白殭蠶(三錢酒炒)　(荆薺三錢)

天花粉(三錢)　神麯(三錢炒)　苦參(三錢)　黃芩(二錢)　陳皮(一錢)　甘草(一錢)

大清涼散　温病表裏三焦大熱，胸滿，脇痛耳聾，目赤，口鼻出血，唇乾舌燥，口苦，自汗，咽喉腫痛，譫語狂亂者，此方主之，通瀉三焦之熱，其用童便者，恐不得病者小便也，素問曰輪迴酒，綱目曰還元陽非自己小便，何以謂還元乎，夫以己之熱病，用己之小便，入口下咽，達病所，引火從小水而降甚速也，此古人從治之大法。

白殭蠶(三錢)　蟬退(十二個)　全蠍(三個)去毒　當歸　生地(酒洗)　金銀花　澤蘭(各二錢)

澤瀉　木通　車前子(炒研)　黃連(薑汁炒)　黃芩　梔子(炒黑)　五味子　麥冬(去心)

龍胆草(酒燒)　丹皮　知母(各一錢)　甘草(五分)　童便半小杯和勻冷服

大清涼散　温病壯熱，煩燥，面赤，咽喉不利，或唇口頰腮腫者此方主之。

白殭蠶(三錢炒)　蟬退(十個)　當歸　生地(酒燒)　銀花　澤蘭(各二錢)　石羔(三錢)

黃連　黃芩　梔子(酒炒)　牡丹皮　紫草(各一錢)

增損三黃石膏湯　温病主方，表裏三焦大熱五心煩熱，兩目如火，鼻乾，面赤舌黃，唇焦，身如塗硃，燥渴引飲，神昏譫語，服之皆愈。

石膏(八錢)　白殭蠶(三錢酒炒)　蟬退(十個)　薄荷(二錢)　豆豉(三錢)　黃連

黃柏(鹽水微炒)　黃芩　梔子　知母(各二錢)　水煎服

增損大柴胡湯　温病熱鬱腠理，以辛涼解散，不致還裏而成可攻之證，此方主之，乃內外雙解之輕劑也。

柴胡(二錢)　薄荷(錢半)　陳皮(錢半)　黃連(一錢)　黃柏(一錢)　梔子(一錢)　白芍(一錢)

大黃(二錢)　廣薑黃(七分)　白殭蠶(三錢)　全蟬退(十個)

增損雙解散　温病主方，是爲雙解之重劑，温毒流注，無所不治，上干則頭痛目眩耳聾，下流則腰痛足腫，注於皮膚，則斑疹瘡瘍，壅在腸胃，則毒利膿血，傷於陽明，則腮臉腫痛，結於太陰，則腹滿嘔吐，結於少陰，則喉痺咽痛，結於厥陰，則舌捲囊縮，此方解散陰陽內外之毒，無所不至也。

白一蠶（酒炒三錢）　全蟬退（十二枚）　廣薑黃（七分）　防風（錢）　薄荷葉（錢）　荊芥穗（錢）　當歸（一錢）　白芍（一錢）　黃連（一錢）　連翹（一錢）　梔子（一錢）　黃芩（二錢）　桔梗（二錢）　石羔（六錢）　甘草（錢）　大黃（錢半）

加味涼膈散　温病主方。

白殭蠶（三錢酒炒）　全蟬退（十枚）　廣薑黃（七分）　黃連（錢）　黃芩（二錢）　梔子（二錢）　連翹（去心）　薄荷大黃（各二錢）　芒硝（錢）　甘草（錢）　竹葉（三十片）

增損普濟消毒飲　温病初覺，憎寒，壯熱，體重，次傳頭面腫盛目不能開，上喘，咽喉不利，口燥舌乾，俗名大頭温，東垣曰，半身以上，天之陽也，邪氣客於心肺，上攻頭面而爲腫耳，經謂清邪中於上焦，即東垣之言益信矣

元參（三錢）　黃連（二錢）　黃芩（三錢）　連翹（去心）　梔子（酒炒）　牛蒡子（炒研）　板藍根　桔梗（各錢半）　陳皮　甘草（各一錢）　全蟬退（十二個）　白殭蠶（酒炒）　大黃（各三錢）

人參固本湯　治温病虛熱熱極，循衣撮空，不下必死者，下後神思稍甦，續後肢體振寒，怔忡驚悸，如人將捕之狀，四肢厥逆，眩運鬱冒，項背强直，此大虛之兆，將危之候也，此方救之，但人參不到虛危之極，未可輕投，致邪氣益鬱也

人參（錢）　熟地（三錢）　生地（二錢）　當歸（二錢）　杭菊（錢半）　天冬（去心）　麥冬（去心）　五味　陳皮　知母　甘草（各一錢）　服後虛回，不必再服，蓋温病乃火邪燥證，人參固爲補元氣之神丹，但恐偏於益陽，恣意投之，有助火固邪之弊，不可不知也。

大復甦飲　温病表裏大熱，或誤服温補和解藥，以致神昏不語，形如醉人，或哭笑無常，或手舞足蹈，或譫語罵人，不省人事，目不能閉者，名越經證，及誤服表藥而大汗不止者，名亡陽證，此方主之。

白殭蠶（三錢）　蟬退（十個）　當歸（三錢）　生地（二錢）　人參　茯苓　麥冬　天麻　知母

甘草（各錢）　滑石（二錢）　水煎服

小復甦飲　溫病大熱，或誤服發汗解肌藥，以致譫語狂發，昏迷不省，燥熱便祕，或飽食而復者，並此方主之

白殭蠶（三錢）　蟬退（十個）　神麯（三個）　生地（三錢）　木通　車前子（各二錢）　黃芩

黃柏　梔子（炒黑）　黃連　知母　桔梗　牡丹皮（各一錢）　水煎去渣，

犀角地黃湯　主治傷寒溫病，胃火熱盛，衄血，吐血，咳咯血，便血，蓄血如狂，漱水不欲嚥，及湯毒發斑，並婦人血崩赤淋，此方治之。

懷生地（六錢）　白芍（四錢）　牡丹皮（三錢）　犀角（錢半）（磨汁或末入）　水煎，入犀汁服，瘀血甚者，加大黃（三錢）以行之，

三合湯　加減生化小柴胡小清涼三方之一，治產後溫病，大熱，神昏，四肢厥逆，譫語，若發狂燥結，量加大黃芒硝，內經曰，熱淫於內，治以鹹寒，佐之以苦，又曰有病則藥治之，是也。

當歸（四錢）　川芎（六錢）　桃仁（錢）　紅花（錢）　益母草（三錢）　軟柴胡（二錢）　黃芩（三錢）

梔子（二錢）　粉丹皮（三錢）　白殭蠶（二錢）　全蟬退（十二個）　金銀花（二錢）　澤蘭葉（二錢）

生甘草（錢）

◉行醫難

——魁卿——

治病一道言之易，行之難，撮而言之，其難有五，人之病也，醫者能知而病者疑一也：病者信醫而醫不知二也，奇病怪疾不載方書，無從考查三也，醫有發明之心得，公佈於衆而衆不信四也，能知病而病亦信醫其於調養攝生方面多忽視，此亦難於收效五也。

●黃河病

英醫師懷伊士著論，登倫敦醫學報，言我國黃河泥含有疫菌，自一八九九至一九一八年每次可溢，疫症繼之，因河流溢各處，濕泥晒乾，化爲灰塵，菌乃四散，初以鐵路傳佈亞洲，今則海輪佈及於世界，如不承認此疫源。切實修河，則一九三六年，世界又將受其害云。

●姙婦期間的幾個診斷法

大概婦人受胎以後四五個月內，覺得小便增多，常常在半夜裏都要起來小便，所以月經停止，乳囊增大並覺微痛，早晨的惡心，每日小便次數的增多，這四項可算是受胎的一種預象，其實到底是否受胎，婦人自己總比別人明白得多，假如要切實的斷定是否受胎，還須經過子宮的檢驗。

●口瘡祕方

口瘡雖爲膚淺末疾，但滿口糜腐，有碍飲食，亦屬堪憂，尤以小兒口瘡忽視失治往往蔓延白腐，日夜啼號，不旬日致命者比比皆是，可悲誰甚，茲將效方列下，請大家試之

白礬（火焙枯如棗大二枚）

蝌蚪（一茶盞陰乾火焙研細末）

紅棗（三枚去核火焙乾）

三物共合研極細末塗瘡上極効，

從月經說到妊娠。

王汝燮作

導言

世之論醫者，輒曰治病之難，莫難于兒科，以其不能自道病苦，又復無脉之可診，使醫家于望聞問切四者，已失其二焉，故古人謂爲啞科也，竊嘗推而論之，以爲兒科之難去婦科遠矣，蓋兒童天眞爛熳，無情欲以縈其心，四體不勤，無外力以傷其皮表，其所患者，不過天時寒熱，不得其正耳，如此則察其顏色，審其苗竅，已洞悉無遺矣，若夫婦科則不然，蓋婦女之心性，率多和順，而慕虛榮，每遇惡劣之環境，既不能毅然奮鬥，戰勝艱劇，又不甘澹然自處，隨遇而安，往往含痛隱忍，鬱結于衷，及其發爲疾害也，則又迷離撲朔，不欲示人，縱使環境優越，而情海無際，慾壑難填，以此致疾，更諱莫如深者也，况夫月信之來，爲女性所獨有，偶遇風寒燥熱，動致愆期，于是乎疾害生矣，于此而尋其致病之源，非有精深之研究，豈可得窺其門徑，故婦科病以調經解鬱爲主，而經事之研討，尤爲醫者當務之急也，玆編所述『從月經說到妊娠』。明知管窺蠡測。不免掛漏以貽譏，而引玉拋磚，願識者之讜論。

婦科病變，爲醫家之所難，已如上述，蓋婦人常由月經之不調，而引起其他疾患，設醫生不揣其本，而齊其末，則緣木求魚，謬之千里，設調其月經，而不治其兼症，待月經調後，而兼症不治自愈者，亦所常見也，且月經之不調，必有一種病理在，欲明此病理者，又必先明其生理，不知其生理病理，則處才診斷，無說着手，必以生理病理爲根據，而後可左右逢源，婦科病既以月經爲主體，則月經之來源，在所當知，月經來源于子宮卵巢，則子宮卵巢之生理解剖，必須明瞭，而後知其功用，證諸中國舊說，月經與任脉衝脉有密切關係，不特與任衝有關，即與種種內分泌腺之關係，尤爲重要也，例如婦人懷孕，則乳頭之色素沈着，既產則有乳汁之分泌，授乳期內月經閉止等，此即其明證也，玆分述如左。

第一：月經之來源。

1 月經之定義。

『岐伯曰，女子七歲腎氣盛，齒更髮長，二七而天癸至，任脉通，太衝脉盛，月事以時下』，觀此，則月經全歸宗于衝任二脉，而二脉如何以通，如何以盛，則知其然，而不知其所以然，內經雖爲吾國醫之所尊崇，勢宜推爲鼻祖，但事實雖精當，而理論多荒誕，往往以精當之事實，而掩沒于荒誕之理想，故愚以爲，醫學不宜有門戶之見，中西之分，而總以明理療病爲根據也，夫月經者，本爲身體無用之瘀物血液，亦即體工辭退之不良工役也，但此工役雖謂不良，而亦爲生理上之所必須，用以報告卵子成熟之工具，女子屆生殖機能完成之期，每于子宮粘膜，週期性出血，以其間隔習慣爲一月，故名之曰月經。

2　子宮卵巢之生理解剖。

子宮位于腹腔之下，骨盆之內，膀胱之後，直腸之前，其形狀扁平如梨子，其大小因處女與經產婦而不同，處女之子宮，普通長約二寸二分之直徑，底部約一寸三分，頸部約爲八分，全體厚度，亦約八分，若經產之女性，則略形長大，而且較圓，又臨產婦之子宮，其直徑約八寸，以其部位言，則可分爲三，即子宮底，子宮體，子宮頸是也，所謂底者，係上方之寬而且厚，稍向前傾之遊離部，其兩側之上端，有喇叭管，下部連接卵巢韌帶，喇叭管下通于子宮腔部，而卵巢韌帶，不過支持卵巢，使與子宮週壁連接而已，又卵巢韌帶之下，有左右圓韌帶，少爲曲屈，而固着于恥骨，長約四寸四分，以支配子宮爲要務，子宮體位于頸底之間，其左右有闊大韌帶，用以包括韌帶，與卵巢，及卵巢韌帶，喇叭管等，此韌帶固着于尾骶骨之兩側，以助圓韌帶之保護子宮，此外更有前韌帶，連接于子宮與膀胱之間，後韌帶，連接于子宮與直腸之間，子宮頸位于子宮體下部，窄狹而一半突出于膣腔，其末端開口，曰子宮口，呈圓形，經產之女性，則呈唇狀，要之，子宮爲接受從卵巢排出之卵子。而爲收容，然後便受精之卵子，發育生成，盡養育之責者，其功用一以排除月經，一以容納胎兒，至其組織構造，外層曰漿液膜，被覆于子宮，與腹膜爲一系，中層曰筋質層，甚肥厚，內層曰粘液膜，呈平滑之象，及至頸管，則呈樹狀。

卵巢與男性睪丸，有同等之功用，但睪丸爲製造精子之器官，而卵巢則製造卵子，二者均爲生殖器之重要器官，其位置在骨盆之內側，左右成一對之腺體，外面爲非常凹凸之多數囊狀組織，而連接于子宮底部，其內端依卵巢韌帶，而繫于子宮後部，外端依剪綵而連接于喇叭管，卵子爲定期之發育產物，在每次月經三週間前，卵巢內之「古拉佛氏胞」，都成微小狀態，再經過一週間後，其中之卵子，則漸次長大，而突出于卵巢之表面，及達月經期，（四星期）則成小顆粒狀態，遂破裂，而從此破裂之顆粒中，產出卵子。

3 排卵。

卵巢皮質之 Graafsepe Foeipel ，漸次成熟，因濾泡液體之增加，而隆起于表面，濾泡壁益形緊張而菲薄，終乃破裂，則卵子與濾泡液，同時流出，落于腹腔，其後爲輸卵管纖部所收容，遂通過輸卵管，而入于子宮，殘破濾泡萎縮，泡腔內充滿血液，腔壁內增殖，含有黃色素之黃色細胞，該細胞漸次充滿于濾泡腔內，而成黃體，但黃體因卵子之受精與否，而發育不同，受精時，因血行旺盛，日益增大，是名之曰眞黃體，眞黃體，增大至妊娠第三四月時，即停止發育，而漸次縮小，其不受精時，則不發育，即萎縮，而呈白色，名曰僞黃體，或曰白體。

4 排卵與月經之關係。

月經僅于卵巢存在時，始發生，因先天與後天之原因，而致卵巢缺如時，則無月經，然無月經時，亦可有排卵之機能存在，例如授乳期內，雖無月經，亦可受孕。此即排卵機能存在之確証也，子宮粘膜之週期性變化，乃由于卵巢排卵，及內分泌之種種關係，雖無確定之學說，而在生理上，月經前之子宮內膜腫脹，乃爲妊卵之着床準備，『註「着床」者，即卵子及精虫會合後，如舟之傍岸，而附着于子宮內壁之謂也』，可無疑慮，若排出卵子未受精而死，則着床準備，已爲無用，遂發生內膜破壞，而爲月經，所以月經，可認作未妊卵之流產。

5 月經之來潮期，與閉止期。

處女之分泌月經，通常以十四歲，至十五歲者爲多，但以所處之地帶，有寒熱之別，則其分泌早晚亦異，處于溫帶之女性，常在十四歲以前，處于寒帶之女性，多在十五歲以後，即風俗之開化與否，以及都市之繁榮，與鄉村之凋敝，亦有攸關，良以處于都市者，其所見所聞，極盡性的誘惑故也，至其閉止期，通常在四十五至五十歲之間，原以年老血衰，生殖器漸趨萎縮，抑或年齡間少有出入，亦多根據來潮期早晚而不同。

第二，月經異常。

1月經早期。

早期月經者，即違反一月一行之當軌，而兩週，或三週，即至之謂也，考諸中醫舊籍，均以血熱，爲月經早期之理論，即顏色之深紅與淡白，亦以寒熱別之，此論不謂不通，但與其謂血熱，不若謂充血使然之爲妙也，血管內之血液，隨心臟之閉索與弛張，而鼓蕩，是心臟血與月經血，性雖疏，而來源無二，婦女按月行經，子宮內之新陳代謝，轉運不息，，故最易感受局部之病變，則六淫外因，使子宮內膜，受温熱之刺激，發生炎症，因炎症而血管內充滿血液，兼以子宮內之血管，本自菲薄，則一經充血後，即躍躍欲出，如衛生上少有不當，運動失常，則躍躍者，勢不能抑止矣，于是形成子宮出血，之早期月經，由是觀之，本病爲血熱之說，不爲無由矣，且醫學術語，曰病走熟路，更以月經血之最要特徵，爲不能凝固，則經一次之出血後，不爲治療，即不免有二次三次之虞，致養成習慣，終始規律之癸水，形成早期月經矣。

2月經之遲到。

女性月經，爲報告卵子成熟之信號旗，按期而至，本不容或差，通常以四星期爲定律，但以七情之內傷，六淫之外感，阻障該信號之交通，致使過期不至，或六週八週始行一次，此違乎生理，反乎常軌之病灶，不外以下數種。

(一)忿怒傷肝。

人非草木，誰能無情，所以情之一字，足可代表人爲高等動物也，設人用情失當，過喜過怒，則神經受重大之刺激，循環失却常態，吾國醫謂忿怒傷肝，木旺傷土，等等，此雖近乎土木五行之舊說，但以數千年之經驗，亦大有深意在焉，夫忿怒太過，則經絡痙攣，門脉循環障碍，而血液壅積，循環本同一系統，久則因瘀血，而影響於內分泌，及卵巢，致使功用不靈，生殖器機能萎縮，產卵排卵之能力不足，則月經因之而遲到。

(二)寒風侵襲。

人體之構造，由于各種細胞之組合而成，但任何細胞，及組織，必有一定之生活條件，而後生存，設違反其條件，鮮有不滅亡者，人生兩大間，其身體健康，不生疾病者，是溫煖適宜，燥濕合度，換言之，亦即生活條件，之適于人生也，婦女當行經之際，而天氣驟寒，或因如側時，下體爲寒風侵襲，則子宮受不良空氣之戕賊，遂起反射作用，而此種反射作用，當不外乎物體熱漲冷縮之定義，卵子受冷空氣之戕賊後，則活躍之生機，大爲減色，子宮充血之能力，亦因寒冷而凝滯，此凝滯之結果，遂形成月經過期，

(三)脾虛。

人類之生活條件，空氣與溫度固爲一端，而食物之供給，亦係條件上之重要分子，食物入于口腔，達于大腸，中間經過吸收，使有用之生活素，分佈于各種組織，以補助血液，及一切之生長，且醫籍皆言，脾主爲胃行其津液，並多包攝消化器官之全體，而混稱脾，細思之，則古醫書所謂脾，乃指胃腸之吸收作用，已無疑義，援此理論，是脾臟，有如汽機之鍋爐，身體各部位，有如汽機之機件，鍋爐之燃料與水分告竭，則機件之工作停工，脾臟虛弱，則吸收之能力減退，吸收之能力減退，即不能輸送營養素，以達全身，各部組織血液，不得榮養，遂形成退行性病變，而月經亦不能如期即至。

(四)貧血。

貧血爲醫學名辭，是充血之反比例，顧名思義，則貧血爲月經後期之原因，自不待論，但有不能已于言者，以其不能如是之簡單耳，夫以人身之血液，除天賦外，絕無第二門徑，(輸血，爲治療貧血之技術，不在此例，)婦人因月經之輸出過多，(例如月經過多症)則輸出之血液，勢不能復其本來地位，而心臟之能力，不能于短期間內，另產生一部分血液，以供給補充，于是月經血的來源缺乏，不克如已往之充分，一如外傷出血過多，雖不能直接影響于月經，而以失血之結果，使身體一切機能衰減，間接波及于子宮卵巢，使月經後期而至

3，月經之閉止。

(一)瘀血。

月經閉止，多因月經後期，及貧血過甚，漸次演進之結果，但除此外，瘀血亦係一大原因，夫人體之血管，上循頭顱，

下達足趾，密如帛縷，將無微不至，而研究中醫之瘀血意義，即污穢之血液，而非正常之血液，換言之，亦即失去生理效用之血液，反爲有害體工，之毒性物質，不特爲失去抗菌力，之毒性物質，反爲有益于細菌生活，之「血液培養基」，設不爲治療，則形成血栓血塞，蘊寓于血管腔內，釀成月經閉止之病變。

(二)卵巢疾患。

在發育完全成熟之婦女，月經一向正常，而忽發月經閉止者，多由于卵巢之官能不全，是卵巢與月經，有密切關係也，例如將已行經婦女之卵巢，全部摘出，則月經完全止，若因節育問題，而行使手術，將卵巢一個切除，或結扎，則月經如常，但產卵之機能減少，設因手術不良，將卵巢組織，移殖于某種組織上，則某種組織，亦起排經(局部出血)功能，由此觀之，則卵巢之存在與否，實爲月經閉止之鐵證，是卵巢之疾患，足有造成月經閉止之可能性，

(三)卵巢囊腫。

卵巢囊腫者，即俗稱脹滿症也，其初期覺下腹部膨脹，發生便秘，下肢痛，或麻痺，且少呈浮腫狀態，該症狀繼續前進，即形成月經停止，故最易誤爲妊娠，並因膨脹關係，致影響于肺臟心臟，子宮胃腸，受其壓迫，使呼吸困難，營養障害，且本病有移動性，長借連接子宮之靭帶，以移行，而形成與慢性子宮內膜炎，及子宮實質炎，同等之症狀，故卵巢囊腫亦能使月經閉止也。

4少年月經過多。

本病，係指病源無從證明，之月經過多而言，最常見者，係于月經初潮時，或初潮後，發生此患，但亦有于月經成立數年後，始顯著者，總之不出乎「少年」二字之範圍已也，其出血症狀甚多，而且久，以至危及性命，或妨害健康，久則位置後屈，續發貧血性心臟病，原因係由于卵巢之分泌異常，所謂異常者，即於他種內分泌液，失却均勢也，但亦有認爲甲狀腺機能不全之結果者，至臨床上之症狀，則身體瘦消，皮膚枯黃，要之，皆先天發育不全，後天營養失調之所致耳。

5月經痛。

月經本爲女性各身問題，亦係女性得天獨厚之樞機，但痛經症，亦係此樞機造成之惡魔，而給與女性之不良豎子，本病通常係于月經時，腰部有多少之鈍痛，但此係女性普遍之疾患，而非各人獨有，不過神經敏者，易於感覺耳，反是，則有重型痛經，恰似臨產之陣痛，在月經來潮前，發生於薦骨部，而與月經流出，同時減輕，及月經終了，則霍然消失，查西醫理論，謂係子宮前屈，子宮口狹窄，及炎症所致，而國醫理論，以爲血瘀痼瘕，夫以子宮之用途，本爲收容卵子及胎兒，當不容第二者之襲居，一旦月經之排除障害，使腐敗之血液，積留於內，及二次月經產生，勢必爲敗血所阻滯，而子宮口有一定之寬度，不克爲二物質（新血與敗血）而弛緩，則于月經流出時，刺激神經作痛，且子宮前屈，即子宮底部，向前方傾倒之謂也，底部前傾，則位置異常，排經本有一定之路線，今子宮變更位置，路線亦必變更，月經不得正軌，又安得不痛乎。

第三：子宮疾患。

1子宮實質炎。

本病爲子宮實質，發生炎症，原因以淋菌作用者爲多數，或於產褥時，敗血傳染，性交過度，及月經時爲風寒侵襲所致，但可分爲急性慢性兩種，急性子宮實質炎，之症狀，頻發寒熱，腰腹部發生牽引痛，試于疼痛部位，施行觸診，其疼程度，則依觸診力量而輕重，醫生每于行經感冒之婦人，治療失當，牽延日久，形成寒熱互作之象徵，故有認爲肝氣者，但以診斷之謬誤，而效果當可想見也。

2子宮筋腫。

子宮筋腫，係生自子宮內壁肌肉腫瘤，劇者，可達至人頭大小，其於子宮體者，占百分之六十五，生于子宮頸部者，甚少，本病在婦科患者中，約占百分之五十，故習婦科者，頗當注意焉，筋腫初生于子宮筋層內，漸次擴大，而現于表層，筋腫結節，壓迫周圍子宮組織，生成筋腫皮囊，而包覆於結節之表面，該結節在解剖上上之形狀，呈灰白色，或淡紅色纖維狀，大致成圓形而硬固，其組織，係由平滑筋，纖爲束，及包裹纖維束，之結締纖維而成，結締纖多者，硬度著明，反之如筋組織多者，比較柔軟，筋腫組織，本身缺乏血管，但因出血，或血色素滲入組織，染成赤色，而成赤色肝狀變性，其他覺之症狀，以出血，疼痛，壓迫，爲著明。

(一)出血。

初始以月經過多，續伴以不正常之子宮出血，若于粘膜下，發生筋腫，則不正常之出血尤着，但因出血過多，續發貧血，其症狀，即覺頭痛，背痛，眩暈，心悸亢進，倦怠，顏面呈蒼白色。

(二)疼痛。

于月經時，覺有痛感，或不在經期，亦覺疼痛，小腹部，(即子宮部)時覺壓痛，該疼痛由于筋腫發育，壓迫子宮內壁而起，當月經時，筋腫亦腫大，故疼痛尤着明，且不能交接，及行激烈運動。

(三)壓迫。

筋腫達相當大度，即覺腸部緊張，又因其所在部位，壓迫膀胱直腸，輸尿管血管神經等，而現尿意頻數，尿閉，腎臟性水腫，便秘，下肢浮腫、及坐骨神經痛。

3子宮脫腫症。

子宮脫垂者，即子宮脫離本來之位置，而下降，以至達于陰道口，形如茄狀之物質，舊醫名辭即所謂陰挺也，其原因，係以分娩受傷，子宮後屈，或先天性組織機能不全之故，間有因腹瘤，及水腹之壓迫而致者，但就生理言之，子宮本有略向盆下口移動之能力，且可因腹內壓力之影響，而略形下降，但壓力一減，子宮即速復原位，倘其下行過平常度，或因站立行路工作過久，致腹壓久增，而子宮不復原位者，則爲病矣，且子宮骶骨靱帶過鬆，陰道壁弛緩，多顯子宮脫垂，而在陰道前壁弛緩者尤甚，因膀胱與子宮頸甚密切故，子宮脫垂時，亦必牽引膀胱膨出，其症狀，爲腰骶部疼痛，及盆內沈脹，下腹部起不快感，及排尿困難。

第四：妊娠之原理

1妊娠之定義

妊娠者，乃婦人體內包藏受精之卵，而營生殖作用之謂也，此婦人即稱之爲妊婦，由卵子受精，迄胎兒產出，其期限爲二百八十日，到十個月。

2精子

精子爲精液中之男性生殖細胞，長約0.05mm.由頭尾兩部，組合而成，頭部扁平橢圓由側方視之，呈梨狀，尾又可分爲三部，近頭者，爲中間部，次爲主部，末爲終末端，各部以軸索貫之，男子達春情發動期，則由睪丸內之精原細胞，分裂而成精子，其頭部，相當細胞核，尾部與原漿相當，精子排出于男性生殖器後，自振其長尾而運動，如在鹼性液體內，運動活潑，在酸性液體內，旋即滅亡，在女性生殖器內，約可生存一週，或三週，故于交接後半月，亦有受孕之可能性也。

3卵子

卵子者，女性之生殖細胞也，其直徑爲0.2—0.25mm爲富于原形質之大細胞，且爲人體中細胞之最大者，故肉眼上，即可認爲一小白點，以顯微鏡檢視，其中央有卵黃卵細胞，周圍有濾胞，上皮細胞，呈放射狀附着，接近卵黃部者透明，是爲透明帶卵黃與透明帶之間，爲微細之卵黃周圍間腔，但上述卵細胞，尙須經過成熟分裂方具受孕之能力也

4受胎

精子與卵子會合，精子進入卵細胞內，謂之受精，二者會合之機，由于男女性交，此時子宮陰道部，懸垂于射出之精液中，且在交接之際，婦人覺有快感時，子宮收縮，而稍下降，充塞于子宮頸部之鹼性粘稠液，被壓而垂入精液中，及收縮停止，復吸引于頸管部內，精子遂藉其固有之鞭毛(尾)運動，經頸管而入子宮腔內，更上行而入于輸卵管，以期與卵子會合，精子之得達于子宮頸管內，固多賴其自動之力，而子宮頸及粘液，亦不爲無助，蓋慾情激盪，則頸腺粘液交流，不啻作精子之引導也，精子與卵子之結合，係在輸卵管之繖端，或卵巢面，已爲近世醫學所公認，而兩性體合之成功，由於精子穿卵子之包膜，精子之頭部，鑽入卵內，即將其尾脫去，精子一經入卵，則卵膜立即變厚，以阻止其他精子之鑽入，孕卵遂被管繖導至管內，後則半藉管內之上皮細毛運動，半藉管壁之蠕動而送達于子宮，孕卵達子宮後，約一週，則有侵蝕之能力，鑿子宮內膜而棲止之，賴母血之榮養，而進行發育焉。

第五：妊後之衛生

某哲學家云，『人是爲創造比自己更强的人而產生的』的確，吾人之任何工作，亦不若創造人，爲偉大神聖，性慾乃天賦之良智良能，兩性間之正當權利，並且爲人類之繁衍義務，但須認定偉大權利義務之宗旨，嚴守房幃之道德，以免貽害于子孫後世，婦人受孕之後，胎兒自身，本無生產之能力，一切皆仰給于母體，是母體之任何行動，皆足左右胎兒，故知人之聰明愚魯，健康與否，均系于胚胎，然所謂衛生者，即不加以任何之戕賊，使胎兒母體，得充分之營養，得相當之發育也，婦人受孕之後，宜禁絕房事，慾情一動，則氣血沸騰，孕婦與胎兒稟脈息相通，胎兒受慾火之鼓動，即隱宿胎毒于內，致遺產後之虞，且于行房時，子宮位置亦爲之變動，子宮不正，人體之形態亦畸，且一時忘情恣慾，腹部震動異常，譬之結實之樹，撼動其枝，其實又安得不落乎，即今日妊娠，明日有流產之虞，不亦大可畏哉。

◉狐臭三種治療法

一，取蒸餅一個，劈爲兩片，放蜜陀僧細末一二錢，急夾之，據云有患此二十年照治斷根。

二，用頂大蜘蛛一個(或用小蜘蛛兩個亦可)黃泥包好，火內燒紅取出，候冷去泥，加輕粉一錢，共研末二日擦數次，輕者二日愈，重者三四可斷根。

三，方用麝香一分，胆礬二分，水銀粉三分，取田螺兩個，螺靨起開，以各約入螺中，過一夜螺肉即化爲水，將水擦腋下，其臭從大便出，此方極驗，可可輕視。

脉之商権

王述斌

今日科學之昌明猛進，大有一日千里之勢，而吾國科學落後，望塵莫及，无可諱言，尤以中醫一道失傳既久，雖醫籍汗牛充棟，浩如烟海，然龎雜紛亂，互相攻訐，莫衷一是，而徬徨于歧路之學，蓋亦衆矣。是以廢絕至今，爲外人所摒棄，所蔑視，吾人亦无以自解也。其故皆由秦漢以降，未聞以醫術設科，而實習者，僅有不時特出二三才智之明醫理而識藥性者，出而問世以濟衆，然而習俗，多各自秘其術而不傳，神其方而不宣，亦奚足怪其不絕如縷也哉。至今日重科學方法，无一不重實驗而棄空談也。我國醫理則率多佛學玄渺幽邃之論，緣唐代佛敎傳入中國，受其影響甚深，如五行氣化之說，生尅制化之變，无非皆唐宋以後之陰陽家佛學家所倡之文，竟以之釋醫理評藥性，致使古義愈釋愈晦，此其道失傳之由者一，人體之機構最爲繁複，非悉生理學而難明，非解剖細胞等學之精者，无以窺其神秘，吾國自古以來，即无專究解剖術者，只憑一二人以玄思妙悟，附和其理，對於身體中之組織，亦能洞若觀火，蓋有特殊之體驗，與觀察，始得知臟府之位置，及經絡之配佈，然至於相隔千載之今日，古人學術久失眞諦，致誤解其義，而書又散佚，是以愈傳愈謬，此其術失傳之由者二。是以居今日而欲求中醫之復興，此問題之既艱且鉅，且關係人之生命，經濟，亦重大矣。吾以爲又際此科學之時代，萬不能再閉門造車，憑空守舊，必須判明人我之短長，棄己之短，取人之長，凡己之所長宜固守，而闡明之，發展之，人之所短，宜辨明之，糾正之，因而診脉與審証當宗仲景之成法，而理論與病名當從西醫之實驗，至於用藥治療及診脉，尤應以仲景之法爲本，請先述脉之概要，條舉於下：

按甲骨文『派「𠂢」此當是水流別瓜字從「𠂆」象川之中流有旁歧「亻」象幹流出旁枝「⺀」則水之象也，或曰省「⺀」知𠂢，派本一家』古籀彙編，又「𠂢水之衺流別行者也從反永𠂢脈𧖴之隷變如上今不從反，永作脉』說文詁林遺篇故因從之。

一、脉之由來　昔軒轅氏使伶倫截嶰谷之竹，作律管以候天地之節序，使歧伯取气口作脉法以候天地動气，是脉之發明巳古，歷周秦漢數代，无有詳確之闡明，至晉王叔和出，始撰有脉經，醫家奉爲圭臬，迨高陽生之脉訣出，而脉經晦，及李瀕湖脉學出，則更簡於脉訣，天下靡然從之，至今日西醫東漸，對於脉搏固研究甚精，有所謂：視診，聽診，打診，觸診等，更有明顯精確之脉波器，血壓表等，見之者目眩曰：「科學矣」孰不知科學之目的，非器皿具備而巳也，在乎觀察與實事，器械齊備无非試驗之工具之準繩，以供决定病名及預後之參考則可耳！而於診脉與治療間不可分之關係，及由診脉以定用藥之輕重，則未暇顧及也。且以爲病多由病菌、病竈等之蘊釀而成，診脉則无由知其疾原之所在，是以脉動與病症爲二事，更無治標治本六經之分，約言之彼誠所謂：「頭痛治頭，脚痛治脚」之局部之治療，無根本解决病態之法，注意病症，而疏于病體，是其短處，至于周身經絡及動靜脉之區分，與藏府骨骼之部位，咸由解剖而來，其理論血脉經絡之成立，與其流行銜接及系統之區分，命以病名，多准確之識認，不無可取。今試分述脉於左：

夫脉也者，果何物哉？靈樞脉經篇曰：「脉爲營」又曰：「脉者，血府也」。素問靈蘭祕典篇曰：「諸血者，皆屬於心」。又曰：「諸脉者，皆屬於目」。仲景曰：「呼吸者，脉之頭也」。李延是曰：「脉爲血脉，氣血之先，血之隧道，氣息應焉」。劉元素曰：「非氣，非血，動而不息，脉有三名。一曰：「命之本」。二曰：「氣之神」三曰：「形之道」。經所謂：「天和者是也」。汪機曰：「脉者本乎榮與衛也，而榮行於脉中，衛行於脉外，榮衛和平，則脉無形狀之可議，榮衛乖謬，而二十四脉之名狀，乃顯然矣」。李延是又曰：「脉，非氣，非血，經隧也，乃氣血之先也，蓋人身具精，氣，神，三者而存在，精氣即血氣，而神則血氣之先也，故脉即爲神，人無是神，則無主宰，故脉即神之別名也」。東垣亦曰：「脉貴有神」。許叔微曰：「脉理幽而難明」李中梓曰：「脉者，意之所解，口莫能宣；凡可以筆墨載，可以口舌言者，皆跡象也，其神理非心神領會，烏能盡其玄微」。又有謂：「脉者水穀之精氣，資始於腎間之動氣，資生於胃中之水穀，臍下腎間之動氣，人之生命，即十二經脉之根本也」。由是觀之，脉理之深微，舉累世大家之探討，尙難得其眞象，竭其智力，只可歸之於心神領會之域矣，然而西醫之論脉，固別有說，彼謂脉也者，乃淺層動脉，每同心藏收縮之定期，所有血管壁之擴張，及其壓力之升騰，可以觸知，可以目睹之現象也，其所以然者，蓋因當心藏收縮之際，驅逐於動脉管系統流行之血液之排擠，復不得壓縮於此，而生管壁之擴張，其運動遞傳於動脉之末稍故也。故脉之云者，不外乎動中之波山，即脉之來而皷手指者也。其波谷即脉之去而手指无覺者也，其波動之力，即中醫之所謂「神」，可以能力二字解之，能力在物理學中，本爲無形之一種勢力也。在中醫即由此能力之强，弱，緩，急。以定人生理上有何變化，有何病徵，非有細密敏妙之經驗，無從診斷，西醫無此經驗，故略而不講，反毀中醫之不足爲根據，是無此識見也。惟中醫由各人經驗之不同，故所論各脉之部位，因而有異，即脉之寸，關，尺，所主之各藏府，其說各有異同。今多從瀕湖脉學，考之經驗者，倘無異說，據吾人之經驗，脉之分寸，關，尺，毫無疑義。而配以十二藏府，左寸以侯心，與膻中小腸，右寸以候肺與胸中，咽喉，頭，目，及大腸。左關以候肝，胆，脇膈。右關以候脾，胃諸疾，左尺以候腎，膀胱，腰，亦候小腸。右尺以候命門，三焦，亦候大腸，各疾。視爲診斷用藥之基礎，倘須審症也。

二、脉搏　脉搏在健康之人脉搏數，一分鐘搏動數平均爲七十至，呼吸數平均十七，故曰一呼吸，脉來四至，至五至，普通大人一分鐘六十至以下者爲徐脉，在兒童由一百四十至與九十至之間，初生兒動數最多也。在老年人反增加，在八十至內外爲常，又女子較同年男子其數少減，又身體長大者，較矮小者其數恒少，又在人之呼氣時減少，吸氣時稍增，又在身體運動時及精神奮發時，飲食時，正午時，其脉搏數俱較普通增進，此常人之生理脉也，玆分論非正常脉於下：

勹，脉搏數有頻數脉與徐脉之分，即中醫之數脉與遲脉也。其論頻數脉者恒在諸種熱性病時，其脉搏數與體溫平行而增加，普通體溫昇攝氏一度時，脉搏數在一分鐘內增至八至內外，在百至內外者爲中熱，百二十至以上者爲高熱，但在兒童則恒在百五十至時，亦非必爲高熱也。又在心藏病如內膜炎心囊炎腦腫瘍等症，其脉頻數恒增加，而在腸傷寒（腸窒扶斯）之腸出血，或虛脫時減少者爲恒也，至徐脉恒發現於熱性病分別後，肺炎之分別後，亦猩紅熱性腎藏炎及大出血後，俱可見徐脉也。又鉛中毒，腦水腫，神經衰弱，按是日本名辭，據敎育部定名爲腦力衰竭。藏器酸痛，風濕關節炎，（日名關節僂痲質斯）血液中炭酸瓦斯毒，（氧化炭血色素）黃疸，產後，等時可見徐脉。

夊，脉搏之大小，乃謂脉管每搏動時所生變動大小之謂也，然其大小與心藏機能之强弱，血管之緊張充盈度等所攸關，故心藏機能盛旺時，則脉大，減弱時，則脉小也，血管增加其緊張及彈力，兼以血液之充實者則脉大，反是則小，又在病症發熱時，左心室肥大，大動脈盛則脉大，心肌衰弱，脉搏頻數時，則現小脉。但脉細而小者，又謂之絲狀脉其小至不可按知者曰：「不感脉」。

㈠，脉搏有虚實，乃謂血管充實之程度如何也，此與血壓有別，例如：血壓高低同度時，其血管若粗而且血液實者，曰：「實脉」。血管狹小，且空虚者曰：「虚脉」即據血管之充實與否，以定其虚實也。乃心藏收縮之狀態，及血管之緊張有密切之關係，如强壯之人在勞動時，或患熱性病之初期時，其脉實，心藏衰弱及貧血霍亂，慢性熱病等時則脉虚也。

㈡，脉搏之緩急，此非指頻數脉與徐脉之謂，乃謂觸診時所感覺，動脉緊張之速度，即一往一來之遲速也。在急脉以指觸之其來也速，去亦速，又謂此曰：「速脉」，或曰：「疾脉」，又曰：「跳躍性的脉搏，在緩脉則徐來而徐去」。又謂此曰：「鈍脉」，皆與心藏機能之强弱，血行之緩急攸關，盖大動脉瓣閉鎖不全，左室肥大，故血液以强力而入動脉，動脉因之膨脹，次則血液乃流入左室，動脉因之速縮，此時所生之脉爲速脉也。緩脉則恒見於大動脉口狹窄時，血液入動脉也緩，故生緩脉。

㈢，脉搏之緊張，乃謂以指按血管，定其抵抗之大小也。即定血壓之高低，表示脉之有軟硬也。以指按脉，易止其搏者曰：「軟脉」。反是謂之硬脉或緊張脉，乃與心藏收縮力之强弱及動脉壁緊張之程度攸關。此硬脉多現於大動脉口狹窄，且心藏肥大者，在腎萎及慢性腎藏炎，鉛中毒痐痛，內藏血管之硬化，腦溢血腦膜炎之初期，赤血球增多等時，多現硬脉。至軟脉則多現於發熱，貧血，心藏衰弱，等症時也。

㈣，脉搏律，在身體康健者，其脉搏平垣，且整然有叙，謂此曰：「平調脉」，反此曰：「不整脉」。如脉間時休息有止者曰：「結代脉」。結代脉因心室收縮，見虚脫症，而生者曰：「缺止脉」，或曰：「間歇脉」。

總上所述以觀，可知其脉搏之價值，以對於心藏疾患爲主要，緣心藏脹縮爲脉搏之原動力也。

三，血壓之高低　中醫測血壓，僅恃三指之輕按重按，由熟練多年之經驗，可知血壓之高低，亦爲莫須有之事，僅知其有力无力，有神无神而已，何能確定其壓力几何也，西醫則利用物理發明之血壓表，其器種類不一，其原理則同，實可確定血壓之數，然診斷病情所未習見，故不能引用於中醫，茲因限於篇幅，不能詳述，惟其大要，不過測定心藏之收縮與擴張之期壓而已，換言之，即因心室收縮內壓，時增至一定之時，大動脈瓣開放，此時大動脈內壓卒然上昇，其頂點即收縮期壓也。迨心室收縮停止，大動脈瓣閉鎖後，大動脈內壓下降，至次回心室收縮之前，其壓力爲最低者也，謂此曰：擴張期壓。脉管苟非彈力之管，則當心室收縮時所驅出之血液，悉流入末稍，當心室收縮停止時，同時大動脈內壓，必等于零也。然實際則反是，因脉管富於彈力性，由心室驅出之血，半流入末稍，半停留於此，以補擴張時管內之空虛，故心室收縮停止後，猶以己之彈力性壓迫而送之於末稍者也。此即心藏之搏動，雖爲間歇性，而血行長流不息之理，蓋大動脉管內之壓力於心藏收縮或擴張時期而无特殊也。故脉管富於彈力性，而易擴張，則當心室收縮時，大動脈內壓不得劇生，而心室擴張時，因動脈之彈力長得保持其壓力，其內壓亦不得劇減矣。即收縮下降，擴張上升，其脉搏壓亦從而小之也。至脉管彈力減退時，則關係相反，然則知脉搏壓之大小，亦得知動脈彈力之多寡，因而知其脉力之虛實，以定其病症之狀況也。總而言之，收縮期壓，得知心藏之搏動力，擴張期壓，得知血管之抵抗力，脉搏氣壓，得知血流之速度也。

四脉管硬化　以指頭觸脉管之壁，驗其形狀，察其抵抗力與彈力，在正常脉管壁薄而軟，且富於彈力性，但无局部厚薄相異之處，在動脉硬化病之初期，管壁硬而失彈力性，可廻轉於指端之下，後則怒漲蟠屈，管壁抵抗硬度不同，而且少於彈性力，老人多現此症狀，即所謂：「中風之脉，卻喜浮遲，堅大急疾，其凶可知」。因預後不良，如壯年人有此現象，須注意其黴毒，慢性腎藏炎，及神經衰弱之如何也爲歸轉。

以上所述，據西醫所論，脉之生成與脉性狀，及脉之病態，但須以中醫古傳之脉理爲主，而參之以西醫之理，庶不致有數典忘本之譏。今試本叔和脉學及瀕湖脉學爲正宗，參西醫之說，以互相考証，以期得精確之觀念，以便體認也，茲宜分述之爲便，惟脉之區分，不獨我國古來之中醫互有發明，即西醫在千餘年前，亦有發明，而且聚訟紛紜，茲約略舉之如下：

昔西醫有分脉象爲弛、緩、衰、弱、疾、虛、數、硬、大、小等。有謂脉之生根於末稍，血管之自動能力者。有謂脉與心動併生，即心藏之搏動，傳之於血管系統而生跳躍，又有証明脉乃與心藏之擴張，或收縮相一致，而動躍者，及近世生理學解剖學日精，乃確定脉之性狀，分爲數與稀，速與遲，大與小，實與虛及强、弱、軟、硬、頻、數度規則與不規則，及二脉以上兼見之脉，並間歇脉，結代脉，階段脉，鼠尾脉，奇脉，等、可見與我國脉之沿革及脉理相似，故可同歸一轍，可資互証。而息彼此攻訐也。

自高陽生分脉爲七表、八裏、九道、之說，後人以其文辭淺鄙，而攻訐之，未免過甚，中國自古，文人對于學說，貴乎深邃古奥，而以淺顯爲卑陋，是亦文化不能普及裏之由，致使心法眞傳，愈久愈晦，幾成爲欺人自欺之術，良可慨也，然則高陽生分脉爲表、裏、道、之說，於脉之眞象，幷无何乖謬之處，既甚便於分類之識認，亦何妨存其說，而爲考証之資乎？其分脉爲七表曰：浮、芤、滑、實、弦、洪，緊、皆爲陽而屬府。八裏之脉曰：微、沈、遲、伏、緩、濇、濡、弱、皆爲陰而屬藏。（按曰府藏，非指某府某藏而言，蓋爲陰陽之泛論）九道之脉曰長、短、虛、促、結、代、勞、動、細是也。以上共二十四脉，餘有數、牢、散、三脉、絕脉如魚翔、蝦遊，釜沸、雀啄、屋漏、彈石、解索、則爲諸證之危脉，此外又有十二經，奇經八脉之論，則非血脉之意，不過灸穴部位之名稱統系耳！舒詔有云：「難經云：『寸口者脉之大會也』，又謂：『肺爲華蓋處其上，五藏六府入其下，皆有眞氣上薰于肺』故曰『肺朝百脉』，然寸口者肺經，經脉所過之處也，其脉起于少商絡於中府，所過之處甚長，何獨取平寸。三指之間，且肺朝百脉之說，以西說證之似不確，蓋膈中有膈膜遮欄，不使下焦濁氣上于清道，是腎與膀胱，胃諸經之氣，皆不得薰于肺也，藉令得薰之，亦只薰于肺，寸口何可得而薰之耶？又何以少商魚際尺澤雲門等處，皆不可得而薰之耶？夫既無薰寸口之理，安得謬謂寸口脉之大會也，又安得謬指某部主某經，某部又主某經耶？是皆未有所據耳！惟其無據，皆得以意爲之，故叔和一說，滑氏一說，嘉言又一說焉，可見脉訣之不足憑也。此因經絡之脉與血脉之脉不同故也，茲不列入經絡於本文，七表脉者易於尋按，多爲心藏脉搏力强之脉也，八裏脉者則須按指切骨，而細尋之，蓋血壓低，而心藏搏動力微弱也，其餘之脉既不得歸於表亦不得歸於裏故名九道，試分述各脉之形狀於下：

(1)浮　脉在肉上行也，如水漂木，如循榆莢，似毛輕按之不足，舉之有餘也，西醫之平波脉相似，乃心藏搏動猶有力時之脉也。

(2)實　浮沈皆得大而長，有力微弦，按之不虛，西醫亦謂實脈，血壓高，心搏動力强時見之。

(3)洪　來大去長，滔滔滿指，實而無力，素問謂爲大，亦謂之鈎，謂：來盛去衰也，西醫在大脈强脈之間也。

(4)緊　來去速如轉索，彈手有力，而不散漫，西醫此脈近於强脈，但與血壓之關係未判定。

(5)數　一息六至，脈流薄疾數，甚曰：「疾」但分浮，沉，表裏與虛實。惟兒童則宜此脈，常在七八至，西醫則謂：脈搏數一分鐘在七十次以上者。

(6)弦　緊如弓弦，端直而長，西醫當爲鈍脈，不重在血壓之高低，乃視壓力降下，或緩，或急，之狀也。

(7)滑　往來流利如盤走珠然，有浮滑而無沈滑，爲濇脈之反，西醫爲頻小脈，雖與血壓無大關係，而偏重於心臟，一定時間內，搏動之數而觀察之也。

(8)芤　浮大無力，而軟中空，而邊實，如按葱管，西醫此脈生於血壓下降，量不足，然心猶有動力，與小軟虛脈相似。

(9)沈　重按至筋骨乃得，宜分有力無力，以定虛實。

(10)伏　脈行筋下，至骨乃見，亦必隱隱有力，此閉塞之候，脈不達四肢也。

(11)遲　一息三至，去來極慢，遲而有力爲緩，無力爲濇，有止爲結，西醫曰：「稀脈」。

(12)緩　一息四至，應手指和緩，往來甚勻，如春柳舞風之象。

(13)虛　遲大而軟，無力無神，名與西醫同。

(14)濡　浮細而輕，如綿在水中，輕按乃得，西醫曰：「軟脈」。

(15)弱　細軟而沈，無力而柔，細按乃得，與西醫名同。

(16)微　細而軟，若有若無，欲絕非絕，細而稍長，西醫謂爲「低脈」。

(17)細　細直而軟若絲，小於微脈，西醫謂爲：「小脈」

(18)濇　細而遲，短而散，往來難，如輕刀刮竹，或一止復來而不調，西醫謂之：「不整脈」。

(19)長　過于本位，直上直下，如揭長竿，迢迢自若，西醫名同。

(20)短　不及本位，應指而迴，不能滿部。

(21)牢　似沉似伏，實大而長微弦，西醫曰：「硬脈」。

(22)革　弦而芤，如按鼓皮，西醫謂之：「平波脈而帶遲脈」。

(23)動　搏動也，乃數脈見於關上下，無頭尾，如豆大厥厥動搖，西醫曰：「熱脈」。

(24)促　來去數，時一止，復徐急不常，西醫名同。

(25)結　往來緩，時一止復來，西醫謂爲：「不整脈」

(26)代　動而中止，不能自還，因而復動，西醫謂爲：「更換脈或交互脈」。

(27)散　大而散，渙散不收，至數不整齊，西醫爲：逍遙脈。

以上分脈象，形狀緊密，可知古之人，殫畢生之精力，以事於此，當其有得於心，則爲至理，著之簡策，後世讀古人之書，而無古人之力學，則於古人之得以爲理者，已有精粗之異矣，又況歷時久遠，簡牘沿譌，義名代變，則通段難明，雖有古訓疏義，而於古人詔示來學之旨，益晦矣。故云：讀古書難，讀古醫書尤難非深通小學訓詁明俗尙者不知也，夫中國醫藥肇興最古，始于針灸，闢爲毒藥，後之方書，記載經累代之經驗，故審症而施，效如桴應，事實昭彰，無庸喋喋，然醫理中，率多幽邃玄渺之論，或假借事實助其理想，糾纏於似是而非，如五行，六經之辯，若持之有故，言之成理者然，蓋因五行之說，演六經之義，以之解釋傷寒玄理，甚或以自然現象之星，辰，風，雨，以附會人之生理病態，自圓其說，以爲解釋醫理之捷徑，而求其義意，與生理病理之眞相，若風馬牛不相及也，致使求深反晦，無怪謂斯道之失傳也。蓋醫學之成立，乃據人體之生活原理，以推求病象之原因，而解決之，但人之生活力，由各藏器各效其機能，考之解剖學，足以證明之，故不知生理與解剖等學，即不足以言醫學，或謂內經即古之生理，靈樞即古之解剖，斯說原於生理學所主心司血脈，即內經云：心統血。又生理學所謂：「肺司呼吸」。即內經亦云：「肺主氣」。意旨相同，豈偶然哉！此皆有經驗，有至理之結論，非臆測也，若通盤究其主旨，實合前後，而統計之，只記載而已，有何統系可言，其語滯暢並存，意則瑜瑕間見，抵觸之處亦多矣！如謂西醫之所發明，皆中土之所有，甚或謂西學皆得之於東方，則又非事實，適以自蔽之說也。夫古人發其端，而後人莫能竟其緒，古人擬其大，而後人未能議其精，則猶之不學無術者。居今日欲求斯道之復興，以整理二千年來廢墜之餘緒，又無獨闢新義之根據之學力，乃不得不假西醫以為借鑑之資，雖似可引為恥，但學術無國界黨界之分，故應取其長，以棄其短，毋自是自矜，然後以期有所改進焉可矣。

脈理最為微妙。而又為診病家所必需。此文獨能探本窮源。論合中西。洵為談醫者之南針。王生時在壯年。倘能本此研求。日新月異。前途正未可限量。勉之勉之。

徐靈胎先生俚歌一篇

嘆無聊，便學醫，噫，人命關天，此事難為，救人心，作不得謀生計，不讀方書半卷，只記藥味幾種，無論臌膈瘋癆，傷寒瘧疾，祇打聽近日時醫，慣用的是何方何藥，試一試，偶然得效，便覺得希奇，試得不靈，便弄得無主意，若還死了，只說是，藥不錯，病難醫，絕多少單男孤女，送多少高年父母，折多少壯年夫妻，不但分毫無罪，還要藥本酬儀，問爾居心何忍，王法雖不及，天理實難欺，你若果有救世真誠，還望你讀書明理，做不來寧可改業，免得陰誅冥擊。

診斷概要

王國棨

總綱

診斷學不易言也，今不過將其大綱節目，略爲探討耳。夫得病之因，千頭萬緒，苟非細心體察，實不能入其竅邃而窺其病源，病源既不能得，豈可論醫藥哉！然總而括之，其受病之因，亦不外二大法門：即外感內傷是也，外感者：外受風寒暑濕燥火六淫之氣，身之抵抗力薄弱，因而成病者也，內傷者：乃因飢飽勞逸，或因喜怒憂思悲恐驚，而成病者也，如飽則傷胃，飢則傷脾，多言傷氣，多勞傷血，憂極傷心，悲極傷肺，慮極傷脾，色極傷腎，且先有內傷而再受外感者恒多，先有外感而漸致內傷者亦不少，臨床之際，一髮千鈞，未可稍玩忽也。我國診斷之學，分望聞問切四部，歷代相沿，莫之能改，而近世醫家，往往但憑切脉，以冀顯耀於人，玩忽人命，莫此爲甚，夫望聞問三部而後，再加一切，四診相合，而衡其病之虛實表裏寒熱，再探其本之所在，其標之如何，各方俱備，尙不敢確切斷定，然離題總不遠矣。又診斷貴在提綱，蓋四診俱備，而所得之頭緒太多，則一時歸納不易，切合爲難，顧乎此則失乎彼，慮於虛則有碍於實，處方似合而未合，必至治病似是而實非矣。故診斷既以四診爲宗，更當以四診之所得，提綱挈領獲一確切之斷定，此確切之斷定，將從何求之？曰：從標本虛實表裏寒熱八字中求之可也，是故四診者，爲診斷之方法，標本虛實表裏寒熱者，爲診斷之歸納也，非四診無以知標本表裏虛實寒熱，非知標本虛實表裏寒熱，則更不能得其輕重損益之義而毅然爲之一斷，故於四診之後，對於歸納之法，不可不究矣。至若用器械檢查病體，亦爲診斷之一助，如體溫表之檢查體溫，用顯微鏡之檢查病菌，用血壓計之檢查血壓，類此種種，我國醫界，亦未始不可利用，以便診斷確實，以免遺誤病機，如係急性傳染病，凡有血清治療而能獲捷效者，曷妨注射血清以求其速起，安可各存門戶之見，而放棄救人之天職耶。吾等爲人療疾，固不能存乎中西，然以一人之腦力，豈能盡窺淵藪，匯通中西，闡發而無餘哉，苟能將數千年之中醫，竭盡研究，再加以臨床之實驗，亦未始不能爲國家强種族，爲民衆除痛苦，是以所謂該篇，專述中醫之診斷綱要，至於詳細，則再由各同志自已尋之，望閱者諸君多海涵是幸。

（甲）標本表裏虛實寒熱之研究

（一）標本

標爲病候，本爲病源，夫當病之起，其來勢疾，若折其疾勢，則病將傾，必先治其疾勢，此爲治其標也，當病之起，其來也漸，識其病竈之蒂結頑固，若徒治其標，亦不應手，必先治其來源，此爲治其本也，至若標本俱急，則當兩相顧及，此爲標本兼治者也，靈樞病本篇中曰：「先病而後逆者治其本，先逆而後病者治其本，先寒而後病者治其本，先病而後生寒者治其本，先熱而後生病者治其本，先泄而後生他病者治其本，調攝得宜，而後治其他病，先病而後中滿者治其標，先病而後泄者治其本，先中滿而後煩心者治其本，有客氣有同氣大小便不利治其標，大小便利治其本，病發而有餘，本而標之，先治其本，後治其標，病發而不足，標而本之，先治其標後治其本，謹詳察間甚，以意調之，間者並行，甚爲獨行，先大小便不利而後生他病者，治其本也」。先哲有言曰：「急則治其標，緩則治其本」，眞至理名言，足臻論治之初，舍標本則不能審緩急以立方，故標本之研究，爲診斷之嚆矢也。

（二）虛實

何謂虛實？以人言體格之强弱也，以病言病毒之盛衰也，體實病實者，病雖重不殆，宜急去其病，體虛病實者，雖新病亦危，宜虛病兼顧，譬如風寒之痰實也，當急治其實，久咳之痰虛也，當徐圖其虛，痰飲之痰，虛實相雜也，當虛實兼治，再如泄瀉，常因積滯，然同一積滯，而虛實互異也，驟然成積，積而不能化者爲實，脾運不健，食輒積而不化者爲虛，實者消磨推蕩之，虛者健脾溫運之，治亦互異也，再如腫脹：先脹於內，後脹於外，小便赤澀，大便閉結，氣色紅亮，聲音高爽者實也，先脹於外，後脹於內，小便清白，大便溏泄，氣色枯白，語音低怯者，虛也，實者宜消，虛者宜補，其治皆迥不相同也，難經四十八難曰：人之有三虛三實者何謂也？有脉之虛實，有病之虛實，有診之虛實也，脉之虛實者，濡者爲虛，緊牢者爲實，病之虛實者，出者爲虛，入者爲實，言者爲虛，不言者爲實，緩者爲虛，急者爲實，診之虛實者，濡者爲虛，牢者爲實，癢者爲虛，痛者爲實，外痛內快者，爲外實內虛，內痛外快者，爲內實外虛。素問通評虛實論曰：邪氣盛則實，精氣奪則虛，此爲虛實之精義，可供玩味者也。

(三)表裏

診察病之由於內作，由於外入，以辨其屬表屬裏，內為裏外為表也，夫表裏與虛實，常有互相之關係，有表裏俱實者，有表裏俱虛者，有表實裏虛者，有表虛裏實者，知其表裏必配以虛實，再合以標本之法，治病斯萬舉而萬當矣。再由各種現象，以推測之，如脉浮者表也，脉沉者裏也，頭痛體痛惡寒者表也，下利脹滿腹痛者裏也，口苦咽乾目眩者，半表半裏也，由頭痛體痛惡寒而發熱嘔吐者，是為由表欲入裏也，由煩躁欬逆，膈悶而發熱汗出見瘀瘖出斑疹者，是為由裏欲達表也。論其治法；則純乎表證者，宜從表治之，純乎裏証者，宜從裏治之，半表半裏者和解之，表未解則仍汗之，由裏達表者，引而發之，至於表證未能而裏證又急，裏證未已而表證又起，則各從其標本緩急以治之，庶能順乎病情，而漸臻於穩健之道矣。

(四)寒熱

寒熱者，病體溫度之變動也，百病之起，非寒即熱，非熱即寒，而熱常多於寒，視其熱度之進退，可察病勢之深淺，斷無有病之人，而無寒熱之變者，無寒熱者，即為無病之人，有之則外傷之無足輕重者，或瘡癬之無足道者，或痰飲痼癖之伏而無傷於臟腑經絡及不碍於氣血流行者，是皆與無病等，故無寒熱之變也，檢查病體之寒熱，近已多用體溫計，以作標准，如超過攝氏三十七度便為熱，如不及三十七度便為寒，再由病之情況，辨其寒熱，如其形實而揭衣被者熱也，渴欲冷飲者熱也，其形踡曲而欲衣被者寒也，懍然悚然者寒也，若辨之於氣息，氣噴如火者熱也，氣冷息微者寒也，辨之於脉，則數者洪者熱也，遲者沉者寒也，再能審察其徵，以知寒熱虛實之別，表熱裏熱之分，以及眞寒假熱，假熱眞寒，互匯通之，斯為盡診斷之能事矣。

(乙)望聞問切之研究

(一)望診

望其形色，而知其病之輕重，由來尚矣！今將其要者略述之。

(1)察神　夫得神者昌，失神者亡，神藏於氣，氣耗則神喪，如言語清亮，目光精彩，肌肉不削，氣息如常，二便不脫者，當判爲神志尙强也，如目暗光短，言語顚狂，形羸色敗，尋衣摸床，睛定目陷者，則爲神亡矣。

（2）**辨色** 青屬肝，赤屬心，黃屬脾，白屬肺，黑屬腎，青則當筋，赤則當脉，黃則當肉，白則當皮，黑則當骨。乃肝合筋爪，心合血脉，脾合肌肉，肺合皮毛，腎合骨骼，例如青色見則筋痛筋急，赤色見則舌紅口乾，黃色見則倦怠體重，白色見則惡寒噴嚏，黑色見則腹脹背痛，此五臟之所主也。此外如精明五色者，赤欲如帛裹朱，不欲如赭，白欲如鵝羽，不欲如鹽，青欲如蒼碧之澤，不欲如藍，黃欲如羅裹雄黃，不欲如黃土，黑欲如重漆色，不欲如地蒼，善色現於外其壽永，惡色現於外其壽不久矣。精明之色，所以視萬物別短長審黑白，若以長爲短，以黑爲白，則精衰矣！此五色之善惡也，又色與脉合，即青弦赤洪，黃緩白浮，黑沉是也，苟已見其色，不得其脉，得尅則死，得生則生，譬如痧疹初發，其面微赤，其脉應洪，若不得洪脉，是色脉不合也，能得弦脉爲可治，如得沉脉爲難治，即因弦爲助洪，沉爲反洪也，故病人面青脉弦，面赤脉洪，面白脉浮，面黑脉沉，此爲色脉相合，反是遇相生則順，遇相尅則逆，惟病人素禀，有陰臟陽臟之殊，甚或有脉逈異常人者，未可全拘於色脉之相合，則首要在察其神，再探其胃氣之有無，以作忖度，此色與脉之參合診斷也，又有春氣通肝，其色當青，夏氣通心，其色當赤，秋氣通肺，其色當白，冬氣通腎，其色當黑，長夏四季之氣通脾，其色當黃之說，此言四季之色也。又五色之所主，病各不同，約言之，則黃赤之色，多主風熱，青白黑色，多主陰寒，青黑常爲痛症，甚則癱瘓或作拘攣，恍白則血色不見，故爲大吐血下血或爲體虧血衰，淺淡之黑色，常爲腎病爲水寒，淺淡之黃色，常爲虛症爲濕滯，兩顴時露紅赤之色者，爲陰虛火旺，癆損之候，若詳言之，色青爲肝病多善怒，兩脅作痛，左有動氣，(按肝在右脅，左有動氣者，乃其神經動也)諸風掉眩，轉筋拘攣，疝病耳聾，腹右作脹，暴逆作吐，目視䀮䀮，常自驚惕；色赤爲心病，多喜或悲，舌紅口乾，臍上動氣，心胸痛煩，健忘驚悸，怔忡不安，實狂昏冒；色黃爲脾病，多善憂，當臍動氣，思慮食少，倦怠無力，腹滿腹鳴，痛而下利，實則身重脹滿便閉；若黃而兼赤者爲風，黃而膏潤者爲膿；色白爲肺病，多善悲，脅有動氣，灑淅寒熱，咳唾噴嚏，喘呼氣促，膺痛胸痺，虛則氣短，續息爲艱；黑色爲脅病，多善恐，臍下動氣，腹脹腫喘，溲便不利，腰背作痛，少腹滿痛，頻有呵欠，心懸如飢，足寒厥逆；然病有有見於色者，有不見於色者，有偶見於色者，大抵新病而劇，其色常立見，久病其色常漸見，或久病而其色突見，恒於脉症之生尅，而診斷其順逆，此爲五色之所主也，又有陽毒陰毒之分；如癘氣中人，其得也急其發也暴，治之宜速，若面色赤，身斑如錦紋，爲陽毒症，面色青，身痛如被杖，或現紫色，爲陰毒症，陽毒病常有咽喉痛而吐膿血，陰毒病常有咽喉痛，因毒皆由口鼻感受而咽喉爲陰陽二血之要會也，故發則咽喉必痛，此皆觀其色而探其病者也。

(3)望形察病　病人坐而伏者短氣，坐而下一脚者腰痛，何僂護腹者心痛，臥則身形瑟縮者，多畏寒，臥則身形弛放者，多惡熱；觀病者之五官，即知病屬何臟如鼻爲肺之官，目爲肝之官，口唇爲脾之官，舌爲心之官，耳爲腎之官，若肺部受寒鼻先塞，肝部受熱，其目先赤，脾部受濕，其口失味，心部受毒，其舌本蹇，腎部虛竭，其耳枯垢，察五官既知五臟，且可因以知六腑，蓋肺合大腸，肝合膽，脾合胃，心合小腸，心包絡合三焦，腎合膀胱，故六腑虛實寒熱之象，亦無不因而知之矣。且目有五輪亦可辨其徵兆，外皮屬脾應肉，白睛屬肺應氣，赤血屬心應血，黑睛屬肝應風，瞳神屬腎應水。又有左頰先赤者，爲肝熱病，右頰先赤者爲肺熱病，額先赤者爲心熱病，鼻先赤者爲脾熱病，頤先赤者，爲腎熱病，舌赤卷短者爲心病，鼻白者肺病，目青者肝病，唇黃者脾病。耳黑者腎病，此由各部之形色而診病者也。至若目之變化，亦可斷其陰陽寒熱，如閉目者屬陰，開目者屬陽，朦朧熱盛，時冥爲衂。陽絕戴眼。(目上直視)陰脫目盲，氣脫眶陷，睛定神亡是也。又小兒之病，脉不能驗，問之又不能答，故除望色以外再看三關，自虎口看起，食指下節，是爲風關，二節氣關，三節命關，紋見下，截風關爲輕，紋見中截氣關爲重，紋見上截命關尤重，直透三關，大爲危證，其紋宜藏不宜暴露，紋紫爲熱，色紅傷寒，色青驚風，色白屬疳，色黃淡紅，乃屬小恙，若見黑色，更爲危證矣！此皆望形察病者也。

(4)察舌辨病　舌爲心之苗，腸胃之竅，又可分爲數部，舌尖屬心肺，舌中屬脾胃，舌根屬腎，舌邊屬肝膽，而其辨味之力，亦不一律，舌尖善辨甜味及鹹味，舌根善辨苦味，舌邊善辨酸味，舌之中心則辨味之力頗弱，皆因舌之表面所生辨味之體(舌上辨味之細粒名味蕾，亦名味芽)各處不同，而所屬亦各異也，考舌既爲心之苗，其膜復接於胃腸，其轉動則又屬於筋而統於肝，若係手少陰經病則舌卷短，或不能言，足少陰經病則舌縱涎下，或口熱舌乾，足太陰經病則舌本强，舌本痛，而足太陽手少陽經病，亦能牽引舌本，是舌本之病候，所以察元氣之盛衰，津液之有無，可以知其大體，斷其吉凶焉，再進而察之，視其色澤之枯潤，及舌苔之厚薄，以參考之，則於病情無餘蘊矣。凡舌之明潤而有血色爲榮，枯暗而無血色者爲枯，凡病初起，舌乾者，津竭可知，病久而舌仍潤者，胃氣尙存，望之若乾，捫之却潤，其色鮮紅者，溼熱蒸濁也，紫而暗者，瘀血蓄也，望之若潤，捫之却燥，其苔白厚者，氣濁痰凝也，苔白而薄者，氣虛傷津也，白黃灰黑之老者，病多屬實，白黃灰黑之嫩者，病多屬虛，又舌質本紅，色分濃淡，紅而淡者血虛也，紅而濃者內熱也，瘟疫之發，色現純紅，乃熱蓄於內，而病將發也，又諸色深者邪實，諸色淺者正虛，深赤而黑者熱極，深而紫者爲血熱，深青者爲瘀血痛疼，此皆所以辨舌之神色也。至於辨其津液溼濁，則潤者爲津液未傷，燥者爲津液已傷，濕症舌潤，熱症舌燥，溼漸化熱，舌即由潤而燥，大抵舌色紅潤，多屬表屬虛屬陰屬寒，舌燥有苔，多屬裏屬實屬陽屬熱，無苔垢者，偏熱爲多，有苔垢者偏溼爲多，有誤用燥藥，津液被刦，逼迫而上，舌反潤者，熱症傳入血分舌亦反潤者，此潤之變也，凡脾胃有痰飮水血，舌多不露燥象，不可誤認：：寒，此爲潤與燥之辨別也，又有滑與濇者，捫之以手而知之，滑者津足，與潤爲近，濇者津乏，與燥爲近，滑常生膩苔偏於溼，濇者常生糙苔偏於熱，此其大概也。凡常人之苔，宜微黃或微白，薄而且勻，舌宜紅潤內充，乾濕得中，不滑不燥，是爲無病，若紅光外露，苔色稍變，非邪之外襲，即病將內作矣！一，白苔之病薄而滑者，寒邪在表，白苔之表則有多種，虛實寒熱皆有之，二，黃苔之病，黃而潤者裏熱猶輕，黃而糙者裏熱必重，黃苔之變有多種，虛實燥溼皆有之，黑苔則由白而漸黑，或黃而漸黑，或紅舌而漸見黑心者，皆邪熱傳變之遲速，黑色之變有多種，皆爲危候，至於舌之自覺，胆熱恒覺苦，脾痺恒覺甜，胃虛恒覺淡，腎虛恒覺鹹，宿食恒覺酸，肺熱恒覺辣，其苔則滑者多溼，濇者多熱，薄者多邪淺，厚者多邪盛，糙者刺手甚於濇，屬穢濁之熱，傷胃汁腎液，粘者痰涎，現黃色爲熱邪結裏，腐者苔拭之易去，爲正氣將欲化邪，膩者苔拭之不去，爲穢濁盤踞中宮，光而無苔多傷津液，剝而紋裂，多陰分竭，脹者多屬火，縮者多屬寒，此其大別也。至苔色之主病，則白苔肺經，黃苔胃經，紅色胆經，黑色脾經，灰色脾經，絳色心經，紫色腎經，焦紫肝經，青滑肝經，藍色肝經，凡白苔初起，爲風寒襲於皮毛，肺主一肺皮毛，故必宣肺以散表邪，惡寒者辛溫散之，發熱者辛涼散之，熱甚者凉散之，挾溼者解肌去濕，有寒濕者溫之，治法總不離乎疏散之品也，黃苔初起，由表及裏，從陽明燥化，故其色黃，黃中兼白，則尙兼表症，純黃無白，方全爲裏證，凡外邪初入陽明之裏，或內邪欲出陽明之表，初見溫苔，可以清之，或厚黃燥刺，可以議下，黃膩挾濕者清其濕，除黃苔中有不甚厚而滑，或尙帶白者，猶可清熱透表外，治法總不離乎滌熱清燥袪濕扶胃之品也，紅舌初見，是溫邪之輕者，宜清解之，舌苔去而舌淡紅有神者爲佳兆，紅嫩如新生，望之似潤，而捫之枯燥者，爲過於汗下，津液內竭，宜滋養眞陰，如純紅鮮紅，皆肝膽火熾，營分熱極，宜大劑清涼，治法總不離熄風平肝，清胆解熱之品也，黑苔初起，多爲黃色之化，或驟現黑色，黑而全燥者爲熱，燥而舌紅大便閉結者爲熱閉，宜攻下之，燥而無積苔，中枯邊不絳刺者，爲津血燥，宜養陰生津，黑而潤者爲蓄血，宜逐瘀或扶火退水，治法總不離乎脾腎，或清熱救火，或和脾逐濕，或扶火救陽也，灰苔初起，多爲黑苔之輕者，灰而燥者常爲熱，當防其轉黑，灰而潤者爲溼，或夾食，中寒停飲蓄血多有之，宜因症而治之，絳舌初起，多由深紅所化，心主營主血，爲苔絳燥，邪已入營中，宜清絡中之熱，血分之火，忌用氣分藥，紫舌初起，多爲紅絳所變，常爲腎陰虧耗之候，清火不足以濟事，惟以壯水爲主，若紫色上罩浮滑之苔者，邪熱傳裏，表邪未淨，既不可攻，又不可下，惟宜清中，若舌形胖嫩而紫色淡者，眞陽浮越，宜益火之原，紫上白苔，多由傷滔停滯，紫上黃苔，多由熱邪夾食，淡紫灰心，多由濕中生熱，總之紫舌皆爲重症篤候也，焦紫之色爲更重，多屬陽毒危症，青滑之苔爲寒象，多屬陰毒危症，宜破瘀解毒，產母舌青面赤者子危母生，孕婦面舌俱青者，母子俱危，藍色舌苔乃肝木之色，無胃氣以涵養而發現於外，均屬危症，惟瘟疫溼溫，熱鬱不解，或有此舌，宜芳香清泄，或癇厥及瘀血在胃，亦有此舌，宜清泄血分，此則例外者也。

(二)聞診

聲者動於中而發於外者也，壯實之聲，雖隔室聞之，不見其人而能斷其爲壯實也，虛怯之聲雖隔室聞之，不見其人而能斷其爲虛怯也，形壯實而聲虛怯者罕有之，有之則必內强而外羸者也，不然者，聲之變必病之伏矣，病者之聲，壯實爲邪實，虛怯正爲虛，此固可推想而知也，故常人以其普通之經驗，可藉聲之大略，以辨人之强弱，醫者以其獨得之經驗，自可藉病者聲音，以斷病機之如何矣。且病有由於病家忽略，無可問者，病有由於神識之昏亂，無可問者，病有由於婦人小兒之不願言不能言而無可問者，則尤不得不賴之於聞矣。玆將察音語及呼吸諸法，述之於後。

（1）察聲音　內經云：肝木在音爲角，在聲爲呼，在變動爲握，心火在音爲徵，在聲爲笑，在變動爲憂，脾土在音爲宮，在聲爲歌，在變動爲噦，肺金在音爲商，在聲爲哭，在變動爲咳，腎水在音爲羽，在聲爲呻，在變動爲慄，是以聲音之常及其變，配合內臟所藏之情志，而知內臟之生理與病理也，五音之變，變則病生，肝呼而急，心笑而雄，脾歌以漫，肺哭促聲，腎呻低微，色尅則凶，重濁之聲，多由於實，輕淸之聲，多由於虛，燥喊熱甚，遽呌神驚，暴病音瘖，肺金窒塞，久病音瘖，肺氣消亡，此五音之變病也，若譫語無倫，其聲壯盛而又身熱便結者，是實症之可下者，若神虛譫語，虛煩似狂，或由蓄血，或由邪入心包，必破血行瘀，或淸心解毒之劑，呢喃重複，謂之鄭聲，屬於虛，宜溫補之劑，或云鄭聲類於譫語，皆神昏所致，凡譫語鄭聲，與陽證同見者，屬熱，可以攻之，與陰證同見者屬寒，可以溫之，此從神昏所發之聲，以辨虛實也。又病常靜默而有時驚呼，靜默屬陰，厥陰在志爲驚，故知寂寂而猝驚呼，其病深入下焦骨屬筋間也，喑喑不徹，聲不揚也，胸中大氣不轉，而升降之機，艱而且遲，是可知其病在中焦胸膈間也，啾啾然細而長者，其聲尖銳，言時有痛楚之狀，爲頭中痛也，　此從語音高低長短，以辨病之在上在中在下也，又凡言之先輕後重者，其聲有外發之象，邪有外達之勢，故主治在表，言之先重後輕者，多言有憊怠之聲，知其氣弱不能續也，故爲內傷，聲濇音啞，多太息及噦之乾者，多爲津液缺耗，而氣失流暢，故爲燥病使然，言語之重濁，因有痰濁滯於中使然，若言促則挾風氣，壅塞不利之象也，如甕中言，音不響亮，聲不外出，知中盛臟滿，溼阻使然，故聲雖重於內，而不達於外也，凡欲言而又搖頭者，是痛極而言語艱難也，視其所護處常爲其所痛處，此皆從聲音之輕重，以辨病之表裏燥溼也。

（2）察呼吸　平常之人每分鐘約十九呼吸，小兒較短，每分鐘二十一二次（一呼一吸併稱一息）過與不及皆爲偏，則爲有病，（其有因驚恐或急走而呼吸倍急者，必逐漸自行平復，故亦非病徵）病之最普通者，厥爲風寒入肺，則呼吸必較爲急促，而引起咳嗽，此爲外邪，發表宣肺即可愈，至於其人常患呼氣不足者，息遲而難出，此爲肺氣之衰也。又病之表裏虛實寒熱，皆與肺部有關，故察呼吸如何，實爲診斷之急務也，凡息出不順至於搖肩者，爲呼吸困難也，心胸中邪實，病在上者，宜開泄之法治之，引胸上氣者，肺氣升而不降，宜降氣化痰之法治之，張口短氣者，爲有痰沫阻遏，不容氣返之勢，宜瀉肺氣而消其痰沫，此就呼吸之呼，以辨內臟之病機也，又吸氣不得下行而輕微急數，審其腹滿便硬，阻之於中其吸氣止達於中焦而即返，其病在中焦實也，當下其實即愈，如虛者，不下則無以瀉其實，下之反致其正脫，故不治，由中焦，且可推之上下，虛在上焦者，其吸促，宜治心肺，虛在下焦者，其吸遠，宜治肝肺，二者皆難治，至於吸氣之間，周身筋脈，動搖振振者，多主不治，此就呼吸之吸，以辨內臟之病機也，又呼吸之變，又可分爲喘爲哮爲短氣，凡促促氣急，喝喝痰聲，張口抬肩，搖身擷肚，爲吸氣難而出氣多喘也，痰結喉間，與氣相繫，呼吸困難，呀呷作聲，哮也，呼吸俱急，似不能續，其氣上奔，動衣甚速，短氣也，喘症以虛爲多，元陽虧耗腎氣不納，常發爲喘，年老之人，喘急聲洪，似痰無痰，汗出如油，此爲亡陽之危證，實證之喘，風寒之邪內鬱，肺氣上逆，發則痰濁之聲，及壅塞之狀，雖或有汗，不致如油，此爲肺塞之重症，體虛而病實者，亦或有此狀，皆宜隨機應變以治之。

（3）察咳嗽　凡肺受寒邪，則必發爲咳，初起痰稀而咳聲濁，或但咳無痰，繼則邪漸熱而痰漸濃，而咳聲更劇，其音尖銳，蓋肺中亟欲驅痰外出也，若體內熱勢薰蒸侵及於肺者，每上氣似喘，欬痰不爽，肺病熱甚，痰涎壅塞者，亦呼吸短促，欬嗽不已，感受時邪之咳嗽，連陣發作，甚至嘔惡欬血，輾轉傳流，因肺受溫邪，氣逆葉舉，必須淸溫潤燥，降氣化痰以治之，不能與尋常之咳嗽同語，此皆肺實之咳嗽也，至於虛寒之證，多屬久咳不止，痰爲白沫，或無力作咳，咳則骨節不寧，如將離散，或咳引汗出者皆是也，又素有痰飲之症者，常不咳而作嗽，咯痰至易，水飲停積，亦嗽稀痰不已，凡此等症候，或宜培補，或宜收斂，或宜建脾逐水，皆屬一方面爲多也，又咳逆痰中帶血者，皆因肺絡所傷，有由於肺痿者，有由於肺癰者，又或肺熱過高突然咳血者，大抵新咳見血，多因肺熱，久咳見血，多因肺寒，肺病之輕者，咳嗽雖劇，而血則時有時無，肺病之重者，咳嗽雖緩，而血絲血點不絕，倘有乾咳無痰者，新病爲邪鬱於肺，宜表散宣肺，則痰自易出，久病爲津液枯燥，正虛邪盛者每易成癆、黃昏作咳，由陰虛火旺所致，治宜滋陰淸火，不能專責之肺，暴病咳嗽，睡臥不下爲肺脹，易治，久病喘嗽，右側不能臥爲肝傷，右邊不能臥爲肺傷，皆難治，總之咳嗽雖爲肺病之見象，而尋根溯源，其因正多，未可拘泥也。

（4）各種聲音之主病　有聲有物，上泛吐出，謂之曰嘔，陽明主病，聲微有物，吐出容易，謂之曰吐血滯食阻，有聲無物，謂之曰噦，乾嘔爲氣血兩傷，噯由氣滯，吁由肝傷，邪陷於肺鼻聲鼾，啞分寒熱證象細商，泄聲滑利，常爲虛寒，下泄逼迫，多由於熱，瀉少聲短，痢疾後重，腹鳴飧泄，腸中之寒，病頻失氣，元氣下脫，咬牙之聲，症分寒熱，大抵氣停水積，清浊混淆，其嘔也夾涎，治宜温通化濁，當以生薑爲主藥，吐者其出也無聲有物，大抵血滯食阻清濁不分，其吐也宿食爲多，治宜消積行滯，當以橘紅爲主藥，噦者其出也有聲無物，大抵胃氣受傷，無物亦噦，治宜和胃平逆，當以半夏爲主藥，而其總法，要不外調氣行滯，從脾胃入治也，吐症之食入即吐者，多由於熱，肝氣上逆者，吐更猖狂，食久而吐者，多由於寒，寒甚者食多不化，嘔症之得物即嘔者，多由於火，時作時止者多由肝氣不和，痰涎交滯，嘔吐失治，常致反胃，則病由淺入深矣噎症重於嘔吐，乾嘔則尤重於噦，初宜平逆調氣，繼以養胃生津誤治則增劇，必致胃腑氣血兩敗，不能納食也，噯氣爲脾胃鬱悶，氣滯不得運行所致，宜疏散行氣即愈，呼氣爲肝氣鬱結所致，久鬱則肝傷，宜温疏肝部即愈，若吹氣寒冷者宜温中，若呼氣穢熱者宜滌熱，病人似睡非睡，鼻息聲鼾者，爲邪陷於肺，若鼾如雷鳴，此肺氣之將絕也，呃逆爲有氣上衝，作聲不輟，此證有寒熱之分，寒者宜丁香柿蒂湯，熱者宜五汁飲，若久病呃不止，則爲逆候，其證象須從他診中仔細推尋之，此聲之屬於上出者也，至於瀉下之聲，大抵其聲滑利，而洩出容易者，常爲虛寒，宜健脾，下泄之聲若逼迫注出，斷續不已者，常爲熱瀉，宜洩其熱，泄少聲短，頻作後重者，常爲痢疾，宜通利，腹鳴溏瀉，滑利或腹微痛者，常爲腹寒，宜湯養之，五更瀉泄，一注而止者，常爲腎虛無火，宜扶火，病久而下氣頻失，無臭氣者，爲元氣下脫，難於調復，此聲之屬於下出者也，又病有磨齒磷磷作聲者，爲人事不省，常爲熱入心包，宜內清或外澈酌治之，發熱便秘口渴睡中咬牙者，常爲胃熱宜清胃瀉熱，痧痘初發熱時，寒戰咬牙者，因火毒留於經，邪正相爭欲出不出之所致也，宜清熱透表，透發灌漿時而寒戰咬牙者，此氣血雙虛，宜補托解毒兼施，若泄瀉倒靨而咬牙者，此邪毒內陷，能托透者托透之，不能則急以內化爲主，此由咬牙而辨症施藥者也，至若久病形神俱脫，而力竭聲嘶，或久病聞呃，胃氣已竭，或久病語言首尾不相顧，神明已失，或痰聲漉漉，去而復來，連綿不己，漸湧漸高，此爲氣將離之絕症，與痰壅喘急及喉中作水鷄聲者截然不同，又目視不清，而神明昏亂，默而無言者皆屬絕症也。

（三）問診綱要

臨診之際，問病最爲重要，如問症清楚，能縮短診斷之時間，且有相當之把握，其重要者，應先問病由何時而起，有無病因，以往有何現象，經過如何，曾服何藥，以及現在證狀，如頭痛，身痛，胸膈如何，飲食如何，有無寒熱，及盜汗情形，大小便是否通利，有無咳嗽痰涎，又對疾病之遺傳性或傳染性者，當問其父母及環境有無是病之發生，對於婦人之疾患，又當問其月經之趕前，或錯後，量數之多寡，色澤之如何，月經來時之前後感覺，以及其他證情，均當留神者也。

(1)頭痛　凡頭痛之連痛不休者，屬於外感，時痛時輟者常爲內傷，痛起腦後，項强身痛者，太陽經證，痛在額角，熱不惡寒，陽明經證，頭痛連脇，往來寒熱，少陽經證，痛在巔頂，甚則肢冷，厥陰經證，頭痛而重，痰多濕滯，太陽經證，頭痛連腦，指甲色青，少陰經症，又有眞頭腦痛者，卒然腦盡痛，口不能言，手足寒至節，死不治，眩暈者頭不痛而昏暈，有如室轉，其症亦有屬寒屬虛之分，屬於實者，多由於肝火上升，多由於痰氣不降，屬於虛者，多由陰虧火旺，多由於血虛失養，經云：上虛則眩，下虛則厥，此眩暈之總因也。

(2)身痛　身痛表證，常連頭痛，凡頭項强痛，身體酸痛無定所，脉浮惡寒，或發熱者，屬於外感；身體痛者有定所，別無表證者，乃痛痺之屬，當以裏症視之，但有寒熱之別耳，又上下遊行，周身痛疼者，謂之周痺，凡風寒濕三氣雜至，乘人氣血之虧損，肌腠之疏豁，襲入經絡，使氣血不行，最易合而爲痺，俗所謂痛風是也，(即 Rheumatisums) 此外血虛者亦能作痛，多見於日輕夜重，梅毒內侵者骨節作痛，身上常現斑點，凡勞損病劇，而忽然身痛之甚者，此陰虛之極，不能滋養筋骨而然，榮氣已憊，法爲不治，又體重身痛，多由於濕，身痛如被杖，紫斑纍纍者，爲陰毒陽毒之症，此身痛主病之大略也。

(3)胸膈之問診　凡有邪實者，胸膈脹滿，有氣虛者，胸膈痞悶，熱之所聚，則胸中熱，滿而且煩，寒之所乘，則胸中冷，痞塞不舒，大凡因實而熱者，胸中多脹滿，而氣實，或痛兼煩躁，輕者宜梔豉薤白括蔞湯之類發之，重者宜凉膈散之類下之，結胸者宜陷胸湯下之，凡因虛因寒者胸中多痞悶，由於脾虛不運胃虛不化，或因氣血停滯，輕者宜開鬱扶氣，健脾化滯，重者宜壯肺氣，總之實者宜瀉，虛者宜補，若有虛不受補者，必虛中有實，或挾痰挾濕挾飲而致，或因氣虛不足以化其藥也，若有實不可攻者，必實中有虛，攻則虛將氣陷，宜攻補兼施，又胸間之堅硬拒按者，爲邪實之甚，實悶頻欲手擊者，爲寒爲溫爲痰之留滯，因而氣結，虛悶作痛，欲蹈其胸爲快者，爲肺虛氣墜，肺虛則不收，氣墜則作脹也，又胸間隱隱作痛者，常爲肺病，痛有定處而脹滿者，爲癰，又肝脹或胃脹，亦能使橫膈膜失升降之自然，因而胸間滿悶，其證必更兼腹脹脘脹，均當細察者也。

（4）問腹脇痛　凡痛之拒按者爲實，不拒按者，有實有虛，拒按甚者紅腫或高脹，爲將作內癰，宜消散之，拒按而堅硬者，爲有實結，宜攻下之，兩脇之地，爲肝之分野，兩脇作痛，常爲肝鬱，實者破氣，虛者宜行氣，腹痛宜問其部位，在腹上中脘作痛，或作脹悶者，爲胃有實積，或大便日久不行，濁氣上干也，隱隱作痛，綿綿無休者，胃寒氣痛也，痛而拒按甚者爲將作胃癰，及中脘疽，宜急設法內消之，腹部皆綿綿作痛者，乃濁陰留滯，宜溫散爲主，當臍作痛者，爲腎虛爲受寒，宜溫補兼施，瘀血腹痛者，起於負重努傷，跌撲閃損，或婦人經水閉止，或產後惡露未盡，痛必有定處，宜逐瘀行血，痰積腹痛者，痛時眩暈，或嘔冷涎，或下白積，其脉多滑，宜疏氣溫化行痰，蟲擾腹痛者，心腹懊憹，痛有休止，或腹中積塊，按之不見，五更心嘈，或嘔泛涎水，面色青白赤不定，鼻中多癢，宜健脾殺虫，腹兩旁作痛拒按甚者，爲腸癰，下膿者爲已成，未成宜消散，已成宜解毒消濁，臍下爲少腹之部，燥結大腸者攻痛繞痛，宜下之，熱結旁流者，溺閉不通，按之滿而不堅，彈之有聲激指，宜滲透利尿，血結旁流，少腹作痛，善忘如狂，漱水不欲咽，宜逐瘀化水，眞陰虧損，少腹作痛，小便濇數，脹滿如淋者，宜滋補腎氣，至於少腹有綿綿作痛，或牽引作痛者，多爲陰寒疝氣，主治概以溫散爲大法，若在婦人，多爲經帶之病，宜因症治之。

（5）問腰背痛　腰痛悠悠不止，乏力酸軟者，乃房慾傷腎，痛連及脊，四肢倦怠者，乃勞力傷氣，冷痛沉痛，陰雨則發者，爲濕，足冷腰背强洒淅拘急者爲寒，牽連左右，脚膝强急者爲風，有形作痛，皮肉青白者爲痰，無形作痛，脹滿連腹者爲氣，便閉溺赤，煩躁口渴者爲熱，腰脇脹悶者，鬱怒傷肝，腰痛在脊旁，腫而拒按者，爲腰癰，均應詳別之。又背痛連肩，脊强腰似折，爲太陽經氣不行，宜羌活勝濕湯，肥人喜捶而快者屬痰，宜除濕化痰，兼健其脾胃，瘦人患此，多屬血少氣虛，宜養血清火，肩背痛者，宜芳香行氣，辛溫納腎，總之，凡腰背久痛，屬腎虛，即由風濕所注也。

（6）問其寒熱　凡病之在表者，先惡寒而後發熱，傷寒之狀，惡寒發熱體痛嘔逆而無汗，中風之狀，惡風形慄，發熱而有汗，此傷寒中風初起時寒熱之不同也，至於溫病初發，但發熱而無寒，雖有汗出而熱度不減，間有初起拘束形寒者，必旋即身熱，若寒戰如冷甚者，必溫病熱極似寒，邪深發暴者也，且中風傷寒，病室穢濁之氣無多，溫病則穢濁之氣特甚，此溫病又與傷寒中風不同之點也。寒熱往來，周而不已，爲邪入少陽，止作有定期者，是爲正瘧，一日一發者輕，間日一發者重，三日一發者尤爲難愈，其來也，恒先寒後熱，寒多熱少者，宜微溫，寒少熱多者宜微涼，其先熱後寒，或但熱不寒者，謂之溫瘧，其熱微寒甚，或但寒不熱者，謂之牝瘧，瘧脉自弦，又可以其脉之弦而數斷其爲有熱，弦而遲斷其爲多寒也。至邪入陽明，則但發熱而無寒，雖有汗出，熱亦不解，是爲裏證，治宜清其裏熱，固非解表所能愈也，（若邪入陽明而苔脉尙未盡脱表證現象者，亦可辛涼解表，合以清利之劑）若壯熱連續不退，甚至譫語迷蒙，此寒熱表裏不同之狀也。至於邪傳三陰，入太陰無發熱之狀，爲腹滿下利，入少陰熱微而口燥舌乾，或手足微逆，神昏欲寐，入厥陰手足厥冷，熱深厥深，熱微厥微，或自利囊縮，或煩躁發熱，脉則微細，數者熱，遲者寒，其症萬變，治法無定，而惟以正氣之消長消息之，此邪入三陰寒熱之概況也。又有將發外症，屬於大虧陰症者無熱，若屬於陽症者，必先發熱，然其發熱之時，外症亦有形可徵，內癰將作，亦有痛處可徵也，又有內傷發熱，其象無表證，或有汗或無汗，或潮熱往來，或手足底熱者皆是，若兼有積熱者，則爲痰爲瘀爲食爲癥痞，必均有他診可徵也，至於通常發熱之不由於外感者，陰虛者常夜熱，甚者兼盜汗，至清晨而熱解，宜滋陰降火，陽虛者常晡熱，或兼自汗，宜固衞鎭陽，此問寒熱以知表裏虛實之大概也。

（7）問汗　汗爲身體排泄機能之一，而汗爲血液之老廢物質，血液流動之力愈大，則皮膚排汗之力亦愈強，如脉浮大身熱而汗不出者，是爲表實，因皮膚受外感毛細管閉塞之故，宜用麻黃湯解其表，使汗泄則邪自出，身熱自退矣，若表層較虛，邪入肌膚，則返自汗而惡風，斯時無須發表，但用桂枝湯解其肌，使微有汗出，通其營衞，則邪自化熱亦自退矣，凡汗出不可大汗淋漓，非但外邪不解，抑且內傷津液，使外邪有可乘之機，內熱有再蒸之勢，故汗不可過多也，若但頭汗出，在內傷則爲陽虛。傷寒症無汗發熱常因汗出而熱解，至於溫病發熱，則不因汗出而熱解，故治法不可全恃解表也，如氣虛陽虛者，微動即有汗出，因外衞失固，非但元陽易泄，抑且外邪易乘，宜急固邊陲，否則易釀大患也。陰虛火旺者，多潮熱而汗出，或睡眠而盜汗。傷暑有汗者，其熱蒸蒸，肢體疲倦而胃呆，因氣虛內熱而汗自泄也，總之凡作汗而口渴，爲熱症常有之現象，但不可飲水過多，以免成蓄水或停飲之症，若汗而不渴，多屬於虛汗，漱水不欲嚥者，爲平素有留飲有積溼，或蓄血也，宜詳別之，又有汗出如油，而粘膩作冷者，此爲津液已脫，眞陽欲亡，多屬不治，宜乘其初有之際，峻補以回陽固衛，庶或有救，又汗自出而身痛者，爲歷節風，宜通絡養血祛風行痰之劑，此汗與病之關鍵也。

(8)問飲與渴　渴有眞渴與假渴之分，飲冷與飲熱之別：凡實症熱症，未有假渴與飲熱者，虛症寒症，未有眞渴與飲冷者，此其大較也。凡外感發熱，汗出，則口必渴，內傷身熱，汗雖不出口亦渴，渴而能飲者，爲熱，若屬實熱，則狂渴飲冷，至內有溼熱，雖熱而渴，常不欲飲也。若常喜熱飲，燙不嫌口者，是爲裏寒，欲得熱消寒也，(宜飲薑湯)偏好冷飲而不嫌口者，是爲內熱也，更以溲之多少別之，凡實熱則渴而消水，故雖飲而溲無多，若消渴之證，飲一溲一或飲一溲二，其爲虛症也明矣。又水停脾胃者，雖渴飲而嘔水，宜半夏茯苓湯加減，先嘔而後渴，飲而又嘔者，此脾胃不和也，霍亂症多見之，宜調和脾胃疏肝行滯也。

(9)問其消化　初受外感，有尚能消化者，及病入裏，則食量漸減，若溫病初起，因病自口入，胃部先受其傷，故即不納穀，此傷寒與溫病之先後不同也，凡欲食不能多，食後又覺飢者，是爲嘈雜，此爲虛火也，常爲肝胃同病，亦由漸而致，見食貪嘴異常，且想念何物何物不已者，在小兒常爲疳積有虫之症，在成人常爲骨蒸虛勞之症，宜詳加辨別，凡能納穀而安者，病雖重必有轉機也。

(10)問大便　凡大便不通，而無脹意者，非腑中實熱，可不必通，大便先硬後溏者，非腑中燥結，可不必攻，必大便結而腹中堅實者，方可下之，又有便秘屬於脾約者，腸中失潤使然，便秘屬於氣虛者，無力運動使然，大便細粒如羊糞者，爲津液乾枯，下如鐵絲堅硬一條者，爲腸中枯絕，此爲內傷之例，一則以滋潤爲先，一則以扶氣爲主，而後二者爲重症者也，至於大便之溏泄者，有通因通用之治法，如內有痰食積滯者，瀉出垢膩，雖瀉而仍宜瀉之使淨，內有實熱者，瀉出腥臭，雖瀉而仍宜通行其熱，有瘀者亦宜行之，痢疾亦宜行之，若止瀉必釀他患，此爲瀉之實者，有宜溫之止之濇之者，則下痢清穀，五更瀉洩，便血不止之類是也，此瀉之屬於虛也，又大便之色，青者多屬寒屬食積，黃白色者，多屬虛，屬脾胃不化，故其便常溏，老黃者，屬胃火屬脾熱，故其便常乾，黑者屬火屬燥，故其便常燥結，黑潤者為有瘀也，此由大便之診察也。

(11)問小便　小便所以分清泌濁，腎臟實司其關鍵，膀胱則司通調之機，腎臟所泌濁質多，則便赤，腎臟所泌濁質少，則便清，無病之人，小便常清而長，或偶於清晨略見赤色，為正，外感初病，小便常微赤而熱，內傷發熱便亦轉赤，由此可知赤為熱，清為寒也，凡小便利者，當然不可利其小便，已有汗者，小便必少，亦不可强利之，淋家不可發汗，犯之皆易傷津液也。

(12)問有無遺傳　在診斷未決定前，凡關於有遺傳性之疾病，即可問其血統之中，有無患過某種疾患，（如梅毒結核等）以作診斷之參考也。

(13)問其有無傳染之情事　如病人有某種傳染病之嫌疑時，可詢其隣右家族以及親友，有無患某種傳染病者，如曾有是等傳染病者，則此病之為某種傳染病也無疑矣！

(四)切診綱要

脈即氣血之流行，憑其脈即知其心力之强弱，亦即知其行氣之有無阻滯也，故其流之緩急，息之盛衰，推而廣之，可以辨虛實之機，寒熱之變，表裏之別，邪正之消長，及病勢之安危，皆有可得而察者也，茲將其大概分述之。

(1)六部脈之位置及其分配　掌骨後高骨處為關，關上為寸，關下為尺，左寸關尺為心肝腎，右寸關尺為肺脾命門，以各臟合各腑推而求之。

(2)五臟及四時之平脈　心脈浮大而散，肺脈浮濇而短，肝脈沉弦而長，腎脈沉滑而軟，從容和緩者，是為脾脈，至於四時之平脈，則春脈宜弦，夏脈宜鈎，秋脈宜毛，冬脈宜沉，如太過與不及，均為病徵也。

(3)脈之六綱　六脈為浮沉遲數滑濇，浮者輕手按得之，沉者重手按得之，遲者一息三至，去來極慢，數者一息六至，去來極速，滑者往來流利，濇者往來艱難，此為六脈之形象，至於其餘種種形象之脈名，皆由此推廣而求得者也，大凡以脉之起伏辨病者，皆統乎浮沉，以脉之至數辨病者，皆統乎遲數，以脉之動狀辨病者，皆統於滑濇，而浮沉遲數滑濇六字，足以核一身之陰陽表裏冷熱虚實風寒燥濕及臟腑氣血，盖浮爲陽爲表，沉爲陰爲裏，遲爲在臟，爲冷爲虚爲寒，數爲在腑，爲熱爲燥爲實，滑爲血實氣壅，濇爲氣多血少，故辨脉之總訣，先辨浮沉，次辨尺數，再辨滑濇，三者合參，可以推求而知病情矣。

(4)浮脉之主病　浮脉主表病，無汗者多表實，有汗者多表虚，表病宜發表宜解肌，浮而有力者爲洪脉，主經絡大熱，血氣燔灼，浮而無力者爲芤脉，主氣餘血少，多爲失血，浮而端直者爲弦脉，此脉之見多主六淫之侵，浮而遲大者爲虚脉，主內不足，氣血並虚，浮而遲細者爲濡脉，主氣血兩虚，疲損汗出，浮而迢迢者爲長脉，多主壯熱癲癇，浮而虚大者爲散脉，主心肺將絕，若在產婦爲臨盆之兆矣。

(5)沉脉之主病　沉脉主裏病，其象輕手不見，重手乃得，平人見此爲身體堅强之徵，又冬令見此脉或尺部見此脉，均爲所宜，惟陽症見此，病恒轉逆也，沉而不及者轉短脉，主元氣虚塞，沉而微軟爲細脉，主血冷氣虚，如秋冬老弱，其脉可細，沉而弦長者爲實脉，主攻瀉有餘，但有假內實之脉，宜詳審之，沉極無幾者爲伏脉，主陰陽潛匿，氣血閉塞，沉而有力者爲牢脉，主胃氣枯竭，寒凝熱聚，沉而更代者爲代脉，如卒病見代爲滯爲痛，妊娠三月，亦有見代脉者。

(6)遲脉之主病　遲脉主候內臟，爲陰勝陽虚，虚寒冷積之證居多，遲而細軟者爲微，主久病虚弱血脱精傷，遲而無力者爲弱脉，主血虚陽微，脾胃弓病，遲而有力者爲緩脉，主病氣血衰弱，或寒或濕，遲而時止者爲結脉，主亡陽汗下氣血凝結。

(7)數脉之主病　數脉主候外腑，不主內臟虚寒之象，一息六七至，故與遲相反，多主實症熱症，其有虚而見此者，則虚而火望也，所謂證脉不相合是也，數而弦急爲緊脉，主寒主痛，若爲熱痛，脉更實數，數而時止者爲促脉，主陽隔陰，有加即危，能退則生，數見關中者爲動脉，主陰陽相搏，爲驚爲痛，女心脉動，主爲受孕。

(8)滑脉之主病　滑脉往來流利，如珠走盤，若和緩而滑，當爲無病，女子諸脉皆調，尺脉獨滑，亦爲無病之孕脉，至於滑而過甚，則爲血實氣壅之候矣，其證多主痰主飲，主濕，治宜各隨其症以疏化之，如滑而兼數成熱結，則宜清導之矣，若就六部言，在左寸主心熱，兼實大心驚舌强，左關主肝熱頭目爲患，左尺主尿赤莖中痛，小便淋漓，在右寸主痰飲嘔逆，兼肺實熱，毛髮枯焦，膈壅咽乾，痰嗽，頭昏涎稠，右關主脾熱口臭嘔逆宿食不化，兼實胃熱，右尺主相火炎而飲多，臍冷腹鳴，或不時下痢，女人主血熱氣壅，月事不通，若滑而和爲有孕，此滑脉主病之大概也。

(9)濇脉之主病　濇脉往來極難，動不流利，甚則三五不調，有似結脉，皆由血少氣無所附致之也，外爲營衛不和內則血虧精耗，其脉來時濇而應指有力者爲實，多主痹痛傷濕宿食，其脉來時濇而應指無力者爲虛，多爲元陽衰溺，血分枯燥，此其大要也。

(10)人迎氣口奇經八脉　沈金鰲氏定人迎爲左手關前一分，氣口爲右手關前一分，前人有以喉之左側爲人迎，右側爲氣口者，人迎緊盛，多主外感，屬表，屬陽，屬腑，氣口緊盛多主內傷，屬裏屬陰屬臟，至奇經八脉，則爲陽維陰維，陽蹻陰蹻，督脉任脉衝脉帶脉，陽維候衛，陰維候營，陽蹻候陽，陰蹻候陰，督候身後，任衝均候身前，帶候約束，因其不拘制於十二正經，無表裏相配，故名曰奇也，至於其詳細審察之法，請閱者另研究之。

(11)證脉之舍從　病有未發而脉形先見者，宜舍證而從脉，亦有脉未見而證狀發現者，亦不能不舍脉而從證也。

(丙)各種檢查

(一)身體之肨瘦

凡體肥之人，體溫必高，血壓必大，呼吸促而多痰，神經鈍而腦昏，四十而後，易罹四肢麻木，或腦神經衰弱，以及腦充血腦溢血等症，凡體瘦之人，血壓多低，神經多敏，惟因呼吸力弱，感冒而後，最易惹起肺結核之繁殖，故凡體肥之人名曰卒中質，體瘦之人，名曰結核質，雖不能盡然，亦業醫者應注意之事也。

(二)胸腹之檢查

胸爲心肺之部，如用打診法，聽肺部爲空洞而清亮者爲無病，如結實而滯濁者爲有病，再用聽筒聽其肺部及心臟，有無特異聲音，若有水泡轉之聲音，多主痰涎，若係吼聲則爲喘急，肺熱已甚，如心臟之跳動不勻，或夾雜聲，則必爲有心臟病，至於腹部之檢查，則更爲復雜，地位至大，所包亦廣，大腹之上，右部肝居多，左部胃居多，肝胃疊置，故肝脹常易侵胃，胃脹亦可侵肝，是以昔人於肝胃氣痛，常連帶並稱，在此處作脹作痛者，非肝即胃也，拒按者實，欲按者虛，而肝氣作痛，常及兩脇，以脇爲肝之分野也，大腹之部中爲小腸，兩偏外爲大腸，臍旁繞痛寒也，若按之堅，爲有燥結，腹溝部作痛，輕者爲氣滯，重者爲將作腸癰，宜細辨之。滿腹劇痛，按之炙手而熱者，爲腹膜發炎。倘有積聚之症，亦可按而別之，按之不移者，其積必堅，按之稍動者，其聚可散，屬氣者按之游行，屬血者滑而不動，高脹而似空者由於氣虛，高脹而結實者，由於氣實，高脹而亮，目胞浮者爲有水，婦人腹脹如鼓者，多爲子宮病也，毛際以上，爲少腹之部，其痛多屬疝瘕之疾，或寒中之症，婦人之兩旁腹痛者，常爲月經不調，及瘀血爲患也。

(三)吐泄物之檢查

病人吐泄之物，往往含有傳染病之細菌，故病家宜收拾清潔，以免傳染他人，如吐出之痰，爲稀爲稠，必須辨明，初感者咳出稀痰，常由風寒，久病者咳出稀痰，常由虛寒，咳出濃痰成塊，色白者常兼寒邪，色黃者常爲濕熱，痰中帶血，色紫者爲瘀血，色鮮者爲新血，巨口吐出爲胃血，微咯即出者爲喉間之血，胸中隱隱作痛而咳嗽出血者爲肺血，又如吐清水者爲寒，吐酸水者爲胃不化，吐苦水微帶綠色者爲膽汁上泛，吐黑水者爲膽胃兩傷。又由吐物之冷熱，可以知胃之虛實寒熱，便出之物，亦可知腸之虛實寒熱也。至於大便之色，青白者多寒，黃赤者多火，黑色爲燥熱，黑而潤者，爲挾瘀也，赤白似凍者爲痢下，純赤者爲赤痢，純白者爲白痢，純血者爲血痢，休息久痢，便中常呈暗褐之色，結出薄膜如衣。溼熱生蟲，虛實相兼，其病恒纏綿難愈，腸風瀉血，注下甚多，或由濕熱，或由臟毒，大便帶血，常爲痔瘡所致，亦有血絲血點雜糅於大便之內者爲凶，亦有傷寒二週流出濁血者，爲凶，此血皆出於小腸，故較出於大腸者爲重也。再言小便，色清白而長，不多不少，便出後不便色者，爲無病，色赤而爲濕爲熱，若赤而渾濁膏厚者，則爲腎虛，白色如泔者，驟見常爲熱，久病則爲虛，若小便滴瀝而下者，爲淋症也，若粘液時時流出，小便時刺痛者爲新濁，不痛者爲久濁，此言上下吐瀉物之診察也，

要言不煩，洵爲診病之南針。

醫案概論

任冠氏

目次

一醫案的定義

醫案兩字在中醫界是最普通而日常耳聞口講的，像似無庸加以解釋。但假定要追問何爲醫案？恐怕就少有人能夠有圓滿的答覆。因爲很少有人將醫案的定義予相當確定的說明？在中醫界著作貧乏的現狀下，要覓得一本系統井然的書，是件很不容易的事情，有之，非賬簿式之記載，便是長篇纍牘的文章。讀之雖句調鏗然悅耳，但往往其要義雜糅，致學習的人不易找到線索，握住要領，以得到一個明確的概念。如果要瞭解醫案的意義，似應先將其字義有相當的認識，而後再及其詞義。

「醫」說文謂「治病工也」，後漢郭玉傳「醫之爲言意也」，其他不相關的解釋不需要列擧，以免辭費，再看中國醫學大辭典的解釋：「醫，依也，有身者所賴以生全也，又意也，治病貴乎臨機應變，用意深遠也，醫之爲道，非精不能明其理，非博不能致其約，能知天時運氣之序，能明性命吉凶之數，處虛實之分，定順逆之節，原疾病之輕重，量藥劑之多少，貫徹洞幽，不失細小，方爲良醫，」醫字的意義按說文所謂「醫病工也」，已很明瞭。醫生是應用技術人才，醫工就是有身者所賴以生全者，至於醫之爲道，應精，應博，貫徹，洞幽，自然也是一個良醫應具備的條件。

「案」正字通謂：凡官府興除成例及獄訟論事者，皆曰「案」。所以醫家之有案，譬之法官之判決主文，滬上名醫夏應堂於丁甘仁醫案序言內謂：「醫何尙乎有案？案何尙乎有方？方者效也，案者斷也，案有理有法，窮其因，詳其證，而斷以治，方有君有臣，有正有反，有奇有偶，因其過，去其偏而持乎平，平即治，治即愈。」此則將案內包括之方予以分別的說明，剖晰的很清楚，不過將字義合攏來解答一個定義，僅看到字面，而不窺到牠的內涵，是不見得能夠確當？再看前人對於「醫案」的解釋，如中國醫學大辭典及辭源一類的書所載，都說是醫案是「醫生所記治病之成績也，學醫者常資研究爲審證處方之助，」有的謂：醫案者。所以定病處方也。」醫案既包括處方，處方也正是醫案範圍內的事，何謂處方？中醫籍裏不易找到關於處方的界說，西醫所謂處方者；醫士與藥物於患者之方式也，藥師即據以調劑，患者即據以用藥，普通用處方箋之記載，其內容須記下列各要件：一，處方文字，二，患者姓名性別年歲，三，藥名及用量，四，調劑之方法及注意，五，用藥之方法及注意，六，年月日之記載及醫士之簽名或蓋章，處方中記載之藥物其順序爲：主藥，輔助藥，矯味藥，賦形藥等，處方學就是研究藥品配合的形狀用量用法等法則的，處方是醫案內容的一半，要瞭解何謂醫案？處方的意義也正不容忽視的。

「醫案」是中醫學的術語，如果說醫案就是西醫的什麼是不能恰恰底脗合的，醫案是能包括了處方，而不即是處方，醫案須有診斷之記載，更不即是診斷，從牠的形式方面看：一半是案語，一半是方藥。從牠的內容說：案語是由病理而診斷，方藥是由藥物而處方，從牠的效用上說：醫案須顧到三方面：患者據以用藥，藥店據以配劑，醫士據病情以斷病處方，如診病後爲資審證處方之研究而紀錄者，祇能顧到醫生一方面的需要，關於牠的內容詳略之處與臨床所寫者竟可不同，如喻嘉言寓意艸王孟英醫案等，即診病後個人所筆記的成績，臨床所寫的醫案，如葉香巖的臨證指南張聿青醫案等，爲其門弟子所輯，自然免不了修飾竄改的地方，不過概以臨床所寫醫案的體例爲標準，須顧到案語的簡明，處方的明白詳盡，以便病家的覽閱，藥店的配劑，醫士的研究，所以醫案就是醫士對於患者診察結果與治療方法依一定方式所寫的簡明紀錄。

二，醫案的沿革

我國醫學發軔很早，自神農黃帝時四千餘年來，以迄于現在，名醫代出「洞燭膏肓生死肉骨」，研究自有其精徵卓特之處，但診病處方，是否亦如現在之醫案方式，遠者雖無可攷，但其演進之歷程，乃由簡而繁，在古代的治病，某病用某藥，如單方之治病，原無所謂醫案，效則以之爲喜，不效亦莫名其故，無理論無組織，雖有實效亦不明其理，嗣後病家醫家爲追求其所以然及便於研究，始發動記載診療結果的動機，診病後記錄的辦法史記扁鵲倉公傳臣億所診者，皆有診籍，註謂：診籍所診各病之紀錄簿也，這可以說是醫案的嚆矢，張仲景之傷寒金匱於病理診斷治法處方，層次井然，具有醫案的形式於內，所以亦可以說醫案脫胎於傷寒金匱，直到漢晉魏唐時代尚無醫案之專名，考醫案之作始于宋之許叔微，到明代戴元禮著證治要訣，證治類元，類症用藥，醫案雛形已具，江民瑩有名醫類案，張景岳張璐玉滑伯仁王肯堂繆仲醇亦有類似醫案的著述，薛立齋薛氏有醫案，汪省三之石山醫案，到清代如喻嘉言之寓意草，魏玉璜因校刊江瓘名醫類案，病其尚有未備，乃雜取醫書及史傳地志文集說部之類，分門排纂成續名醫類案六十卷，網羅宏富，細大不捐，採摭既博，變証咸備，陸以湉又再續之，然未見刊本，俞震有古今醫案，主精不主博，葉天士臨證指南爲其門弟子所輯，雖蕪雜不純，但精微巧想處非中才可企及徐靈胎洄溪醫案乃海昌王孟英爲之編次，尤在涇之靜香樓醫案，案語簡練扼要，立方亦多純淨得當，王旭高有環溪草堂醫案三卷，爲其門人所彙輯，王氏本以外科行醫，後又專理內科，亦甚應手，張仲華有愛廬醫案，原刻百餘則，咸豐時被兵燹所燬，現存者僅二十四則，曹仁伯有繼志堂醫案兩卷，爲曹之門人所錄存，柳寶詒將尤王張曹之醫案合刊之，並於每案後加以評語印行，名爲柳選四家醫案，再如王孟英醫案，有繹註本與分類本，係筆記體，惟陳蓮舫張聿青曹滄洲金子久諸家醫案於證原方藥詳備，尤以丁甘仁醫案在編次取材方面謹嚴且案語方藥亦多可法可師，近滬上名醫秦伯未氏有清代醫案菁華之輯，收羅頗富，最近更有徐衡之姚若琴醫家輯宋元明清醫案類編，網羅尤富，現代則因印刷便利，中醫刊物上多有刊載，方式內容均因人之主張不同而異，案語本內經立論者如陳无咎氏之明教方，每案先引素問一段，然後再及患者證原色脈，悉本經言，有案語兼用西醫術語者如吾師施今墨大夫之醫案，病名確定，診斷確鑿，淺學孤陋者未能望其項背也，有藥物亦中西並用者，衷中參西錄張錫純氏之醫案，大都臨證記錄者，簡明扼要，發表雜誌刊物者，又多於病因證狀治法用藥，力求詳盡，更有於每案之病理及藥性加以解說者，意在便於研究，其方式應需要而變更，現在印刷既便，醫案之發表也正如春葩怒放，吾人能彙合衆善，裨益治療上多矣。

三　醫案的體裁

醫案的體裁，在中醫界原無一定的標準，案語的內容方面可以分爲寫實的與抽象的兩種，由牠的作法上分一種是筆記體一種是議論體。

寫實醫案：醫案所以定病處方祇須直說明白便是，原不必委婉曲拆，以悅耳目，如太陰病腹痛下利嘔吐脈濡細舌白，法宜寫理中湯人參白朮炮薑炙草，或加木香烏藥等味，只須對病用藥，不涉絲毫理論，此爲寫實，有如法官定讞，某事判某刑，此種醫案最切近情理，惟人多歡喜究其所以然，以明白其眞象，如傷寒下利一症，有用理中湯，有用四逆湯，有用小承氣湯，有用大柴胡湯，有用十棗湯，但用藥既不同，自有不同之病理在，於此等處應指出其不同之要點已足，不須證引纏綿，此寫實醫案之翔實可法處。

抽象醫案：醫案而用抽象方式，其品雖高，其用不切，如空論內傷外感，以及治療方程，而於神情舌脈不着一字，學有根底者雖可推知其症候，但究屬渺茫不切於用，凡古傳名醫，多有以此自負高貴者，案語抽象玄妙，竟成通詞，醫案最貴平正通達，寫出眞憑實據來，否則醫案何異乎醫論？所以抽象醫案是不足爲法。

筆記體醫案：此種醫案，非診病時用，在診病以後，記其始末，頗便研究，但不是醫案的正體，如王孟英醫案徐洄溪醫案，多屬此體，尤其以古今醫案按一書，搜采廣博，其中固有前人精神結晶之處，然亦不無附會假設之談，過信盲從，反致搖惑，有奇險大病，經其治愈，亦有景過情遷，不是第二人可再用者，其偏鋒銳利處，多趨於怪險，所以審慎工夫最爲緊要，換言之，其怪險處，亦非淺學所能學。

議論體醫案：這種醫案，每治一病，寫一症，上窮碧落，下及黃泉，有非應有之義，亦復牽入，胡帝胡天，雖自完其說，究於病情何涉？此類醫案，自命儒醫者最多此病，善者如喻嘉言寓意草，不無精微，不善者，如太醫院御醫，專事咬文嚼字，敷衍成章，不問藥案是否貼切，悖謬醫案之意義更無效治之必要。然而話雖如此：亦不是毫無學問，毫無經驗的人，所能做到的，可名之曰文章派。

四　醫案的組織

講到醫案的組織，由形式上看去：便是案語和方藥，案語須根據病理診斷，方藥須根據藥理處方，不能任意出之，如徐洄溪氏所謂：按病用藥，藥雖切中，而立方無法，謂之有藥無方，或守一方以治病，方雖良善而其藥有一二味與病不相關者，謂之有方無藥，這是說處方的要義，醫案的案語，應寫出患者的主要症候舌苔脉象及病名治法，要在簡明醒目，有的人將病的遠因，近因，誘因，原因，證狀，舌苔，脉象，治療方法詳盡寫出，固然便於研究，但在事實方面時間絕不能容許寫方子如做文章，況亦不需要下筆千言，如果離題萬里那更滑稽了，且以專門學識向病家說，也徒勞無功，所以冗長的醫案，臨床實用不能取法，診病後記載，供人研究則可，尤其在目前中醫病名不統一，已足使醫家難堪而況疾病原因，有許多是未明，但一概以籠統含混之辭出之，未勉失於自欺欺人，此種障礙必得掃除，務求理眞效切，案語平正通達，眞確顯明爲是。

五　方劑的處理

方劑的處理，也就是處方，在未寫藥以前必需要先決的問題是用什麼法子，如果法子決定而後依法寫出藥味。始不致雜藥亂湊，成爲有藥無方，關於方之分類古有所謂：大，小，緩，急，奇，偶，複，七方之類別，此就形式方面言，如論其藥力之作用：則宣，通，補，洩，輕，重，澁，滑，燥，濕，十劑之說，頗能示人以要義，如宣可去壅，通可去滯，補可去弱，洩可去閉，輕可去實，重可去怯，濇可去脫，滑可去著，燥可去濕，濕可去枯，方劑之分類大別如斯，有增入固劑者余認爲濇劑可以包括固劑，要在固脫之意，十劑的分類可以與人歸納的辦法，但處方時所用之法，尙不能僅如此簡約，玆舉外感，內傷，婦女，瘡瘍，四類各十法以示例。

◉外感病治療法十例

一，辛涼解表法：治風溫初起，風熱新感，冬溫襲肺，咳嗽等症。

用藥如：薄荷，蟬衣，牛蒡子，前胡，瓜蔞皮，淡豆豉之類。

二，辛溫解表法：治春溫初起，風寒，寒疫，陰暑，秋涼等症。

用藥如：防風，桔梗，杏仁，陳皮，淡豆豉，葱白等。

三，清化宣解法：治咳嗽，頭暈，肺胃痰濁不化等症。

用藥如，薄荷葉，前胡，蘇子，鮮枇杷葉，杏仁，鮮檸檬皮，瓜蔞皮，冬瓜子，連翹之類。

四，潤下救津法：熱在胃府，脉來沉實有力，壯熱，口渴，舌苔黃燥等症。

用藥如：生大黃，元明粉，甘草，玄參，麥冬，生地之類。

五，清涼滌暑法：治暑熱，着瀉，秋暑等症。

用藥如：滑石，甘草，青蒿，扁豆，連翹，茯苓，通草，西瓜翠衣之類。

六，芳香化濁法：治穢濁之邪中人，嘔惡舌苔厚膩等症。

用藥如：藿香，佩蘭，橘皮，厚樸花，代代花，荷葉，腹皮，製半夏之類。

七，甘寒生津法：治癉瘧發熱無寒，手足熱，欲嘔，舌苔黃糙等症。

用藥如：鮮生地，鮮麥門冬，生石膏，竹葉，連翹，北沙參，梨汁，蔗汁之類，

八，宣疏表濕法：治冒濕首如裹，遍體不舒，四肢懈怠等症。

用藥如：炒蒼朮，防風，秦艽，藿香，陳皮，砂仁殼，羌活，生薑之類。

九，清涼透斑法，治陽明溫毒發斑。

用藥如：生石膏，生甘草，忍冬花，連翹，鮮蘆根，清水豆卷，鮮荷錢之類。

十，清痢蕩積法：治熱痢夾食，煩渴，溺赤，脉象滑數等症。

用藥如：煨葛根，煨木香，萸炒川連，酒浸生軍，炒枳殼，條芩，炒白芍，甘草，鮮荷葉之類。

內傷病治療法十例

一，養血縮肝法：治血虛肝陽上升，—肝病大多數即神經系病—等症。

用藥如：歸身，白芍，沙苑子，女貞子，穭豆衣，甘菊花，胡麻，伏神，嫩鈎藤之類。

二，理氣暢中法：治肝氣橫逆，腹脹腕痛等症。

用藥如：白蒺藜，金鈴子，延胡索，陳皮，鬱金，香附，砂仁，枳殼，佛手片，赤茯苓，瓦楞殼之類，或加入越鞠丸同煎。

三，甘鹹養陰法：治陰虛內熱，潮熱，欬血等症。

用藥如：乾生地龜板阿膠旱蓮草女貞子丹皮淡菜之類。

四，清金甯絡法：治燥熱傷津，欬嗽咯紅等症。

用藥如：桑葉，枇杷葉，旱蓮草，生地，元參，麥冬，玉竹，北沙參之類。

五，補氣升陽法：治中氣不足，倦怠，食減，及脫肛等症。

用藥如：炒潞黨參，於朮，炙甘草，炙黃耆，陳皮，酒歸身，升麻，柴胡，生薑，大紅棗之類。

六，導腑通幽法：治大腸津液缺乏，以致閉結之症。

用藥如：製首烏，當歸，瓜蔞仁，大麻仁，郁李仁，光杏仁，松子仁，芝麻，白蜜之類。

七，健運分消法：治脾虛作脹等症。

用藥如：白朮，連皮苓，生熟薏仁，陳皮，厚樸，大腹皮，范志麯，炒雞中金，澤瀉，冬瓜皮之類。

八，消積殺蟲法：治蛔蟲蟯蟲等蟲積之病症。

用藥如：白朮，烏梅，肉桂，黃連，使君子，鶴蝨，川椒，雷丸，陳皮，砂仁，石榴根皮，苦楝皮之類。

九，重墜鎮逆法：治逆運氣上衝等症。

用藥如：旋覆花，代赭石，竹茹，刀豆，柿蒂，陳皮，象貝，杏仁之類。

十，育陰固攝法：治虛症遺精等症。

用藥如：熟地，山藥，澤瀉，山萸，丹皮，茯神，芡實，龍骨，牡蠣，金櫻子，蓮鬚之類。

婦女病治療法十例

一，理氣袪瘀法：治經行腹痛，氣滯，血分不和等症。

用藥如：紫蘇梗，赤芍，金鈴子，延胡，青皮，紅花，香附，烏藥，兩頭尖，通草，佛手，月季花之類。

二，和榮調經法：治血熱經事先期等症。

用藥如：當歸，丹參，香附，陳皮，丹皮，白薇，月季花，佛手，藕節之類。

三，養血清熱法：治月經淋漓不止等症。

用藥如：黃芩，炒黑荊芥，歸身，白芍，生地炭，側柏炭，陳棕炭，阿膠，小胡麻，白薇，烏賊骨，藕節，艾葉炭之類。

四，固攝衝任法：治氣虛崩漏不止等症。

用藥如：黨參黃耆茯神冬朮炙甘草陳皮歸身杜仲續斷阿膠之類。

五，和營溫經法：治衝任有寒經事愆期等症。

用藥如：當歸川芎赤芍艾絨炙甘草丹參吳萸炮薑之類。

六，清熱通經法：治婦女倒經等症。

用藥如：石斛花粉丹參香附益母草桃仁紅花通草牛膝丹皮黑山梔之類。

七，化濕固帶法：治腰酸納少白帶等症

用藥如：烏鰂骨桑寄生白芍白朮陳皮薏仁茯苓萆薢穀芽佩蘭炙甘草之類或加威喜丸同煎。

八，理氣調中法：治妊娠惡阻等症。

用藥如：香附砂仁殼陳皮白蒺藜佛手佩蘭竹茹枳殼穀芽茯苓之類但行氣之品，量宜少用。

九，養血保胎法：治妊娠期中安胎養血等症。

用藥如：當歸身杭白芍阿膠生地炭茯苓白朮條芩杜仲續斷桑寄生之類。

十，袪瘀逐水法：治產後惡路不行足腫面浮喘欬血滯水漬症。

用藥如：紫菀茯苓桃仁牛膝青皮杏仁山查厚樸延胡赤芍歸尾通草滑石之類。

瘡瘍雜症治療法十例

一，清疎消解法：治癰疽初起寒熱癰疽在上部等症。

用藥如：蒲公英，荆芥防風薄荷牛蒡子生草節桔梗銀花連翹象貝赤芍之類。

二，疏散消解法：治癰疽腫痛有寒熱等症。

用藥如：荆芥防風當歸尾赤芍生甘草連翹象貝穿山甲皂刺乳香沒藥梅花點舌丹之類。

三，和營消解法：治癰疽腫痛等症。

用藥如：歸尾赤芍生草殭蠶桃仁山甲皂刺橘絡醒消丸之類。

四，化痰消解法：治一切氣滯痰凝瘰癧等症。

用藥如：夏枯草，當歸赤芍柴胡香附桔梗元參貝母殭蠶海藻昆布勃薺海蜇皮橘紅之類

五，托裏透膿法：治癰疽不易成膿等症。

用藥如：黃耆防風當歸赤芍貝母殭蠶皂刺穿山甲之類。

六，清解托毒法：治暑瘡熱癤等症。

用藥如：薄荷牛蒡子忍冬花連翹丹參貝母花粉草節殭蠶赤芍桔梗竹葉之類。

七，培補托毒法：治瘡形平陷久潰不收氣大虛等症。

用藥如：黨參黃耆白朮炙甘草茯苓當歸陳皮丹參澤瀉鹿角霜紅棗炮薑桂枝之類。

八，清涼消解法：治疔瘡腫疼等症。

用藥如：甘菊花紫花地丁生甘草連翹黃芩黃連竹葉之類。

九，引火下趨法：治火盛口瘡等症。

用藥如：鮮生地銀花連翹黃芩黃連竹葉燈心生草木通之類。

十，和榮祛瘀法：治跌打損傷瘀血停留等症。

用藥如：全當歸赤芍丹參川芎紅花桃仁參三七落得打自然銅橘絡絲瓜絡乳香沒藥之類。

六，藥劑煎法與服法的注意

審證處方不錯，而煎藥方法錯誤，或服法失當，則亦未能奏效，如麻黃湯先煮麻黃去沫，然後加餘藥同煎，此主藥當先煎之法，小建中湯則先煎五味去滓，而後納飴糖，各有意義，大都發散及芳香之藥，不宜久煎，久煎則氣味揮發，補益滋膩之藥，又須久煎，以其質厚耐煎取熟而停蓄之意，所以處方雖中病而煎法不當病亦不愈，于此等處亦須註明，至服藥之法更當詳告病家，如發散藥欲驅風寒于外，必熱服而暖覆其體，使風寒從汗而解，若半溫服之當風坐立，藥留

腸胃不能得汗，或服藥雜食其他食物，以致食物與藥混雜氣性不專，非特無功而且有害，服時宜溫宜冷宜早宜晚均須註明以免差誤，凡湯藥用麝香犀角羚羊角牛黃硃砂等品須研細末如粉，臨服納湯中，或用藥送下，倘同入湯內則易揮發者徵煎即走性，其不能水內溶解者須力煎而味仍不得出。

七，醫案示例

醫案的方式雖多，而抽象空洞，或議論狂談以筆記式者至多，不一一舉例以節篇幅，茲舉可法可師者數例於後：雖一鱗半爪，非侍診其側，不易得之，蓋坊間現無刊印本，惟倉卒列入，未經原作者較正，故亦不具名。

一，兼用西醫術語醫案

肺炎兼肋膜炎症

班太太　五十五歲　初診

發熱惡寒，呼吸迫促，頻發痳痛性短欬，痰色淡紅，兩肋刺痛，不能轉側，煩燥不安，兩顴發赤，渴不多飲，舌苔薄膩而黃，脈象滑數。

肺炎兼肋膜炎症　予葶藶瀉肺麻杏甘石復方治之

鮮桑白皮（錢半）　炙前胡白前（各半錢）　乾薤白（二錢）　佩蘭葉（三錢）　鮮地骨皮（二錢）　炙陳皮蘇子（各錢半）　冬瓜子（四錢）　江枳殼（錢半）　鮮枇杷葉（三錢）　海浮石（四錢同布包）　原皮花旗參（錢半）　半夏麯（二錢布包）　苦桔梗（錢半）　鮮茅葦根（各一兩）　頂頭代赭石（四錢）　旋覆花（錢半同布包）　杏仁泥（錢半）　炙甘草（錢半）　炙麻黃（五分）　葶藶子（七分）　大紅棗（五枚去核包）　生石膏（五錢）

班太太　五十五歲　復診

服藥四劑，痰作白沫狀，已不夾血，欬嗽雖多，疼痛已減，循序漸進，自不難恢復原狀也，仍守原法出入為治

原方去茅根葦根佩蘭葉冬瓜子，加黛蛤散（五錢）　川象貝母（各二錢）　知母（二錢）　遠志（錢半）

班太太　五十五歲　三診

病勢大減，已能坐立，飲食稍進，精神亦爽，舌苔四週已退，中心薄膩，咳嗽氣促，左肋微痛，蓋肺部炎症漸痊而毛細氣管及肋膜炎症尚未消退也。

炙前胡白前(各錢半)　冬瓜子(四錢)　苦桔梗(錢半)　冬桑葉(三錢)　炙紫菀百部(各錢半)　家蘇子(錢半)　江枳壳(錢半)　枇杷葉(二錢海浮石三錢同布包)　釘頭代赭石(四錢)　旋覆花(二錢同布包)　葶藶子(五分)　大紅棗(五枚去核包)　杏仁泥(二錢)　佩蘭錢(三錢)　炒京赤芍藥(二錢)　黛蛤散(五錢)　半夏粬(二錢)用布包　空沙參(三錢)　象貝母(三錢)　廣橘紅(錢半)　蒲公英(三錢)

班太太　五十五歲　四診

諸症已去八九，肋部疼痛大減，飲食動作自如，前法既效，無庸更張，尤宜靜養毋勞，免致反復牽延時日也。

炙前胡白前(各錢半)　南北沙參(各二錢)　苦桔梗(錢半)　半夏粬(二錢)　炙紫菀百都(各錢半)　川浙貝母(各二錢)　枇杷葉(二錢海浮石三錢同布包)　杏仁泥(二錢)　釘頭代赭石(四錢)　旋覆花(二錢同布包)　冬瓜子皮(各四錢)　全瓜蔞(五錢薤白二錢同打)　桑白皮(錢半)　枳殼(半錢)　鮮芽根(四錢)　通草(錢半)

二，純用中醫術誘醫案

温病

老太太　三月二十四日　初診

身煩熱，舌黃垢厚邊絳，右肺部悶脹，氣不舒暢，中脘作脹，左脈弦滑，右部豁大無序，風温外襲，內傷飲食，膈上有痰，病已六日，得汗不解，治以清化宣達，以咳嗽吐痰爲消息。

薄荷葉(五分)後下　鮮枇杷(三錢)布包　全括蔞(五錢)枳實錢同打　忍冬藤(五錢)　嫩前胡(一錢)　鮮檸檬皮(五錢)　苦杏仁(三錢)去皮尖　眞鬱金(錢半)　家蘇子(錢半)　象山貝母(四錢)　萊服子(錢半)方通草(錢半)　麥芽(三錢)　冬瓜子(一兩)　連翹(三錢)

老太太　三月二十五日復診

（初診後其婿主狩用高麗參乾葛桂枝石膏等藥遂至脈閉神昏）

左脈弦滑，督促無序，右寸關滑促有歇止象，舌黃厚質絳，兩邊白膩，口渴喜熱飲，大便雖通，邪熱挾滯互助，陽明，逆傳膻中，神志已將昏亂，身熱七日，老年人何以堪此耶？姑以清化宣達，苦泄中焦，並候，高明指正。

鮮金石斛（三錢） 香豆豉（五錢）同打 製厚樸（一錢）酒川連五分同炒 枳實（錢半）苦桔梗錢同炒 硃茯神四錢 鮮枇杷葉（三錢布包） 全括蔞（五錢鮮檸檬皮三錢同打） 連翹（二錢） 白蔻衣（錢半） 焦山梔皮（錢半） 苦杏仁（三錢去皮尖） 鬱金（錢半） 建澤瀉（三錢） 方通草（錢半）

老太太 三月二十六日 三診

藥後涔涔汗泄，大便兩次，熱度頓減，兩脈細而有序，舌黃厚，一身發痲，腹部鳴響，口渴喜熱飲，擬再輕宣中上兩焦，病已轉機，宜乎節慎起居：

鮮枇杷（二錢）布包 厚樸花（錢半）川連五分同炒 保和丸（四錢布包） 秦艽（錢半） 鮮檸檬皮（三錢） 全括蔞（四錢）枳實錢半同打 塊滑石（五錢布包） 建瀉（三錢） 珠連翹殼（二錢） 真鬱金（錢半） 珠茯神（四錢） 丹皮（錢半） 桑葉（錢半） 白蔻衣（錢半）

老太太 三月二十七日 四診

熱雖退淨，咳嗽，咽庠，胸膺因欬裂痛，舌苔白膩且厚，兩脈細滑，大便屢通甚暢，伏邪肺胃，今始外達，亟以輕揚宣泄。

紫菀茸（七分） 鮮枇杷葉（三錢） 生海石（三錢）布包 連翹殼（三錢） 苦杏仁（二錢）去皮尖 鮮柚子皮（四錢）去淨白 括蔞皮（五錢） 江枳殼（一錢）苦桔梗五分同炒 川貝母（三錢） 家紫蘇子（錢半）萊菔子錢同打 絲瓜絡（三錢） 廣橘（三錢）

老太太 三月 五診

熱己退淨，咳嗽亦減，胸膺因欬嗽掣痛，舌根黃厚質絳，脈細數，大便倘順，擬再清潤肅降。

紫菀茸（一錢）　仝括蔞（三錢枳殼錢同打）　硃連翹（二錢）　鮮枇杷葉（三錢布包）　苦杏仁（三錢去皮尖）

生海石（五錢）　鮮竹茹（錢半水炙）　鮮柚子皮（三錢去淨白）　家蘇子（錢半）　廣橘絡（錢半）　眞川貝母（三錢）　紫貝齒（一兩）

老太太　六診

咳嗽漸減，右肺部痛亦減，舌苔漸化，兩脉弦滑，大便通暢，病已向愈，擬再淸肅和絡。

紫菀茸（五分）　蘇子霜（錢半）　生海石（三錢）　鮮橙子皮（三錢）　括蔞皮（三錢）　苦杏仁（三錢去皮尖）

冬瓜子（一兩）　硃拌茯神（四錢）　川貝母（二毛）　絲瓜絡（三錢）　鮮生梨皮（一個）

另用：白殼衣（錢半）　鮮橙子皮（三錢）　鮮梨皮（一個）

煎湯代茶飲

張女士　調經

陽越於上，陰虛於下，胸煩內熱，口瘡起泡，兩脉弦滑，癸事先期而至，治以泄其有餘，補其不足。

製半夏（二錢川連五分同炒）　米炒丹參（二錢）　明知母（錢半鹽炒）　佛手（二錢）　懷牛膝（二錢）　鹽黑

元參（二錢）　粉丹皮（二錢）　赤芍（三錢靑皮一錢同炒）　鮮生地（三錢苦楝子錢同打）　四製香附（三錢）

香菁蒿（錢半）

于小姐　十六歲

年未標梅，癸事不調，月見兩次頸項生核，左重右輕，脉象急數，病非輕淺，防增寒熱咳嗽，幸勿輕視！

銀柴胡（一錢）　杭白芍（三錢）　地骨皮（二錢）　製女貞（三錢）　鮮生地（三錢苦楝子一錢同打）

夏枯草（錢半）　川續斷（二錢）　冬瓜子（一兩）　枯子芩（錢半）　炒赤芍（錢半）　凈海藻（二錢）

四製香附（三錢）

咳嗽症

陳先生　三十六歲　音啞半年，咽痒，咳嗽痰多，舌苔白，兩脈細滑而數，重按無力，病已深矣！肺將痿矣，治之非易，姑先以王海藏法。

老枇杷葉（三錢布包）　南沙參（三錢米炒）　川貝母（二錢去心）　建瀉（三錢）　仙露半夏（三錢）　肥玉竹（三錢）　蘇子霜（錢半）　柿餅（一枚去淨蒂）　生海浮石（三錢）　馬兜鈴（五分水炙）　雲茯苓（四錢）　海藻（二錢）　玫瑰花（五分）　太陰元精石（五錢）

產後腹痛

少奶奶　（產後經西醫打針惡露止而腹痛甚復診加玉液金丹一丸分兩次服一劑知二劑已）止血太速，腹部脹滿，少腹墜痛，舌垢厚浮黑，兩脈細弦而滑，衝任滯而氣不調順，擬以芳香化濁，調達氣分

澤蘭葉（錢半後下）　四製香附（三錢）　延胡（錢半）　絲瓜絡（三錢）　紫丹參（錢半）　生熟赤芍（錢半枳殼錢同炒）　藕節（廿個）　益母丸（二丸）　當歸鬚（錢半）　鮮懷生地（五錢苦楝子錢半同打）　烏藥（錢半）

八，醫案的讀法：

王孟英先生於醫案批謬，引友漁齋醫話云：「香嚴論溫暑雖宗河間，而用方工細，可謂青出於藍，但欲讀其書者，須先將仲景以下諸家之說，用過功夫，然後探究葉氏方意所從來，庶不為無根之萍也，」又古今醫案云：「指南全部亦僅數年之醫案，豈足概葉氏之一生，自刊行以來，沾溉後學，被其惠者良多，而枵腹之輩，又藉此書易於勦襲，每遇一症即抄其詞句之精華，及藥方之織巧而平穩者，錄以應酬，竟可懸壺，無論大部醫書，長如望洋，即小部醫書亦束之高閣，惟奉指南樂其簡便，而不知學之日益淺陋也，嗟乎！豈指南誤人耶？亦人誤指南耶!?」按這一段話諄誡人讀醫案必須學有根底而後研究探索，以助臨證應用，並非教淺嘗躁進者捷徑之路，說來咄咄逼人，但苦口婆心，是使人同情的，

這因爲在過去研究醫學並無現在之學校，課程順序既無規定，醫案本來是臨床醫學，必須先有基礎醫學而後在最高年級學習的，所以讀醫案須有相當程度，而後才能觀察出醫案的精要獨到之處，和錯誤失治之所，否則，頭緒茫然，即能強記其方式亦不過陳舊硬用，未能化裁，非善讀醫案者，讀以病類別的醫案比以人爲綱的醫案容易比較分斷，所以最好列表分斷，以審察其用藥轉方之意旨，類案比較，以歸納其方藥運用之法度界限，此種比較分斷歸納的方法，研究其他學問需要，研究醫案尤其需要。

（本論內有一部分是由作者署名蘭兮曾在大衆醫學上發表過—冠民附識）

頗有造詣若再努力不懈前途未可限量勉旃

王仲哲閱

●胃出血與肺出血鑑別法

△胃出血

（一）血液由吐而出

（二）有胃病或肝臟病既往症出血前作嘔及上腹壓感

（三）血液呈暗色或黑色凝固成塊

（四）反應酸性

（五）往往混有食物成分

（六）陡然發生持續時間短出血後大便呈Teer樣色

△肺出血

（一）血液由咳嗽而出

（二）有肝臟或心臟病既往症出血前胸內有溫液上升之感

（三）血色鮮紅含有泡沫而不凝固

（四）反應鹽基性

（五）往往混有粘液或膿

（六）持續久而徐徐消失

濕因致病略述

任冠民

濕的意義及濕病分類

濕的意義在字面上是不需要加以解釋的，但是在人體病理上所謂濕似當予以說明，濕的原因能使人生病，就是因人體感受超過需要量的水分而不是排洩水分機能堪以勝任或是排洩機能障礙的緣故，空氣中有水分，人身體上也有水分，而且很多，如果一個體重一百六十八磅重的人，他的水分便有九十八磅，但是水的過多或過少，都可以發生病，感受了空氣中水分侵襲，或是喝了過限度的水，調節障礙，存蓄水分過多而起非生理現象，便是病症狀不一，惟可綜其因爲，濕，濕又可以分爲內外二因；腎臟排尿機能障礙，淋巴管障礙，或心臟病的影響而使排除水分的新陳代謝機能衰減，以致水分停蓄人體而作病爲內因，若天雨溼蒸，遠行涉水，久臥濕地，及穿汗衣濕衫，致濕氣浸入皮膚爲外因。

原因於濕而生的病雖多，但爲便於研究，可以分爲濕病兼濕病兩大類：濕病指純感濕所發生的病而言，如內經謂：因於濕，首如裹仲景謂：濕家之爲病一身盡疼，發熱，身色如熏黃。葉香巖謂，濕邪中傷以後，脾胃不醒，不飢不渴之類，兼濕病就是不但感濕，並且兼感風寒熱等邪而生病，如內經謂，濕熱不攘，大筋軟短，小筋弛長，軟短爲拘，弛長爲痿之濕熱痿病；仲景謂，風濕相搏，骨節疼煩掣痛，不得屈伸，近之則痛劇，汗出短氣，小便不利之風濕症。葉香巖謂：冷濕損陽，經絡拘束，形寒之寒濕病。吳鞠通謂：頭痛惡寒，身重疼痛，舌白不渴，脉弦細而濡，面色淡黃，胸悶不飢，午後身熱，狀若陰虛，病難速已之濕溫症。內經謂：風寒濕雜至，合而爲痺三氣相兼之類。

濕病診療大要

濕氣襲於人體。每多難於即時覺察，非如風寒之暴傷也，中濕者，脉沉而微緩，臚脹倦怠，四肢疼痛而煩，或身覺着重，久則浮腫喘滿，昏不知人，寒濕者：腰下冷重，關節不利，牽掣作痛，雖夏月亦覺清涼。風濕者：汗出身寒脉沉微，短氣，骨節酸痛，不能轉側屈伸，濕熱者：肢節痛，肩背重，胸滿身疼流走，脛腫作痛，或覺有火氣自脚下入腹，其濕在上在表，宜汗解，在裏在身半以下者宜利小便，治風濕病，宜使病者微微似欲汗出乃解，濕兼寒而在表者宜麻黃湯以散寒，用白朮以去濕，風濕病，一身盡疼發熱日晡所劇者，傷於汗出當風，或久傷取冷，仲景以麻黃杏仁薏苡甘草湯治之，濕氣在內中滿，或胃寒泄瀉，中滿則以白茯苓厚朴行氣去濕，泄瀉以理中湯溫之，上侵於肺，發爲肺寒，宜小青龍湯，移於腎發其淋漓，宜五苓散，流於肌肉發爲黃腫，宜麻黃白朮防已赤小豆之屬治之。，綜之：治濕之要，在上焦，宜宣肺氣以汗解，在中焦，淡滲行氣，在下焦，通利小便，更視症狀病灶之不同，如强心益腎亦治法之要者。

月經之生理與病理

邢樹恩

▲月經之生理

素問云：女子七歲腎氣盛，齒更髮長，二七而天癸至，任脈通，太衝脈盛，月事以時下。

堯封曰：天癸是女精，由任脈而來，月事是經血，由太衝而來，經云：二七而天癸至，緣任脈通，斯時太衝脈盛，月事亦以時下，一順言之，一逆言之耳，故月事不來，不調，及崩，是血病，咎在衝脈，衝脈隸陽明，帶下是精病，咎在任脈，任脈隸少陰，蓋身前中央一條爲任脈，背後脊裏壹條是督脈，皆起於前後兩陰，之交會陰穴，難經明晰，靈樞傳誤，帶脈起於季脇似束帶狀，人精藏於腎，腎繫於腰背，精欲下泄，必由帶脈而前，然後從任脈而下，故經云：任脈爲病，女子帶下，由上論觀之，國醫論月經之來源，是指女子至成年，身體各部之組織，發育健全，各分泌腺完備而月事以時下。此就廣義之說，實則由於子宮，卵巢等之作用，若將卵巢等以手術摘除則月經立即不至矣，今將其機能部位略述於下(甲)子宮，位於骨盤腔內之中間，前爲膀胱，後爲大腸，形如梨子，從外觀之在臍下部，小腹正中，本體可分爲三部，「底」「體」「頸」，底者，即最高部之遊離部分，兩側有輸卵管，卵巢韌帶，附着於其上，體者，即底部之下面，漸下乃漸窄，頸者，又在體之下部，尤爲窄小，其構造可分爲三層，「內層」「中層」「前層」，前層爲漿液膜，與腹膜爲壹系，中層爲筋纖層，內層爲粘液層，平滑於子宮腔，子宮之功用，不外排洩月經，與容納胎兒△(乙)卵巢，形扁平而長圓，各有卵巢韌帶，附於子宮之外側緣，其構造係由於固有膜，髓質，與皮質，三者連合而成，皮質之內，含有大小無數之細胞，最大者，其內容含水狀之液體，滿貯卵胞液，每四週發育成熟一次，突出於固有膜，胞之內壁，附有顆粒層，其中央有一大細胞，曰載卵，丘卵子之產生即在其中，迨胞擴張，即吸收液質，至女子長成時，胞即充分成熟，而成富於血管之獨立膜，於是卵子由卵巢之深部向上進行，冲破胞膜，運入輸卵管，而入子宮，子宮容納多量之卵子，及液質等，血管亦因而破裂，於是出血，至外陰部，卵子四週成熟壹次，而子宮亦因以排出血液，此即謂之月經我們既知生理的月經，其重要之臟器在子宮和卵巢，故凡月經不正常時，即可想到此二臟之病變探本求源的去治，雖不中，亦不遠矣。

▲月經之病理。

經閉之病理及療法：（甲）血滯血枯——婦人以血爲主，天眞氣降，壬癸水合，腎氣全盛，血脈流行，當以三旬壹見，以象月盈則虧，故曰月經，經行與產後壹般，若其時餘血，壹點未淨，或外被風寒，及濕冷暑熱邪氣，或內仿生冷，七情鬱結，爲痰爲瘀，凝積於中，曰血滯，或經止後，用力太過，入房太多，及服食燥熱，以致火動，邪氣盛而精液衰，曰血枯，良方云：經後被驚，則血錯亂妄行，逆於上則從口鼻而出，逆於身則爲血水相搏，變爲水腫，恚怒則，氣血逆於腰腿，心腹背脇手足之間，重病經行則發，過經則止，怒極傷肝，則有眩暈嘔血，瘰癧血氣癀瘍等病，加之經色滲漏於其間，遂成竅血生瘡淋漓不斷，濕熱相搏，遂成崩帶，血結於內，變爲癥瘕，凡此變病百出，不過是血滯與血枯而已。

但血滯，血枯，皆有虛熱，血滯經閉宜破者，原因飲食毒熱或暴怒瘀凝成積痰，此須大黃乾漆之類，推陳致新，俾舊血去則新血始能生矣。若血旺血枯，起於勞役憂思，却宜溫和滋補，或兼有痰飲濕熱，尤宜清之涼之，每以肉桂爲佐者，熱則血行也。但不可純用峻藥，以傷陰分，至於耗氣益血之說，雖爲女科要法，但血爲氣配，氣熱則熱，氣寒則寒，氣升則升，氣降則降，氣行則行，氣滯則滯，如果鬱火氣盛於血者，方可單用香附丸散，抑氣散，加木香檳榔，枳殼，以開鬱行氣，若氣亂則宜調，氣涼則溫，氣虛則補，隨症施治，不難就愈。（乙）思慮傷心——人以氣血爲主，凡病未有不傷其血氣者，若童男，處女，終日積想在心，憂思過度，多致勞損，男子則神色消散，女子則月水先閉，蓋思慮傷心，心主血，血逆竭神色先散，月水先閉，且心病則不能養脾，故不嗜食，脾虛則精液無化源之處，腎水絕則木不榮，故顯四肢乾枯，善怒髮焦，驚抽等象，若其能改易心志，靜養精神再益陰血，制虛火之藥品輔之，庶可救愈，如柏子丸，澤蘭湯等，切不可以破血行血之品以攻之。（丙）脾胃虛弱——人之後天全賴食飲入胃，胃爲水穀之海，消化食物，輸運精華，由小腸吸收，四佈於全身，氣血因之通暢，身體得以健康，經云：「飲食入胃，游溢精氣，上輸於脾，脾氣散精，上輸於肺，通調水道，下輸膀胱，水精四佈，五經並行」，東垣先生所謂脾乃生化之源也，若脾胃氣虛，不能容化水穀，不能散精以營通身，可謂絕其化源之處，其經水由何而來也，此只宜補養脾胃，以白朮，人參，茯苓，芍藥黃芪，陳皮，鷄金，佩蘭葉，川芎，丹參，麥芽，穀芽，等品，芳香健脾，助其生發之氣，精氣得有來源，而血自至矣。(丁)肝勞血傷——經云：有病脇胸支滿，妨於飲食，病至則先聞腥臊臭，出清液先吐血，四肢淸，且眩，時時前後出血，病名曰血枯，此因少年之時，有大脫血，或醉而入房，虧損肝腎，蓋肝藏血，受天一之氣，以爲滋榮，其經上貫膈，布脇肋，若脫血失精，肝氣已傷，肝血枯涸不榮，而胸脇滿，妨於食，則肝病傳脾，而聞腥臊臭，出清液，若以肝病而肺乘之，則唾血四肢淸，目眩，時前後血出，皆肝血傷之症也，肝爲藏血之臟，今即傷血，無以下達，而經水亦因之而不通也，治宜養肝柔肝扶土和中，如芍藥，阿膠，栢子仁，丹參，洋參，鱉甲，龜板，山萸肉，淮山藥，知母麥冬等。(戊)二陽之病——內經云：二陽之病，發於心脾，有不得隱曲，故女子不月，其傳爲風消，王啓玄云大腸胃熱也，心火受之，心主血，心病則血不流，脾主味，脾病則味不化，經水不足，故其病不能隱曲，脾土已虧，則風邪勝，而氣愈消也。又經云月事不來者，胞脉閉也，胞脉屬於心，絡於胞中，今氣上迫肺，心氣不能下通，故月事不來，治宜瀉其心火養脾滋血，生地，茅根，阿膠，川連，芍藥，人參，陳皮，白朮等

以上五條所述經閉之原因，非完全關於子宮本體之疾患，乃由於全身之症影響經水之不至也。

▲血崩之病理及療法

(甲)損傷衝任——婦人崩中由臟腑損傷，衝任氣血俱虛故也。衝任爲經脉之海，血氣之行，外循經絡，內榮臟腑，若無損傷，則經脉和平，而氣血調通，若勞傷過度，致臟腑俱虛，而衝任之氣亦虛，不能約制其經脉，故忽然暴下，或由陰陽相搏，爲熱所乘，攻損衝任，血得熱而流散，甚至昏悶，其脉芤，浮，大，宜以養胃升陽湯，補胃助生氣，使陽生陰長，黃芪，人參，神釉，白朮，當歸，陳皮，甘草，升麻，柴胡，黃芩，龍骨，牡力，五味，山藥，石英，白蓮鬚，補而升提，(乙)血熱——經云：陰陽相搏謂之崩，又云陽絡傷，血外溢，陰內傷，血內溢，脾統血，肝藏血，肝臟有熱，血得熱而下行，或因肝經有風，怒動肝火，風火相交，血熱沸騰而下行，或因脾經鬱熱，血傷而不歸經，婦人有每行人道，經水即來，一如血崩，人以爲胞胎有傷，觸之以動其血也。誰知是子宮血海，因太熱而不固乎，血海者衝脉也，衝脉寒則血虧，衝脉熱而血沸，血崩之爲病，正衝脉之太熱也。然既由衝脉之熱，則應常崩而無止時，何以行人道而始來

，果與肝木無恙耶，夫脾運則能攝血，肝平則能藏血，人未入房之時，君相二火寂然不動，雖衝脈獨熱，而血亦不至外馳，及有人道之感，則子宮大開，君相火動，以熱招熱，同氣相求，翕然齊動，以鼓其精房血海泛溢，有不能止遏之勢，肝欲藏之而不能，脾欲攝之則不得，故經水隨交感而至，若有聲應之捷，是爲火之爲病也。其症候爲潮熱，口乾，心中怔忡腰酸，腿軟頭暈，串痛，脈弦細而數，舌赤尖有硃點，兩肋串痛，夜不成寐，精神萎頓，形體瘦削，宜以滋陰退熱之品，如生地，茅根，牡力，龍骨，藕節，芍藥，山梔，黃芩，阿膠，棕櫚炭，地榆炭，血餘炭，涼之歛之庶可冀愈。(丙)虛寒——其人本爲元氣虛弱，腎陽不足，或加房勞太甚，或因鬱結不舒，終日勞碌，不得靜養，再加環境惡劣，飲食粗淡，營養不足，致全身細胞之生活力，因氣血不暢，其機能進於退行性病變，失養化之功作，體溫減少，四肢清冷，所謂元陽不足，下焦虛寒，子宮得血，不能收攝，無力統轄，液性就下，故血注如泉，勢不可遏，脈微欲絕，頭暈，目花，心悸無所自主，四肢清冷而軟，行路艱難，口唇淡白，面無華色，自汗淋漓，神識昏沉，有欲脫之勢，極宜溫經回陽，固脫，如附子，乾姜，升麻，柴胡，黨參，黃芪，山萸肉，牡蠣，龍骨，阿膠，艾葉，川芎，當歸，等。尚可挽救於萬一。

▲經水先期之病理及療法。

(甲)血虛熱——陰虛血熱，乃貧血之燃燒也，亦即腎陰不足，元陽亢進，相火妄行，煎熬精液，於是血得熱而沸騰，不循常軌，子宮爲行血之臟，得熱則其神經細胞興奮，起充血之狀，子宮內壁之粘膜，附有許多血管，此時因充血之故，將血管壓破，而血不及三旬遂至矣，此症雖先期而至，因其爲貧血，數量減少，稠粘有臭，腐敗難聞，久之相火愈旺，腎陰愈虧，終日水火相煎，如釜中之沸水必化氣而漸亡，所謂血枯是也。其症爲顴紅，過午則五心煩熱，口乾，燥渴，神經衰弱，夜寐不安，四肢酸軟無力，小便頻數，大便乾結，脈現弦，細，數，舌赤，治宜，滋陰退熱養血，活血，地骨皮，青蒿，鼈甲，龜板，白芍，茅根，生地，丹參，丹皮，黃芩，山藥，山萸肉，阿膠，麥冬，花旗參，知母，等，清涼甘寒，扶正去邪，切不可以苦寒辛燥之品，以竭其眞陰也。(乙)鬱怒傷肝——人之七情，喜，怒，憂，思，悲，恐，驚，皆足影響血液，使血液起重大之發化，因爲七情者，即爲腦神經之作用，腦神經支配全身之一切運動，血管壁亦附有神經，凡遇喜樂之事，則血液旺行，精神暢快，心房之搏動不整，血行急促不勻，此時必見心房震盪，心悸亢進，脈搏數而促，恐時則氣下行，神經則沉寂，心房之搏動亦因之而沉寂，血液循環則遲緩，憂，思，悲，皆足使氣聚，氣結，氣消，血液循環障碍，積鬱在內，而成爲血栓，血塞，瘀血，暴怒之時則氣盛而上升，激動肝血，肝細胞之分泌素有迫血上行之功，血液循環愈速，產生之溫熱愈高，熱高則腎水被煎，經脈沸騰，遂不殆三旬而至矣，尤其在我有禮教之國家，思想頑固之家庭，作媳者，受翁婆之壓迫，妯娌之相忌，夫婦不和，終日爭吵鬥毆，久則傷肝，引動肝火，實爲經前期之大原因，其症爲鬱悶不舒，精神萎靡，頭暈脇痛，肢體拘急，心煩躁急，五心潮熱，口乾，舌赤，心悸，脈顯弦，細，數，宜抑制肝火，改易環境，用藥以柔肝之品如芍藥，柴胡，山梔，丹皮，丹參，茅根，子芩，生牡蠣，大生地，川連，女貞子，洋參，麥冬，瀉肝火以滋肝陰。(丙)氣，脾，兩虛——人之所以能生活者，全賴先天之元氣，元陽之火，及後天之脾胃，元氣充足，溫化全身，澤潤五臟，六腑，如雲騰四佈，而後雨降，脾胃者，爲人後天之本，飲食入胃，經胃酸等之分解消化，送至小腸，賴脾氣輪運，而上承心肺，心得之而化成血，循環週身，肺得之而化成氣，氣佈血暢，精神內充，元陽因之而固，由此觀之，血與元陽，雖由先天而來，但實賴脾胃以養之，故有脾統血之說，脾氣旺，則血循軌而行，如湖中之水，被風吹則緩緩蠕動，今若脾不健，無力攝統諸血，血隨氣行，液體就下，子宮被血激動，雖欲收之而不能，故不至三旬而下矣，其症爲，虛衰少氣，精神萎頓，心悸，頭暈，目旋看物不明，小腹酸痛，脈軟數而小，治宜歸脾湯和補中益氣湯。

▲經行後期之病理及療法。

(甲)血室虛寒——所謂血室虛寒者，虛乃指子宮之機能衰減，血液循環濇滯，卵巢之能力不健，氣血不足，無以營養其細胞組織，不能按時產生卵子，引起子宮之充血，寒者，一是本體之寒，一是外受之寒，本體之寒者，因氣血不足，血流遲緩，新陳代謝之機能減退，不能產生適量之溫度，以溫暖子宮，以致各細胞神經停止其工作，進於退行性病變，所謂下焦虛寒是也，外受之寒者，即缺乏醫學常識之婦女，正在經行之期，隨意行動，不加檢點，過服寒凉，登厠不蜜，褲脚不以帶子束着，在郊外大小便，隨坐冷濕之地，或夫婦輕率從事，不以正常之交接法，種種原因，一不愼，皆足使外風侵入子宮，況子宮正在經行之期，血管破裂，偶被此風寒激閉，寒性凝滯，一切機能全行減退，血流不暢，瘀結凝滯，而成血栓，塞於血管之內，而使子宮作痛，妨碍經行之路，於是經水後期而至，或竟因此不通，而成經閉，其症爲小腹脹痛，脉遲滯，經色黑紫有塊，涓滴不暢，治宜外以熱水囊，附於臍下，使熱氣透過子宮，温通氣血，恢復新陳代謝將瘀血化開，再以藥品佐之，如乾姜，附子，吳萸，茴香，肉桂，元胡，當歸，川芎，阿膠，艾葉，熟地，五靈脂，桂枝木，巴戟天，台烏藥，香附，川楝子，橘核，荔核，温之化之，方可見效。(乙)過食生凉——生冷之物，未經煮沸，其中附有許多細菌，食入至胃，脾胃爲中洲之土萬物土中生，運化飲食，變生精微，上輸心臟化赤而成血，以供遍身之用，今脾胃受此冷寒之物，積存在腹，腐敗發酵，若偶遇外寒，則起上吐下瀉，損傷脾陰，脾陰傷則難以化水穀，運輸精氣，則血之來源遂傷其血安能至期而下，尤，在經期之中，任意服食生凉之物，或行冷水洗浴，致子宮卵巢之血管受寒而凝，循環障碍，血行遲滯，神經痙攣而起腹痛，身熱不寐，頭暈，口渴，色紫黑有塊，脉濇滯而不利，此宜，節食生凉，養脾胃之氣，用温通之藥品佐之，如台烏藥，香附，桂枝，白芍，橘核，荔核，延胡，川芎，當歸，廣皮，川楝子，淡吳萸，佩蘭葉·鷄內金，谷麥芽，白扁豆，阿膠，生地，熟地，艾葉等。(丙)血熱——前云血熱爲經前之原因，因何經後亦因血熱乎，殊不知血熱之輕者，雖熱而不致傷津，血之稠度如常，換句話說，亦就非貧血性的虛熱，今之血熱，乃血熱之甚者，血清血球，被熱煎熬而濃厚，流動不暢，粘附於血管之壁，子宮內膜血管之紫血，積滯益甚結瘀而成塊，雖受卵子之激動，亦不能立即排出，必待卵巢分泌液充滿子宮，釋稀血之稠度，方始破裂而下，久之熱甚必成血枯而鬱矣，其症爲臍下作痛，舌赤過午五心潮熱，煩渴倦怠精神萎頓，小便頻數，大便乾結，脉細，數，弦，喜飲冷物，經色紫黑有塊，醒臭難聞，宜以生地，赤芍，白芍，茅根，元參，花旗參，澤蘭，子芩，知母，滑石，川楝子，川連，丹參，丹皮，生鱉，龜板，柴胡，青蒿，地骨皮，等品清熱活瘀。(丁)痰濁阻滯——痰之由來，多由於脾胃素虛，水穀不能消化，積存於胃腑，胃失健運之權，穀精不能上輸而化赤，互阻中焦，氣液不得佈化，醞釀日久，則痰濁生矣，再有富豪之家，終日膏粱厚味，無有相當之運動，安閒好逸，致脂肪阻滯，氣血循流不暢，妨碍卵巢之分泌，不能應期排卵使子宮充血，發爲經行後期，其證爲舌苔白而粘膩，脉軟而滑，或沉而緩，行動不利，氣短，色淡少其治宜，辛温快脾，芳香化濁，生薑，香附，青半夏，川芎，當歸，焦遠志，生茅朮，赤茯苓，白茯苓，砂仁，廣陳皮，佩蘭葉，建泄，苡仁，通草。

▲赤白帶下之病理及療法

帶者，即由胞宮不時下流，各色之液體，有與月經同來者，亦有平日下注者，此症皆由帶脉不能約束，任意下行，帶脉通於任督，任督病，而帶脉始病，帶脉者所以約束胞胎之系也，帶脉無力，則難以提繫，胞胎不固，則胎易墜，而帶脉之傷，非獨跌閃挫氣而已，或由行房放縱，或飲酒而顛狂，雖無痛疼之苦，而有暗洩之害，則氣不能化經水，而變爲帶下，故帶病者，僧尼，寡居出嫁之女多有之，而在室女則少也，况加以脾氣之虛，肝氣之鬱，濕氣之侵，熱氣之逼，安得不成帶下之病，故婦女有終年累月流下如涕如米泔樣物，醒臭有味，由陰門直下，欲自禁而不得也。今詳其原因於下：(甲)勞傷衝任——巢氏病源論婦人有三十六疾者，七癥，八瘕，九痛，十二帶，帶下無任何痛苦，此由於衝任勞損風冷聚於胞絡，婦人平居血欲常多，氣欲常少，百疾不生，或氣多於血，氣倍生寒，血不化赤，逐成白帶，若氣平血少，血少生熱，血不化赤，遂成赤帶，寒熱交幷，則成赤白帶下，治宜蒼朮，白朮，滑石，乾薑，地榆，白茯苓，枳殼，甘草，香附，橘核，阿膠，川楝子，當歸，苡米，通草等品。(乙)風邪入胞門——婦人帶下多由於經行產後，不愼行動，致風邪入胞門，傳於臟腑而來也。若傷足厥陰肝色如青泥，傷手少陰心，色如紅津，傷手太陰肺其色如白涕，傷足太陰脾色如黃瓜，傷足少陰腎黑如衃血，治宜用人參，茯苓，白朮，川芎，當歸，芍藥，肉桂，柴胡，黃芩，半夏，甘草，蒼朮，黃柏，龍骨，牡蠣，蓮鬚，吳萸，乾薑，黃芪，桂枝，陳皮。(丙)濕熱寃結不散——保命集云：赤帶者爲熱入小腸，白帶者入大腸，原其本皆濕熱鬱結於脉，故經液湧溢，是爲赤白帶下，本不病器，緣五經並虛，結熱屈滯于帶，故臍不痛，由陰中綿綿而下也，經曰：任脉爲病，男子內結七疝，女子帶下積聚，脾傳之腎名曰疝瘕，小腸寃結而痛出血，一名曰蠱，所以爲帶下寃結也，寃結者，屈滯而病熱不散。王注云：任脉自胞上過，帶脉貫於臍上，故男子內結七疝，女子帶下，帶脉起於季脇章門，似束帶狀，令濕熱寃結不散也，治宜利濕清熱如十棗湯，苦楝丸，大延胡索散等。(丁)虛寒——虛寒之原因，多由於其素體元陽不足，水火兩虧，或由崩中暴下，產後去血過多，貧寒之婦，營養不良，以致陰虧陽竭，榮氣不升，脉經凝冱，衛氣下陷，子宮無力收攝，分泌液，隨意下行，血管破裂，血隨液下，小腹内陰凉酸痛，脉虛大無神，宜以大補元陽命門之火，温固升提之，升麻，黃耆。牡蠣，黑芥穗，附子，乾薑，茴香，淡吳萸，川楝子，艾葉，巴戟天，益智仁，破故帋，胡桃肉，山茱萸，川芎，當歸，大熟地，從容，肉桂。

▲經前腹痛之病理及療法。

(甲)氣滯血凝——經前復痛其人必多憂思，鬱怒，精神不快，致神經不舒，血管壁附有運動神經，因其神經時常不舒，血流循環亦因之鬱結不暢，下體之靜脉，瘀滯於血管末稍，久之氣凝結成塊，堵塞成栓，迨月經未至之前，子宮粘膜起充血之狀，血管充盈大量之血而下行，但此有許多血栓，碍妨血行之路，則作痛矣。所謂通則不痛，痛則不通是也。按西醫病理有充血性痛經，謂子宮內膜之腫厚，其粘膜於經期中，大爲增殖肥厚，乃生理特殊之現象，卵巢之分泌液，變易其成分，則粘膜內充滿凝結之物，滲出後，壓迫子宮神經，而致作痛，與中醫之所謂氣滯血凝之說相仿，又云痛經病症，皆子宮內靜脉異常充血所致，凡房事過多，體力過勞，或便秘，久坐，手淫等，皆足促成子宮內膜之充血，而發經來疼痛之症，張山雷先生曰：痛在經前誠是氣滯，氣滯而血亦滯，故以香附，青皮，與桃仁杏仁並用，再加玄胡索，金鈴子，行血中之滯，和肝木之横，其證每逢經來，其腹必有劇烈之痛不能以手按，牽及腰腿亦痛，脉弦滯，苔厚膩，治宜行氣滯，逐血瘀，川芎，當歸，玄胡索，香附，瓦楞子，台烏藥，丹皮，丹參，西草根，牛夕，杜仲，續斷，桃仁，紅花，大黃，澤蘭，益母草，茺蔚子，阿膠，艾葉，杭芍，大生地，熟地，等品。(乙)胞中虛寒——邪之所湊，其氣必虛，經前腹痛，必因其胞絡之間，夙者冷風搏於血氣，停結小腹，因風虛發動，與血相搏，再加新潮之血相激，故作劇痛，在西醫病理謂經前腹痛爲月經困難，蓋因其子宮頸窄小所致，月經之血，不能充分排洩鬱積於內面發疼，但此乃生理現象，非關病理，其症爲少腹陰凉，綿綿作痛，四肢清冷，腰腿酸痛無力，脉象沉緊，治宜温之，通之，暢流血行，恢復胞宮之能力，吳茱萸，乾薑，艾葉，阿膠，杭芍，川芎，當歸，延胡索，桃杏仁，附子，肉桂，葫蘆巴，破放紙，巴戟天，茴香，…核，川楝子，胡桃肉。(丙)少腹有癥瘕——婦人之癥瘕，蓋由於鬱怒不舒，飲食不加愼重，寒温不加檢點，以致身體衰弱，風邪入腹，與血相搏而生，癥者，痛也。癥者，結聚，浮假而痛，推移乃動也，婦人之病，所以異於大夫者，或因產後血虛受寒，或因經前經後，過度受寒，非獨因飲食失節，多挾於血氣而成也，子和云：「遺尿癃閉，陰痿浮痺，滑精白淫，皆男子之疝也，若月事不來，行後小腹有塊，或時動移，前陰突出，後陰痔核，皆女子之疝，但女子不得謂疝，而謂之瘕也」但因何每經前則痛，經後則止，蓋肝之經絡，下貫陰中，其性喜條達，不耐鬱滯，婦人每於經前數日，胞宮積血甚多，血循環不暢，鬱滯不通，肝氣難以疏洩，故作痛矣，宜條達肝氣，消滅疝瘕，木香，青皮，柴胡，赤芍，桂心，當歸，琥珀，乾漆，大黃，牛夕，桃仁，麝香，吳茱萸，三稜，莪朮，靈脂，台烏藥，香附，玄胡索。

▲經後腹痛之病理及療法

氣，血，兩虛——自古醫家皆以經前腹痛為實，經後腹痛為虛，痛之時間有常度者為實，無常度者為虛，痛而不欲按者為實，欲按者為虛，痛而劇然者為實，緩和隱隱作痛者為虛，實者多熱，虛者多寒，此痛之大致分別也。因何虛痛為綿綿之狀，喜按而不劇烈乎？所謂絡虛則痛，子宮卵巢因經後失去大量之血，身體一時補償不足，神經細胞無以營養，新陳代謝產生之毒素，不能順，血行而排出，故刺激而作痛也，其症為腰腹酸痛，陰涼喜溫，脈虛緩無力，宜以補氣血之品，如黃芪，人參，阿膠，艾葉，生地，熟地，紫河車，川芎，當歸，山藥，杭芍，炙草，桂枝，赤芍，杜仲，續斷，山萸肉，破故紙，切不可妄用攻伐之品，以致虛虛也。

醫理發揮六則

何世英

（一）論醫宗金鑑內傷寒太陽篇分三綱之非

天有六氣，人感之不正，或太過者，均足致病，風寒暑濕燥熱，雖同爲病之因，惟風則除爲病因外，尙能用作病理上病能變化之名詞，故在醫學上分之，前者爲狹意之風，後則爲廣意之風也，風爲空氣不調而起之救濟變化，此即狹意者也，空氣無形質，人之衛氣亦無形質，空氣不調則爲風，衛氣不協則起體溫之變化，而病變百出，故古人以體溫異常，即以風字代之，實取其相似之意，內科各病，多與體溫有關，而風字之用，殆爲普通之名詞，此即廣意之謂也，狹意之風已無解釋之必要，廣意之解尙能證之於內經，考素問風論篇曰，風者善行而數變，腠理開則洒然寒，閉則熱而悶，其寒也則衰食飲，其熱也則消肌肉，本段經文已將風字說得極透徹，而病理尤甚顯明，所舉寒熱開閉各例，不過大略言之，至於因寒熱開閉而起之各種症候，則不勝其數也，本段所舉各例，以傷寒類症，如腠理開則洒然寒，似指桂枝症言，閉則熱而悶，似指麻黃與大青龍症言，其寒也則衰食飲，似指太陰症言，其熱也則消肌肉，似指白虎症言，各症既皆與體溫異常有關，故桂枝症開言便是中風，大青龍症亦曰太陽中風，白虎症則爲陽明中風，太陰經亦有中風之語，中風者何，體中之溫度發生病的變化也，其原因有起於外與發於內之別，發於內者，則爲腦神經重要疾病，俗名腦充血腦溢血者是也，起於外者，概爲體溫之變化，即仲景當日所云之中風也，傷寒論中之中風二字，各經皆有，是各經均有體溫之變化也，夫如是則傷寒論中之中風二字，謂爲體溫異常之代名詞，一如近世普通習言之感冒一語，固無不可，故前者所舉四例，各症中皆有中風，惟麻黃症條文中無之其故何也，蓋傷寒一書，殘缺既多，故吾人於研究之時，不可過於沾滯，必以考古證病二法爲主，所謂考古者，須審定其文語，是否條條皆出自仲景一手，其中添字句，短字句，換字句，是否爲後人所爲，文語與今世不合者，是否爲當時之習慣語，所謂證病者，處處均以病理爲根據，再徵之於事實，如有不合者，或闕疑之，或設法研究之，庶幾合乎科學之旨也，夫麻黃症吾人謂其體溫無變化可乎，體溫既有變化，則當日所慣用以代體溫變化之中風二字，必不可少，故中風二字，恐麻黃症條文中遺漏，若不遺漏，中風二字亦必暗示於內，後世不知中風爲仲景當日之習慣語，而拘拘於傷寒太陽篇第二條之下，認中風爲獨立一症，特以桂枝湯爲治中風之主劑，而示與無中風二字之麻黃症有別，故中風二字遂晦而不明，殊不知桂枝麻黃二症，同屬傷寒中症候，其分別處在有汗與無汗，有汗爲表虛宜用桂枝湯，無汗爲表實宜用麻黃湯，然不論其爲表虛表實，其爲體溫異常之所致則一也，故傷寒第二第三兩條，可改云，太陽病，發熱，汗出，惡風，脉緩者，名曰桂枝症，太陽病，或已發熱，或未發熱，必惡寒，體痛嘔逆脉陰陽俱緊者，名曰麻黃症，若必認定桂枝專治中風，麻黃專治傷寒，何以大青龍之表實脈浮緊，而反曰太陽中風，豈非費解，由此可證，大青龍條確出自仲景筆，後人因不知中風之意，遂疑該條有誤，故大青龍之用亦不顯於世，其尤可議者，從來傷寒家如方中行喻嘉言吳謙諸人均不明此旨，妄將傷寒太陽篇分爲三綱，即中風，傷寒，與風寒兩傷是也，謂大青龍症是風寒兩傷，故以中風又兼傷寒症脈，誠屬杜譔，作者既不明內經，尤不能體諸病情，雖徒事文字上之講求，而又無考古之能，輯金鑑者，本爲當時之名家，名家如是，其他可知，祖宗遺萃，宜其不光也，悲夫。

(二)解釋內經論瘧症

中西醫理互相比較，原無甚差異，乃今日所爭執者，爲中醫不講細菌，西醫否認人身有命門，蓋中醫尙氣化而忽於物質，西醫重物質不知有氣化。遂有今日中則中西則西之分別，而不能互相融和我，輩習醫者當前之急務，即在中西醫理之融和取長棄短不分界限，以造成完備整個的醫學。

中醫學理本屬科學的，內難傷寒金匱之作，已極盡作者畢生的精力，與表現當代科學發展之程度，晉唐以後，醫理漸晦，金元以後則以性理爲醫理，以爲醫者意也，遂使科學的中醫，一變而爲性理的玄說，晚近醫者，旣受性理玄說之毒，又感科學不明之苦，於是內難傷寒直同天書，其眞理幾無人能曉，故註內經者，宋唐以前尙有楊上善全元起王冰等，宋唐以後，則甚少也，註傷寒者除成氏說理有可取外，金元以下，數十百家之註，鮮有能切病理者，而尤以陳修園輩爲最，遂使後世醫者眞成意者，意者何，無眞理之可循，但憑自身腦力之意會也，如此之醫，烏能愈病，今日中醫又焉有不衰之理乎。

今人皆謂科學昌明時代已不容此不科學之中醫存在，爲此言者，特不察理之流耳，殊不知中醫之不科學，是由於後人的誤解，己如前述，今者科學倡明，無微不至，以今日科學之理證之，中醫與西醫不論其爲解剖上治療上，均無甚差異也，然中醫治病之理，更有駕乎西醫之上者，是正待吾輩習醫者之闡發耳。

或問中醫瘧疾之病理，余曰，此正可證明中醫古理之合乎科學也，西醫謂瘧疾爲原虫作祟，內經雖未直指爲原虫，然以瘧氣之名代之，亦頗有價值，夫醫學一科，最爲複雜，在今日科學極盛時代尙難至明，則科學未盛之古代，於醫學一科，不能明理處，自不免也，古人於其難明之處，皆以氣字代之，如怒則氣上，恐則氣下，熱則氣耗，寒則氣收，又如風氣，濕氣，寒氣，暑氣等，試問恐怒何以氣有上下，上下之氣在人身爲何物，又風也，濕也，可耳，何又云氣，蓋恐怒氣有上下，是當時不知有神經之質，而知有神經傳電之能也，人之病也，因於風氣，或感於濕氣，是當時不知有微生物細菌存於風濕之中，故前者之氣，是代表神經，後者則代表細菌，瘧氣者亦古人想像之定名，然何以直認爲西醫所云之瘧原虫耶，素問瘧論篇曰，風氣留其處故常在，瘧氣隨經絡沈以內薄，故衛氣應乃作，蓋經絡即血管，瘧氣隨經絡者，即瘧原虫寄生於血管中也，沈以內薄者，破壞紅血球也，衛氣即體溫，因紅血球之破壞，故體溫起反應而發寒熱，其曰風氣留其處故常在者，指瘧疾病原是由傳播而來，西理謂由斑翅蚊之傳染，理相同也，由是觀之，吾輩用新理證舊理有何不是，如仍以後世腐說釋之，恐愈說愈不清楚，要知虛心始有進益，他山可資攻錯，吾輩習醫者，幸毋固執隅見，坐使祖宗遺萃至於論亡也。

(三)寒極生熱與熱極生寒之病理

寒熱爲陰陽變化之對象，亦即國醫病理學上之主點也，陰陽有消長，寒熱無定象，故經曰，寒極生熱，熱極生寒，考寒熱在病理上之解釋有二，一指全身的或局部的機能旺盛或減退之謂，其機能之旺盛者，則邪氣盛，機能之減退者則精氣奪，邪氣雖盛。而正氣未衰。六經中三陽症即此例也。精氣既奪。而邪進無已。組織破壞。以致死亡。六經中三陰症即此例也。二指全身或局部的溫度之高低之謂，局部的溫度。在人身常不平衡。如腹部則需溫較高。頭部則需溫較低。臟腑則需溫較高。皮膚則需溫較低。若腹部溫度低。則生飧泄。頭部溫度高。則疼痛眩暈。臟腑溫度低。則血脈凝泣。作用消失。皮膚溫度高，則發熱惡寒。全身的溫度之高低變化。最顯著者。見於太陽症之初起，與少陰症之末期，當太陽症未作之頃。則內部體溫因受外寒之襲擊。一時低降。及其極也。甚至寒慄而戰。然頃刻反應一起。體溫暴增。此種寒極而熱之瞬刻的變化殆爲陰陽消長自然之象也，又少陰症本爲正弱邪盛。正弱既由機能之減退。其結果必致氣血不生。而體液耗散。陰液既竭熱度遂增，故此種之熱。乃由陰虛而生。陰虛則因陽虛而致。蓋陽虛之甚。陰虛繼之。陽虛則寒。陰虛則熱。故曰寒極生熱也。寒極生熱者。在太陽中寒爲假象。熱爲本症。在少陰中，寒爲本症。熱爲假象。太陽之熱，是由體溫的反射，少陰之熱，是爲神經的急救，二者有顯然的不同也，又有熱極生寒者。夫六經傳變。本無定序。胥視患者平素身體之虛實。與病邪之淺深而已。故素問按日傳經之說。恐屬不確。蓋壯者之病，不離陽經。弱者病一初起。便有在陰者。然壯者之病，雖曰在陽。但亦有時傳入陰經者。必其人久病不愈。邪進正退之所致也。弱者之病，雖曰在陰但亦有時傳入陽經者。如中陰溜府。少陰急下症是也。內經曰邪雖入陰經藏氣猶實。邪不能克。還之入府，府者胃也。傷寒大法。三陰有傳經。有直中。其直中於陰者。爲平素體質極虛之人。已不待言。其由傳經而來者。太少二陰病。多來自太陽。厥陰則來自陽明。蓋體質素弱之人。偶感輕邪。未必直入陰經。故初起亦在太陽。及日久不愈。正氣稍衰。便轉入陰經矣。故傷寒六經中。以太陽之變症爲最繁雜也。其有由太陽轉入陽明後而始入陰者。此亦屬體弱患者病變之一。但此種之傳經。則不在太少二陰。而在厥陰。直中厥陰者，頗屬罕見。由傳經而來者。皆起自陽明。陽明者，熱之極也。厥陰者，爲陰陽之極端的變化。症見飢不欲食。四肢逆冷。逆冷屬寒。四逆湯本症也。然有因熱極而生者。即由陽明之轉移者也。經曰熱極生寒。殆指此也

(四)陰虛新理解

人身之組成，不外固體與液體，骨肉皮靭帶等，皆固體也，血液精液分泌液等，皆液體也，固體之在人身，時時不缺其本體之營養，方能顯其功用。否則必發生組織之萎縮壞死。及變性等。至其營養分之來源，又必仰賴血液之輸送。與分泌液之規整。故病至液體缺乏，其病變顧不限於液體自身，其結果必影響於全部組織，古人以陰爲液，液體缺乏謂之陰虛者即此也，玆更舉鐵樵惲氏之說。

凡水入胃，吸收入於血液，其命意在使血液稀薄，利於運行，血液稀薄，然後能分潤各藏器，各藏器得此分潤。分工製

造之。以成內外分泌。然後有唾有涕，有淚，有汗，有精，有黏液，有尿。汗與尿其專職在排泄糟粕，涕淚粘液其專職在保護官能，精之爲用，目的在生殖，而使本身發營滋長，實爲生殖之手段，此生理形能之大略也。凡在健體，此種機能均不失職，失職則各種液體非過多即涸竭，大約初步則過多，最後則涸竭，過多則藏氣壞，涸竭則藏氣死，是故淚過多則目不明。涕吐過多則肺萎縮。溲過多則胃消渴。汗過多則體溫散亡。又全身液體之總量，有其一定之程限，甲種液消耗過多，則乙種液不敷供給，故汗多者口必渴。溲多者汗必少。大便水瀉溲則無有。又在健體排泄與吸收類能保持平均。病則欹側。失其平均。

中醫之於陰虛二字，向無實質可指，不過空談意會，其作惲氏之明白解說者，古今不可多得，陰爲何物，何謂陰虛，吾人既已知之，茲更當討論者，爲陰虛何故發熱，蓋中醫病理上之發熱有二，一爲陽盛之發熱。一爲陰虛之發熱。屬於陽盛之發熱者。有外感之發熱。如傷寒太陽症。有食積之發熱者。如傷寒陽明症。有毒素的刺激之發熱者。如各種急性傳染病等。至於陰虛之發熱。則有傷寒少陰症。溫熱病。及虛癆雜病等。欲明陽盛與陰虛病理的發熱。當先知生理的發熱。茲舉時賢沈君嘯谷之說以明之。

凡生物之異於死者，藉生活力附麗於物質，以生存於世界，生活力停止即成死亡，人身爲細胞之集合體，細胞原具有生活力，以運用其營養繁殖動作之機能然必賴適當之體溫。方能顯其功用。物理有熱力化能之說。意謂一切機器動作。均由熱力催動。由此可知人體一切動作。如心之循環。肺之呼吸。腸胃之吸收排泄。官能之新陳代謝。皆與體溫有直接關係。如體溫有變化。則全體皆受影響。至體溫之來源。一爲空氣中之氧氣。一爲日常之食物。養氣由鼻入肺。爲血中紅血輪吸收。與鐵質融合。發生燃燒作用。食物由口入胃。腐化後即由吸管通入血管。其炭水化物脂肪等。爲供給養氣燃燒之材料。乃體中後方之給養也。人身機能動作。均賴體溫爲之主持。過與不及。皆足致病。

生理的發熱，既如沈氏所述。茲再詳解病理的發熱。蓋體溫既貴乎調節。陽盛之發熱。即是體溫發生不調節。如外感症之毛孔閉塞。食積症之內熱蒸騰。急性傳染病之毒素刺激溫熱中樞是也。至其治法。汗也。下也。無非使熱由汗下而放散，毒素亦由汗下而排泄，以使體溫仍復歸於調節，汗下可解之病。其元氣必未衰弱。由汗下可解者。其病外象似重。

其實則輕也。至於陰虛之發熱。則與陽盛之發熱大異。沈氏說中謂人身之熱。是由燃燒作用。供給燃燒之材料。一爲呼進之養氣。一爲食入之養料。一但因病的變化。影響於體中之液體。而感缺乏。則隨液體運行而供給於養化之原料。勢必不足。甚至斷絕。此時身體所需要之養化。既無原料以供給。則各部組織。遂起急救之作用。神經因之亦緊張。於是發生實質性的養化。如仲景所謂焦骨傷筋者是也。此種發熱，從來難治。熱病虛勞等末期常見之。

(五)四君子湯適應症

四君子湯爲補氣之平劑，世皆知之，其適應症究有如何之界限，則多不知之，玆先將四君子合劑中人參甘草茯苓白朮之醫治效用，照皇漢醫學所載錄之於左。

人參，本藥以治胃衰弱痞鞕，由於新陳代謝機能之減弱爲主目的，與續發之食慾不振惡心嘔吐消化不良下利等之症狀爲副目的而用之。

甘草，爲緩和藥之一，故有緩解組織之作用，尤以因筋肉之急劇緊縮所發疼痛，及其他諸般急迫症狀爲宜。

茯苓，本藥以尿利之頻數或減少，與胃內停水，及心悸亢進，或筋肉之間代性痙攣爲主目的，其症狀不問爲神經性與心臟或腎臟原因性皆佳。

白朮之爲利尿藥，爲腎臟機能障礙之徵，此尿利之頻數或減少，與胃內停水爲主目的，故其作用頗類似於茯苓，而實異，本藥溫性，含特殊之揮發油，故能刺激胃腸粘膜使之充血，此等臟器有急性炎症時，即中醫所謂有裏熱之際，假令其適應症雖具，亦宜忌之。

根據以上各藥之效用，則可知四君子湯之醫治目的，統在水毒之蓄積，比水毒之蓄積，不論其由腸壁之弛緩，抑由腎臟之排泄障礙，皆爲因病變的影響，而發生機能減弱之所致，人參能使機能減衰者歸之於强壯，茯苓白朮則利蓄積之水，甘草則協助各藥，緩解組織，凡由於腎臟機能減衰或腸壁弛緩而發水毒性之各種病變，如慢性腎臟炎，萎縮腎，腎變性，水瀉腹水等，皆爲本湯之適應症，其由水毒蓄積之影響而發生虛痰者，加半夏陳皮可以治之，是名六君子湯，胃部發疼者木香砂仁可以治之，是名香砂六君子湯，故一切病變但審其由於機能減弱性水蓄積而起者，均可用本方之加減，惟本方之用於機能減衰，必須心臟機能未甚衰弱，若己發生衰弱，則須重用附子以强心，又非本湯之力所能達也，故本湯之所以名回君，其不强烈也可知。

(六)六味地黃丸方劑之配合解

六味地黃丸何以爲陰虛之主劑，蓋方中以大量之地黃爲主，地黃善能滋陰，山藥多液，能輔地黃以潤枯，惟地黃有粘膩之弊，得茯苓之淡滲者可以稀薄之，陰液稀薄，則血流通暢，茯苓之能安心益氣亦即是使血液安行於經隧也，何以知茯苓有稀薄之能，由其能化粘稠之痰可以知之，蓋濕痰宜半夏以燥之，稠痰則須茯苓以化之，惟其能化稠痰，故能稀薄粘膩之地黃也，方中丹皮澤瀉之用，目的在利尿，因利尿作用，一則能調節滋陰藥之化學的作用，再者能將因病而產生的廢物，隨尿利而盡量排洩之，夫藥物作用於人身，有直接達於病竈而行撲滅病毒者，有刺激某一神經或多種神經而奏間接之制止病毒者，考據各種方書，及療病之經驗，地黃山藥茯苓丹皮澤夕之醫治作用，似屬直接的，須知動物之各種生活機能，端賴神經之支配，因神經之失常，始有病變之發生，故用藥治病，其配合法，既須一方使藥力直接達於病所，他方仍須使藥力作用於神經，所以如此者，蓋使間接之神經作用，與藥物之直接作用互相和協，而生整個的偉大能力也，故中醫方劑之配合，治血症尤須佐以氣分藥，補血者還須補氣，其中殆有至理存焉，中藥作用於神經者種類甚多，就中酸味藥中之杭芍山茱萸，用於陰虛症最爲相宜，蓋此類藥刺激性小，而緩解力强，中醫古理謂酸則收斂，衡之今理，凡酸類藥皆能緩解神經，如五味子之定喘。烏梅之止瀉。即是緩解迷走神經之緊張。芍藥之止腹疼。即是緩解直腹壁肌神經之攣急。於是可知古理所云之收斂，是斂其病，非斂其形質，故收斂與緩解字義雖異，病理則同也，山茱萸之作用·善治陰虛之腦神經衰弱，但必須有滋陰藥之配合，用六味地黃丸之症中，頭目眩暈，耳聾齒搖等，即是山茱萸之對症處，然此不過爲六味地黃丸症中之副症候，若服六味地黃丸後，其主症候之腰膝痿軟骨熱酸痛，遺精洩淋，盜汗自汗，亡血消渴能治愈，則其副症候亦隨之而愈矣。

宗旨正大，議論宏通　楊淑澄批

中風證治淺說

何修仁

考吾國醫藥發明最早，上起神農黃帝，下迄現代。凡人民生有疾病。均須賴醫藥。以爲救濟，是則醫藥與民族之關係至爲重大，誠非他種學術所能比擬者也。晚近歐風東漸。醫院林立。根據現代最新醫理。重科學。求實驗。改良闡明。西醫之發達進步。一日千里，而我國醫學。仍本古舊之學說。理愈玄妙。去實愈遠。故西醫駸駸日上。中醫反不之及也，竊思國藥效力頗大。乃吾國之精粹，然雖屬草根樹皮之類。棄之則成廢物。用之則可救人之生命。而吾國地域廣大。人民衆多。氣候不同。所飲所食，亦各殊異。以北方地勢而言。氣候嚴寒。土厚氣勁。身體强壯。牛羊麥黍之品。勝於東南海錯，水田稻穀之類。故病實者居多。南方氣候温暖。土薄水輕。氣體孱弱。弱則寒暑易侵。故病虛者爲多。此南北之氣候，與人民之體格，均有不同，故病發亦異也，且醫藥妙用亦不盡同。南醫用藥多主空靈，即能奏效。反之北方醫者用藥。往往須重大之劑。方可呈功。可見南北氣候不同。尙不能强其相合。若中外風土各異。西醫又極爲峻烈。以之療吾人疾病。又豈能盡屬相宜乎。況人之患病。虛實寒熱。陰陽表裏。病非一端。專賴醫之望聞問切。細心體察。始可詳爲處方。君臣佐使。輕重緩急。配合之局。皆有巧奪天工之妙。至於復診時間。視病勢之出入。定藥物之增減。孫思邈有言醫者宜膽大心小，如本診斷四法。然後用藥自無大謬也。至於國藥之性質。氣味。古人久有相當之配合。最合國人之生理。用當通神。效如桴鼓。然學術不論中西。如能療治疾病，驅除痛苦。適於實用者。則爲良好之法則，嘗有西醫所不能醫者。而中醫就能立起沉疴。此古先賢遺傳。有極深之學理。有極奧妙之法術，令人難以索解之時頗多。故鄉村僻壤。以及城市中人民。仍多仰信中醫。一則藥費經濟。一則見效甚速。不過西醫機械之精良。手術之靈巧。物質之文明。中醫實在望塵莫及瞠乎其後之概，而中醫之所長。完全本於氣化，而西醫則不然。近年以來。中醫爲本身改進起見。國醫界同人。聯合奮鬥。以大無畏之精神。奔走呼號。以保存國粹爲急務。幸國人有鑒於此。國醫館與各醫藥團體。紛紛成立。以及明達政府。已通過中醫條例。給醫界放一光明之異彩。開一新紀元。此醫界同人努力之功。莫大之榮焉。然揚言整理改進。余與諸同學進一得之愚。改進莫如刻苦用功。研究靈素之奧旨。金匱傷寒千金等書深意。博覽西醫診斷解剖生理及病理。熟記腦中，遇病詳察病因。對症用藥。自無過失。惟望後進同學。以百折不挫之精神。埋頭砥礪研究學業。方不負施院長辦學之苦心也。行醫時能給人民祛災病。社會之人斯可信仰。萬不可羨慕他人以自餒。中醫中藥無不可醫之病。全在醫者之是否努力研究為斷。因我古聖先賢。苦心孤詣。對於醫藥有千百年之經驗。傳至於今。均有特效之功能。中醫中藥發明義理極精。如能充分研究學理。藥品氣味性質。再了然於胸中。平素多覽各家醫案。臨症用藥自無差誤。不難為上工矣。竊以年來病中風而死亡者頗多。據歐美人壽保險業公會調查云。世界人類，患中風而死者。約百分之七十。其病之劇烈可想而知矣。故作此篇。名中風證治淺說。以資討論焉。中風一病。有兩種不同之證象。一為仲師傷寒論云。太陽病。發熱。汗出，惡風。脈緩者。名為中風。一為口眼喎斜猝然倒地之中風。前者係肌表病。後者乃腦溢血病。其癥結不同若此。而古人皆稱中風。毫無定義。按風一字。古人用之者廣。凡一切運動神經知覺神經。無論中樞末稍患疾。莫不言中風。就狹義言。一，風有舒緩之意。經曰。風屬春。春生舒散是也。二，風為快捷之意。又曰。大風苛毒……風者善行而數變。千金所謂。夫急卒病多是風等。由此觀之仲景傷寒論中之中風。所以名中風者。以其自汗出。肌腠疏緩。有似乎春之舒散故也。根據第二意言。則猝然倒地之中風。所以名中風者。以「猝然」屬於行捷變快故也。斯篇所述。即為猝然倒地之中風。即腦溢血症是也。

中風之原因及症狀

內經素問云。血之與氣。並走於上（腦血管）。則為大厥（腦充血或腦溢血）。厥則暴死。氣復反則生。不反則死。朱丹溪曰。凡人初覺食指次指麻木不仁或不用者。三年內必有中風之候也。聖人治未病之病。知未來之疾。此其良也。其中風者必有先兆之證。覺大拇指及次指麻木不仁或手足少力或肌肉微掣者。此先兆也。三年內必有大風（腦溢血）。宜調其營衛。可以預防。醫學正傳云。凡人手足漸覺不隨。或臂膊及髀股指節。麻痺不仁。或口眼喎斜。言語蹇澀。或胸膈迷悶。吐痰相續。或六脈浮滑。而虛軟無力。雖未致於倒仆。其為中風暈厥（腦溢血）之候，可指日而定，當早調治之。古今醫鑑云。風中於人（腦溢血）。曰卒中。曰暴仆。曰暴瘖。曰矇昧。曰口眼喎斜。曰手足癱瘓。曰不省人事。曰言語蹇澀。曰痰涎壅盛。劉河間曰。風病多因熱甚。李東垣曰。中風非外來風邪。乃本氣病也。風有中血脈。中腑中臟

中風證治淺說

之異。中血脉。則口眼喎斜。中腑。則肢節廢，中臟則性命危。千金方云。中風大法有四。一曰偏枯。半身不遂。二曰風痱。身無痛。四肢不舉。三曰風懿。暗忽不知人。四曰風痺。類風狀。陳修園曰。風中於血脉者。外無六經之形症。內無便溺之阻隔。惟口眼喎斜。或左或右偏。中腑多病四肢。故有半身不遂。手足不隨。左癱右瘓之形。中臟多滯九竅。故有唇緩失音。鼻塞。耳聾。目瞀。便秘等症。醫學綱目云。中風之名。各有不同。其卒然仆倒者。經稱爲擊仆。世稱爲卒中。乃初中之證也。其口眼喎斜。半身不遂。經稱爲偏枯。世稱爲癱瘓及腲腿風。乃中倒後之證也。其舌强不言。唇吻不收。經稱爲痱病。世稱爲風懿。風氣。亦中倒後之證也。凡病偏枯。必先倒仆。故內經連名稱爲擊仆偏枯也。醫聖張仲景曰。偏枯者半身不遂，肌肉偏不用而痛。言不變智不亂。病在分腠之間。又曰。風痱之爲病。身無痛。四肢不收。志亂不甚。其言微知則可治。不能語言者。不可治。總而言之。中風者云。即現代西醫所謂「腦溢血」。仲景傷寒論言。「太陽病發熱。汗出。惡風。脉緩者名爲中風」。蓋此中風非東垣所云中府。中藏。中血脉之謂。中字與傷字同義。仲景論中不直言傷風者。恐後學不察。以咳嗽鼻塞聲重之傷風混同。故以中字別之也。腦溢血者。因腦血管之破裂。血液外溢。壓迫其附近之腦部神經。而發生之症狀也。此症多由於突發。故又稱「猝倒」或「猝中」。其溢出血管外之血液。如壓迫其關係生命之重要部份。（即血管運動中樞神經及呼吸中樞神經等）則引起痲痺。而停止心臟之運動及肺部之呼吸。竟爲致死之原因。或出血較少。其被壓迫部分。與生命無大關係者。則被壓迫腦部所轄之神經系。受其影響。而至痲痺。以之成口眼喎斜。或半身不遂。其腦血管破裂之原有二。（一）血管硬化。蓋吾人頭腦中。有多數之大小血管。內有血液。循環不息。血爲生命之源泉。故其血液之盛衰。血管之硬軟。與血壓之高低。實爲計量吾人壽命長短之尺度。腦血管破裂之原因。爲血管之病的變化所誘起。此可分爲「毛細血管瘤」與「血管硬化症」二種論之。（A）毛細血管瘤爲腦溢血之直接原因。據德醫沙考普沙兩博士之報告謂。解剖腦溢血死亡者屍體後。發見毛細血管瘤破裂之狀態者。有百分之九十云。按毛細血管。間有缺少彈力性之脆弱部分。不能抵抗血液循環之壓力。而使管壁擴張。現出隆起之狀態。名曰「毛細血管瘤」若血壓突然亢進。則該瘤容易破裂。遂至「腦溢血」而爲中風。（B）血管硬化症云者。血管因種種原因。失其生理的彈力及潤澤性。而致硬化脆弱之謂。凡人之血管。譬如橡皮管。常久使用。則其彈力必自減少。且人之血液。常循環流通於血管。故血液中新陳代謝之殘存物。自然沈着於血管內部。使減少其潤澤性而變硬。例如多年使用之自來水管內。必有渣滓附着於管壁然。

血氣旺盛之人，自有完全吸收與排泄新陳代謝物之機能。故能保全血管之健全與潤澤性。及到老衰。則新陳代謝之機能。日見衰弱。代謝之殘存物。復隨時增加。沈着於血管內部。終變爲硬質。蓋四十歲以上之人。其身體之各部機能漸次衰弱。則血管自然硬化。察其原因。則或有因腎臟病及糖尿症。以障礙排泄之作用。增加代謝之殘滓而起者。或有嗜好飲酒以致脂肪質過多。或因鈣質代謝機能之障礙。鈣質沈着於血管壁以起血管硬化症。按酒之爲物。一入體內。易與別種脂肪酸結合。變成脂肪質。自然沈着。硬化血管。飲酒家之易於中風者。職是故也。此外潛伏性梅毒菌。棲息於腦血管。侵蝕其一部分。以誘致腦溢血中風，(二)血壓亢進腦血管雖有上述諸病的變化。但如無破裂之動機。則決不致起腦溢血，其破裂之動機。則爲血壓之亢進。蓋血壓者因血液之循環力與血管壁互相磨擦以發生之力也。健康人之血壓。以水銀血壓計檢查之。則最小爲八十米里米達。最大至一百二十米里米達。所謂最小血壓者。因心臟擴張。而血液流入於心臟之壓力也。所云最大血壓者。即由心臟收縮。而血液自心臟流向血管之壓力也。測定血壓。概以最大血壓爲標準。且血管由種種原因。收縮之時。其橫斷面狹小。其通過血液。則不得不與血管壁而互相磨擦。故血壓力亦隨之亢進。且血壓亢進。概因部分的或全身的血管狹小而起。其原因有三。(A)由心理的作用。如驚愕。恐怖。忿怒。喜悅等突發。則皮膚血管忽然縮小。而血壓乃爲亢進。故腦溢血多起於突然興奮。如震驚。奮怒。以及意外狂悅。遽用暴力等時惹起中風者也。(B)外部的刺激。如冷水浴。電氣刺戟等物理學的刺戟。與服用麻痺血管運動神經之藥物等。皆爲緊縮血管而亢進血壓之原因。(C)病理的作用。如因血管硬化。彈力缺乏。血管狹窄等。而起摩擦，遂爲亢進血壓。又或因全身病。而血液循環有障礙者。或患慢性腎炎。腎萎縮。慢性便泌。以及發汗。排尿排便機關有所障礙者。均爲血壓亢進之原因。

▲中風療治

凡患中風病者。醫師宜先審其病之輕重。及中血脉，中府。中藏。與兼實。兼虛。兼寒。兼熱。兼痰也。在察其閉證。脫證之淺深緩急而治之。初中者用通關散吹入鼻內。有嚏則生。無嚏呼吸氣不通則死矣。牙關緊閉不開者。用開關散擦

中風證治淺說

之。口則開。若痰涎壅盛者。用諸吐法涌之。倘人事不省者。用巴豆油紙捲皂角末燒烟熏入鼻中。則神清自省。中絡者。口眼喎斜。肌膚不仁。中經則左右不遂。筋骨不用。中府則昏不識人。便溺阻隔。中藏則神昏不語。唇緩涎出。並將其治療各方例後。

▲通關散

南星。皂角。細辛。薄荷。生半夏爲末吹鼻中。

▲開關散

烏梅肉。冰片。生南星爲末擦牙治口噤。

▲烏藥順氣散

麻黄。枳殼。桔梗。烏藥。殭蠶。白芷。陳皮。乾薑。甘草。川芎。主治中絡實症。口眼歪斜。肌膚麻木。骨節疼痛。

▲大秦艽湯

秦艽。石膏。羌活。獨活。防風。川芎。白芷。黄芩（酒炒）生地（酒洗）熟地。當歸（酒洗）白芍（酒炒）茯苓。甘草（炙）白朮（土炒）細辛。主治中絡虛症。半身不遂。中經虛症亦可治之。以此方能養血榮筋。爲久病風人調理之劑。

▲換骨丹

白芷。川芎。防風。冰片。麝香。硃砂。木香。槐角。苦參。五味子。威靈仙。人參。麻黄膏。何首烏。蔓荊子。蒼朮。桑皮。麻黄膏者。以麻黄熬成膏。和煎藥爲丸。硃砂衣。主治中經氣實。喎斜癱瘓症。

▲小續命湯

桂枝。附子。川芎（酒洗）麻黄。人參。白芍（酒炒）杏仁（去皮尖炒研）防風。黄芩（酒炒）防己。炙甘草。主治中經絡氣虛。喎斜不遂。語言蹇澁。方中麻黄。杏仁治寒。桂枝。芍藥治風。人參。甘草補氣。川芎。芍藥專養血。防風治風淫。防己治濕淫。附子治寒淫。黄芩治熱淫。故又爲治風通劑。

▲三化湯

厚朴。枳實。大黃。羌活。主治中府氣實。神昏不知人。二便阻隔。腹部脹滿。若其人形氣虛。則當以搜風順氣丸緩治之。自然愈也。

▲牛黃淸心丸（古方）

羚羊角。麝香。龍腦（各一兩） 人參。神麯。蒲黃（各二兩半） 白茯苓。牛黃。柴胡。桔梗（各一兩二錢） 川芎。杏仁（各一兩二錢半） 防風。白朮。白芍。麥冬。黃芩。當歸（各一錢半） 阿膠。生薑。白蘞（各七錢半） 雄黃（八錢）甘草（五兩） 山藥（七兩） 大豆黃卷。肉桂（各七錢半） 金箔（一千四百片） 犀角（二兩） 大棗肉（一百枚） 共爲細面蜜丸一錢重金衣蠟皮封主治卒中風（中藏實症）痰涎壅塞。神昏不能言語。口眼喎斜。形氣滿盛。兩手握固。牙關緊急之閉證皆可服之。若中藏虛症。唇緩不收。痰涎流出。神昏不語。身肢偏廢。宜服參附湯。即人參附子。

▲千金還魂湯

肉桂。麻黃。甘草。杏仁。主治風邪中經絡之閉證。氣促。無汗。四肢拘急。身體偏痛。乃表邪固閉宜服此湯。

▲奪命散

巴豆。白芷。半夏。葶藶子。生南星各等分研爲極細面。主治風邪中藏府之閉證。腹部脹滿。二便閉結。神昏。口噤不開。痰結喉間不下等症。

▲三生飲

生南星。生川烏。生附子。木香。主治中風四肢厥逆，脈沉伏。惟寒盛氣實者宜之。若氣虛者。及虛極將脫者。加人參。

▲祛風至寶湯

大黃。芒硝。防風。荆芥。麻黃。梔子。芍藥。連翹。甘草。桔梗。川芎。當歸。石膏。滑石。薄荷。黃芩，白朮。全蠍。天麻。細辛。白附。羌活。獨活。黃柏。黃連。殭蠶。主治中風身大熱，心煩。脈浮數者。宜服此湯。

▲中風死證（金鑑註）

寸口脈平之人。忽然卒中而死者。皆因中邪太甚。閉塞九竅。天真之氣不能與人之生氣相通。則獨絕於內也。譬如墮跌溺水。豈能預期其死耶。脈來一息七八至者。不大不小均可治。若大而無論。小而如纖。浮主晝死。沉主夜死不能治也。脈絕不至。脫證並見。搖頭上竄。氣長噓喘。汗出如油毛枯髮焦皆主死候。

按中風症遺傳性頗多（非遺傳疾病乃遺傳其體質也）凡血壓亢進。及血管硬化者。均爲中風之先兆。如頭暈痛。頭重。記憶力減退。視力衰弱。失眠。胸部滿悶。手足冰冷。心悸怔忡。善暴怒。易悲泣。手足動勵等情宜服預防藥劑。若頭暈。耳鳴。言語不暢。手足麻痺等。此乃腦血管已經破裂但出血甚少。即中絡也。將必有大溢血之慮。即中府。中藏也。當速治療之。深望我同學讀書時。勿避難而就易。東方之醫學復興。全在吾輩青年努力耳。中醫之不進化。亦由於家技不傳。類如針灸按摩偏方亦其一端也。望諸同人公開研究改進。免墮落以自封。如此中醫或有昌明之一日也。

識見宏通，所舉理法亦極詳備。　楊叔澄批

驗方三

一，瘰癧結核

用大戟，芫花，三稜，莪朮，（各二錢）　海浮石（二錢）　共爲末密水擦敷，即消化矣。

二，口歪不正

凡顏面神經痙攣致患口歪，螳螂搗敷，左歪敷右，右歪敷左，即正。

三，小兒斷乳

用炒黑山梔（三個）　雄黃硃砂輕粉，各少許共爲末以麻油調勻，候小兒睡熟，塗兒眉上，醒後即不思食乳。

熱病概要

吳兆祥

熱病者，發熱之病也，內經謂熱病皆傷寒之類，難經云傷寒有五，其實所謂傷寒，即五種熱病，（如傷寒，温病，暑温，濕温，痙病，）此五種病，雖同是發熱，因氣候與地理上種種關係，其原因症狀治法等，亦隨之而異茲分述於下。

（一）傷寒　其病狀初一步頭痛，項強，形寒，發熱，繼一步是傳變，其傳變有熱化，燥化，寒化之分，虛實之辨，若初起病狀，是發熱，惡寒，口中和，有有汗者，有無汗者，都是寒化，有汗者主桂枝湯，無汗者主麻黃湯，口渴唇舌乾絳者，是從熱化，無汗者葛根芩連加麻黃，有汗者用葛根芩連湯，無汗煩燥者，用麻杏石甘湯，有汗熱化而煩燥者，葛根芩連加石膏，又有兼食痰虛損者，亦應注意。

傷寒之爲病，因感寒體温集表而發熱者，則爲太陽，其傳變則視內因而異，化熱爲陽明，其症狀渴不惡寒，寒熱往來者爲少陽，色脉兼虛象者，口中和，脉弱，頭汗，體倦，欲寢，是爲少陰，實者爲三陽，虛者爲三陰，三陽有兼見者，有單見者，三陰則多兼見者，兼腹滿者，爲太陰，兼指冷及諸神經性痛者，爲厥陰，此所謂六經之大較也。

（二）風温　風温之爲病，發熱，欬嗽，頭痛，骨楚，其欬嗽骨楚是風温必具條件，亦有寒化熱化之別，其寒化者，多涕薄痰，甚則腹痛泄瀉，用藥如葛根，象貝，杏仁，蘇子，橘紅，前胡，小朴，腹皮，木香，秦艽，防風，其從熱化者，喉間腫痛，唇乾舌絳，口燥而苦，面赤多汗，骨楚壯熱用葛根，象貝，杏仁，桔梗，殭蠶，淡芩，川連，牛蒡，秦艽，防風，汗過多者，加牡蠣浮小麥，無汗者，酌加麻黃，口渴引飲煩躁者，加石膏，若兼見喉痛初起無汗者，用麻杏石甘湯，有汗者，葛根葱白石膏湯。

傷寒是冬季熱病，風温是春季熱病，傷寒是發熱，惡寒，頭痛，風温亦然，但傷寒之惡寒甚劇，時間輒延至二三日，然後發熱，仍舊惡寒，風温惡寒之時間甚短，不過半日即發熱，不復惡寒，傷寒惡寒常項背拘急，其寒之重心，在背脊，頭痛恒在前額，風温惡寒亦背拘急，其重心在肩背，頭痛恒在兩太陽，此因傷寒屬腎，風温屬肝，時間不同，藏氣不同也。

（三）暑温　其病狀發熱，多汗，小便少，其熱不甚壯，常弛張如瘧，一日二三度發，唇舌絳紅者，當以白薇，牡蠣，淡芩，竹茹，枳實，連翹，銀花，薄荷，六一散，甘露消毒丹等藥爲主，其壯熱無汗者，香薷是特效藥，有積者加焦穀牙，腹皮，查炭，泄瀉者，加扁豆衣，建曲，伏龍肝，其有傳變白痦者，卻非甘涼不可。

暑溫爲病，標準在舌，凡中暑者，其舌必紅，一種在長夏溽暑之時，初起時熱可灼手，而無汗者，即內經所謂體若燔炭汗出而散者也，一種在秋後者，舌亦紅，汗自出，而肌膚津潤，常發熱與形寒相伴而見，所謂伏暑者也，此兩種病舌色皆紅潤，所以紅乃血中水分所失者多，酸素自燃爲病故也，此屬手經病，因夏氣通於心，病則心氣應之，與傷寒足經不同，故只宜輕藥也。

(四)濕溫　其病狀發熱，形寒，脈緩，肌膚津潤，舌苔純白，舌面潤，唇反燥，口味淡，卻渴而引飲，躁煩畏光，眞濕溫也，茅朮白虎湯主之，此病甚者口味甜，胸脘痞悶，可加川連，厚朴，半夏，悶甚而見寒化者，可加吳萸，筋骨疼痛者，加防己，秦艽，汗多膚涼口中和而惡寒者，可加桂枝，附子，但唇燥者忌，痰多者可用青皮，陳皮半夏，虛者可用歸身。

濕溫之病，常在六七月之交，四五月之暑溫有兼濕者，七八月之伏暑，亦有兼濕者，若純粹之濕溫症，則必在六七月，其主要原因，是長夏秋初空氣中含炭窒素較多，養素較少，人體感之爲病，各組織皆失彈力，淋巴細胞吸收不健全，體內有過剩水分也，水分過剩，故舌潤膚津，酸素作用低降，故舌質不紅，同時血中因所失水分太多，致血液有乾燥之患，故唇燥而焦，就形能言之，舌之所著爲組織水分過剩，唇之所著，爲血液乾燥也。

(五)痙病　初一步病狀爲壯熱，形寒，項強，目赤，躁煩，與傷寒相似，一半日即神昏譫語而頸項反折者，不問有汗無汗，用葛根，芩連，只實，竹茹，腹皮，蠍尾，胆草，避瘟丹等藥，此病屬神經緊張，是進行性腦症，即剛痙也，一種病狀起初如傷寒，一二日即見痙，痙後眼皮腫，目上視，鄭聲，舌萎軟，肌膚津潤，手冷，徧身無力，手脚不能動，不能言語，此屬神經弛緩，即柔痙也，用大建中湯加減，若兼有梅毒性者，則難治也。

痙病，流行性腦病也，其發作不應四時之序，在春秋兩季，比較容易發作，其主因固屬神經，然致病之原因，往往因胃腸停積受驚，或外感六淫，或素有虛損者，其發熱雖亦是體溫救濟作用，卻是副因，乃因神經失職，不能調節血行，致抵抗力薄弱，風邪乘之，爲第一步，風邪既入，未病之神經，仍驅使體温爲之救濟，因而發熱，卻因發熱之故，引起顯著之神經病證，是爲第二步，此爲痙病之眞相也。

痰中帶血治法

—魁卿—

痰中代血治法，以清肺凉肝爲主，佐以茅根，重用藕汁，他如鮮生地枇杷葉，仙鶴草，等皆可大量用，花蕊石則不可多用，因其性濇故也。

怪病治法

—魁卿—

鬼附之說由來久矣，考之實際不過因中樞神精之反射，或知覺神經障碍，一時性的變化而矣，故昔人謂人必先自迷而後鬼迷之，故醫怪病之法，先用通關散以刺激神經使其興奮，用安宮牛黃丸，以清其中，則怪病自愈矣。

治病不能專决於脈

—魁卿—

治病之法先察音色，後察二便，詢其所苦問其所欲然後取决於脈則十得八九矣。若自作聰明僅以脉斷未有不貽誤者緣病之所生，多由於風，風脉未有不浮者，如吐而頭痛項强便難，則宜降不吐而頭痛項强便利，脉浮則宜散，同一浮象，而輕入則散，深入則降，緣頭痛則太陽病，吐則太陽陽明俱病，仲景著作，誠大觀也。

漢方治療室

（1）根據大柴胡湯之濕疹及蓄膿症之治驗……馬瑒和光著

（2）小治驗二題

（甲）十二指腸蟲病……星野俊良著

（乙）子宮後屈症

此篇有（1）（2）兩題，唯（2）題中又分出甲乙二小題目，爲日本治漢方醫學之馬瑒和光與星野俊良二先生，以國醫古方，治療濕疹，蓄膿症，十二指腸蟲病，及子宮後屈等症之經驗實例，並寫出自己對此等病症治療之見解，頗有可供吾人參考之處，是以譯出，以與吾畢業諸同學，共研討之；但譯者慚於日文，不甚諳練，且文辭亦頗簡陋，故篇中錯謬之處，未免過多，倘希同學諸君，致導指正，甚爲感望！譯者謹識。

（1）根據大柴胡湯之濕疹及蓄膿症之治驗……馬瑒和光著 李之向譯

關於濕疹與蓄膿症，已在本誌上有若干的報告；但這回欲想用大柴胡湯介紹幾個治驗例。可是因爲在過去用大柴胡湯的例子，一個也沒有，所以其藥的效驗，果然能夠顯出大柴胡湯主劑治法的結果，到底是怎麼樣，那確是疑問。然大體上用作下劑，是很明顯的。脈的狀態，也大概與下症相似。但關於脉象，在我自己是沒有什麼自信的，把這個用文字表出來，也是很躊躇的事情，無學的我，不得不遠慮，本來以主觀者，要想推究他人病症的怎樣，實在是不完全。然從另一方面想來，以不完全的治療法之所以不完全，能根據事實而證明之，亦可算是前車之覆，後車之鑑。

關於蓄膿症，前在問答欄裏，已經述過，然因其外部的全身的症候有多種多樣，所以其治療法，不待說，亦必須有多種多樣。同樣，以會合証而論，也依局部的所見，現出種種不同的結果，此決非一二次之治驗報告，所能了事。又僅以對方自覺的症候，而提示治驗例，那是不充分的事情，這恐怕是現代許多醫學者一致的見解吧。然於此也有許多正當的辯解，他覺的觀察，特別在蓄膿症的場合，也不能斷定唯一主要的觀察。

還有其他種種問題，不能不加詳論，但紙面上的機會儘有，待後來再總括的敘述，這次先舉出幾個實驗例，且把鄙見一並寫出。

第一例　神經衰弱與濕疹

患者，白春，四十九歲，男，日本畫家，初診　十一月一日。

既往症：父親發生腦溢血後三年，因腸胃加答兒死亡。母因腎臟疾患而逝世，只有兄弟一人，但在七歲時因腦膜炎而殀折。

本人在中學時代曾患脚氣。四十歲時胃部發生疼痛，診斷有胆囊炎，曾廢止醫療，有兩三週之久。因肩酸困異常，故受按摩及其他燐療法，但無多大效果。

現症：去年七月頃，左手第四指及第五指（即無名指與小指），感覺着麻刺與輕痛。在高處取物時，左足亦有同樣之感覺。又缺乏一般的精力，工作的精神，亦似乎不能持久，最近特別是精神憂鬱。

現在所見：體軀中等，全身皮下脂肪稍少，是蒼白而貧血的男子，顏面無特別痛苦的表情，但好像是憂鬱的樣子，目光無活潑氣，舌苔附着頗厚，胸部無異狀，脉緊，診斷腹部，頗盛滿而呈鼓音，其中有醱酵現象，是能夠想像得來的。又腹部全體的筋肉，特別在左側是堅硬。約一年前，即攝取多量的食物，亦無關係，便若稍通，腹部的膨滿，就豁然了。且在背面有如銅幣大的白蘚兩處，右脚內面，亦發見一處。

治療：施灸百會，胃俞，大腸俞，小腸俞，梁門，中脘，下脘，天樞，實元，足三里，左手陽谷，支正，外關，右手僅灸外關。以上各灸五壯。因尚要治白蘚，故以一日量之伯州散（二，〇克蘭姆），分四日與服。

經過：十一月七日，雖服用四日分伯州散，但白蘚尚無變化。精神頗爽快，暫時雖不能作事，但最近漸有勃勃之動作。便通增量，腹部情形很好，但有夜不睡眠之事，又腹部起疼痛異常之感覺，這天約是因灸而動起的。食慾亦頗佳。

一月下旬，一度訪問血色，幾乎不能認識，見頗肥滿，特別是皮膚光澤，非常的好。亦頗能作事。

然至二月二十七日，突來急乞往診。至往診時，前日由左額至耳發赤腫脹，至今日眼瞼發起浮腫。體温不及三十六度半。脉浮緊，一分鐘七十餘至。診腹部時，倘有膨滿，腹筋緊張，大體向外突出如眼仁形。顏面見有一如丹毒蘚紅色腫脹之部分，由前額至耳殼連續不斷，其境界不甚鮮明，最外緣離毋疹而孤立者頗多，耳殼及左眼瞼浮腫明瞭，顏色稍微稀薄。右眼瞼亦少少浮腫。由所見而想，大概類似丹毒，但於境界不鮮明之此點上，與典型的丹毒大異。又不發熱，亦與丹毒之診斷大有出入。

由此日治療，即與大柴胡湯加芒硝一〇，〇(湯本求眞先生的分量)。

三月一日，往診的時候，他說：托福得很，己經非常的好了，昨日有兩次的便通，殆未攝取食物，今朝精神爽快。並且在診的時候，眼瞼耳殼的浮腫，很顯着的減退，眼能睜得很大，唯淡紅色的色調，全體倘殘留着。又於耳殼後端地方，皮膚上發起龜裂，流出少量漿液，腹部顯著的陷沒，脉較前日，亦顯著的沉。又濕疹的部分，全體顯著的乾燥，附着着好些個白色的鱗屑，又正在繼續落下。

診斷這天的狀態，大概沒有其他虛症，乃投四物湯各五，〇克蘭姆，一日服盡。

三月三日，往診，比前日更好。皮膚生潤，鱗屑落下頗多，眼瞼浮腫，稍稍減退，色調更近正常，耳殼附近的龜裂，亦殆將治癒。更使服殘餘之四物湯。

三月六日，來乞往診。從昨夜又開始腫脹，至今朝較前更甚，鮮紅色的腫脹由前額部及於兩眼周圍。左側包含耳殼，右側延及耳殼前緣。此大約是丹毒症。體温正常。此日更與大柴胡加芒硝湯。

三月八日，往診，病再好轉，眼亦減退自由浮腫，復使繼續服用大柴胡加芒硝湯。檢查尿，無尿白。圓柱，血球，糖，全看不見。

三月十一日，更好轉，差不多將要治愈。

三月十三日，電話急乞往診。因昨夜病勢突然惡化。往診時聽說，昨晚很好，但因昨晚買來山烏肉，稍吃了些晚飯，約一點鐘後，漸漸顏面開始腫脹發紅，下至唇之下方全赤，今日顎骨下面全體及唇，亦發赤腫脹，眼瞼及額，回如以前症狀之原態。體溫正常。與大柴胡加芒硝湯，又令絕食二三日。

十四日浮腫頗減退，全體很好。十五日，自覺苦痛，幾乎全無，乃使食粥果汁等物。

至十六日晨，紅色的色調，差不多不能看見，浮腫又全消滅，殆無一點痕跡。以是這個疾患先平復了。

然因尚要持續大柴胡加芒硝湯，故使實行減食。但服藥至二十日，患者自己廢藥。

至二十五日，再乞往診，乃驚病氣之頑固，復往診，這次症狀大約和前日的部位相同，即顏面全體發生腫脹，但色淡白，浮腫亦輕，更細診，浮腫發赤與健康部分之境界，不甚明瞭，又離開緣端，有多數散在之赤色斑點。但此不足憂，更與大柴胡加芒硝湯。

二十七日，再往診，「托福又好了」，若再好轉，即有一氣治好之希望。此日和患者相談，據說差不多一個多月未攝取食物，但稍有一點元氣，不像以前之暈暈糊糊。又大便每日有，雖服用將近一月之下劑藥，但尚出相當之固形便，又診脉之初以爲虛候，曾與四物湯，但這已是錯誤，使用下劑涉及一月，而脉尚頗浮有充實氣象，又相當的緊張而強。腹部雖漸次陷沒，但尚未至緊脊骨程度，頗有力而堅硬。其後此患者突因某事而遷居，病的消息，至此不明。

反省與考案：這一例是始終用大柴胡加芒硝湯，但至精細的再從頭研究傷寒論時，則見此劑不甚適當，當選其他下劑。此雖給我一點標準，但這個問題，還是請教於先輩諸先生，比較適當得多。

其次，這個例最感覺到愧歉的事情，就是脉非常錯誤而與四物湯。

然服四物湯後的狀態，比較服湯以前的狀態，好了許多，這也是事實，又若嚴密的說起來，要確認四物湯之服用是原因而惡化是結果的這樣明白的關係，是非常困難而終久是不可能的事情。唯以總括的結論言之，能夠說這個患者的體質，是可以與下劑的，這一點是最重要的收獲的結論。

是誰也在決定好轉或惡化的原因時，不得不非常的注意。

第二例　濕疹

患者，五十七歲，無職，初診時，四月六日。既往症：在二十三歲時，受過卵巢囊腫的手術，曾經摘出兩側的卵巢。其後並未罹大病，但月經完全閉止。

現症：今年三月二十九日，左側耳殼表面，發赤腫脹，漸次漫延浸入頭髮部，乃以重藥煎汁蒸患處，頗好轉，殆將治癒。然又由頸之後面貼右耳瀰漫，昨日右耳殼全面，發赤腫脹。現在感覺劇烈的搔癢，此部如火樣的發燒，又有像剃刀很强的擦過之疼痛感。

五六年前，便秘頗甚，由二三日至四五日一次。手溫，而脚非常的冷。是所謂底冷之體質。然頭即在冬天，亦熱如火。冬季亦不用火爐。前年因血壓高，曾受注射，大概是一七〇吧。原來的睡眠很好，自前年發生耳鳴，就不能安寢。幼時未曾患過皮膚病。

現症：是一個身軀細長的老婦人，血色大體良好，腹部左側筋肉，一般緊張，肋骨弓下兩側微硬，特別是左側硬。大腹部下行結腸，有多量的宿便。濕疹和前第一例患者是同樣的，其鮮紅色氣，一見好像是丹毒，但境界不鮮明。前額上半部，差不多完全瀰漫了，其次左目上下眼臉也有，左顴骨的突起部，其孤立約有一銅錢大。耳殼兩側均有，向前下方蔓延。頸部在後面一帶也有，唯在頭髮部缺除。如上所述，此乃是鮮紅色，但較前例（或因年齡關係）稍帶一點紫色，又似乎不甚乾燥，很强盛的分泌物或鱗屑，亦幾不能看見。

治療：與大柴胡湯，桃核承氣湯合方。外用藥，使敷天花粉。

經過：四月九日再來，四月六日晚因湯藥下利三次。七日出遊大街，便稍稍惡化，乃塗糠油及全治水。因之昨日更惡化，亦最痛苦。昨夜拭去這些塗布藥，另塗亞鉛華澱粉。由昨夜至今晨，漸漸好轉，今日是非常快樂。昨日便通一次，迄今晨服用兩日分之藥。未多攝取食物，今朝亦未吃東西。兩耳後有如鮫皮結痂，現出龜裂模樣。耳殼尚稍稍發赤。頸部後面，亦現紅色，但無分泌物。頸兩側之皮膚面，雖訴有痒感，但他部却健康如常。前額濕疹，亦大半減退，兩眼臉，亦殆成正常。頰部亦大概正常，唯下顎邊稍起浮腫，髮部無濕疹。痒感自昨日漸漸好轉，今日很快樂，復投與前同樣之二日分之藥。

六月二十七日：至此日消息不明，但因往診其他病人，順便聽取其經過。據所言，因上所記之四日分的服藥，外現的濕疹，完全治愈。然其後時時感覺刺痛。皮膚非常的乾燥。並且全身體己返原來的狀態，同時皮膚亦像是完全恢復正常之氣。

反省與考案：這一個例子，由體質和腹證考究起來，小柴胡湯比大柴胡湯的選用，大概普通些。又乾脆不用柴胡劑，也未可知，從大體言之，因前例稍偏向證，故分泌物少，脈亦不甚充實。此時若不聞關於患者「皮膚麻刺之感」的報告，唯有聽受治愈之一言，則此時，此藥方是否最爲適當，也還不敢斷定。經過詳細的聽取之後，方劑之適當不適當，若不熟思精慮，就不能斷定的這件事，此處也解說明白了。總之，根據上述二例，患者是實脈，這大體是能夠想像出來的。關於脈性，詳細的現狀，我差不多可以說是不甚了解，但在這個場合，大體持確信的態度。

第三例　蓄膿症

患者，二十三歲，女僕，初診，四月廿二日。

既往症及現症生來健全，未罹大病，但自小學六年級時，鼻汁過多。由女學校三年級時，特別惡化，其後繼續生出黃色膿汁甚多。現在一點鐘須醒一次以上之鼻涕。冬季更壞，頭重亦覺特甚。臭覺殆幾全無，食慾不振一飯僅食兩杯左右。大便二日一次，月經屢屢缺除。所見：人雖頗肥滿，但鬱血不顯著，顏面無炮，皮膚亦大概綺麗，唯不甚光澤。濕疹發生無多。脈大體緊實。恰是前二例之中間脈（此時前二例之經驗，非常有用）。

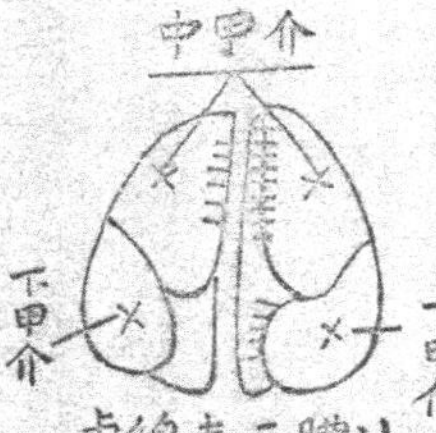

中甲介
下甲介
下甲介

虛線表示膿汁

詳診鼻腔，其內狀態大體如圖，中甲介前部，兩側均顯著肥大，像是密着於鼻中膈。又在其間前方，看見流出膿厚的膿汁。又在左側中鼻道內，亦見膿汁的鼻孔內一體充血。且由後鼻腔亦稍流出鼻汁至口腔。

由此所見考究，前額竇蓄膿是很顯明的，而左側上額竇大概亦有此症。

未診察腹部。

治療：投與十日分之大柴胡湯合桃核承氣湯。

經過：五月二日，此家小兒患流行性感冒有轉肺炎之懼，因來求急速往診，故夜深往視。順便探詢了一下這個患者的經過，據說服藥最初之日，一日有十次以上之大便。翌日，鼻呼吸暢快，膿汁流出激減。雖有濃厚之膿汁物，還繼續的流出，但最近鼻汁，大概不流了。鼻塞亦大減，臭覺也頗銳敏。又其家族一人言，從前在傍靜聽，因爲鼻塞，發出嘶——嘶的聲音，自服藥以來，此不快之音，聽不見了。這實在是好現象。

筆者關於藥效返復審問，聽他所說有無錯誤，畢竟證明其所言之效果，是充分無弊。然至五月七日，寄信說：後來又惡化了。這次以實驗之荊芥連翹湯各二、五克蘭姆加大黃五、五克蘭姆，以一日之量，分一週送去。

其後約有十日以上，託家人報告，謂這次的藥，服用一週後，膿汁漸次減少，但如像最初所服之藥，不能主見速效。其患處又復原狀，復與大柴胡湯合桃核承氣湯，分十日郵去。

其後聽見一度好調的報告，但未判明其詳細狀况。

反省與考案：這一例大柴胡湯合桃核承氣湯，大概是很適宜。此種體質，與荊芥連翹湯，雖大體好調，但要好轉或治愈，那可是非常緩慢了。

然又單從外證上判斷，就決定其無效驗。我也是很躊躇的，如ポリプ之許多。患者的場合之中，就是頗久的頑固者。

第四例　蓄膿症

患者，十九歲，農夫。

既往症：去年夏天，曾患腸病，但此外再無其他的病症。

現症：幼時即鼻汁過多，又苦於鼻閉塞，現在流出多量的黃色膿汁，後此汁不出於鼻孔，而由前口腔排出，特別在左側多。鼻閉塞兩側共起，在左側特別强。時時起頭痛頭重之感，但非持續的。稍有臭覺，但不銳敏。

所見：大體如圖，下甲介特別左側肥大，左側中鼻道，看見膿汁流出。是頗濃厚的鼻汁。中甲介右側肥大，兩側均在上部前面，看不見膿汁，特在左側鼻底，見有多量。鼻中膈向左側彎曲。鼻腔粘膜之充血不適度。由此所見大概可以測定是上額竇之蓄膿，但前額竇有無蓄膿，是頗難斷定的。

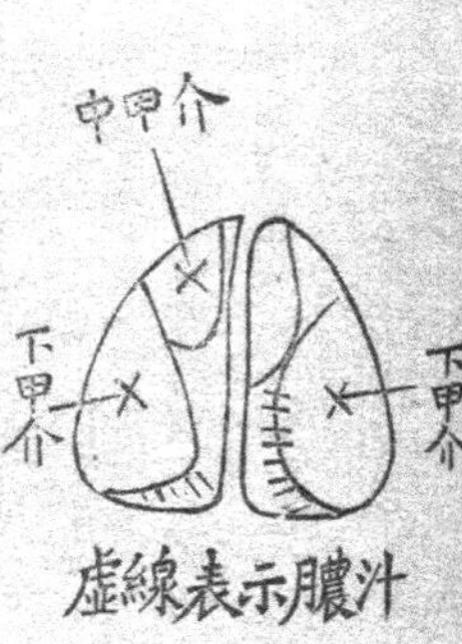

虛線表示膿汁

這個患者，血色很好，皮膚亦頗光澤，無面瘡，容色猶好蘋果，但不甚潮紅。皮下脂肪很少，大體是筋肉質。脈緊，但實否，不能明言。腹部筋肉，一般緊張硬固，但無膨滿之氣。試壓上額竇與前額竇，無疼痛之感。目光不甚有力。診察咽喉，扁桃腺頗肥大。但表面無凹陷，大體帶圓形。（此點爲實證特徵之一，但小兒是例外）。舌上有薄白苔。不吸煙草。

治療：與大柴胡湯合芍藥甘草湯。

經過：其後此患者突返鄉里。約十日後來信報告，在火車中，大便三四次，鼻汁多量流出，煩惱不能忍耐。此後每日有多量的大便，鼻汁排出，好久不止，但漸好轉，現在已較從前少一半以下。但苦於下利，請送緩慢治癒之藥，乃以荆芥連翹湯加黃連分一週送去。其後消息不明。

反省與考案：此時以腹筋緊張之程度，思用大柴胡及芍藥甘草湯，但若使用別的方劑，究竟如何？現在我還不敢斷定。又此患的報告，大體雖然正確，然據寄來的信說「非常的好」，多是靠不住的，所以此例也有一點疑惑。然向普通說起來，蓄膿症的治愈，大概是如這一個例子的經過，這是我屢次所經驗的。最初鼻粘膜的腫脹退去，結果排出多量的膿汁，所以平常鼻汁非常的多。這個關係在針灸的時候，也很適合，又於斷食療法，特別顯著。起這種現象的時候，平常頭痛頭重一感，一掃而去。其處若因蓄膿症而引起頭痛，如葛根湯，即與除鼻腔內充血之藥劑，則葛根湯證應當削却。曾見大塚氏所論蓄膿症治療概論之敘述，然由消炎作用上進行思考，也算是一種方法。但大塚氏與余是至友，常仰賴其指導，決不敢有所論駁，這一點特別求其諒解。

本號先以此收筆，後將待有同樣問題，再和讀者相見。

(2)小治驗二題

(甲)十二指腸虫病

此倒是由患者的主治醫與余相商,於患者所訴的自覺症候,而投與的漢方藥,雖在主治醫的方面,是用于モール,ナ、タリイ與硫苦等驅虫劑,但因併用漢方藥之故,竟能縮短其治愈期,容易除去患者的自覺症候,並以西洋醫之主治醫,與漢方藥之實在的效驗,以驚奇之意義書出,豈非漢方醫學大有趣味之治驗乎。

患者是一個二十七歲體格頑健的農村青年。余初診在今年二月十五日,一見患者是極度的貧血。以貧血看起來,患病約有七八十日左右。由主治醫檢查糞便的結果,診斷爲十二指腸虫病,再三與驅虫劑,但一般狀態,漸次惡化。

當初診時之狀態,第一是極度的貧血,極堪注意的自覺症候,爲頭痛,耳鳴,心悸亢進,是眩暈,不能步行。特别是暈,十日以來,非常激烈。

且詳將細察,十日以前,小便頻數異常,但十日以來,感爲次數少而不利之狀態。因有此種不利狀態,故眩暈甚。其他胃部有停滯膨滿感,有惡心,時或嘔吐。食慾較好,大便一日一次。

脉緊數,心臟聞有很著明的雜音,舌上有輕度之白苔,稍乾燥,微覺口渴。腹部偏的膨滿,心下有痞硬之體狀,左右直腹筋攣急,胸脇亦多少苦滿。認定有輕度之胃內停水,全身特别是顏面及四肢稍呈浮腫。

我告訴主治醫,暫時不可用驅虫劑及下劑,爲先消除患者最痛苦的眩暈,姑與苓桂朮甘湯,分三日服用,及服三日之後,患者果能夠稍稍步行,再繼續服用一週,其後轉用小柴胡湯合當歸芍藥散方。投與同方十付後,患者之自覺症候殆完全消失。於此主治醫始用驅虫劑,共投四五次,大便中的虫卵,便看不見了。乃中止驅虫藥劑。

此時當然仍投與小柴胡湯合當歸芍藥散。其後尚持續同方,由初診時到五十日後,自覺症狀殆消失,貧血亦去,似乎能夠很輕快的從事於相當的勞動。患者即於此廢藥,但其後不見得能從事於何等的異常勞動。

(乙)子宮後屈症

患者是一個三十二歲體格中等的貧血性婦人。此三年來,每年妊娠至二四個月後就流產,今年在二月中旬中流產一次。余初診是本年三月十六日，但患者曾依某婦科專門醫，以流產的原因，是子宮後屈，乃進行手術。

初診時的病狀，脈沉而微弱，無舌苔，不乾燥，口亦不渴，腹部全般的軟弱無力，腸蠕動不安。下腹部的壓痛，多少存在着，自覺的症候而論，則有下腹部之鈍痛，腰部冷痛，手足冷感，及輕度的頭痛，眩暈等。特別在腰部非常的冷，三年以來，雖在正夏，亦不能夠曲腰。小便數，大便不利，三日如厠一次，但是軟便。

余此時見腹部歷然有大建中湯證，而同時見苓姜朮甘湯證亦存在着，特別考合患者腰部冷痛之病症，先與苓姜朮甘湯。結果我所期待的未得奏効。於是轉用大建中湯方。服此方兩日之後，即來相當的子宮出血，後又大量的排洩汚穢瘀血，患者甚爲驚駭。

余聞患者出血之良徵，再繼續投與同方，約十日血止。此後患者的狀態，急速輕快，復依同方服用一月，自覺症殆全消失，腹部亦非常有力。

且曉諭患者繼續服藥之必要，但患者後來因事而廢藥。然身體非常健康，精神亦異常爽快愉樂。今後此患者是否再發生流產的事情，就不得而知了。

然大建中湯爲驅逐瘀血劑之奏効藥，此點是我很有趣味之經驗。先前余曾將ドウグラス氏窩膿瘍用大建中湯全治愈的經驗，曾向公衆報告過，但那不過是月經困難的奏效，如像本例的治驗，誠是有趣味的處方。

譯筆通暢

法定傳染病之證治

谷嘉蔭

一國之中，每年生產率超過死亡率，其人口必日見增加，死亡率超過生產率，其人口必日見減少，其日見減少者，欲不受人口增加之壓迫，勢必不能，此所以各國皆設有衛生機關，而特別注重公共衛生也，在我國已往之時，人民不知講求各人衛生，以防疫於未發，國家不知提倡公共衛生，以杜疫於已行，一遇瘟疫流行之期，即無所措手，使人民死於此類流行病者，竟以十百千萬計，爲害之大，較諸上古之洪水猛獸，殆又過之，可畏孰甚焉！

於民國十九年九月十八日，經中央衛生部修正公佈之，『傳染病預防條例』，內訂傳染病有九種：一曰猩紅熱，二曰天花，三曰流行性腦脊髓膜炎，四曰赤痢，五曰霍亂，六曰鼠疫，七曰白喉，八曰傷寒，九曰副傷寒，並訂此九種爲『法定傳染病，』若上列之病，一但發現，各地之衛生機關，及各慈善團體，應共同負責預防處置，迅速設法消滅，勿使蔓延，而爲大害，此誠人民之福音，亦國家之善政也，茲將各病之原因證狀及治療診斷方法，分述於後，以爲疫癘流行期治療之參攷，至於內容，因學識淺陋，詞不達意之處，在所難免，希閱諒之，並希指導！是爲至盼！

(附)：法定傳染病預防條例內中第七條云：

醫生診斷傳染病人，或檢查其屍體後，應將消毒方法，指示其家屬，並於十二小時內，報告於病者或死者所在地之管轄官署，

第十九條云：醫生診斷傳染病人或檢查其屍體後，不依本條例報告，或報告不實者，處五十元以下五元以上之罰鍰。

餘各條因與醫師無甚大關係。故從略。

一，猩紅熱

猩紅熱，在先我國此病甚爲罕見，清雍甚年後始大流行，因其多併發口峽炎，故亦名爲爛喉痹痧，當時醫者或醫其喉，或醫其痧，鮮有不因之死亡者，邇來此疾流行尤甚，一般民衆皆畏若豕狼，一經感染，即自認爲無法醫治倘有不幸

，即歸於天命，如能痊愈，亦自慶幸運，殊不知此病亦有輕重之別，緩急之異，絕非一經感染，即須喪命，但仍投以奇方怪劑，其結果則又當別論也，且此病又有相當之禦防法，於流行期間，無防試行，對於健康，必有相當之保障也，茲將本病之原因，症候，禦防，療法等，分述於後：

病原——病原菌倘未確定，一般推定爲溶血性鏈鎖狀球菌。（中醫舊說爲肺胃有熱外復感風寒所致）

傳染——自本病發生之第一日起，即富有傳染力，其後乃逐漸減弱，侵入門戶，尚不甚明瞭，如與病者直接接觸，或使用患者所用過之器皿，均爲傳染之門戶，本病多流行於寒冷之時，尤以春秋季爲本病流行最盛之期，而夏季患此本病者則極少，感染本病者，以三—六歲之小兒爲最多，一年以內之乳兒及二十歲以上之成人則較少，感染一次之後，即可得有後天免疫性，終身不再感染，即或因特殊關係再度感染，其症象亦必極其輕微。

症候——經過三—七日之潛伏期，突發高熱，嘔吐，咽痛，頭痛，亦有以畏寒戰慄而發病者，其脈搏頻數，體溫之熱度增高，恒在三十八，五至四十度之間亦有尤高者，舌苔白，經過十二至二十四小時之後，皮膚發疹，疹色鮮紅，呈極微細之點狀，經一二日後，則全部融合，然仔細觀察，其潮紅面之斑，恒與毛囊一致，而各斑點之間，仍可辨識健康皮膚之存在，以指壓之，則紅色消失，成爲帶黃色之指跡，少許，紅斑復行出現而融合，最初發疹之部位，多爲胸項各部，然後遂逐漸向顏面四肢軀幹進展蔓延，於廿四小時內，即可遍佈週身，而尤以上膊屈側及大腿內側，特爲顯著，然口唇週圍及頤部則不發疹，而呈蒼白顏色，此爲猩紅熱病之特有現象，名曰『口輪現象』。在此時期舌之白苔則將脫落，露出紅腫乳頭，頗似『爛楊梅』之形狀，名『猩紅熱舌』。發疹經過三五日後，一切症狀減退，依其發疹之次序，漸行消退。於發疹期間，一般之症狀爲：不安，不眠，食慾缺損，倦怠等，亦有發生痙攣嘔吐者，尿中若於發熱期間，往往含有蛋白，尿圓柱及赤白血球，上述各種病症，於發病後第五日前後，則漸行減退，於第八日至第十四日，即顯有著明的輕快，此時皮膚即漸漸開始落屑，首先自毛囊尖端，成點狀剝離，然後成爲膜樣，而四肢則成叶狀，尤其手足部，其落屑每如手套狀；其他各部，則如麟片或粉狀的剝離，至病後四五十日，則落屑終結。

本病之特徵——於落屑之期爪（即指甲）現有特殊之變化，於發病後四至第六週，在爪根之表面發生橫行堤狀隆起，經四至六月後則漸次達於遊離緣，此種現象亦有現於其他各種傳染病者，但均無猩紅熱病患者之顯著，故此種現象對於猩紅熱病之鑑別診斷亦有相當之幫助也。

經過及發疹異常——症狀重篤者，每死於發病後廿四小時至二三日之內，此名爲『中毒性猩紅熱，或稱『電擊性猩紅熱』其最著明之變化，爲循環及神經兩系統，其症現有心臟擴張，血壓下降，脈搏頻數，高度青紫色，呼吸困難，意識昏迷，譫妄，舞蹈病樣之運動，及嘔吐等，其尿中含有蛋白，體溫多有超過四十一度者，亦有發疹內混有滯青色之大丘疹者，是名『重複疹』，乃惡性之象徵。

反之，亦有一般症狀輕微，體溫不上昇，亦有不發疹者，此名爲無疹性猩紅熱，於猩紅熱流行時，每易見之。

合併症——本病患者，每易併發中耳炎，僂麻質斯，肌炎，白喉，紫斑病，腸炎，肺炎等。

貽後症——於猩紅熱將愈時，每有續發左列種種疾病者：

(A)猩紅熱後發熱，於退熱後十九日至二十一日突然的再度發熱，於二至五日達於極度，俟後又漸漸退降，其原因至今尚未明瞭。

(B)腎臟炎——爲猩紅熱後貽症中最易見者，其特徵爲血尿，睡眠不良，食慾減退，頭痛，嘔吐，發熱等症候，至其預後則一般皆良好，平均三四星期即可治愈。

(C)淋巴腺炎——大約於第三週時，突以三十九度以上之高熱，發上一側或兩側之頷下淋巴腺腫脹，大多於一週以內即行消退，如發生化膿者，則須切開。

除上述各症外，尚有猩紅熱再發及心內膜炎等，均甚罕見，故亦不再贅述。

預後——與流行之性質有關，平均死亡率，約爲百分之十三，至百分之四十，吾國患此病者多秘密醫治，故亦無此項記載調查，一般舌中心焦黑舌短縮者均爲不治之象。

豫防——患者至少須隔離六星期，與患者接觸之什物均須全部消毒(衣物可用3%之石炭酸水洗滌，器皿可用滾水煮沸消毒，)指定一人專門看護患者（最好擇一曾經感染猩紅熱者，因其有免疫性也，）不使與他人直接接觸，以防傳染。

狄克氏反應——以溶血性連鎖狀球菌之毒素，注射於前膊皮內，於翌日其注射之局部發赤腫脹者爲陽性反應(十)此種反應則易罹本病，陰性(一)者則否，其見有陽性反應之人體時，可注入該菌之毒素於體內，藉之可達免疫之目的。

療法——務須靜臥，室中溫度勿超過攝氏表十九度，並須時時注意口腔及鼻腔內之衛生，以硼酸水或雙氧水不時嗽口，即刻注射猩紅熱血清，此外對於其他各副症及合併貽後症，則施以對症療法，至於食物則以無刺戟之流動食品爲佳(如牛乳，藕粉，米湯等物品爲適宜)。

藥劑療法——對初起發熱喉痧，可投以：豆豉，葦根，山梔，薄荷，忍冬藤，桑葉，大力子，山茨菇，荊芥，連召，地丁，等藥，如喉痧甚可外吹錫類散，頗有效，如已現痧，則可與以丹皮，赤芍，浮萍，等藥，口渴甚者，可與以白虎湯加減，如甘中黃，鮮石斛等皆可酌用之，如痧已遍佈週身，熱度甚高，喉痧甚烈時，則可與以板蘭根，犀角，鮮生地等品，(喉痧又須注意是否爲白喉，以免出其他意外之合併也)。

二，天花—又名痘瘡—天然痘。

原因——西醫尚未發覺本症之原因，有强度之傳染力，惟一度感染後，即可終身免疫，在中醫舊說：第一最易誘起者爲傷風，餘如食積，驚恐，傾跌，等亦可爲誘因之一，此不過爲誘因，至其究竟發病之原因，則不甚明瞭，一般總皆推認爲胎毒內熱所致。

症侯——潛伏期約十——十四日。前驅期約二三日，發病後最初頗類似感冒，發熱攝氏約四十度，亦有下痢，嘔吐，初生兒亦有發生痙攣者，於發生病第二日有麻疹，或猩紅熱樣之前驅疹，以下腹部及上腿內面(股三角)爲最著，其後體溫一時的下降，而移行於固有之發疹期，此時之疹，一般皆爲如帽針頭大小之紅色斑，先見於顏面，而軀幹，而四肢，於一日夜內即可漫部全身，其疹則漸漸增大，表面隆起如豌豆大形狀之丘疹，至第六日則化爲水疱，由中央部凹陷曰；痘瘡臍窩，及至第八九日則入於化膿期，斯時體溫再度上昇，同時水疱即變而成爲膿疱，其週圍有赤暈，因之皮膚腫脹疼痛，痒感著明，俟後於發生之次序而（此時在十一二日左右）乾燥結痂，此時因組織肉芽等之新生，故感刺癢更甚，自第十六日起即開始落屑，成褐赤色之斑點，侵犯眞皮者殘留瘢痕，即終身不退，俗謂痲子是也，皮膚發疹時口腔粘膜，鼻腔粘膜，及其他粘膜亦有發疹，往往破潰，而形成表在性潰瘍，因之發生流涎嚥下困難聲音嘶啞喉頭狹窄等症者，頗屬不少，本病在初期血內白血球增多，是爲特徵。

以上所述爲定型的痘瘡正常經過，是名爲眞痘，如經過輕緩，膿疱甚少，化膿不劇者，名爲假痘，發疹多僅限於顏面及手，其發生瘢痕者亦少，即使發生瘢痕，亦頗淺淡，俟後肌膚發展，亦可慢慢消失淨盡，反是，疹點過細少，或初見即現極粗大，亦爲不佳之象，或根脚不分明，水疱期頂不滿，顏色不明，化膿期膿不厚，不黃，及若干水疱相連接境界不明顯，均爲逆象，總之在出乎正常經過之外者，皆謂之逆症，彼時則須隨機調治，以冀軌外之諸變症發生。

預後——設經過均極順利可望良好。設有其他逆症叢生則不良矣，但亦與流行之性質有關，因之預後亦異，死亡率一般爲四十—七十%。

預防——種牛痘爲惟一之善法，經種過一次後，可有四—十年之免疫性，小兒生後在一年內務須種一次，及至十歲以內再種一次，一生即可有免疫力，但於流行本病期間須隨時種之，不在此例。發明種痘法爲英人 Jenner 氏於西曆一七九九年所發明，但以前在我國已有用豆苗法，即將牛身之痘痂皮置人鼻孔中可引起局部發生幾個牛痘，以藉其免疫，但往往亦因之而誘發起重症之天花者，頗危險。用此法者（自用牛痘漿刺皮膚之法實行以來因其簡便且無危險，故多採用，）已不多見，但在川貴之夷民，仍有因智識不開化而採用舊法，因之死亡者頗多，亦可憫矣。

療法——至於療法，設一切經過均頗順利，可勿庸服藥，所治者不過因其有諸逆變等症發生，所謂對症療法而已。一般的患者因其傳染須立刻隔離，勿使與其他小孩接觸，命其絕對安靜，食品以流動食爲佳。注意眼及口腔之衛生，病室之窗幔以紅色者爲宜，爲求避免攪破膿疱起見，可將四肢束縛。

藥劑療法——初起普通可用活血，解毒，表散藥，如：赤芍，丹皮，茜草，連召，金銀藤，桃仁，杏仁，生地，蟬衣，炒芥穗，蘇葉，桑葉，浮萍，鮮蘆根，鮮茅根，等藥。

漿滿熱盛不退，大便乾燥，脈洪數有力，可用解毒凉血解熱之劑：如

黃栢，丹皮，赤芍，芥穗，菊花，紫地丁，牛蒡子，板藍根，甘中黃，生地，茅根，銀花，紫草，等藥。

灌漿時痘面凹陷，色黑，面青白，脈微細，不欲食，等衰弱症象，須用强壯劑。如

生黃芪，當歸，熟地，於朮，別植參，白芍，紅花，丹參，酒川芎，茯苓，遠志，炙甘草，等品。

此外尙有一種水痘，其症狀爲：發生搔癢性薔薇疹，特易發現於胸部及頭毛髮等處，熱度亦極輕微，其後水疱中尖形成臍窩，週圍有赤暈，內容透明，但化膿者頗少，其後破潰，乾燥，結痂，而不遺留瘢痕亦有發生於粘膜者，如口鼻腔，及女性外陰等部，預後頗佳，絕無任何危險，但其傳染力頗大，可外敷諸軟膏類，內服可酌用前列各藥隨機處之，

三、流行性腦脊髓膜炎

本病與中醫所謂之驚風症頗近似，

原因——病原體爲一八九七年 Weichselbaum 氏發現之細胞內腦脊髓膜炎球菌，爲吸入傳染，其傳染之途徑爲鼻咽腔，扁桃腺肥大之小兒，尤易受其侵犯，此外對於個人之體質，亦有莫大之關係，至於中醫書記載對於驚風病之原因，則曰痰火閉症，多因飽食之後，驟受驚恐（如頭跌摔傷等，）但其又有急驚慢驚之別，至於其他分別之原因，則曰：前者爲實，後者爲虛，其治法及病狀，自亦略有區別出入也。

症候——於前驅期一二日內有頭痛，脊背痛，不快感等現象，亦有稍較惡寒者，但決不戰慄，次之，各症皆突然增加，有强列之頭痛，嘔吐眩暈，項部强直，有本症特有之 Kern ig. 氏症候，（即將病人之膝關節伸直時股關節不能成直角屈曲，）是爲本症之特徵，知覺過敏，譫妄，全身肌肉强直尿閉，瞳孔强直，視神經炎，重聽，眼球振盪，眼肌麻痺等眼症候，體温雖增高，而脈搏數則不與其成比例之增加，是亦爲特有之徵象，在早期者，屢發生匐行疹，血液中白血球著名增加，但嗜酸性之白血球則極度缺如，待將治愈時復行發現，腦壓在此時增高，在腦脊髓液內可檢查出本病之病原體，在中醫書籍記載，並有面青，抽搐，口眼歪斜，目上視，（俗曰天吊，）項强角弓反張等現象，亦有

下痢，完穀不化，四肢逆冷，喉內痰鳴，食不佳，等中醫謂之脾病，故又有慢脾風之名稱。

經過——重篤者可死於數日內，普通死於發病後一二週內，此外亦有經治療得利，持續數週而全愈者，但時或有殘頭痛及重篤之腦症狀，（如聾啞，盲目，步行障碍等疾患。）

鑑別診斷——本病須與化膿性腦脊髓膜炎，結核性腦脊髓膜炎，格魯布性肺炎，傷寒，流行性感冒等症候鑑別之。

預後——一般因無特效之療法，且其發病頗速，故預後不佳，死亡率約為七〇至九〇%。

療法——病室以稍黑暗色為宜，因有種種目的症候，故畏光，患者須絕對的靜臥，每日行腰錐穿刺術，一次放出脊髓液約二十c.c.，可使腦壓降低，一切症象均可輕快，血清療法亦頗有效，即先行腰錐穿刺放出二十至三十c.c.之脊髓液，然後再注入血清少許，每日可行一次，其餘藥物療法惟對症治之而已，至於中藥可用清凉泄下之品，但亦須對症參考，方不致誤，在古方有用極猛烈之虫藥者，用之亦頗有效，惟愈後往往貽有他種之副症候，故屆時務須審慎驅使，方不致有任何之危險也。今將成方之各種治法列後，作為諸同學之參考及研究，以冀有精確之經驗也。

（一）辰砂膏——治諸驚潮熱頗效。

辰砂（三，〇）　硼砂（一，五）　牙硝（一，五）　元明粉（二，〇）　全蠍（一，〇）　眞珠粉（一，〇）

高麝香（〇，五）

研為細末，用煮爛紅棗五枚去核，調為密貯，每用豆大一粒，薄荷湯調服之，月內之小嬰兒可用乳汁調塗乳頭令吮食之。

（二）鄭氏驅風膏——治肝風，筋脉攣急，面紅面青，天吊等症。

辰砂（一，〇）　蠍尾（〇，七）　當歸（一，〇）　山梔（一，〇）　川芎（一，〇）　胆草（一，〇）

羌活（一，〇）　防風（一，〇）　大黃（一，〇）　甘草（〇，五）　元寸（〇，一）

上藥煉赤砂糖為丸如芡實大，三歲上病勢沉重者服三丸，三歲以下者服一丸，薄荷湯化下，以能下泄糞便為妙。

(三)羅氏牛黃丸——治急慢驚風，五癇天吊，痰涎壅盛。等等症象，惟藥力頗猛，用時務須審慎之。

白花蛇肉(五，〇)　全蠍(五，〇)　白附子(五，〇)　生川烏(五，〇)　大黃(五，〇)

薄荷(五，〇)　以上六味先爲末後藥另研加入，　雄黃(五兩)　硃砂(三，〇)　冰片(五，〇)

牛黃(三，〇)　元寸(一，〇)　(以上五味另研與前藥合勻。)

另用麻黃去根二兩，酒一升煎至一盞，去渣入前藥，熬令相得勿至焦，乘手疾丸，如芡實大，密藏勿洩氣，金銀薄荷湯送下。

(四)沉香天麻湯——治驚癇發抽搐，痰涎壅盛，天吊，項背强急，脈沈弦而急，等象。

沈香(二，〇)　益智(三，〇)　烏頭(〇，二)　天麻(三，〇)　防風(四，〇)　半夏(一，五)

附子(〇，二)　獨活(二，〇)　甘草(二，五)　當歸(四，)　姜蠶(三，〇)　生薑(二，〇)

右藥煎服，大人量，用時頗有奇效。

餘藥如成方之紫血丹，安宮牛黃丸，局方至寶丹等，均可酌用之於熱度極高，痙攣過甚時，分別輕重採用，頗有效果，方中亦可投以羚羊角，石膏，天麻，鈎藤，桑叶，菊花等品，比較略爲穩妥，在中醫亦兼有採用針灸者，如刺少商，風池，風府，百會，大敦，鳩尾等穴，兼或亦有暫能略愈者，總之，隨機變轉，勿固拘成方。致一誤再誤也。

四，赤痢——俗稱痢疾

古名腸澼，又名滯下，今名痢疾，亦名赤痢，多見於秋季，又有熱帶性赤痢，(俗名阿米巴性赤痢，僅見於熱帶地方，)及細菌性赤痢。中醫又有紅白色痢及噤口痢，休息痢，風寒痢，水穀痢，五色痢，熱痢等名之別。其原因即不相同，至其療法自亦各異。

原因—阿米巴性赤痢之病原體爲赤痢阿米巴。細菌性赤痢病原體爲赤痢菌，一切污染之食物，飲料，器皿，蠅類，皆可爲本病傳播之媒介物，至於中醫所說其原因各自不同，而其總因亦皆不過爲上述各因而已，惟視其餘各症象以定其爲寒，熱，虛，實等名是其鑑別點也。

病理解剖——本病易見於大腸，尤以直腸及S字狀彎曲部，爲其好發地，初起粘膜腫脹，重者其上皮立即壞死，深層組織亦相繼失其機能作用，因之血液乃隨之流出，再摻以粘膜之分泌物，雜之而下，是爲赤痢，血液不隨之下者，只粘膜炎症分泌物下白色濃漾物者，俗謂白痢，輕者則僅有上皮發生壞死，其後形成漿液膿性侵潤，且形成纖維素義膜，粘液分泌著明增加，其後乃形成不規則之潰瘍，重症者可將粘膜全部破壞，發生穿孔性腹膜炎，但頗少見，本病治愈後遺留瘢痕，阿米巴性者，其病變始自粘膜深層，其後化膿而形成潰瘍，治愈後亦遺瘢痕，阿米巴原虫極難除淨，且其後極易再發。故頗難除根。

症候——細菌性赤痢——主要症候爲排出膿樣粘液血便，腹痛，裏急後重，初起多與胃腸加答兒相似，經二——五日後，此等症狀始完全發現，但亦有突然發生者，體溫可突然上昇達卅九至四十度，旋即下降，本病全經過中僅有微熱，亦有體溫始終不十分上昇者，糞便普通混有血液，便次頻數，每日十次乃至五十次，左腸骨窩有硬索狀物。阿米巴性赤痢——多突然發病，下痢腹痛，裏急後重，體溫上昇或不上昇，屢易再發，常有因貧血，全身浮腫而死于數月之內者。亦有發生肝膿瘍者，呈間歇熱，有惡寒戰慄，右肩刺痛，取右屈位，甚爲危篤。至於脈象，其原因不等，自亦各不相同，熱痢脈滑而數且有力。濕痢脉緩近遲之象。噤口痢爲虛象。右部脈浮濡而細。或沈緩而急無力。乃胃虛之象。洪大急滑。火熱也，沈而滑。或右濇滯。宿食停滯也。水穀痢，脈細緩無力。或關部兼滑。休息痢脈象爲濡滑。五色痢設其脈有力雖日久亦當攻之……諸如此類，且須詳細審證，參合治療，方不致有悞。

本症持續八日至十日，或因衰弱而死亡，或漸次移入恢復期，然往往亦有移行於慢性者，尤以阿米巴性赤痢爲然。

合併症——合併脚氣（但頗少見），熱帶性赤痢往往併發肝臟膿瘍，（症象爲肝臟部疼痛，向右肩放射，一般發熱，惡寒戰慄，多發性者，肝臟則肥大，）肋膜膿胸，此外亦有併發穿孔性腹膜炎，及多發性神經炎者……等症。

診斷——臨症診斷，據其便意頻數，粘液血便，裏急後重，發熱，直腸部訴壓痛之索狀抵抗物，腹疼，再摻酌以脈象，診斷不難，病因診斷爲從粘液血便中檢出病原菌（細菌性赤痢），或活潑運動之阿米巴（即熱帶性赤痢）。

鑑別——須與直腸梅毒，水銀中毒等症鑑別。普通不加鏡檢最易與大腸內膜炎誤認，臨床時不得不加注意之。

預後—阿米巴性者，因其極難除根，故頗易轉成慢性者，且恒合併肝膿瘍，故預後不可樂觀，細菌性者，預後多較阿米巴性者爲良，但老人小兒及衰弱者，尤以有吸鴉片嗜好者，須特別注意之。

預防—患者務須隔離，其菌體皆存於糞便中，故糞便之消毒，甚爲重要，餘如病者使用之器皿，及衣服等物，均須注意之。以杜其傳染他人也。

療法—阿米巴性下痢可注射愛美丁 Emetin 行皮下或肌肉注射，0.02—0.04. 爲最適量，每日一次，或內服藥特靈 Yotren ，本藥有製成餅者，日服四片，服八日後設不愈，可休息一二日再服八日。且可用0.5%藥特靈溶液灌腸。以後可依次將藥液增濃，洗滌六日再休藥。惟價頗昂，且效機亦緩，本症用中藥比較西藥則爲效大，初起發熱惡寒，須兼疏表，經三五日後，可勿再投退熱劑，投以平胃散加味，或當歸芍藥散，而黃連厚樸亦爲不可少之藥。在初起體質壯者，不妨與以下劑，如大黃，火麻紅，郁李仁，番泄叶，晚蠶砂，皂角子，再加以通利小便之品，如血餘炭車前子，白通草，天水散，同時消導健胃等品亦須輔佐之相機而用。以促其速愈，如鷄內金，陳皮炭，炒枳殼，銀花，酒芩，萊菔纓子，薤白，瓜蔞，桔梗，鳳尾草，山查炭，杏仁等品，至久痢不止可用：赤石脂，禹餘糧，白頭翁，秦皮，檳榔，左金丸等藥，均可酌之隨症驅使調用，果能對症施藥，則不難獲效也

飲食—食餌療法亦須注意之，食物須與以流動而易消化者爲原則，因其在發病期，消化及其他機能均減也。

五，霍亂—西名虎列拉。

原因——病原體爲一八六六年 Leyden 氏首先發見，一八八三年 Koch 氏，首先確定之霍亂菌，概存於患者之大便及吐涌物中，凡爲此等含菌物污染之器具及食物飲料，蒼蠅等皆可爲傳染之媒介，帶菌者對於本病之傳染頗屬重要。

症候——潛伏期爲一至八日，初以輕度前驅下痢而發病，經一至三日夜，乃來霍亂發作，患者突然衰弱，下痢，日約十至卅次左右，嘔吐極烈，但不疼痛，糞便初爲有色便，次呈溷濁水樣，且混有絮片狀，（俗謂如米泔水）腸部雷鳴煩渴，顏貌焦瘦，眼窩陷沒，顴骨及鼻樑凸出，（霍亂顏貌），皮膚及粘膜蒼白色且乾燥而有裂，彈力性減退，如四肢厥冷，聲音嘶嗄，腓腸肌痙攣則爲厥冷期，（亦名絕脈期），尿量減少，含有蛋白，或竟無尿，心悸亢進，心窩苦悶，突

然心臟衰弱，脈搏幾不可觸得，嗜眠，體溫於腋窩檢查雖下降，但於直腸檢查則往往上昇，發作持續期間約爲一二日，其後或因昏睡而死，或症象減輕，如嘔吐減退，排有色便，尿量漸增，經一二週安淨調養後而漸漸痊愈。

至於我中醫古書籍記載證治頗全，今錄其片段以作參考研究之，

靈樞經脉篇曰；足太陰厥氣上逆則霍亂。

素問六元正紀大論曰：太陰所至，爲中滿霍亂吐下。

張仲景傷寒論曰：病有霍亂者何？答曰；嘔吐而利，名曰霍亂。註：霍亂者，揮霍撩亂，成於頃刻，變動不安之謂也，若上不能納，下不能禁之久病，但名吐利，不得謂之霍亂也。

又曰：病發熱頭痛，身痛惡寒吐利者，此屬何病？答曰此名霍亂自吐下，又利止復更發熱也。

徐洄溪曰：此霍亂是傷寒變證。

郭白雲曰：此論霍亂似傷寒之證，蓋傷寒而霍亂者，陰陽二氣，亂於胸中也，初無病而霍亂者，往往飲食失節，而致胸中逆亂也。

經云：清氣在陰濁氣在陽，營氣順脉，衛氣逆行清濁相干，亂於胸中，是爲火悅，亂於腸胃則爲霍亂，惟亂於胸所以吐，亂於腸所以利。經言五亂，霍亂者，其中之一也。

張路玉曰：傷寒吐利由邪氣所傷，霍亂吐利由飲食所傷。

王孟英曰：霍亂有因飲食所傷者，有因濕邪內蘊者，有因氣鬱不舒者……。等原因所致。

醫徹曰：霍亂之候，其來暴疾，腹中疾痛，擾亂不安，有吐瀉交作，有吐而不瀉，瀉而不吐，有不得吐又不得泄，則邪有上下淺深之分，而總以得吐爲愈，邪有入必有出……邪不去則正不安，所以攻邪尤要於扶正也。即至肢冷脉伏，轉筋聲啞，亦必須驅邪至盡……觀於乾霍亂，上不得吐，下不得瀉，亦因邪不能出，所以爲劇治者，益可思其故矣。

病源曰：霍亂脈大可治，微細不可治，霍亂吐下脈微遲。氣息劣。口不欲言者不可治。

治法彙曰：吐瀉脈代乃是順候，氣口脈弦滑，乃膈間有宿食，雖吐猶當以鹽湯鵝翎探之。吐盡用和中藥，凡吐瀉脈見結促代，或隱伏，或洪大，皆不可斷以爲死，果脈來細微欲絕，少氣不語，舌卷囊縮者，方爲不治。

醫通曰：脈浮或微澀者霍亂，脈長爲陽明本病，霍亂脈洪大吉，虛微遲細兼喘者凶。霍亂之後陽氣已脫，或遺溺不知，或氣怯不語，或汗羔如珠，或燥欲入水，或四肢不收，舌卷囊縮，等症皆爲死候。

張石頑曰：嘔吐泄瀉者濕土之變也，轉筋者風木之變也濕土爲風木所尅，則爲霍亂轉筋。

治法彙又曰：乾霍亂俗名攪腸痧，其狀欲吐不吐，欲泄不泄，撩亂揮霍是也。

醫通又云：治霍亂古有鹽煎童便之法，非但用之降火。且兼取其行血也。

我國醫書將霍亂分爲寒。熱。兩種，大致總不外乎上列各條之說，實際將一切胃腸炎症狀則皆包括於內矣。並非專指今日所謂之原因由霍亂菌傳染所致者而言，但却均歸總包括於內，果能按證施藥，或採用針刮諸法，確能效如桴鼓。是即爲我中醫之長而爲西醫之所短者也。

異常型——於霍亂發作後，有發生霍亂傷寒者——即高熱，嗜眠，意識混濁，亦有時於頸部及軀幹部有斑診樣發疹者。

電擊性霍亂——即於未下痢之先而死亡，但比較罕見。即俗謂乾霍亂是也，但致命期速極，頗有朝發夕死之象。

霍亂樣下痢——僅有中等度胃腸加答兒之症狀，甚爲多見。

輕性霍亂——有强度下痢，虛脫，排腸肌痙攣等，但不引起腎臟障碍及其他危險症狀。

診斷——除根據上述各症狀外，且可取排泄物作塗沫標本，檢查病原體，或行細菌檢查等法，診斷不難，但須與急慢性胃腸炎鑑別清楚，處方下藥，方不致誤是要。

預後——死亡率平均約爲 50% 以上，發生尿閉症預後頗不佳，但老人及幼兒患者尤甚。急性熱度頗高，往往死於週內，慢性者，可延持年餘，但預後亦惡。

預防——注意地方公共衞生，檢查入口船舶，注意食餌，滅蠅，如於流行期內，雖有輕度之腸胃症者，亦須從速治療之，預防注射可得到短期免疫頗有效。注意患者須絕對隔離，與患本病之畜類亦須隔離，勿使其接觸，以防傳染。

療法——首須靜臥保溫，與以液狀食餌，對於口渴可與以冰塊鹽酸清涼劑等，此外與以止瀉劑，行嘔吐之對症療法。皮下注射葡萄糖。（03.% 食鹽水內加入 3% 之葡萄糖，每次注射一竔於皮下）0.9% 食鹽水一——一．五立竔，或用鹽酸受美丁 0.03 加入食鹽水內，每日早晚各注射一次於靜脉內，每日數次食鹽水灌腸，或行皮下靜脉注射（每日一——五竔）投以各種强心劑，對於腓腸肌痙攣，有時按摩法及足部芥子湯頗奏效，於恢復期仍須節制食餌。

至中藥傷寒論中用理中湯，四逆湯，白通湯，章太炎先生主張用附子理中湯，仲景方章先生亦頗同意，蓋上述之湯劑多用於急性虎烈拉，至於胃腸加答兒性者後世多採用藿香正氣散，香薷飲，六一散，通俗單方亦頗有效機，針砭法頗效如尺澤少商委中金津玉液等穴，可行放血術，但又有陰陽之分，設陰性者則忌針是要。餘則對證療法而已矣。

六，鼠疫。

本病在我國東北數省前十數年間曾一度流行傳染，死亡人數極霍，多死於數日內，彼時因無何相當療法及預防法，致演此大慘劇也，今歐西各國對公共私人衛生均極注意，故鮮有流行傳染等任何疾病發生者，由是觀之，衛生不可不講求也。其又有肺鼠疫，腺鼠疫，敗血性鼠疫，鼠疫癧等名稱之別茲分述之於下：

原因——病原體爲一八九四年（Yersm）及北里氏（Kitasato）所發現之鼠疫菌，本病先流行於鼠族，然後再自人體皮膚粘膜之創傷部及呼吸器侵入體內，或爲直接傳染或爲間接傳染，傳染後不得免疫性，但亦有再染者。

在中醫古書向無此病之記載。亦無確定病名。俟後自一度流行傳染後方有醫家研究之，一般皆云係燥邪傷肺所致，（約係指肺鼠疫而言，）與氣候亦有莫大之關係，多發於秋冬季，蓋因彼時氣燥，（或即今之高氣壓耶？）不適於人體而適於菌類之發育。因之人體抵抗能力益顯微小，而病菌則能得以藉之猖厥也。不過此說爲原因之一則可，均歸咎於彼則不然矣。設只氣燥而無菌之毒素作祟，氣燥至極點，恐亦難患病，設人體抵抗力强，即有菌之毒素作祟，恐亦難發病也。

歐洲名醫麥登，有三因鼎立說，一爲病菌侵入人體，二爲氣候不適於人而適於病菌之發育，三爲人體自身之抵抗力薄弱，不能抗禦病菌，三因缺一即不能構成吾人之疾病。後美國大學教師某人，欲試驗斐登之學說，嘗於身體壯健，氣候適宜之日，飲培養之霍亂菌一杯，迄未發生何病，由是足可證明斐氏之說言之不謬也。

症候——潛伏期約為二——七日，多無前驅症候，但亦有發生全身倦怠，頭痛眩暈，四肢疼痛，惡心，嘔吐者，其後高度惡寒發熱，同時於細菌侵入之皮膚部淋巴腺，高度腫脹潮紅，是為鼠疫腺腫 Destbnbo 往往向外破潰，亦可再向其他淋巴腺蔓延，以上為腺鼠疫 Drnsen Pest，鼠疫腺腫亦有自血管或淋巴道向皮膚蔓延者，於皮膚表面形成一青紅色浸潤，後成為水泡而化膿，於中央部時常發生壞死，是為鼠疫癰，Destkarbunkel，即皮膚鼠疫 Hant Pest，如菌體自氣管侵入，則發生氣管支肺炎，吐血樣痰，呼吸困難，胸痛，呼吸數每分鐘約為五十次以上，脈搏微弱小軟經數日即死，是為肺鼠疫 Lungen Pest。如鼠疫菌侵犯至血液中，產生毒素而發生敗血症者，則立即死亡，是名為電擊性鼠疫，一般發病後，體溫立即上昇。多為弛張性熱，神識昏迷，譫語，脾臟腫大，結膜常被侵犯，常有皮膚出血，下痢，蛋白尿等，但無匍行疹發生，是為特徵！

診斷——依據上述各種症象，診斷概屬不難，至於為肺鼠疫抑為腺鼠疫，則須於痰及血液中檢查菌體，以資鑑別之。

預後——極惡，肺鼠疫每死於數日之內，腺鼠疫之死亡率約為70—80%。

預防——患者務須絕對隔離，其用具衣服須嚴密消毒，或即燒燬之，患者死亡後須從速掩埋，或火葬，人人可行預防注射之防疫藥針，有時可效，滅鼠亦為重要預防工作之一。

療法——無特效療法，僅對症治之而已，血清療法可試行，中醫療法記之頗詳，但是否能生效機，尚難確定，茲錄之於後，以冀臨症採用，而確定效機。

疫在氣分，即所謂肺炎性鼠疫，可取喻嘉言之清燥救肺湯，加減為治，燥入血分，即所謂敗血性鼠疫，可取劉河間雙解散，加減為治，迨至燥邪洩盡，陰液未復，可取喻氏瓊玉羔，生脈散之類，以滋補之為善後方劑。

七，白喉—狄扶的里，譯為毒膜炎

原因，病原體爲一八八三年 Loeffler. 氏純料培養成功之狄扶的里菌，(Diptheriebacillen.) 抵抗力甚强，其侵入門戶以扁桃腺爲最多，鼻腔咽頭等次之，屢屢與鏈鎖狀球菌發生合併傳染，傳染方法爲接觸傳染，點滴傳染，帶菌者對於本病之傳播頗屬重要，本病感染一次後，僅可得短時間之免疫力，以十歲左右之兒童最易患之，按所謂白喉者，因其多發於喉部而成白色，故俗皆謂之白喉，但本菌在其他各組織器官，亦可感染，如鼻腔亦時有感染者，謂鼻腔白喉則不通也，只能謂之鼻腔狄扶的里也，狄扶的里爲西醫原文名，有譯爲毒膜炎者，其意謂因有傳染性故曰『毒』，其侵犯地多爲諸粘膜，故謂爲『毒膜炎』也。但又有咽頭狄扶的里，鼻腔的扶的里，及喉頭的扶的里，外科手術亦有被狄扶的里菌侵犯者，專門破壞粘膜，但其侵犯亦無何大關係，惟生喉部，因人之呼吸不能片時停止，飲食亦不能間斷，設其炎症擴大，閉鎖喉部人體即因之不能呼吸而致死亡也，故人畏之皆若豸狼，每年衛生區均有白喉預防針注射之舉，實善政也，玆將其症候及一切經過述之於後：

咽頭狄扶的里——多爲原發性，突以發熱，食慾不振，頭痛頸痛，咽下困難，及扁桃腺，懸雍垂，口蓋弓之潮紅而發病，其義膜初爲白色斑點狀或線狀，其後變爲灰白色，且速向週圍蔓延，不易剝脫，顎下淋巴腺有時腫脹疼痛，尿內含有蛋白，重症患者高級衰弱，顏色蒼白，不能發音，義膜延於口腔，或竟侵入及喉頭，或於口腔內形成潰瘍，脉搏細數等等症狀。

鼻腔的扶的里——鼻粘膜有灰白色義膜，有膿汁漾或血樣分泌物，多續發於咽頭的扶的里，患者因鼻塞而行開口呼吸，但本病易見於小兒，成人鮮有患者。

喉頭的扶的里——多續發於咽頭的扶的里，其義膜蔓延於喉頭及大氣管枝，因喉頭狹窄而呼吸困難，呈特有之犬吠樣咳嗽，高度狹窄，當吸氣時，胸部諸窩陷沒，呈青藍色，神識昏迷，遂死於窒息，此時須行氣管切開法，以救急，另謀其他之處置良法。

此外尙有結膜的扶的里，及皮膚狄扶的里等，因其出題目以外且利害關係較輕，故不再贅述之。

合併症——：

腎臟炎——多見於恢復期，或於發病後五六日即行發現蛋白尿可持續多日。

急性心肌炎——見於本病經過中或恢復期中，患者顏面蒼白，身體消瘦，肝臟部有壓重感，腹痛，嘔吐，脈搏不整微弱等，如發生心臟麻痺，預後頗惡。

狄扶的里後麻痺——約佔狄扶的里患者之五—十%。多見於發病後第三週，乃由於末稍神經爲細菌毒素所侵犯之故，因麻痺肌肉之不同，乃發生咽下困難，斜視，複視，共働機能障碍等，如侵犯呼吸肌及心肌，遂迅速死亡。

此外亦有合併：麻疹，猩紅熱，傷寒百日咳等疾患者。

診斷——檢查咽頭鼻腔之分泌物，是否含有狄扶的里菌，必要時可行細菌培養，但須注意健康人口腔內有時亦可證明本菌之存在，即所謂『帶菌』者是也。

預後——自血清療法發明後，其死亡率大爲低降，約爲十%，雖重症者，亦有治愈之希望。

療法——最要者爲早期注射大量血清，輕症者每體重一瓩，可注入二百單位血清於肌肉內，重症者可增至五百單位，如患者體重六十公斤，症象輕微可注入一萬二千單位，餘類推，症象極重者，可以一部注於肌肉內，少待再將所餘者，注射靜脈內，設翌日症象毫不清快，亦可再度注射，但注射時須注意有血清病發生，局部可用雙氧水及重曹溶液含漱，或行吸入法，患者須安靜，與以流動食，對於心臟衰弱可投以强心劑，如毛地黃，樟腦，葡萄酒，等品，對於狄扶他利性後麻痺可注射生理食鹽水，或行電氣療法，餘則對症施藥而已矣。

中醫療法頗多，但事實恐難收效，西醫發明之血清療法頗爲特效，如就近無血清或良好西醫士不妨暫以中藥試服之，在白喉初起時可投以發散劑，如麻杏石甘湯有治愈白喉之驗案。但昔有白喉忌表抉微一書，述之頗詳彼則主張用養陰清肺湯，絕對忌用表散之藥品，但前已有用麻杏石甘湯而將白喉治愈，該書却極度反斥，此點則須證之病家其他參症方可採用。不得亂施恕不致有悞，外可用錫類散吹之，或冰硼散亦頗佳，但均遠不及血清療法之可靠，如無確實把握，以速另請專科治之爲是。

如有窒息危險者可行氣管切開法，或插管呼吸法，但此手術，須愼重行之，概須委之於專門喉科家，恕可免除其他意外之危險發生也。

八，傷寒—腸窒扶斯，又名腸熱症。

今所述者非漢張仲景先生所著傷寒論之傷寒，有云爲吾中醫所謂之濕溫症者。茲詳述之於後：

原因—病原體爲傷寒菌，生存於腸管內，自大小便排出於體外，尤以糞便爲本病最佳之媒介物，本菌於體外亦可長時間生活，對於乾燥抵抗力較强，侵入門戶概爲口腔，於胃腸內侵入淋巴道而進入血行，最易侵犯淋巴裝置，尤以腸濾泡，Deyer. 具耳氏板爲甚，凡含菌之飲料，患者使用之器具衣服等，皆可爲本病傳染之媒介物。

病理解剖—本病之特有變化見於腸管，其全經過可分爲四期：

第一週—腸粘膜充血，孤立結節及貝耳氏板呈髓樣腫脹，是名爲髓樣腫脹期。

第二週—此腫脹部形成痂皮，是名爲痂皮形成期。

第三週—痂皮脫落，形成潰瘍，是名爲潰瘍形成期。

第四週—至第四週以後，潰瘍治愈，遺留瘢痕，是名爲淸潔期。

其病變最著明部爲迴盲部之上部，即迴腸之下部是也。

症候—：

A，一般經過，潛伏期約九—十三日，有時以全身倦怠，食慾不振，頭痛，四肢疼等前驅症而發病。第一週—體溫爲階梯狀上昇，上午稍微下降，晚間則復上昇，且較前日之體溫爲高，常有頭痛，食慾缺乏，煩渴，口內乾燥等症象，有舌苔，大便多秘結，脾臟於第一期末週即行腫脹，第二週—體溫稽留於高度，胸腹部發生薔薇疹，腹部稍膨滿，壓迫迴盲部發生雷鳴，或下痢，或便秘，患者呈無慾狀顏貌，（傷寒顏貌，Facies. typhose.）嗜眠昏睡，時有譫語多合併氣管支炎，第三四週—呈弛張熱，心臟機能衰弱，此期可發生種種合併症，就中以腸穿孔，穿孔性腹膜炎，爲最危險，症象輕微者，體溫漸下降，諸症緩解，漸移行於恢復期。

B，體溫—第一週爲階梯狀上昇，經四日至七日乃達極度，第二週（或第三週），則稽留於高熱，第三週乃至弛張性第四週乃漸渙散，熱度下降甚爲遲緩，於解熱期開始時，早晚相差甚多，於本病末期熱度亦有持續數週者，是名爲遷延性傷寒，發熱時如發生心臟機能障碍，腸出血及腸穿孔者，則體溫突然下降，脉搏細小頻數，是爲不良之兆。

C，循環器系之變化，本病患者體溫雖高，但脉搏數甚少乃本病之要徵，一般不超過八十——一百次，強壯男子脉搏數如超過一百二十次以上，則爲危險之証，有時發生重複脉，本病如合併心臟痲痺，多爲致死之原因。

D，血液——紅血球及血色素一般減少，白血球多減至五十以下，於本病早期常可證明血液內含有本菌。

E，消化器系之變化——舌被有汚褐色苔，乾燥有龜裂，有時口腔極粘，其後自舌尖開始脫褪而成爲三角形，是即爲傷寒特有之三角舌也。然後達於舌邊最後中央部，有時合併耳下腺炎，及鵝口瘡，食慾缺乏，腸之解剖變化頗著明，大便初期秘結，其後漸下痢，呈稀薄淡黃如豌豆汁漾，腸出血多見於第三週，或僅有少許，或竟有一蚜之多，大量者，患者顏貌突然蒼白厥冷，陷於虛脫脉搏頻數，體溫下降，時有因之死亡者，如潰瘍向內侵蝕則發生腸穿孔，多見於第二週之終及第三週，此時腹痛虛脫，腹部膨滿，腹壁緊張，屢有嘔吐，體溫多下降，概死於一——四日內，此外腸間膜腺亦行腫脹。

F，脾腫——於第一週之末期即可觸得，於第二週達於極度。

G，呼吸器之變化——于第一過末期及第二週發生氣管炎者有之。

H，神經系之變化——頭痛早期即發現，發熱時往往神識昏迷，是無感覺性及嗜眠性，有時譫語，或呈循衣摸床，腱跳動，此皆爲病已重篤不良之現象也，此外尙有神經性重聽。大小便失禁等，小兒往往語言消失，亦偶有呈腦炎諸症狀者，是爲腦膜傷寒。(Mening ot yphus)

I，皮膚之變化——於第一週終第二週初。發生薔薇疹。約爲廿——三十個，爲帽針頭大至扁豆大之淡紅斑，微隆起，見於胸腹及背部，經數日即消失，發汗時期亦有發生汗疹者，如看護不當，於身體摩擦部位，往往發生褥瘡。

J，尿——Diazo 氏反應多呈陽性，如疾病達於高度，此反應漸減弱或消失即爲將愈之兆。Indiean. 反應亦有時爲陽性，至恢復期尿量則漸漸增多。

，K，生殖器——男性偶有發生疼痛性睪丸炎者。女性多引起月經障碍，流產，陰門炎等症候。

L，本病之全經過——有熱期間平均約爲2.5—5.週，自初發至全愈平均約須五—十週亦有體尙未降至常溫下而復上昇再發生薔薇疹脾腫等是名再燃，亦有體溫已降至常溫下，又復發者名爲再發。

異常型——(1)電擊樣傷寒經八九日即死。(2)遷延性傷寒，經過頗久，常因衰弱而死。(3)頓挫性傷寒，發病時症象嚴重，經數日後諸症突然消散治愈。(4)逍遙性傷寒，自覺症象輕微，但有時突然增惡，或合併危險之合併症。(5)無熱性傷寒，經過中熱度甚輕微，或竟不發熱。

診斷——初期頗難有本病可疑時，可於血液內檢查有無本菌之存在(一般于發病第一日血液中即可證明本菌，其後漸增，至第二週後則漸減少。)此外取患者血清檢查，韋達爾氏反應，如在一百倍以上陽性時即可診斷爲本病，但本反應於第二週終，始呈陽性反應。

本病須與急性粟粒結核，敗血病，肺炎，流行性感冒等疾病鑑別清楚，不方致悞也。

預後——須注意合併症，平均死亡率爲九——十二%。

預防法——注意公衆衛生，隔離患者，直至排泄物中無本菌爲止，患者之衣服器皿等物須消毒後方可再用。

預防注射——每隔七——十日注射一次，共注射三次，效力可有六月之久。

療法——有熱期間須絕對安靜，病室須寬廣肅靜，空氣流通，床褥須柔軟平坦，臥位須時常更換，以防發生褥瘡如已有潮紅現象，可用樟腦酒精，或酒精時時擦塗之，身體須注意清潔，尤以臀部，腰部，肛門附近，生殖器等須時常清拭。

食物當有熱時，僅可與以流動食易於消化者，每日五六次，如米湯牛乳，肉湯，果汁，淡茶等，如患者素日喜飲酒，則可與以少量酒精飲料，淡葡萄酒 Kognak 等。至於食物所含熱量，亦務須充分，成人每體重瓩須三十五加路里，如不達此數，則體重乃漸低降。

下熱後五日內與以同樣食物，約自七日後乃漸與以軟性食物，如稀飯等，二三星期後漸移行於普通食，須注意其再發。

西藥無何療法，惟須絕對靜臥，俟其自愈，餘症則對症療之，必要時可行輸血療法，如發生腸穿孔時，則須早日行手術，發生氣管枝炎或肺炎者，可行胸部濕布纏絡，且與以袪痰劑，如腦症狀著明者可與以鎮痙劑，注射鹽酸嗎啡，對於脚氣病須早期預防之。可與以含有維他命B.之食品食之。

中藥對本症頗特效，初起大發寒熱，腹微痛，微瀉，有時兼嗽，舌苔白膩，滿厚，一二日後，舌尖退成三角形，高熱時神志或不清者，可用下列各藥：

(1)淡豆豉，山梔，大豆黃卷，鮮葦根，杏仁，連翹，桑叶，赤芍，荆芥穗，佩蘭叶，條黃芩，忍冬藤，薄荷，桔梗，鷄內金，服上類藥後，設能燒退，舌苔退淨，是病巳愈，若未大效，是巳深入，則以下列各法治之。

(2)鮮葦根，鮮茅根，紫菀，杏仁，淡豆豉，浮萍，炒山梔，連翹，苦桔梗，桑叶，川連，生內金，竹叶，佩蘭叶，知母，冬瓜子，赤芍，建粬，白蔻仁等品隨症用之。

(3)赤苓，赤芍，生石膏，滑石塊，苦桔梗，山查炭，炒枳殼，川鬱金，穀芽，麥芽，等品。

(4)鮮生地，鮮石斛，益元散，血餘炭，金銀花，晚蠶砂，寒水石，等品。

(5)糯稻根，浮小麥，瓜蔞根，南沙參，薏苡仁，米炒寸冬，生甘草，等品以善其後。

至於高熱，續有諸腦症狀發生，可用安宮牛黃丸，局方至寶丹，紫血丹之類藥以防其高熱入腦而痙攣抽搐，且退其熱也。果能對症施藥證之經驗，担保效如桴鼓，較之洋醫用臥冰床，戴冰帽，靜躺隨其自巳進行自愈之法强之多多矣！

九，副寒傷

原因——病原體爲副傷寒菌，本菌有A.型B.型兩種。

症候——A.型者經過頗似輕症傷寒，預後佳良。

B.型者亦與傷寒相似，潛伏期爲三——六日，體溫上昇多不能延長至四週之久，多以惡寒戰慄而發熱，是爲與傷寒不同之點，脾臟概腫大，有薔薇疹，旬行疹，間有發生腸出血，及腹膜炎者，預後亦佳良。

本病有時呈胃腸炎症狀，多合併脾腫，匍行疹，下痢，有時合併黃疸，但常無薔薇疹，偶有經過極速突然死亡者，一般概佳良。

診斷——須與傷寒鑑別，須檢查血液內細菌及行韋達爾氏反應等證明之。

療法——與傷寒概同。無何區別。

也有招頭期

陰痿患者切不可服壯陽藥

—浩觀—

無能壯年老年，陰痿不起者，切不可妄服壯陽藥，須用其有效而無害者，錄方二則，以告患者，

一，以雄鷄肝(三具)　兎絲子(半升)　同研爲末雀卵和丸如小豆大，每服百粒酒下，日二服奇效，(千金翼)

二，白羊肉半斤(切)以生蒜薤食之，三日一度，甚妙(心鏡)

余友某君，少時房事不僅，年未三十，已粉頸低垂，意興闌珊，頗有厭世之態，適余偶讀心鏡，見有羊肉方，因勸於冬令烹食之，友默識余言，及期喫食經兩來復日，頗有欣欣向榮之概，走告余曰，敬謝厚惠，銘感不忘，余猝不能所謂，答云，即羊肉方也，余曰不然，還當謝著書者，相與一笑而罷。

氣管支疾病

李寶盛

急性氣管支炎

「原因」 本病發生原因，大略可分三種，一，爲細菌之傳染，二，爲塵埃，瓦斯刺戟，及過於乾燥之空氣，及冷氣，吸入，三，爲寒冷刺戟，於患者喀痰中常發見雙球菌，肺炎雙球菌，流行性感冒桿菌等。

「症候」本病之症候，最初發生欬嗽，多爲乾性咽間乾癢，痰亦不旺，漸次黏液之分泌增加，遂喀出黏液性或膿液性之分泌物，其量甚多，喀出頗易，通常惡寒或兼有頭痛，咽痛者，身體徐徐發熱，有急速達至三十九度以上者，後則漸次下降亦有不降落者，同時身體倦怠，食慾不進，並見口唇匐行疹等。

「診斷」 其脈不定，多以體溫爲轉移，有見弦滑者，有見滑數者，或見細或見緊者，不等，當以身體之強壯和衰弱，並體溫之高低，爲診斷，有身體而體溫高昇，脈多弦細而數，重按而濡，又有身體強壯而體溫衰減者，其脈多弦緊而細，重按滿指，其次可佐以西醫之聽診，爲診斷之幫助，如聽有笛音及紡絲音者，即所謂乾燥性囉音者是也，倘氣管內貯有多量分泌物之時，而有水泡音，即所謂溼性囉音者是也，其中醫診斷而分別舌白滑者爲停飲，舌薄黃多爲乾性者，亦可爲鑑別診斷之一助。

「經過」 平均三四日或一二週預後佳良，然有轉移爲慢性之虞耳。

毛細氣管支炎

「原因」 本病每因氣管支炎或氣支加答兒病勢增進者，遂波及微細氣管支，而引起本症，或其他如痲疹，百日欬，皆有發生本病之可能，國醫言風寒入肺絡，雖不能爲原因之證據，有時在治療上能增加他種藥物以扶助，爲得良善之效果。

「症候及診斷」 本病之症候與急性氣管支炎，雖無大異，然呼吸困難，最爲顯著，呼吸音一般微弱，頸部筋突起前胸下部及胸側而呈吸氣時之陷沒，腹部筋肉於吸氣時而收縮，口唇每呈紫藍色，而手足寒冷，通常體昇至三十八度至三十九度之間，然多爲弛張性，早降夜昇之體溫，脈亦隨之而變遷，其大多數爲弦細數，或而勵促，或有數日間之稽留熱，而於此時認爲肺炎之合併症，亦無不可，喀痰嘗見者，爲黏液性或純濃性，而痰常混有微絲之血痕等。

「經過」大約一二週及數週不等。

慢性氣管支炎

「原因」本病原因甚多，其大半則爲急性氣管支炎轉移而來，並患者多爲營養不良，及身體虛弱之人，又如痲疹百日欬，及氣溫異常，亦爲本病之原因，又肺藏之血行障碍，呼吸障碍，肺藏分泌物之排除困難，皆能滋蔓延成本病。

「症侯」本病除欬嗽呼吸困難並無他種顯明證狀其分泌多寡，欬嗽輕重，欬痰稠薄，皆各有不同，而其他併發之證狀，以胃腸病爲最多，心藏瓣膜障碍及肺氣腫等症，亦當注意，本病每不易治愈。

纖維性氣管支炎

「原因」本病傳染而來，由於以下數種，實扶的里，肺炎結核，痲疹，痘瘡，丹毒，猩紅熱，多發性關節炎，皆能成本病。

「症候」本病可分爲急性與慢性二種，其急性，常有惡寒戰慄，而發高熱，慢性發熱較微，或無熱，每多發顯著喀血，他如呼吸困難，欬嗽粗大，欬出纖維狀之凝固物，等症。

「預後」急性不良，皆爲窒息及心藏衰弱而亡，慢性症預後稍良。

腐敗性氣管支炎

「原因」多爲氣管支擴張，肺藏疾病，及慢性氣管支炎證，而發生腐敗菌者，皆能誘起本病。

「症候」、本病爲慢性疾病，其物徵是腐敗樣之惡臭痰，並有續發化膿性肋膜炎，肺壞疽，肺炎等症，其最應注意之鑑別疾病，爲肺壞疽，中醫所說之肺癰，肺壞疽，愈後比腐敗性氣管支炎不良尤甚，因肺壞疽在肩部呈汚穢黑綠色之壞疽結痂，腐敗性氣管支炎，當爲重險此病爲痰涎之變質，肺壞疽爲潰瘍故國醫常治所謂之肺癰，多爲腐敗性氣管支炎，在西醫科學之化驗痰素爲三層，上層爲泡沫，中層爲傳移綠色之黏液，狀漿液，下爲純膿狀之膿液，內含細菌膿球，患者喀痰與氣管支擴張無異，又當細察本病亦有滿口性喀出痰涎之徵候，故當注意之。

「預後」本病治愈困難，且有後發症。

氣管支擴張

「原因」本病主要發於肺下葉，然發於肺中葉及上葉亦有之，本病常續發於氣管支肺實及肋膜之慢性疾病，尤以毛細管支炎後而發生者爲最多。

「症候」欬嗽爲發作性，多發於早晨而呼吸困難，幷不甚重，然欬痰則如腐敗性氣管支之痰樣，亦分三層，上層爲溷濁之稀薄泡沫，中層由膿樣漿液而成，氣味惡臭，下層則爲純膿幷無强度之欬嗽。

「經過」本病經過與合併症最多，如腐敗氣管支炎肺氣腫以及肺臟膿瘍等，故轉歸多爲不良，終爲不治之証。

氣管技狹窄

「原因」本病原因有三，(一)氣管支之內因，爲氣管支之異物及氣管支內隆起之惡性腫瘍(二)氣管支外因，多爲壓迫性狹窄其動機，均爲氣管支淋巴腺之疾病，或大動脈瘤，或爲縱隔膜炎，及腫瘍或肝腫瘍食腫瘍等(三)氣管支壁自身周圍發炎，或爲腫瘍，與炎性肥厚等，皆發生本病。

「症候」呼吸困難，最爲劇烈，呼吸有高調之喘鳴，患者呈鶴首狀，頸强直，喉頭而營深呼吸或之上下運動也。

「預後」亦屬不良。

「治療總論」觀以上氣管支所有之疾病，除急性氣管支炎以外，諸慢性及氣支擴張和狹窄等皆爲難治之症，在國醫治療術上觀雖有治愈者，亦屬少見。但古方中推求往往有不可思議之效果，雖然如此，但此種方藥皆闕少深切之研究，研究此種方藥，決非以自家之醫理幷個人之臨床爲原則，當共諸同仁會合研究，以西醫之病理臨床作我之方針，或能探得其藥物之底蘊，然國醫方家每於某方某病得其效果佳良，及視爲秘密，因個人之才力有限，又以西醫病原爲謬說，在以後遇同樣之病反改轍原法，此皆無系統之流弊，在一人尚不能前後響應左右逢源，況自古至今汗牛充棟，孤守秘方，不傳外人乎，所以中醫一落千丈，現擇西醫病源症狀於前，參以中醫古方成法於後，對於氣管支一部選出數方，加以研究，竊同好者加以針砭。

金沸草湯(活人)　金沸草　製半夏　茯苓　前胡　荆芥穗　細辛　甘草

杏蘇散(鞠通)　杏仁　蘇梗　茯苓　製半夏　陳皮　枳殼　桔梗　前胡

六安湯(景岳)　陳皮　半夏　茯苓　甘草　杏仁　白芥子

杏仁飲子(千金)　杏仁　柴胡　蘇子　橘皮

降氣化痰湯　蘇子　前胡　半夏　茯苓　橘紅　桑皮　杏仁　瓜蔞仁　甘草

以上五方，施用於急性氣管支發炎症，實用於膿液性分泌物過多時有效，其治方大同小異，當於臨床因症加減，變通，決不能照原方。古之成方，每多以單純疾病而立法，在人之虛實，病之寒熱，證之表裏，雖亦多顧及，然個人治療，觀察點之不同，則藥物施治亦異矣，今將以上五方，綜合的研究，如前胡，杏仁，半夏，茯苓，橘皮此五味爲五方不可少之藥也，可以詮當作欬嗽藥，因欬嗽是急性氣管支炎，主要爲欬嗽。所以欬嗽藥，就算是不可缺的藥，然這宗藥否是凡是欬嗽就可用，在學理上像是不能改變，在事實上，則有分辨之必要。其分辨之理由，是其他証與本藥有不相宜之點，如半夏，茯苓，本非欬嗽之專藥，半夏止嘔燥痰，茯苓爲滲濕行水，而二味皆能排除其分泌物，所以對於膿液性之欬嗽有效，反之其分泌物不多而爲乾性者，故當不用，其不可用者，如口渴咽乾，無痰，是也。杏仁一味，本爲治欬嗽最平淡之藥，亦最常用之品，然欬嗽兼作瀉又當謹愼，此可見用藥之難也

上例金沸草湯，以惡寒咽痒爲重，兼治欬嗽故佐以荆芥穗細辛，細辛爲王道之品，不可不愼，非宿水停飲，水氣心下者，不可輕用此劑，合於表寒停飲爲宜，又如杏蘇飲之枳殼，六安湯之白芥子，降氣化痰湯之蘇子，桑皮，蔞仁，皆爲緩和下降之品，白芥子辛溫滌痰之劑，其性雖烈，本諸子皆降之義，則不如杏仁蘇子括蔞之油滑也，故六安湯杏蘇飲杏仁飲子降氣化痰湯，不如金沸草湯之辛散耳，當用此四劑之時，又當審其是否中焦氣實，用以降氣化痰而能緩和氣管支炎，與分泌物之排除也。

射干麻黃湯(金匱)　射干　麻黃　生薑　細辛　紫菀　欵冬花　五味子　大棗　半夏

橘蘇散(濟生)　橘紅　紫蘇葉　杏仁　五味子　半夏　桑白皮　貝母　甘草

細辛湯（本事）　細辛　半夏麯　茯苓　桔梗　桂枝　甘草

乾薑散（聖惠）　乾薑　桂心　欵冬花　細辛　白朮　甘草　五味子　香附

欵冬花散　欵冬花　桑白皮　貝母　甘草　五味子　知母　杏仁

清咽寧肺湯　桔梗　山梔　黃芩　桑皮　甘草　前胡　知母　貝母

竹茹湯（會㽞）　竹茹　桔梗　枳實　蘿蔔子　蘇子　青皮　杏仁　竹瀝　桑皮　薑汁

清燥救肺湯（千金）　麥冬　何膠　杏仁　麻仁　桑葉　枇杷葉　人參　石膏

以上八個方子，藥味治法皆不同，清燥救肺寒涼滋膩，欵冬湯，清咽寧肺湯，竹茹湯，亦有清涼苦泄之味，加雜其中，此種成方很不易應用，因其治法，爲制止其分泌物排洩，故當用於乾性氣管支炎，證對藥和，亦非三五劑藥，所能收功，然用過量其害尤甚，反不能愈，故於用此種藥物之時，當細心審察其分泌物，是否應用制止，與排洩，因此二種治法廻乎不同，用排洩劑，與錯用制止者，欬血不已，當排洩而用制止者，其病則無任何反應，然其害尤劇。因此則無佳良之預後，反引起腸胃之衰弱，血液之凝滯，心藏之反抗，皮毛之損傷，日集月聚，則無有不成癆怯者，諺云傷風不愼便成癆，所以此種藥物當愼用也，今舉此八方於毛細氣管支炎，和慢性氣管支炎，前項所論清燥救肺湯等不合於濕性慢性氣支炎，所謂慢性者當是體工機能衰減，既毛細氣管支炎，較之氣管支，當爲深一層也，病勢近迫而波及微細氣管，此二種炎際爲衰減之徵候，當活其抵抗力，促其分泌物，則病變自除，其乾燥者，是他藏府尚有疾病，故上項之議論，尙待研究也，其射干麻黃湯，橘蘇散細辛湯，乾薑散，四方亦有不同之施治，射干麻黃湯，於喉中水鷄聲，有大作用，其中之紫菀，欵冬花，有深一層之作用，而細辛五味，又有開闔之妙，乾薑散內之桂枝，細辛湯內亦有之，爲毛細氣管支適當藥，因細小之絡脉，非物質之枝縢絡不能達到，此亦同物相引之意，如體溫下降唇口紫者，有效，其中乾薑散，爲裏而又裏，射干麻黃湯，爲由裏出表之藥，其次細辛湯則平淡和平，與橘蘇散則不相遠也。

止嗽散（心悟）　桔梗　芥穗　紫菀　百部　白前　甘草　陳皮

百部湯　百部　薏仁　百合　麥冬　桑白皮　茯苓　沙參　黃耆　地骨皮

桔梗湯（傷寒論）　甘草　桔梗

葦莖湯（金匱）　葦莖　薏仁　桃仁　冬瓜子

四順湯（聖濟）　貝母　桔梗　紫苑　甘草

纖微性氣管支炎，本非易治之證，中醫之方劑，亦難找到，今舉止嗽散，及百部湯，二方，亦非中肯之方，如丹溪之黛蛤散用以鹹寒軟堅之物，或可爲治療之一助：然上項之二方，能用於對證治療或有幫助，其中百部一味，尤有關係也，以後之葦莖湯，四順湯，桔梗湯，爲腐敗性氣管支炎之對症療法，並很有效，其效力即在排除其腐敗痰涎之作用耳。

保胎當治其所以然

王孟英治米夫人，屢患半產，服保胎藥無效，脉右寸滑大搏指，咳嗽，遂與清肺劑，人詰其故，曰胎之不固或由原氣弱，或由病邪侵，不知其所以然，而徒以保胎藥補之，適震動其胞系，速其胎墜而已，揚素圃日凡病供宜如此慮，不可一槪用補也，錄此以告世之呆用滋補成方以安胎者。

醫學原理

孟世忱

醫者須知醫理，不知醫理不足以爲醫，欲知醫理，須先知病理，欲知病理，須先知生理，欲知生理，須先知原理，知原理然後能傳，不知原理，雖盛一時而終不能傳也，醫學原理本於內經，內經之法根於九宮，九宮之來出自哲理，哲學之理不僅爲醫而設，天學地學理學化學，醫學星學生學死學，無不出於哲理，今爲論醫餘不多論。內經原理象數色素而已矣，象者出於天而由四起，故曰四象，世間各法無非象數色者，陰陽無象人莫分別，萬物有體皆賴四象而生之也，在天曰象，在地成形，凡有形之物莫不來自四象也，四象者陽中之陽，陽中之陰，陰中之陽，陰中之陰，萬物變動，無能出此四者，百病亦不出此四式。

數者由一至九，合成九宮，過九仍一，從一至九流行不斷，數雖至繁無不以此九數馭之，數固如是，而於醫者何涉，惟是數也以紀動力，病無非動力不合式也，何者動力不合，則必有物事以係之，其動力方得實在，設九數之不係以人物事時，而爲幾人幾物幾事幾時，則九數空爲九數，無所用之矣，是故數爲公共而事物各殊，欲測知體內之動力，則不得不用數，既可用數而九數莫不極萬物之變也，故謂九宮，九宮而用九數以分別陰陽色素之用也，色素亦有九，十則成一，如中國洛書所用之碧綠赤黃黑紫三白，色出於天而合於人，人之爲病色不足也，治病之法亦補色也，故內經之法象數色而已，分談如下：

醫學用一，一不可談談者分別之也，分別屬二，二不可證一，如大不能別小也，凡有言說皆從二起，以二釋一處處皆二，故一不可談，今強談之仍屬二種，一爲太極，太極之義成始成終，物生之前天地無極，無極便是空也，凡空之中必有一中點，此點與空無殊，殊在有位，此中點名曰有極，有極之點必是活點，亦曰生點，生點左右或上下或前後另設二點，此中點仍爲中點，三點相連即可成一，此一之中點可有可無，故謂活點，是故一爲人之始，亦爲人之終，名曰太極，太極具陰陽二性，居先後天之間，先天屬陽其用則陰，後天屬陰其用則陽，一之陽是先一次二，再次三，爲流行性之一，有時間先後者也，是以一爲起點也，此一即人身之元氣，處處賴其作用，而人不覺其用也，一之陰是起即爲三，一之中點便是三之中點，是爲三才而內含一元也，內經宗旨即本此理，此一無先後之可言，屬同時也，是爲對待性，是以一爲終點也，此一即人身之骨血，故一爲人之始亦爲人之終。

醫學用二，二爲陰陽，有陰陽而後有分別，分別萬物端賴乎此，夫陰陽者兩半之義也，置物目前所見者爲陽，不見者爲陰，故凡所見之物皆見其半也，是陽能直接而陰不能直接也，是故能用者陽也，陰不能用，若欲用陰須由陽方轉移之，而後可以得見陰也，此爲陰病之治須由陽介紹之理也，亦病必出陽方能得全愈也，陰陽能合亦能離，今之化學化分化合全憑此陰陽也，陰陽有三種，即大陰大陽小陰小陽中陰中陽，此無異內經之太陰太陽少陰少陽厥陰陽明，化學之工非陰陽不辨，醫學之工非陰陽莫明，是知陰陽只有三種屬定例也，內經有正化對化及兼化齊化，正化對化屬陰兼化齊化屬陽，是爲治病之要法亦即用二之理也，西學常以陰陽爲正負，負爲陰正爲陽，如電有正負，磁有正負，化學分晰法全憑陰陽或正負，捨此則無他法，可知陰陽爲分別一切之大用，無論中外古今也，內經論陰陽有體有用，陰之用則陽，陽之用則陰，絕無陰爲陰用陽爲陽用之理，如人左手爲陽而左多靜，右手爲陰而右多動，背居後爲陰而太陽經偏行背外，腹居前爲陽而太陰經偏在腹裏，是陰陽體用必反之道也。

醫學用三，三之來由一生之也，前言一有二種，一爲陰一爲陽，陽一有先後，陰一屬同時，故一即三而三即一也，三生萬物，陰陽相合方能生化，生化一切惟賴此三，下一種子，種豆得豆，種瓜種瓜，種何物而生何物，萬物以生倘無種子之下，則陰陽相合而成太極不生化矣，設一直線必有中點，中點即三，更設一橫線其中點仍爲三，千萬之線便有千萬之三，各線不同故所生萬物亦不同，是三即一而一即三也，內經一元三才之法也，內經論脈以三辨之故分三部，每部又分三候，故有三部九候之法即用三以求的確也，凡測動力須求眞確，欲求眞確之法，必須用三，天時地理人事可查眞確，醫師之斷症全憑此三，以三斷病方無錯誤，病之來原不出三氣，即客氣主氣中氣，故治病之法亦不出三法，即汗吐下三法也。

醫學用四，四爲兩偶二生之也，二爲陰陽，陰中有陽，陽中亦有陰也，故有陽中之陽，陽中之陰，陰中之陽，陰中之陰，此名之曰四象，易經太極生兩翼，兩翼生四象，四象生八卦，太極者一也，兩翼者二也，四象者四級也，醫學用四者知病淺深之法也，凡論病之淺深不過四級，百病不出絡經脯臟，猶如形學之點線面體，亦如傷寒論之感冒傷中四者，此即病程之淺深也，病即有淺深四級之不同，而治法亦有不同也，絡經脯臟，以臟病爲終期，病一告終便屬死矣，在病將入臟之際，須急用藥以實其臟，臟實邪不得入自必反之於絡，而有循還之能，此以終爲始之法也，亦病極必反之道也，月滿必虧物極則反之理也，此言病邪將要入臟之謂也，若病或失治或誤治，致使病邪已入，臟中，實質已損則不得不以色素療法治之別無他法也，蓋病之初起，有氣體病西醫謂之流行性者，繼變液體病，西醫謂漿液性者，終變固體病，西醫謂結核性者，從知百病則歸四式，即陽中之陽，陽中之陰，陰中之陽，陰中之陰此四象之用也。

醫學用五，五者五行也，木火土金水，即生長化收藏，亦即物理學之起升極降落五者是也，五行者講動力者也，動力不可見必以測度而知之者也，如電之速牽聲之傳達誰能見之，結果所得無非測度，是活動不可以目見也，五爲生數亦爲成數，關係先後天者也，亦關氣化者也，爲中醫之根本，亦治病之法門也，五者之用重在五運，一年至五年是爲歲之五運，氣化之本也，每年春夏長夏秋冬是爲主之五運，亦氣化之根也，醫者不明五之作用，則不知何爲氣化，不明氣化，則不得驅病之效，五之作用亦如一之作用生物之原也，五行有內外之別，內五行之生物，其種子爲在範圍之內，有時間而漸生者也，外五行生物，其種子爲在範圍之外，無時間而頓生者也，故有胎卵濕化生之者，胎卵屬內五行，濕化屬外五行，凡爲生物均不出此五行之道，凡可以先後數之者屬陰，而不可先後數之者屬陽，陰陽既不可離，而內外亦不可離也，內即是外，外亦即是內，此針刺法，專刺外而治內之理也，此亦中醫治病，以外等於內之神奇也，中醫治病純用陽法，不過用藥爲陽中之陰，針刺爲陽中之陽也，故陰病必出陽方能全愈也。

醫學用六，六者六經也，亦即六面也，六經，太陽，陽明，少陽，太陰，少陰，厥陰諸經，此六經者認証之妙法也，病有千萬而總不出此六經，醫者言以六經而治百病，是以內經之六經，非傷寒論之六經也，六經而生六氣，其變化亦各不同，天有天六經，地有地六經，人有人六經，人之六經又分手足，手居上爲陽，足居下爲陰，其所以分上下者，以合天地也，合而對外分而對內，合生六氣分生五行，故病有不同，治法亦異，六氣從外感，五行從五臟也，六經如六面者，即上下左右前後六面也，三面屬陽，三面屬陰，三陰三陽共爲六面，能見者只有三面，是陰陽只用其半也，猶如六合拳中之上下左右前後六面，凡敵之來不出此六面也，病邪之來亦不出此六面也，六經之分各具形能，爲認証之要道也，病何經而現何証現何形，能知病何氣，是爲中醫之根據也，若不將五六之用明白，則無濟世活人之能也，五六之用最爲緊要，天有六氣，感之傷人六經，甚則傷及五臟，天有五運，感之傷人五臟，甚則傷及六經，故六經論形能，五行論動力，形盛則犯力，力盛則毁形，總之病邪無非五六之用也，不明五六之用，必致糊塗一世。

醫學用七，七者續也，天以六六之節以制歲，萬物皆備於六，以故六經概括萬物，而一切証狀莫能逃於三陰三陽之外，傷寒傳經，一日太陽二日陽明，三日少陽，四日太陰，五日少陰，六日厥陰，七日又復於太陽，是環傳一週，至七日又還其初經，易經所謂七日來復者，即此義也，傷寒論針足陽明使經不傳，因邪還太陽必致復傳，預針足陽明迎而奪之之意，奪則其病泄無再傳之力也，是故迎而奪之，可以止傳隨而濟之，必能接氣，針經刺諸井穴之能濟危急於俄頃者，故以危急之症皆屬氣絕之候，絕者續之，此續者即七之用也，因諸井穴皆爲陰陽經之起始點，於命欲終絕而起始之，使氣接不斷，而人之壽命續矣，是用七以來復之道也，天之六經每年一換，今年之六氣與明年之六氣，無連接關係也，故不得不以七相接，使年年不斷，相接之法，以今年之終氣作明年之初氣，而六步之氣均可接連直下也，前斷之處名曰超神，後續之處名曰接氣，此亦七之作用也，內經云十二經皆取決於胆，胆者足少陽也，少陽者七數也，其形爲大斜，斜則十二經動行不休，不動則死矣，故治病能得少陽之訣，則處方用藥可立無過之地，王孟英徐靈胎等深得其法矣。

醫學用八，八者八卦也，即八法也，世間各法不出象數，陰陽無象人莫分別，象從四起故曰四象，四象而生八卦也，八卦者即八法也，世之各法多以八數，蓋八之作用而能變也，如神針八法，曰呼曰吸曰迎曰隨曰進曰退曰開曰闔，是針家之八法也，又如傷寒八法，表寒裏寒表熱裏熱表裏皆寒表裏皆熱表寒裏熱表熱裏寒，此即傷寒論中之八政也，人之六經，外如六面實爲八面，外雖有六而內臟二面，即膈之上下二面也，易經乾坤爲父母，父母而居內也，合之六經爲八體八法也，奇經八脈爲體中八法也，一切腦髓膈胸生殖器病，均當於奇經八脈求之，即內經腦髓骨脈胆女子胞爲奇恒之府藏而不露之義，合之膈之上下亦成八府，奇經八脈內事也，學醫者當分別之，不在五行六經之法內也，治法亦大有不同也。

醫學用九，九爲數之極，過九則仍一，從一至九流行不斷，數雖至繁，無不以此九數馭之，數固如是，而其作用則大不相同，以此九數莫不極萬物之變也，此洛書所以講九宮也，坎一坤二震三巽四中五乾六兌七艮八離九，此爲四正四偶及中央之位，是固中而定八方也，內經八風中氣之義也。

色素有關於人體實非淺鮮，九宮之設來自色素，故內經五臟記色，九宮記色，碧綠赤黃黑紫三白共九色，人皆不知爲何用，西學証明日光有七色，即紅橙黃綠青藍紫，驗用三稜鏡而照日光，其反射可能見之，然七色之外尚有二白色，則不能見也，中西記載而有不同者，是譒譯之不洽也，人之爲病多有失治誤治之誤，致使病邪入臟，病已入臟，而中西醫均無妥善療法，惟以色素療法以養之，此法中西醫皆未用也，比如肺病不必定名，如肺癰肺痿肺癆肺結核等名詞，總之爲肺臟之固體病，即斷確爲肺臟實質損壞，即可用色素療法，其法令病者服白衣坐於日光之下一小時，日三時，其病日必漸全，不到百日其病則愈，內經云：肺色白故服白衣，服白衣者而收日光中之白色，而補肺之色素也，西法治肺，每令病者登高山居曠野住平台，吸空氣曬日光擇飲食等等調養法，其效頗著，然其不知爲得色素之補也，更不知服白衣之法也，使用此法，不必登高山居曠野住平台，只每日出屋坐日光下一小時，日三次，其效特著，設有心臟病，不論心門漏血，心臟衰弱，心臟瓣膜不全，血拴等名，只診得確爲心臟實質有損，可令病者服紅衣，坐日光下一小時，日三次，必有奇效，內經云心色赤赤者紅也，服紅衣者而收日光中之紅色也，內經云脾色黃服黃衣，肝色青，青者灰也，服灰衣，腎色黑，黑者藍也，服深藍色衣，子宮生殖器色紫服紫衣，胆色綠服綠衣，腦色白戴白帽，應注意者，治腦病戴白帽而不可服白衣，治肺病服白衣而不可戴白帽，因有病則補，而無病則瀉也，以上均以前法而行之，吸收日光中之色素，以補臟中之色素也，蓋同性則補，異性則瀉，是感應之法也，感應不必有孔方能透入，只要有引自能透入也，或有不信然者，請一試之可也。

脾胃屬土

孟世忱

脾胃屬土一語，幾爲中醫之口頭語，亦爲西人之譏誚語，中醫每對人言，人之臟腑以脾胃爲最要，故治病不可忘脾胃，內經曰：有胃氣則生無胃氣則死。而醫者以爲脾胃眞似土也，因曰脾胃屬土，猶如萬物皆賴土所生也，每聞中醫開口便錯，而使西人譏誚之，云中醫謂脾胃屬土像泥盆泥碗，必以泥土之物盛食方能不死也，中醫聞之亦無明白解釋，只可聽之而矣，殊不知脾胃屬土一語，是講陰陽之大理生理之奧道者也，非謂脾胃爲土質之物也，西人深明陰陽善用四行金木水火實質之動力惟不用土也，西國醫學善講陰陽，例如陰陽反應，陰性陽性等等。惟對於人之臟腑未論陰陽，然西人不欲將五臟六腑定爲陰陽乎？非也，西人無時不想將臟腑定爲陰陽，惟其無法証明也，西人不尙空談必待證明然後言之，不比國人之習慣，人言亦言不求甚解，醫學爲講陰陽之學也，能將陰陽確切明白，治病無不生效，人之臟腑各具陰陽向以臟爲陰腑爲陽，陰臟趨陽腑而陽腑趨陰臟，爲異性相吸之公例，然脾屬陰而不趨陽而反趨陰，胃屬陽而不趨陰而反趨陽，此爲人多不知者也，天地之氣而論五行，五行之中土爲中位，東木西金南火北水，四面陰陽均皆相吸，惟土居中位則陰陽互紐，自來講陰陽學者莫不知陰陽相吸之理，惟土之陰陽則不相吸而反相驅，是故土之陰則趨陰，土之陽則趨陽，一年之中有五行春木秋金夏火冬水長夏土，每至長夏則陰陽互紐，故主令之經則必太少互換，是故人之脾胃在臟腑之中爲互紐之臟腑，猶如五行之土陰陽反驅之理也，亦如脈學中之脾脈屬陰而趨陰，胃脈屬陽而趨陽之理也，土之陰陽既不同，而人之脾胃亦不同也，故陽明經中有胃太陰經中有脾，凡治陽明太陰二經病者須知脾胃陰陽互紐之理，方不致誤，脾胃屬土一語，乃哲學陰陽之妙理，絕非西人所能明白者也。

五行之說人皆畏之如虎嫌之如猥，西人以爲迷信之語，殊不知五行者法也，非實質也，人身之動力不能以目見，必以測量以知之，測量之法五行是也，此等妙法，每被人講錯，開口以實質論之，是爲大錯，猶如賬目數大，不能以心算之，故必藉算盤之九歸九除法以算數之總，病之變態亦多不能以目認，故以五行之法以測度之，苟能知其法而不以木火土金水　易以ＡＢＣＤＥ亦可用也，西人因不知此法，故每治人體均重實質，是不知人之體內動之不休不動則死矣，西人無法測動，故其內科無成效，而其治病之法，亦常變更，三年一小改五年亦大改，十年之西醫等於未學，　切治法均已改變，是其醫理不能長存，二十年前曾學西醫至今全改，前用之藥，今不用矣，何以不用則知有傷於身，故不用矣，受前藥者，寃死不知多少矣，中醫改良，不知何爲良，改之不良不如不改，中醫之傳五千餘年，後醫搭橋過河，過河拆橋，故離正道遠矣，今之醫者，捨近求遠，一切妙法盡棄無留，茫茫大海而尋方向，欲東而西，尙不自知，豈能有活人之能力也，自己之病尙不能治，又豈能治他人哉，醫之不明遺害無窮不能救生必能促死，可不畏哉！

六經新解

孟世恍

六經者，爲人體之六面，太陽居上，太陰居下，陽明居前，少陰居後，少陽居左，厥陰居右，凡是人體上段之病，皆屬太陽，凡人體下段之病，皆屬太陰，凡是人體前面之病，皆屬陽明，凡是人體後面之病，皆屬少陰，凡是人體左邊之病，皆屬少陽，凡是人體右邊之病，皆屬厥陰，然六經之中每經各統六經，猶如每段又分六段也，即如上段之病爲太陽，而上段又有上下左右前後之分，是太陽經中而統六經，譬如頭痛，頭爲人體之上，是爲太陽病矣，設頭頂痛，是太陽之太陽病，設頭之左邊痛，是太陽之少陽病，設頭之右邊痛，是太陽之厥陰病，設頭之前面痛，是太陽之陽明病，設頭之後面痛，是太陽之少陰病，設頭之底面痛，是太陽之太陰病，頭之底面無非咽喉嗌嗓而已，是故凡咽喉之病，皆屬太陽之太陰病也，此六經者，爲被太陽所統之六經也，不得已全體論之，猶如第一隊之兵不能與第二隊之主帥平等也，傷寒論六經，以太陽爲第一隊，而第一隊中又有六隊，而歸第一隊統轄不得與其他各隊之主帥平等也，是故太陽傷寒，是太陽之太陽病，太陽中風，是太陽之太陰病，太陽入腑之承氣症，是太陽之陽明病，太陽寒熱往來小柴胡症，是太陽之少陽病，太陽入裏附子湯症，是太陽之少陰病，太陽入裏附子細辛湯症，是太陽之厥陰病也。傷寒論以太陽爲起首，故先論太陽，然非爲一定，六經之中任何經均可起首，惟其主氣則不同也，太陽主寒故所統之六經，皆不離寒氣，陽明爲二隊亦有所統之六隊，與第一隊相同惟主氣則不同，陽明傷寒，是陽明之太陽病，陽明中風，是陽明之太陰病，然太陽主寒故曰傷寒，陽明主燥，當曰傷燥，至於中風，各經皆中所轄之太陰，故論中六篇，皆有中風，而均可以桂枝湯治之，其他各經均皆相同，可以類推，如將此理明白，即可自讀傷寒論，不必人教之，非但能自讀，而且能自註，而又能自列方藥，更能知其方中有無字誤也，傷寒論各條均能自解，可不受傷寒大著家之欺騙也，致於金匱，乃論五行之書，非六經之法也，其所治之病亦不相同，六經爲氣體病，即化學性病，西醫所謂流行性者是，金匱爲治液體病，即物理性病，及由氣體化液體之病，即由化學性之病而變成物理性之病，西醫所謂漿液性者是，倘此二法治皆不愈，則病由液體而化固體矣，即多年久病，，已固定在體之一部之病也，西醫所謂結核性者是，如肺結核病，初時肺上何常有結核，是肺之氣體病未愈，而化液體，又不愈而化固體於肺上，西醫謂之肺結核，中醫謂之爲肺之固體病，對於此病之治法，西醫如何治之，不得而知，中醫治法，須先用正化之法使固體化液體，再以對化之法使液體化氣體，後以斜化之法，驅其邪氣，而自然愈矣，此爲由何路而來，仍令由何路而去，是內經正化對化之妙法也。何爲正化，譬如肺之固體病，即肺結核病肺屬太陰，先用太陽藥，太陰太陽有正化之作用，化其固體爲液體，再以陽明藥，太陰陽明有對化之作用，化其液體爲氣體，太陰爲陰經必出陽經方能全愈，故更用膀胱藥，肺出膀胱是爲斜化之法也，如是者此病方能全愈矣，餘臟結核均可類推。

治病貴得病家信心

某君之疾爲最難最險之症，緣肝熱氣虛濕盛爲本，感熱爲熱，感寒爲寒，故首宜生血次宜固氣，寒盛宜治寒，熱盛宜治熱，此難於施治之症也，醫者認症不清，則不敢治，認病清，而病家不信，亦不能治，故斯疾微，吾不能治，微某君不能愈，施者受者，彼此均有關係，諸子遇斯症，務先與病家說明症變之理，倘病家相信得完全施以相當方法，庶可多救幾人。

三承氣湯合論

胡憲豐

汗，吐，下，和。爲醫家四法，三承氣湯即下之一法也，然用三承氣湯，在時間上，症候上，亦不可不注意焉，用之過早，表邪未解，邪氣內陷，必心下痞硬，而成結胸，或痞症，用之太遲，停滯久留于腸胃，則消化機能亦受損傷，故審症明確，奏效方速也，不應下而誤下，必病變百出，而成逆症，應急下而不下，亦能遲誤致死，故醫家對于下之一法，不可不愼也，今將三方之組織，主治，及各家對于此三方之解釋，選錄於下，以供參考，殊於臨症時不致有誤也。

(1)大承氣湯：

「藥味」：大黃(四兩)　芒硝(三合)　厚朴(半斤)　枳實(五枚)

先煎厚朴枳實　將熟內大黃煮二三沸，傾于盆內，和芒硝服，得利則止。

「主治」：傷寒陽明腑症，陽邪入裏，胃實不大便，發熱譫語，自汗出不惡寒，痞滿燥實堅全見，雜病三焦，脉沉細者，亦治陽明剛痙。

「方解」：汪昂云：此正陽陽明藥也，熱淫於內，治以鹹寒，氣堅者，以鹹軟之，熱盛者，以寒消之，故用芒硝之鹹寒，以潤燥軟堅，大黃之苦寒，以瀉熱去瘀，下燥結，泄胃實，枳實厚朴之苦降，瀉痞滿實滿，經所謂土鬱奪之也，然非大實大滿，不可輕投，恐有寒中結胸痞氣之變。

(2)小承氣湯：

「藥味」：大黃(四兩)　厚朴(二兩)　枳實(三枚)

「主治」：傷寒陽明証，譫語，便硬潮熱而喘，及雜病上焦痞滿不通。

「方解」：汪昂曰：此少陽陽明藥也，邪在上焦則滿，在中焦則脹，胃實則潮熱，陽邪乘心則狂，胃熱于肺則喘，故以枳實去上焦之痞滿，以大黃去胃中之實熱，此痞滿燥實堅之未全者，故去芒硝，欲其無傷下焦眞陰也。

(3)調胃承氣湯：

「藥味」：大黃(一兩)　芒硝(一兩)　甘草(五半)　少少溫服

「主治」：治傷寒陽明証，不惡寒反惡熱，口渴煩悶，譫語滿腹，中焦燥實，及傷寒吐後腹脹滿者，陽明病不吐不下而心煩者，亦治渴症中消，善食而溲。

「方解」：汪昂曰：此足太陽陽明藥也，大黃苦寒，除熱蕩寒，芒硝鹹寒，潤燥軟堅，二物下行甚速，故用甘草甘平以緩之，不致傷胃，故曰調胃承氣，去枳實者，不欲其犯上焦氣分也。

「古人對於承氣之解釋」：

尤怡曰——承者順也，順而承者地之道也，故天居地上，而常卑而下行，地處天下而常順承乎天，人之脾胃猶地之上也，乃邪熱入之，與糟粕結，於是燥而不潤，剛而不柔，滯而不行，而失其地之道矣，豈復能承天之氣哉，硝黃枳樸之屬，滌蕩脾胃，使糟粕一行，則熱邪畢出，地道即平，天氣乃降，清寧復二舊矣，曰大，曰小，曰調胃，則因其制而異其各耳，蓋以硝黃之潤下，而益枳樸之推逐，則其力頗猛，故曰大，其無芒硝，而但以枳樸者則下趨之勢緩，故曰小，其去苦辛之枳樸，而加甘草之甘緩，則其力尤緩，但取和調胃氣，使歸於平而已，故曰調胃。

三承氣之方內組織及古人之方解及主治已約略述其梗概茲將三方之意義，及分別點，用與共同點，用個人之一知半解，敘之於下，是否有當，尚希有道正之。

按三承氣之爲用甚廣，而溫病（腸質扶斯）用之尤多，顧三方之主治如何，各方之分別何在，殊不易言，克所論，就余所知者，當以吳又可之論爲最明顯，其言曰：

「按三承氣湯功用彷佛，熱邪傳裏，但上焦痞滿者宜小承湯，中有有堅結者，加芒硝軟堅而潤燥，病久失下雖無結糞，然多粘膩臭惡，得芒硝助大黃，有蕩滌之能，若無痞滿，惟存宿結而有瘀熱者，調胃承氣宜之，三承氣功效俱在大黃，餘皆治標之品也」，云：可謂用三方之準繩，惟謂「三方功效俱在大黃，餘皆治標之品」似未能了解厚朴枳實等之用意，又種種齡著醫學心悟一書，曾謂「枳實消痞，厚朴去滿，芒硝潤燥，大黃瀉實，必痞滿燥實——胸悶不靈爲痞，胸腹脹膨爲滿，大便枯少爲燥，腹滿痛不大便爲實——四症兼全者，方可用大承氣也，若痞滿而未燥實者，宜用小承氣湯，不用芒硝，恐傷上焦陰血也，燥實而未痞滿者，即用調胃承氣湯，不用枳實，恐傷上焦陽氣也」云：其言亦頗明暢，然未揭出調胃承氣湯用甘草之意，斯爲美中不足，吾今得而補充之，述之如下：

（甲）大承氣湯之功用

欲知三承氣之功用當先明大承氣湯之功用，而欲明大承氣湯之功用，則先當知方中各藥之性質，主治，按大承氣湯爲芒硝大黃枳實厚朴四味組織而成，考諸藥物學而得各藥之功用如下：

1，大黃

性質：苦寒爲植物類通下劑

主治：

（一）爲效用最廣之通下藥，內服大量，經五時後，發腹鳴腹痛而行下利，惟本品含有單寧酸，故泄後即便秘，欲得一回之通便者，單獨用之最佳，然本品配入枳實同用效力則較速而大，且可免疝痛之副作用，急性腸炎，胃腸異常發酵，（按即古醫書中之腹滿腸鳴，）之便秘，久熱之便秘，及痢疾初起等，均可用之，但燥糞堅結過甚者，若單用大黃植物性之下劑，則不易迅速排出，且多發劇烈之疝痛，而增加病者痛苦之時間，或雖下之而不應，此則當與鹽類通下藥同用，（按鹽類通下藥與植物通下藥詳後，）一則亢進其蠕動，一則稀軟其內容物，而排洩可以較速，此漢醫之複方劑，經幾千年幾萬千病人之實驗，爲最合於科學者也。

（二）本品雖無解熱之直接作功，然用於腸積滯，腸異常發酵等自家所引起之高熱，及意識障礙，因通便病原毒素一去，熱勢得以緩和，大有頓挫之功。

（三）能誘導他部之充血，而集於腸及近部之器質，故用於瘀血及婦女月經閉止，（桃仁承氣湯用之是一例也，）爲驅瘀通經之扶助藥，用於腦及脊髓膜炎，眼膜炎，充血性頭痛發炎腫性瘡瘍疔毒等，爲消炎藥，用於急性肺出血胃血爲頓搐止血藥，又用於腦充血之癲狂，均有佳效。

(四)用少量爲苦味健胃藥……又治急性胃痛擴張，多奏良効。

(五)外用於急性炎症，能改善局部之血液循環，減輕疼痛與充血，促進毒素之排除有消炎退腫之效。

觀右所叙則知大黃爲植物性下劑中效用最廣而又最純潔之藥也，試更觀芒硝之功用。

2，芒硝　(按芒硝爲鹽類通下劑)。

「主治」：

(一)爲通下藥凡熱病便秘，慢性便秘之堅結過甚者，用以稀軟其內容物，甚佳，又因腦病所發之意識障礙，心肝腎病而發之水腫，及急性腹膜炎，漿液膜炎，脚氣等之宜於下泄者皆適用之。

(三)用小量有健胃及溶解粘液之功，故於慢性胃粘膜炎，胃潰瘍用之。

3，厚朴

「主治」：胸腹滿兼治腹痛

4，枳實

「主治」：結實之毒兼治胸滿胸痺腹滿腹痛

總觀枳實厚朴之功用能消痞滿爲辛苦健胃藥也

合以上四藥觀之，則大承氣之功用可知矣，蓋因腸中有燥糞，故用大黃，然大黃有刺戟性之下劑而軟堅非其所能，故補之以芒硝，用厚朴枳實者，所以動胃也，蓋此症不但腸有燥糞，而胃機能亦障礙，食物停滯也，西醫余雲岫氏曾論大承氣湯與調胃承氣湯之別，其言頗可取，玆試述之如下『大承氣之用，爲去宿食及燥屎，宿食在胃，故用厚朴枳實消之，厚朴枳實者，辛苦健胃藥也，燥屎在腸故用大黃芒硝下之，大黃芒硝者泄利藥也，傷寒論屢言胃中有燥屎，最爲可笑燥屎豈有在胃之理，實在胃之消化不良宿食停滯而已，傷寒論大承氣湯屢言腹滿痛，腹滿不減腹脹不大便，腹中滿痛，腹豈在上者哉，若調胃承氣湯則胃中無宿食，而反溫溫欲吐，咽乾心煩有熱，則用甘草以和緩胃中刺戟可耳，故大承氣湯與調胃承氣湯之別，一言以蔽之，曰胃腸皆實者，用大承氣湯胃虛腸實者，用調胃承氣湯，換言之，胃中消化滯鈍，腸有宿便者用大承氣，胃中知覺過敏，腸有宿便者用調胃承氣湯，不但此也，用大承氣湯大瀉之後，急須納食，以救其乏，若不用枳朴以動其胃，則飲食不欲，即强入之亦難消化吸收，而使成爲有用之品是以大承氣之用枳朴，一以消既滯之食，一以籌納食於既下之後也』云云：按大承氣之功用，余雲岫其知之矣，較之其平時所言種種爲：『石羔治愈陽明病絕無其事』，『中藥麻黃桂枝薄荷等，亦能發些小汗』，……等惑世誣民之言論，不可同日而語也，故吾儕亦不可因人廢言也。

抑尤言者，中醫下劑方中組織之善決，非西醫單味下劑所能望其項背（請參觀後論下劑）祇就大承氣湯一方言之，其說思之周到精密已如此（其他發汗利尿等，亦莫不皆然），試問余先生雖口口聲聲謂中醫不合科學，其心中果作何感想。

（乙）小承氣湯之功用

小承氣湯之功用與大承氣湯彷彿，惟腸中雖亦有宿便特不如大承氣湯症堅結之甚，其外症上亦不如大承氣湯症之腹滿硬痛之甚，故去芒硝也，仲景師欲用大承氣湯也，必先以小承氣湯試之，其功用可知矣。

（丙）調胃承氣湯之功用

此湯之功用余氏謂『因胃無宿食，而反溫溫欲吐咽乾心煩有熱，則用甘草以和緩胃中刺戟』又曰，『胃中知覺過敏，腸有宿便者，用調胃承氣湯』云云：其言不爲無理，惟以鄙所知，則甘草之用，實爲硃黃攻下時，恐其腹中疼痛，故用此以緩和之耳照余氏之言，則甘草用少量即足若以敝人說甘草非用大量不可。

既述三方之功用畢，更有言者，即承氣湯名稱上，所以有大小之別，人多誤爲分量之關係，以爲大承氣湯之分量必重，小承氣湯之分量不妨稍輕，實在大小之別，乃在藥味之關係，非關分量也，換言之，即大承氣湯多芒硝，而小承氣湯無芒硝也，更換言之大承氣湯之分量不必重于小承氣湯之分量，小承氣湯之分量，亦不必輕於大承氣湯也。

日本湯本求眞有言『今觀腸窒扶斯大小承氣之症少，而調胃承氣之症多』此金針度盡之言也，腸窒扶斯所以欲用下劑者，爲欲泄去腹中之燥屎耳，故調胃承氣湯已足，如果欲用大小承氣湯者，亦當輕其分量，但中病即止，（即以瀉下爲目的）不必過量致遺腸出血，腸穿孔之危險也，此層吾人須切記之。

吾言三方之功用即止于此，以下述下劑醫治之作用，與鹽類性下劑及植物性下劑之分別，因此爲論中國醫學下劑者，所必具之智識不可不知也，故附帶述之如下：

下劑藥物之醫治作用：

（1）用于習貫性便秘　因食物不宜，運動不足，精神過勞生活不規則以及由于衰弱狀態，慢性胃病，以致腸蠕動緩慢，而起便秘者宜用下劑。

（2）用以掃除腸內容物　食物中毒或服毒食物，腸內容異常發酵，及菌體毒素，或寄生物瘀積腸管內，用之可使有害物，迅速排除。

（3）以誘導目的用之　腦出血腦脊髓及其被膜之炎症與充血眼內之炎症及鼻出血過多，胃出血不止，齒齦炎等，用之以亢進腸蠕動，使腹腔臟品起適度充血，則遠隔臟器之血量，因之減少，而炎症充血等症，可以消退，此古人稱爲降火者也。

（4）用以減少身體之水分以退水腫。

（5）用以催促炎性滲出物之吸收，心臟性腎臟性門脉鬱血性之浮腫與腹水（即第四項）滲出性肋膜炎，水腫性脚氣等，用以旺盛腸之分泌，使水分滲漏增多，可以排去多量之水分，且與飲食物同入於腸內之水分及分泌之消化液分，因用下劑，能使不遑吸收，就此排泄，間接可使身體之水分減少也。

（6）用以催經　下劑中有强刺戟性，且刺戟大腸特甚者，則腹腔起充血，鄰接之骨盤腔亦起充血，故可用爲催經劑如經閉，經痛，月經不調諸症。

（7）用以解熱　急性熱病經過中，每有便秘，糞便過久，則毒素經吸收而發高熱，甚則引起意識障碍，斯時用下劑以排出之即身涼神靜。

(8)用以促進利尿　尿閉因尿素浸潤組織，或滲入腸管而起下利時，用以促進尿素之排除，則尿素得解，尿則可通矣。

(9)用以止吐　消化不良而起頑固嘔吐，用下劑使不消化物，由腸管腸迅速排出，則嘔吐可止。

(10)用以消退內臟炎症　胸廓（肋膜，肝，胆道），胃部有炎症時，若診知非爲化膿性者，用之可奏消炎退熱之效，此因循環腸之血量增加，則炎症之臟器內血量自減也（作用與3項同）若腸已有炎症而用之量輕微刺…，亦有增劇之虞。

下劑之分類

以效用分爲四種

(一)峻下劑　作用强烈排泄水樣便者是（腸鳴腹痛利多）

(二)緩下劑　作用緩慢排泄粥狀便者是（腹痛下利次少）

(三)軟下劑　作用緩慢排泄常度便者是（比通常多一二次）

(四)潤下劑　作用極微只使排泄較易耳（與通常同）

以性質分爲四種

(一)刺戟性下劑　如大黃，蘆薈，甘遂，巴豆是

(二)腐蝕性下劑　如輕粉是

(三)鹽類性下劑　如芒硝是

(四)潤滑性下劑　如蜂蜜，蓖麻油，肉從蓉，桃杏仁是

按峻下緩下軟下之分，與用量大小有關，若用之過量，雖蜂蜜亦能與中量大黃同功，而大黃之用量尤應注意焉

下劑之各別作用

凡內服能排便較通常迅速者爲下劑，然下劑對于生體之影響，各隨其偏性而治效不能相同，古稱大黃盪實芒硝軟堅正此

之謂若不灼知其偏性而混用之，其害可勝言哉，玆略述下劑各藥之偏性與適應症述之如下：

(一)腸與下腹部有輕微炎症，或充血者，當用芒硝不當用有刺戟性之大黃等下劑。

(二)若以消炎之目的欲誘導之，使腹腔充血者，當用大黃瀉叶蘆薈等刺戟性下劑不當用芒硝。

(三)腸內容乾燥（便秘）而排泄困難者，其人壯實當用芒硝軟堅，其人衰弱當用蜂蜜肉從蓉（大量）以潤下，若兼胃熱，可用大量鮮石斛任之，而不當用大黃引起腹痛，以困病人。

(四)腸蠕動緩慢，而不排便當用大黃以亢進蠕動，而不當用芒硝此久臥病人而便秘者，所以主要大黃。

(五)如有中毒狀態，而急須排除者，當用巴豆，或大量大黃等峻下劑，不當用緩下之芒硝。

鹽類性下劑與植物性下劑之分別

植物性下劑爲大麻仁大黃蘆薈等鹽類性下劑爲芒硝元明粉瀉鹽等是。

植物性下藥之能令人下利者，因成分中有刺戟腸粘膜之物，使蠕動機能亢進，而促腸內容物迅速排出，糞便之多水分者，以排瀉過速，腸未遑將水分吸收故也，故通下藥之成分，不獨能刺戟腸粘膜，兼有刺戟胃，食道與胃之作用，而惟腸受刺戟獨多者，以該成分必入腸後始行分解，而多發刺戟性也。

鹽類性下藥之能致下利者，因其妨害腸之吸收水分或且泄出血中水分，使腸之內容物，不得堅硬故也，故此類通下藥非溶于適當之水，不能奏效。

植物性下劑之效用有五。

(一)用于常習貫便秘　(二)於誤食毒物或腸異常發酵時用之，即能將有害物排出　(三)患腦出血腦脊髓充血眼炎諸症。用通下劑能刺戟腸管誘導充血臟器之血液而集于腸。(四)患水腫者用之，使防碍腸之吸收水分，間接減少體中之水分也。(五)刺戟劇烈之通下劑，兼能使腹部近旁之器質充血，故月經閉止可用以促其復行也，然不可不注意者，腸及腹膜發炎，而妄用劇烈之植物通下藥炎症勢必增惡，妊娠及行經期，亦不可用，否則有墮胎及月經過多之害，又患痔疾者用之出血因之加甚，他如虛弱衰老貧血之人，服通下劑後，因腸部充血之故，不特易誘發腦貧血，而其營養且易衰焉。

鹽類性下劑之效用

(一)鹽類泄下藥，宜于腸及腹膜炎症，以無刺戟性也，(二)患水腫者及大便硬結，不易排出者，鹽類性下劑能泄出水分而稀釋硬便，若因蠕動機能減弱而致便秘者，則用植物性通下藥爲宜也，苟此二因同時發生，則二類混用最宜，然病人久臥床褥，胃力必較常人爲弱，忌服鹽類通下藥，否則久留胃中，易害胃之機能也。

中醫通下劑及伍藥之效用與證明中醫方劑之卓絕。

(1)急性熱病末期或全身衰弱（如少陰病）而有便秘者，用下劑將有虛脫之虞，則加附子如仲景之大黃附子細辛湯是。

(2)營養衰弱而便秘者，用下劑恐奪去小腸之營養液，更易衰弱，則加入人參當歸，如吳又可之黃龍湯是。

(3)腸內發酵（腹滿腸鳴）而便秘者，則加用厚朴枳實以制酵驅瓦斯氣體，如仲景之大承氣湯後世之大黃茴香丸是。

(4)腸有炎症用下劑刺戟轉使炎症增劇，則加用黃芩黃連以消炎，如仲景之三黃瀉心湯千金方之黃連解毒湯是。

(5)貧血衰弱或病後而便秘者，則加用當歸生地從蓉是，以益血潤腸，此爲時師所習用者。

(6)老人便秘，用于腸神經痲痹，不能蠕動者，雖日用大黃而便秘如故，此即古人呼之爲虛秘冷秘者是也，則加用附子人參之屬，以興奮腸神經而通便遂效。

(7)腸神經極度痲痺而便秘者，大黃雖用一兩而仍無效則加用射香少許，以興奮之，通便可以立效，此爲李挺得意之經驗也。

(8)寄生虫集團及病菌積滿腸管而起腹痛者，則加用胡黃連烏梅檳榔等殺虫劑以下之，奏效便捷，如消疳消積丸是也。

(9)赤痢腸炎痔瘡初起，每日裏急後重之症，此由直腸發炎肥腫而起。則加用芩連白頭翁之屬以消炎退腫。下劑可立時奏效，如仲景之白頭翁湯是。

(10)血塞血栓或門脉鬱塞而起之瘀血症，子宮瘀血而起之經閉，則加用桃仁紅花水蛭䗪虫之屬以下之如仲景之下瘀血湯桃仁承氣湯是。

(11)子宮有炎症，而腹痛經閉者，則加用龍胆草黃芩如古方之當歸龍薈丸是。月經不調而須催經者，則加用當歸川芎之屬如古方之當歸龍薈丸是。

(12)非承氣症而有腹痛腸鳴，幽幽之鬱滯狀（古稱肺火鬱於大腸）則於軟下劑中加入桔梗（大量）枳實（適量）而大便可以立通。

(13)單用大黃易起腸痛則加用甘草（極量）以緩之，如古方大黃甘草湯。調胃承氣湯之類是。

(14)峻下劑單味，每易引起慢性下利，則用代赭石赤石脂以制之，如千金方之紫圓是。

以上爲國醫用通下劑時加用伍藥之例此則外醫所宜熟思深考而取法者，誰謂國醫無科學上之價値也歟？

醫貴明理

—魁卿—

道以理明，醫亦以理明，藥以氣味爲本，形質爲末，人以氣血爲本，經絡爲末，欲知藥之形質之機能，須明藥之氣味，欲知人之經絡之機能，須知人氣血之循環，此爲格物之至理，溯本求源爲科學之初步。

談談循環系之生理

施儒棠

切開人體各部，就可以看見有許多赤色的液體流出，這種液體就是我們平常所說的血液，我們身體的各部直接或間接都受血液的營養。他的質料是濃的。高等動物的血液皆是紅的，其生理作用，大別述之於下：

1血液之成分

紅血球——把血液滴在顯微鏡的載物玻璃上，用目向鏡內觀之，即見有扁平圓形中間微凹之紅色物體，那就是紅血球。紅血球在胎生後期爲扁平紅色無核之細胞，有膜樣外層，中含紅色素及蛋白體。紅色素又曰血色素占紅血球中全體固形物百分之九十五，甚爲重要，蛋白體僅占百分之五。血色素蓋輸運氧之物也，就是由肺中吸取氧，送於各組織，別種動物之紅血球，與人不同，蓋在脊椎動物中除哺乳類外，全是橢圓而有核，哺乳類圓而無核，惟駱駝卵圓形有核，人之紅血球與別種動物之紅血球形狀雖相似，大小又不同，人類之紅血球平均是7.——9.u. 厚大約2u.，別種動物之紅血球也各有大小，惟狗之紅血球與人相像。紅血有彈性，容易變形，對於外面壓力甚敏銳。人之紅血球由骨髓生之，初爲有核紅血球，生成後核消失，成爲紅血球，經一定時間死滅，其時間大約是三四週，入脾臟肝臟破壞之。

人血內之紅血球至胎生第七月而無核，然成人大失血時，可發現有核之紅血球。蓋有核之紅血球爲紅血球之母細胞。

紅血球可因種種作用而溶解，血色素被析出，其原因可分下列四點：

1血液加溫之六十八度。

2周圍滲透壓過低，即加入蒸溜水。

3加入藥品，如酒精以脫等。

4異種動物之血清加入之。

紅血球之成分，68%爲水，32%爲固形物，固形物之大部爲血色素，血色素爲一種含鐵蛋白質，若以化學物質處之，則生固有之蛋白質及含鐵色素，加入酒精以脫冷却之，就生血色素結晶，人與別種動物各各不同，所以能各各鑑別出來那種是人血，那種是動物血。

血色素有一種特性，就是能與養氣結合，血色素若與養氣，可成養化血色素，現鮮紅色，即動脈血也。此種結合物又極易放出其所含之養氣。所以血色素能由肺中送氧於各組織。又血色素尙有他種氣體結合物，玆不述。

白血球——白血球即無色血球，除血液以外，並發現於淋巴骨髓及腺組織，且作遊走細胞，遊走于結締織，腺細胞及上皮細胞間，成自粘稠柔軟無構性或顆粒性之原形質，沒有膜而能運動，新鮮者其核不能現出，加入水或醋酸則可見之。大小 4——13u 。白血球之形狀及核之多少不同，原形質種類亦異。對於色素，有易染酸性者，有易染鹼性者，有易染中性者，所以平常的白血球，得分下列六類：

1淋巴球，大小如紅血球，核特大，占白血球百分之二十五。

2大單核白血球，大於紅血球二三倍，呈强酸性占白血球百分之一。

3變形白血球，占白血球百分之四。

4中性多核性白血球，占白血球百分之六十七。較紅血球大一倍。

5嗜酸性細胞，大 12——15m，占白血球 2——4%。

6肥大細胞，占 0.5%。

白血球之產生地爲淋巴骨髓，及腺質器官與脾，據 Ehrlich 氏稱淋巴球生於淋巴腺，顆粒性白血球生於骨髓。

白血球之數，在平常血液中，約有紅血球五百分之一，但脾臟靜脈略多約十七分之一，當消化，月經時，則其數增多，若血中含白血球過多則成白血球過多症。白血球的計算法也同紅血球一樣。

白血球有一種特別性質，就是能自己移動，這種移動我們叫做移處運動，故也名遊走細胞。其運動形狀有如 Amoba，以其假足固着於一部位，原形質隨之流動，且能攝取異物，如細菌，色素，異種紅血球，組識細胞之頹廢物，皆能捕食而消化之，故又名之曰食細胞，是以白血球可稱爲身體之保護器官，對于外來之侵害有驅逐作用，其機能即基於移處作用。

又有一種向化性，即對於一定化學物質之刺戟感應甚靈敏，例如細菌產物，則伸其假足趨向而捕食之。

血小板——爲無色小板狀細胞，較紅血球小四五倍，其形不一定，並且容易變化，在輸出之血液，最易於凝集，且粘着他物不易檢出，且易破碎，其數目在 1c.c. 血液中有二十萬——六十萬，有運動性，與白血球相似，含有使血液凝固之物質，所以血小板爲血液凝固之主要物質。

血漿及血清——血漿就是血液除紅血球血小板之外之賦形物體也。平常血漿易于凝固，故難析出，若用凝固較遲之馬血，放於圓筒中以冰水冷之，或用硫酸鈉之飽和溶液及 25% 之醋酸鎂液，防止其凝固，則血球沈于底部，上部爲透明黃色液體，含加纖維素原，即血漿是也。若聽其自然凝固，其析出之液體，無纖維素原，曰血清。

2血液之普通性狀

血色——含氧多爲鮮紅色，含氧少爲暗紅色，氧缺乏之血液現二重色，即落下光線呈暗紅色，透過光線呈綠色，血色來自血色素，而非血液所固有，血色素並非溶解於血中，而呈顆粒存在，故少量薄層之血，亦不透明，若加蒸溜水，紅血球崩壞，血色素析出，乃溶解而透明。

血比重：男子血比重 1.055——1.60 ，女子血比重 1.050——1.056。紅血球比重 1.090——1.103。血漿比重 1.027——1.300，

血反應，爲弱鹼性之液體。

膠質安定度，血液爲含蛋白質之乳狀膠，有一定膠質安定度。

血熱，在C表三十七度乃至四十度之間。

臭及味：血液有固有之臭味，人與動物各不同，其味原於發揮性脂肪酸。鹹味原於鹽類。

重量：血在成人占體重二十分之一。

3血液凝固

談談循環系之生理

血液從血管內流出於體外，少時即凝固，而在生活體內者，絕對不凝固，即將血管兩端緊紮，使血液靜止其中，亦無凝固現象。此原因蓋血管壁甚滑澤故也。又水蛭之唾腺分泌物，蛇毒，亦可制止血液凝固。又加入大量中性鹽類，如硫酸鎂，亦可使血液凝固性消失，因鈣質沈降的原故。加入鈣化物可恢復，二氧化碳亦可使血液凝固消失，故窒息死者血多不凝。

促進血液凝固方法甚多，如粗糙物體之接觸，靜脈內膠質注射，加入種種抽出物，如淋巴腺，血小板，體外之血液加溫能促進凝固。又大失血時最後流出的血液凝固最速。

血液之所以凝固者，即由于纖維素之生成，而纖維素之所以生成，則賴纖維醱酵素Thrombin之生成，而 Thrombin 在血液並未含有之，但有其母質 Thrombogen 而 Thrombogen 所以變成 Thrombin 則賴血小板或組織液中之 Thrombokinase, Thrombokinase人類的血液中，主由血小板生之，而白血球亦生其一部，但是健康的血液裏，Thromin 生成之量極少，且由一種抗纖維醱酵素能破壞制止之，所以血液在健康的身體中，絕不凝固，一旦有異物侵入血管內，或血液流出血管外，因爲刺戟的影響，致血液之有形成分之分泌增盛，以生多量之纖維酵素，其結果是血液凝固。

血液有凝固性，故小創傷之出血，能漸漸自行凝固於創口。若血液無凝固性，雖小出血，亦能流盡全身之血液，如西洋血友病之患者，那不是大大的危險嗎！

血液是高等動物體內特定之組織，由血管系統，以一定的方向，不斷的流動，這就叫做血液循環。

血液循環之中樞爲心臟，以喞筒樣動作，輸血液出心臟，其管愈分愈細，終至眼睛不能看見，遍布四肢百骸，以養全身生活，其後再集合，如出發時同粗細之大血管，重返心臟。出發時之血管曰動脈，返心臟時之血管曰靜脈。夫心臟雖中空，實分四房，血液返心臟後，不過入其右房，乃由右房不入左房，更出於心臟，而入肺，曰肺動脈。在肺中仍分爲細枝，終又集合出肺曰肺靜脈，更入于心臟之左房。由心臟之左房出更佈全身。

血液所以入肺者，乃欲換新血也。蓋靜脈由全身返回，其血含多量二氧化碳，已汚穢不堪再用。乃入于肺，排去二氧化碳，加入空氣中之氧復成新血。全身循環之一週曰大循環，肺循環之一週曰小循環。

血液在肺中，吸收氧排去二氧化碳，在組織中，放出氧吸收二氧化碳，氧之吸收放出，爲血色素之能力，二氧化碳之吸收排去，多半賴化學作用也。

血管之特細者，曰毛細血管，血液之養分，在毛細血管壁，不斷的與組織細胞交換其癈物，更由消化器吸入養分。呼吸器，皮膚，泌尿器，排除癈物。

心臟之構造——心臟存於胸腔之中兩肺之間，外觀呈椎形中空，由隔壁分爲左右兩腔，各腔又分爲薄壁之心房及厚壁之心室。從外部觀察見心臟上部三分之一處有硬固之腱質，凹做纖維環，即心房心室之分界處也。

心肌由此硬固之腱質分爲兩部，上部叫心房，下部叫心室，心房由兩層肌肉構成，外層橫走，兩心房共有之。內層縱走，左右兩心房各有其一，但其肌纖維互相綜錯，內外兩層實不能判然分別。心室之肌分內外中三層，中層橫走，內外兩層斜走，中外層特于心尖部呈8字形。心房肌與心室肌雖分爲兩層，然其隔壁上，有HIS氏肌纖維束，得使心房肌與心室肌互相連合。

纖維環頗爲堅固，上爲心房肌之附着處，下爲心室肌之附着處。有兩孔，左孔爲左心房左心室之通路。右孔爲右心房右心室之通路。孔內各有瓣膜附着之，瓣膜之遊離緣垂於心室內，左心室之瓣膜叫僧帽瓣，右心室之瓣膜曰三尖瓣，皆所以防血液之逆流也。于瓣之遊離緣有數條腱索連于乳嘴肌，而與室壁相連，所以防瓣膜被血液壓入心房也。又大動脈與左心室，肺動脈與右心室，其間皆有小纖維環。此環之內，各有三個半月形的瓣，叫做半月瓣，也可以限制血液的逆流。

心肌之動作——心肌之生理收縮，由單一之攣縮相次而成，其收縮時叫做心臟收縮期，其弛緩時叫做心臟開張期，其收縮由心臟之靜脈口部開始，先蔓延於心房，然後傳播於室壁。於心房收縮期中，心室常在開張期，而心室在收縮期中，心房亦在開張期，心室之收縮直發於心房，收縮之後，要由心室收縮之後至次回心房收縮，其間房室共弛緩，叫做心房休息。心房收縮期約需 0·10秒。心室之收縮期約需 0·3秒。休息約需 04秒。至成人之健康者由心房之一收縮至次回之收縮，其所費之時間約需 08 秒。故一分鐘可收縮七十次。但各人常有差異，小兒比成人多，初生兒達一百四十，其年歲愈長，其次數愈少。女子比男子多。身體輕者比體重者多。其他如體溫上升。食後勞，脉搏皆見增多。

心臟之動作，必須養氣在，若無養氣則心臟之動作完全停止，若切除體外之心臟，得着充分養氣，仍能保存其動作性，其他溫度等亦有關，切除體外之動物心臟，有能保持其動作至一年以上者。

心瓣膜之作用——心臟恰如唧筒作用，輸送血液於身體各部，待循環一週後，復收納之。然能使血流取一定方向而不變者，全賴瓣膜作用，即當兩心室收縮時，其內腔狹縮，內容血液之壓力增加，遂排開大動脉肺動脉口而出，然倘有一部留於心室中，又當收縮時，心室內血壓旺盛，由血液向上方壓迫，使房室口之瓣膜緊張，故此瓣膜之遊離緣互相接觸，房室口遂完全閉鎖，血液不能逆流入于心房。

房室口瓣膜，其邊緣及下面與腱索連合，而此腱索又與乳嘴肌連合，心室收縮時，乳嘴肌及腱索也同時收縮，故其連係之瓣膜，決不能翻轉於心房內。

其次心室開張，心室內之血壓殆全消失，比房內之血壓甚弱，因此房室瓣開通，血液由心房乃下流於心室內，當此時動脉內之血壓迫動脉口之瓣膜，此時三月瓣遂以內面互相接觸而閉鎖。故血液毫不能由動脉反入心室。

心音——心臟之轉動，每次發二音，第一音低而長；第二音高而短，兩音如蒲突之聲，此二音有固有之整調，可以辨別之。即此二音係連續的，每經此二音皆有一較長之休息時間耳。

心臟內壓——心臟收縮，則內壓增進，其內壓之高低，因動物種類而異。

人之心臟內壓緊張時約爲 0·05—0·1 秒，驅逐時約 0·2 秒，緊張減退約 0·1 秒，充盈時約 0·4 秒，以上四期合計約爲 0·8秒，是曰心臟週期。心搏之神精調節——心臟搏動，雖爲自動性，然仍受兩神經之支配，一曰交感神經，一曰迷走神經，又更有自心臟發出之求心性神經傳達於中樞神精系統之神經。該神經影響於心臟自己或血管之反射，即多數之神經纖維，分配於肌之神精網是也。

據 Engelmann 氏將此二神經影響於心臟之工作，分變時，變導，變力，變閾等四種作用。

變時者，刺戟交感神經，則搏動增加，刺戟迷走神經則反是。

變導者，刺戟迷走神經，除搏動減少之外，房屋間之傳達亦增時間。蓋由於 His 束減退故也。

變力者，即變收縮之力也。刺戟迷走神經，其收縮力減小。

變閾者，此作用乃影響於肌之興奮性之變化，如迷走神精受刺戟中。再以人工刺戟他部，則其興奮性減退。

血管——血管是血液通行的道路，傳導由心臟送出血液的血管叫動脈。輸送流回心臟血液的血管叫靜脈。

動脈管壁很厚彈性很强，和左心室相連的動脈，算是全身中最大的動脈。和右心室相連的，叫做肺動脈。這大動脈肺動脈和心室交界的部分，各有半月○。

靜脈比動脈管壁也薄，彈力也弱，處處有半月形的瓣膜。

和右心房相連的有上大靜脈，和左心房相連的，有肺靜脈。

普通動脈都分部在身體的深部，靜脈除深部外，還有許多分在皮下。

動脉的末稍和靜脈的始部兩端有許多微絲血管相連着。

淋巴之生理——淋巴液爲毛細血管濾出之液體，此液體由血液攜來氧氣及養料，作用於細胞，而取出細胞之老廢物，經淋巴腺，復入血液。血液雖能輸運養料，而不能以養料直接供給組織細胞。組織細胞所得的養料，全賴淋巴之力也。

淋巴微管，是從各器官和組織發端的。腸壁的淋巴微管內含有消化產物的乳糜，所以特稱爲乳糜管。

比淋巴微管大的稱爲淋巴管，淋巴管集合起來，又成爲左右的兩個總管，叫做淋巴幹，左邊的淋巴幹格外大些，特稱胸管。腸絨毛內的乳糜管，也是歸聚到胸管內的。這淋巴幹在心臟的附近和靜脈結合。

淋巴腺——淋巴管的經路中有許多大小不等的橢圓形結節，叫做淋巴腺。淋巴腺內有無數的白血球，特稱淋巴球。淋巴腺能新生淋巴球。並且能仰留消滅淋巴液內的病源細菌和其他異物。

脾臟與循環

脾臟爲一腺體，存在胃的左方，無管，爲內分泌性。其作用與血液循環有絕大關係。故脾亦曰血淋巴腺。

脾之構造頗似淋巴腺，外有被膜，成自彈力纖維及肌纖維。由脾門伸入脾內有若干突起曰脾材。其脾材分枝成網，

談談循環系之生理

空處有脾髓，或曰脾實質。富血管，呈紅色，故亦名紅髓。有血管貫穿其中，脾髓用顯微鏡視察。呈蜂窩狀，中含各種細胞。如大淋巴球，赤血球及其殘片，血小板及其浮遊顆粒，白血球，此外在胎兒期小兒期或失血期中，可見其中有有核紅血球。此外脾中倘有白粒，大如小米，曰白髓，內含毛細血管，爲淋巴樣組織。亦稱脾淋巴腺。產生白血球。

脾之血管，動脈伸入脾門，沿脾材走，分至極細，開口於蜂窩組織，蜂窩組織亦有靜脈開口處，故血液入蜂窩組織後，可移行于靜脈內。此種循環爲一特點，因在身體各部，血液皆不與組織直接接觸。此則異也。

脾之作用，約有下列各種：

1產生白血球，脾靜脈內白血球甚多，可想見其爲白血球生產地，人患白血球增多症，察其脾則見過長大，白髓亦然。

2破壞紅血球，脾中紅血球，可察見其各級被破壞狀態。又因有核紅血球爲紅血球之母細胞，在脾內大失血期或胎生期內可發見之，所以知道脾在必要時亦能生紅血球。

3脾與多種物質之新陳代謝有關，此則爲內分泌性之官能矣。

4濾過血中異物，此作用頗似淋巴腺。故脾臟亦曰血之淋巴腺。

5抵抗傳染病。

脾臟摘出後，淋巴，骨髓，肝臟，能代償其作用。故人不至於死。

循環器之衛生

全身的肌肉若能發達，心臟的肌肉隨之自然也就發達起來；所以强健心臟的方法，最好是平常有適當的運動。

按摩沐浴都可以促進血液的循環。過量的煙酒，能損傷心臟，並且能使血管化。

血管若受壓迫，血行就發生妨礙，同時各器官的作用和發育，也要影響。

屈膝久坐小腿要發麻痺，臥病時要引起體部的潰爛，這都是血行障礙的結果。

此外狹窄的靴鞋，緊小的衣服，姿式不正也都有礙血行；而對於幼年人的身體，爲害更大。戒之！戒之！

叙述詳盡理論新穎

婦科新編

孫魁卿

第一編 生殖器官

▲第一章 內生殖器

女子生殖器官爲產科之基礎，而婦產科在醫學上實占重要之位置，故女性生殖器之生理偏重於男性耳，女生殖系之構造亦較複雜，而其病變亦較多，欲明其病變而於其構造不得不知也，其生殖系約分內外兩部，內部位於骨盆腔內，計有卵巢專司產卵之處，輸卵管或曰喇叭管，爲卵子成熟由卵巢輸向子宮之道，子宮爲育兒之所，陰道用以交合會卵，由此觀之生殖系之機能在乎營生物之蕃殖，謀種族之保存，其內部爲產生生物之種芽，而保存並養成之適當處，其外部位於骨盆之外，爲男女生殖交接之所，及媒介生殖產物排出機關，人類臟器形態之構造無男女之別，其所異者惟生殖系耳，故詳述其構造和病變於後。

第一節 子宮之構造

子宮爲平滑肌之厚壁臟器，是容受輸卵管中已受精之卵子，保護營養之，俟其發育完成，排於體外，其形狀因人年齡之不同而異，在初生兒之形狀爲桿狀，老婦或多產婦則呈球形，成人之女子則呈西洋梨子狀，或如我國之小葫蘆形而稍扁，上連輸卵管，下通陰道，前方爲膀胱，後方爲直腸，其全體分爲三部，上部連於輸卵管曰子宮體，下部接於陰道者曰子宮頸，子宮頸突出於陰道者曰子宮陰道段，下端有橫裂孔即子宮外口是也，其子宮之大小因種種生理狀態之不同，如經產婦在生殖時期之子宮最大，未產婦較小，老婦因萎縮更小，歐洲婦女在成熟期其底部廣約三至五糎，體厚三糎，由子宮底至口長七至九糎，子宮重約四十至五十克，子宮之位置在小骨盆中，直腸與膀胱之間，其上端稍屈折於前方，不超過骨盆入口下端爲陰道穹窿所圍擁，而降於陰道中向後下方，全子宮之長軸幾與骨盆之軸一致，其壁肌分爲三層，內層縱走曰子宮內粘膜，中層成自肌肉富彈力纖維而多血管，外曰外膜由輪狀及縱走之平滑肌纖維構成，內膜分爲兩層，上爲機能層，下爲基礎層，在機能層之表，有單層圓柱狀纖毛上皮，纖毛之運動向子宮頸方面，又有管狀腺，謂之子宮腺，月經期此腺非常增殖，而內粘膜表皮剝離混以血液等則謂之月經。

第二節　輸卵管

輸卵管爲管狀之器官，乃連續子宮與卵巢之物，究不外爲卵巢之輸出管，其長約八至十五糎，呈喇叭狀故又曰喇叭管，其內端由子宮之上側緣，始則狹小成索狀向骨盆上行復折向下方，而接於卵巢，其終端擴張爲漏斗狀，其管之內外皆爲粘膜，內層粘膜皺裂甚多，若從中間橫斷切開，管腔幾不可尋，有多數細小血管，在粘膜中構成蜜綱，在粘膜之內層，被以一層之氈毛圓柱上皮，此種氈毛向子運動。

第三節　卵巢

卵巢爲扁平長橢圓形之腺狀器管，成於皮質和髓質，周圍纏以白膜，髓質即結締組織和彈力纖維，皮質中含有大小種種之卵胞，其最發育者爲格臘夫 (Graaf) 氏濾胞，外圍成自結締織膜即卵胞膜，內面有顆粒層，卵子藏於其中一部，在少女時期之卵巢，爲扁平形，至春機發動期則卵巢特別發育，呈杏仁狀，其大小平均長二，五至五糎，幅一，五至三糎，厚〇，六至一，四糎，重約五至八克。如排卵數次後其表面多呈凹凸不平狀，其位置在骨盆側壁，即骨盆與輸尿管之交點，腸骨無名線稍下方，卵巢門部附着於闊靱帶之部也。

第四節　陰道

陰道乃膜狀有擴張性之管道，含肌之組織，爲女性交合之器官，在子宮之下方，爲子宮與外界連絡之管，管腔之前後壁平時互相接觸，故陰道之橫斷面爲⊠形，前後壁之長矩不等，後壁略長於前壁，前壁之長約七至八糎，後壁約八至十糎，探入食指可及子宮外口，陰道之外口爲括約肌約束之，收入口部頗狹，其上部爲子宮陰道段突出部，其前壁下半部與尿道密着，上半部與膀胱粗鬆部附着，後壁下部與會陰接連，中部與直腸直接着，上與 Dou glas 氏窩之相接在處女陰道後壁之下方有半月狀之瓣膜宛如陰道之下壁謂之處女膜，陰道壁之構造分爲三層，自內而外曰上皮層，曰上皮下結締粗層織，曰肌層陰道之最上層無角化之細胞且無汗腺及皮下腺，惟乳頭甚發達隆起於皺裂之上，陰道本身無線體，其中之粘液爲子宮所分泌，上皮之薄厚因年齡而異，少女較厚乳頭亦大老婦則菲薄乳頭亦減少。

▲第二章 外生殖器

外生殖器在骨盆出口之前，與泌尿器之終末器相一致，在尿道口與小陰唇之間，乃生殖器中得自外界，能以目睹之部分總稱也其頭着於外者則爲大陰唇位於陰阜之下而陰毛則生於陰阜之上後爲會陰，會陰之後則爲肛門，玆舉外陰各部詳述於後。

第一節 陰阜

陰阜位於腹部之下端，與恥骨縫相接成自外皮其部特別隆起，因皮下脂肪着明發育，故其處膨隆作阜狀，在性慾成熟期，則其處生有陰毛。

第二節 大陰唇

大陰唇位於陰道之外，成自二個膨滿之皮膚皺界以一裂溝狀或楕圓形之空隙謂之陰門，其裂後近會陰，前端由前連合，左右相連接而近於陰阜，在未產婦之大陰唇互相合併，僅微露小陰唇之前端，經產婦則否，大多數其裂而兩旁開張，直接可見陰道入口，其內面漸次帶紅色，或稍暗色，在大陰唇之內部有富於脂肪之結締織，神經血管之外，常有滑平肌纖維等。

第三節 小陰唇及陰蒂

小陰唇位於大陰唇之內面，與之平行，其前端分兩葉左右相對互相連接而成，其後端向後方漸漸縮小，遂消先於大陰唇之內間。

陰蒂在前連合之下後方，乃現於左右大陰唇前部間之小體其尖端下垂陰蒂之爲用，等於男子之陰莖，如遇性慾衝動亦自行勃起，其知覺神經非常敏捷，如以物觸之則發生癢感而引起性慾，故世之淫蕩之婦女，大抵皆由陰蒂過大所致，蓋過大則易與外物接觸，接觸則發生一種一種不可思議之癢感，故非性交不能快其意志，往往引起狠大的是非，凡婦女陰蒂過大者如預防淫亂計設法用手術摘除之，此爲父母者不可不注意焉。

第四節 前庭大小腺

前庭大腺之上皮成於單層圓柱細胞其出口部在小陰唇之內面，適當陰道入口部，分泌乳汁狀粘液以供性交生產，及排出月經之用

小腺位於尿道口之兩側，爲有管狀粘膜淺凹亦爲分泌粘液腺。

第五節　處女膜

處女膜是保護陰道之薄膜也，在陰道下口成半月狀或輪狀，閉鎖陰道外端，雖爲閉鎖但因半月狀故不完全閉鎖，當尿道之左右部留有小孔此即處女膜孔也，該膜因第一次與男子性交而破裂留於腔之下口，是爲處女膜痕，至生產後而該膜痕因大破裂而成小顆粒之乳嘴狀，故驗是否處女則以此膜爲定，但因膜過薄一遇勞動或激烈運動即爲破裂而不待性交或因手淫而破裂者，甚至先天不具此膜者，故不能確認無此膜則已發生性交，難勉不陷於謬誤，至於處女膜過厚而全將陰道閉鎖不留一隙者，月經無從排出，必豚留於陰道和子宮之內而發生急大之疾患，故於此須急延醫用手術割開，月經始得如常。

▲第三章　生殖器疾患

本書範圍限於婦女，故於標題之上不冠以女性二字，大抵婦女之疾患以生殖器部爲最多，尤以月經排出爲必由之路欲使讀者明瞭月經的來原。故不得不將生殖器之構造和他的生理現象，逐條分析揭於書首，關於泌尿器雖然與生殖器亦有連帶的關係但於生產和病變方面不發生若何重大化，故不另條分辨，惟與何種病發生關係時在詳爲註明焉，

第一節　子宮內膜炎

子宮之構造已詳述於前玆不在敘，惟其本身則無有發病的可能，其病者多因其他臓之傳入，或由微生物之侵入粘膜所成，然子宮體部粘膜不易爲細菌所侵犯，何故，大抵子宮乃細長之管而常充滿粘膜而防禦細菌之侵入。雖然有制止細菌侵犯之能力，然對於淋菌及結核菌則無以爲力。

原因：在妊娠時子宮頸管張開，而其對於細菌之防禦力失却，適值子宮內面又有創傷，而細菌乘虛而入，並且淋菌在頸管粘液中極能發育故易罹內膜炎，故名之曰微生物性內膜炎，爲非細菌性者其病變常以潛行性迫行其主要者，以粘

膜增殖爲特徵，其增殖之主要，爲間質增殖或腺增殖，或兩者混合增殖等皆能誘起內膜發炎。

症狀：子宮內膜發炎以淋毒性爲最多，其主要之証候，爲月經異常所謂異常者，即月經之持續延長，血量增加，子宮分泌物增多而爲帶下，爲非由淋菌而由其他種細菌所傳染而起者，亦有帶下及月經異常或有不規則之出血等症，患者之下腹部自覺有壓痛，甚則發生粘膜狀或膿狀，及血性之赤白帶，妨礙經血之通路，發熱惡寒大小便障害等。

治療：視病之深淺及時代之推移而定，每晚臨睡時，及早起床時要用(川椒，公英，蛇床，明礬)。溫水泡洗，或用手術擴張頸管行內膜搔爬術，絕對避勉手淫，及與男子交合，宜安靜對於辛辣之物或有刺激性者皆不可食宜通調二便。

處方

赤茯苓(三錢)　當歸尾(三錢)　焦檳榔(二錢)　懷牛膝(三錢)　酒條芩(三錢)　車前子(三錢)

酒川軍(三錢)　赤芍藥(二錢)　供元胡(二錢)　炒杜仲川斷(各三錢)　桃杏(二錢)　水煎服

第二節　急性子宮內膜炎

原因：子宮內膜炎症有種種的原因所誘起，至於此種急性的主要原因，多起於產褥之敗血性內膜炎，而大多數以釀膿菌傳染得之，或係潛伏如淋疾而續發於產褥，繼則成爲重症內膜炎，其初起多限於粘膜層，同時可以侵及肌層，甚則更侵及骨盆結締織和腹膜，如蔓延至腹膜病，則重矣恐神醫再世亦不能爲力也。

症狀：本証之主要証候爲骨盆內有壓痛感，初起時亦覺惡寒發熱。陰道內漏稀薄漿液性，或膿性液，如以消息子插入，則發劇痛，小便多呈深黃色，尿道略有刺痛，甚則腹壁肌引痛，及腰部腿部皆酸痛，月經少而持續期長。其色多呈深赤，其陰道內自覺發熱輕者數月後自愈重者因之而死亡者亦復不少，故婦女對於是症多加注意焉。

治療：急性者宜用緩下劑，行陰道滌洗用過錳酸鉀和溫水洗滌每晚早各洗一次或常用溫水洗滌禁房事宜靜臥，內服通調二便藥並去瘀熱內蓄法

處方

杭芍(三錢)　桂枝(一錢五)　丹參(二錢)　條芩(三錢)　黃連(五錢)　牛膝(三錢)　鮮生地(四錢)

川椒(一錢五)　車前子(三錢)　澤瀉(二錢)　草稍(一錢)　歸尾(三錢)　水煎服

第三節　慢性子宮內膜炎

原因：慢性內膜炎多由急性炎而漸化成者，其主要原因，亦是發於產褥，或子宮轉位，或得急性傳染病後，手淫，慢性心臟炎，月經時不攝生等。

症狀：月經時血量增多，下腹部疼痛其他症狀，如頭痛，飲食不振，消化不良，神經性胃痛，精神不振現於憂鬱狀態等

診斷：子宮內粘膜正常時，每次月經之排出，並無任何變化如內粘膜發生變化則膜肥厚而其間質亦有强度之限局性，或汎發性之小圓細胞浸潤；他的腺體反覺減少，而其距離亦增大，是爲慢性子宮內膜炎，本証之主要病變在間質故又名之曰間質性內膜炎。

鑑別：本症多併發骨盆內，其他臟器之炎症，因此症之形狀與子宮內膜增殖証相同不易鑑別，故於臨床上不可不加以詳細檢查耳。

治療：清潔局部爲最要，以八%食鹽水三%硼酸水等朝夕洗滌再以適當之坐藥納陰中，月經時避免勞運，併使之便調注意，全身營養和衛生，內服以清血中之熱而失炎，通調二便，宜用雙合飲方。

處方：

油當歸(三錢)　懷牛膝(二錢)　鮮生地(四錢)　鹽黃柏(二錢)　鹽澤瀉(三錢)　鹽橘核　鹽荔核（各三錢）　酒條芩(三錢)　赤白芍(〇三錢)　新絳(一錢五)　血餘炭(二錢)　赤茯苓(三錢)　水煎服

第四節　子宮內膜增殖症

原因：內膜增殖之起因非由炎証，或其他原因而肥厚，致其眞正之起因尙不明瞭，據一般人推測，係因生殖器之不清潔，尤以月經時不衛生或因適值行經而得感冒，或不自然之交接，手淫而起者爲多。

症狀：內膜增殖之自覺証候爲月經異常，及子宮內分泌增多，骨盆深處有不快感，月經將欲排洩時覺有惡寒之感，同時尿意頻數，大便秘結，月經已行下腹部引痛，荐骨痛，或有不然者，在月經之前後子宮分泌液爲無色稀薄凝液至陰道則混有上皮故成爲白色乳汁狀，名之曰白帶，是証之患者常覺頭痛，或半頭痛，枕骨引痛，神經性痛，甚則生殖

機能障礙，多不能生育，或孕而易於流產等。

診斷：本証不呈週期性，持續不竭，本証之內膜肥厚，非間質性肥厚，乃腺體之增殖肥大，粘膜肥厚而充血，其表面平滑，亦有凸凹不平者，甚則呈息肉狀，多發生於輸卵管角，呈細小梨狀，表面以內膜上皮覆之，內部會有多數體部腺，曰子宮內膜增殖証。

鑑別：須與慢性子宮內膜炎，子宮癌腫，等區別

治療：在初起時期行局部的治療，或用手術擴張頸管，施行搔爬，每朝夕用石碳酸和食鹽水洗滌或用（公英，地丁，透骨草，川椒，稀草，各等分水煎洗）

處方

黑香附（三錢）　三稜（二錢）　莪朮（二兩）　元胡（二兩）　皂刺（一錢五）　赤苓（三錢）　歸尾（三錢）

牛膝（二錢）　血餘炭（三錢）　新絳（一錢五）　當歸（三錢）　澤蘭（二錢）　水煎服

第五節　子宮萎縮証

子宮萎縮之原因，有生理的萎縮，和病理的萎縮，玆分述於下：

生理萎縮

老年婦人至月經停止之後，子宮機能減退，而發生子宮全體縮小，甚則縮至較正常小二分之一以下，除老年婦人外，則為授乳期之婦人，大抵乳婦在授乳期間，因其生理的關係，故子宮為一時性的萎縮，其萎縮多限於子宮體部，體部之壁呈菲薄一而其腟之長短則不變，延至授乳停止後，則子宮萎縮仍恢復正常之大小，此為生理的現象，不必醫治亦能恢復正常之狀態耳。

病理萎縮

子宮榮養障碍，即有萎縮拘攣之現象，至於病理的萎縮，皆係其他臟器發生病變而波及此也

原因：多起於精神之激動，高度營養障碍或嗎啡中毒，甲狀腺性惡液質，慢性腎臟炎糖尿病等証，往往見之，如發於產

褥而由敗血性病變者，子宮組織多壞死或由肌纖維缺損而發，或由子宮炎証炎重病而起，如由卵巢機能消耗而起，多在卵巢化膿，或去勢後見之，故萎縮常見無月經証

治療：視其原因而攻之，故以去其原因爲第一義，如因泌乳而誘起者，後至授乳停止則復原，如全身發生障碍，其至停乳後仍持續其萎縮狀態，應速斷乳以增進其身體之榮養

第六節　輸卵管炎

輸卵管乃卵巢中之卵子成熟後，由此管通到子宮以便卵子着床成孕者也，假若輸卵管發生病變，則於生育上受莫大影響，如輸卵管發生炎証時，則月經同時亦受障碍，故女子生殖之輸卵管尤爲重要。

原因：由淋菌而起之陰道炎或子宮炎，卵巢炎，骨盆蜂窩織炎，深入輸卵管而成此病，名之曰單純加答兒性輸卵炎管，此外有由各種細菌所傳入者，名之曰傳染性輸卵管炎

（甲）單純加答兒性輸卵管炎

原因：本証感染之原因，乃非細菌性的，實因骨盆內各臟器之炎証或鬱血而起，骨盆一班充血，卵巢囊腫，致輸卵管之血液循環被障碍而發赤腫脹，粘膜亦腫脹，間質內有淋巴球浸潤時而出血，其上皮不至剝離，管腔中有漿液性滲出物，粘膜層以外之管壁中病變尤爲顯著

（乙）傳染性輸卵管炎

原因：傳染性之主要原因實爲各菌虫之作祟，而尤以淋菌爲多，其次則爲結核菌，葡萄狀球菌肺炎菌，腐敗菌等，其傳入之路經，有由子宮上達輸卵管，此種以淋菌爲多，或由腹腔經血行而傳入者，或偶有由血管淋巴管而入者，等等不一，其傳入所犯之部位不同故分之如下

一，輸卵管內膜炎：由細菌侵入管腔，先犯粘液表層，上皮纖毛被剝落，繼則破壞上大部皮分現於壞疽，同時粘膜血管分歧怒張，淋巴腔擴張，其粘膜間質中有小圓形細胞浸潤，所以粘膜肥厚腫脹，輸卵管內之分泌初爲漿液性，漸漸變膿汁狀

二，間質性輸卵管炎：由產褥傳染得來，係因釀膿菌傳入所起，先侵犯肌層，間發生限局性或瀰浸性圓形細胞浸潤

，或管壁各處生膿瘍，管壁結締織增殖一般肥厚，其証篤時不僅達及外方漿膜週圍皆起炎証，並且侵犯管內粘膜輸卵管內膜炎証呈同一之變化也。

病狀：輸卵炎証之不同，實因其所受各異，但在炎証期內多合併子宮卵巢陰道腹膜，骨盆結締織等疾患，其主要証候，爲下腹之一側或兩側疼痛，在房事或月經時，則其痛尤劇，除此等連續的疼痛外，更發間歇性下腹部痛，其痛之原因，實因輸卵管收縮所致，同時體溫上升食慾減退，甚則作膿腫血腫，於腹腔內裂破所起大出血以致於死，或使輸卵管閉塞而成不姙症，大抵婦人不姙者以此爲最多，

治療：傳染性者應力避淋菌如已傳入陰道和子宮，即行速治勿使侵入，同時全身及局部要安靜，禁止房事，通暢大小便，選易于消化而富於滋養者食之，病已重則應入醫院用外科手術醫治，舍此別無方法，如非傳染及傳染性初期者，宜行陰道洒滌用過錳酸鉀水洗滌或用

處方：內服解毒飲，

錢花(三錢)　公英(三錢)　地丁(三錢)　山甲(二錢)　只實(二錢)　當歸(三錢)　牛膝(三錢)

茯苓(三錢)　連翹(三錢)　車前子(三錢)　大黃(二錢)　冬瓜子(三錢)　鹽荔核(三錢)　水煎服

第七節　巢炎卵

卵巢專司造卵機能，其正常狀態則每四週行經一次，濾泡生成一枚，其未成熟之濾泡，皆貯藏於卵巢之週圍，在將成熟之濾泡向內發展終生破裂而排出，其所含之卵子和濾泡液，由卵巢經輸卵管而排於子宮是名之曰排卵，假若卵巢發生病變，則生卵機能消失，而黃體同時亦不能形成，故月經亦停止矣，至於卵巢炎証之由來，實有種種之關係，玆將証因分爲兩類以便斟別，舉述於後。

(甲)傳染性卵巢炎

原因：其原因係因病菌作祟；尤以釀膿菌淋菌爲最多，其次則是結核菌，普通大腸菌，或發現肺炎等菌其傳入經產褥敗血証，或由子宮骨盆輸卵管等，化膿時膿汁附着於卵巢表面而誘起，其最易於發生者以黃體，或新破潰之濾泡，

是處最適宜細菌之發育，細菌由破浣孔或該部薄膜侵入，或由血行傳入等

診斷：傳染性之卵巢炎，初期先犯卵巢間質，後則移行濾泡，繼則結締織充血腫脹，有以圓形細胞侵潤，濾泡組織被破壞，在是時卵巢特別肥大，在間質濾泡等處而發生膿瘍，故謂之傳染性卵巢炎

症狀：傳染性之卵巢炎，往往爲原因病所蔽，致不能示其特徵者有之，然患側多半發劇痛灼熱感，或與輸管炎相同惟卵巢則覺劇列壓痛，兩脇脹痛，月經停止或有不規之出血。

（乙）非傳染性卵巢炎

原因：非傳染性卵巢炎者，不是由細菌傳染所得也，多爲西藥之中毒，如磷砒素水銀等是也，或因房事過度，或因急性感冒，霍亂等諸急性傳染病後而發生者，或由循環障碍所誘起亦復不少也。

診斷：非傳染性卵巢全部破壞，機能消失，本証之初期，間質細胞增殖，亦有小圓形細胞侵闖，或成漿液性浸潤，卵巢卵肥大，卵胞減少，在此時白膜着明肥厚，血管壁亦如是，至晚期則間質萎縮硬固，卵巢表面凸凹不平。

症狀：非傳染者於直立動作時，卵巢部起強烈之疼痛，月經障碍甚則無有或不能姙娠，有謂卵巢自身不發疼痛，但其疼着明卵巢下垂，愈着撚轉，闊靱帶鬱血時因卵巢增大，其增量，牽行而發痛耳

治療：用溫罨法最爲有效，守安靜，禁房事，如痛不可忍時施行阿片坐藥，朝夕行熱性陰道洗滌用。

處方：利便飲

赤芍(三錢) 元蠶(二錢) 生地(三錢) 川栢(三錢) 二丑(三錢) 條芩(三錢) 當歸(三錢)

梔仁(二錢) 桑枝(六錢) 荔核(三錢) 瓦將(四錢) 桃仁(二錢) 酒軍(一錢五) 水煎服

第八節 陰道炎

原因：此爲傳染之結果，其中尤以淋菌之傳染爲主，或因子宮疾患所分泌之物經過陰道粘膜被其刺激而誘起，在急性傳染病後亦每發膜狀性陰道炎，亦因高度子宮脫出，子宮惡性腫，膀胱陰道瘻等多併發本證，如各種的刺激，手淫，或不正當的性交，按皆能致此證，如初起發於粘膜層而加以相當治療者，則旬日即愈，否則向深層侵犯，易誘起其

他臟器疾患，

診斷：因患者之年齡不同，而其形狀有顆粒者，有無顆粒者，故又分而述之於下項

(一)單純性陰道炎：本證多發生於少婦，其陰道中上皮下組織中，有圓形細胞浸潤，血管着明迂迴怒張，全壁平滑紅腫，而無斑點，甚則上皮缺損。

(二)顆粒性陰道炎，此證多發生於青年婦人，或更年期之婦人，其陰道之乳頭肥大，呈硬粒狀顆粒，數個相集並列於粘膜皺裂上，或多數相衣成簇，或粘膜成赤色斑點，此證乃單純性之輕者耳。

症狀：本證雖分爲兩種，但其自覺證則同，不過證有輕重之分，其主要徵候局部疼痛，灼熱，痒惑，腫脹，全身惡寒發熱，尿意頻數，交接大便皆困難，同時分泌大量乳狀或膿汁樣帶下物，或混入血液，半月或廿日後則陷於單純性發多量之赤白帶，貧血，性慾減少。

治療：診查其原因而去之，以清潔局部爲要務，用八%食鹽水三%硼酸水過錳酸鉀五%混合洗滌或用連翹(二錢) 薄荷(二錢) 麻黃(三錢) 甘草(三錢) 紅花(二錢) 歸尾(二錢) 蛇床(二錢) 芒硝(二錢) 水煎早晚洗滌，月經時避去勞動，通調大便，再納坐藥於陰中，治帶球

明礬(六錢) 蛇床子(六錢) 樟腦(三錢) 杏仁(二錢) 鉛粉(一錢)

以上共爲細末蜜爲丸一錢釜鋁粉爲衣每隔一日納一丸於陰中

第九節 陰門炎

原因：外陰部有很鞏固的表皮被蓋，對於一切炎症的防禦力甚強，偶染炎證係因表皮損傷，或軟化使細菌易於侵犯，或因子宮陰道之炎證分泌物敷於外陰腐蝕，或暴之交接，陰部不潔手淫，陰道漏，淋病，尿崩等，多誘起陰門炎證，至於細菌之侵犯少女，因少女之外陰部軟弱易爲所犯，醫者所應注意者爲患者是否得有糖尿病，大抵糖尿適宜功菌的發育，故每多誘發，在敗血證產褥，或急性傳染病等，易發重證陰門炎

症狀：其証狀無深重感覺，只感恥骨部有重感，及灼熱，在排尿或接觸步行等感覺加重，其外陰部一般的發赤腫脹，小

陰脣成紅赤色之巨大隆起，而將陰門閉鎖，其裏面覆有粘液狀或膿狀之分泌液，分泌液下有赤色散在性小結節，其陰蒂和包皮亦發高度之紅腫，其主要之徵候以外陰部紅腫疼痛而分泌液增加，其炎證不僅限於外陰，甚而發現於兩股之內面者有之。

治療：視其原因而療去之，以免纏綿，其重要者，以保持局部清潔，須常入浴，局部用溫水或用，川椒（三錢）　樟腦（二錢）　硫黃（一錢）　蛇床（三錢）　茜草（二錢）　桂皮（二錢）　用水冲泡洗滌。

第十節　陰門痒

原因：本證之確實原因尚未證明，一般揣測，似由手淫或帶下等之外陰刺激所起，或由糖尿證而誘起頑固之陰門痒症，或黃疸病寄生虫等，亦往往見之，如無此等之誘因者，乃因神精障碍所得也，因是而多見對神精質之婦人，或肥胖婦人，而多於閉經期見之。

診斷：陰門上皮下有圓形小細胞浸潤，及乳咀，體中之結締織增生，外陰皮膚肥厚乾燥痒感着明，故謂之陰門痒症。

症狀：本證發生在陰門及其週圍，有頑固劇烈之搔痒，陰門及其週圍多呈灰白色略爲腫脹，外陰皮膚乾燥，肥厚灼熱，在睡眠身體和暖時則痒感更甚，如勞動排尿，性慾勃動時而其感覺尤顯，甚則睡眠障碍，患者陷於憂鬱狀態。

治療：除去原因而易於治療每晚用熱水洗滌或用，蛇床　川椒　檳榔　紫荆皮　茜草　洋冰　水煎洗

第二編　月經

▲第一章　月經之來原

月經之來原乃係成熟女子子宮膜粘週期性出血是也，其所排出之血由粘膜內之靜脉鬱氣被激而洩下，不過這是一種廣溥之言國醫謂血者水穀之精氣，人莫不飲食，飲食之後，傳於胃經胃之消化分解，游溢精氣上注於肺通調水道下輸膀胱，水精四佈，調和五臟，洒陳六府，在男子則化血之精，爲精，在女子則其殘餘者停滯於子宮粘膜靜脉內，以使排去，此月等之所由來也，至其作用變化等，分條解釋於後。

第一節　所謂月經

天癸者乃先天之氣蓄極而生也，在吾人身體內，無論男女皆有，故內經上古天眞論謂，女子二七天癸至男子二八天癸至，此指先天之氣發育完成其所成之物體，而王冰註稱天癸爲月經者實非也，大抵男女之精皆可以天癸名之，如以女子之天癸爲月經，則男女搆精萬物化生，故男女交接之時各有其精，而女子行經之時方有其血也，靈樞決氣篇云，兩精相搏合而成形，常先生身者，是謂之精，大抵女子之精常二七而至月經亦於是年而來，二者同候，細辨之天癸自是天癸，月經自爲月經，何能混成一宗呢，按天癸二字來分析，取天一生水之天字北方壬癸水之癸字，合而成天癸二字，乃取水之義意，言精即水之一類也月經者，婦女每月由生殖器中排出之血液是也，因每月一次故名之曰月經，或謂男體之天癸即是精子，平均男子之洩精皆在十五歲以上，女體天癸謂之卵子，女子在幼年時代，卵子尙未成熟故無排卵作用，亦無月經，故內經謂之二七二八天癸至，而以此定之其不宜乎。

第二節　月經來潮期

婦女生殖器內，每四週則排血一次，謂之曰月經，但亦有不按四週一次者亦非病態，大抵女子來潮之年齡，約在十四歲故內經云女子二七天癸至，任脉通，太衝脉盛月，以時生，雖然古聖以十四歲爲月之初期，但亦有早來的，如熱帶人在八九歲或十一二歲，遲者或十七八歲始見，更因風俗，氣候，養生，體質遺傳人種，智慧等而不同，寒帶則在廿歲，月經始來，大抵養生良佳，而早期受性的引誘，或體質不健等，則月經早期來，或因其母早來其女亦早此所謂子不過母者也，在我國女子之初潮期平均在十四歲者爲多。

第三節　月經初潮之感覺

幼女年近二七，已屬發育成熟之期，第一次月經開始來潮矣，以其第一次開始故名曰初潮，一經初潮後即表示卵巢機能完全成熟，可以性交，可以妊孕，在月經未行之前，純爲幼女時期，對於性慾全不存在，一經初潮則轉入少女時期，在此時有種種之性格發現，如乳房膨大臀部豐滿，皮下脂肪增加，發生腋毛及陰毛，同時精神上亦發生變化，好修飾，愛美麗，對於異性時起追求之念，在未通經數月前覺薦骨部痛，下腹部壓迫，漸漸則子宮分泌白色粘液謂之帶下，精神疲乏，尿意頻數，及來潮時食慾不振，嘔吐煩心，四肢腹痛等，徵候發見其一即爲月經來潮之時期矣。

第四節　生卵機能

卵巢專司產卵之機關，其組織已詳述於前，卵巢皮質中含有濾泡，每四週成熟一枚，將成熟時，自內發展漸大，終至破裂，而洩其所含之卵子和濾泡液，經輸卵管向子宮流入，是謂之排卵，在卵子之生成，初爲卵原細胞，繼經長時間之生長，變爲第一卵細胞，第一卵細胞分裂爲第二卵細胞，第一極體第二卵細胞又分裂爲熟卵及第二極體，第一極體亦有分裂，如此類推，此生卵之大概情形耳。

第五節　排卵與月經之關係

月經僅在卵巢正常時始發生，因先天或後而卵巢缺如時，則無月經，然無月經亦有排卵之機能存在，如在授乳期內雖無月經亦可受胎，此即排卵之確證，子宮黏膜週期性變化，乃由於卵巢排卵及其內分泌之關係，雖無確實之證明而在生理上，月經前子宮內膜腫脹，爲卵子着床準備，故可知也，若排出卵子未受精而死，則着床準備已無用，則發生內膜破潰而爲月經，故認爲月經是未姙卵而流產矣。

第六節　月經之色量

在春機發動期以後的女子，每四週在陰道內排出淡紅色的血液，量亦不多，俟漸行漸多，色變赤紅，或作暗紫，有腥臭氣，後至將淨時則仍還淡色，每次月經所排之血量，平均約一百 c.c. 至三百 c.c. 之間如體質强健或精神受激刺等，皆能令其血液增加。

第七節　月經之性質

月經與普通血液不同，月經之色多呈暗赤色，在生理上從無鮮紅者，維其特點月經排出後不凝固，其不凝固之原因，從先認爲是子宮之分泌物所致，據近來之研究，子宮頸分泌之黏液，非但不妨碍血液之凝固，反有促進之能力，大抵月經之含有成分爲白血球，子宮粘膜，陰道之上皮細胞，富於蛋白質等，當卵子成熟時期，子宮粘膜內，充滿極强之鹹性液體，並濾泡黃體等，故呈鹹性反應如是則月經與血液大有差異，故無凝固性矣。

第八節　月經與內分泌之關係

人體及各高等動物，其體中之各部機能，並非各自獨立，其間常有一定之連絡，此連絡有神經的連絡，由全體內神經系司之，有化學的連絡，由一定之細胞造成一定之物質，循諸血液分佈全身，名之曰內分泌，故內分泌於生活體非常重要，內分泌所分泌之物質謂之曰刺激素，假設刺激素稍有變化，則體中必起變化，故此素與生理和病皆有關係，玆擇內分泌器中與月經有關係者，分述於後以便讀者明瞭。

一，卵巢：卵巢之生理解剖已詳述於前玆不復叙，如女子在春機發動期之前，將卵巢摘除，則生殖器外形必日見萎縮，，尤以骨盆及脂肪發育有顯着之障碍，設若在發動期後摘除，則月經停止，性器管發育亦停止，乳腺退縮，精神障碍，性慾消失，生育機能完全消失，其所分泌之物質一爲卵子，即胚胎之基礎，一爲黃體即月經之原質，由此觀之卵巢與月經之關係不言自明矣。

二，甲狀腺：甲狀腺之分泌液有制止月經過多之功能，大抵婦女行經期，則此腺必增大，此爲普通之現象，假若將此腺摘出，或此腺分泌不足時，在青年人則其發育停止，其性器管之發育亦着明障碍，或有絕不發育者，在成年之婦女如摘除之必有月經過多之虞，給以西藥之甲狀腺製劑，便能制止過多，或器性管之不發育。

三，副腎：副腎位於右腎之最上部，其組織分爲皮質及髓質，皮質成自特異之上皮細胞，髓質成自嗜鉻細胞，及少數交感神經節等，其中藏有多量之神經性原質，副腎中含有一種物質名曰副腎精，在卵巢萎縮之婦女，副腎必肥大，此乃爲一種代償性之作用，在姙娠期中副腎之皮質和髓質之組織皆變肥厚，其於行經時亦然，其肥厚之原因多因其官能增加之故耳。

四，腦下垂體：腦下垂體之前葉，有腺狀之構造，與生殖腺在官能上有密切之關係，能促進生殖器之早期成熟，其中含有兩種有效物質，一爲促進生長，一爲促進性腺之發育，如僅將前葉摘除，則生體發育障碍，性器官萎縮，其後葉則由結締組織而成，其功用能促進乳腺之分泌，增加乳細胞之興奮，如切除後葉則不至於發生性命危險，如將全部切除，則發腦下垂體性惡液質，或發生脂肪過多症，經一至三日即死矣，用腦下垂體前葉之製劑可促卵巢之分泌，後葉之製劑用以催生。

五，松菓腺：松菓腺與腦下垂體有拮抗作用，能制止性器官之發育，人類生育後，在此一年中此腺漸漸發育，至七歲時此腺日見退化，其性器官日見發育漸次成熟，如此腺早期退化，則身體精神性慾等，發生早期的成熟徵象，據近來醫學之報告，謂松菓腺之製劑可以使性器發育較早，但此說與前說互相背繆，刻下尚未確定，不知誰是誰非。

六，胎盤：胎盤之內分泌物有制止乳腺分泌之機能，故婦女在妊娠中，雖因卵巢之分泌作用，而致乳腺膨大以作分泌之準備，然不待分娩後絕對無有分泌者，此乃胎盤之作用也，胎盤之製劑能增殖子宮之組織，我國昔時已發明胎盤（即紫河車）為補子宮之專藥，近來西醫學家已證明實有偉大之效果。

第九節　月經之迷信

少女至十四歲的時候，每月由陰道內排洩一次很多的血液，這就是子宮週期性出血，若在月經未來以先，作母親的並無任何預告及教導，而突然由陰道內流出血液，致使知識未開之幼女，驚愕異常，其又担心內部有病，並恥與人知，當是時之幼女心中可想而知，所以女孩子們一到十二三歲的時候，母親們必要將關於月經的事，詳細的對她們說知，應當如何處置，如何的清潔，使他們明瞭一切，並指教她們說月經是女子身體上一種生理現象，並不是可恥的事。

我國昔時，每以月經為不潔之物，當月經來潮時，亦自信己身為不潔之體，故凡一切祀神配藥，以及一切修造建築等項皆忌之，尤以出嫁之女適於迎娶之日來潮為大忌，（俗謂之尿轎，如遇是樣女子則主男家不吉）以防穢氣之衝觸也，甚則謂經來婦女之穢氣，五穀逢之則凋，花木遇之則解，種種謬說不勝枚舉，如此傳說豈不是大錯而特錯嗎，現代歐西各國已證明月經是婦女的生理代謝機能，乃幼女生殖器成熟之使者，播殖生育之先兆，這樣來說可以明白月經並不是很汚穢的東西吧，現在我國人民大部分仍未革除其迷信，尚有舊習是尊，故特誌之，以為戒耳。

第十節　月經期之子宮變化

女子生殖器屆成熟之年齡，行經乃其主要之徵候，猶草木之開花結實，以表示其成熟完成矣，在女子時屆二七，其任脉已通，太衝脉已盛，腎氣充實，春機發動，經血漸盈應時而下，大抵月經未來潮之先，則子宮內粘膜較常微起變化，其粘膜漸起肥厚，血管怒張，至相當時期充血即破裂而出血，至月經停止則漸次回復原狀，其上皮細胞亦漸漸增殖肥大，其間歇經過半月，則又呈經前狀態，直至月經閉止期爲止，在月經期全身之血液亦有變化，述之於前不復贅敘，至於子宮諸變化分述於後。

一，經前之子宮粘膜變化

月經來潮前之子宮粘膜多呈腫大粗鬆，上皮脫落，其間質亦變爲柔軟，而粘液腺漸起脂肪化，粘膜全部充血，表面凹凸不平，腺腔着明擴大更生乳嘴狀突起，腔內充滿分泌物，故此時全子宮體粘膜層，却發一種奇異狀態，間質細胞亦極肥大，粘膜內之各血管皆怒張欲出也。

二，經中之變化

子宮粘膜至月經來潮時，充血之血管更增其血量，其組織內遂致出血，粘膜表層經壓迫而破裂，故子宮內發生溢血而排於體外，當是時子宮內之腺體入口及腺體輸出管，上皮下組織，上皮細胞，以及各種組織，悉作强度之延長，以致破裂而脫落，但在深層則無甚變化，至月經第二日腺體一部分發生萎縮，第三日全部萎縮，血管破壞，粘膜表層有一部剝離，而上皮之大部分因先曾浮起故，至是時則直接附着於間質上，故月經第一日所排出者，幾全部爲血液，而第三日後則多悉剝離之子宮粘膜及粘液等雜質，其血液則更次減少。

三，經後變化

月經期後二三日之子宮粘膜，即漸漸回復故態，腺體漸由直而迂曲，腺腔狹長，粘膜表面平滑徐徐復常，至月經停止後，則粘膜表皮之血腫完全被吸收而消失，血管因皆萎縮，上皮細胞亦漸漸增殖肥大，腺腔亦逐擴大，間質細胞之變化亦着明，上皮之分泌物，更完全停止分泌無復遺留，凡此則於月經休止時起，以至下次月經來潮前爲止，計可維持半月，此後則又漸起變化，而爲經前之狀態矣。

第十一節　月經期之身心變化

凡月經來潮一般人認爲是局部的原因，與全體不發生任何關係，其實不然，雖在月經來潮時並無月經困難症，而其身心不免亦發生一種變化，雖然有如平時絕不生其他影響者，而其外陰部必稍充血，乳房腫脹，子宮增大，下腹部有緊張膨滿壓痛等之感覺，甚則尿意頻數，食慾減少等，玆關於生理的變化，及身體各部之變化，逐條分述於後。

一，呼吸系

呼吸系乃鼻腔咽喉氣管支氣管及肺臟而成也，呼吸作用主由肺臟營之，其他不過爲通氣之路故曰氣道，肺臟由多數小氣胞及毛細管所組成，其肺胞專司排泄血液中不潔之成分，並給與新鮮之空氣，故爲維持生命之本源，致於與月經之關係，當月經來潮時之聲音較常略變，此乃聲帶受生理上之改變故耳，故一般歌劇家於是時音調頗有妨碍，或患病者及失血家，當月經來潮時之病証必加重，如一般輕感冒咳嗽等症，適遇經來其咳必劇，故我國醫籍所載邪入血室一語亦有所徵也，大抵月經來潮而呼吸系之疾患加重者，實乃生殖腺適當新陳代謝之際，致肺部之組織衰弱使然也。

二，消化系

消化系者乃成於一長形膜管也，是名曰消化管，而容納各種水穀而消化之，爲維持生命之重要機關，約分五部曰口腔，咽喉，食管，胃，腸是也，然咽喉食管爲食物入胃之通路，於消化生理上並無多大義意，而腸胃則能消化食物，吸收養分，而月經來潮時何以消化系發生障碍，其所發生者如嘔吐，噁心，食慾不振，便秘，泄瀉，不知味，惡聞食嗅等，其致此之原因，不過是因，月經之分泌和排泄，而妨碍腸胃內之消化液之分解作用，或因個人之轉異體質，故足能使經來潮時而有以上諸證狀，大抵月經來潮體中之抵抗力較常減少，故病毒易於侵犯。

三，循環系

世界之動體乃由無數之細胞組成，然各細胞之生活力則由血液之供給，即吾人每日攝取食料，經腸胃之吸收，而由淋巴管輸於血中，而經循環系運行全身諸部，以供各細胞之需要，致其殘餘則仍由循環送達腎臟而排泄之，吾人所謂循環系者，即心臟與血管是也，心爲循環之原動力，血管爲其補助，二者不可缺一也，即知心臟爲循環原動力，而其血液之運行侍其搏動而循環，故女子之心臟及血管較男子小而弱，且其血管舒縮之感應，易於受情事之影響，故當經期發心悸，怔忡，甚則心部痛，潮熱盜汗，鬱悶不舒，氣短胸滿等現象，至其經淨後，則諸現象漸漸消失，其致此之因，不過是因子宮排泄多種液體，致循環系發生變化而已。

四，泌尿系

泌尿器之作用，在血液中無用之成分排出，猶家中之地溝通暢，則雨後宅中清潔，若此系發生障碍，則體之血液中蓄積無用有毒物質，而致惹起生命上之危險，所謂泌尿系者，即內腎，輸尿管，膀胱及尿道是也，其位置與生殖器管相接近，故生殖器有變化時，則泌尿系同時亦有變徵，在妊婦之泌尿系因孕而子宮擴張，壓迫膀胱，致小便頻數，若子宮後屈壓及膀胱頸，致碍排泄作用，而小便發生困難，致於輸尿管亦然，如在經水通暢時，則無任何變化。

五，神經系

大抵婦女經血來潮之時，其感覺敏銳，情緒易動，性情乖戾，意志較弱，易於鬱悶，等等之感應實因經來之際，神經反射力妨害故也，而精神極易興奮在平時能引起精神變化之外來刺激，於經期內亦着明興奮，女子犯罪，自殺特於月經期內爲多，或精神失常而起竊盜行爲，或則行凶，故法醫學上關係於女子之月經期，特別重視，又或因精神受非常之振盪，而起暫時之經閉，由此可知月經與神經之關係矣

第十二節　月經期之衛生

月經是已成熟之女子所發生之生理現象，决不是病的症狀，不用作病者之治療，在此期中應時加注意，否則易罹疾病，甚至終身不治，知白帶症多半由經期中不注重衛生所起，在月經期中之卵巢輸卵管等，極度充血腫大，而易起炎症，同時子宮亦充血肥大，子宮口大開，其粘膜面成爲脆弱，而呈創傷狀態，膣壁亦柔軟，其抵抗力薄弱，在是時之生殖器適如分娩後或流產後之狀態，在此時期對於病原菌成爲適當之培養地，所以在此期中應注意事項列後。

一，禁運動：在經期中以身體安靜爲適宜，如運動，跳舞，賽跑，跳高，騎馬，游泳等皆宜屏除。

二，修養：在經期中須有相當睡眠，及適宜之運動，應在空氣鮮美處徐徐散步，於家庭操作苟不甚勞者仍可爲之。

三，飲食：因此期中體內分泌過量，故須用營養之物質以補助之，如酸辛之味宜禁服。

四，束帶：月經帶之束，不可大緊，恐妨經血之排泄流出，而應用善於吸收血液的物品（脫棉，我國一般婦女皆以

紙類作爲吸血之用，豈知紙內含有硝礬等質，而不適宜其用，故用後常有患外陰部蚤癢等症，）於外陰部，縛以丁字帶，時時交換脫脂棉，以便血液排淨。

五、洗滌：關於月經中之洗滌，不但沒有多大的效果而其害反甚，致引起各種病菌輸入而發生很危險的症候，故在月經期中當然禁忌沐浴，尤其是不潔之水洗滌，或共同浴池等，最易受病菌之傳染，故在此期中絕對避免，雖然禁浴但於外陰部及股間留有汚血等，恐刺激皮膚發生濕疹，故亦可用水洗去，但其所用之水則應煑沸或百度以上，而少和少量之食鹽或硼酸等，使細菌死去再用則無傳染之危險矣。

六，腹部：在月經期或月經未來之先，應注意腹部使之溫暖，不可受涼，否則行經時其腹必痛。

七，服藥：月經期內禁服苦寒藥品，或泄下之劑。

八，性交：在經期中應分房靜處，絕對避勉性的行爲，苟一觸犯，即易發生各部生殖器之疾患，要之上述各種衛生法應時加注意，絕對不可誤犯，否則致罹終身之疾戒之戒之。

▲第二章　月經病總論

月經是女子卵巢成熟期之一種特徵，並且表示該女已達成人年齡，其生理和變化已詳述於前勿庸重叙，大抵女子自初生以至於老死，在此一生內，以月經病爲最多，而其致病之原因症狀及療法分述於後。

第一節　月經病因

女子當發育完成時期，則經血按月排泄此其常也，偶因種種之關係，而誘起其經來之時或先或後，或多或少，或無月經，或爲崩漏，或經行先後腹痛等現象，致失去其自然生理狀態，而爲月經病矣，詳考其致此之因，不外七情六慾，和卵巢萎縮而已，述之於後。

一，七情：吾人身體之健康則以精神爲重宰，而精神實受環境所支配，如悲哀太過，則心系急，肺焦葉壆，而心肺之功用失職，和忿怒太過，則肝氣橫逆，經絡壅塞，則血液壅積於上，鬱結不舒，而循環障碍，致消化不良，如驚甚則靜脉擴張，血液無環流之力，恐則中氣下陷，循環無鼓動之機，此精神與形體相交爲病也，如歷時既久，則身中腺體分泌失常，卵巢之功用或興奮，或萎縮，故知月經病之原因實與情志有連帶之關係也。

二，六淫：吾人體內營衛循環，氣血流通是爲正常，偶感外邪乃生病變，此盡人皆知也，婦女按月行經，子宮之內，新陳代謝運行不息，故最易發生局部之病症，而影響於經期，如風寒之襲入，致瘀血敗濁凝滯不行，而發生小腹脹痛，月經至期不行之症間亦有之，惟唐宋以前諸方書，皆以月經病什之九歸於風冷，究其實則不盡然，如濕熱之侵淫，而致經水淋漓不斷，色如豆汁，或如米泔，或下鮮紅似血，其氣腥臭尤甚於常，胸悶脇痛同時併發，月經病之原因，不外爲肝氣濕氣，此淸代諸醫尤樂道之，其實當以現狀爲衡，籠統立論非所宜也，若夫因濕生痰，痰濁停滯流入子宮，或爲阻塞之經閉，或爲下泄之濁帶，因躁生熱，血液乾枯，發爲經閉經少症狀，亦事之數見不鮮者，此月經病之因於六淫者也。

三，卵巢：上述內傷外感之原因，乃全體病形影響於月經者也，而卵巢之病變已詳述於前，因其萎縮或分泌功能消失，則子宮無卵子和黃體之產生，其經水之來源斷絕，俗謂之爲乾血癆，乃昔賢所稱之腎虛陽虛陰虛等是也。治宜大補奇經之法，重用紫河車等品，以直接扶助卵巢之功用，此月經病因內臟衰弱者也。

綜上列三項原因而觀之，屬於情志者，宜用心理療法，屬於六淫者，宜求其原因而治之，屬於卵巢者，宜扶助其功用，增加其組織而後方可畢醫家之能事，此原因之首宜講求也。

第二節　月經病之診斷

婦女之病多屬於生殖器方面，或與之有關係者，但此種乃女子隱秘處之疾患，故在婦女方面，因羞恥的關係而放任之，在其初起期中，尙可以易於治療，但因此而成爲很重的病症，甚則因此而斷育或死亡，希望女界要明瞭月經並不是隱秘的，望有疾速醫以免遺患終身，婦女既然要有月經，而其月經的痛苦是總免不了的，故婦女因月經而受了很多的苦痛和煩腦，而其疾患較男子更爲多也，關於其診斷方法甚多，玆擇數則分述於後。

一，體質：病機毒素之侵襲，以體質健之强弱爲轉移，其體質則病毒不易襲入，雖偶侵及而其痛苦亦微，如體質衰弱者則外邪易侮，而內患易起，不病則已一病則纏綿不易治愈，故養生之道應善於攝生，婦女當經血來潮之期，而易於感染疾病，其所感染者皆不同，故以體質爲其素因耳，例如痰濕素重身體肥胖之婦女，則易患經閉，古謂之痰濕阻經，治宜化其濕痰，如思想靈敏，精神時而忿怒，時而憂思之人，則易患經血不調，古謂之思慮傷脾，忿怒傷肝者是也，又曰二陽之病發心脾，女子不月是也，治宜和中舒鬱，如血液虛弱，內熱獨盛，身體羸瘦，月經不調，古稱陰虛則生內熱，其月經不行者，俗稱乾血癆，以上三種，乃分別體質之大概也。

二，寒熱：世之醫者以經來之時期而別寒熱症，如月經來時未及四週謂之熱，退後越過四週謂之寒，稽之古籍亦皆如此，蓋病之寒熱當以現症衡之，例如怔忡少寐，骨蒸盜汗，而月經未及四週而來者，其脉虛神倦，氣怯懶言，此乃虛象，豈能斷爲熱，例如內熱血枯，月經至期不來，而心煩口渴，唇焦舌燥，此爲熱症，安可便斷其爲寒，故欲求症之寒熱之眞諦者，應於症狀及脉象上詳細診察焉。

三，虛實：古醫學說，經水將行，腹痛拒按者，爲氣滯血凝之實症，經行以後腹痛喜按者，有氣虛血弱之虛症，又以陣痛爲實，酸痛爲虛，余嘗究其實際，子宮內粘膜脫落之經後痛，氣血衰弱之虛症，理尚可通，於此可見中外學者，對於月經病之研究，同軌合轍矣。

四，經色：昔醫以經來之色，紅者爲正，鮮紅者爲血熱，紫爲血瘀，淡紅爲虛弱，豈知經水之成分，爲子宮內粘膜所分泌之鹹性液體，卵巢所分泌之蛋白質液體，及子宮粘膜上皮細胞等與毛細血管破裂外出之血液混合而成，故其初來色作淡紅，因液質較血質略多之故，量亦甚少，迨後漸行漸多，其色略現紫暗，其氣亦稍代腥穢，至將盡時，仍還淡色，量亦減少，例如所下月經，或作鮮紅似血，以及或淡或黑，或多或少，皆爲病徵，我國女科書籍，昔賢學說，以經來之時，如來泔水，或如屋漏水，或如豆汁之黃濁黏液者，謂爲濕熱痰濁流入胞中所致，其實因濕熱傳入血中，使卵巢及分泌液，成分變化使然，或已成塊成片，其氣腥臭特甚，謂爲氣滯血凝之故，唐宋以前，多歸諸風冷襲入，其實因血中有熱，膠質太多，故成塊成片，以上皆月經發病之特殊症候也。又經來作白色者，古說既謂之虛寒，惟王孟英氏謂色淡竟有屬熱者，古人從未道及，須以脈証互勘自得，但不可作實熱論，而瀉以苦寒也，據王氏書云，曾治某婦，因生產後經色漸淡，數年後竟至幾無血色，所下完全作淡白色，平常亦無帶下等症，身體日見羸瘦，診其脉，數而有力，口苦身熱，與青蒿，白微，川栢，龜板，别甲，芎藭，烏賊，生地，知母，丹皮，骨皮，女貞等類，數十貼後，方克收功，此可証明經淡亦有屬於虛熱者，與世俗所傳經淡概屬虛寒之說有别也。

第三節　月經病之治療

婦人經水一月一行，應期而至即爲無病，故調經之道，以去病爲首務，如因受病而致經期不調者，以去其病則經病自愈，所謂原因療法是也，若六淫外感七情內傷，以及飲食勞倦，皆足使氣血不暢，而月經之來失常，於是有不調者，有不通者，有痛疼者，有兼發熱者，而不調之中，又有經超者，或退後者，不通之中，有因血枯而成，或因血滯所致，其痛疼之中分爲，經前痛及經後痛和常痛等，其發則有經前熱經後熱及常時熱等，此乃月經病之大要也，至於詳細之治療，則宜各審各原因，及病之輕重而定，所謂治病必求其本也，大抵氣行則血行，氣止則血止，故治血病，當以調氣爲先，然調氣而兼耗氣者，則又非所宜也，血得熱則流通，遇寒則凝塞，故治血病宜以熱藥爲佐，但陰虛而血熱者，則不在此例，有因病後，而經不調者，當先治病，病去則經自調，有因經不調而後生病者，當先調經，經調則病自除，此乃治法之要旨也。

▲第三章　月經病各論

夫女子之月經，人皆知其每月一行，且行而有信，故又謂之月信，至於色之不正，量之多寡，以及超前退後等等，均爲病態也，病而不治，不但有妨於生育，且影響於身體之健康，今將月經病之種種分述於後，至於月經之異乎常態者，如行經時忽爾吐血衄血，謂之逆經，或受孕後依然月月行經者，謂之垢胎，或受孕之月其血忽下，而胎不隕者乃漏胎也，此皆異乎常態，或有月經兩月一行，有三月一行，一年一行，一生無有，凡此種種，雖然不同皆非病態，此皆異於平常女子也。

第一節　月經先期症

月經先期症者，乃月經來潮時不及四週也，其早來或一二日，或四五日，甚則七八日，其來潮量有多有少，玆以其症狀之不同，而分述之於後。

（甲）血熱之經行先期

原因：血熱過甚，則血液之流行失其常度，其神經與細胞因熱而興奮，故超過常度，而使卵巢之分泌液早熟，而月經則自然先期而至也。

症狀：每月經來，較早一二日，或五六日，其色鮮紅，或紫，口渴心煩，渴喜飲冷，或有少腹陣痛，腰膝酸脹等症。

脉象：六脉多現弦數象。

治療：宜凉血清熱。（選用施氏方）

鮮茅根　鮮生地（各五錢）　淡條芩（二錢）　赤白芍（土炒透）　鹽元參（三錢）　赤茯苓（三錢）　車前子
韮菜子（各三錢）　鹽澤瀉（二錢）　粉丹皮（一錢五）　米丹參（二錢）　瓜蔞根（三錢）　油當歸（三錢）
黑香附（三錢）　川黃栢（一錢）　忍冬藤（三錢）　懷牛膝（三錢）　水煎服三四劑

（乙）陰虛之經行先期

原因：陰虛則不能守陽，陽無以守則亢，陽亢則血熱，血熱則循環加速而失其常度，故未及四週月經來矣，其人陰血大耗，而亢陽益旺，經來愈不準期。

症狀：月經色多呈紫黑，竟成塊樣，平日白帶甚多，口渴心煩，夜中嘈雜，腰膝酸軟，小腹脹痛，小便短赤，大便燥結。

脉象：六脉頻數無力。

治療：宜滋陰清熱。

鮮生地　鮮茅根（各六錢）　鹽元參（三錢）　赤白芍　桂枝木錢（各三錢）　同炒　蛤粉（炒三錢）
陳阿膠（三錢）蛤粉炒　黑香附（三錢）　炙甘草（五分）　麥門冬（二錢）　金狗脊（去毛）　枸杞子（二錢）
山萸肉（一錢五）　酒條芩（三錢）　鹽黃柏（二錢）　水煎服三四劑

(丙)氣血虛弱之經行先期

原因：氣行則血行，氣止則血止，氣血虛弱，血管亦薄弱，而氣血運行失常，因行之既速，而積之自易，致子宮內膜之血液，稍停積，即破裂外出。

症狀：每月經來潮必超前三四日，其色多呈鮮紅，或淡紅，頭昏目眩，心悸怔忡，飲食無味而不思食，身體虛弱，精神困倦，心滿氣短，大便溏，小便少。

脉象：六脈虛弱無力。

治療：宜調中補氣。

炙黃芪(三錢) 野黨參(三錢) 杭白芍(四錢土炒透) 全當歸(五錢) 野於朮(二錢) 陳阿膠

粉蛤(四錢炒) 砂仁衆 大生地 大熟地 砂仁(錢半)同打 赤茯苓(三錢) 廣木香(二錢)

龍眼肉(四錢) 焦遠志(二錢) 黑香附(三錢) 智益仁(錢半) 水煎服三四劑

(丁)鬱怒不舒之經行先期

原因：精神受環境之感觸，而易其常態，或為憂鬱，或為忿怒，吾國現時婦女，多半在舊禮教壓迫之下，未受相當教育，故有多數不通世故，而且執拗，稍有不如意事，必發憂鬱，甚則忿怒，歷時既久，亦足使月經受其影響而發生變化。

症狀：經期超前之因原甚多，實不限於鬱怒不舒之一種，惟頭暈脅痛，胸悶氣短，吞酸吐苦，乃鬱怒不舒之必有現象，茲將本症分述於下

(一)鬱悶不舒：精神困頓，感覺減退，懶於動作，胸悶腕痛，時作太息，肺氣不舒，脉現弦滯，飲食不暢，大便不快，治宜降氣平肝養血解鬱，全當歸(四錢) 杭白芍(三錢) 淮山藥(四錢) 赤茯苓(三錢) 淡條芩(三錢) 川枳實(二錢) 木香(一錢) 山梔(一錢五) 黑香附(三錢) 醋柴胡(七分) 生穀芽(三錢) 鷄內金(二錢) 青竹茹(二錢)

(二)忿怒太過：處事易怒，口渴舌絳，頭暈脇痛，肢體拘急，吞酸吐苦，心煩燥急，胸悶脘滿，脉弦而數等症治宜平肝清熱開鬱調氣，黑香附(三錢) 當歸身(三錢) 酒川芎(一錢五) 杭芍(三錢) 條芩(三錢) 川雅連(一錢) 鮮生地(三錢) 甘草(五分) 女貞子(三錢)

第二節 月經後期症

月經後期而來者，適與先期成反比例，不過月經來潮有先後之別而已，至於原因病理大致相同，其所不同者，本症多發於血虛及血寒之人，血虛者其人腹不痛，身微熱，脉來浮大無力，血寒者脉必沉遲，茲分述其症之原因於後。

(甲)血虛之經行後期

原因：月經由氣血之充實而來，今血既虛少，其卵巢之機能自然減退，卵巢機能既減，則卵子不能按時產生，而子宮粘膜不得黃體之刺激，而月經來潮自然後移

症狀：每月經來潮，約過期四五日，其色淡而少，此血分虛寒之朕兆也，心悸怔忡，頭目昏眩，腰酸腹痛，兼有身熱自汗，飲食減少等症

脉象：兩尺沉弱而遲，或沉緊。

治療：宜養血和榮

大生地 大熟地(各三錢) 酒川芎(一錢) 炒杭芍(三錢) 川斷肉(三錢) 山藥(五錢) 硃茯神(三錢) 殼砂仁(二錢) 桂圓肉(十枚) 全當歸(三錢) 台烏藥(一錢五) 吳萸(五分) 水煎服四五劑

(乙)血熱之經行後期

原因：血熱內熾，津液枯乾，其血必過於燥結，而生殖血管之中，必致積滯，臨經之期，而不易排泄，故後期而至，古謂寒則凝泣，熱則沸騰，故以經來先期爲熱，後期爲寒之說，此不盡然，亦有因高熱之薰蒸，血液被灼而乾枯，子宮粘膜血液瘀結，雖然受黃體之衝激，一時不能外出，必待卵巢之分泌液充滿，方能破裂而下，此實因高度之熱致子宮粘膜血管之液體被灼乾枯所致也。

症狀：月經來潮超過四週，其小腹部痛甚，心中煩熱，兩脇時作脹，胸中滿悶，大便燥結，小便短赤，口渴喜飲，月經之色多呈紫黑，其氣味腐穢，臭腥。

脉象：六脉弦數而帶滯象。

治療：清血之熱而導鬱滯之血下行。

赤白芍(各二錢)土炒　淡條芩(三錢)　粉丹皮(一錢五)　米丹參(二錢)　佩蘭葉(二錢)　黑香附(三錢)

醋元胡(一錢五)　川黃柏(一錢)　肥知母(三錢)　大生地(四錢)　鹽澤瀉(二錢)　血餘炭(二錢)

滑石塊(三錢)用布包　全當歸(三錢)水煎服速服四五劑

(丙)虛寒之經行後期

原因：寒邪凝滯，血液循環爲之濇滯，致經行後期，經水乃源於卵巢之分泌，及子宮毛細血管之破裂流下，設將排洩之際，適遇寒涼之刺激，則血循環失常，而卵巢分泌退減，致月經遲來。

症狀：月經洩下，遲至三五日，或七八日，腰酸腹痛，頭目眩暈，心悸怔冲，小腹尤甚，飲食減少，亦有不覺如何痛苦者，經色淡而少，或作暗色。

脉象：脉現弦緊，右關兼滑。

治療：宜溫經補中。

炮干薑(一錢)　淡萸肉(五分)　酒川芎(一錢五)　巴戟肉(三錢)　杭白芍(三錢)　川桂枝(一錢)

台烏藥(一錢)　黑香附(三錢)　醋元胡(二錢)　全當歸(三錢)　炙附片(一錢五)　鹿角膠(三錢)

水煎服三四劑

(丁)濕寒阻滯之經行後期

原因：行經之際，誤服生冷寒滯之物，致損脾胃，或行冷水浴及游泳等事，血液因寒而凝滯，致經行後期。

症狀：每月經期大腹或小腹痛甚，其色多呈黑暗或紫，身熱不寐口渴頭暈，平素白帶甚多，飲食減少，二便不調。

脉象：脉軟而滑，或弦緊。

治療：溫經通絡，化濁快脾。

黑香附(三錢)　台烏藥(一錢五)　廣木香(一錢)　醋元胡(二錢)　壳砂仁(一錢五)　生茅朮(二錢)

廣陳皮(二錢)　佩蘭葉(二錢)　炒薏仁(五錢)　炒半夏(一錢五)　六黨參(三錢)　桂枝木(一錢)

杭白芍(三錢桂枝木五分同炒)　水煎服三四劑

第三節　經行先後不定症

經來不定原因不一，凡脾胃虛弱，衝任損傷，血氣不足，肝腎鬱結，皆能致之，一般皆認爲先後不定爲氣血之虛，考之實際乃肝腎之鬱也，故治之之法，宜舒肝之鬱以養血，固腎健胃。

症狀：月經兩潮不定，或先或後，每行時則腹部脹痛，腰部酸痛，二便不調，飲食不佳，胸滿心悸。

脉象：左關弦兩尺沉濇。

治療：平肝固腎健胃。

黨參(三錢)　雲苓(三錢)　白朮(三錢)　炙草(五分)　歸身(三錢)　丹參(二錢)　香附(三錢)

元胡(二錢)　只實(一錢五)　山藥(四錢)　杭芍(二錢)　木香(一錢)　水煎服二三劑

第四節　經行不利症

經水不利者，乃月經來潮時而不通暢也，多因體虛氣弱，或被寒邪，或勞傷氣血，皆能致經行不利也，茲分述於下。

(甲)胞宮虛寒之經行不利

原因：胞宮乃子宮也，古謂子宮爲胞宮，如發生變化，致障碍卵巢之分泌作用，而卵子之成熟亦較遲慢而致經行不利。

症狀：子宮之所以虛寒者，乃心陽之不振，腎陽之不充，致體中造溫機能低減，血液之運行力亦衰，而子宮不得血液之濡潤，致有虛寒現象，月經之量亦減，色亦淡，少腹及腰作疼倦怠少氣，消化不良，帶下清冷，或有腹鳴泄瀉等症。

脈象：軟弱無力。

治療：溫經扶陽。

淡吳萸（五分）　嫩桂枝（一錢）　陳阿膠（四錢）蛤粉炒　粉丹皮（二錢）　米丹參（三錢）　花旗參（一錢）

炙甘草（五分）　杭白芍（錢）　當歸身（二錢）　酒川芎（一錢）　黑香附（三錢）　佩蘭葉（二錢）　水煎服

三四劑

（乙）寒濕鬱阻之經行不利

原因：寒濕之邪，凝滯於子宮之內，致血液凝滯，而爲經水不利。

症狀：寒濕凝滯，則循環障碍，而經絡壅塞，致有小腹脹疼，胸悶氣短，腸鳴切痛，大便泄瀉，飲食減退，經色淡，量少。

脈象：弦滯而弱。

治療：化濕濁和血液。

川楝子（一錢五）　醋元胡（二錢）　黑香附（三錢）　懷牛膝（三錢）　全當歸（三錢）　赤白芍（各三錢）

鹽澤瀉（三錢）　赤茯苓（三錢）　炙附片（一錢）　川枳實（一錢五）　炒桑枝（五錢）　金狗脊（五錢）去毛

水煎服　四五劑

第五節　經中腹痛症

痛經爲一般婦女在月經期內常常患到的一種痛苦，但在普通痛疼之外，更有甚於痛的感覺，究其痛疼之原因而去之，令其不得痛經之苦痛，如在痛的劇烈時，可用芥泥貼於痛處，但貼之不能超過十分鐘，玆分述其原因於後。

（甲）經未行腹先痛。

原因：月經未來之先，則覺小腹痛甚者，乃卵巢之分泌素成熟注於子宮內時時的刺激子宮內膜及微血管，使之剝離出血，而子宮內膜因種種原因，不易剝離故有痛疼之感覺，如氣血虛弱，或下焦虛寒，子宮寒冷等皆能致其感痛也症狀：最着明之感覺爲小腹部痛，痛引腰股，白帶甚多，腿部亦有痛感，非食之味，精神倦怠，大便燥結。

脉象：軟弱無力尺虛甚

治療：温經補榮

炙附片(二錢)　懷牛膝(三錢)　當歸尾(三錢)　血餘炭(三錢)　車前子(二錢)　赤白芍(四錢)

赤茯苓(三錢)　川枳實(一錢五)　生黃芪(三錢)　嫩桂枝(一錢五)　酒茯苓(三錢)　金狗脊(五錢)去毛

水煎服三四劑

(乙)經後腹痛

原因：古謂爲氣血之虛，腎氣之涸，水虛不能涵木，而木尅土之象也，小腹乃太陰之位，木土相爭則氣必逆，故有激痛耳，考之實際，實乃血虛之故也，蓋子宮出血後，其創面未復，而血管神經反射，故有作痛之感。

病狀：小腹墜痛，腰部酸脹，精神倦怠，胸脇脹滿，飲食不佳，二便不調，頭暈氣短。

脉象：虛弱兩尺微數。

治療：擬用加減調肝湯

酒當歸(三錢)　杭白芍(四錢)　陳阿膠(三錢蛤粉炒)　山藥(五錢)　山萸(三錢)　巴戟(三錢)

炙草(一錢)　黑香附(三錢)　醋元胡(二錢)　紫蘇梗(三錢)　桂枝(一錢五)　水煎服痛愈止服

(丙)經行腹痛

原因：經行腹痛謂之痛經。此種原因，由於子宮前屈，或子宮腫瘍，或子宮狹小，或卵巢及輸卵管異常，故其痛處多偏於患側，而在月經持續期中之發生疼痛者，非至月經停止時其痛不止，此爲一種炎症性使然也，其子宮及附屬器官發生炎症，故在月經期中腹作痛也。

症狀：當月經來潮前，即發生頭暈疼，惡寒發熱，腹痛尤甚，腰部及薦骨部酸痛，小便黃赤，經色多呈紫黑。

脉象：弦數兩尺無力。

治療：宜清泄消炎通經調榮

酒條芩(三錢)　桃杏仁(各二錢)　炒杜仲　炒川斷(各三錢)　醋元胡(二錢)　鹽黃柏(二錢)

鮮生地　鮮茅根(各六錢)　赤白芍(各二錢)　旋覆花(一錢五)　新絳(一錢五)　鹽荔核(三錢)

瓦楞子(四錢)　車前子(三錢)　水煎服　經暢止服

第六節　經閉

昔謂女性屬陰，以血爲根，經血調和，往來準期，有以應水道潮汐之期，舊血既盡，新血復生，有以合造化盈虧之數，則周身百脉，無不融治而和暢，其病安來，設經閉不行，則新血滯而不流，舊血凝而日積，於是百病生焉，玆分述其原因於後。

(甲)血枯經閉

原因：血枯經閉之原因，大半由於飲食之不愼，起居之失宜，因勞傷太過，以致脾胃受傷，氣耗血枯痺而不行，經水遂閉。

症狀：胸脇支滿，妨害飲食，鼻中時聞臭腥血，流清涕，唾血，四肢清冷，頭暈目眩，心悸耳鳴，精神疲乏，口渴時驚腹脹腰酸，咳嗽，面色憔悴，大便燥小便少。

脉橡：六脉濡弱，兩尺沉細而濇。

治療：因其原因而異，除去其局部障碍，應注意通便，及全身營養，而謀身心之安靜爲宜，宜用補血劑。

花旗參(二錢)　白朮(二錢)　茯苓(三錢)　黃芪(三錢)　當歸(四錢)　杭芍(三錢)　阿膠(三錢)

蘇梗(三錢)　殼砂仁(二錢)　熟地(四錢)　肉桂(一錢五)　炙草(一錢)　水煎服三四劑

(乙)血滯經閉

原因：係子宮粘膜發炎，其體部已成瘀血狀態，而卵巢部亦被波及，故卵成熟較遲，卵子濾泡因子宮發炎，輸卵管閉塞，失其作用，故月經來潮則發生障碍，昔謂之血瘕者是也。

症狀：經閉不行，復部膨大而刺痛，形如懷孕，胸滿脇痛，食慾不振，尿意頻數，大便燥，晚則發灼。

脈象：沉實

治療：通瘀血而消炎，化敗濁而調營。

五靈脂（二錢）　醋元胡（二錢）　黑香附（三錢）　全當歸（三錢）　血餘炭（新絳同布包）　酒條芩（三錢）

炒山梔（三錢）　酒大黃（二錢）　元明粉（一錢五）　水煎服以經行止服

（丙）膜狀月經

原因：係子宮過期變化，而發生異狀，或與卵巢機能有關，本症多見於貧血症，或萎黃病，卵巢囊腫，其眞正之原因尙不明瞭。

症狀：體倦頭暈，精神不振，腹部覺脹，後則覺痛，兩脇脹，有時發燒，後經來多呈膜片狀。

脈象：沉細

治療：溫元固中調經養血。

炙附片（二錢）　紫油桂（一錢五）　紫蘇梗（三錢）　全當歸（三錢）　血餘炭（三錢）　新絳（一錢五用布包）

酒川芎（一錢五）　皂角子　皂角刺（各三錢）　生黃芪（三錢）　川枳實（二錢）　紫厚朴（一錢五）

水煎服三四劑

（丁）癥瘕積聚之經閉

原因：癥瘕阻塞，經閉不行，少腹及臍旁有硬塊，此因癥瘕積聚者也。

症狀：少腹或脇下及臍旁，有硬塊，手捫可得，發劇烈之痛，不欲按，面黃肌瘦，經閉而發硬塊，或發硬塊而後經閉。

治療：化癥結破鬱血

歸尾（三錢）　牛膝（二錢）　莪朮（二錢）　烏藥（一錢五）　赤芍（二錢）　肉桂（一錢）　香附（三錢）

川芎（一錢五）　莪皮（二錢）　炙草（一錢）　桃仁　杏仁（各三錢）　鷄金（三錢）　水煎服三四劑

結論

婦女月經，爲胚胎之基礎，人類之本源，保持經期循行之常，則有健全之母體，而後有健全之嬰兒，有健全之卵子，而後有健全之胚胎，關係於人類之生殖，綦重若是，故談婦科者，必先及月經，本編以時間及篇幅所限，關於月經部分，略而不詳，語焉不精，倘能假我以時日，輔我以書籍，千頭百緒之婦科，願與我同道共討論之。

先闡明解剖生理再進而探討病症終以經驗方劑施治實開中醫婦科學之新紀之也

治耳腫耳膿法

—敬—

用鮮活大田螺一個，將硬殼上口去了，用頂好梅片五分裝田螺內，數分鐘後則田螺內完全化爲清水，再將田螺之尖部切去，將尖端置患耳處，內中溶液滴入耳中，則數次後患處自愈，屢試屢驗，其效如神。

循環系統病之證治

徐德惠

心臟所居之部位，在胸腔內左右兩肺之間，外被以心包，形如錐體，由肌肉組成，中空爲腔狀，被以心內膜，延長構成瓣膜，更區別之爲心底心尖，心底在後上方，面積甚寬，爲大血管出入之部分也，心尖左右下方，面積狹小，其遊離部位，在左乳線內側，第五六肋骨之間，恰爲左心室尖端，上有淺溝，名心切迹，其前方膨隆，接觸胸肋骨之內面者，名胸肋面，其在後下方與隔上面相接觸者，名隔面，此外尙有前後縱溝，皆爲心臟本體固有血管之通路，與心中隔相一致，因之又分爲左右兩部，即左心右心是也，在心之外面，尙有冠狀溝，環繞一周，與縱溝相交叉，更將左右心分爲上下二部分，成左右心房心室，右心房在心底之右半部，面積較大，共有六壁，因其部位之不同，故有上壁下壁前壁後壁內壁外壁諸名稱，左心房在心底之左半部，亦有上下前後內外六壁不同之名稱，心室在左右房之下部，狀如錐體，其壁頗厚，區別之爲左室右室，內面亦被心內膜，左室在左心房下方，占心之左半部，室腔呈圓形，壁質頗厚，左主動脈口及左靜脈口，（即僧帽瓣）附着其間，右室在右心房下，占心之右半部，爲半圓錐體，壁質較薄，右肺動脈口及右靜脈口（即三間瓣）皆附着其間，心臟之構造由於外膜，內膜，及心肌三層而成，外膜爲心包及自心出之大血管之漿膜囊所包成，密着於心之表面，但因縱溝及冠狀溝部富有脂肪，故心外表圓滑也，心肌爲心之基質，最厚，成自心肌纖維，更分別爲房肌纖維，及室肌纖維二種，內膜菲薄，被覆全心之內面，即心肌內面，但因部位發生皺壁，形成瓣膜，心包即包心及出入其中之大血管起始部之漿液性囊也，分內外二層，外層與各動脈靜脈血管相接，其左右前後連接其他臟之部位，皆有韌帶連繫之，內層與外層爲一系，密著心之表面，其內外層中間之裂隙腔曰心包腔，中藏少量漿液，曰心包液，除心臟本體之外，全部肌肉內臟神經骨骼之間，無不敷以血管，中藏血液，是血液者，周流於全身，營養各器官組織者也，其往返又以兩種徑路循環全身，所謂動脈血管與靜脈血管是也，其中樞之心臟，營縮張作用，而使血液輸出復輸入之，其輸出之血即動脈血也，自身體內各組織還流輸入於心內者，即靜脈血也，惟以各血管所在之部位不同，故亦多用其部位之名而名之，如在上腔者，曰上腔動脈，在下腔者曰下腔動脈，在頸間者有頸動脈，在肱者有肱動脈，靜脈之名稱亦然，動脈之主幹，在體屈之深層，與靜脈共以血管鞘包之，其經過之間，生有大小各枝，分佈於全身，各枝更相依吻合，或成網狀吻合，互相連接，前者枝枝相合，後者係數小枝相合，皆所以營血液之循環者也，靜脈管者乃輸送靜脈血入心之膜管也，自毛細管起，以一定之經過，漸次集合面成大幹，別有深淺二種，淺層靜脈(即皮下靜脈)，由皮下結締織走，深層靜脈與動脈併行，故有併行靜脈之稱，深淺二層靜脈，皆具有許多之吻合及瓣膜，靜脈吻合較動脈多，尤以淺靜脈爲然，處處形成靜脈叢，靜脈瓣爲半月形，多在吻合之部位，其管壁稍膨大，附有瓣膜以防血液之逆流，此循環系統解剖之大意如是，至其生理關係，人體各部組織之營養，多藉血液之循環灌溉，已如上述，而血液之周流於全身也，無時或已，無處不到，其運動之由來，乃基於心臟動作所生之壓差，其出於心臟，後歸於心臟，謂之循環，通常別爲大循環，(即身體循環)及小循環，(即肺循環)左心室中含有之動脈血，即含有養氣之鮮紅色血也，自大動脈及其餘動脈，週送於各組織中，達至毛細管，通過其薄壁給與養氣，及營養物於組織原基，而受納其燃燒產物，現爲暗紅色，即靜脈血也，靜脈血管起自毛細管，受容暗紅色血液，其始甚小，漸漸擴大，由兩大靜脈，入於心房，所謂大循環者，終於此，次之右心房又將血液送於右心室，從右心室發爲肺動脈，而入於肺臟，經過肺胞之毛細血管網，與肺臟內之空氣相接觸，放出炭氣，攝取養氣，化爲動脈血，由肺靜脈歸入於心臟之左房，而小循環以終，右心房將其內容物送於左心室，次回之大循環由是開始，故心臟兩半之內容物，大不相同，右心所含者，爲靜脈血，左心所含者，爲動脈血，此循環系統生理之概况也，今將其種種疾患述之於左

一，急性心內膜炎

原因：本病多見於急性多發性關節僂麻質斯，此外倘可因猩紅熱，淋病，痘瘡及其他急性傳染病等而發生，其最好發生之部位爲僧帽瓣。

症候：本病蓋無高熱，脈搏頻數無力，偶有呈不整脈者，其自覺症狀，爲心悸亢進，心臟壓迫感，絞心感等，結果多續發心臟瓣膜障碍，單純性心內膜炎，自覺症劇烈同時體溫上昇，脈搏數而不整，敗血性心內膜炎則有特殊之熱型，且爲多發性，於皮膚及粘膜發生化膿性栓塞，全身症狀顯著明，脈極頻數，呼吸亦迫促。

療法：絕對靜臥，及至脉搏恢復正常爲止，局部置以冰囊，對於心臟機能不全，可與以强心劑，食物最初與以粥狀液狀食餌，其後與以易消化味較淡薄之食品，此外須注意大小便之通順，如發生心悸亢進，煩悶不適。大小便不暢，及衰弱狀態者，可與以下方。

鮮生地　鮮茅根（各五錢）　焦遠志（二錢）　花旗參（一錢）　青連翹（二錢）　苦桔梗（一錢半）

淡竹葉（二錢）　硃茯神（三錢）　全瓜蔞（五錢）　淡黃芩（二錢）　天門冬（一錢）　麥門冬（二錢）

炙甘草（一錢）

二，遷延性心內膜炎

因原：病原體常可証明有溶血性連鎖狀球菌，此外反覆發關節婁麻質斯之既往症。

症候：屢見有重篤惡寒，及不規則之發熱，各部關節及四肢內常有輕微疼，體溫經二三日後低降，如此長期反覆發生，心臟無著明變化有輕度雜音，脉象頻數細小，往往呈不整脉，皮膚呈汚穢黃色，高度貧血，血色素降低，白血球增多，嗜酸性細胞減少，血液中又常可證明非溶血性綠色連鎖狀球菌，本因時有血性形成之傾向，故屢有脾腫皮下溢血點等，又常因血塞而引起腎臟炎，出血性肺梗塞，有時發生腦血塞。

預後：不良，多于數月內死于腦血塞，心臟衰弱，惡液質等。

療法：行急性心內膜炎療法，必要時與以下方內服。

赤芍藥　白芍藥（各三錢）　桂枝尖（七分）　酒當歸（三錢）　酒川芎（錢半）　鮮生地　鮮茅根　（各四錢）　焦遠志（二錢）　麥門冬（二錢）　旋復花　新絳肯（各錢半）　粉丹皮（三錢）　酒元胡（一錢）

酒地龍（二錢）

三，心臟瓣膜病

本症乃心臟瓣膜發生先天或後天的變化，以致其瓣發生障碍之疾病也，又有閉鎖不全及狹窄之別，前者爲瓣膜在應閉鎖時而不能完全閉鎖之狀態，後者則爲瓣膜應開張時而不能完全開張之狀態，因此發生血液循環障碍，心臟機能因之增强，發生代償作用，以謀保持其正常狀態，此時其障碍之上部不得不肥大擴張也，如瓣膜障碍極著明時，或心臟衰弱時，則不能保持此代償機能，即成所謂代償不能之狀態，先天性瓣膜病，主見於右心後天性者，多見于左心，後者，有僧帽瓣閉鎖不全，大動脈瓣閉鎖不全，三尖瓣閉鎖不全，僧帽瓣口狹窄，大動脈口狹窄，此外尙有混合心臟瓣膜病者。

原因：見于急性或慢性心內膜炎，大動脈瓣膜病，高年人，梅毒身體過勞，酒客，痛風等可引起血管之澱粉變性，如波及心臟瓣膜亦可發生本病，此外亦有原因不明者。

症候：各瓣病之公有症狀，如身體勞動，即有心悸亢進，及呼吸促迫之傾向，心臟部時有刺痛感覺。

療法：代償作用在未發生障碍之先，須力謀生活法合乎規則，即攝取適度之食餌，戒酒色，大便須常通順，身體勿過勞動，且須勤於適宜運動，至於職業之勞作，亦須適當，對于其他能成爲心內膜炎原因之疾患者，皆須加以治療，有代償機能障碍時，可施以慢性心臟機能障碍之療法。

陳阿膠(三錢蛤粉炒)　焦遠志(二錢)　柏子仁(三錢)　白蒺藜(三錢)　製首烏(五錢)　雲茯神(三錢)　磁硃丸(三錢)　北秫米(五錢)　紫丹參(三錢)　生龍齒(五錢)　生牡蠣(五錢)　炙百合(三錢)　炙甘草(一錢)　此外蓋爲對症療法

四，先天性心臟障碍

原因：多由於發育障碍，或胎兒時期患心內膜炎。

症候：(一)僅有心臟雜音，(二)有心臟雜音及青紫色，此青紫色或爲持續性，或僅見身體勞動或號泣之後，此外尙有身體肌肉弛緩，呼吸促迫，體溫降至常溫以下鼓撥狀指，往往右心容積增大，(一)肺動脈瓣狹窄，心向右方擴張，右心上部有搏動，于肺動脈瓣收縮期雜音甚高，第二音低降，此外有青紫色，鼓撥指等，易罹肺結核，年齡能達二十歲以上者頗少，(二)中隔壁缺損右心上有搏動，心基底部有高調之收縮雜音，多與其他先天性疾病合併發生，(三)保達力氏管之開放，肺動脈上有濁音及收縮雜音，肺動脈第二音强盛。

預後：生後有著明之青藍色者，生活多不能長久，大多數預後不良，多死于急性傳染病，肺炎，肺結核等。

療法：幼兒患者宜避免寒冷，稍長者須謀身體之健康，且防傳染病肺疾病等，如發生將死狀態者，可與以溴素劑，發生虛脫者則投以樟腦，國藥可投下方。

黑附塊(二錢)　太子參(三錢)　焦遠志(三錢)　五味子(二錢)　川貝母(三錢)　冬虫草(錢半炙)　雲茯神(三錢)　陳阿膠(三錢)　或另服黑錫丹(二錢)　亦可

五，急性心肌炎

今病多見於傳染病之經過中，或以後如口峽炎口喉流行感冒，淋病，敗血症，急性關節僂痳質斯等，亦有原因不明而似原發性者。

症候：多不規則發熱，心悸亢進，心臟疼痛，絞心感等，易因輕微之勞動，而疲勞，顏面蒼白，往往肝臟部有疼痛感，他覺症大多脈搏不整，心動急速，軟脈，心音微弱，且呈胎兒性心臟，動作有收縮期雜音，心臟擴大者，亦不少，又往往有肝臟腫脹，蛋白尿，尿量少見等，浮腫不多見。

經過：或因心極臟度衰弱而死亡，或則輕快而移行於輕度之慢性心臟機能不全，亦有完治愈者。

預後：如發生傳染病後，實扶的里，淋痛等之心肌炎，及原發性者，預後不良，敗血症時之心肌炎，可形成膿瘍，但臨床上少見。

療法：須絕對靜臥，與以興奮劑，如毛地黃，樟腦等，如危險時則與以强心利尿之劑，如下方。

冬瓜子(四錢)　冬葵子(四錢)　瞿麥穗(三錢)　桂枝木(一錢)　川椒目(錢半)　焦遠志　桑白皮(錢半炙)　淡猪苓(三錢)　淡竹葉(二錢)　花旗參(二錢)　松子仁(三錢)　紫丹參(三錢)　水煎內服

六，慢性心肌炎

原因：多續發于急性心臟炎，一切急性者之原因，及慢性鉛中毒，酒精中毒，梅毒等，皆可爲本病原因，但大多不可證明其確實原因。

症候：心肌機能不全，徐徐增惡，特易發生心臟失調，而呈持續性之不整脈搏。

預後：多不良，頗難治愈，

療法：施以對于慢性心臟機能不全之療法，須安靜，注意衛生及食餌，勿過食，食餌須淡薄，注意大小便之通順，藥劑可服下方，

製首烏（三錢）　硃茯神（三錢）　焦遠志（二錢）　松子仁（三錢）　柏子仁（三錢）　製附片（二錢）　車前草（三錢）　旱蓮草（三錢）　油當歸（三錢）　焦內金（三錢）　白蒺藜（三錢）　奎白芍（三錢）　炙草梢（一錢）　水煎內服

七，心臟官能性神經症

本病于心臟不能證明何等器質之變化，但每呈心悸及運動障碍之感覺。

一，神經性心臟衰弱。

原因：神經病的素因，後天性神經衰弱，歇司替里，精神過勞，持續感動，不眠，房事過度，手淫等，其他春機發動期，妊娠分娩，月經閉止，重性熱性病，烟草，茶，咖啡等之濫用等。

症候：僅有自覺症候，如心悸亢進心臟部不穩，壓迫感，及疼痛感等，其他尚有四肢厥冷，眩暈，呼吸迫促等，其發作往往可因諸種興奮而誘起，他覺症狀，當發作間歇時期或毫無異常，或僅脈頻數，發生心動遲徐者頗少，屢有期外收縮，及間歇的脈搏停止，或呈呼吸性脈搏不整，往往有心臟異常，移性亦有時發生心臟部知覺過敏者。

二，反射性心臟神經症。

前述者之一部屬於本症，其他有消化器障碍例如便秘，胃腸加答兒，生殖器病等，心臟動作發生一時性障碍，即心悸亢進，心動急速，及遲徐，呼吸性不整等，且有時眩暈，失神等，原因除去，則症狀消失。

療法：向患者說明本病爲神經病性，大便宜常通順，避免一切有害原因，如消化障碍，過勞，房事手淫之過度，烟草，咖啡，酒精，中毒者，保持安靜亦頗重要，睡眠須充足，須練習運動，藥劑療法，可與以砒素劑，溴素劑。

生龍齒（五錢）　生牡蠣（五錢）　柴石英（四錢）　紫貝齒（六錢）　焦遠志（二錢）　雲茯神（三錢）

白蒺藜(三錢)　磁硃丸(四錢)　北朮米(五錢)　淸半夏(三錢)　厚朴花(錢半)　代代花(錢半)

栢子仁(三錢)　水煎服

八，心動急速症

凡脈搏數增加，超過正常之數目者，即爲本病。

原因：生理狀態當劇烈運動時，脈搏亦可增速，此外於熱性病時，或神經性病時，亦可見本病，例如腦膜炎時，或神經衰弱患者，此外如患急性或慢性心肌疾患，心內膜炎，心囊炎，心臟機能不全時，亦可發生本病，其他亦有持續發作者。

療法：不外治療其原發病，即對症療法，神經性者，可與以溴素劑，衰弱者可投以强壯劑如。靈磁石或磁硃丸，柴石英貝齒，雲茯神，遠志肉，花旗參，製首烏，栢子仁，白蒺藜，白姜蠶，青連翹，等皆可按症應用。

九，發動性心動急速症

原因：不明，或與神經質素因有關係。

症候：突然發生發作性絞心感，心悸亢進，全身倦怠，其持續約數分鐘乃至數小時，多有突然再發者，脈搏因多星期外收縮，故極頻數，一分鐘有時竟達一百十八次至三百次者，發作持續時，則呈心臟擴張，及機能不全等現象。

預後：如有器質性變化，或爲持續的神經性發作者，預後多不良，屢成續發性心臟衰弱，恰如心動遲徐。

療法：發作時與以冰囊，安靜溴素劑，及嗎啡等，心臟衰弱者與以强心劑，餘按心動急速症治之。

十，心囊炎

原因：原發性者頗少，幾皆爲續發性者，尤易見於急性僂麻質斯，敗血病及其類似之疾病，此外一般傳染病時，或癌腫及結核末期，亦可發生，但初期多爲潛伏性，其他亦可自附近病變傳播發生，例如肺炎，肋膜炎心內膜炎，一切胸內廓炎症，及化膿症時，亦可發生本病。

症候：乾性心囊炎，見於本病初期，僅能聽得有摩擦音，此摩擦音多發於心基底部，（與肺動脈血管部位相當）滲出性心囊炎，心臟濁音擴大，摩擦音微弱，或消失，其濁音部隨疾病之進行而向四方擴大，立時較臥時爲廣，取側位時則濁音向該部移動，肺臟亦被壓迫，打診時有强度抵感心音，搏動微弱，身體前屈時，觸音着明，如滲出液多量增加時肝脾被壓迫亦可向下方移動，肺臟受壓迫於後部，亦可聽到壓迫性氣管枝音，此外尙有心臟部膨隆，及鬱血症狀，頸靜脈怒張，呈青藍色，呼吸困難，其他尙有一切壓迫症狀，易發心臟機能障碍，自覺症有絞心樣感，不安疼痛發熱等，滲出液減少時，又可聽到摩擦音，結果心囊部或全部可形成癒着。

療法：須絕對安靜，心臟部置冰囊，危險或滲出液瀦留時，可行心臟穿刺，有化膿時可行手術療法，此外可與以强心劑，或利尿劑，國醫按以前之急性心肌炎，療法亦可，如心臟衰弱者，可投以附塊，遠志，人參等，小便不利者可用車前子，或韭菜子，冬葵子，木通，澤夕，猪苓等類，其他皆爲對症療法。

十一，動脈硬化症

本病爲動脈之消耗性疾患，動脈之彈力性減退，管腔狹小，因之組織之供給量亦減少，本病之發生部位，或見於一部血管區域，或見有全血管系統。

原因：見於身體勞動，心臟神經病，神經衰弱，習慣性大飲大食等，一切屢次刺戟血管運動神經之作用，而血管須要劇烈運動時，此外因脂肪過多，萎縮腎，酒精烟草糟咖啡茶鉛等發生血管中毒，或生活不規則等，亦可引起本病，與遺傳似亦有關，多見于四十歲以上者。

症候：全身性動脈硬化症，身體及精神的機能減退，漸次發生心臟障碍，冠狀動脈硬化，狹心症，心臟性喘息，動脈硬化性萎縮，腎等，症候心臟屢有左心室肥厚及擴張，大動脈延長，心臟因體位變換而呈異常運動，大動脈屢屢可聽得收縮期雜音，且向頸動脈波及，第二大動脈音甚强，屢爲有響性侵犯半月瓣時，則呈大動脈閉鎖不全，或狹厚純粹之動脈硬化，偶有發生大動脈瘤者，末稍動脈硬固肥厚，頸管動脈血壓正常，亦屢有亢進者，脈搏情形不一，與心肌之健康否有關。

局部的動脈硬化症，如見於冠狀動脈者，則引起狹心症，心臟性喘息，見於腦動脈者，則引起種種腦系統之症候，見於下肢血管者，則引起步行時之肌肉疼痛，但休息時亦可暫時輕快，見于腸血管者多呈飯後疼痛，及鼓腸發作，此外見於末稍血管者，屢引起血管運動神經性障碍。

療法：先除去原因，勿過勞，須安靜，食餌以混合食或藥食爲最宜，肉類須限制，勿過飲，過食，注意大便通順，藥劑療法可與以碘劑，持續數月乃至數年，利尿劑亦可用，對於間歇性跛行，可行溫足浴，虛弱者可以投以强壯劑，此外蓋爲對症療法，國醫對治療本病，往往據症用藥，每收意外效果，所用藥品如血管方面者用地龍，白殭蠶，桑枝，桂枝等腦部及神經方面者用柴石英，貝齒，烏頭，萆薢，豨薟草，橘絡，蒺藜等其他如藏靈仙，左秦艽，五加皮，海桐皮，片姜黃，防己，木瓜，松節等亦爲本病應變用品。

十二，狹心症

本病爲發作性心臟部，苦悶，壓迫及疼痛感。

原因：多由於冠狀動脈硬化，其口經著明縮小，偶有由於心肌炎，心囊炎者，凡一切能增强心臟動作之動機者，皆可爲本病誘因，尤其胃腸之氣體膨滿，或自家中毒，皆可爲本誘因，此外因神經性原因，烟酒中毒等，可引起神經性狹心症，或可使末梢動脈發生彌蔓性痙攣，名爲血管運動神經性狹心症，其症狀與眞性狹心症頗相似。

症候：眞性狹心症，多見于老年，於發作前有壓迫感，發汗苦悶等，前驅症候或則無前驅而突然發病，爲劇不可忍受之胸骨後面疼痛，自覺瀕於危殆，常向左膊背部腹部發散，故亦有誤認爲腹疼者，發作時偶有呈氣絕顏面厖羸，四肢厥冷，冷汗者，但大多皆舉止炎靜脉搏形狀不一，於發作時心濁音多擴大，心音幽微，亦屢有血壓亢進者，發作之持續時間數分鐘而數小時不等，其發作頻度則頗不一致。

神經性狹心症多冗於青年苦悶症，與前者相似，一般無前述之劇烈，發作時往往發生强迫運動，心臟無何等他覺變化，有神經質症候，發作可因種種原因尤其恐怖心而誘起，時有因身體過甚勞動而發生者，血管運動神經性狹心症易見於寒冷時，四肢蒼白厥冷，感覺缺如，苦悶殊甚，預後：眞性者多重篤，往往死於發作時，其餘則較輕療法須除去原因及誘因，尤宜注意食餌，消化之促進氣體發生之預防限制大食及動物性食品，大便須常通順，發作時安靜，手足可常熱浴等，內服可用。

葶藶子（五分） 大紅棗（五枚同布包） 秫米（五錢） 磁硃丸（四錢同布包） 焦遠志（二錢） 杏仁（二錢）
節菖蒲 冬瓜子 冬葵子（各四錢） 澤夕（三錢） 青橘葉（三錢） 柏子仁（三錢） 松子仁（三錢）
薤白（二錢） 苦桔梗（錢半） 旋復花（錢半） 代赭石（三錢布包） 猪雲苓（各三錢） 五味子（五分）
細辛（三錢搗入）

十三，心臟性喘息症

本病爲有心臟疾患時之發作性呼吸困難也。

症候：呼吸頻數，自覺空缺乏，引起呼吸困難，多合併狹心症，右心室衰弱時肺循還及腦循還緩慢，可因身體勞動引起本病，如同時有肺氣腫，肋膜腔滲出物，氣管枝炎，膨腸，脊柱後彎兼側彎時本更症爲劇烈，又當血液循還速度減少，血壓亢進時，雖於安靜狀態亦可發作，發作時屢有劇烈苦悶不安等症狀，本症最多見於冠狀動脈硬化，尤其左冠狀動脈硬化時，發作之持續時間多不長久，於初期有成發作頓挫性者。

療法：須注意心臟機能不全，及狹心症，此外可與以强心劑，酒精等之興奮劑，誘導療法，亦可應用，重症者可注射嗎啡，或同時再注射樟腦亦可，內服可用。

焦遠志（二錢） 松子仁 柏子仁（各三錢） 云茯神（三錢） 製首烏（三錢） 葶力子（七分） 大紅棗（五枚同布包） 白蒺藜（三錢） 生龍齒 牡礪（各五錢） 炙蘇子 陳皮（各錢半） 白杏仁（二錢）
功勞葉（三錢） 炙紫菀（三錢） 苦桔梗（錢半） 花旗參（錢半） 炙麻黃（二錢） 炙甘草（五錢）

十四，心臟機能不全

（一）急性心臟衰弱

原因：見於肺炎傷寒等，傳染病之經過中，或經過後，多由於心肌炎，此外亦可因身體過勞，內出血，中毒作用等而引起。

症候：自覺有絞心感，呼吸困難，心窩苦悶等，他覺症脈頻數而小，四肢厥冷，顏面瘦消，大多呈蒼白色，偶有呈青藍色者，體溫降至常溫以下，心臟屢擴張有微弱之收縮期雜音，血壓低降，此時施以適當療法，如仍不見效時，則脈搏更行頻數，心臟機能消化，屢至呈肺水腫症候。

療法：須絕對靜臥，與以濃厚咖啡，酒精飲料等，此外咖啡因及樟腦注射亦可，國藥內服可用。

黑附塊（四錢） 肉桂（五分） 太子參（三錢） 淡乾薑（一錢） 生白朮（三錢） 山藥（三錢） 雲茯神（三錢） 杭白芍（三錢） 炙甘草（一錢） 遠志（三錢） 鮮生地（三錢） 鮮石斛（三錢）

（二）心臟麻痺

原因：見於冠狀動脈硬化及其栓塞，脂肪心，心肌炎，手術後或靜脈炎，患者之肺臟栓塞，脂肪栓塞，空氣栓塞，實扶的里死，以及小兒胸腺死等。

症候：突發性激劇之絞心感，呼吸困難，蒼白，卒倒等，於數秒乃至數分鐘，心臟機能即行停止。

療法：可試行注射强心劑，或人工呼吸法。

（三）慢性心臟衰弱

原因：爲慢性心肌障礙之諸種疾病，（如諸心臟障碍或全身衰弱時）及引起心臟過勞之諸種疾病，及動機等，及胸腺淋巴性等體質異常者。

症候：呈以上各病慢性經過之症狀，亦有驟見頗似健康，但因輕微之動即呈上述之諸種症狀。

療法：國醫對本病往往對症用藥每收特殊效果。

陳阿膠（三錢） 柏松子仁（各三錢） 焦遠志（二錢） 酸棗仁（四錢） 杭白芍（三錢） 大熟生地（各二錢）

花旗參（一錢） 雲茯神（三錢） 白蒺藜（三錢） 炙甘草（一錢）

十五，大動脈瘤

原因：為動脈硬化症梅毒，外傷等。

症候：於潛伏期有鈍痛嚥下困難，咳嗽刺痛呼吸困難，聲音嘶嗄，血管雜音等，其後漸增大乃與胸壁接近，遂呈胸骨部濁音，頸窩搏動肋間腔搏動，繼之因骨潰敗，皮膚菲薄，及壞死而露出，隨動脈瘤之增大而呈壓迫症狀此等症狀如下。

(一)心臟轉位，脈搏遲緩，左右不同，動脈瘤上有收縮期雜音，心臟亦可聽到擴張期雜音以及回歸神經麻痺，氣管枝狹窄，肺膨脹不全，劇烈神經痛，及感覺異常等。

(二)食道狹隘自覺嚥下困難，因橫隔膜神經受壓迫而有呃逆，迷走神經受壓迫則嘔吐，交感神經受壓迫則有限局性或半側性發汗及瞳孔不同，眼瞼下垂等，頭部向後屈則可見氣管向側方，喉頭向上方移動。

上行大動脈瘤，濁音由胸骨緣向右移行於第一及第二肋間腔可見搏動，心臟向左下方轉移，於該部可觸得心尖搏動，脈搏較心尖搏動一般遲緩，大動脈弓瘤，胸骨部有濁音於頸窩部以手指深深按入則觸得搏動，於左側肋間腔亦有搏動，心臟被壓迫於左下方。

下行大動脈瘤，股動脈脈搏遲緩且微弱左側氣管枝狹窄，食道狹窄，壓迫半奇靜脈及奇靜脈於脊柱左側有搏動，亦有發生脊椎潰敗者。

診斷：依上述證狀外且可行X光線診斷。

療法：身心須安靜，與以易消化淡薄食品，不可過食，注意大便，藥物以碘劑為宜，水銀塗擦亦可。

鹽地龍(三錢)　生龍齒　牡蠣(各五錢)　紫石英(四錢)　貝齒(六錢)　陳阿膠(三錢)　旋復花

新絳(各錢半)包布　酸棗仁(四錢)　茜草根(三錢)　茺蔚子(錢半)　全當歸(三錢)　鮮生地

茅根(各五錢)　五倍子(三錢)　忍冬藤(三錢)　生鹿角(三錢)

〔批〕：以科學方法研究病症以最完備之漢藥施行治療為目今國醫界當前急務是篇在在不離此旨洵屬國醫中一大貢獻也

外科心得

馮敬

外科始於祖師華陀，傳流不息其中不知經過了多少年，相繼研究和著述，才有今日之外科，但是處在中西競爭的今日，我們的國碎不可不重視，既知道重視，乃須埋頭苦幹努力研究，以求不致落在西醫的身後，要知道外科之瘡瘍的由來，內經雖然言營衛之氣血不行所致也，可是的確是營衛之氣血不行，然而有外傷而氣血不行者，亦有內傷而氣血不行者，倘有不內外傷而氣血因之不行者，故不可不辨也，夫外傷者，傷於風寒暑濕燥火之六氣，內傷者傷于喜怒憂思驚恐悲之七情也，以上種種不正之氣偶有所感，則臟腑之氣血不從，逆于肉裏發生癰疽矣，但天地之六氣無歲月不有，人生之七情何時不發，乃有病有不病者何也，蓋氣血旺而外邪不能感，氣血衰而內正氣不能拒，此所以六氣之傷。傷于氣血之虧，而七情之傷亦不外乎於此，是矣既感於此治法不得不先以保元爲重，癰疽初患發時，則宜消散以驅除外感之邪，通和以疏解其內傷之鬱滯，如仍不應即以和血補托之法而消之，以溫而通之，才能氣足血旺也，遇欲成不成，急補托以速其成，既成而不潰，補托以速其潰，既潰而膿少淸稀臭穢，仍繼以補托促其速膿，如膿水反多則仍以補托，取其氣血足而能以約束之意，至於新肉生遲，當歛不歛，又必須用大補而歛之，總而言之外科一症中醫莫不以補托之治法爲主。

所謂癰疽者西醫謂之急性炎症與慢性炎症者是也，名稱與治法雖然不同，而部位與患之由來則大同小異，比方西醫上講癰疽之發生是由於細菌的傳染，在健康的皮膚上或粘膜上被强度的摩擦後，發生創傷的傳染病，或細菌由毛孔以及汗腺之侵入，或由有濾胞性扁桃腺粘膜等等的細菌之傳染，中醫論癰疽之發生皆由於不善養生之人，起居不愼飲食不節，及縱淫慾，或膏粱之變榮衛太過，藜藿之虧氣血衰，或負担跌撲勞碌好動之人，俗語謂動則生火，靜則生水，動靜之間，水能生萬物，火能尅萬物，故凡病莫不由火而生，火生則七情六慾八風皆應隨而侵入，既入之後百病發焉，是以發於內者爲風勞痰喘蠱膈內傷之症，發於外者爲外感之症也，所以或成癰疽或成癰毒莫不由此而生也，癰疽既生症當分陰陽輕重，陽症之發於六腑，因於氣血壅塞不能通行，暴發於皮膚上甚爲迅速，其毒亦在表層故爲急性，其氣輕淸上升而高起，其原稟於陽分中，故所患亦浮淺，誠爲易腫，易膿，易歛，不傷筋骨；不損氣血易治之症也，疽者沮也，氣血瘀滯沉成也，爲陰屬於五臟，邪毒攻於內，因爲病原稟於陰分中，陰的血液重而且濁，性質多沉而降，故發現緩慢而所由深沉，所謂惡性炎症者，誠爲傷筋骨，傷氣血難治之症也，然而在西法之治療，無論急性與慢性之炎症，在初起則呈充血潮紅腫脹，疼痛，灼熱節感覺之時，即用消炎膏貼敷以消之，繼續進行炎症範圍較大者，達到成熟化膿期，必須動手術，以行開割之法，爲免去患者切開時之疼痛，須行局部麻醉或全身麻醉，充分的消毒切開之時先切皮膚，漸次及於深層，達到有膿的地方，使膿灶之全部豁開，膿液盡量排出，或插入排膿管以吸取膿腔內之膿液，外敷以硼酸軟膏或其他以消毒防腐，待膿出毒盡，瘡口塗上二百二十之藥液，即可收口，所以西醫的外科精於消毒與開割，縫合以及麻醉等手術上的工作，甚爲完善，實令中醫之所不及，惟對於虛癆，瘦弱營養不佳之患者，則乏托補之藥並療法，但是中醫對於手術上不能說沒有，是向來用劇烈的藥品來代替刀剪，像古方中的三品一條槍，蟾酥條，蟾酥餅，都是腐蝕的作用，以去其腐肉，至於消毒而古人治瘡亦講究用某種湯藥薰洗，沸過之水洗滌，今人亦有採用西法的消毒法，惟獨對於虛癆人瘦弱之患者施以補托之方法，實有特效之藥品，是矣對於虛癆之人很有莫大之補助，但是年青力壯之人氣血勝于毒則，易療，若遇年邁氣血衰弱肌肉萎縮，毒勝于氣血則不治也，再語肥瘦之人與瘡瘍亦甚有關係，肥人多濕，濕盛則痰多，瘦治多火，火多則液乾而血少，蓋肥瘦之人分火多與濕盛倘可，分血虛與氣虛則不可，何以言之，夫氣虛之人豈即血旺乎，血少之人，豈即氣之盛乎，是故氣虛不能遽旺，血虛則不能驟盛，所以深得病機者當以氣血雙補，補陽之虛消痰化毒，而不可耗其血，補陰血之虧，消火敗毒，而不可耗其氣，豈非在人之肥瘦而注意，環境之好壞，富貴與貧賤亦有莫大之關係焉，按說瘡瘍之生，無分富貴與貧賤，然而富貴之家，所食者燔熬烹炙之物，居處安逸，姬妾衆多，逸則思樂，樂則思淫，淫過則泄精必甚，元氣易傷，腎水虧涸，是矣貴人之所生盡是陰症險症，貧賤之人所生盡是陽毒小症往往易治。

癰疽之形狀，癰者紅腫大如覆碗，根淺境界與好肉甚爲分明，∴熱赤疼，外形大而內小，蘊發皮膚之淺部，故人身體分爲五層，皮，膚，肌，肉，膜，等處，在七日至十四日之間，達到成熟與破潰，則爲陽症（西醫謂急性炎腫），二十一日後至二十八九日之間，始破潰者爲陰，疽者根深，形色呈紅塌散漫，紫黯不明，堅硬少疼，三月五月或一年二年尚不知覺的故屬陰性，發於深處，外形小而內實大，恒有三五年之經過倘且不潰，即使潰後，亦是濃水清稀，多呈不吉之兆，所以患者貴乎早治，食以由陰轉陽，由凶變吉，若其形小範圍亦小無論生在某處，名爲急性小結節，頭破膿出即愈，故無須注意。

癰疽應有之症狀上面大概已略說過，惟對於陰症與陽症的辨別，亦必須詳細的分別，其次應該知道者就順與逆是也，大約陽症多順，陰症多逆，順者生，逆者死，故知順逆即知陰陽，純陽者初起必現焮腫，身體微熱微寒，並發炎部位與健康部的境界甚爲分明，根活有紅暈盤，七日至十四日間不生任何變化，頂高突如凸形，膿亦漸漸漫動，飲食亦知味，大小便調和，總而言之諸症的經過莫不皆現于陽，故不傷五臟之順症也，純陰之症，初起不紅不腫，不寒熱，不疼癢，七日之間，身體倦怠，瘡根平漫而散大不高，軟陷無膿且呈紫黑無光，脉浮散大而細，飲食不知味，臉呈青黃，心意慌忙，精神缺乏，昏睡譫語，以及口乾舌强痰喘等等敗症，故屬陰實逆症也。

既然知道瘡瘍的由來，大小，形狀，應有的症候，以及陽陰與順逆的分別，所以對於治法更應該知道，瘡瘍之初起麻癢焮痛者，即毒深甚也，七日以前形勢未成，不論陰陽大小，按古法具當先用灸法灸之，輕者經過灸後，毒氣便隨火而消散，重者拔引所鬱滯的毒氣，通和內外，但灸後當避風襲，內服疏解宣通之劑，如神授衛生湯，內疏黃連湯，蟾酥丸之類，外圍敷藥，如二味拔毒散，冲和膏，玉龍膏之類，像西醫所敷之消炎膏，安福消腫，黃碘，形勢進行要成瘡症，但皮膚仍現漫腫不分境界，則宜金黃散用茶調和敷之，以束約其邊界不使蔓延，並且能以令其速潰即成瘡瘍當應症施治對病下藥，緣平塌者投補托劑以增其不足，使毒易外出，過高腫者不可過於攻下，恐傷元氣，不易破潰，致於瘡將要化膿或已有膿，而其體溫定高熱，此時應該現皮薄光亮，用手按之陷，其痕不即隨指而起，所按之指痕亦不發白，此乃膿倘未成熟，若按之陷，其痕隨指而起，留痕隨變而發白，用手指觸之，有波動之感，膿期達到成熟是將要潰矣，即潰之後膿水清稀臭穢，則服大補氣血之藥品以補托之，外用千捶紫金膏貼瘡口，內用師傅八寶滾膿丹之藥條穿之，待毒盡膿出漸少時，再外換師傅自配化毒膏塗以綳帶之上貼之，內換眞降丹或藥條穿之，腐肉遲遲不脫，新生組織亦不生長，須用蟾酥條或餅化之，待膿水水腐肉盡出後，再換以生肌斂口之藥，使慢對口，遲遲不斂口，仍流清黃水者，是內有餘濕毒氣尙未淨也宜用加味象皮珍珠散滲之，使皮膚乾燥新肉易速生，瘡口內新生肉芽往往有互相磨擦疼痛之時，即打入少許鳳雛膏滋潤之，如此治法大症不過數月小症亦不數日，定可收功矣，但是患者與醫者不但淨注意治法，對於調養亦須注重，像膿出後因身體虛，切忌寒涼，恐寒涼挾攻膿出不暢，變生他症，豈不白費功夫也，所以說患者冬宜溫室以防其寒，夏宜明窗以避風暑也，在肌肉長平時尤小心，謹愼調理，即便新肉芽如珠，若調理上疏忽失於保養，恐其虛脫暴變性命必陷於危亡，所以患者醫者須當於十分注意。

疔瘡者在外科上得之最迅速病也，故有走馬看疔之說，皆因爲有朝發夕死，並有隨發隨死，尙有三五日而不死，一月半月而終死，致於所得之原因，總不外乎氣血雙虛，臟腑乖逆，復感節候溫涼肅殺之氣所發，惟此症婦女得之最悞事，因婦女性質忸怩多玩固，生面目耳鼻之間，顯而易見，生肩足衣服隱避之處，像鼻疔，黯疔，惡疔等皆生在隱避之處，往往發黯疔或其他疔時，自已不知覺，亦不願醫治，或悞認爲傷寒溫瘧等症，輒雜藥亂投，致變生他症，或躭悞時間過大，毒攻胞膜而死，所謂疔毒走黃是也，故遇此症急用紫花地丁解毒湯以清解之，蟾酥丸，或梅花點舌丹發汗醒消之，遇有似疔非疔可疑之情形，但不知疔處，即起用蒸籠上之泥垢一塊吞入口中，少傾某處立刻知疼即是疔也，辨別眞假疔之法，用生黃豆投入口中咀嚼之，少傾口中覺異香味者，眞疔不易治也，如覺不出任何異味者假疔也，發覺稍遲時間過久，走黃或起線，用銀針在起線的地方迎頭刺之，刺破出黑紫色之血，以出鮮血爲度，另外尙有一種不論在手小臂，或足小腿上，起如紅線一條者，名爲紅絲疔，當在紅線的始末兩頭刺破，毒即隨血而愈，遲則毒入腸胃或攻心，多致不救，故凡犯疔者宜服飛龍奪命丹，或梅花點舌丹因內發汗，不使毒氣攻尅臟府。

所以五臟乖逆，始發疔毒，假如心經爲患者名火焰疔，多生唇口手掌指節間，初生一點紅黃小泡，抓動癢痛非常左右肢體麻木不仁，重則寒熱交作頭昏眼花，心緒不清，言語無此序，毒發於脾經者爲黃鼓疔，初生黃泡光亮明潤，四邊紅色纏繞，其症發生口角腮顴等處，及眼胞上下太陽正面，麻木養痛繃，重則噁心嘔吐，肢體木疼，寒熱交作，煩渴乾噦等現像，發於肝經名爲紫燕疔，其患多生手足腰脇筋骨之間，初起呈紫泡形，次日破流血水，待三四日後，串筋爛骨疼痛異常，甚則眼紅目眛，指甲純靑舌強神昏譫語驚惕等症，發於肺經者名爲白刃疔，其發初生白泡頂硬根堅，破流脂水癢痛驟然，易腐易陷，重則腮腫咽焦，毛聳肌熱咳嗽口吐膿痰，鼻搧氣喘等症，發於腎經名爲黑黶疔，其患多生耳竅內，胸腹腰腎以及偏僻軟肉之間，其經過初生黑斑紫泡，毒患皮膚漸攻至肌肉，則肌肉頑硬如釘，痛骨髓，重則手足青紫，驚惕忱困，軟陷孔深，目睛透露等症，全身肌肉呈紫青色，有如中毒，跟據種種條件皆發於五臟，故疔亦呈五色也。

說到妊婦如果發生瘡瘍，疔毒之時，則不可與無孕婦人一概輕視之也，蓋婦人懷孕，宜護其胎，一有損傷，其胎立墮，輕則殺子，重則連累其母而亦亡矣，可不慎哉，或曰孕婦既生瘡毒，豈可以不治耶，孰不知婦女既已懷孕其氣血半已養胎，恐再用敗毒之藥，重傷氣血，氣血旣傷，安得不隨胎乎，像飛龍奪命丹，醒消丸，梅花點舌丹等等諸藥，恐其孕婦悞服之後，致傷胎氣，故凡用敗毒之藥，宜于補氣血之中而少佐之以瀉車敗毒之味，則在腹之胎無損，而在皮膚之瘡亦宜散也，至於產後無論瀉火敗毒，萬不可施，因產後亡血過多，血室空虛，故攻伐與內托之藥亦宜禁忌也。

丹毒乃常見之創傷傳染爲皮膚及粘膜蔓延性潮紅，且有高熱之疾病，若與制腐防腐法完全，絕不發生，病原體爲好發生丹毒之特有細菌，傳染的門戶爲外傷，有時甚微之上皮缺損即可傳染，他則由淋巴管之媒介物，及蜂窩織炎時，細菌沿淋巴管蔓而起丹毒。

丹毒之症候有惡寒戰慄，同時發鬼熱或稍遲，細菌侵入部位之皮膚潮紅，且稍隆起，觸之疼痛，發赤部位有一種光彩，自覺症候爲灼熱，刺痛，並有緊張感覺，過一二時後，潮紅更顯著，有始終進行之性質，各部位之進行遲速不等，當健康部之境界清晰，有時於皮膚與皮下結締織緊着部停止其行，而侵及於周圍，外陰部或眼瞼部之丹毒，則現強度之浮腫，並且丹毒之發生，不謹限於身體之一定部位，常發之部爲頭部顏面及四肢等處，但是丹毒與其他——同時發生時則不易診斷以分明，所以須看清具有特種之潮紅，迅速之蔓延，同時惡寒戰慄及高度之熱爲標準也。

對於丹毒之治療，無特效藥，雖有種種藥劑，是圖制止其蔓延，但皆無確效，於丹毒周圍之健康部，用絆創膏纏繞以阻止炎症之進行，然亦無甚效果，若是用濕罨包法，恐其易起濕疹，因各種治法無甚大效果，所以謹能使患者自覺症減少，但是能使身體之抵抗力增强，則塗以凡士林，一方面在於飲食上再注意，富於滋養與易於消化之食物，有時爲化膿性之丹毒，當切開排膿，中國醫生對丹毒也是沒有良好的方法，無論小兒，大人在起丹毒時有用砭法以治其外，即是用竹筷子，劈開一頭，挾住一塊殘損較爲峯利的磁瓦塊，用此法在丹毒患者身上，須把丹毒迎頭砭破，以出鮮血爲度，另外如紫荆散，伏龍散，桑白分解散等藥末敷擦之，內服藥甚麻煩，因治倘須分經，比方胆經用荆芥祛風湯，膀胱經則用防風通聖散，發於陽明胃經者，用白虎加味湯，涼膈散，發於肝經者，則用清散湯以救之，在小兒不出百日而發，不論是何丹毒，皆胎毒也，三日內治之皆可救，遲則無及矣，倘百日外生丹者，稍遲些尚不至於死亡，然而也不必急治，亦不可令其入腹，因爲一入腹就難救藥矣，故腹脹不能飲乳者必死無疑也，假若尚能飲乳，以其胃氣尚在也，更有一種紅綫瘤者，尤難救治，因其父母服熱藥過多，致遺熱在胎，非藥石所能治也，腫瘤，西醫屬於良性腫瘍內，分多種，如粉瘤之發生，由於皮脂腺或毛囊腺而發之貯留囊腫，大如豌豆如手拳，有單發者，有同時數個存在者，其好發部位，爲頭部及顏面部，以及其他項背部，尙且泌尿生殖器亦發生，約十五歲以下發生者尙少，其發育甚緩慢，腫瘤接近皮膚部，與皮膚愈着，然周圍可自由移動，用手觸之證明有波動之感，內容爲粥狀灰白之物，致於治法用局部麻醉後，摘出之然後縫合之，然此症之治法只有以手術摘出之，別無內消之良藥，倘有一種氣瘤還能使其內消散之，因爲氣瘤有時大，則有時小，隨氣之消，隨氣之長，其症不痛不紅，皮色與其他不相同，其贅則軟而不硬，氣旺則小，氣衰反大，氣舒則寬，氣鬱則急，故治法必須補其正氣，開其鬱氣，則瘤自消散矣，手術上即不能摘出之，而只有沉香化氣丸緩緩服之，或可收斂，致於老年人生瘤時，與瘤上起紅綫狀筋時，則不能動手術摘出也。

獨頭蒜治水腫

—魁卿—

水腫一症治愈很難，尤以女性患水腫則更難，因其原因及種類甚多，故治法亦異，擇活蛤蟆一個合以獨頭蒜一枚，同置銅罐中，用法搗成糊樣，敷於患者之臍上，半點鐘換一次，一日後則水從大小便排出，則水腫症自愈，不拘何種水腫皆效如神。

失眠概要

張玉秀

吾人習醫者，始於人之所依賴醫延壽考也，感世醫之欺凌也，無觀醫士不讀靈素以以下諸書，只淵原於湯頭，見人喜補者，遂謂虛弱，喜散者遂云外感，畏熱藥者，便用寒涼，畏涼藥者，便投溫熱，順病人之情意亂用方劑，此自欺欺人之務而人之死生攸繫一心，爲取値即藥餌妄投，存亡莫卜，奈何濟人之方，竟視作欺之術歟，其端一也。

夫醫以蘇人之困極人之危性命爲重，功利爲輕，而世之同行每多嫉妒奈何，今之醫者氣量狹窄，道不求精，見有効其技者，則妒之于心，妒心一起，害不勝言，或謠言百出，或前用涼藥不分寒熱，而改熱，前用熱藥，不分寒熱辛涼，不顧他人之性命惟逞自己之私心，總欲有晦道行者，不行以遂其嫉妒矜嬌之意，每見病家患溫熱之病，醫者投以卒涼，本不齟齬，但服一二劑未獲深中，病者見熱渴不已，心中疑懼，又換一醫，且言明曾延醫治，而所換之醫遂不察其病因，見前有寒涼之藥，便咎前醫用寒涼之害，不辨証之寒熱，脉之遲數，舌苔黃白小赤清濁，竟亂投溫熱之才，不知溫熱之病，得溫熱之藥無異火上添油立刻津乾液涸而變生俄頃，倘前用熱藥以治其寒亦咎其用熱藥之害，總之不辨其爲熱，亂用寒涼之方，不知寒證，服寒涼之藥猶如雪上加霜，立使陽亡氣脫，而變在須臾直至垂危，尙怨前醫之誤，再凌狩其欺僞可勝言哉，此其二者亡中醫而餘有僅兇用事斯語爲是故首之。

經文之紀載

(甲)失眠之原因

(一)靈樞邪客篇，「黃帝問於伯高曰，夫邪氣之客人也，或令人目不瞑，不臥出者，何氣使然，伯高曰，五穀入於胃也其糟粕，津液，宗氣（按宗氣爲全身之原氣，）分爲三隧，故宗氣積於胸中出於喉嚨以貫心脉，而行呼吸焉，榮氣者，泌其津液，注之於脉，化以爲血，以榮四末，內注五藏六腑，以應刻數焉，衛氣者，出於悍氣之慓疾，而先行於四末分肉皮膚之間而不休者也，日行於陽，夜行於陰，常從少陰之分間，行於五藏六腑，今厥氣客於五藏六腑，則衛氣獨衛其外，行於陽不得入於陰，行於陽則陽氣盛，陽氣盛則陽蹻陷，不得入於陰，陰陰虛故目不瞑，黃帝曰，善。

(二)靈樞大惑論「黃帝曰，病而不得臥者，何氣使然，歧伯曰衛氣不得入於陰，常留於陽，留於陽，則陽氣滿，陽氣滿則陽蹻盛，不得入於陰則陰虛，故目不瞑矣」。

(三)靈樞榮衛生會篇。「黃帝曰，老人之不夜瞑者，何氣使然，少壯之人，不晝瞑者，何氣使然，歧伯答曰，壯者之氣血盛，其肌肉滑，氣道通，榮衛之行，不失其常，故晝精而夜瞑，老者之氣血衰，其肌肉枯，氣道澁五臟之氣相搏，其榮氣衰少，而衛氣內伐，故晝不精，夜不瞑，」

(四)難經四十六難曰，，「老人臥而不寐，少壯寐而不寤者，何也，然，經云，少壯者，血氣盛，肌肉滑，氣道通，榮衛之行，不失於常，故晝日精，夜不寤，老人血氣衰，肌肉不滑，榮衛之道澁，故晝日不能精，夜不寐也，故知老人不得夜也，」

(五)素向逆調論「帝曰，人有逆氣，不得臥而息有音者，有不得臥而行喘者，有得不能行而喘者，皆何臟使然，願問其故，歧伯曰，不得臥而息有音者，是陽明之逆也，足三陽者下行，今逆而上行，故息有音也，陽明者胃脉也，胃者六腑之海，其氣亦下行，陽明逆不得從其道，故不得臥也，下經曰，胃不和則臥不安，此之謂也，夫起居如故而息有音者，此肺之絡脉逆也，絡脉不得隨經上下，故留經而不行，絡脉之病人也微，故起居如故，而息有音也，夫不得臥臥則喘者，是水氣之客也，夫水者循津液而流也，腎者水臟，主津液，主臥與喘也，

(六)素向疏五過論「黃帝曰，嗚呼，遠哉閔閔乎若視深淵，若迎浮雲，視深淵，尚可側，迎浮雲，莫知其際，聖人之術，爲萬民式，論裁志意，必有法則，循經守數，按循醫事，爲萬民副，是故有五過三德，汝知乎，雷公避席再拜曰，臣年幼小蒙愚以惑不聞五過與四德比類形名，虛引其經，心無所對，帝曰，凡未診病者必問嘗貴後賤，雖不中邪，病從內生，名曰脫營，嘗富後貧，名曰失精，病深無氣，洒洒然時驚，病深者，以其外耗於衛，內奪於榮，良工所失，不知病情，此亦治之一過也，」

(七)素問病能篇，「帝曰人之不得偃臥者何也，歧伯曰，肺者臟之蓋也，肺氣盛，則脉大脉大則不能偃臥」，

失眠之兼證。

（一）素問熱論篇，「傷寒二日，陽明受之，陽明主肉，其脉挾鼻絡於目，故身熱目疼，而鼻乾，不得臥也，」

（二）素問評熱論「臥不得正偃，正偃則欬出清水也，諸水病者故不得臥，臥則驚，驚則欬甚也，」

（三）素問診要終論「冬刺春分病不已，令人欲臥不能眠，眠而有見，」

（四）素向厥論「陽明之厥，則巔疾欲走呼，腹滿不得臥，面赤而熱，妄言而妄見等等．太陰之厥，則腹滿䐜脹，後不利，不欲食，食則嘔不得臥，」

（五）素問水熱穴論「水病下爲胕腫，大腹上爲喘呼，不得臥者，標本俱病，故肺爲喘呼，腎爲水腫，肺爲逆而不得臥，」

（六）金匱玉函經水氣病脉證篇「身腫而冷，狀如周痹．胸中窒不能食，反聚痛，暮燥不得眠，此爲黃汗，心水者其身重而少氣，不得臥，煩而燥，其人陰腫，」

（七）金匱黃癉病脉證篇「腹滿身痿黃，躁不得睡，屬黃家，

（八）金匱驚悸吐衄下血胸滿瘀血病證篇「衄家不可汗，汗出必額上陷，脉緊急，直視，不能眴，不得眠……夫吐血欬逆上氣，其脉數而有熱，不得臥者死，」

失眠之治療

（一）靈樞邪客篇「黃帝曰善（此條係按（甲）項（一）條之後），治之奈何，伯高曰，補其不足，瀉其有餘，調其虛實，通其道，而去其邪飲以半夏湯一劑，陰陽以通，其臥立至，黃帝曰善，此所謂決瀆壅，經絡大通，陰陽何得者也，願聞其方，伯高曰其湯方以流水千里以外者八升，揚之萬遍，取其清五升煮之，炊以葦薪火沸置秫米一升，治半夏五合，徐炊令竭爲一升半，去其滓飲汁一小杯日三稍益，以知爲度，故其病新發者，覆杯則臥，汗出則已矣，久者三飲而已也，」

（二）金匱血痺虛勞病脉証篇「虛煩不得臥眠，酸棗仁湯主之。」

中国近现代中医药期刊续编·第二辑

（三）金匱胸痺心痛短氣病脈證篇「胸痺，不得臥，心痛徹背者，括蔞薤白半夏湯主之。」

諸家之學說

（一）孫眞人千金要方載扁鵲云，「足厥陰與少陽爲表裏，表清裏濁，其病若實則傷寒，熱則驚動精神而不守，臥起不定，若虛則傷寒，（非傷寒論之傷寒也，傷寒論乃爲一年中之一時之病也，爲醫者每見傷寒二字均爲傷寒論之傷寒，其意差矣，夫仲景所注之傷寒，乃指十一二月在十一十二月爲傷寒期，而正二月，爲溫期，二，三，月爲熱病期，四，五，月爲暑病期，六，七，月爲燥病期，八，九，月爲濕病期，十，十一，爲疫病期，疫病，亦可以爲傷寒，如以上之傷寒非傷寒論之傷寒也，）寒則恐畏頭眩，不能獨臥。」

（二）孫思邈以不眠證責諸臟腑，治膽實熱不眠，以半夏湯，治膽虛寒不眠，以溫膽湯，治虛煩不眠，以千金流水湯，治虛勞煩擾，奔氣在胸中不眠，以酸棗湯。」

（三）羅天益曰，經云，肝臟魂人臥則血歸於肝，又曰，肝者罷極之本，又曰，陽氣者，煩勞則張，罷極必傷肝，煩勞則精絕，肝傷精絕，則虛勞虛煩不得臥明矣。」

（四）張介賓曰，不寐之因病雖非一，知邪二字，則盡之矣。

（五）張璐曰平人不得臥，多起於勞心思慮，喜怒驚恐，是以舉世用補心安神藥，鮮克效曷知五志不伸，往往生痰聚飲，聚飲於膽則膽寒肝熱，故魂不歸肝，而不得臥是以內經用半夏湯滌其痰飲，則陰陽自通，其立至，」（按此條如此之說，有何價質，按今之理論，亦是不通，何以不通，膽如何聚痰，而並非膽寒，其意乃輸膽管排泄膽汁不暢，排不暢則消化不良，消化不良，亦能引起失眠矣。）

（六）鄒澍學曰，靈樞大感論「衛氣常以晝行陽，以夜行陰，行陽則寤，行陰則寐，若其人腸胃大，則衛氣行留久，皮膚溼，分肉不解，則引遲，留於陰也久，其氣不精，則欲瞑，故多臥矣，其人腸胃小，皮膚滑而緩，分肉解利，則衛氣留於陽也久，故少瞑焉，」據衛氣行篇云，其行自平旦出於目，足太陽，手太陽，足少陽，手少陽，足陽明，手陽明，覺而後始，凡行三十五周，遂盡陽分，乃由足少陰注於腎，而心者，肺者，肝者，脾者，亦如陽之二十五周，以復出於目，則當其在陽，具建瓴之勢，行乎所不得行，固無干於好眠不好眠也，惟入陰則穿貫腑臟，經由分肉，寬則遠，窄則近，滑則疾，濇則徐，殆止乎所不得止，好眠不得眠，因此生焉，雖然此其常也，治不得爲病，無從求治，然病之好眠不得眠，倘不明此，則又無從求治，是故據兩病所列首味而言則好眠是滯於陽，不得眠是陰不浹陽矣，治好眠當求其陽出陰中，今反陰滯於陽，治不眠當求陽交於陰，今反陰不浹陽，是由出人之違常，經道泥濘，則行止濡遲，徑道清肅，則行止速疾，故治好眠以浣濯茶茗，治不得眠以黏滑，是由汗潔之背度，陰分有阻陽不得入，則宜去陰中之阻，而陽分自曠，陰不得出，則宜促留陰之駕，是由通塞之愆期，準此而會意焉，其他亦可不事縷述矣。」

(七)邵新甫曰，不寐之故，雖非一種，總是陽不交陰所致，若因外邪而不寐者，如傷寒瘧疾等暴發，營衛必然窒塞，升降必然失常，愁楚呻吟，日夜難安，當速去其邪，攘外即所以安內也，若因裏病不能寐者，或焦煩過度，而離宮內燃，從補心丹及棗仁湯法，或憂勞憤鬱，而耗損心脾，宗養心湯及歸脾湯法，或精不凝神，而龍雷震蕩，當壯水之主，合靜以制動法，或肝血無藏，而魂搖神漾，有鹹補甘緩法，胃病則陽蹻穴滿，有靈樞半夏秫米湯法，膽熱則口苦心煩，前有溫膽湯。」

(八)葉天士「又用桑葉丹皮山梔等，輕清少陽法營氣傷極人參人乳並行，陽浮不攝，七味八味可選餘如驚宜鎮，因怒宜疏，飲食痰火爲實，新產病後爲虛。」

(九)鄒澍學曰，心中煩，不得臥，黃連阿膠湯主之，虛煩不得臥，酸棗仁湯主之，同是不寐，同是心煩兩方無一味之同，豈不得臥，不得臥耶，能臥而必安靜，眠者，且能熟寐而無知，不得臥或起或寢，並不能安於牀席矣，於此見虛煩不能眠，雖亦靜謐，但時多擾亂也，心中煩不得臥，則常多擾亂，且不能靜謐矣，夫寐係心與腎相交，能靜謐而時多擾亂，乃腎之陰不繼，不能常濟於心，常多擾亂而不得靜謐，乃邪火燔蹯，縱有腎陰相濟，不給其爍，況一爲傷寒，本係急疾之病，且少陰病僅在二三日已上，其急疾抑又可想一爲虛勞，則本緩病虛證，故其治法，瀉火滋陰，一以阿膠鷄子黃安心定血而外，並主以苦燥之芩連，開陰之芍藥，一以酸棗仁茯苓，啓水上滋而外，更益以甘潤之知母，開陽之芎藭，豈可同日語哉，」

辨證之大要

(一)陳士鐸曰，人有神不安，臥則魂夢飛揚，身雖在床一而神若遠離，聞聲則驚而不寐，通不能閉目，人以爲氣心之虛也，誰知是肝經之受邪病乎，方用引寐湯。」

(二)人有心顫神懾，如處孤壘，而四面受敵，達旦不能寐，目眵眵無所見，耳聵聵無所聞，欲少閉省而不可得，人以爲心腎之不交也，誰知是胆虛而襲之乎，方用袪風益胆湯。

(三)人有晝夜不能寐，心甚躁煩，此心腎不交也，蓋日不能寐者，乃腎不交於心，夜不能寐者，乃心不交於腎也，日夜俱不能寐，乃心腎兩不相交耳，夫心腎之所以不交者，心過熱而過寒也，過於熱則火炎上，而不能下交於腎，腎過寒，則水沉下而不能上交於心矣，方用上下兩濟丹。

(四)人有夜不能寐，恐鬼祟來侵，睡臥反側，輾轉不安，或少睡則驚醒，或再睡而如恍如捉拿，人以爲心腎不交，而孰知乃膽氣之怯也，方用肝膽兩益湯。」

(五)人有憂愁之後，終日困倦，至夜至雙目不閉，欲求一閉目而不得者，此肝燥也，方用潤燥交心湯。」

由上觀之吾國之醫理似爲不精，而西人之醫理與步驟，精而且明，實吾醫之不及也，何以不及，有以下數種原因如下。

(1)西醫之理論與步驟，均根據於科學，科學發達，而醫亦隨其暢明矣，如顯微鏡發明後，而醫大有進步，再以先未發明顯微鏡時，診斷某病，實感困難，知某種病必有某種原因而發，而又不得而知，爲何物，顯微鏡發明後，實知而有細菌，由某細菌所生產某種毒素而浸犯人體諸器關，而使諸器關，變爲非生理狀態關能，而改入於病理狀態也，于是乎，各症發現，然細菌之種類又非一種有連鎖狀，雙球，單球，四連，八連，桿狀之中又分長短二種，螺旋狀，其次又分有芽胞與無芽胞，有鞭毛與無芽胞，又分有運動者，無運動者，又分有喜鹹性者，有好酸性者，有嫌氣者，有喜氣者，此外菌類之外，有原虫與微生體二類，又菌類生產毒素亦分二種，即爲內毒素與外毒素，篇幅所限至此不多述矣。

(2)其次對於器皿，如刀，剪針叉注射器等等，內科皮膚如太陽燈，X光，服藥如苦劑或臭劑及用焦囊等，器皿亦繁不容詳述。

(3)對理論上有解部可見各部之位置，動物試驗可得各藏之機能。

然吾國醫學，雖理論不精，而醫治疾病不在理論，而在法也，然何以爲法，以內經爲法。

以失眠而論，西醫每見失眠症，則用安眠藥品，麻醉其神經使神經不能亢進而能自眠矣，而中醫每見失眠，然用藥不異而同，然其名詞不同耳。

總之中醫不在理論，而在其治法也，然理論近於道家之練丹術，如接注解字義，每失其眞蒂，故其理盡爲哲學若當科學釋解，則往往不通也，所以學斯道者，力求其治效，則亦足矣，僅述結收於失眠之尾矣。

●梨

敬

咳嗽痰多，音啞發灼，和食欲不良的患者，吃梨汁可以見奇效，西醫的淸涼劑中，多半是用梨汁的，吃的時候，將皮剝去，而食其肉，加食鹽少許，有舒筋活絡之功效，加冰糖蒸食熱取汁可以治多年咳嗽。

●感冒內傷傷食之舌和脈

敬

一、感冒：感冒初起，脈浮而數，舌苔多見黃白。

二、內傷：脈浮而不數，但虛弱無力，舌苔滑而厚。

三、傷食：脈實而滑，右脈大甚，舌苔黃厚。

結核病

董啓肇

結核病，爲現在世界上最可怕的一種傳染病，每年因此而致於死亡的不可勝計，據學者之統計在全界人口約百四十八人，即有一患結核病者，青年因而死亡者約占死亡率三分之一，由以上看來，這眞是最可怕最宜注意的傳染病了，那麽現在將一般結核病的大概寫在下面，然後再分析來說：

原因：以結核菌侵入體內爲主，該菌爲細長桿菌，稍帶彎曲而無鞭毛，特發見肺結核患者之喀痰，及腸結核之下痢等處；該菌爲一八八二年 Koch 氏所發見。

侵犯臟器：本菌無論任何臟器，皆能有侵入之可能，但其最容易侵入者，而於臨床上最常見者，爲肺結核，喉頭結核，腎結核，以及腸結核，淋巴腺結核等爲多見。

侵入門戶：一，由呼吸侵入：本菌在人體外，雖不能發育，但是能空氣中長時間的遊浮着生存，（大約三個月之久）故患結核病者之喀痰，乾燥後；隨空氣而飄散於各處，由空氣呼吸而傳染之；

一，食物傳染：多爲菌體附着於食品上，或染有結核之牛所產之牛乳，（牛之結核病，即獸醫所謂之眞珠病）或由於喀痰之嚥下，於是由呼吸器官而傳入消化器矣；

二，外傷傳染：因創傷直接傳染，或由化膿病灶之不潔，亦可藉之傳入；

四，遺傳關係：因母體染有結核病者，於妊娠時，即行傳入胎兒者，此說雖恐爲不確，但是胎兒出生以後，即與結核患者，長期接近，隨時皆有傳染之可能；此非在母體時傳遺的，而在出生後傳染者甚多以上是結核患者一般原因及傳染，下面再將某一臟器的結核分析來說：

一，肺結核　（肺癆）

肺結核亦名肺勞（就是國醫所說的肺痿，肺癰）是以結核菌侵入肺臟爲主因，可是其外尙有各種補助原因而成。

1體質：體質薄弱，癆瘵質，肺部不發育者，均爲能引起結核病，總言之體格瘦弱較健全者爲多：

2空氣：缺乏新鮮空氣，或空氣不良，如工場戲院等公共處所，或終日奔走於街市呼吸塵埃之人（因塵埃含有大量之結核菌，藉呼吸而傳入之，）如車夫，清道夫，此外運動員雖體格健壯，亦有傳染之可能，（如足球隊員，田徑賽跑等）因吸入菌體，而感染者有之。

3年齡：是爲肺結核之特異點，大約在十八歲左右爲多，小兒老人亦有之。

4其他：如營養不良，或長時之患病者，及其他肺病將行就愈抵抗力微弱時，已足有使肺結核之傳染之可能：

肺結核因其原因，而分本病爲原發性肺癆，及續發性肺癆二種。

甲　原發性肺癆：　原發性者乃係由於肺臟自己本身獨自傳染而發病者，其原因如下：

1空氣傳染：以由空氣吸入結核菌爲主，周圍之空氣，如有菌體之存在，與患者接近即足以傳染之，尤以咳嗽噴嚏，或談話時，含有結核菌之唾液噴出，而傳染之，即所謂點滴傳染是也，故與結核患者，共同起居，均有被傳染之機會，患者之衣被用品均須嚴密消毒，否則亦恐菌體飛揚，而傳染之。

2遺傳的關係：結核患者，往往以遺傳關係爲最多，常在其家族中蔓延，恐此非結核菌直接傳入，即其家族有癆瘵之素因，因其自幼生活即於肺結核菌之範圍內也。

乙　續發性肺癆：續發性肺癆者，乃續發於其他臟器，而轉移來者之結核菌，而成爲肺結核者，由淋巴腺或血管而被輸入於肺臟，是故其他結核病灶，又皆爲肺結核之策源地，其最着者，爲氣管支淋巴結核，往往藉淋巴循環，而轉移爲肺結核，故氣管支淋巴結核，又可爲肺結核之前驅症，乃因結核菌因呼吸入於肺泡，由是通過肺淋巴管而達氣管支淋巴腺，于是乃起結核性變化而傳播於肺者也。

症候：肺結核病的症候甚多，如患者面部蒼白，肌肉削瘦，以及一切貧血現象，此外尚有心神恍忽，態怍，睡眠不安等等，現在分述如下

一，咳嗽：咳嗽因個人體質不同，及病的輕重，而有差別，初期則有輕微的咳嗽，在後則漸有較重的咳嗽，有時代痰沫，最後因小血管被咯破，則有時代血絲，或點狀小塊。

二，喀痰：輕度咳嗽時，無若何之痰，僅吐有白沫，漸成米粥狀物，殆後則吐臭味濁痰，且伴有粉色，或血塊，此時可證明，其肺已潰爛，或化膿。

三，喀血：初期感染本病即可有喀血之症候，後期因病勢加劇，努力咳嗽或喀痰，漸有血絲，最後因肺部破潰，漸次波及血管，則始見喀血，大約此時肺病已在相當期間，恐不能救藥，因而死亡者有之。

四，疼痛：本病之初無若何疼痛，因肺本身無痛疼感覺，須侵犯肺膜，或肋膜神經時，始感有胸部刺痛。

五，喘急：往往肺癆病患者，因運動或勞動，而起之呼吸困難，因而喘急。

六，失音：肺癆病患者，除同時感有喉頭結核而致失音者外，其外則因肺臟力弱，呼吸氣微，聲帶肌肉等失其作用亦能有失音之症象。

七，體溫：體溫變化，爲肺勞中之最初見者，亦爲最緊要者，凡肺勞患者，在一切肺勞症象，未發見以前，其體溫即覺與常人微高，尤其爲在勞動以後，則必呈顯有微熱，初期尙即與常人反，上午體溫高下午反低所謂倒型熱，爲本病初期潮診斷之要項。

八，盜汗：除體溫變化外，盜汗亦幾爲肺勞病必有現象，有時其肺勞症象，尙未十分顯着，即有此現象，極盛之時，可引起患者之睡眠不安。

九，貧血，肺勞病是一種慢性病，感染後造血臟器受毒素侵害遂現貧血，所以患者，常見面色蒼白等等的一切貧血現象。

十，食慾不振：爲肺勞病最顯着之一症，初期肺勞病有因食慾不振，而轉劇者。

十一，削瘦：因肺勞病是慢性病，長時消耗，體內物質，逐漸爲消瘦，尤其是在末期，更爲顯明。

十二，煩燥：凡久病患者，都有煩燥的表顯，在肺勞而爲尤甚，初起尙不如何顯着，最後二三期時，則甚明着矣。

經過：本病經過之狀態，雖有以上諸種症候，但又可分爲三期，但初期多以潛伏進行，往往而忽略者有之。

第一期肺勞：肺勞菌僅在肝一小部分之活動，亦不過一二小塊結核，往往不治自愈，若漸次擴大，則轉入第二期，此期不過有咳嗽，吐白痰諸種輕微症狀。

第二期肺勞：肺尖已紅腫發炎，病灶日益擴大破壞，如第一期之咳嗽吐痰諸症亦均進行，此外睡眠不安怯弱的一切症象，切慢慢的呈現出來。

第三期肺勞：此時肺之病灶已潰爛，時吐濁痰，且有臭味，呼吸不匀，且代有臭味，因血管破壞，且痰中代有血塊，或與痰液混合，而呈粉色米粥狀，此時尪瘠衰弱，不復有人形矣。

診斷：診斷當以結核菌爲主，並參以上各種症候，此外尙須診斷患者，有無結核之遺傳，患者體質及營養狀態如何，（結核患者，往往不良）再檢查肺之健康與否，及胸部外觀是否爲癆瘵胸，如不能十分確實時，再行顯微鏡下之檢查，取其咯痰或分泌物以檢查，總以檢出菌體爲確實。

治療：當以撲滅結核菌，增壯體力爲主，故須改良其營養，呼吸新鮮空氣，或移居於山林海濱，常行海水浴及礦類泉水浴此日光照射亦爲治療上之大補助，若在高山有此設備，尤爲相宜，藥物方面，當一面壯其體力，使其抵抗力增加一面與之對症療法：在其發熱咳嗽吐痰等時可投以生地，葦根，茅根，前胡，白前，阿膠等品，若其已吐痰濁混有血絲時，當與排膿，修補血管之劑，如桔梗，大小◉炭，仙鶴草之類，或用生龍齒，牡蠣等石灰質藥品，使之結疤，食慾不振，可投以厚朴花，枳殼等品睡眠不安，可投以柏子仁，遠姓，茯神，均可賞用，此外如砒劑或注射Tuberkulin亦可行之。

二，喉頭結核

原因：喉頭結核者，其發生較前者（肺結核）較少，因肺結肺多爲原發者，而本病則每每續發於肺結核者有之，其傳染之原因，則每因含有結核菌之喀痰或分泌物，附着存留於喉頭者也，然又有藉血管或淋巴管而發者，亦屬有之。

症候：本病發生爲慢性，故初起無若何痛苦，漸次顯着，即爲發聲之障碍，患者之聲音嘶嗄，或致音啞，甚則完全失音，且伴有於發聲時，有疼痛，時因喉頭發炎，且感有嚥下困難，咳嗽吐痰，並有惡臭之氣味，亦有自喉頭波及而至氣管者。

診斷：喉頭結核之診斷，雖不十分困難，但僅在喉頭部之分泌物檢查，含有結核菌者，仍不十分確實，故須顧慮其是爲肺結核之喀痰附着，並須注意其喉部之病灶，是否爲喉頭結核，尤須與喉頭梅毒鑑別，其應注意者如下。

一，喉頭梅毒之全身羸瘦不起如何顯着變化。但在喉頭結核則衰弱現象着明。

二，喉頭梅毒在全身亦感有梅毒諸種症候，（如梅毒疹，橡皮腫等）喉頭結核者則僅在喉頭局部發見，且含有結核菌。

三，喉頭梅毒則口蓋同時亦被侵犯而呈物質缺損狀態，喉頭結核則會厭軟骨，因發炎而肥厚，其表面呈顆粒狀之結核，此外因細菌之不同亦可鑑別之。

療法：須避免吸烟飲酒。及含有刺戟性之食品，以及長時間之談話，其餘則爲對症療法。

三，咽頭結核

原因：本病之原因，幾全與喉頭結核，多爲一致，亦屢因含有結核菌之喀痰停留，使傳染於咽頭粘膜，而發生者，且因喉頭結核，而合併本病者，亦屬不少。

症候：大概與喉頭結核頗相似，特於嚥下及發聲時，咽痛爲較劇烈，而此咽痛波及於耳部者，亦屬常見。

診斷：診斷上最宜注意者，即須鑑別其是否爲喉頭部分，或咽頭部分，或二者合併發生，本病常見其口蓋弓之一側，或兩側，發見潰瘍，其邊緣見有多數粟粒狀結核。

療法：本病預後多爲不良，故須注意其全身營養，局部亦不過對症療法而已，如馬勃，青黛，山茨菇，青連翹，蒲公英，金銀花，板藍等屬。

四，腸結核

原因：腸結核之原因，多爲食餌性者，以於肺結核患者，傳移而來者爲多，其主要原因，即患肺結核之喀痰嚥下，而成爲腸結核者，或爲因飲用染有眞珠病之牛乳，或其調製物品，（牛酪，乾酪）

症候：本病雖廣汎蔓延，但不呈何等痛苦，不過患者不時來劇烈之腹疼，屢成發作性，或於食後，在一定時刻而發，且加以便通不整，或頑固性便秘，而以下痢者爲多，又因結核病灶破壞，血管爲之破裂，或破壞腸管，而成穿孔，則引起腹膜炎，諸種危險症狀；此外更有在蟲樣突起（盲腸）部發生病灶者，而致誘起盲腸炎，亦屬有之。

診斷：本病之診斷，除根據以上諸症狀外，並須檢查其下痢之結核菌，是否腸部在所發生者，或其爲肺結核咯痰嚥下之痰液。

預後：本病若不合併諸種危險症候時（腸穿孔，腹膜炎，盲腸炎）愈後已起全身衰弱現象，故預後多屬不良，且於腸管病灶部分，因治愈而起瘢痕收縮，往往因之而成腸管狹窄。

療法：在本病患者，應力取易於消化，富於營養之流動食品，以減輕腸之蠕動，使其安全休養之，藥物當以消腸炎，排滌病灶之穢物爲主，如晚蠶砂，皂角子，血餘炭，銀花炭之屬，此外阿膠珠，茅根，亦均可用。

五，腎及膀胱結核

原因：泌尿系統之結核，多爲慢性，且每每爲續發於其他結核之後，蓋藉血液循環或淋巴轉移而來者，在男性多見副睪，精囊，或攝護腺，女性則易見於卵巢，輸卵管等部位。

症侯：本病之初發，常以慢性化膿性膀胱加答兒之症侯爲多見，主訴爲煩厭之尿意頻數，小便時且伴有痛感，若用鏡檢則見膿球，若用染色法則見結核菌之存在，時而尿中帶有硫化水素氣味，若結核菌主犯腎臟時，則見便有血尿，又頗似急性出血性腎臟炎，除以上之尿變化外，加以腎臟障碍，而來之疼痛，在一側之腎結核病變時，多發於同側（即腎結核在右側，其疼痛亦在右側）又往往因在輸尿管病變，因而閉塞，引起腎臟性水腫者亦有之。

膀胱結核之診斷，可依膀胱鏡檢查認明之，檢查輸尿管之開口部，其溷濁尿之由來，或用消息子於輸尿管以採取之而診查之，至於患者外觀，呈健康狀者，雖或有之，但因疾病綿亘於長久時間，則羸瘦狀態，及貧血面色蒼白，必不可免也，體溫有時呈潮熱狀態。

合併症：多合併全身粟粒結核，此外亦有患臟器穿孔，或腎臟周圍炎，或波及腎盂，穿孔時則可起穿孔腹膜炎，則易死死亡，在膀胱結核，間或穿通於陰道或直腸者，但屬少見。

療法：本病患者亦如肺結核之治法，如新鮮空氣，强壯滋養，餘則一側患者可行摘出，並預防傳播於輸尿管，或傳於健康之腎臟，膀胱結核亦可應用手術，內服藥當以强壯劑爲要。

六，全身粟粒結核

原因：本病每因結核菌，藉血液或淋巴傳播於身體各部，且多爲續發性，其他在外傷或手術之後，有速見全身粟粒結核者，蓋亦因結核菌侵入，藉血液循環於各處之故。

症候：本病外觀見各部，發生無數粟狀結核，本病可分三型

一，傷寒型：屬此型者，體溫突然上昇達三九——四〇度，呼吸脉搏增加，神識障碍不清，全身困憊，或頭痛舌乾燥且或有龜裂，身體發生薔薇疹，脾臟腫大，或下痢。

二，肺炎型：呈有類以肺炎，或氣管支炎之症候，顯着之咳嗽，胸部刺痛，呼吸不利，惡寒戰慄等症，

三，腦膜炎型：本型易見于小兒，以頭痛項强直，精神昏迷，譫語痙攣眼肌麻痺等症。

診斷：當診斷本病時，先須注意者，爲重篤高熱及全身諸種現象，又因其高熱故須與傷寒鑑別之（熱型，細菌，脉搏，全身症侯等）

療法：不過對症療法而已，主要仍爲强壯劑，其餘咳嗽可投以鎮咳或麻醉，發熱時則投以解熱退燒之類，胸部疼痛則可行濕布罨包或纏絡法。

七，結核性腦膜炎

原因：結核性腦膜炎者，概由其臟器之結核續發而來，今列舉如下：

1 全身粟粒結核之續發而來者，（全身粟粒結核腦膜型。）

2 續發於肺結核者，肺癆之最後末期。

3 骨質或關節炎，泌尿生殖器結核之經過中，亦可見本病之發生。

4 又易爲本病侵犯者，爲小兒曾經染過麻疹，猩紅熱之際，爾後被結核菌傳染者，亦屢見之。

症候：結核性腦膜炎，其前驅症，呈不一定之症狀，或三五日乃至數週爲前驅，患者覺全身困憊，且苦劇甚之頭痛，不眠，食慾不振，或有嘔吐，除上症外，精神漸次朦朧，項背强直，且因頭痛過甚，則呈混睡狀態，知覺過敏，譫妄等種種腦病症狀。

診斷：本病之診斷，參照上列諸症狀，不難斷定，惟在初期項部强直，精神朦朧，昏睡，當未發見時，又感困難耳。

預後：大多不良，死亡率占百分七〇——九〇

療法：患此症者，須居處以光線較暗，空氣通暢，並須囑以絕對靜臥，食物與以流動性滋養品，每日行腰椎穿刺一次，放出脊髓液，減低腦脈，藥物方面，中藥可投以羚羊角，石膏，鈎籐，桑葉，菊花等品。

（八）結核性腹膜炎

原因：結核性腹膜炎，爲慢性腹膜中最頻繁之疾患，而多續發其他臟器結核之疾患也，此外屢與腸結核，或腹部淋巴結核有關。

症候：本病患者多爲腹圍漸次增大，此時有全然不感痛疼，或僅有輕微之刺痛，且膜部膨脹愈大時，則胸部因受壓迫，而狹小，呼吸困難則行增劇，診查其腹部，則有波動感，蓋因腹腔有滲出液之故耳。

診斷：本病診斷上，最宜注意者即爲腹水，但須與慢性非結核性漿液性腹膜炎相鑑別，又與肝臟硬化及門脉血栓之鑑別，亦往往困難，宜注意其肝臟之形狀及硬度，又須注意其原因，以鑑別之。

療法：在結核性漿液性腹膜炎行開腹術，甚奏着效，因遏止液體滲出物之蓄積，且得一時之治療，內服藥類亦不過排泄腹水之類，如冬冬子，冬葵子，車前子，旱蓮草，漢防已，茯苓，小豆之屬，此外營養療法，與他結核患者同。

（九）淋巴腺結核

原因：多見者以慢性淋巴腺結核爲最其素因以其日常生活不良，有影響本病之發生，如營養及空氣之缺乏，故足有爲本病之原因，又於小兒得麻疹，猩紅熱，水痘等經過後，亦有發見者，蓋在此時，身體抵抗力減弱，結核菌因之乘機而入，致使成爲傳染之好機會。

症候：淋巴腺結核多見者，爲頸部及下顎骨部，而其他部位者，亦有之，在頸部及下顎者，用手按觸時，見有腫大之淋巴腺，圓形而硬，恰如小腫瘍之感，甚則有時至鷄蛋大小，可用目視診一望而知，腫脹之皮膚不起何種變化，且不變色，漸次陷於軟化，呈炎性變化，各個腫腺，漸次成柔軟，起波動，此時或起腺體周圍炎，皮膚又因炎症而起赤熱，穿破外方，至漏有稀淡之膿汁，其後往往形成瘻管，而漏膿有延長極久時間者，不易收口，幸有結成瘢痕而治愈者，但其所遺下之放線狀瘢痕，則永久不易消失矣。膿汁不穿漏於外方，而却向下潛行於皮下，而達於縱隔膜，或腹腔，而惹起該處之炎症，且在頸部之大血管，受膿汁之滲潤破壞，而使一部破壞，遂有出血之現象，則陷於不幸者有之。

診斷：依上列諸症不難診斷。

療法：預防務須使患運動於新鮮空氣之中，日光療法，亦不可少，食物宜取滋養及青菜之類，局部可切除，內服藥劑，本病即國醫所謂瘰癧痰核之屬，故山茨菇，蒲公英，鮮生地，鮮茅根，銀花，昆布，海藻等均皆賞用，其外敷可用南星，昆布，梅片，白蜜等調敷，亦屬有效，此外若照射人工太陽燈，亦不無補助。

總觀以上各種疾患，凡屬結核性，其主因不外營養狀態之不佳，或體質薄弱，或係遺傳關係，故凡預防其傳染，消滅結核病，首須注意個人衛生，家庭衛生，及社會公共衛生，故一面鍛練身體內之抵抗力，蓋有健全身體，雖有病原，亦不足爲患，一面防止肺癆菌傳染，即內經所云，虛邪不能獨傷人，蓋亦此意，預防方面如嚴禁隨意吐痰，更須勿令患者，向人咳嗽噴嚏，接吻，又須使胸部發育健康，衣服須適合身體，禁止婦女束胸或束腰，常行郊外或海濱之旅行，當在患結核病時，更須嚴禁結婚，以免遺傳，須經醫者證明，無結核嫌疑時，方可行之，但我國尚未實行，以上不過結核大概預防辦法，詳細的事項，還要參考各種病情和當時情形罷了。

藥物分類淺解

楊浩觀

前奏曲

當余立志投身醫校時，原係抱有一種極大的野心，竊思我國醫學乃數千年來相傳之應用學問，歷代名醫屈指難數，如歷史及名人筆記中所載醫話，均犇犇可稽，至於關乎國醫書籍之繁，更難數計，鄙意苟能下一番研究工夫，定必有磊落之成績貢之於世，且此種學術，極俱偉大之價值與幽深之興趣，詎意既習之後，時或涉獵西醫書籍，嘗與我國醫籍做一對照比較觀，竟大失所望，將日前發揚國粹之熱狂夢想，竟化為「一片冰心在玉壺」矣。

第一所失望者，厥為國醫之理論，言必五行生尅，生理方面如斯解釋，病理亦然，至於解剖學更屬幼稚，被五行生尅之說，乃古代哲學家之一種概想，至今日科學時代，倘望其能存之於世而永生乎。

良以生理解剖病理乃醫學之基礎，基礎科內既乏顛撲不滅之學說，猶無根之草，欲冀其滋滋繁盛其可得乎，是鄙為之嘆息而趨於消極之途也。

但余決不以此而絕望，蓋我國醫亦有醫病之特長，此非僅限於古籍之記載，試思當西醫未洎來之先，國人未必盡皆一病不起，或均罹不藥亦愈之徵恙，猶有進者，近日時見報章載有西醫不治之病經國醫治愈者，比比皆是，然則國醫之所以能治病者以何，究之不過二端，說明於下。

一，國醫不重理論而重治療，治療之工具在於方劑，方劑之單位，厥為藥物，中國藥物之現效，為世界所公認，如麻黃發汗，車前利尿，大黃瀉下，瓜蒂催吐，附子止痛，此所以國醫能著卓絕之效也，（考世界醫學史上之推進，均由偶然試效，進而為公認有效療法，再進而求之於學理上之探討，我國醫術既俱有效之治療，但一般先賢為求知慾所衝動，當然由事實進而求諸學理以究其所以然，復為時代知識所限，故諸多牽强附會以圓通其說，因而陷入今日之病態，此亦勢所必然者也，是以理論雖謬，但絕無影響於治療也。）

二，國醫用藥，既由經驗中得來之實驗，凡一種藥物之功效不知經幾千百人，施之臨床實驗集數千年之經驗而有今日之記載，某藥之治某病，某病之必須某藥，幾成定律，被西醫者乃由實驗而趨於經驗者也，以動物而推及人體，故往往理論無裨於臨床，亦猶之國醫之理論與治療之不相謀也。

綜上以觀，國醫之能存立於東亞者，實基於方劑學之周密與藥物學之完善，但與哲學家宗教家所倡之五行，八卦，相生，相尅，司天在泉，等學說實「風馬牛不相及」也，可知國醫理論自爲理論，事實自爲事實，毫不相干，被之謬誤者捨棄之，精確者加以研討，若是定能使國醫發揚光大，此余之所以尚未絕望者，祗此一部藥物學而已，故吾以爲整理國醫者當以藥物始。

夫藥物者，太古醫學發端之初也，當上古民智未啓，耕稼陶漁之法咸未發明，鷙鳥猛獸害虫毒蛇，時爲人類搏食之的，茹毛飲血，實屬不易之事，爲求生活之資料，不得不剝刮樹皮，纙掘草根，以塡饑壑，但草木之種類繁雜，含毒腐腸，比類皆是，或則服後發生泄下，或則引起嘔吐，積習日久，對於此類藥物，漸加認識，互相戒懼，具智慧者能利用催吐之品療胸脘苦悶，促泄之品去腹滿便秘之患，醫藥萌芽，遂滋於此時，某藥之主某病，全爲各處士民經驗而得之單方，迨其文明稍進，交通頻繁，見聞所及，範圍廣大，留心民瘼者博采各處單方，會集而成本草，歷世愈久經驗愈多，版圖愈廣，收材愈富，於是藥品日增，治法日備，究其本來祗不過從經驗而得之單方會合而成。

章太炎先生謂「藥物療病，大抵起於單方，蓋草昧之時，未有醫術，偶服一草得愈，傳之他人，歷試不爽，遂爲本草，即唐宋以來，增附藥品，亦非醫生自知其效，必有單方在前耳，今西藥中之金雞那，即彼中患瘧者所自求也」。太炎先生此論，足爲上說之左證。

關於國醫之藥物學，當推本草經爲最古，其著述之年代姑無論，——有謂傳自神農，爲後人記叙者，有謂爲漢代方士所著托名於神農者，諸說紛紜，莫衷一是——但在中國藥物學上視爲嚆矢，現爲公認，厥後方士宗教之說叢興，藥物亦被捲入漩渦，其間歷百代之遞嬗，數百家之著叙，藥物效能深爲民衆所信仰，因受五行舛說所支配，乃爲近世所詬病，良可惋惜，稽讀本經與別錄，文字非常樸質，專就事實叙述，從無涉及讖緯五行謬說，降至吳普李當之陶宏景許愼徵……等人所著本草，亦皆小心翼翼，祗說某藥治頭痛，某藥治風濕，但論當然而不論其所以然，及至宋儒大倡其「無極太極」「陰陽」「八卦」「術數」之說，一時風起潮湧，個個昏頭，人人做夢，風靡一世，於是全國人心俱被麻醉，醫學當然亦不能例外，一部大好本草從此失其本眞矣，寇宗奭本草衍義中已開其先河，及乎金元四家，益自作聰明，於是憶度揣測，想入非非，牽强附會，造出多元式之生尅說，深入人心，牢不可破，各是其是而非其非，學說愈繁而眞理愈晦，自欺欺人，貽誤後學豈淺尠哉，國醫之一蹶不振，良有以也，至於明清之藥物學家，亦無不陳陳相因，仰金元諸家之鼻息而拾其牙慧——如劉潛江之本草述，繆仲淳之本草經疏——惟鄒潤安本經疏證尙肯棄金元，直溯傷寒金匱千金外臺，用邏輯法考證藥物之功效，言出有據，不落空泛，然而立意雖高，惜爲時代智識所限，雖憚精竭慮，但距科學途逕，則尙遠甚，反觀西醫急飛疾趨，無不隨時代巨輪作長足之邁進，哀吾國醫則中古不如上古，近世反不及中古，逐漸退化可悲也矣。

研究藥物初步之我見及嘗試

中藥占國醫療法之最要部分自昔已然，然整理當自何伊始，言之實非易易，因我國地大物博藥物之富甲於全球，神農本經已有三百六十五種，別錄倍之，自是代有增修，迄明李氏本草綱目已達二千，更益之趙氏拾遺大致不下三千種若涉大海茫無津涯，欲從事實驗，安從下手哉，且本草所收之品，非盡皆有效，況復中藥之具特效者，更多爲本草所不載，家派分歧折衷無自，則本草之不足盡信也明矣，然則又當如何着手耶，必先採集富於經驗之醫師，擇其習用奏效卓絕者加以研究，兼求之於海澨山陬遺民野老，且出之於口授秘傳，所謂民間方者，或視爲無足輕重，而余則以爲起死回生明效大驗之奇劑，胥在於是。

蓋研究藥物，從來祇有經驗，近世科學乃有實驗之法，二者實相需要，不能分離，經驗知其然而不知其所以然，非實驗不能確證其原理，然實驗以明其原理，又非從多數臨床之實例以統計其成績，未得爲確實之成功，不特此也，往者中藥「硫黃」一物，內服以爲可以治皮膚病，西藥「幾阿蘇」一物，久服以爲可以治肺癆，今從科學實驗之法，以確證其非矣，此實驗可以糾正經驗錯誤之一例也，然西藥「金鷄納」之治瘧，中藥「麻黃」之定喘，皆先用於千百年前，然後科學實驗以證明其原理於千百年後，此又經驗有裨實驗，而足以喚起其注意之一例也。

鄙人當研究伊始，不能不以經驗爲重心，固中藥之於經驗前有所承，可根據者多，於學理則前無所承，可根據者絕少，攷中西對藥物見解之不甚相悖者，祇麻黃，當歸，麝香，麥芽，陳皮，黃連，大茴，大黃，丁香，乾薑，薄荷，大楓子，草烏頭，硫磺，水銀，沒食子，甘草之屬，爲數寥寥，此誠研究中藥之一困難問題，當此學理研究尙屬幼稚之時，則取經驗爲討論之重心者勢也。

經驗之足根據者三，(1)爲前人之經驗，載籍所紀錄者是，(2)爲今人之經驗，現代國醫界中大多數所共認者是(3)則個人負笈數載蒙師友之教益，及臨床實習上零星所得而已，然仍必以近世之生物學化學數理學等爲基本原則，但經驗爲事實之母，苟歷試而不爽者，大抵與實驗亦復甚近耳。

國醫雖處方比較重要，但方不離夫藥，如傷寒論之一百十三方，而藥僅八十三種，方且多於藥，可知方者乃藥物之加減，非一成不變，故用方者不可不先求澈知藥物之個性，嘗試思之，仲景所以多立方者，豈非對萬變無定之病情，欲盡泛應曲當之能事乎，明明示後人以對症用藥之規程，與各藥配偶離合之法度而已，决非謂立一定之方而使之不可易也，是故有是症乃用是藥，偶是藥乃名斯方，此仲景之心法也，然則欲明藥之個性，求之仲景方爲最切近焉，藥之個性明，則知某方能治某病，其功在於何味，某病必用某方，如此而用方愈有把握，而知所鑑別，此鄙言方必以仲景爲準的也。

今爲叙述便利起見，分國藥爲九大類，篇中所列僅就本院施院長日常習用者爲舉隅之反耳，非所習用者，其性類頗難判別，願吾同志有以廣之，寸心拳拳，俯膺 師訓，自慚才譾學淺，辭難達意，舛誤謬訛，多失初衷，知所不免，竊冀海內先進曲諒謭陋，惠賜糾繩，以匡不逮也。

(1)健胃劑

▲健胃劑之分類及藥理

此劑概爲能增加消化系統官能之藥，中藥之健胃劑大概可分爲五種，1曰芳香劑：如佩蘭，木香，即此屬之代表，2曰辛辣劑：如生薑等，3曰苦味劑：如黃連，龍胆，等。此三者所以作能用於胃腸者，皆利用藥物之氣味以戟刺胃腸粘膜，籍以喚起其機能之變化者也，4曰消化劑：爲具酸性或鹻性或中性之藥品，足以補助胃腸內容物之醱化作用者屬之，在中藥此類頗少，如鷄內金大約爲弱酸性，山查爲酸性，麥芽爲中性是也，5，曰調整劑，此類藥無甚氣味，亦非有屢化食物作用，大約有一種未明之成分，可利用以調整胃腸之機能，如法夏，厚樸，枳實，白朮，蒼朮之屬是也。

黃連

作用　增加胃液之不足，使消化機能亢進，又能刺戟脉管運動之中樞神經，而使腸壁之脉管收縮，如與痢菌相遇，有制其繁殖力，幷能限止其本身之活動力。

主治　胃酸缺乏之消化不良症，初期赤痢，慢性腸炎，膿漏眼，其效能約分四端，一，目紅腫痛鼻內生瘡唇裂，二，開胃清熱解渴，三，腸炎下痢膿血，四，血燥溫熱產後熱，衄血斑疹，等。

處方　和大黃决明子秦皮甘菊煎服治砂眼症有效。

蒼白朮

作用　在胃內除激胃之分泌增加蠕動迅速外，餘無其他作用，入血中即能令血液之循環增速，血壓加大，腎臟之血管，亦同時澎脹而利尿之機能，遂因此而增速。

主治　開胃化食，風寒濕痺，利尿逐皮間水腫。

按　蒼白二朮古用不分，近世以蒼朮長於行水，白朮優於開胃，蒼朮性近燥烈，但白朮富含膠質，頗碍消化，故用時當炒焦，以變其膠滯之性。

鷄內金

作用　含一種中性或酸性之消化酵素，爲國醫一種臟器療法，使胃腺及十二指腸之分泌加多。

主治　消食破積，調經，止泄利遺尿，除熱止煩。

處方　小兒飲食不節，引起胃擴張症，胃體下垂致腹部膨大（與黑熱病之腹脹大有別）可以此藥炒香研末頻服頗效。

龍胆草

作用　助胃液分泌之不足，以促進消化之功能，幷能激腸壁神經，使腸之微血管收縮，且含有糖質，能助長酵素之作用。

主治　慢性胃粘膜炎，及熱性病後之厭食症，或胃馳緩無緊張力，利小便，清腦熱，治腦膜炎症之後頭厥痛。

按　此藥西醫列入苦味健胃藥中，爲熱性病後之恢復期，及胃神經困頓性之食慾不振症，之佳良開胃藥，又爲腦膜炎特有症之限局性後頭痛，用此藥少量與杭菊並用，頗具卓效。

神曲

作用　此藥內含酵素，從有生機細胞中所生之有促起發酵作用能力之物質，大概係與蛋白質相類似之有機化合物，酵素可溶於水，而在酒精中起沉澱或膠結，其最重要之性質，即能令他種物質起化學變化，其自家則不變，例如能促起加水分解（分解脂肪等）令醛類變爲酸與醇之混合物，使糖轉化，使蛋白質等消化，膠結（使血凝塊使牛乳結皮）養化（使酒精變醋酸）還原或分解（乳酸及酒精發酵）其能力遇熱即被破壞，故入胃能增加胃液素，至腸藉發酵力，可使腸蠕動力加强。

主治　胃液缺乏，胃肌弛緩性消化不良症，消積食，逐頑固性大便秘結—因消化不良而起之大便秘結者有效—

按　此藥本草多云「止利」，考此種泄利係因飲食停滯腐敗於腸胃間，人體自身起一種抗毒反射作用，故藉泄洩排毒外出，乃體工之自然療能也，神曲能消積食，原因已除，則此種反應之泄利，自能消於無形，故其止利爲間接收效，與其他歛性止利藥不同，猶須注意者，此藥之有効成分全在酵素，其能力遇熱即被破壞，而我國用此藥每喜炒用，則此藥之能力盡失，實大謬也，此藥祇須暴乾生研散服或丸服，不宜入煎汁，考千金方丸散方中多生用之，斯得之矣。

木香

作用　增加胃酸之不足，促進消化之功能，並對於胃神經微有痲醉作用，吸入血中微有興奮精神之能。

主治　神經衰弱之消化不良症，通氣開鬱，胃腸氣痛，調經暖子宮。

按　國醫稱此類藥爲氣份藥，以其有行氣之功，氣即是神經（近賢多認氣爲神經，見譚次仲再呈中央國醫館文中）行氣劑者，即用此等藥物戟刺各臟器各組織之神經，以奏其效用之謂也，如服後則胃神經受刺激而奏健胃以止吐，達於腸則理腸而止洩，國醫在昔皆以行氣名之，又如達於遠隔臟器，則該部神經亦受戟刺足以亢進其機能，而尤習用於疼痛，蓋芳香辛辣之品概有緩解平滑肌神經痙攣之作用，故胃腸痛子宮痛等，多奏卓效，往昔以十香丸爲止痛通劑者良以此也。

佩蘭葉

作用　不明

主治　醒脾開胃，傷寒頭疼，明目止淚

按　此藥治胃腸性流行性感冒之食慾不振頗效，近醫家多賞用之。

山查

作用　初入胃時增加胃酸，因其含大量之單寧酸，對於消化方面反有障碍，入腸現收斂作用。

主治　生津止渴，磨積消食，止痢疾，消肉積。

按　山查雖具消磨之功，但有碍消化，用作健胃藥不爲無弊，因其含大量之單寧酸也，於慢性腸加答兒（即久痢）最爲適宜，故唐宋本草均言其治痢，未言其消食也，自朱丹溪始著山查之功，後遂爲消導之要藥矣。

麥芽

作用　直接及間接均有榮養力，因其不獨含食物之要素，亦含澱粉酶，而此酶能將面包及他種食物之澱粉化變成糖，能促進酵素之分解，以增消化力，且有中和胃液之能。

主治　消食下氣，溫中除滿，爲助消化之滋養藥。

按　服麥芽應注意兩點，一，授乳婦不可服，因其有阻止乳腺分泌之乖效，故斷乳方中有單服麥芽末者（五錢白湯下頗效）二，凡服此藥應於飯前服之，因胃酸能制阻澱粉酶之作用也。

柴胡　此藥本能退熱（於解熱劑中詳之）茲再列舉柴胡對於消化器官之功用，神農本草經稱柴胡「主心腹去腸胃結氣，飲食積聚，推陳致新」，傷寒太陽篇，小柴胡湯治口苦咽乾，胸脅苦滿而渴腹滿默默不欲飲食，胸中煩喜嘔，微利，大柴胡湯治嘔不止，心中痞硬而下利，柴胡桂枝湯治心下支結，少陰篇四逆散治泄利下重，金匱腹滿寒疝宿食篇，大柴胡治按之心下滿痛，嘔吐噦下利篇，小柴胡湯治嘔而發熱，婦人產後篇小柴胡湯治大便堅，嘔不能食，凡此皆柴胡能理腸胃之明證，又時方逍遙散，我輩習用治胸滿倦怠失眠目眩頭疼口渴及煩熱感，消化不良等，玄學家所謂木鬱土衰之象，柴胡尤能奏卓效，蓋柴胡於解熱平胃外，更有平腦之功，故爲神經性胃病之良藥，（其平腦作用詳下文健腦藥中）

上舉數列，乃擇其効著習用者叙之，寥見國藥對於健胃之一斑耳已，此外關於健胃者尚多，亦莫不各具其個性之特長，祇限於篇幅不得不擇其尤者做更簡單之叙述（以下各類均從略）。

他如

枳實　爲直腸要藥，以結實爲主症，脹滿爲客。

厚朴　爲小腸要藥，以脹滿爲主，結實爲客，至於治食毒，或食兼水毒，則枳實與厚朴共用之。

生薑　能鼓動淋巴液之流行，用爲止嘔發表藥

玫瑰花　活血開胃止痢，據東人研究玫瑰花確有止痢之效茲將其處方列下。

規那皮（即金鷄那皮）（五，）　玫瑰花（五，——十，）　大黃（〇，三）

水煎一日分三次服

治急性及慢性赤痢，與類似之下痢，雖下粘液日至數十次者，服之一二日後，次數銳減，連服一週後無不愈者，功効百不爽一。

（2）强壯劑與健腦劑。

關於此類藥物甚多，故其範圍亦廣，大概可分爲四大類，1補腦，2健胃，3，安神，4補血。

▲强壯劑之藥理

現世有多種疾病，因無特効療法，故往往適用强壯劑，提壯身體各部份重要器官，增加其自然抗病機能，使疾病有自然治愈之傾向，中醫所稱扶正抑邪者近是，盖正者可以推知即是自然抗病之機能，邪者乃一切疾病之魔障，但四字未免膚泛耳，强壯劑雖亦對症療法之一，但適用之範圍頗廣，一切久病虛損或病後衰弱症，近世所稱慢性消耗性病之經過期，或急性傳染病之恢復期，其唯一需要適用之藥品，即爲强壯劑焉，此類藥品頗爲複雜，大槪可分爲補腦，補血，健胃，安神，四種，此四種藥何以適用於强壯療法，盖因生體與死體之別，即在於物質代謝之有無，而神經與血液二者，爲人體生命最重要之所寄，握物質代謝之樞機，此補腦補血所以爲强壯劑之要着者以此，但物質之補充苟有所缺乏，或雖不缺乏而無所盈餘，與機能之勞頓不得休息，或雖休息而有所不足，則身體亦無强壯之希望，故補腦補血之外，健胃與安神亦爲强壯療法之必要條件焉。

▲中藥補腦劑。

國藥古籍所載，關於腦之藥品甚少，故國醫每苦無以應付，然則中國古時果無腦症發生耶，抑國藥中果眞無治腦之藥品耶，是則不然，良以我國古時雖列腦海爲奇恒之府，但病理上則不甚注重，故不免多有誤解，考古時關於腦病見症，多半列於風症門，（見余氏醫述，及譚次仲再呈國醫館解釋醫理不殊十則中）或虛弱病中，但其對症用藥並無少差，第因病理名辭之誤解，故此類藥物亦隨之而湮沒，即近世諸多本草亦略焉不詳，故吾國醫所苦者非眞無藥也，乃苦其不詳察焉，今滙而出之。

▲中藥之補血及健胃劑

血與人身健康關係之密切，上已言之，惟藥物學之分類，殊難截然劃分，如痲醉劑之與興奮，緩和劑之與止痛亦莫不有連帶關係，須知補血亦爲强壯劑中之一部，爲叙述便利起見，故列於後之血份兼中。

吾人苟稍明生理學，即知健胃之意義，乃爲强壯療法中之第一要務，試觀下級生活不足之社會及士兵囚犯等，因生活惡劣，營養不良，輒易患病，且每病輒易死亡，可知營養關係之重要，及其足以增加抵抗力之明証，故爲慢性病療治之要素（藥物見前）。

▲中藥之安神安眠劑

睡眠與健康最有關係，人能絕食數星期，尚能倖存於世，若缺乏睡眠，雖爲日不多，亦不能生活矣，不得睡眠者，其能力驟然萎縮，即使食品多進，氧氣充足亦無補於事，因睡後腦系之知覺運動完全停止，呼吸與心動比較緩慢，即胃腸之消化與各臟器之工作，亦不如日間之緊張，蓋生活機能積一日之疲勞，至是得所休息，而後能恢復故也，睡眠之作用係於腦（已詳生理學中）故藥物有寧神安眠等作用者即爲平腦之作用無疑。

▲強壯劑與忍耐力

凡慢性病之治療大概無速效，醫者與病家均當有忍耐力，且薑附劑之應用，其初每有不良之反應，如中醫所謂亢燥之象者，但再服至一二劑以後，則反應漸少，且咽乾者反潤，渴者不渴，失眠者得眠，精神食慾，均漸增進，在初時醫者尤貴有審認之眼光與堅定之識力，加以判斷解釋之也。

紫石英

作用　含無水珪酸，入胃後有中和酸液之能，使胃內過多之鹽酸，化爲有用之消化酵素，一部分至小腸始被吸收而入血，血液中此珪質，白血球之繁殖，即行增加，血液之凝固力，亦同時加大，能使被結核菌侵腐之周圍包圍，減殺其蔓延之能力，而於動脉硬化尤有防止之功。

主治　內服治肺結核，健腦安神，動脉硬化，女子子宮貧血收縮力弱不姙症，外用治膿瘍。

按　紫白石英成分均同，惟古說白石英似治肺有力，紫石英爲治腦子宮專藥，白石英治肺未經試用，故其功用不甚明瞭，但紫石英治腦已爲歷驗不爽之事實也，治肺當和雲母牡蠣，治動脉硬化合阿膠杏仁磁石等。

牡蠣

作用　入胃後即能中和胃內之鹽酸，使消化力增大，入腸後能減少腸之分泌，使大便輕度燥結，一部分由腸壁而入血，增大血球效用，使血液凝固力強硬，并有小部分之燐酸鈣，能促進全身細胞之新陳代謝，而於腦神經尤有顯明之功效。

主治　胃溢液，解胃酸過多症，肺結核，止嘔吐斂汗腺，經漏赤白帶下滑精，驚悸，佝僂病等。

龍骨

作用　因其與牡蠣皆含有鈣質，故其作用大同小異，凡鈣質均能令肌肉與神經之電性應激機能通達，及心與血管系統如緊張之力，故有按撫鎮靜之功，

主治　腦神經衰弱，抽搐痙攣，心悸亢進，洩利漏下盜汗等，

按　龍骨牡蠣功效相同，其區別點，當以現症之部位分，不以症候分，蓋龍骨主臍下動悸驚狂，牡蠣主胸腹煩燥，考仲景之用龍牡專用為安腦寧神之鎮靜劑，如桂枝甘草龍骨牡蠣湯，風引湯，均為虛性腦神經過敏之現象，惟高熱時忌用龍牡，非酸性消化不良症忌用，至於其有收斂作用，因其能致腸之蛋白沉澱成不溶解之炭酸鹽，故有止泄之效，其所以能止汗者以其能振興肌肉汗腺之神經使之活潑，故使汗腺之麻痺弛緩者恢復其生理常態，且能使胃膜結一種不溶解之沉澱蛋白質，故於反胃嘔吐有醫治之效焉。

龍齒　其作用，主治，均同龍骨。

紫貝齒

作用　同牡蠣

主治　强腦明目，去熱毒。

栢子仁

作用　主要素為揮發油樹脂及單寧酸等，入胃略能促進胃分泌，同時又能防止其過量之醱酵，吸入血中稍有收縮血管凝固血球之功，對腦神經有直接增强其靈敏之效，因含大量脂肪又能潤滑大腸。

主治　强心壯腦，治精神恍惚痿廢，腰背神經痛，益血止汗定驚悸，柔潤血管。

按　本品為國藥中之最確實而强有力之滋養强壯劑，孜本品含脂溶性維生素甚富，故對於營養不良之體質消耗

性病頗有價值，又對於全身或神經系統虛弱者，且在急性病之恢復期及他種慢性消瘦病，頗有價值，黃元御云「按酸棗仁本經主心腹寒熱邪結氣聚，四肢痛濕痹，而栢子仁則主除風濕痺，安五臟，均是仁也，而所治大略相同如此，方書安心之藥每用棗仁，補心之丹，不遺栢仁，一方之中往往連類而及，想有同等功效之故歟」，攷古言心主神明，即指腦而言，察棗仁安腦之功較優於栢仁，而栢仁補腦之效實勝於棗仁也。

松子仁

作用　主治　均與栢子仁同

按　松栢子仁因其功効相同故往往合用，於强心壯腦外，且爲老人習常性虛性便秘之妥善藥，較之黑白芝麻優勝多多矣。

石菖蒲

作用　入胃即能刺激胃神經使其分泌增多，消化力加大，且一部由腸壁吸入血中，微有興奮經神之能。

主治　神經衰弱，消化不良症。

按　神經衰弱者使之興奮，痲痺者使之恢復生理常態，故國醫謂之有開竅之能也。

磁石

作用　因含酸化亞酸化鐵，鐵鹽入胃後所成爲鹽化銕，至入十二指腸時分解爲炭酸鐵，及氫氯化鐵，鐵被十二指腸之上皮所吸收者，即爲此二種鐵鹽或蛋白鐵，白血球初運銕至脾繼運至肝所謂「斐拉廷」，而存貯之以待形成血色蛋白之需用，餘成廢物而由大腸排出，惟鐵之因此法被吸收者，僅佔所服銕之一小部分，此已爲前述，銕在血管中僅含於血色蛋白內，服鐵質多時，可使赤血球之數及血色蛋白之含量增多，而在貧血者此等改變之迅速尤爲昭著。

主治　周痺風濕，肢節中痛，軟化血管，耳聾小兒驚癇，强腦安神。

按　此藥爲中藥鐵質中之代表藥——雖本經有鐵落，鐵精，鋼鐵等，但爲用至狹，故不列焉——鐵劑補血效力，純由其施效於赤血球而得，蓋吾人體內須有充分之氧氣，方足以臻體健神爽之境，而氧吸收之多寡悉視血色蛋白之多寡爲斷，故凡神經肌力或心力虛弱者，服鐵劑能增强，甚至消化力缺乏者，亦能因血液之改善而回復其功能，惟久服鐵劑須注意者二點，1，鐵入胃中多半變爲氯化物或與食物結合爲蛋白鐵，在胃中有收歛刺戟作用，服之過多，雖健康人，亦往往引起消化不良，2，入十二指腸，則變成炭酸鐵，氯化鐵及蛋白鐵，而略被吸收，其未經吸收之部分解成爲硫化鐵排出，致糞變暗黑色，當其未經過腸道時復顯收歛作用，故易使大便秘結。

百合

作用　含多量之植物澱粉，及炭水化物，藥理現尚不明。

主治　熱病後神經之虛性興奮，及失眠症。

按　仲景金匱以百合治傷寒後之百合病，外台秘要中列方更夥，考百合病所現之症狀，全屬神經虛性興奮過敏症，以其有安撫馳緩神經之緊張作用，故爲治該症及過敏性失眠症之有效對症藥。

酸棗仁

作用　不明

主治　四肢酸痛，心煩不眠，久洩，虛汗。煩渴。

按　中藥中有寧神安眠等作用者即有平腦之效，國藥中之安眠寧神者，首推棗仁遠志，棗仁本草經雖未言安眠，但仲景金匱虛勞篇，虛煩不眠用酸棗湯爲用棗仁安眠之濫觴，千金外台因之，本草綱目，本草備要皆明言其有安眠之效，數千年習用無異議，且無任何之副作用，遠志仲景未用，本經但言其「補益」，但千金方中風門之遠志湯，安心湯，甘草圓，大遠志丸，皆用遠志以治驚悸失眠，神志恍惚，驚悸門之茯苓湯，補心湯，大小定心湯，治驚悸失志湯，大小鎮心丸，定志丸等，皆用遠志治驚悸善忘恐怖不寧憂悶不樂等症，李時珍汪忍菴所釋均與千金同，則遠志亦可稱中藥中之强心安腦藥無疑，故後世用酸棗安眠多佐遠志，如時方中之養心湯，歸脾湯，天王補心丹等，是其列也，考病理學則失眠與神緒不安者皆屬於腦，至心悸亦屬於神經性者多，而屬於器質性者少，遠志之能治

心悸，即爲其能强心平腦之佐證也，此外尙有祛痰之功，故列於祛痰類（可參看）

鷄子黃

作用　因含有一五，七％之卵黃素，不含燐蛋質脂肪等，人體之神經組織中最富卵黃素，苟此素缺乏，則陷於神經衰弱現象，故卵黃有直接補助之力。

主治　健腦補身，固內安中。

按　國醫對於安眠劑，有金匱中之酸棗仁湯，傷寒中之黃連阿膠湯，乾薑附子湯，靈樞中之半夏秫米湯，時方中之溫胆湯，約分四法雖同爲治失眠一病，但各殊其法，故頗俱研究之價值，略叙於下：

黃連阿膠湯，爲治神經虛性過敏症兼有胃病之失眠者，故大論用以治少陰病心中煩不得臥，少陰病者乃病疾退行性全身機能衰弱過程中之一代名辭耳，因其現虛性興奮之過敏症，故於養陰安眠劑中合以寒性藥，因寒性藥劑亦有和緩戟刺減退興奮之作用，故和以川連治心中（指胃部也）煩，爲胃中亦有病變明證，是以用連芩以治之（連芩治心下病見藥徵）。

酸棗仁湯，純爲治神經虛性興奮，兼頭部微有充血性之失眠者，其用知母猶黃連阿膠湯之用黃連焉。

乾姜附子湯之治不眠，係因腦力衰弱過甚，故徑用熱劑以興奮之，間接收安眠之效，故大論太陽篇云晝日煩燥不得眠者是。

溫膽湯與秫米半夏湯概屬一類，爲治消化不良兼發之不眠症，夫人飽食後，或素有胃病患者，往往妨碍睡眠，蓋迷走神經受宿食壓迫使然，內經云：「胃不和，則臥不安，」即此意也，溫胆湯之主要藥，如枳實陳皮半夏，皆健胃消化之品，觀方中原文主治「嘔吐驚悸不眠」等語，則知病原在胃，失眠乃其症也，故其安眠之功效實由平胃作用而來，至半夏秫米湯，半夏爲利水和胃藥，秫米爲安神利大腸藥，亦爲導滯和胃之法，故作用與溫胆湯同。

甘松

作用　在胃內微有變化，至腸中始分解而被吸收，入血內能使白血球殤化量薄弱，静脉充血，由交感神經而達大腦，則大腦被激而興奮，然同時亦有鎮定神經錯亂之效。

主治　爲鎮痙藥，於虛脫之恢復期則用爲興奮藥，此藥對於中樞神經系統另具一種特別有力之反射作用，故對於神經作用頗廣，凡腦神經及心胃運動衰弱者，此藥能使其健運，失氣昏迷者能令其蘇省，諸脈管懈弛者，能復其强健，用於虛羸之熱病，能使其精神活潑充盛，鎮定痙攣之運動，此藥鎮痙之效頗大，故凡神經易受感觸，動發搐掣之病人，或虛疲特甚搐掣頻發之人用之尤驗，無顯著之原因而發尋常之癎症，他藥無效者，此藥累經治愈，惟充血及患欬衝性之症用之爲有害耳。

何首烏

作用　入胃後即能助胃消化，至腸使分解而被吸收，經此分解後之特效糖素，入血內能促進血液中之酵素作用，使細胞之新陳代謝作用增速。

主治　貧血，神經衰弱，「首烏籐」能安眠。

人參

作用　入胃後能助胃之消化力，一部分與胃酸化合，而含水炭素與類似葡萄糖之糖質至小腸始被吸收，而入血中，能促進血液之進行，助長白血球之作用，使全身之各組織細胞興奮精神振興，體力强健。

主治　心臟衰弱，及神經衰弱之消化不良症。凡一切慢性衰弱症自身之抵抗力缺乏者，皆能使之强盛。

花旗參　亦具人參之效能，不過力稍遜耳，但能增加各粘膜之分泌，故近世醫家多用爲生津解熱藥。

鹿茸

作用　含多量雄性內分泌，能增强肌體之活力，心臟之活動，並消減心臟肌肉之疲弱。

主治　爲强壯興奮藥，能刺戟一切內分泌旺盛，貧血，增强機體之活動力，復能加速磨擦受傷處之痊愈，而對於傷處已經傳染或已發膿者最爲有效。

鹿角膠（及生鹿角）

作用　入胃與胃酸化合而凝固，至腸始行分解而被吸收入血中，頗有增加血液之凝固力，並能促進白血球之繁殖。

主治　貧血，遺精，腎盂炎，及子宮弛緩無力，咯血小兒癇症及佝僂症，神經衰弱，血行障碍。

黃耆

作用　入胃不現何種作用，惟分解入血後，能刺戟全身末稍神經，能使陷於困頓麻痺之神經細胞，及全身各組織之細胞立時振作興奮同時有增加內分泌之能力，然對於中樞神經之顯效不若末梢神經之顯著也。

主治　全身細胞衰弱，失血過多之虛脫症，有時奏卓效，對於外科一切瘡瘍，排膿扶正更爲有效，他如腦神經衰弱，慢性貧血均爲極佳良之藥也。

按　黃芪與黨參並用，有促進內分泌增加之作用。

（3）祛痰劑

肺病之表見於外而成爲唯一之症候者厥爲咳嗽，其次則喘是也，大抵僅侵氣管支則發咳嗽，延及肺實質則喘，就氣管支論，病部僅在大氣管，則爲咳嗽，入中氣管，則呼吸發生障碍故喘，更進至微細氣管支呼吸道，終大爲阻塞則大喘，此時小循環鮮不發生障碍者，故心臟之血行，能否維持原狀，此誠爲安危生死之一大問題，肺病之原因甚多，其經過之緩急及豫後之良否，每因個性而不同，惟藥物終無一種堪稱爲特效療法，足以除去其原因或病變者，故今日所謂肺者，不離夫所謂祛痰劑，何以祛痰劑能治肺病，因肺或氣管支既有炎症則必發生一種分泌以和緩發炎部之戟刺，此乃生理的反應，即所謂痰是也，分泌物太多，則發生侵潤，浸潤部過廣固足以阻梗氣道，且每爲細菌繁殖之材料，故必當排除之，此排痰劑所以爲一切肺病咳嗽之通劑者以此，但排痰劑之所以能排痰者，其作用有三，有助長氣管支纖毛運動以爲排痰劑者，有稀薄氣道分泌物，使咯出容易，以爲排痰劑者，有減弱氣管支腺體之分泌作用以爲排痰劑者，三者作用不同而足以奏排痰之效則一，治咳各藥其作用究屬於何種則頗難區別，在習慣上觀之所謂潤肺與滑痰者如：「蔞仁，沙參，桑白皮，桔梗，前胡，北杏，牛蒡子等似有稀薄氣道分泌物之作用，所謂利氣者，如射干，朴花，紫菀，款冬，皂莢，百部，等似有助長氣管酕毛運動之效力，所謂斂肺者如枇杷葉，蛤粉，貝母等似有收縮氣管支腺口而制分泌之功能。

▲祛痰劑之應用及處方

諸祛痰劑獨用其效不著，大抵須配合對症劑，亦有一定之慣例，如五味細辛紫蘇等大抵合熱劑用之，前胡桑白皮蔞仁杏仁百合沙參等，大抵合寒劑用之，惟射干紫菀欵冬等則二者均可相伍，祛痰劑合寒熱之對症劑，則其祛痰之效倍著，凡肺病之屬急性者適用寒劑，慢性者適用熱劑，亦或有不然者，惟挾感冒者則祛痰劑合退熱劑爲宜。

遠志

作用　入胃後即與胃液起作用，而將 Senegin 析出，此實能刺激胃粘膜，使胃部發生暖感，至腸微能阻腸之蠕動，使積糞不宜排出，由腸壁吸入血中能激血液之流動，令心跳强盛，血壓增高，氣管之四周粘膜亦均被激而增多分泌，且氣管之傳入系被激，從反應而起咳嗽，使痰沫混分泌液而易於咳出。

主治　强心安神，老年氣支管炎，使痰宜於略出，止心悸，利小便。

半夏

作用　在胃無何等作用，至腸略能促進腸液之分泌，並起脺液化合而被腸壁吸入血中，能激末稍神經，使精神興奮，血循環加速，同時促進肺之呼吸作用，使痰沫容易驅出。

主治　急性氣支管炎，咽喉炎腫，利水。

杏仁

作用　入胃後即與胃酸分解，而成青酸，至腸被腸壁吸入，至血中能抑制組織中之氫化機能，使不攝取酸素，同時大腦神經被激而麻醉，全身知覺，亦感不甚敏銳，而肺臟神經亦被麻醉，故能制止咳嗽

主治　細枝氣管炎，慢性氣管炎。

桔梗

作用　內含「沙波寧」據東京醫科大學藥物學教室研究桔梗之藥理報告云：桔梗與遠志根有相同之作用，且桔梗溶解赤血球之作用，二倍於遠志，其毒性亦略同。

主治　為呼吸道之要藥，新舊性氣管支炎，扁桃腺炎，百日咳，排膿。

海浮石

作用　此藥係火山噴出之花崗岩，失其石質中之可溶性珪酸及鐵等，只存鈣質及雲母質之輕石，其成分為珪酸，礬土，鈣，鎂，鉀，鈉，養化鐵，養化錳等，因含鈣質能使心與血管系統之緊張力增進，有收縮小動脈之力，故可用於心力衰弱之慢性肺炎。

主治　頑痰，結核，通諸淋。

按　此藥含多量之無機質，服之能使結核病灶之局部早生結締織，成有疤痕組織，以臻於不進行之境界，故近多用於治肺結核，昔人謂浮石係海中細沙水沫日久凝結而成，故呼之曰海浮石，實誤。

貝母

作用　在胃不呈作用，至腸被腸壁吸入血中，使白血球進行迅速（故能治瘡瘍）且由末稍神經受激而達腦神經，則中樞神經興奮（故能開鬱）呼吸深速，積極易驅出，同時又使肺臟分泌減少，可免多量痰沫之釀成。

主治　慢性氣管炎，胸滿結氣，瘡瘍乳癰。

按　貝母有三大功用，1呼吸器之病變，2，治瘡瘍，3，開鬱，貝母之治欬嗽，為婦孺盡知，但究其於何種咳嗽及病程至何時期為適用，則漫然與服毫不顧慮，以致急性者變為慢性，暫時者進為頑固，遷延歲月，夫此豈藥之咎哉，俗子村婦固不足責，所謂負人命生死責之醫生，此之不識，可鄙誰甚，良以貝母之治嗽，適於慢性久性屬斂肺之劑，用之於急性氣管支炎，殊有不值事者，因急性氣管炎乃局部發炎，故在生理方面不得不分泌加多，以緩和局部發炎之刺戟，治之之法以消炎為主，炎消則分泌減少其咳嗽自愈，而醫者不此之圖，漫投貝母，使氣管收縮，分泌減少，以收一時之效，豈知分泌愈減少，則發炎局部愈現乾燥戟刺感，此時則咳嗽愈甚，且氣管被收縮不得暢咳，此時之痛苦，更十倍於頻嗽矣，此何異治河者堅壁高堤，堵流塞源，以求暫效，其有不至氾濫莫救者幾希，久性氣管炎則不然，因其分泌加多，浸潤增廣，因浸潤刺激毛細管之氈毛，惹起反射，故時常咳嗽，與急性者正相反，故用貝母以減少其分泌，則刺激之原發物已除，故能收確卓之偉效，爲最適當之療法也，因其能使白血球進行迅速，使發炎局部之抗毒力强，故治瘡瘍有效，時方之仙方活命飲中，及諸乳瘡方中多用之，至其能開鬱者，因其使中樞神經興奮故也，詩云「陟彼阿邱，言采其蝱，」（爾雅云蝱即貝母）當彼時民間已用爲開鬱藥矣，後世集效方單用貝母一味，薑汁炒研糊丸，治憂鬱不伸胸膈不寬，更爲現明，本品兼具開鬱祛痰二效，故仲景認爲治胸膈鬱結痰藥，如桔梗白散中用之，可謂神明至矣。

旋覆花

作用　不明

主治　急慢性氣管炎，降逆氣除噫嚶，消胸中痰結，唾如膠漆，利水。

前胡

作用　不明

主治　傷風咳嗽，下逆氣，風寒頭痛。

按　李時材云：「柴胡前胡均爲風藥，但柴胡主升，前胡主降爲不同耳」，升降之說吾輩難判其是否，要之柴胡之解，熱爲偏重於淋巴系神經系者，前胡之解熱爲偏重於呼吸器者。

白前

作用　不明

主治　宣肺降氣，胸肋逆氣，咳逆，呼吸欲絕。

按　白前前胡功效相差不遠，但前胡解熱注重於全身，微有疏解表邪之意，白前則但注重於呼吸器局部之消炎止嗽，故本草視爲止咳之要藥而絕無流弊者，總之二者合用，非但能引邪外達止嗽消炎，且能相得益彰，奏效之捷，較諸單用為優。

百部

作用　日人發見此種植物鹽基名「霍得林」，其毒性微弱，作用未明。

主治　肺結核，及皮膚殺虫藥。

按　醫學心悟之止嗽散頗奏捷效，殆其功力實在紫菀百部二味，千金方謂一味取汁濃煎可愈三十年嗽，又近賢張山雷先生云「百部善於殺虫……即肺癆家肺中有虫，亦是虛熱，此為專藥，」此品自古視為傳尸癆瘵骨蒸寸白之要素，自經驗上推想其必有殺肺結核菌之效乎？惜其作用不明，倘望海內同志共起研究，以期澈底。

(4)血份劑

▲血份劑之藥理。

夫人體生活之唯一主要現象，即在於物質代謝，物質代謝之唯一機能即以血液為媒介為樞紐，(生理學言之甚詳)血份劑者包涵有：活血，止血，補血，破血，四種功用，但以活血作用為其主要功能，活血作用者，想像有一種未明之成分，足以刺戟血液活潑血行，促進各組織細胞間之交換作用，故可利用之為調經安胎退炎消腫止痛制腐生肌內服外敷應用甚廣，下列各藥，大概皆有此作用，惟阿膠大小薊等於活血中並有止血之作用，當歸川芎等於活血中兼有補血之作用，桃仁丹皮等於活血中兼有破血之作用。

當歸

作用　在胃中僅能促進胃液增多，至腸始漸被吸入血中，同時又能激腸之粘膜，使腸壁吸收力强大，本品入血中其作用專在刺激血液中之氯化酵素，令血液之氯化迅速，細胞之新陳作用亦隨之而增進，血壓亦較為增高，同是卵巢亦能誘起充血之作用。

主治　貧血，及一切婦女子宮疾患。

按　補血劑在藥理上觀察，凡能戟刺造血臟器，使機能旺盛，或足以充實血液製造之原料者，皆可作補血劑。

川芎

作用　泰半與當歸相似，唯其含有多量之揮發油，能刺激口與胃之粘膜，故有較遠達較廣泛之反射作用，能與奮血管，呼吸系統及神經系統，或用以增加心力，用大劑量則吸收後對腦有直接興奮作用，致血壓及呼吸率與深度均增加，神經中樞間亦受阻，微有麻醉之效。

主治　調經止痛，治子宮諸病功同當歸，平腦系止頭痛，神經性僂痲質斯。

按　此藥有反射刺激作用，故能爲全身之興奮劑及鎮痙劑，於通經活血外與他藥配合，常用爲神經興奮藥及止痛藥，是以古人謂之辛竄猛烈，走而不守。

仙鶴草

作用　本品含之蛋白質及生膠質之化學的親和力，爲其作用之主因，故對於粘膜之鬆懈，細胞之繁殖，血管及結締組織之新生物使之收縮稠固，並能凝固血液，及分泌物之蛋白質，若於粘膜管壁之創傷部分接觸以多量之濃汁，則致結締質之收縮，細胞壁及組織之稠化，又能限製分泌液及營養液自血管而滲出，而於胃腸及氣道腎臟膀胱子宮之出血及頑固性之下痢，尤著效能。

主治　諸血症，尤以呼吸器之出血爲最宜。

阿膠

作用　入胃中與胃液不起作用，至腸與膵液及腸粘膜之分泌液化合，此質宜被腸壁吸收至血中，能增加血液之凝固力，減少血液之滲透力。

主治　止諸種出血症，血管硬化，修補血管，並爲滋養强壯藥。

艾葉

作用　因其含軟性樹脂揮發油等，故其亦有興奮神經止痛之療效。

主治　止崩漏，吐衂血，調經安胎止痛，作緩性通經藥，灸百病，作浴湯。

大小薊炭

作用　入血能調節體温之神經中樞阻止血液充分之醱酵，使血管收縮，使細胞之新陳代謝作用遲緩，血行緩慢，體温下降。

主治　清血破瘀吐衄便血，赤白痢血崩利尿，大薊，並可作外敷炎腫瘡瘍之藥。

按　植物之燒炭者，對於血症之效驗，為現代醫家所公認樂用，且植物燒炭，仍能發揮其固有之效能，其間又產生一種植物鹽基，具止血之特效，且炭質更具抗膿毒性與吸凝性，服炭劑至適當之分劑，能吸引因消化不良而發生之炭瓦斯，故治腸胃充氣及泄腹，其對於腸中細菌及水分有特別之親和吸引力，且能包圍之隨大便排出，故治頑固性赤痢，亦往往有效。

紫菀

作用　不明

主治　咳逆上氣，為治血痰之要藥。

按　肺結核性之咳血，紫菀與百部同用，頗效。

紅花

作用　在胃時僅分解，至腸始被吸收，然半數仍由大便排出，由腸壁吸入血中，即能增進血液瘍化之功，同時又能令子宮粘膜充血。

主治　去瘀生新，通經止痛，為子宮疾患之要藥。

澤蘭

作用　在胃不起作用，入腸能激腸粘膜，使吸收力增加，並能減少粘膜之分泌，入血中，微能凝固血液，使進行緩慢，更能激子宮神經，使子宮四周之粘膜收縮。

主治　通血脈，調經，止吐衄血，產後崩，癰腫，排膿，身面浮腫。

丹皮

作用　至腸始與膵液化合，而被吸收入血，能助血液旺盛，並能激生殖神經而令卵巢充血。

主治　安撫子宮卵巢系痛，月經閉止，退熱消炎。

（5）興奮鎮痛劑

▲興奮劑之藥理

凡疾病生死之最要關頭，在於心臟，心臟之搏動一刻存在，即生命一刻未絕，亦即醫者之救治責任一刻未能停止，强心劑於醫療之重要，不言而喻，興奮劑即强心劑也，不名之曰强心而曰興奮者何也，蓋心腦之關係最爲密切，强心之藥，有直以刺激心肌之作用而奏效者，有直以興奮血管運動神經中樞之作用而奏效者，大都兼兩種之作用爲多，於强心之中即具壯腦之力，名興奮劑者以此。

中藥之鎮痛劑，多俱興奮之能，亦猶西藥中之麻醉劑之現效必經興奮期焉，故附及之。

附子

作用　自腸壁吸入血中，即能減血液循環之速率，使血壓降低，由末稍神經傳達入腦，腦神經被激而麻痺，視覺聽覺亦均減其敏銳，心臟之跳動增强，若用過量則先速而後緩，同時全身肌肉弛緩，思想紊亂，汗出尿增，是陷於中毒現象，甚至竟可由失知覺而死。

主治　强心，降血壓，除風寒濕痺，止諸種神經痛，振興一切退行性衰弱症。

按　國醫古無强心興奮之名，而有回陽通脉之稱，故凡汗出肢厥脉絕等虛脫之症狀，即心臟瞬息停止之危機，而中醫皆以亡陽稱之，故國醫回陽通脉之救脫劑，殆即爲醫療上最重要之强心興奮劑無疑，通脉四逆湯者謂可救厥逆與脉絕之方也，故通脉四逆湯，即國醫唯一之强心劑，湯中君藥之附子，即取其强心也。

乾薑

作用　能刺激胃壁神經，使消化機能抗進，亦能刺激腸壁血管，使之收縮，入血能使中樞神經興奮。

主治　治腸胃疾患，上氣咳嗽，佐附子爲興奮藥使其功力增强。

麝香

作用　至腸吸入血中，使血液流動增速，至腦激大腦神經令精神異常興奮，然時間甚短。

主治　患熱性病因高熱而心臟衰弱症，(爲窒扶斯，肺炎經過中所屢發之虛脫)及虛弱已極腸肌失其蠕動作用之大便秘結症，用之有效。

乳香

作用　入胃後與胃液起作用，而被分解，至十二脂腸始開始吸收，次第入血中，使血液流動增速，腦神經被激而興奮，全身精神十分振興，思想亦感快樂。

主治　爲內外之止痛藥。

沒藥

作用主治仝上。

羌獨活

作用　入胃使胃分泌稍增，至腸始行分解而被吸收，血液因此而循環迅速，且能麻醉大腦神經，使痛苦之知覺消失。

主治　關節僂麻質斯，眩暈。

威靈仙

作用　入腸微有激腸之功，使腸壁次第吸收之，由微血管達間膜靜膜，同時末稍神經感覺麻痺，而傳入腦部，大腦亦同時受麻醉之影響，全身血壓初因受激而增，後復由麻醉而降。

主治　神經性關節僂麻質斯

油松節

作用　入血後脉搏及呼吸略速，過分劑或致人醉，動脉血壓略高，脉搏亦快且心力加大，其神經系統，則失其感覺，後則隨意運動亦漸失，毒分劑，則有血尿腎炎面色青紫瞳孔開大，及腸胃發炎等狀。

主治　關節僂質斯，神經炎。

（6）解熱劑

▲解熱劑之藥理

夫人體之體溫來源及放射——已詳之生理學——退熱藥者乃體溫過高時服之使之降低，體溫正常者，服之則少有改變之能，退熱劑起作用之理由不一，1直接感腦底之體溫調節中樞，使體溫減低，且能保持此減低之度少時，2減退新陳代謝之作用，3擴張皮血管兼令汗多出，使所放散之熱量加多，而體溫得降。

石膏

作用　爲含水硫酸鈣，故入胃遇胃酸，即能溶解而現鈣之吸收作用，若過剩之酸性反應爲障碍之原因時，可用爲制酸藥，又於慢性胃腸加答兒與滲出性炎症（痰多症）其效力頗著，蓋粘液爲過剩之分泌且遇酸性反應時，能沉澱而蔽粘膜，阻碍其機能包被內容，遲鈍消化液之作用，故此時以鈣溶解之，能調和機能增進食慾，入血有減退大腦皮質興奮性的作用，有減退神經末稍部橫紋肌興奮性之作用，有減退腸蠕動機能，抑止一般粘膜分泌的作用，對於心臟能强盛其收縮力，對於血液有增進其凝固力，更能强盛一般組織的活動，以增高其抵抗力。

主治　傷寒時疫，大熱口乾，大渴引飲，一切熱性病，日射病，乳癰咽痛，肺炎結核。

青蒿

作用　有制止撲滅發熱之發酵素，及細菌之繁殖作用，用於肺結核之發熱，及產褥熱，含有原因療法之意義，此外用於骨蒸熱虛熱之原因不明者，亦均有效，無副作用無刺戟性，不起虛脫症狀，爲解熱藥之最佳良者。

主治　一切虛性熱症，用於熱之有起伏性者爲有效，如用於壯熱及病勢亢進期，則其效不確。

黃芩

作用　在胃能增進胃酸之不足，以助長消化效能，至腸中略有激腸蠕動之效，入血內可減退組織細胞之氣化機能，以阻止體温之增高。

主治　流行性感冒，急性肺氣管炎，肺炎，腦膜炎，通經閉，平血燥。

荆芥

作用　與黃芩同，而其效較弱。

主治　流行性感冒，有輕微之發汗作用。

石斛

作用　在胃略能促進胃液，助消化之不足，至腸能激腸之蠕動，且能制止其吸收力，故能使積糞排出，同時亦能使體温下降二度餘。

主治　生津止渴，邪熱温疫，結核性之便秘。

犀角

作用　在胃不起作用，至腸略有激腸蠕動之效，入血中能使中樞神經興奮，心跳强盛，血壓增高，同時又能減少白血球使體温下降。

主治　爲强壯劑之解毒退熱藥，清血燥瘀痘疹。

羚羊角

作用　與犀角同

主治　清熱安神，驚癇搐搦，神經痙攣，食噎不通，

按　犀角羚羊角皆爲解熱，安神，除毒之品，但其辨別點，實有嚴格之分界，爲臨床上不可忽略輕視，蓋羚羊角爲清熱安腦神經之要藥，犀角以清熱强心爲主，安撫腦神經則不如羚羊也。

柴胡

作用　能刺激腺體，促進分泌，鼓動淋巴液之流行，故有推陳致新之功能，略能激腸之蠕動，使積糞及瓦斯緩

緩排出，入血中刺激中樞神經，使體温下降。

主治　間歇熱，回歸熱，肋膜炎，瘧疾，胃腸積滯消化不良，神經抑鬱症。

蒲公英

作用　增加胃液之不足，促進消化並激腸之蠕動，使大便容易排出，入血能清血消炎，故爲變質利尿及緩和之瀉下藥。

主治　消炎腫，及一切腺炎（乳腺炎，腮腺炎，耳下腺炎等）用於胆汁過多之腸炎及胃弱症亦有效，故亦可爲苦味健胃藥。

金銀花

作用　爲寒凉之降熱消炎藥，清血中毒素，使炎症局部血流增速藉以加多其抗毒力。

主治　解毒清血，消腫止痛，解熱利尿，炒炭尤宜於慢性大腸炎，「鮮藤」之清熱解毒力更大。

（7）瀉下劑

▲瀉下劑之藥理

所謂瀉下劑者，乃蕩滌胃腸之宿糞，直接去其積滯，間接減退其自身中毒，考通便之法有三，一爲刺激腸粘膜，使腸之蠕動亢進，糞便由是即行排出，如大黃蘆薈等，一爲制止腸之吸收，同時使腸之分泌增加，如芒硝元明粉等，一爲潤滑大腸，使分泌增加，如蔓仁，大麻仁等。

瀉下劑在藥物學上可總分爲兩大類，有植物性與礦物性（亦謂之鹽類通下藥）之分，大概植物性者，多具感腸作用，鹽類下劑多爲制止腸之吸收作用，在療法上各藥亦有相差，有軟下緩下峻下之別，如括樓大麻仁則軟下劑也，元明粉風化硝則緩下劑也，大黃亦似爲緩下劑，峻下劑首推巴豆，此藥性烈不常用，若大黃合芒硝同服，多顯大瀉。

大黃

作用　在胃略能助胃液之不足，以促進消化作用，至腸能激腸之蠕動，使積糞泄下，然一次泄下後，因鞣酸有斂腸之功，故復行便秘，且同時能使腸之近部各器官現其誘導之作用，使其充血。

主治　此爲效用最廣之通下劑，用小量可作苦味健胃藥，中分劑可調經，使子宮充血，散結，大分劑，催動胆汁，使腸蠕動加速，而奏泄效，外敷能消炎止痛。

元明粉

作用　在胃中，略能刺激胃壁神經，使胆汁稍增，由胃而進入腸，則刺激腸粘膜令腸腺之分泌增多，並促進其蠕動，腸內故有之液分而又不使之吸收，且半數在腸中自動分解，而成硫化水素，此物又能刺激腸粘膜，至釀風氣(屁)而與大便同時排出。

主治　熱性便秘，間接消水腫，急性腹膜炎，漿液膜炎，肝病如門靜脈充血用之常效。

按　此藥與風化硝同爲朴硝爲之製品，但製法既異，則功效自有緩急之殊耳，朴硝較猛，風化硝爲失去水分之朴硝，其力較緩，元明粉經二次煎熬，則力更緩矣。

大麻子

作用　在胃不起作用，入腸即激之粘膜，使分泌增多蠕動加速，故用爲通利二便及難產催生藥。

主治　老年虛性便泌，產後便秘。

蘆薈

作用　入胃使胃液分泌增加，使消化力强大，至腸能激腸之蠕動加速、粘膜之分泌驟加，令積糞泄出，由腸壁而達血中，則血受激動而循環加速，使子宮充血尤爲有效，故可治一切經閉，及衰弱症。

主治　上部充血，便秘，經閉。

括摟

作用　同大麻子但較强耳。

主治　滑腸祛痰，尤爲治肋間病不可缺之要藥，如肋膜炎，肋間神經痛等。

（8）發汗劑

▲發汗劑之藥理

此類藥乃激勵汗腺之分泌作用，其激勵之法不一，有激感覺神經末稍者，有激生汗神經中樞者，有舒張皮之血管，血管舒張乃加增汗之分泌，其發汗劑之作用於退熱之外，更有利用以減少血中水份，籍以促水腫，痰飲，黃疸，等之吸收消散者，與瀉下湧吐利尿四法並重，故應用之範圍亦頗廣。

麻黃

作用　在胃中能收縮胃腸之血管，以阻止其蠕動，入血中能致血壓升高，心跳加速，內臟血管均被激而收縮，惟以腎臟之血管收縮爲最甚，而外部皮下之微血管，因強心增其鼓出之力，使血液自然轉運於外，故外部之皮下微血管，反被激而放大，汗腺之分泌隨此增多，氣枝管之抽搐亦被激而鬆弛，故能平喘治欬。

主治　有三，1，發汗，故能愈流行性感冒，傷寒等，2，治氣管疾患，急性氣管支炎，肺炎，百日咳等，3利尿，治水腫。

薄荷

作用　在胃腸中稍能刺激胃腸之粘膜使略感麻木，入血中，能令血行增速，心動加快，既則呼吸徐緩，血壓降低，由中樞神經之受激，而傳達於末稍神經，使毛細管散大，以促進汗液之分泌。

主治　流行性感冒，止頭痛牙痛，佐瀉劑止腸絞痛，嘔吐，咳嗽。

桂枝

作用　入胃能使胃液及唾液之分泌增加，振起其消化機能，胃內之胆汁一遇桂油即與桂內之單寧酸和胃內未消化之蛋白起化合作用，成爲蛋白單寧酸，此物有收斂制酵之功，餘之一部分單寧酸由腸壁吸入血中，有凝固白血球之力，而桂精在胃中與膵液化合，至小腸始被吸收而至血中，有促進血液，興奮精神之功，使淺層血管擴張，以奏其微量之解肌做用，其同時能使腸內膜之微血管收縮阻止過量之分泌。

主治　此藥之作用較多，故其主治之症候亦多，其有發汗解肌解熱之作用，鎮靜，鎮痙，止痛之功能，及亢奮，强心，强壯，祛痰，健胃，祛風，通經，行瘀，利尿等作用，治傷風感冒，消化不良，及一切關節神經痛。

（9）和緩劑

▲**和緩劑之藥理**

此類藥能激粘膜使分泌加多，以緩和患處局部之乾燥刺戟感者，有能弛緩神經及肌肉之緊張者，其所利用乃藥物之味或質以化學的尤其是理學之作用，以調緩有刺戟性之主藥，以減殺其烈性，免其副作用之刺戟也，例如乾薑一味，每大量用之，使非有調緩藥爲之副佐，則於內服後之腸胃及吸收後之各組織必起不良之反應，即如興奮口乾心中煩熱渴飲失眠等症，每爲不可避之事，是故大論中四逆湯之重用甘草，眞武湯烏頭湯之用芍藥，尤其吳茱萸一味，仲景每用必配人參，皆其例也。

甘草

作用　入胃後與胃液起作用而分出葡萄糖及甘草糖，可以使唾液之分泌增加，至腸能激腸之蠕動，使大便緩下，半由腸壁吸入血中，能促進全身細胞，新陳代謝作用，同時咽喉部之分泌亦增，使痰沫附着者而易於咳出，且可免除久嗽咽喉之燥感。

主治　緩和一切組織間之急迫神經痛，使分泌加多以潤粘膜，治支氣管炎咽喉腫痛，貧血諸症。

芍藥

作用　至胃後則安息香酸分出，略能惹胃之粘膜，然其鹽硯之惹性較弱，及由腸壁吸入血中，由末稍神經之受激而致中樞神經之興奮，能激刺神經中樞使其痙攣者弛鬆，收縮血管降低血壓，並助組織之吸收。

主治　緩解神經及一切組織之痙攣疼痛，調經破瘀，舒鬱止洩，其用途頗廣，故可入止痛，解熱，收斂，調經，諸劑中配用。

尾聲

以上所舉九類，不過本個人所知，摭拾鱗爪，寥爲舉例，誠知難免掛漏，但國藥之廣汎，若欲一一詳加敘述，非但苦於才力之不足，亦爲事實所難能，（如：麻醉，收歛，利尿，殺虫，變質解凝……等劑，均佔治療之重要部分，祇限於篇幅與時間，恤不多叙。）故一本敝人研究藥物之初衷，從選擇入手，姑作初步之嘗試，雖不足云爲貢獻及心得，但對於個人作爲臨症處方上之參考，亦云不無少補焉，至整個醫學上之整理，是所有望與吾同志，共起疾追，勿令他人代我發揚固有之技術。反用以作摧殘國醫之工具，新興重責，應吾人自負，從事於實際需要工作，重建我國固有醫學，發揚光大以推行於世界，廣播寰宇，青年國醫所負之使命，庶在玆乎。

一九三六，五，四。

寒邪熱邪

—魁卿—

邪無寒熱，以人之氣血寒熱爲寒熱，氣血寒則爲寒，熱則爲熱，如霍亂眞邪相爭也，熱盛爲陽，寒盛爲陰，在未分陰陽時，刺可立已，在分陰陽後，非藥不瘳。

嘔之分別

—魁卿—

嘔而有物曰吐，嘔而無物曰乾嘔，欲嘔不能前分乾濕，嗢嗢然如有物欲嘔曰欲嘔，鬱鬱然膈不舒而欲嘔曰喜嘔，悶悶然氣不暢欲嘔而未嘔曰善嘔。

脈學新解

魯延庭

脈者醫學測候觸診之法也。候者，動力之謂也。動力不可目見，必測量以知之。測量之法，必取觸覺。故醫者；有切診之法也。切診之法，本非難事。內經云；切而知之者。為之巧。脈雖有二十七名，或二十八名，甚至有三十餘名之多，此皆為變脈之名詞也。脈學名詞愈多而愈混亂，愈混亂而學者愈不能明，愈不能明，則無法測候觸診矣。無怪中醫之日趨愈下也。然欲明瞭脈學為何物，必從簡而入手，則脈學名詞雖繁，可括而知之矣。常用者不過八綱，浮沈遲數細大短長而已。但此八綱亦未明白解釋，殊不知脈學綱領最明白而易知者，為張雨三先生所論之對待與流行二理也。對待流行即陰陽之別名。陰陽為醫學分別一切之用。不明陰陽幾于動則見迷。內經云；知其要者，一言而終。不知其要流散無窮。此自然之理不待智者而後知也。欲明陰陽須別範圍，範圍不錯，便是名手。診脈重在對待流行之範圍內。對待則分各部。流行則為一串。各部皆具獨性。　貫則為公性。于獨性者，須詳細分別。于一串者，不生二致。脈之六位以上下左右內外分別之。脈之五行金木水火土無二致也。脈之對待分有八綱浮沈遲數細大短長此脈者，即上下左右內外虛實之現象也。浮沈分左右，左右即表裏也。浮為陽主表，即左。是表現病在皮膚也。其部位由左取之，其治宜汗，其經為太陽。故傷寒論太陽之為病，脈浮。脈既有浮，而其對待之脈必為沈。沈為陰主裏，即右。是表現病在腹內也。其部位右取之，其治宜散。其經為太陰。故傷寒論之太陰，為病。脈沈。遲數者。當讀為數遲，所以顛倒念法者，故意使人不明之術也。數遲分上下，上下即熱寒也。數為陽主熱。即上，是表現病在血。其部位由上取之。其治宜活血，其經為少陰。故傷寒論脈數者，不可發汗。血熱故也。脈既有數，而其對待之脈必為遲。遲為陰主寒，即下。是表現病在氣。其部位由下取之。其治宜通氣。其經為少陽。故傷寒論脈遲者不可發汗。氣虛故也。細大者亦當讀為大細。所謂細大者，亦故意使人不明也。大細分內外，內外即前後也。亦胸背也。大為陽主胸，即前。是表現病在胃腸。其部位由中上取之。其治宜吐，或增火，其經為陽明。故傷寒論陽明之為病。脈即有大，而其對待之脈必為不曰小而曰細者，非是血管小，是血浪不足，故曰細也。細為陰，主背，即後，是表代病在骨髓。其部位由中下取之。其治宜利，或增水。其經為厥陰。

故傷寒論厥陰之爲病脈細。周愼齋先生曰：脉大則無火。脉細則無水。是食水之道，不能通行也。此六脉者，猶如六，三陰三陽互相對待之理也。故曰：三才是對待，只用其半之理。至于短長，亦當讀爲長短，是爲一元。一元之一，爲流行之一，亦爲對待之一。是故一既具陰陽，故亦爲二。故曰長短。長短分虛實，虛實即先天所稟之強弱也。長爲陽主強，即元氣盛強也，用藥不可以大劑，亦可取其速效，即張雨三先生所言元氣離心力盛之意也。短爲陰主弱，即元氣衰弱也。用藥不可大量，亦當取其緩效。亦即雨三先生所言之元氣向心力盛之意也。脉具一元三才其法可知也。脉之流行者，是無分別之可言。即論五行者也。內經云：春脉弦；夏脉鈎；長夏脉平，秋脉毛；冬脉石；此脉論五行之法也。春屬木其脉應弦，故弦爲木脉。夏屬火其脉應鈎，故鈎爲火脉。長夏屬土其脉應平，故平爲土脉。秋屬金其脉應毛，故毛爲金脉。冬屬水其脉應石，故石爲水脉。是故弦鈎平毛石爲木火土金水之脉象也。惟此五脉應時而現。是爲平脉即無病之脉也。若有病時，反忌此脉象也。蓋病爲動之不合式，動既不合，其脉當變。不變者反爲重也。此立行病忌証脉不同之意也。然此五脉弦，鈎平毛石或木火土金水之脉象，學醫者，仍不易觸知，則不如學張雨三先生之五形脉，即長尖方知圓五形也。易學易知，以手按脉最易明顯，只要將此理確切明白，而欲以A.B.C.D.E.代之亦無不可！但其變法不可錯亂，既知五脉之形，其用法則從肝心脾肺腎算之。肝屬木：心屬火，脾屬土，肺屬金；腎屬水，即肝形長，心形尖，脾形方，肺形短，腎形圓。或以肝代心代B.脾代C.肺代D.腎代E.均可。若五臟虛即不足也。而必用補，補必用同。其木火土金水之藥同性即向心，向心則補。若五臟實即有餘，而必用瀉，瀉必用異其木火土金水之藥，即酸瀉肝，苦瀉心，淡瀉脾，辛瀉肺，鹹瀉腎，異性則相起離心力。離心則瀉。此五行之脉必論生尅制化之法也。即金尅木，木尅土，土尅水，水尅火，火尅金是爲流行例也。流行從金起，對待從木起，或論形亦可。如短尅長，長尅方，方尅圓，圓尅尖，尖尅短，設以洋名詞，論之亦可。以D尅A，A尅C，C尅E，E尅B，B尅D，未爲不可也。此生尅制化不過法術而已。並無有很奧妙之玄理。所以謂尅者，爲此臟妨害他臟故爲病也。脉取五者，以能知何臟起尅，既知何臟起尅，則亦能知何臟被尅，亦可知使起尅之臟。吾人用藥，亦取尅其起尅之臟。則名之曰制。被尅之臟因被尅而起反抗。此反抗者謂之生。用藥合其生。則名之曰化，凡病則有生尅。吾人治法用藥，爲制化。此等理解，均由五脉而知之者也。此五行之脈象，前輩老醫以弦洪緩濇細五脉象。而代表肝心脾肺腎。在部位爲左關右寸右關左寸。及兩尺。設右關脉緩爲無病，緩而有力爲太過，緩而無力爲不及，過則當瀉，不及當補。設此部見弦脉是爲藏賊邪，又曰木尅土。若見細脉爲逆邪，又曰水侮土。若見濇脉爲實邪，又曰生發太過盛。若見洪脉爲虛邪，又曰所生不足。餘者各部位均可類推而知矣。凡看脉先認本部脉形。若兼見別部脉形，或從所生來者，或從所尅來者，以五形之理推之，然後斷病，此X光鏡聽診器檢察還若準確！此說蓋因X光鏡，無非以檢察病者之筋骨損傷，金屬彈傷入內各部。及內部積聚，腫瘤，化膿，大都爲實質有形之病而已。對于五運六氣各症本屬無形！則X光用之何處，聽診更無論矣，五運六氣無形之症診斷不差。況診有形實質之症乎，可能易如反掌此爲老前輩之最有把握者也。今之學脉者何不效耶。有此八綱五領，何病不能知之，至于脉在部位，須明相吸之理。設在左手三部心肝腎屬陰，有病時，脉之動力皆向其部之外應之。小指邊爲外，以外爲陽，與陰有相吸之力，故三部陰經病脉之動力，皆偏向其外。致三部所管之膻中，包絡，隔，胆，膀胱，小腸，皆屬陽，于有病時，脉之動力皆向內應。大指邊爲內，以內爲陰，其陽須合陰也。右手三部肺脾命門皆屬陰，于有病時，脉之動力上下二部向外，應陰向陽也。惟中部脾脉雖屬陰而偏向內，即向陰也。至其三部所管之胸中，宗氣，胃，肺，三焦，大腸皆屬陽，有病時，脉之動力上下二部，皆向內應陽趨陰也。惟中部胃脉，雖屬陽而偏向外，即向陽也。內經云！胃屬陽反向外應，而脾屬陰反向內應，此均屬不合陰陽相吸之理，豈不知脾胃屬土，土在五行之中，爲陰陽交紐之位。故有交紐之變也。凡學醫者：當明此理不可忽也。至兩尺候小腸，大腸者，宜于尺部極下候之。內經所謂下竟下之位也。蓋下竟下者，小腹腰股諸事，大小腸均在小腹腰際位無不當。是固由極下者可與極上者相應。蓋極則必反之理也。亦首尾銜接之理。如是者，臟腑動機各有向應，不啻明示人以病處。吾人惟于脉之顯在何部分者，求其病處也。

鍼灸秘旨發微

聶澍方

序

吾國醫學發明最早，始於神農氏嘗百草療治疾病，鍼灸一科肇自岐黃，靈素中關於鍼灸之紀載甚詳，流傳至今垂數千年，有清以來歐風東漸，醫學一道，外國多有發明，晚近國人慕外心盛，治病延醫，每多擇聘西醫，又兼國醫不自振作，因之吾國固有醫學，反日趨沒落，西醫愈發振興，良可慨也。

攷吾國醫學沒落原因，多爲保守秘法不肯授人，或泥守舊法不知改良，有此二因，以致國醫眞諦大多失傳，後世留傳者或僅其皮毛，或墨守舊法，學無所成，治病失效，使世人對國醫失信，甚或羣起攻擊而崇尙西醫，國粹淪亡，嗚呼。

醫術十三科中，失傳者甚多，尤以鍼灸術爲甚。

內經靈樞九鍼十二原篇云：「黃帝問於岐伯曰，余子萬民，養百姓而收租稅，余哀其不給，而屬有疾病，余欲勿使被毒藥，無用砭石，欲以微鍼通其經脈，調其血氣，營其逆順出入之會，令可傳於後世，必明爲之法，令終而不滅久而不絕，易用難忘，爲之經紀，異其章別其表裏，爲之終始，令各有形，先立鍼經。」觀此知爲鍼灸術之鼻祖，但經文所載，頗費解，業此術者，又不肯口傳心授，眞學問多淹沒，再兼無膽量學習，乃造成鍼灸術之失傳，及鍼灸術人才缺乏之局勢。

筆者有見於此，乃承庭訓，於年十六即潛學此術，入華北國醫學院四年，院中教授，屢易人選，教師多不肯傳授，致所學無成，今逢本級畢業之期，有紀念論文之舉，筆者性近鍼科，爰將研究所得，草成斯篇，顏曰「鍼灸秘旨發微」，雖屬平淡無奇，語多抄襲，但細嚼之滋味無窮，用特供之同道，於習斯術者，不無小補也，是爲序。

歲次丙子閏三月聶澍方氏述於林圃

第一章　鍼灸之作用與功用

第一節　鍼之作用與功用

鍼者療病所用之鍼也，以鐵或金銀製之，形細銳，分九種，世人多知用鍼刺入皮膚肌肉內以療病，但不知其入於皮膚肌腠內，有何作用，經云：「虛則實之，滿則瀉之，宛陳則除之。」讀此則知鍼刺有補瀉之作用，又云：「欲以微鍼通其血脈。」按宛陳者脈蓄瘀血也，用鍼刺可除宛陳，而通血脈，排除障碍，開除鬱塞，然必賴鍼刺入穴，催動氣血，此其作用也，至其功用則能刺戟神經，與奮神經，當鍼而不鍼，則營衛不行，經絡不利，不當鍼而鍼，能使氣血散失，機關細縮，用之得當，則奏效神速，用之不當，可致殘廢，或發生意外危險，不可不慎，大凡痛痺，經絡，關節，氣血凝滯諸疾，最宜鍼刺，臟腑內傷諸病，鍼刺無大效，仍宜湯劑，切記切記。

第二節　灸之作用與功用

灸。於肌膚痛傷之處，襯以薑片，用艾絨小團灼於其上，或鍼刺入穴，以艾絨裹鍼柄而燒灼也，灸之必用艾，取其有促進新陳代謝，增進榮養，亢進細胞之生活力諸作用也，艾之功用能理氣血，利陰氣，溫中逐冷，除濕散寒，增體溫，鼓舞神經，由是觀之，其功用實不亞於鍼刺，故云：「鍼所不爲，灸之所宜」，然鍼刺利於急性病，如霍亂，乳蛾喉症，頭風頭痛，眼系抽急，中風，口噤，胃脘痛，腿臂痛等急症，艾灸利於慢性病，如寒腿，四肢厥逆，痢，瀉痢等等緩症，是故鍼速效，灸功緩，但陰虛火旺，血燥津虧者忌之，頭面部忌之，背陽部宜少灸，寒症最宜，近人多鍼不灸，謂灸之甚費事，不過謹慎從事，間用灸法，未必不可。

第二章　鍼艾之選擇與煑炙

語云：「工欲善其事，必先利其器」，鍼灸何獨不然，既用鍼灸療病，尤宜愼重選擇，鍼之原質，宜馬嚼鐵，（即俗呼馬嚼鐵），因此種鐵被馬所嚼，馬之精華津液與鐵磨鍊日久，鐵毒均被蝕盡，用之製鍼，取其無毒質，若用金銀製鍼，價甚昂貴，實非所宜，吾人若恐鍼有毒質時，可用藥物煑炙，既除毒質，復能促進功效，所用藥品多爲活絡通經驅風散寒之品，下列藥品，隨便選用：

麝香　穿山甲　膽礬末　靈磁石　升麻　當歸尾　石斛　川鬱金　甘草節　眞辰砂　沉香

酒川芎　沒藥　北細辛　蘄艾葉　補骨脂　茯神　血琥珀

採取上列藥品數種，將鍼刺入肥猪肉之腠理間，放鍋中，納諸藥淨水，藥與水量看煮鍼多少而定，煮半日取出後，用首飾店擦銀用之砂土磨之，黃土亦可，功不可用平常粗土，砂布，砂紙，爐灰，因用此可使鍼體划成細道，致刺之覺痛也。

灸多用艾，艾以產湖北蘄春縣者最良，有云蘄艾雖香非艾種，而主張用野艾者，愚意既同爲艾，則性質功用具同，兩者俱可，但憑採取方便耳，採新艾風乾揉搗如棉，存性，灸病宜陳久者，灸時，艾團中宜用乳香，麝香，丁香，肉桂，等溫散之品攙入，助艾火直入內部，發展其偉力，自可減少壯數，而免痛苦也。

第三章　鍼灸名詞解釋

(一)井　靈樞九鍼十二原篇云：「二十七氣所出爲井」，又云：「春刺井」，按井者泉也，非井泉乃山中之泉眼也，水之所出，經脈之氣由此起源發出，主東方春，其病主心下滿，肌肉淺薄氣少不足使，刺宜出血不宜深刺，刺此者以滎合代之，如補井者以合代之，瀉井者以滎代之，此五行生尅之意也，春刺井者邪在肝，在臟配木，在腑配金，井既主肝，則肝病宜刺之，凡初中風卒暴昏沉，痰涎壅盛，不省人事，牙關緊閉藥水不下者，急以三稜鍼刺十二井出血，使氣血流行，實爲起死回生急救妙穴。

(二)滎　經云：「二十七氣所溜爲滎」，又云：「夏刺滎」，按滎者流也，如水之流也，經脈之氣由此急流而過，主南方夏，其病主發熱，夏刺滎者邪在心，在臟配火，在腑配水，滎主心，則心病宜刺之。

(三)俞　經云：「二十七氣所注爲俞」又云：「季夏刺俞」，按俞者輸也，如水之注此復輸出也，與腧通，經脈之氣由此輸注，主中央季夏，其病主體重節痛，季夏刺俞者邪在脾，在臟配土，在腑配木，俞主脾，脾病刺之。

(四)經　經云：「二十七氣所行爲經」，又云：「秋刺經」，按經者經過也，經脈之氣由此處通行經過也，主西方秋，其病主喘咳寒熱，秋刺經者邪在肺，在臟配金，在腑配火，經主肺，肺病刺之。

(五)合　經云：「二十七氣所入爲合」，又云：「冬刺合」，按合者會合也，所入爲合者，如水之流與他支會合入海也，經脉之氣所衔接會合之處者，主北方冬，其病主逆氣而泄，冬刺合者邪在腎，在臟配水，在腑配土，合主腎，腎病刺之。

（六）原　原者水之源也，脉之所過爲原，經曰：「瀉必鍼其原」，言瀉某經之氣，則鍼其原穴，考六腑之經有原，五臟之經無原，以俞代之，所以然者，因三焦行於諸陽，腑亦屬陽，故於六腑每經多一原穴，因六腑屬陽，與三焦共一氣也。

（七）壯　艾絨作丸，置於穴上燃灼之，一丸曰一壯，亦曰一炷，如灸三壯者，即灸灼三團艾丸。

（八）宥　宥者灸瘡也，用艾灸穴後其穴上留有灸瘡曰宥。

（九）呼吸　嘗見鍼灸書籍記載，有留幾呼，留幾吸之說，多不解其意，後始知留幾呼吸者，謂鍼刺入穴內，留停幾呼吸之時間也，古人無鐘表，故以呼吸計算時刻，大抵病久病深，鍼留時間宜長，病暫病淺留時宜短。

第四章　鍼穴數目

習鍼灸須明經絡起止，穴道部位，尤須知鍼穴之數目，鍼灸數目，說者不一，今特蒐集十二經，任督，經外奇穴等周身穴道，列舉如下：

（一）手三陰經穴道數目

甲，手太陰，起中府終少商，共穴二十二。
乙，手少陰，起極泉終少衝，共穴十八。
丙，手厥陰，起天池終中衝，共穴十八。
（以上）共穴五十八。

（二）手三陽經穴道數目

甲，手太陽，起少澤終聽宮，共穴三十八。
乙，手少陽，起關衝終耳門，共穴四十六。
丙，手陽明，起商陽終迎香，共穴四十。
（以上）共穴百二十四。

(三)足三陰經穴道數目

甲，足太陰，起隱白終大包，共穴四十二。
乙，足少陰，起湧泉終俞府，共穴五十四。　共穴百二十二
丙，足厥陰，起大敦終期門，共穴二十六。

(四)足三陽經穴道數目

甲，足太陽，起睛明終至陰，共穴百三十四。
乙，足少陽，起瞳子髎終竅陰，共穴八十八。　共穴三百十二。
丙，足陽明，起頭維終厲兌，共穴九十。

以上十二經，共六百壹十六穴

(五)任督二經穴道數目

甲，任，起會陰終承漿，共穴二十四。
乙，督，起長强終齦交，共穴二十八。

以上任督二經，共五十二穴。

(六)經外奇穴

經外奇穴共九十六，散布人身

以上十二經，任督，經外奇穴，總共七百六十四穴，分佈人身，在陽部筋骨之側，陷下為真，在陰分郄膕之間，動脈相應，尚有家傳秘穴，不載籍中，致無從孜查。

第五章　用鍼步驟

第一節　望聞問切

望聞問切，是為四診，為診斷病症在所必行，鍼灸學尤宜注重，鍼刺術為變像之補瀉，四診不行，則不知臟腑有無

病症，病家虛實，更無從考查，若魯莽從事，則貽誤病人，其害匪淺，行此四診則知病在何臟腑，病者之虛實，病家之肥瘦，若此，方可施以鍼術，抑補與瀉，胸中體會，下手治病，方無有誤。

第二節　審經取穴

甲，審經　四診行畢，胸有成竹，再行審經，病在某經，宜取某經，再輔某經，均須一一審明，而後取穴。

乙，取穴。審經後即行取穴，取穴之法有四：

(一)取本經穴　病在肺，即取肺經穴，病在肝，即取肝經穴，謂之取本經穴。

(二)取輔經穴　病在肺，除取肺經穴外，可取他經穴輔之，謂之取輔經穴。

(三)取補瀉經穴　取補瀉經穴者，如病肺虛，除取肺經穴外，必兼取脾穴補之，如病肺實，除取肺經穴外，必兼取腎穴瀉之，謂之取補瀉經穴，即虛者補其母，實者瀉其子之意也，若取本經穴補瀉之亦可，即取本經之井滎俞經合以行補瀉也。

(四)必取之穴　必取之穴，即無論何種病症，必須取之穴也，除各經原穴外，以子午流注各穴爲最主要。（子午流注法見另條）

第三節　量鍼

取穴已畢，知穴在某部，應用何鍼，謂之量鍼，雖鍼有九種，普通者，只用長鍼，毫鍼，三稜鍼三種，餘者多不常用，鍼之長短，審穴之淺深，病之日期久暫，病者之肥瘦，鍼之長者，宜於病重者，穴深者，病久者，鍼之短者，宜於病輕者，穴淺者，病暫者，鍼之粗者，效速，利於久病，鍼之細者，效緩，利於新病，鍼之最細者，謂之毫鍼，利於貴婦及畏鍼者，審症用鍼，如診病用藥，有效緩效速之力然，果能運用熟諳，實能通神也。

第四節　定神

量鍼取穴後即行定神，所謂心無內慕如待貴人，目無外視手如握虎者是也，此者慨言用鍼時用鍼者與病人心神平定，目無邪視，心無邪念，全力精神，貫注於穴鍼之上，方可奏效神奇，否則談笑自若，雖鍼數穴，亦不驗也。

第五節　下鍼

前節行畢，即行下鍼，下鍼時先用揣法，用手揣得部位後，即行爪法，爪者用左手大指指甲用力揑按隨之下鍼，所謂爪而下之者是也，因用此法可免除病者之注意力致覺疼也，尙有隨咳入鍼，隨咳出鍼之說，此與爪下之法性質相同。

第六節　催氣

催氣者，言鍼入穴後，停少時，用右手大指及食指持鍼，微微動搖，進退撚撚，其鍼如手顫之狀，謂之催氣，槪患病施鍼者，非關節阻澀，即氣滯血鬱，用鍼先催其經脈之氣，氣行血行，鬱滯自通，催氣之法有四，即一青龍擺尾，二赤鳳迎源，三蒼龜探穴，四白虎搖頭四者是也，（手法見鍼灸大成四卷）但此催氣手法頗不易爲，手術不佳，可致疼痛，甚者推之不移，撚之不動，此爲邪氣，可提鍼一豆許，停頃刻，施以催氣，自覺暢快靈便，催氣則氣行，氣行則鍼下氣緊，可施補瀉法。

第七節　補瀉手術

補瀉手術，鍼灸學最關重要，施術者，俱憑四診，診其虛則補之，實則瀉之，謹愼從事免生危險，經云：「寫虛補實，神去其室，致邪失正，眞不可定，粗之所敗謂之天命」，此云以粗工之心而致瀉虛補實，失其正氣，爲害不淺，又云：「補虛瀉實，神歸其室，久塞其空，謂之良工」，此云良工治病，補虛瀉實，其爲功也，讀此二節，乃知補瀉，利害相關，少有差錯，可生危險，平常鍼刺最宜平補平瀉，所謂平補平瀉者，即使鍼直入直出也，庶乎可免意外，

補瀉手術行之頗難，雜說百出，奧妙無窮，今將各說列下：

第一條　內經補瀉

經云云「凡用鍼者，隨而濟之，迎而奪之，虛則實之，滿則瀉之，宛陳則除之，邪盛則虛之，徐而疾則實，疾而徐則虛，……補瀉之時以鍼爲之，瀉曰迎之，必持納之，放而出之，排陽得鍼，邪氣得泄，按而引之，是謂內溫，血不得散氣不得出也，補曰隨之，隨之之意，若妄若行，若按如蚊蝱，止如留還，去如絃絕，令左屬右，其氣故止，外門已閉，中氣乃實，必無留血，必取誅之，」又云：「瀉必用方者，以氣方盛也，以月方滿也，以日方溫也，以身方定也，以

方息吸而內鍼，乃復候其方吸而轉鍼，乃復候其方呼而徐引鍼，故曰瀉，補必用圓者，圓者行也，行者移也，刺必中其榮復以吸排鍼也，故圓與方非鍼也」。又云：「瀉實者，氣盛乃內鍼，鍼與氣俱內，以開其門，如利其戶，鍼與氣俱出，精氣不傷，邪氣乃下，外門不閉，以出其實，搖大其道，如刺其路，是謂大瀉」，又云：「吸則內鍼，無令氣忤，靜以久留，無令邪布，吸則轉鍼，以得氣爲故，候呼引鍼，呼盡乃出，大氣皆出，故命曰瀉，捫而循之，切而散之，推而按之，彈而努之，爪而下之，通而取之，外引其門，以閉其神，呼盡內鍼，靜以久留，以氣至爲故，如待所貴，不知日暮其氣已至，適而自護，候吸引鍼，氣不得出，各在所處，推闔其門，令神氣存，大氣留止，故命曰補」，又云：「神有餘則瀉其小絡之穴出血，勿之深斥，無中其大經，神氣乃平，神不足者視其虛絡，按而致之，刺而利之，無出其血，無泄其氣，以通其經，神氣乃平，」又云：「氣有餘則瀉其經隧，無傷其經，無出其血，無泄其氣，不足則補其經隧，無出其氣，「又云：」血有餘，則瀉其盛經出其血，不足則補其虛經，內鍼其脈中，久留而視脈大，疾出其鍼，無令血泄，」又云：「形有餘則瀉其陽經，不足則補其陽絡，」又云「志有餘則瀉然骨之前出血，不足則補其復溜」，又云：「血清氣滑，疾瀉之則氣易竭，血濁氣濇，疾瀉之則經可通」。

按以上所錄，盡爲經文，論鍼灸補瀉之法，攷內經所論，其法不外迎隨也，欲明迎隨之法，須詳經脈之順逆，所謂經脈之順逆者，即手三陽從手走頭，足三陽從頭走足，手三陰從胸走手，足三陰從足走腹，明乎此則迎隨易習，隨而濟之者，言刺某經用補法，須順其脈絡而刺，以濟其氣也，假使刺手三陽經行補法，知手三陽之脈絡，從手起至頭止，須用鍼向頭斜刺，此曰順也，此補法也，迎而奪之者，言刺某經用瀉法，須逆其脈絡而刺，以奪其氣也，假使刺手三陽經行瀉法，知手三陽之脈絡，從手起至頭止，須用鍼向手斜刺，此曰逆也，此瀉法也，徐而疾則實者，言用鍼徐內之而疾出也，疾而徐則虛者，言用鍼疾內之而徐出也，此亦補瀉之手法也，以上所論，俱易明瞭，學者如能細心玩味，補瀉之法易如反掌矣

第二條　　難經補瀉

難經六十九難曰：「經言虛者補之，實者瀉之，不虛不實以經取之，何謂也，然虛者補其母，實者瀉其子，當先補

之，然後瀉之，不實不虛，以經取之者，是正經自生病，不中他邪也，當自取其經，故言以經取之」。又七十六難曰：「何謂補瀉，當補之時，何所取氣，當瀉之時，何所置氣，然當補之時，從衛取氣，當瀉之時，從榮置氣，其陽氣不足，陰氣有餘，當先補其陽，而後瀉其陰，陰氣不足陽氣有餘，當先補其陰，而後瀉其陽，榮衛通行，此其要也」，又七十八難曰：「鍼有補瀉何謂也，然補瀉之法，非必呼吸出內鍼也，然知爲鍼者信其左，不知爲鍼者信其右，當刺之時，必先以左手厭按所鍼之處，彈而努之，爪而下之，其氣之來，如動脈之狀，順鍼而刺之，得氣推而內之，是謂補，動而伸之，是謂瀉」。

按難經發內經之秘甚周到，本篇難經補瀉，只採取上列三難，以供參考，文詞簡明不必贅述。

第　條　神應經補瀉

神應經二卷，明陳會撰，劉瑾校，陳會，既著廣愛書，慮其浩瀚，獨取百十九穴，爲歌爲圖，仍集治病要穴，總成一帙，以爲學者守約之規，所云鍼灸補瀉法簡而明，頗可習之，今分述如下：

（一）瀉　取穴後，爪捏之，令病人咳嗽一聲，隨咳內鍼至分寸，用指催氣，（法見前）覺鍼下氣緊，行瀉法，如鍼左邊，用右手大食二指持鍼，大指進前，食指退後，將鍼輕提往左轉，轉畢用食指連搓三下，謂之飛，仍輕提往左轉，略退鍼半分許，謂之三飛一退，依此飛法行至五六次，覺鍼下沉緊，是氣至極矣，再輕提往左轉一二次，如鍼右邊，以左手大指食指持鍼，以大指向前，食指向後，依前法連搓三下，輕提鍼頭向右轉，是鍼右邊瀉法，欲出鍼時，令病人咳嗽一聲，隨咳出鍼，此之謂瀉法也。

（二）補　按陳會述補法謂須先瀉後補，謂之先瀉邪氣，後補眞氣，然吾輩鍼刺，不必泥此，須隨機應變，見某症，用某法，方可奏效神奇也，按補法行之時，先令病人吸氣一口，隨吸轉鍼，如鍼左邊捻鍼頭轉向右邊，鍼右邊捻向左邊，停少時，用手指於鍼頭上輕彈三下，如此三次，用大指連搓三下，謂之飛，將鍼深進一二分，以鍼頭向右邊，謂之一進三飛，依此法行至五六次，覺鍼下沉緊，或鍼下氣熱，是氣至足矣，令病人吸氣一口，隨吸出鍼，急以手按穴，此謂之補法也。

凡鍼背腹兩邊穴，分陰陽經補瀉，鍼男子背上中行，左轉爲補，右轉爲瀉，腹上中行，右轉爲補，左轉爲瀉，女子反之。

第四條　南豐李氏補瀉

南豐李氏名梴，明萬曆時南豐人，著有醫學入門七卷，其論鍼法補瀉，參酌內難，主張以呼吸，迎隨法，今分述如下：

（一）迎隨　迎隨手術，與內經義同，微有闡發，列表如下：

手三陽，從手至頭，鍼芒從外，往上爲隨，爲補，鍼芒從內，往上爲迎，爲瀉，從外者，鍼向左捻，從內者，鍼向右捻，往上者順也，往下者逆也。

足三陽，從頭至足，鍼芒從內，往下爲隨，爲補，鍼芒從外，往上爲迎，爲瀉。

手三陰，鍼法與足三陽同，足三陰，鍼法與手三陽同，此表指男子於午前刺之而言，午後反之。

（二）呼吸　男子陽經，午前以呼爲補，吸爲瀉，陰經以吸爲補，呼爲瀉，午後反之，女人陽經，午前以吸爲補，呼爲瀉，陰經以呼爲補，吸爲瀉，午後反之，呼吸乃自然之呼吸，若尸厥中風，不能自然呼吸，則以手掩其口鼻，鼓動其氣，而施人工呼吸法也。

第五條　四明高氏補瀉

高氏論補瀉採取拔萃所云，據其論補瀉法云：瀉法先以左手揣按得穴，以右手置鍼於穴上，令病人咳嗽一聲，撚鍼入腠理，令病人吸氣一口，鍼至六分，覺鍼沉澀，復退至三分，再覺沉澀，更退鍼一豆許，仰手轉鍼頭向病所，以手循經絡，捫循至病所，以合手迴鍼，引氣直過鍼三寸，隨呼徐徐出鍼，勿閉其穴，命之曰瀉，補法先以左手揣按得穴，以右手置鍼於穴上，令病人咳嗽一聲，撚鍼入腠理，令病人呼氣一口，納鍼至八分，覺鍼沉緊，復退一分，更覺沉緊，仰手轉鍼頭向病所，依前捫循其病所，氣至病已隨吸而走，出鍼速按其穴，命之曰補，又云：當補之時候氣至病所更用生成之息數，令病人鼻中吸氣，口中呼氣，內自覺熱矣，當瀉之時使氣至病所，更用生成之息數，令病人鼻中出氣，口中吸氣，按所病臟腑之處，內自覺清凉矣。

第六條　三衢楊氏補瀉

楊氏補瀉手法分十二字今列如下：

(一)爪切　下鍼時左手大指爪甲，重切所鍼之穴，令氣血宣散，然後下鍼，不傷於榮衛也。

(二)指持　爪切之後，以右手持鍼，於穴上着力旋插，當此之時，手如握虎，勢若擒龍，心無他慕，如待貴人之說也。

(三)口溫　鍼刺時，先將鍼入口中溫熱，方可與刺，使血氣調和，冷熱不相爭鬥也。

(四)進鍼　凡下鍼，要病人神氣定，息數勻，醫者亦如之，不可太忙，審穴在何部位，以爪重切，方可進鍼。

(五)指循　下鍼行氣，氣不至用指於所屬部分經絡之路，上下左右循之，使氣血往來，上下均勻。

(六)爪攝　凡下鍼，鍼下針氣滯澁不行者，隨經絡上下，用大指爪甲切之，其氣自通行也。

(七)鍼退　退鍼之時，一部一部，緩緩退之，不可不誠心着意，瀾亂差訛，以瀉爲補以補爲瀉，退鍼者非出鍼也。

(八)指搓　凡轉鍼如搓線之狀，勿轉太緊，隨氣用之。

(九)指撚　凡下鍼之際，治上大指向外撚，治下大指向內撚，外撚者，令氣向上而治病，內撚者，令氣至下而治病，內撚者，爲之補，轉鍼頭向病所，令取眞氣，以至病所，如出至人部，外撚者，爲之瀉，轉鍼頭向病所，令挾邪氣，退至針下出也，此乃鍼中之秘旨也。

(十)指留　如出鍼至天部，須在皮膚之間，留一豆許，以致氣散而後出鍼。

(十一)鍼搖　凡出鍼三部，欲瀉之際，每一部搖一次，計六搖，庶使孔穴開大，然不可用力致出血傷人也。

(十二)指拔　凡持鍼欲出之時待鍼下氣緩不沉緊，便覺輕滑，捻之而出，如拔虎尾之狀也。

第七條　八法

八法，爲鍼術之最重要者，法雖八而分三類今分列於下：

(甲)神鍼八法：

一，施術時先定神，後將鍼尖含口內温之，左手按穴，右手撚鍼，用鍼之一法也。

二，左撚九下補陽，右撚六下補陰，住痛之二法也。

三，隨咳進鍼，此進鍼之三法也。

四，鍼入後，實者瀉之，虛者補之，補瀉之四法也。

五，其瀉者，有如鳳凰展翅，用右手大指食指撚鍼頭如飛騰之象，一撚一放，瀉之五法也。

六，其補者，有餓馬搖鈴，用右手大指食指撚鍼頭，如餓馬無力之狀，補之六法也。

七，病人暈鍼用袖掩之，熱湯飲之，吹通關散取嚏，補人中三里及其毋穴，即醒，補之七法也。

八，鍼入深，進退不得皮上四圍起皺紋，鍼如生在內，此氣實也，用右手食指，向皺紋處，離鍼不遠、四圍前進三下後退其一，乃瀉之八法也。

乙，八法手術

八法手術者，即一曰燒山火，二曰透天凉，三曰陽中隱陰，各種手法也，俱詳大成，本篇不再贅述。

丙，下手八法口訣

下手八法口訣者，即揣，爪，搓，彈，搖，捫，循，撚，八種手法也，此者大成述之極詳。

第六章　子午流注

子午流注者，時穴開闔也，譬如人之値日，當某日某時爲某人値日，當某日某時爲某穴値日，陽日陽時取六穴，以分配干支値日，陰日陰時取五穴，以分配干支値日，該某穴値日，即刺某穴，取六穴者，取井，滎，俞，原，經，合，而刺之也，取五穴者則無原穴，以俞代之，陽日遇陰時，陰日遇陽時，則前穴已閉取其合穴鍼之，此簡論流注法也，欲求其詳，則攷之鍼灸大成。

第七章　三部

三部者天，地，人，三部也，將人之皮膚肌腠，分爲三部，表部曰天部，中層曰人部，底層爲地部，凡除寒熱病，宜於天部行氣，經絡病宜於人部行氣，麻痺疼痛宜於地部行氣也。

●香附丸之對症●

—魁卿—

婦女疾患很複雜，而很多常常的患病，尤以痛經一症爲婦女最苦痛的病，可是患到此種病，大多數在二十至三十歲中間之婦女，其痛的持續期，以來經起至排完止，而對於本症之治療，雖具有科學化的醫士們，亦不能奈牠何，中藥之七製香附丸，對於痛經症很效驗，刻下據患者之報告，服本藥後下次月經則痛完全消失。

●胃行氣於三陽●

—魁卿—

胃乃陽明之氣，行於本經則主消化，行於少陽則主運化，行於太陽而化精微，迫糟粕下行。

●風傷衛寒傷營●

—魁卿—

衛在外風能傷之，營在內必須寒侵內，而後傷之，營傷則血凝，故經云，熱傷氣寒傷形，其實熱亦能傷形，寒亦能傷氣，不過熱重方能傷血，熱輕則否，寒則傷氣三分，傷血七分。

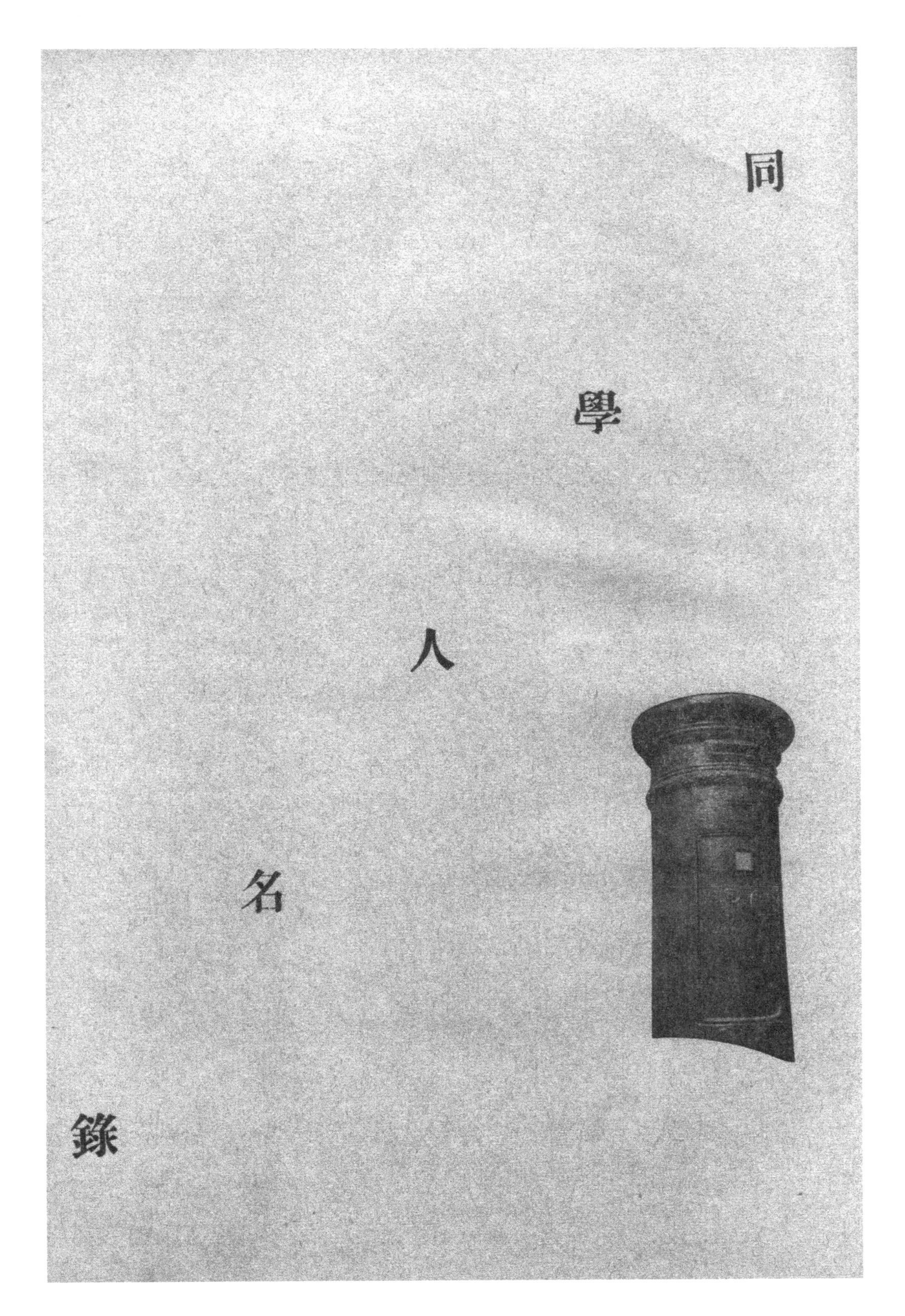
同學人名錄

·白页·

本院職教員一覽表

姓名	別號	職務	籍貫	通訊處
施今墨		院長	浙江蕭山	本院轉
王孝先	念堂	教務長	山西	本院轉
趙仲虞		訓育主任	湖南	本院轉
孫永年		註冊課長	浙江紹興	北平東城賢孝牌十九號
王孝曾	可亭	會計課長	山西	本院轉
李幹清		文書課長	河南	本院轉
劉少擬		講義圖書管理員	北平	北平新街口正覺寺十九號
王仲喆		傷寒教授	河南	北平西城資庫胡同一號
楊叔澄		金匱教授	山東	北平宣外魏染胡同十一號陳宅轉
朱壺山		內科教授	河南	北平西城成方街二號
顧膺陀		藥物學教授	江蘇	北平石駙馬大街承恩寺二號
姚季英		婦科教授	遼寧	北平西城西鐵匠胡同四十一號
施光致		幼科教授	浙江蕭山	北平闢才胡同三十九號
劉砥中		醫學史教授	河北	北京大學西齋

本院職教員一覽表

趙紱文	外科教授		北平大六部口四十號
曹錫珍	按摩學教授	河北	本院轉
陸湘生	處方學教授	浙江	本院轉
陳岫青	西醫講師		北平前外煤市街中亞醫院
張瑞祺	眼科兼耳鼻喉科教授	河北	北平太樸寺街崇善里十二號
姜泗長	解剖學教授		北平西城前泥窪十五號
施汝柏	病理學兼法醫學教授	浙江蕭山	北平闢才胡同三十九號
李仲翔	國文教授	浙江	北平興隆街二十五號
樊晳民	日文教授	遼寧	北平西城臥佛寺街十七號

第一屆畢業同學姓名錄

（以姓氏筆畫多少爲次序）

姓名	別號	姓別	籍貫	通訊處
于永興	抱一	男	山東	山東招遠縣大里鎮轉前于家莊子
王澤敷		男	河北遵化	河北遵化縣燕各莊交
王大經		男	河北房山	河北長辛店同仁學校
王士俊		男	河北天津	河北唐山狀元二條三號
朱紫陽	再春	男	江蘇	北平西長街七十九號
李祥錫	鴻恩	男	北平	北平西城護國寺棉花胡同五十六號
周哲生	西園	男	河北大興	北平前外西河沿復瑞參茸號轉
哈荔田	馨遠	男	河北淸苑	保定城內普地庵路北三號
胡康年	壽伯	男	河北天津	天津南門西觀山里路北探交
胡尙仁	克良	女	北平	北平北新橋龍王廟三號
高棻旺	善一	男	河北大興	北平東城新太倉丙六號
袁家璣	眞如	男	貴州貴陽	貴州貴陽中華路一號
畢德吉	畢竟	男	山東掖縣	北平北城北鑼鼓巷北下窪子五號
張耀東	鴻志	男	河北天津	天津特別一區六號路二條胡同八號
趙松泉	德濤	男	北平	北平德內實鈔胡同十四號
翟濟生	癡僧	男	山東	山東博山縣東里鎮義成油房
劉建輝		男	江蘇	江蘇南道城西小木挑巷三號

姓名	別號	性別	籍貫	通訊處
蔣國華	鳳揆	男	江蘇溧陽	北平廠西門有正書局
蔣潤生	復光	男	山東掖縣	山東掖縣程郭莊集湧源盛轉五佛蔣家交
嚴雋浩		男	江　蘇	北平東城東華門小草廠一號
蘇魁然	伯威	男	河北深縣	河北深縣王家鎮郵局轉大屯村

第二屆畢業同學姓名錄

姓名	別號	性別	籍貫	通訊處
丁鶴霄	鳴九	男	河北東光	北平西內華門大街十一號
于有五		男	山東牟平	山東牟平縣上莊鎮
于雲五		男	山東海陽	山東海陽縣安子石同聚號轉交
尤華雲	劍峯	男	河北良鄉	北平西城達子廟甲五號
王汝夔	理民	男	河北密雲	河北密雲縣天聚興交
王述斌	質愷	男	北　平	北平西城闢才胡同南寬街十四號
王國榮	仁山	男	山東昌樂	山西昌樂縣馬宋東店子
任冠民	冠民	男	山西介休	山西介休縣城內鐘樓巷民字十九號
邢樹恩	健如	男	河北昌平	河北昌平縣城內亨元德轉交
何世英		男	河北天津	天津河東教堂後王家實胡同十七號
何修仁	春山	男	河北清苑	北平阜城門內小水車胡同十二號
谷嘉蔭	濟生	男	河北玉田	河北玉田縣城內北大街
李之向	震宇	男	甘肅靜邑	甘肅靜邑濬源昌

李寶鑑		男	河北蘆台	河北北寧線蘆台元順泰交
吳兆祥	子禎	男	河　北	北平西城王府倉四十七號
孟永祿	世忱	男	河北大興	北平東四什錦花園十四號
胡慧豐	稔年	男	吉林長春	南滿路線長春驛東門外湧源號
施汝棠	召南	男	浙江蕭山	北平西城闢才胡同三十九號
徐德惠	雨蒼	男	河北宛平	北平市西長辛店大街天主堂轉
孫魁卿		男	河北安次	北平前外香廠路慶隆茶莊
馮　敬	崇禮	女	河南汝南	河南汝南城內才子巷三十六號
張玉秀	佩實	男	河北安次	北平前外糧食店北京客棧
董啓肇	振基	男	河北昌平	北平西直門內新街口北朋獎胡同七號
楊浩觀		男	山東牟平	山東烟台養馬島
魯延庭		男	遼寧營口	北平石駙馬大街甲四十四號
聶澍方	林圃	男	北　平	北平西單什八半截千章胡同七號

三年級同學姓名錄

姓名	別號	性別	籍貫	通訊處
王士傑	仲英	男	甘肅蘭州	蘭州東大街十四號
王文英		男	河北天津	北平南池子緞庫後巷十六號
王松棟		男	山東招遠	山東招遠縣山上庄家村
王秉鉞		男	山東招遠	山東招遠縣道頭集郵局

同學通訊處

包慶曾		男	浙江	北平和外大安瀾營十三號
朱亞康		男	河北宛平	北平市西長辛店紫草堂朱宅
朱雲登		男	山東掖縣	山東掖縣西關同興祥轉
邢朝昇	世平	男	河北	河北鹽山高灣鎮後刁莊
李樹楷	栻同	男	熱河平泉	熱河平泉縣中大街永合成
李艷山		男	山西靈邱	山西渾源縣王莊堡福和明收轉南坡頭村
沈友義	勇爲	男	河北清苑	保定城內秀水胡同四十一號
周紘章		男	河北安新	河北安新縣新安鎮火食營韓廣羣先生轉
段永康		男	河北唐縣	北平西四北護國寺大楊家胡同十二號
哈貴琳		男	北平	北平東城八面槽二十三號
降蓮芳		女	察省懷安	平綏路柴溝堡東洋河
郝鍾錡		男	北平	北平南沈篦子十六號
孫德昌		男	河北文安	天津法租界二十六號路九十九號
孫繼勳		男	天津	天津河東小石道三立銀樓
索延昌		男	河北宛平	北平西直門內南草廠半壁街二號
梁建章		男	河北昌平	北平西直門柳巷四十一號
曹志敏		女	河北三河	北平西城羅家大院甲六號
康穆		男	北平	北平西城中毛家灣二號
郭衡一		男	河北昌平	平北小湯山天聚永交
張文鵬		男	河北香河	河北香河城內郵局徐如蘭先生轉

張卓儒		男	遼寧瀋陽	河北省胥各莊三官廟十號
張敬武		男	河北威縣	河北威縣南鎮村
張漢英		女	湖北黃陂	北平清華大學西院四十四號
賀蜀江		男	河北威縣	河北威縣賀陳村
程宗周		男	河北深縣	河北深縣北士路口轉耿家村
葉拯民		男	河北通縣	北平西直門內半壁街三號
楊少元		男	山東牟平	山東牟平縣午極鎮郵局轉
楊同鐸		男	河北通縣	北平後門內北河沿八號
楊國亨	健行	男	河北新城	河北新城縣城內
楊鴻級		男	天津	北平西城受壁胡同二十九號
劉炳坤		男	河北鹽山	河北鹽山縣賈象鎮崔家莊
關吉多		男	遼寧	四川重慶千厮門順城四十號
蘇寶誠		男	天津	天津錦衣衛橋蘇家胡同七號

二年級同學姓名錄

姓名	別號	性別	籍貫	通訊處
乜廻恒		男	河北故城	河北故城縣城內雙峯街
丁培楠	豫章	男	山東牟平	山東牟平縣上莊鎮轉鼎甲莊
王儒		男	山西大同	山西大同縣南關永順興
王敬熙	樹民	男	河北	北平南城金魚池大街一四七號

畢業同學通訊處

姓名	字	性別	籍貫	通訊處
王雲龍		男	山東	山東掖縣城內同和成轉東坊北
史美錦		男	江蘇溧陽	江蘇溧陽縣
史陞恩		男	山東掖縣	山東掖縣城北二十里堡轉高家莊子村
李志鴻		男	北平	北平齊內新鮮胡同二十八號
李和義	子賓	男	甘肅寧縣	甘肅寧縣早勝鎮
李侗一		男	吉林永吉	北平東四三條二十號
李傑英		男	天津	天津南門東縣署西箭道後桀家胡同南口十五號
李穉膺		男	河北宛平	北平阜外大街二一二號
李鼎銘		男	河北通縣	北平東城馬市大街蔣家大院甲六號
李曼雲		女	遼寧西豐	北平舊鼓樓大街四十五號
宋祖蔭	樾生	男	福建莆田	北平西交民巷甲四十號
宋典鈞	衡吾	男	山東牟平	山東牟平玉林集永豐和
岳強	少齋	男	山西清源	山西清源縣南門街信生元轉北社村
周毅		女	安徽合肥	安徽合肥縣後大街張公館
計魁英	連傑	男	綏遠歸綏	綏遠省城內江南館後巷二號
徐鎮江	靜海	男	察哈爾	察省赤城縣文廟巷
桂頤壽	鶴齡	男	浙江紹興	北平護國寺街棉花胡同三十六號
郭曼之	鶯生	男	浙南益陽	湖南益陽二堡芝春藥棧
曹銑	叔執	男	山西神池	山西朔縣亨德昌轉交
許勸先		男	陝西石泉	西安雙仁府大巷九號

姓名	字	性別	籍貫	通訊處
陳兆祥		男	陝西府谷	陝西府谷縣義生恒交
陳伯誠		男	河北通縣	河北通縣華嚴寺前知餘堂
黃崇善	續初	男	察省懷來	平綏懷來珠窩園村
張大鵬		男	河北威縣	河北威縣南章台轉南鎮村
張存英		女	山西大同	山西大同唐市角東二號
張振德		男	河北永清	河北永清縣
張益祥	伯芝	男	河北東光	河北東光縣尤家莊
張維繹		男	河北昌平	河北昌平縣車站轉畜徭屯
張德成		男	天津	天津河東娘娘廟大街四十號
張學孔		男	山東掖縣	山東掖縣城內府門首東大生堂轉前坊北
張鴻圖	肇英	男	河北威縣	河北威縣順義村
楊開祥		男	湖南沅陵	湖南沅陵西冲巷十九號
楊益亞	醫亞	男	河南温縣	河南温縣安樂寨
賈鶯聲		男	察省懷安	平綏路柴溝堡東街
趙都		男	甘肅成縣	甘肅成縣東街蘇家巷
△趙志權		男	河北房山	河北房山縣城隍廟二十三號
趙璧人		男	黑龍江	黑龍江景星縣郵局轉交
趙慕貞		女	黑龍江	黑龍江克山縣教育局
劉子耕		男	河北定興	河北定興縣高里鎮南章村捌潤堂
劉崇廉		女	天津	天津英租界體伯瑞路道然里德字三號

劉家驥	千里	男	河北獻縣	北平宣外校場小六條四十號
劉鴻英	世雄	男	河北武清	河北武清縣南雙廟中立堂
穆成兆		男	河北大興	北平外三區下寶慶胡同二十二號
鍾贊英		男	察省懷安	平綏路柴溝堡西街
魏明豪		男	河北	河北武邑石海坡鎮魏家莊
閻丕衡		男	綏遠	綏遠歸綏華克齋
龐澤宇		男	遼寧新民	遼寧新民縣大街裕泰長轉交
蕭重方		男	江西	江西九江小校廠十二號
顧西侯	小癡	男	天津	天津東門內道署西箭四十三號

一年級同學姓名錄

姓名	別號	性別	籍貫	通訊處
于宗海	朝之	男	河北玉田	北平前門打磨廠萬福店
于春和	化龍	男	黑龍江	黑龍江泰來縣隆豐源
王彥威		男	四川奉節	四川奉節縣南鄉土墻壩郵局交梅子關大庄老屋
王淑敏		女	北平	北平前車胡同四十四號
王植楷		男	河北曲陽	河北曲陽縣曉林村
王華昌		男	山東武城	北平東四北九條胡同十五號
王詩彥	紫才	男	河南安陽	河南安陽縣冰冶鎮大東街
王錦文		女	河北寧晉	北平地安門外西皇城根五十五號

方錫慶		男	河北昌黎	河北昌黎縣牛官營
仇玉珊		男	河北安次	河北武清縣皇后西街慶聚號
尹達恭		男	北平	北平崇外花市南小市口七十一號
石兆康		男	河北武清	天津十局葛漁城鎮石宅
左俊才		男	察省懷安	察哈爾懷安縣城內龍王廟街
史永琳		男	河北獲鹿	石家莊西于底鎮交岳村
任錫容	幼安	女	北平	北平東單草廠大坑二十號
朱子淵		男	甘肅酒泉	甘肅酒泉縣城內教育局
朱猷樹		男	河南	河南安陽西大街
安鎮原		男	河北棗强	河北棗强縣王均唐家林
江啓堂		男	河南黎城	河南涉縣希三堂交
邢長安		男	河南	河南彰德甜水井路南二十七號
吳士俊		男	安徽歙縣	北平和外椿樹上二條一號旁門
李偉		男	湖北貴安	北平前外打磨廠樂家胡同四號
李玉善		男	北平	海淀大河莊六號
李守德		男	遼甯復縣	遼甯復縣復州灣春發和
李樹德		男	北平	北平阜內宮門口西三條九號
李桂勤		女	天津	天津特二區賈家大樹七號
李清蘊		男	北平	北平西四兵馬司朱葦箔胡同二號
李建昌		男	河北徐水	河北徐水縣固鞏莊新禽堂

同學通訊處

李維崇		男	察省懷安	察省懷安縣城內公益店轉
何士珍		男	河北薊縣	河北薊縣上倉鎮福吉祥
余必先	宜春	男	江西	北平宣外香爐營頭條五十號
佟鐸聲		男	河北大興	北平東城干面胡同西石槽胡同十七號
岳中謙		男	北平	北平西四北溝沿大覺胡同十號
姜明源		男	遼寧蓋平	遼寧蓋平縣萬福莊南藥王廟
胡逑		男	遼寧	遼寧鐵嶺南關十四號
苗文鈞		男	天津	天津南門外沈家台觀海里二十三號
范北海		男	山西沁縣	山西沁縣城內
馬維莘		男	察省萬全	張家口草廠巷五號
郜芬	香圃	男	河北平山	石家莊正太總機廠二號
秦厚生		男	江蘇無錫	北平米市大街乾面胡同西石槽十三號
孫文穎		男	遼寧莊河	遼寧莊河縣大孤山商會
孫維津		男	遼寧新賓	北平錦什坊街鴻盛公寓
許天爵		男	江蘇太倉	北平西四大院胡同內二道柵欄十二號
康獮		男	察省延慶	平綏路延慶縣慶春堂
梁偉		男	山西天鎮	平綏路柴溝堡西陽河交邢振福先生轉平遠堡
梁桂信		男	遼寧法庫	遼寧法庫西大泉眼交
梁遇春		女	黑龍江	齊齊哈爾省城中央街東園子分所門牌一附一
陳寬		男	山東掖縣	北平宣外南橫街西頭二十五號

姓名	性別	籍貫	通訊處
陳宗嫣	女	黑龍江	黑龍江綏化縣合發厚轉
盛文泉	男	山東掖縣	山東掖縣西由鎮益盛泰
張　蔴	男	察省赤城	察省宣化縣省立女子初級中學
張百塘	男	北　平	北平西四北石碑胡同北下窪子九號
張守中	男	河北昌黎	河北昌黎縣安山站蛤泊鎮保全堂轉楊家柳河
張志雄	男	河北香河	平東香河縣城內天和號轉交聖延寺村
張廷喆	男	遼寧瀋陽	遼寧瀋陽城內鼓樓南興盛合
張桂芳　郁蕊	男	河北清豐	河北清豐縣永固集東大街允德堂
單永興	男	遼　寧	北平西四大茶葉胡同三十三號
喬洪謨	男	河北大興	北平東城釣餌胡同十五號
賈　崑	男	河北宛平	平西海甸北正白旗南門外買宅
趙德謙	男	河北撫寧	北寧路安山站北雙望鎮菴里莊
趙奚然	男	北　平	北平前外鮮魚口果子巷七號
劉兆權	男	察省蔚縣	察省蔚縣城內東石橋北小西巷十二號
劉樹林	男	山東青州	北平朝陽門外吉市口二條二十四號
劉鐵漢	男	遼寗瀋陽	北平宣外校塲二條二號後門
閻砮堯	男	察省延慶	察省延慶縣永邑鎮縣立第二高級小學
閻潔波	女	天　津	天津板章路甲八號
閻麗俠	女	北　平	北平宣外丞相胡同十四號

中国近现代中医药期刊续编·第二辑

浙江中医专门学校校友会会刊

浙江中醫
專門學校
校友會會刊
第六期
醫
民國廿二年九月出版

·白页·

本會通告

本會定於十月二十一日（星期六）上午九時在本校總教室舉行第十四屆常年大會務希諸校友準時出席幸勿延却爲盼

·白页·

序言

吾校創辦迄今已歷十有八年畢業已十二次其間人材輩出服務社會聲譽鵲起者實繁有徒吾校雖未敢引以爲功而發源地之產生實有賴藥業諸君子維持愛護之力也今之談國醫者孰不曰舍實蹈虛不合於科學方式是以　中央國醫館明定章程第一條即大書特書曰本館以採用科學方式整理中國醫藥爲宗旨居今日而研求學理誠非有科學之分析斷不能得其塗徑惟據吾人讀內難傷寒金匱等書深切鑽研知前聖之精心結撰體大而物博者實含有生理學解剖學物理學天文地理學尤重要者爲人事學衞生學人體自然氣化學等等納須彌於一芥得殊塗而同歸使吾人驚駭萬狀有不可思議之神妙所惜數百年數千年以前科學未曾發明致貽近世以攻擊之具在古昔聖賢恐不能任其咎也醫校校友會同人本平日之心得作師友之切磋各抒所見其有合於科學上之論理與否雖不敢自信然非墨守成規知古而不知今者似可斷言會刊既竟祇就個人感覺所及願與諸同人商榷之

中華民國二十二年九月下澣蜩隱老人識

目次

插圖

論著

目次

研究

筆記

目次

目次

文藝

目次

專載

嬾園遺著叢編

補白

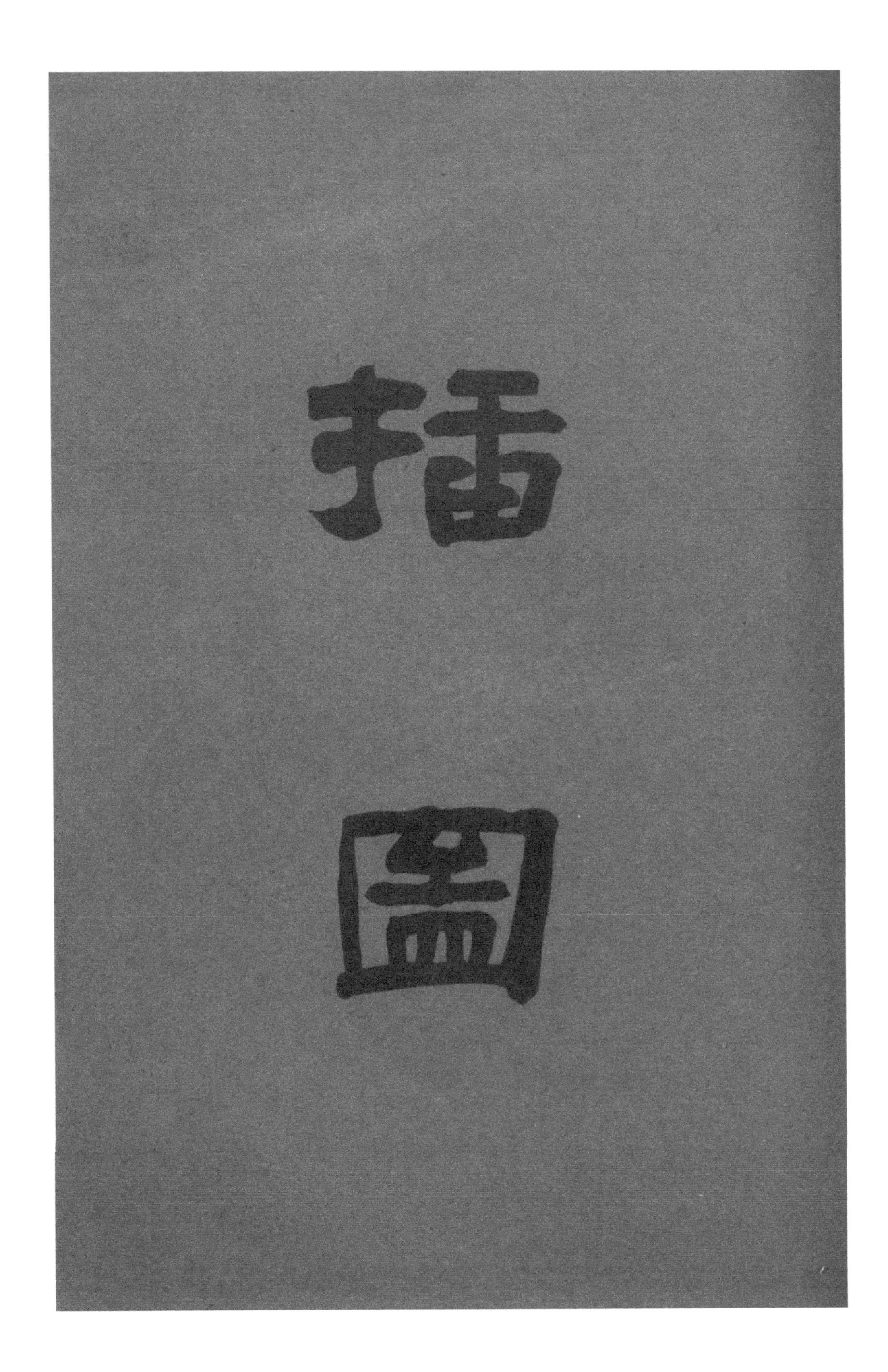
插
圖

·白页·

浙江中醫專門學校校友會第十三次常年大會攝影
二十一年十月

·白页·

浙江中醫專校校友會第十三屆全體職員攝影

·白页·

論著

·白页·

傷寒究三焦溫熱參六經之我見

徐究仁

傷寒之學闡自仲景溫熱之議暢於河間後之論究諸家遂執六經以究傷寒拘三焦以論溫熱自以爲盡古人之旨矣詎知傷寒在表治在六經固也而入裏內結者不得不究三焦也溫熱內發治在三焦宜也而重兼表邪者不得不參六經也

周澂之曰六經者外之分野也三焦者內之分野也經曰中而即病者名曰傷寒又曰中於項則下太陽中於面則下陽明中於頰則下少陽是即傷其外之分野也即六經之謂耳其不即病者寒毒藏於肌膚至春變爲溫病至夏變爲熱病即河間所謂發於天令暄熱之時怫鬱自內達外者又有即發之溫病與蘊久而發之疫病曰自口鼻吸入曰直行中道曰流布三焦葉薛王吳諸子論之綦詳是即傷其內之分野也即三焦之謂耳

夫六經主表傷寒主裏傷寒固往往由表而歸裏溫熱獨無有由裏而兼表者乎吳鞠通曰溫病分三焦傷寒亦何獨不分三焦俞東扶曰溫熱只究三焦不講六經此是妄言觀二氏之言雖未指出入裏與兼表似嫌籠統然其懷疑前人於此已逗其端矣請先以傷寒證之

石氏醫原嘗論仲景傷寒當作兩段看法前爲表寒而作後爲裏寒而作夫寒爲天地燥結之氣有搏束氣機瀆津爲涎之害及其化火則有鍛鍊糟粕留滯漬滓之患裏寒者或由外直中於內或虛則寒自內生總不外脾腎陽虛不能散精行水往往蓄水

停痰夫煅煉糟粕與蓄水停痰甯非三焦所有之事乎蓋言六經者明邪所從入之門經行之徑傷寒之所由起所由傳也言三焦者以有形之痰涎水飲渣滓為邪所搏結傷寒之所由成也嘗考仲景論中雖未明言三焦然具有三焦之義者甚夥曰心下痞鞕滿引脅下痛曰胃中有邪氣曰少腹急結曰腹中雷鳴曰水結在胸脅曰膈上有寒飲曰丹田有熱胸中有寒曰客氣動膈諸文不勝繁引凡十棗瀉心陷胸白散承氣五苓諸方足以決痰水而泄渣滓者甯非三焦本病之治乎抑有進者曰其人發狂者以熱在下焦小腹當鞕滿曰無犯胃氣及上二焦曰小便白者以下焦虛有寒曰理中者理中焦此利在下焦是不特徒有三焦之義且明明直揭三焦之名以昭示後人矣奈何後之註者每蹁躚於六經之說以致仲景之旨晦顯參半豈不大可慨耶余所謂傷寒入裏不得不究三焦者此也

請再論溫熱原病式曰後發之溫熱病有惡風惡寒之證者重有風寒新中故也俞東扶曰余生平所驗溫病初挾表邪者為多仍宜發散如防葛豉薄之類以得汗為病輕吳鞠通溫病條辨雖宗三焦立論其開章之桂枝湯後世譏之然安知其不為溫病重感風寒者設也繆希雍曰一氣之中初中末異一日之內寒燠或殊假令大熱之候人多感暑忽發冰雹亦復感寒由先而感則為暑病由後而感則為寒病夫病暑者投以暑藥是從三焦治病寒者投以寒藥是從六經治豈非溫暑而參六經之法乎今之時醫每囿於寒溫畛域之見不肯一用經藥苟遇此等症仍用桑菊銀翹等溫病套方以為治於是治之而無功治之而益劇雖不死於藥實死於貽誤病機耳醫者之大患莫此為甚余所謂溫熱重兼表邪不得不參六經者此也

雖然傷寒與溫熱其病理機轉固有可互通者然度其病原與治法畢竟涇渭兩途傷寒由足太陽入溫病由手太陰入傷寒則取皮膚漐漐微似有汗者佳溫熱病則汗出如水淋漓者多可得愈傷寒初起宜溫散以發表為主溫熱初病宜開降以下行為宜病原既殊施治自異惟傷寒入裏始究三焦之治溫熱兼表不外六經之法由前言之則仲景已詳其論由後言之則各家頗著其說學者亦可以心領神悟矣

內經之哲學的檢討

楊則民

內經者。古代醫學之祕錄也。撰此祕錄者。實非一手一足之烈。殆幾經擴大。幾經補綴。而託名于黃帝者也。金元以后。更牽合當時盛行之太極圖說與理氣說。以皮傅內經。注疏內經。于是內經遂爲神祕之淵藪。中醫之神龕。然時至今日。猶能發揮其神祕之幽光。以取信社會者。豈如倍根所稱『學說上之偶像』也哉。蓋有其眞價在焉。

海通以還。中醫受外醫之影響。與時俱進。始也存自大之心。如隋唐人以胡僧視之。繼則驚異其手術。以外科許之。今則外醫之生理衛生知識。已深入人心。來勢洶洶。欲並吾醫界全體而覆滅之。甚至取二千年來中醫所尊爲經典之內經。亦悍然爲無忌憚之攻擊。中醫至此。始皇然爲自救之謀。雖然。內經之眞價。果如此脆薄而易毀滅乎。殆未然也。

余嚴靈素商兌出世。十餘年矣。吾醫起而與駁詰者。除惲鐵樵氏曾著羣經見智錄。傷寒論研究等書。以自建所信。且與辯難外。絕無旗鼓相當之論文出世。雖有短篇與余說相抗。然都搔不着癢處。蓋余著爲有組織有根據之嚴密的論文。難以片辭單義勝之。即勝之。亦枝節耳。不足以動其論文之全體也。余不自量。欲以一隙之見。而爲整個的研究。以發揮內經之眞價焉。

本文結構。共分二篇。上篇爲內經之合理的審定。爲導論。下篇爲內經眞價之發揮。爲本論。先舉子目。繼述論文。

上篇

(一)研究內經之態度

(二)研究之方法

(三)內經之史的考證

(四)內容之提示與分析

(五)理解內經之正確的途徑

上篇

一、研究內經之態度

今之研究內經者。可分三派。一曰取消派。持近世自然科學之見解。以分析內經。批判內經。以爲其書混沌荒謬。一切不根。宜芟舉而之。勿使誣民。如余巖其人也。而主張中醫科學化者。大抵亦主毀棄內經者也。二曰保存派。吾國老醫。有治內經功夫至深者。挾其所得。每起沈痾。因視其書若祕錄。以爲得其一鱗一爪。即可名世。聞人攻擊。不勝扼腕。然無近世科學知識。以相闡發。亦『心知其故而不能言所以然』而已。（某老前輩語）三曰折衷派。謂內經尙氣化。科學重解剖。道並行而不相悖。其卓越者。如惲鐵樵氏。以爲『內經詔人應變無窮。后世妄欲于藏府官能中求經旨。』（見生理新語）是殆否定內經之藏府官能部分。而肯定其應變無窮之治法矣。通人之論。自是不凡。然而內經應變無窮之學理的闡發。惲氏無所作也。

夫疾病者。爲身體器官有變化。而正常機能發生障礙之謂。此固客觀之事。可以解剖見之。化學驗之者。強欲以古代粗疏肊度而得之生理病理。與外醫抗。是韓非所謂「無參驗而必之者。愚也。勿能必而據之者。誣也。」保守派之無當明矣。然身體結構至微妙也。病理變化至錯綜也。病理上一元論至難立也。故欲以器械解剖動物試驗所得之簡單知識。以臨變化無方之病體而立治法。求其必效。難得之數也。內經則不然。故詔人以揆度奇衡以應變。是故鍼刺至簡單也。而今之生理解剖者。莫能言其故。以肝補肝以腎補腎之說至陳腐也得今之臟器療法后而變爲神奇內經雖古遠然中醫據之以治病者千百年其起衰扶危如恆河沙取消派因其臟府經絡之荒陋將並其精者亦廢棄之評矣故三派中自以折衷者爲是惲氏其尤卓越者也

不佞之研究內經。乃承惲氏之餘緒而另闢途徑者也。夫惲氏之見則是。而研究內經之方法。猶有待討論者。

二、研究之方法

不佞研究內經之方法。與時人異。時人治內經。大抵取徑于自然科學。（其盲信記誦者不在此例）其根據自然科學。以比較內經陳述而批判之者。靈素商兌之作者也。其剌取內經單文隻義。以皮傅科學。取證科學者。求科學化之中醫也。殊不知二者非研究內經正當方法也。易言之。皆不足以呈露內經之本質者也。

嘗試論之內經者先民糅合古代哲學應用而演繹之以論述當時醫藥之書也其思想之出發點爲古代思辨之哲學其敘述之方法爲演繹法其思想之素質爲雜合古代之儒道陰陽諸家之說與當時醫學知識而一爐治之其書之不純爲非一手之故然內經固有其特殊之哲學在焉吾人欲討論內經之眞價宜以哲學的眼光衡量之不當以自然科學之見解批評之蓋內經之最高理論非當時粗疏之生理病理治療藥物等知識總合而得之結論蓋爲內經作者之天才的創論取當時僅有之生理病理醫藥諸知識以自證其說者也故欲批判內經宜着眼于其最高理論上不宜致意于其應用說明之片段上也不待言矣

是故內經因取用當時之醫學知識以爲論證其最高理論之材料數以近世科學而發現錯誤固宜棄廢然其錯誤爲當時醫學知識粗陋之故科學程度未足之故而內經之最高理論初不因此而減其價值也苟有人焉能取內經最高理論運用之以外醫實驗解剖所得之醫學知識而爲論證之材料著成一書固足爲國人之光然內經理論之眞實性亦不因此而增減之也若舉例以明之內經之最高理論猶幾何學之定律也其運用當時之醫學知識以論證其理論者猶依定律以推演各種問題也問題推演而誤定律不任其咎然則因運用論證之材料——醫學知識有誤內經理論即使謬誤者乎故欲否定或肯定內經之眞

價值於其最高理論上檢討之不當于論證之材料上批判之用自然科學眼光之不適于研究內經職是之故

管見以爲內經之最高理論本自不誤（詳后）誤在先民濫取材料以爲論證此則時代限之也吾人苟能用哲學方法以發揮其精義更取近世自然科學之知識以分別論證之綜合叙述之雖光被世界可也抱殘守缺云乎哉然內經之最高理論維何曰辯證法的觀察是已

三、內經之史的考證

內經包素問靈樞二書言之關于二書之眞僞言人人殊有以靈樞爲王冰附益者有以爲即黃帝鍼經而掇拾素問改頭換面以成者有以素問自天元紀大論以下爲王冰附益者總之內經非出一人之手爲不爭之事實蓋其先必有一大天才以其創解取當時醫學知識以爲論證之材料后人因以所見附益之此雖假定固合理而可信者也其書多僞訛錯簡整理不易清代樸學號稱極盛然無人用其法以整理之俞樾諸子平議雖有考據而語焉未詳於以嘆中醫人材之荒落非自今始矣

本書著作時代問題以吾所見殆草創于秦漢之際而斷續完成于東漢者也試言其故

一、天元紀大論以后文氣苶弱不類西漢文辭

二、素問好言天人之際與董仲舒輩一孔出氣

三、運氣之說波及于醫學界此其勢力非至極大不致此而東漢爲讖緯大行之時故斷定一部分材料成于其時

四、內經言脈言鍼少言湯藥傷寒金匱純論湯藥爲三國時作足以反證內經時代至遲不得過東漢

五、班書藝文志有其著錄雖今書或非其舊然當時必有其書或竟爲本書之原書可得言也

時代既明可得而論述其內容矣

四、內容之提示與分析

原夫內經所述約分五端一曰陰陽出于儒家之周易二曰自然取之道家之說三曰五行出於鄒衍之流四曰運氣善言天人之際取諸讖緯之說五曰臟府經絡病理鍼刺采諸當時已有之醫學知識而以上舉四項整齊而亭毒之所以組成此系統者

則以作者獨創之理論（詳后）運用之。故能自鳴一家者也。今分別叙述于后。

古之言陰陽者。莫先於周易。周易曰「一陰一陽之謂道。」曰「易有太極。是生兩儀。兩儀生四象。四象生八卦。」其書將宇宙一切現象。俱以陰陽之二元積極或消極而觀察之。統攝之。內經作者取其說。以爲建立醫學之用。故曰

陰陽者。天地之道也。萬物之綱紀。變化之父母。生殺之本始。神明之府也。——治病必求其本。（陰陽應象大論）

內經以陰陽爲言者至多。皆原於周易者也。此其一。

五行之說。莫先於洪範。生尅之說。肇始於墨經。但至鄒衍。其說斯盛耳。洪範五行只舉其名。以在天爲五行。在人爲五事。天人相應。便有休咎之五徵。此雖開后世天人合一之始。然不言生尅。言生尅者。爲墨子經下與經說下。

經……五行毋常勝。說在宜。

說……五。合水土火。（郭校云。合當作金。并脫木字。）火離然。火鑠金。火多也。金靡炭。金多也。合之府。水。（合當作金）木離木。

墨子經說下。文字錯亂。然固可明爲釋五行相勝者也。自此以后。五行之說日張。雖如子思孟子。不能免之。（見荀子）內經作者。不能不受時代思想之影響。亦取之以立其說。而內容則絕然相異也。（詳后）如五勞五病五志五脈五邪五精……皆引伸五行爲辭者也。此其二。

內經之論養生也。以道家自然無爲之說爲宗。上古天眞論曰。

恬憺虛無。眞氣從之。精神內守。病安從來。

志閑而少欲。心安而不懼。形勞而不倦。氣從以順。各從其欲。……所以能年度百歲。而動作不衰者。以其德全也。

此外如言眞人至人聖人賢人諸攝生法。極與老莊無爲主義之精神相合。此其三。

運氣之說。天人合一之論。最爲人所詬病。蓋易言陰陽。推衍而及自然界。則以天澤火雷……而止。合諸家族。則父母男女……而止。用之時間則四時。擴之空間則四方。應用雖牽強。猶可說也。洪範言五行。推及五事五徵（庶徵）以未鑿說。不爲大害。而呂氏春秋淮南子……諸書。以五行言政教。開不經之端。至董仲

舒則謂善言天者。必有驗于人。（對策語）于是天人合一之說。與運氣相糾而不可理。試舉其言與內經比較之。董氏之言曰。

是故人之身。首坌而圓。象天容也。髮象星辰也。耳目戾戾。象日月也。口鼻呼吸。象風氣也。……陰陽之動。使人足病喉痺。身猶天也。數與之相參。故命與之相連也。……大節十二分。副月數也。內有五藏。副五行數也。外有四肢。副四時數也。乍視乍瞑。副晝夜也。……（春秋繁露人副天數篇）

內經則曰

天地合氣。命之曰人。……天有陰陽。人有十二節。天有寒暑。人有虛實。（寶命全形論）

正月二月。天氣始方。地氣始發。人氣在肝。三月四月。天氣正方。地氣定發。人氣在脾。……（診要經終論）

類此甚多。難以列舉。然已足證明內經與董仲舒一流之關係矣。此其四。

后世妄人因崇信天人合一之說。更與當時荒陋之天文知識相結。於是而有司天在泉之論。以附益之。而內經從此有方士氣矣。

五、理解內經之正確的塗徑

吾人之治內經也。當屏棄一切常見而研究之。以藏府經絡求內經之旨。是不知內經也。以運氣與天人合一之論求內經。此本後人妄加。而非內經之旨也。故欲研究內經而理解之。宜求其理論。求其思想之方法。藏府經絡。為當初固有之粗疏知識。內經作者只取之以論證其所欲建設之理論而已。不足重視也。

夫一種學說之成立也。必有其一貫之思想的方法。而后方能組織完整之學說。此一定者也。故有「正名」方法而后有孔子之倫理哲學。有「無名」方法而后有老子之無為主義。有三表法而后有墨子哲學。有頓悟法而后有宋明理學。他如杜威之實驗主義。由實驗邏輯而成。柏格森之生命哲學。由直覺方法而成。由機械論的方法。而成自然科學。有辯證法的唯物論。而后有風靡世界之社會科學。故英哲學家羅素謂「一切哲學經過分析與洗鍊以后。祇剩邏輯問題矣。」夫內經一家言也。醫藥之經典也。其成書也。有其一貫之思想與獨特之方法者也。吾人欲了解其內容。宜先了解其特獨之思想與方法。乃今之治內經者。大抵以自然科學之方法而批判之。不知自然科學之方法。機械論方法也。而內經則否。靈素商兌作者用近世科學思想。以非難內經。內經不受也。何也。論點既異。立敵難成。此邏輯與因明兩所不許者也。

然則內經之思想方法。果何如乎。吾敢毅然斷之曰。辯證法也。是內經之辯證法。而非近代風靡全球之辯證法也。讀者疑吾言乎。則內經之經文。可以取證也。眞理所在。難以口爭。是耶非耶。請舉吾文而求教于吾醫界之先進。

辯證法亦稱互辯律。爲人類思想進步至相當時必有之發見。事極平常。凡觀察自然而無成見者。皆可察覺之。故昂克爾曰。「自然爲辯證法之證明。」「當人類知何者爲辯證法時。其思想已爲辯證法矣。」在吾國如儒家之易。道家之老子與莊子。其根本思想皆爲辯證法(見郭沫若古代社會研究劉侃元譯中國哲學史概論李達譯現代世界觀)惟此思想方法。至德人黑智兒始集其大成耳。

辯證法之內容。可分爲三項言之。

(一)自然界之一切皆進展者也。故一切事物。皆有其生長發展毀滅之過程。辯證法則主張于此過程中之動勢上以觀察事物。

(二)一切動勢之成因。由於其內在之相對物之推移而推移。故有升有降。有平有陂。有成有毀。有消有長。由此一反一正而生變化。變化即進展也。辯證法則主于事物之進展上。以審其內在之矛盾。

(三)萬事萬物。皆有整個之關聯。(或稱聯繫)猶活動影片。然宜觀察其全體。不得分割之爲片段的觀察。如分割爲片段。即爲死態而非動態矣。辯證法主一切皆當以整個的觀察之。

以上爲辯證法思考之方式。雖時代不同。古今人觀察自然之詳略有異。因而辯證法內容之深淺。亦隨時代之進展以爲進展。然于思考之方式。古今猶大同也。內經之辯證法。不能如今人之精密。毋容諱言。然其爲辯證法。亦無庸疑者。試申述之。

內經之基本觀念爲陰陽與五行。此人所共知也。不知此固辯證法之觀察也。蓋陰陽以表示事物之對立。(或對待)事物對立。則起矛盾。而生變化。於人亦然。「陰平陽祕。精神乃治」若陰陽乖戾則疾病乃起內經以對立爲言者如補瀉剛柔表裏寒熱溫清虛實盛衰邪正損益三陰三陽……不勝例舉而一切統之以陰陽以爲對立與矛盾之說明故陰陽應象大論曰

陰勝則陽病陽勝則陰病陽勝則熱陰勝則寒重寒則熱重熱則寒

然人之生理變化無窮內經作者覺徒言陰陽未足以盡其變遂引用五行之說以爲相生相消之論而爲說明進展之法則

蓋自然界之一切皆進展者也其進展之過程不外生長發展毀滅之過程而內經固屢以此爲言者如四時調神論曰

春三月此爲發陳……此春气之應養生之道也……夏爲寒變奉長者少……

夏三月此爲蕃秀……此夏气之應養長之道也……秋爲痎瘧奉收者少……

秋三月此爲容平……此秋气之應養收之道也……冬爲飧泄奉藏者少……

冬三月此爲閉藏……此冬气之應養藏之道也……春爲痿厥奉生者少……

上以生長收藏論四時與疾病之關係故曰「四時陰陽者萬物之根本也」而惲鐵樵氏曾謂「內經以四時爲本全書皆以四時爲說」（見生理新語）又曰「吾所謂太初第一步者即五行六氣本于四時之理」（見傷寒論研究自序）誠卓見也蓋生長收藏即辯證法進展之法則比較之則如下

發陳——奉生　即辯證法生長之過程

蕃秀——奉長　即辯證法發展之過程

容平——奉收　即辯證法發展至毀滅之過程

閉藏——奉藏　即辯證法毀滅之過程

此生長收藏說與佛家生住異滅之四諦相當亦與今生理學之胎生幼年成年老年四期病理學之潛伏前驅進行退行四期相大同也

近人之批判內經者祇其言爲玄言祇其思想方法爲玄學方法此大誤也美人薩克思之言曰

形而上學（即玄學）的思想方法是把一切事件行爲都看作爲一個不相連繫的與周圍現象分離的單體他——玄學者不注意外界周圍的力量和情勢他主張任何事件是

「非此卽彼非好卽歹」每個行爲「非對卽錯」（彭芮生譯科學的社會原理）

試問吾內經思想會有如薩克思所述者乎內經之論病變也外則四時六氣內則藏府七情皆包舉之全以整個之聯繫的觀念視疾病非如外醫偏重病所局部而視爲單體者比也故中醫之診病治病當注意於全身之症狀卽用偏攻亦只於使全身症狀進展至某程度時用之而爲暫不爲常也甚則瘍腫瘡癤現于局部吾醫亦視爲全身病之局部透頂而以全身療法治之諸外科病內服療法皆其道也外醫則不然局部病之顯然者無論矣卽病進展至全身症狀已劇亦欲探病所而治之一似局部病治法者若是者何也蓋如薩克思所言「看作一個不相連繫的與周圍現象分離的單體」故也使薩克思之言而信則玄學之思想方法宜屬諸外醫矣內經作者不以分段視人體不以單體視疾病而以整個的互相連繫的觀念視病體是內經之想思方法固辯證法的觀察也

且內經以「寒極生熱熱極生寒」「重陰必陽重陽必陰」「風勝則動熱勝則腫燥勝則乾寒勝則浮」爲疾病之因由于對立物之偏勝吾人若能抑其偏勝以歸于平則陰陽乃和病自不作于是發爲調節之論故曰

善用鍼者從陰引陽從陽引陰以右治左以左治右……以觀過與不及之理見微得過（疑訛文）用之不殆（陰陽應象大論）

此調節之論爲內經之特色蓋辯證法以發展進展爲旨內經則以調節爲言是爲辯證法之逆轉然而內經所以與近世風行之辯證法不同者在此其高貴之處亦在此吾前所謂最高理論亦在此也

六 結論

總上所述可知內經之方法爲辯證法故不適用機械的科學方法之研究與批判其最高理論爲陰陽五行生長收藏與調節而以辯證法敍述之故欲研究而理解其內含之精義自以辯證法爲最正確之途徑內經作者之思想方法雖正確然爲時代所限其所采用以爲說明之材料如藏府經絡嚴以近世實驗證明多悖而不可信但不得並其最高之思想而唾棄之蓋論證有

誤論旨未必便誤也又內經經文固有歧誤此因后人妄加爬疏證明吾人之責不得因此而輕議其書金匱傷寒多有妄人加入之材料自不得因此而妄論仲景也

惲鐵樵氏著傷寒論研究自序曰「余所欲言（按卽四時之理）皆古人所未言苦無書以佐證」詎知天壤知己轉在海外得辯證法以比較疏通之先民陳言立變新奇竊不自量此文或足爲惲先生所論之佐證乎

下篇

一、陰陽之辯證法的論究

今之淺人視陰陽二字卽爲迷信之代詞不知宇宙對立者也而陰陽足以說明之此不必引古說以取信卽以近世學術言之亦在在得以證明之如

化學……原素之化合與分解陰性反應與陽性反應

物理學……作用與反作用陽電與陰電磁之兩極

數學……正數與負數微分與積分

生物學……雌雄與男女生命與死滅

倫理學……善與惡正與邪

社會科學……階級鬥爭

故不論自然與社會均有兩個對立之原素以相生相消而逐漸進展爲千古不滅之眞理內經以陰陽表示對立之原素以五行表示發展之過程此眞理也但爲時代所限科學未興故說明不能不幼稚耳然其基本之思想固自有價值存焉

陰陽對立者謂自然界之一切皆由兩個對立原素以成之也故曰

人生有形不離陰陽（寶命全形論）

言人之陰陽則外爲陽內爲陰言人身……則背爲陽腹爲陰言……藏府則藏爲陰府爲陽（金匱眞言論）

卽以疾病言之亦不離乎陰陽蓋吾人因體內化學成分之過與不及而起病變則過者爲陽不及爲陰因病而機能發生異常或爲亢進或爲減退此自然之勢也則亢進爲陽減退爲陰因病的變化使同化作用衰弱異化作用旺盛或者相反則其旺盛爲陽衰弱爲陰治病亦然凡足以使機能興奮者爲陽藥（古稱溫劑）使亢進過高之機能沈降者爲陰藥（古稱寒劑）皆以

陰陽爲言者也故曰。

善診者察色按脈先別陰陽（陰陽應象大論）

陰陽者天地之道也萬物之綱紀變化之父母生殺之本始神明之府也——故治病必求其本（同上）

內經作者肯定自然界之一切由對立而存在者矣然其對立爲動而非爲靜者也故曰。

成敗倚伏（皆對立爲義）生乎動動而不已則變作矣（五運行大論）

余巖謂『陰陽者……凡物之性之相近者皆得而名之其意不過如此其用亦不過如此非有神妙不測之玄機包於其中也』（見靈素商兌）不知陰陽雖無玄機然亦非如余氏構想之簡單者蓋陰陽對立爲一切動勢之成因以其推移乃生變化於是相生相消相融之進展以顯黑智兒曰『矛盾即動之前進』其斯之謂乎。

陰陽相生者爲由對立矛盾乃生變化之謂相消者謂變化既起乃生衝突因而分出消長也舉辯證法以明之則如下列之形式。

原始均勢。　正題（These）　對立的均勢——猶言陰陽相和。

均勢之破壞。　反題（Antithese）對立的矛盾——猶言陰陽相消。

均勢之恢復。　合題（Synthese）矛盾的展開——猶言陰陽相生。

案辯證法之正猶陽反猶陰合即陰陽對立而生變化之謂如此釋之亦通（關於辯證法若求詳細可向坊間購讀專書近年此項書出版至多不下二百餘種）

內經之論陰陽相消也則曰。

重陰必陽重陽必陰……陰勝則陽病陽勝則陰病陽勝則熱陰勝則寒重寒則熱重熱則寒（陰陽應象大論）

不論自然人身陰陽相和則不變化而無病象若陰陽對立而有偏勝斯病症以起蓋身體構造至和諧也有識節機能爲之樞紐焉設體內某種成分或某種機能偶有偏勝則生理失其平衡而變異常調節機能失其效用於是病變遂起故曰。

亢則害承乃制制則生化……害則敗亂……（五運行

大論）

陰陽往復寒暑迎隨……大過不及專勝兼幷（氣交變大論）

若譯以今語則「制則生化」者謂節機能如常能生長發展也「害則敗亂」者謂節機能失效而害及人體乃病也「陰陽往復」云云者謂體內之調節與體外之調節不能適應因太過不及之故失其平衡乃起病變也如此則生體之均勢破此所以「氣相勝者和不相勝者病」也

陰陽相消爲消極之事則陰陽相生自爲積極之義二者如環之無端也蓋物不可以終窮相消之后必有相生以繼之此辯證法也故均勢破壞以后必應之以恢復內經稱「太陽爲開陽明爲闔少陽爲樞太陰爲開厥陰爲闔少陰爲樞」所謂樞者卽相生也亦卽恢復也金匱眞言論曰

陰中有陽陽中有陰而陰陽應象大論曰

陰在內陽之守也陽在外陰之使也

又天元紀大論曰

動靜相召上下相臨陰陽相错而變由生也

凡此皆言陰陽之相生也試舉病理言之

古人以六氣與病毒爲病邪（陰）以體功自然治愈之抵抗力爲正氣（陽）其論病也每以邪正虛實爲言此陰陽對立義也正強邪弱則正氣足制病邪而不爲害邪強正弱則邪來尅正卽成大病邪正俱盛則相抵可以無病卽病亦必易治故病變之起由於正與邪之相尅相勝此陰陽相消義也病變之后體功自然治愈之抵抗力得以發揮其妙用以生機轉而制病邪近世病理學所謂前驅與進行期者陰陽相消之時也退行時與恢復期者陰陽相生之時也且傳染病后卽產生免疫質以爲抵抗病理學上所稱之抗毒素溶菌素隨菌素與噬菌白血球等皆因細菌毒素之進行而隨伴產生繁殖者也又如大病以后因營養旺盛而發肥胖皆陰陽相生也均勢恢復之謂也古人雖未悉免疫質……諸義然病后有新氣象發生此固可觀察而得者也「少陽爲樞少陰爲樞」爲后世醫工所服膺說近暗昧然而爲相生與恢復之義則顯然已

陰陽相融者爲辯證法當「正」「反」以后之「合」時之一進展用辯證法術語則揚棄（Aufheben 之義譯亦譯作

昇華）是已揚棄者謂正反相合即起或棄或揚以成一新的動勢之謂此相當於吾所謂相融之義內經之精義殆在乎此其言曰

病在脈調之血病在血調之絡病在氣調之衛病在內調之分肉（調經論）

視其虛實調其逆從可使必已（熱論）

謹察陰陽所在而調之以平爲期正者正治反者反治（至眞要大論）

四時之病以其勝治之（脈要精微論）

五運之政猶權衡也高者下之下者舉之化者應之變者復之此生長化收藏之理氣之常也（氣交變大論）

觀右所引便知治病之道無他調之而已如由體內化學成分之過與不及而起者則用藥物矯正之使其平衡機能之過於亢進或減退者則設法抑其亢進扶其不足以復其常毒素已入血液者即用藥中和其毒素一言以蔽之『調其逆從』『以平爲期』而已

夫病之生既由於正與邪之有偏勝而相消也治病者若能棄除其病邪而發揚其正氣使對立相消之陰陽又從而融和之固醫學之目的也此作用即揚棄也即相融也內經論此隨在可見如曰

因其輕而揚之因其重而減之因其衰而彰之形不足者溫之以氣精不足者補之以味其高者因而越之其下者引而竭之中滿者寫之於內其有邪者漬形以爲汗其在皮者汗而發之其慓悍者按而收之其實者散而寫之審其陰陽以別剛柔陽病治陰陰病治陽定其血氣各守其鄉血實且決之氣虛宜掣引之（陰陽應象大論）

陰陽相融之義如上已明內經用此以爲治病之經后世秉此以爲證治之的然此不僅吾醫如此外醫亦不能外之以其爲眞理也遵之則吉悖之則凶固天經地義百世以俟聖人而不惑者也總而言之陰陽非徒以對立如余巖所言者也實有相生相消相融之義竊以今辯證法非只貌合實爲神符故由陰陽對立而矛盾衝突而發生變化而破壞均勢再由揚棄以成新的動勢其妙義有如此惜吾筆拙未能彰先民之精義耳

二　五行之辯證法的論究

五行又稱五運。曰運曰行。皆爲變動不居之義。此其一。金水木火土。五行順次則相生。爲生長發展之義。逆次則相消相尅。爲矛盾破壞之義。此其二。五行相互而起生尅。有彼此關聯之義。此其三。五行之中。亦分陰陽。有對立之義。此其四。五行相生相尅。實具有揚棄之義。此其五。凡此皆辯證法之含義。徵之自然與社會而可信者也。雖然。內經作者之辯證法的觀察與思想則是矣。而襲用當時五行成說。以爲論證之工具。則迂矣。嘗究其故。殆有三端。(一)凡新創一種學說。必須有相當術語以說明之。而新創實不如襲用之易曉。揚雄太玄以新術語多而難解。其明證也。內經故取爲人周知而多變化之五行。以爲論證。使易曉也。(二)內經思想高深。而五行粗淺。以純理論而取證五行以爲解。至難也。故不得不用象徵五行之義以說之。內經本不神秘。以象徵五行故斯神秘矣。周易亦象徵爲文者。故其書亦覺神秘。近世象徵派。不論哲學文學藝術。皆有神秘味。以此故也。(三)象徵爲辭。非能通施。故內經於五行之義。引申而引申之。各與新名。以爲說明之用。作者之苦心孤詣顯然矣。茲據五常政大論以明之。

五行原名	和平時之新名	不及時則名	太過時則名	與四時相逆則名	與四時相和則名
木	敷和	委和	發生	勝生	啟陳
火	升明	伏明	赫曦	勝長	蕃茂
土	備化	卑監	敦阜	減化	廣化
金	審平	從革	堅成	折收	收引
水	靜順	涸流	流衍	反陽	封藏

觀此。便知作者已因五行非窮理之具。而別與新名以爲辭者矣。故洪範之「火曰炎上。木曰曲直。金曰從革。」以物德爲訓。白虎通之以濡訓水。以觸訓木。以化訓火。以禁訓金。以吐訓土。亦以物德爲訓。內經則不然。取義於生長化收藏。純以生長發展毀滅爲言。換言之。即以辯證法的思想爲訓者也。此內經一大特色也。

夫萬彙紛紜。流轉不已。即變化不已。然其流轉也。變化也。皆有一定之過程者。則生長化收藏是已。此生長化收藏之理。盈天地間。莫能逃之。如以生理學言之。則自胚胎(生)而成年。(長)而男女性發育成熟。(化)而衰老。(收)而死滅。(藏)以生物學言之。則自新種（生）而繁殖。（長）而與舊種完全異態。（化）而開始向衰。（收）而漸被淘汰（藏）另變新種。以社會學言之。因新事實發生。需求某種法律維護。（生）而某種法律應需要成立。（長）社會遵守其法。（化）法久弊生。效能減少。（收）社會起而修改或廢棄。（藏）以經濟學言之。資本

更以無機界言之。大如地球。先由星雲分出。生也。旋繞而成灼熱（巖漿）之球體。長也。開始冷却。化也。結為地殼。收也。越千萬年隨天體之變遷而澌滅。藏也。小如電子。自原子崩壞而飛躍。生也。自成一電子世界。長也。陰陽電子飛旋不已。化也。因力的作用而破滅。收也。藏也。若再求諸東西哲學家之言。則佛家之生住異滅之四諦。固與同一。即上求周易。亦無不同。乾卦之潛龍。生也。見龍在田。長也。或躍在淵。化也。飛龍在天。收也。亢龍有悔。藏也。總而言之。內經生長化收藏之理。為顛覆不破之真理。吾人所當服膺者也。

生長化收藏者。簡言之。即變化也。進展也。辯證法之生長發展毀滅之過程也。內經作者。以其與四時相當（以春為生。以夏為長。以長夏為化。秋為收。冬為藏）故每以「四時」為代名辭。如曰四時陰陽。曰四時五運。即五行陰陽之辯證法的發展也。惲鐵樵氏知其故。而謂「內經以四時為本」。然知之而未能暢言之。此非賢者之過。以研究內經之法。未當故也。

生長化收藏之理。非僅應用於自然與社會。而可信即驗之於醫學。亦極合理。試以近世病理學言之。潛伏期。生也。前驅期。長也。進行期。化也。退行期。收也。恢復期。藏也。以病理機轉言之。病邪刺載中樞神經。因感不適。生也。因而全身或局部之機能異常。以為病理機轉。長也。病理機轉與病邪抗拒。化也。機轉亢進。病邪減殺。收也。病邪減殺。病理機轉復為生理機轉。藏也。以細菌言之。初感入人體時。生也。因而分裂繁殖。長也。分泌毒素。竄入血液。使症狀增劇。化也。體功產生溶菌素。醱菌素。抗毒素。與滋生白血球等與之抵抗。遏制其勢。收也。細菌為所勦滅。或生體中細菌毒素而滅亡。藏也。以發熱言之。病邪初來。體功起惡寒發熱。以應之。生也。

不愈更發高熱長也再不愈正已向衰只能發晡熱潮熱寒熱往來微熱以應之化也至此不愈正氣更衰則現肢厥體冷脈沈微收也終至不起藏也若以傷寒六經言之太陽為病理機轉初起生也陽明為機轉最亢盛時長也少陽為機轉起落不定時化也太陰少陰為機轉沈衰時收也病至厥陰九死一生藏也以治療言之病始起為病理機轉與體力旺盛時宜利用其機轉以汗吐利而助正氣生發之用生也失治則機轉更亢進病毒正發其毒勢故當清解毒熱以助長其正氣長也失治則正氣衰而病未除致寒熱虛實雜見故治宜扶正抑邪藥宜寒熱並用攻補兼施化也失治其時若為機能沈衰宜用溫劑以急固其正氣收也若為營養衰弱貧血則宜甘溫以為填補藏也

內經以發展變化言五行其言六氣六經論脈論五藏疾病亦皆以變化發展為言者也茲據六元正紀大論論六氣六經之言足以見其一斑其他不繁引也

厥陰	風府	生	生化	疊啟
少陰	火府	榮	榮化	舒榮
太陰	雨府	化	濡化	員盈
少陽	熱府	長	茂化	行出
陽明	殺府	收	堅化	庚蒼
太陽	寒府	藏	藏化	歸藏

吾人試一覽上表知六氣六經之義為生長化收藏之義非五行之義也蓋五行死物只有空間而無時間其相傳生尅之義亦為半面而非立體故必與生長化收藏相合言之其義始圓其說乃妙此內經言五行所以必曰「四時五行」也后人不明以五行豎說五藏曰木乘土曰火尅金不本四時之理繩藏府若死物而反曰我能知內經此醫道所以日荒也

近世生理學者謂生體細胞每更七日蛻變都盡此亦生長收藏之理也故方其發生忽又成長方其成長忽又展化方其展化忽又收引方其收引忽又潛藏莊子曰「日夜相代乎前而莫知其朕」正此之謂古代醫工好言病機夫病機者生長收藏相嬗之機耳

三運氣之辯證法的批評

內經之陰陽對立橫的說法也五行四時縱的說法也由陰

陽而五行而四時。爲辯證法之展開。爲內經在古代哲學中特開之生面。夥以辯證法。則對立。消解。調和。陰陽義也。相互關聯。五行義也。生長。發展。毀滅。四時義也。辯證法至此無餘蘊矣。而運氣之司天在泉論者。無端而牽合甲子列宿。與當時之天文知識相結合。以變化無方之經義。加入印板注定之文字。鑿孔栽鬚。無其愚也。豈有內經作者高明之思想。而有此種愚論乎。此爲辯證法之自己否定。內經因此妄說加入。晦盲否塞。已千餘年矣。嗚呼。

四、內經哲學與治療醫學

難者曰。信如子言。則內經之生理。——藏府經絡。不足信也。內經之病理。爲當時之淺陋知識。不足信也。而獨尊信其辯證法之思想。是以哲學視內經。而非以醫學視內經矣。且治病必本生理與病理。並此不信。安所根據以施治療乎。子雖尊之。實輕之也。與取消派同其見解者也。吾曰。不然。請畢其說。

夫藏府經絡爲物質之構造可以解剖實驗而知之其事得諸層累積千百年之經驗而與時俱進者也如積薪然后來居上此通則也故內經之藏府經絡形能已不及洗冤錄醫林改錯所言更無論於近世之生理與病理矣思想則不然有大天才者每以其獨特之慧眼發見眞理於千百年之前如原子發現爲最近之事而希臘人已於二千年前有原子論進化論爲十九世紀達爾文所創而希臘人於紀元前已有其概念辯證法爲最近風行之思想而其術實源於希臘而古代中國哲學家若儒若道均有其思想但至內經始蔚爲大觀也由此言之實驗知識由層累而成故愈后則愈眞愈確內經之生理病理不可置信以有較可取信之近世自然科學故也思想爲天才所發現后人思想未必能勝於前人惟后人因取材較富論證較爲精詳耳吾尊信內經之思想而否定其疏闕之藏府經絡知識爲是故也

且治病必依生理病理此固理想之言而生理病理之內容雖複雜要之不能越乎辯證法之法則吾前所舉雖廣廓固合乎眞相者也設有人焉運用近世實驗之生理病理以隸乎內經之辯證法下而組織之則可以之治病而無扞隔吾國醫工應用內經治法而其應如響問其生理與病理較以今說每多謬誤然能起衰扶危者何也以內經之辯證法的治療合乎眞理故也夫實踐而驗謂非眞理而何

原內經之論治病也亦依其哲學而引申之簡言之則縱橫和三者是也所謂縱者卽五運四時也以生長收藏發展爲義也仲景以六經爲說劉守眞與后世溫熱派以三焦爲詞易以今語猶初期中期末期療法也亦猶前驅進行退行恢復諸期也或以表裏言或以內外言或以上下言論雖不同要之根據生長化藏之理以施治固大同也所謂橫者卽陰陽也以對立爲義也古人以陰陽言病體以虛實言體質以表裏言病位以寒熱言病勢以溫淸言用藥以攻補言治法以藏府別陰陽以營衞氣血定證治皆對立爲義也所謂和者卽調節之義蓋疾病爲生活細胞機能亢進或減退之謂爲體內化學成分過與不及之謂爲生理之調節機能失效而或亢奮或衰弱發生異常之謂治病之道無他過者除之不及益之病理機轉亢進則抑制之生理機轉減退則扶助之故曰

視其虛實調其逆從可使必已（熱論）

陰陽反他治在權衡相奪（玉版論）

詳內經治病之義殆先肯定吾人有自然治愈之傾向者故曰

必先歲氣毋伐天和（五常政大論）

「歲氣」卽四時生長收藏之意「毋伐天和」卽老子「無代大匠斲」也此與扁鵲「自生者我起之」及西人所謂「醫者自然之僕也」同故治病者或補自然治愈之不足或鼓舞生活細胞之能力以縮短其治愈之經過易言之使病理機轉而爲生理機轉而已故曰

寒者熱之熱者寒之溫者淸之淸者溫之散者收之抑者散之燥者潤之急者緩之堅者軟之脆者堅之衰者補之強者瀉之佐以所利和以所宜各安其氣必淸必靜則病氣衰去歸其所宗（至眞要大論）

此皆旨在使生理之調節機能勿減退或亢進而恆歸於調節也又曰

調氣之方必別陰陽定其中外各守其鄉內者內治外者外治微者調之其次平之盛者奪之汗之下之寒熱溫涼衰之以屬隨其攸利謹道如法（至眞要大論）

因其輕而揚之因其重而減之因其衰而彰之形不足者補之以氣精不足者補之以味其高者因而越之其下者引而

竭之中滿者寫之于內其有邪者漬形以爲汗（陰陽應象大論）

此皆不論病理不究病原亦不爲某病主治而說但本自然治愈之傾向相機處變以爲施治之道也吾前所謂辯證法的治療者指此言也中醫之生理病理謬誤無庸諱言然其治療成績往往超過病理精詳之外醫者無他以辯證法的觀察以辨症用藥又以辯證法的方法而處方施治也又內經曰「病生於內者先治其陰后治其陽……生於外者先治其外后治其內」皆一貫之方法也

其言調節爲治病最明白者繆刺篇之「以左取右以右取左」無論矣如曰

陽病治陰陰病治陽（陰陽應象大論）

病在上取之下病在下取之上病在中旁取之治熱以寒溫而行之治寒以熱涼而行之治溫以清冷而行之治清以溫熱而行之（五常政大論）

其最足發揮調節精義者莫如下論

大毒治病十去其六常毒治病十去其七小毒治病十去其八無毒治病十去其九……無使過之傷其正也……毋伐天和（仝上）

外醫好以毒劑治病病一日未除毒劑一日不止內經則不然毒劑用至某程度時即宜禁用留其餘以爲自然療能自治之故雖無毒治病亦十去其九而止其餘一分仍畀自然治愈自治之而不代大匠斲也蓋治病本以扶益正氣抵抗之不足毒劑攻病則病勢已殺斯時正氣已有充分抵抗之力量故宜禁用「無使過之傷其正也」

觀乎內經之治療醫學而知中西醫之不同不在生理解剖病理實驗而在整個之思想系統上矣蓋中醫診病爲總合的統一的觀察故重症候（全身）而輕言病所（亦稱病灶）即言之亦疏闊而不詳外醫爲分析的局部的觀察故重病所（局部）而輕言症候即言之亦只爲診斷疾病之凡中醫爲生物學的方法視生體爲整個的而不容分割故局部病亦視爲全身病之局部透頂外醫爲理化學的方法視生體爲單一的結合而可分割故雖全身病亦欲求得其單一之病原與病灶中醫爲變動的生機的觀察故治無故常無定法唯變所適其智以圓外醫爲靜

止的機械的觀察故治有定準有定法規則森嚴其行以方中醫倘自然雖無毒治病亦十去其九而止故重機能而輕言攻毒以醫爲自然之僕外醫倘人功雖解熱而猶用毒藥故重器械而主用毒殺菌以醫爲征服自然之王二者之不同如是而謂中醫可科學化乎無是道也若以內經之最高思想——辯證法爲大綱取近世生理病理之知識分隸於大綱下以爲論證之用此正當之法也不然舍棄內經之思想法則取其生理病理以釋固有之醫學是投降也自己否定也科學化云乎哉滅亡而已矣蓋任何學術之成立也必有其根據組織之思想與方法中醫之思想方法爲內經之辯證法而外醫則爲近世之機械論的方法二者絕不相全者也吾人若不能自建所信之思想方法縱能舉古人成書盡以近世科學釋之亦不過爲科學洗鍊之中醫而已何也根本既撥枝葉雖茂還同死滅一種學術而不能自樹其基本之理論亦沙上之堵耳

是故內經以陰陽對立之義論病變視一切病皆由於偏勝與不調而起相應而治則有調節之論「陰陽調和邪不能害」此一義也又以陰陽對立未足以盡其變也更以五行四時之義益之以生長收藏論生理病理之機轉與發展則有「治在權衡」「毋伐天和」之論順自然治愈之勢以定補寫隨變所施治無故常此二義也生體渾一者也不得片斷視之故「病在上取之下病在下取之上」「以左取右以右取左」局部與全體刻刻相關局部病必影響於全體全身病亦自顯現於局部故不施手術不究病原不知病灶每奏奇效者知局部與全身關係之切耳此三義也吾人自然界之一物耳自然之變遷每影響及於身體病之發也每視生體對內對外之調節如何而起古人以六氣主病（外醫僅視爲誘導之因）相應而治則有生長化收藏之論以爲治療之準則此四義也內經論醫妙義雖多大段盡於此矣

五、結論

本論既覺尚有餘意述之以當結論

凡一學術之成立也必有其特具之思想方法此通則也內經者時人視爲幽閉荒唐迷信之文庫也而不知其爲辯證法也觀其所論覺與近世爲思想界權威之辯證法大同不大可喜乎

論者謂文藝復興以前爲演繹法時代十九世紀爲歸納法（即自然科學方法）時代二十世紀爲辯證法時代故蘇聯日本德國等各國學者至欲舉全部自然科學而以辯證法組織之至於辯證法的社會科學勢已燎原以吾國言近年坊間出版者滔滔皆是也不意吾先民於二千年前已有此煥爛之偉論不亦更可喜乎且醫學者社會科學與自然科學中之一分支也勢不能不與世界所共信之最高思想相結合以列世界學術之林以中醫之組織與思想系統合諸機械論之科學思想下則扞隔難入乃不意覺與嶄新之學術界權威思想相合此又大可喜悅者也雖然現代之辯證法的唯物論與吾先民之辯證法非絕相符合者蓋對立發展變化統一聯繫揚棄以及唯物諸義求之內經無不具有而相同然內經言調和言調節而現代之辯證法的唯物論則主飛躍言革命而反對調和以爲庸妄之見吾前文所屢稱爲內經最高之思想與妙義者實爲調節調和之論人之所賤我之所貴人謂庸妄我謂高妙夫眞理非空言也必實踐之而驗斯爲可信吾先民持調節之義以治病者千百年矣遵之則吉悖之則凶固眞理也若近世學者以其一往之見視調和之論爲庸妄之見吾醫亦姑妄其庸妄而已嗚呼。

瘧痢新論

許勤勛

瘧痢爲夏秋間流行之病。其病素係風暑濕滯所釀成。歐醫據檢驗所得。爲微蟲與桿菌侵入血球或腸壁所致。謂我華風暑等說。憑空理想。全非事實云云。其然豈其然乎。要知學術無國界。眞理爲依歸。考微蟲細菌之說。中國醫書。雖無明文。若詳加考察。二者實有溝通之可能。至治療成績上比較。益覺成效卓著。遠勝於彼。請先從瘧疾方面論之。歐醫知瘧疾爲微蟲侵入血球。發明金雞納霜等特效藥。固已風行寰球。誇效一時。然體功強健之人。固可取效。否則體功衰弱。或已成貧血之候。則隨服隨發。愈服愈甚其何故哉要知蟲類寄生體內能繁殖消亡無定型者乃隨藏府體功虛實為轉移耳中醫治療例如脾虛生濕肝鬱化熱濕熱鬱蒸蟲由是生法於補益培養劑中酌加殺蟲之藥故因瘧而陽虛者完全用壯陽之藥壯陽即所以殺蟲也因瘧而陰虛者完全用養陰之藥養陰即所以殺蟲也其或因食因痰則完全用消食祛痰消食祛痰亦即所以殺蟲也再內經之營衛即新說之赤白血球其元素為脾胃生成造化者經曰營衛生成於水穀水穀轉輸於脾胃故脾胃不啻營衛之製造廠倘此製造廠機械不良則出品自然滯鈍營衛之與脾胃其關係何以異是曩年予曾治一人瘧疾已過服金鷄納霜以致形神羸弱變成貧血予知脾元已虧用歸脾數劑而愈當時不解其故至今思之其理由殆可互徵焉新說謂微蟲侵入血球後若不治愈易成貧血今用補脾之藥直接助營衛之化源間接乃杜絕其病根也更進而言之內經謂痎瘧皆生於風言病之成也傷於暑處營氣之所舍或得之凄滄之水舍於皮膚之內與衛氣併居言病之因也大凡病之潛伏時期即為變化時期待其變化成熟一旦為舍有毒素之風所傷瘧遂作矣考風字從蟲微生蟲瀰漫天空寄生風氣之中為人目所不及見其曰傷於風者換言之而曰傷於蟲亦何不可謂予不信即以經徵經而徵明之內經謂邪客風府日下一節至骶骨入於脊內注於伏膂之脈而復出於缺盆之中玩其意味豈非白血球機能奮興而有抗禦該原蟲之一微耶西人嘗以顯微鏡照之見白血輪與微生蟲相持至五十分鐘白血輪自知力弱難勝忽遇別個血輪至微生蟲乘舊敵新此新輪不及一分鐘便將微生蟲打敗至不能忍受疲倦而死凡此種種不但學說上無牴牾之嫌且詳備過之不然西人僅知白血輪與微生蟲交戰已耳而內經且知日下一節指定日數至於缺盆之中其氣日高其作日晏而愈期可操也其次為痢疾痢疾治法西人只知攻通或灌腸等手術以為非此不足以盡殺菌之能事殊不知中醫之於痢疾非不知殺菌療法而且標本緩急步驟井然如喻嘉言治朱孔陽痢症因構訟奔走日中暑濕合內鬱之火而成痢晝夜一二百次其痛甚厲肛門如火烙揚手擲足躁擾無奈喻用大黃四兩甘草二兩蕩滌毒火隨進生津養營而愈此等痢症非謂歐醫所不能治第彼等只知板法不知變通吾恐細菌縱掃除盡淨其人亦隨之而長逝矣故喻氏曰若待痢止生津養血則枯槁一時難回誠有見

於熱毒奔迫之時固不可驟進滋養以助長菌毒勢力若痢勢已衰舍恢復腸壁天機促進自然療能更有何術可施乎其思想之妙設計之密即今之大科學家聞之倘亦驚心動魄折服首肯歟不特此也中醫有人參敗毒散一方原爲時行感冒者設而喻氏嘉言用治痢症所謂逆流挽舟者是予宗其法凡遇下痢如有頭痛惡寒發熱等兼證必重用荆防發散之藥歷治多人無不獲效其理安在良以外感之邪其中含有無數細菌從呼吸器侵入血液至呈現惡寒發熱乃邪正激戰之外顯狀態耳荆防非殺菌之藥何以能如此捷效不知荆防有疏泄汗液放散體溫功能使救護血球以抗禦細菌則細菌不致攻襲腸壁顧名思義已可想見嗟乎歐醫盛倡細菌之學厲行消毒之法而菌類未嘗絕跡中醫不知細菌不講消毒治療結果反駕彼而上之吾是以益嘆哲學之超拔任何萬能科學皆不能出其範圍說者謂東方民族之繁衍賴此醫哲造成者非過論也

論輕靈劑

楊則民

近世醫家用藥多主輕靈。視施用經方如犯大辟。不論急性熱病（流行病）慢性雜病。設病人體力猶強者。其入手數方。大抵以輕靈劑與之。幸而病愈。即自傲能以輕藥愈大病。薄使用經方者爲未達於理。觀其所用。爲『輕透絡熱』『輕解氣熱』『辛涼發表』『宣通肺胃』諸藥。無不作用輕微。經方家因斥爲『醫不好病藥不死人』之無聊方劑。其病愈爲自愈而非藥愈。爲此而費去之口舌與筆墨。多多矣。

不佞治醫向無封畛之見。以爲醫者天職在能愈病。使經方而有益治療。固當遵用。輕靈劑而有效病體。顧可薄視乎哉。設存門戶之見。藥非輕靈。即爲失葉法薪傳。用必經方。斯爲仲景信徒。不悟輕病而與大方。是爲牛刀劊鷄。重病而與輕劑。是爲以卵敵石。二者皆不可也。是不可以不論。

近世所謂輕靈劑者。大抵氣味芳香作用緩弱之品。其醫治作用相當於外醫之茶劑與健胃劑。此類藥物。大抵爲芳香性苦味質之植物。其藥理作用。（一）於口腔、能刺戟味神經與知覺神經。使知特異之味。反射的使唾液之分泌加盛。可以增進澱粉之消化。（二）於胃、能直接刺戟其黏膜。胃與口腔一受刺戟。皆能一時反射的使胃液之分泌亢進。可以增進蛋白質之消化。（三）於腸、能刺戟腸壁。反射的使腸液與膵液之分泌加盛。可以促進澱粉蛋白及脂肪之消化。此類藥物用之適當。則食慾亢進。且使胃腸發輕度之充血。可以促進營養品之吸收。而營養狀態爲之一變。故各種慢性雜病之結果。引起消化不良及營養障碍者。用此類藥以恢復消化機能。改造營養狀態之結果。可以旺盛生活力。增進抵抗病毒之力量。使現症得以減輕。病勢得以稍殺。近世醫家於慢性病而有營養障碍時。好使用肺胃藥（即輕靈劑）往往有效。實以此故。然此惟病輕者可用耳。

因傷食或病后恢復期。或腸胃發生慢性黏膜炎而下利。或腸胃內容異常腐敗發酵。或生理的腐敗液發酵。因而反射的發熱頭痛。如流行症者。以此類藥物與之。可以有效。（使消化活潑之效）許多類似流行病症狀。用此類藥物有效。覈實言之。實爲腸胃病用之以爲制酵、健胃、驅風、（亢進腸蠕動排泄濁氣）矯臭故耳。

芳香性藥物皆含有揮發油。而揮發油據外醫藥物學謂能將攣縮之平滑肌使之弛緩。故於胃痛疝痛有效。於腹痛亦有效。

方劑中加入此類藥物以爲佐使。可以促他藥之吸收。於下劑稍能刺戟腸管而助長其效。爲上述各種目的而用此類藥物。近世醫家名之曰靈其氣機。

爲健胃、制酵、驅風、矯味、緩痛目的而使用輕靈劑。以治急慢性胃腸消化症候已顯著者。已如上述。然輕靈劑之功。尚不止此。

一曰發汗劑。如葱白、蘇葉、薄荷、荊芥、桑葉、菊花、銀花、豆豉、牛蒡、青蒿葉、廣橘皮、苦杏仁、連翹等。皆近世醫家視爲解熱發汗之輕靈劑者也。然以藥理作用言之。實非發汗藥。所以用之而能發汗。則爲溫湯之效。非上舉藥物之效。吾親見有因用白虎而大汗出。下劑吐劑而大汗出者。若據此以言。白虎下劑吐劑爲發汗劑者。寧非大誤。然則因所服藥汁之爲溫湯而得汗。遂謂上舉藥物爲汗藥。豈非倒果爲因也哉。溫湯可以發汗。仲景本有明文。傷寒。

論五苓散條下有『多服煖水以取汗』桂枝湯方后有『啜熱粥一升』諸文設如後人言則五苓散與桂枝湯皆謂發汗劑矣無是理也

溫湯發汗爲人人皆有之經驗不論冬夏服熱粥啜熱茶卽有汗出急性熱病既發汗孔一時閉結得用溫湯發汗與其他感冒相同但僅用溫湯則或起惡心甚至嘔吐此於病人不宜故用上舉各藥煎湯因其含有芳香性與苦味質可以刺戟味神經與嗅神經而起快感得以防止嘔吐且使消化器亦受輕微刺戟以速溫湯之吸收也至溫湯所以發汗之故則如下述

生體基本之各細胞其被膜殆完全有滲透性若存在於生體細胞周圍之液體其滲透壓低於生體細胞內滲透壓之時則細胞卽在低滲透壓溶液中於是周圍水分乃滲入細胞而細胞乃膨脹若周圍之滲透壓較高時細胞高滲透壓溶液而細胞之水乃流出於周圍知乎此而溫湯發汗之理可以明蓋服溫湯後生體內之水分增加細胞內外之循環因以旺盛而生活機能爲之亢進且以多量之水之排出將滯積於組織中之代謝產物一時洗出腺之分泌機能卽因之而亢進唾液胃液胆汁諸腺皆隨之亢進汗腺亢進之結果則爲發汗腎藏分泌亢進之結果則爲利尿肺藏分泌亢進之結果將不潔物隨痰液排出使肺部清潔純粹溫湯之生理作用已如是近世醫家乃以芳香品投入煎湯熱服則刺戟細胞以亢進諸腺與各藏器之分泌將愈效愈速體內之有毒物（代謝物）與病毒素（細菌毒）可以由組織中流出從速排洩於體外如此則病理機轉可一變而爲生理機轉矣

因芳香性藥物與溫湯之作用不但發汗利尿之結果可以排除毒素洗刷組織旺盛血行改變營養狀態而已且因芳香刺戟可使消化良好如此則生活力因病的影響而變態者可使復常抵抗病毒之力可以加強而正在發生之病原體經此頓挫暫時得以斂其方張之勢或竟撲滅之

爲解熱發汗頓挫病勢加強抵抗力之目的而用輕靈劑以治急性熱病往往奏效之故不過如是然此惟輕病有效體力壯健者有效若過重病而與此種清輕疏通之劑不僅遷延時日直養癰遺害耳

據右所述可知上舉各藥並非汗劑只輕微刺戟助長溫湯

之生理作用而已蓋此種藥物作用不強入溫湯內但隨溫湯之作用以為作用可以發汗可以通便可以利尿可以健胃可以宣肺可以清熱若求其藥物作用至不確實前人知之乃目為輕清疏解之劑輔相體功之自然治愈以為用後人不察相牽不用經方而但倚輕靈其然豈其然乎

吾友徐君究仁謂時令病輕症其人體力強本可自然治愈雖發熱惡寒頭痛胸悶與重病初期症狀相似但只用輕通疏宣之品數味靈其氣機可隨手愈荆芥薄荷固可清熱桑葉菊花大豆卷絲瓜絡更無不可以清熱而愈病旨哉斯言得此中三昧矣

二曰解熱劑如大豆卷、絲瓜絡、西瓜翠衣、石斛、茅根、蘆根、竹葉、荷葉、蓮子心、燈芯諸藥既非芳香亦無作用石斛茅根蘆根等僅黏膩質而稍有糖味其不足以解熱治病尚待言哉此等藥仲景方中所不收顧近人竟於此大發其議論不曰輕清透氣即曰輕清透絡此真庸人自擾矣當急性熱病細菌發揮其作用時而謂用此等藥即可解熱人其誰信然竟有用此而愈者則又何耶吾謂當反證諸外醫之待期療法也外醫治傷寒無專方無定法死守其所謂病型以待期使其自愈而已國醫遇汗解不愈而胃有炎症或體液因汗亡失過多而腺體分泌不足時即用上舉各藥煎水內服謂之透絡透氣作解熱劑用謂之甘寒生津亦作解熱劑用然果能解熱與否則無人敢作肯定語也故使其人體強自然療能由自救之結果而一旦熱解或病原體受生體抗毒素之防禦而不能發揮勢力則其病亦瓦解是其病之解除非由此種藥物作用也明矣醫者不知自反竟貪天之功以為己功因而推及此種藥物醫治之效能其說之無當亦明矣

總而言之此類藥物能輕度促進腺體之分泌亢進消化器官之機能因而改變營養狀態入於溫湯得助長其治療之勢力使病毒素得由組織排除以旺盛生活力藉以撲殺或抑制病原體之進行乃為事實然其主作用為溫湯此類僅輔佐之耳（前人所謂靈其氣機）復次不論急慢性病生體原有自然治愈之傾向醫者宜利用之以輔相自然乃為可貴若其病重生體不足以抵抗時則宜加強抗毒力並用撲殺或制止病毒進行之藥予之若不知斯義以輕靈劑易用可以無過其心尚足問乎嗚呼必如吾友徐君之亮識可以用輕靈劑而無過自此以下余欲無言

我對於中國醫學之認識

壽守型

爲便於說明起見本文分爲下列若干小段。

（甲）中國醫學之實驗時期

我們除了巫說以外。敢肯定的說。古代中國人的醫藥知識。是經過長時間、多人、多地。在多種事物上。與疾病上。由觀察到由試驗到實用的一種口訣。這種口訣。經人集合起來。師承傳授。建築了中國醫學之基礎。在文字未發明。或已發明而尚在貴族專有文化時代。（如周代在孔子已前、其文化典籍、尚爲貴族所專有、孔子講學、實開平民講學之先聲、秦之搜書藏於內府、及焚民間書、坑儒生的動機、蓋欲恢復貴族專有文化之舊制耳、）這類口訣。尚狠少有文字的記載。即有記載。亦狠少流傳於民間。當時醫家各承師說。甚爲矜祕。有非其人勿傳、藏之金匱的愼密。甚或託爲異授。如史記倉公扁鵲這類記載。要莫非珍惜技術而已。迨文字普及。各家弟子。就其師傳及本人經驗所得。用文字紀錄出來。再經多人多時多地的集合。於是始有醫藥的文字記載。在漢已前。這種純粹客觀的記錄。有狠多流傳。七略著錄經方十一家。如湯液經法等。就是已經遺亡的目錄。本草經就是未經遺亡的一種。此外如針經上附載的針灸法與經穴名稱。仲景傷寒卒病論所採用的古方。也就是這種記錄的一鱗半爪。可惜大多數皆隨時代而湮沒不見。這是中國醫學上狠大的損失。是值得後人憬憧追憶的。這種口訣變爲記錄的內容。一定是某種方法。某種方藥。主治某一現象的證候。某一證候。如現出某一候。是統計上的好現象。某一候。是統計上的壞現象。（這裡的統計、是指多時多人多地的經驗、）現在遺留的傷寒論與金匱。還有這樣記錄的規模。本草經的主治症候。也是狠好的例子。在當時師傳口訣。必定還有那發明經過的事蹟。同時告訴他弟子。使弟子深信不疑。（這裡的發明、不是學理上的推究、是經驗上的事蹟、）以現代目光來評論。固然嫌其缺乏學理上的系統。但各種科學。有事實上的成效。而缺乏學理統系的也狠多。由事實上試驗而進到學理的。尤爲一般科學的通例。所以我們肯定這種記錄。是證治實錄。而並非理論。最有興趣的發明事蹟。却被記錄者所忽略了。同時因爲沒有自然科學的帮助。其論病的原因。祇能就智力所及的說法來推論。如七情六氣之類。（七情六氣、也是病因之一種、不過不如古人之一概而論、至以五行配合七情六氣、是後來的事、與此無涉、）在這裡應該注意的。（1）師授的技術口訣。在中國有矜祕珍惜的風氣。如國技的傳授。每有弟不如師的傾向。（2）印刷術沒有發明。竹簡韋編及筆墨謄抄的文字記錄。狠容易魯魚帝虎。漸失眞相。（印刷發明之後、也難免此弊、）現在的本草經與陶宏景所見的。王叔和編纂後的仲景遺書、與叔和已前的。都有斷編殘簡之疑。不過有一層後代人如果有經驗上發明的記錄。倒不能一概說是今不如古。如陶宏景由入山採藥之經驗。所增補的本草別錄。千金外台肘後所敘載的民間方法。這種無「論」之書。（有人重無方之書、我却重無論之書）狠可以補償前代記錄遺亡的缺憾。（民間流傳的方法、每多是前代師傳口訣的眞相、）但若由五行陰陽上推究臆測而來的。不在其例。這是中國醫藥由口訣到文字記錄的一個階段。我名之曰實驗時期。

（乙）由實驗誤入理論的機轉

中國醫藥本來是一貫師說相承。醫藥並授。文字記錄之後。却狠顯然分爲下列二個系統。（1）從文字上研習。經明師之指點。（自五行濫觴而後、有專研文字的理論派、）（2）專守師說。（現代之草澤醫、就是淵源於此、）但尚未失實驗的眞相。迨後國家重文學。文字上研習的一系。有文人而兼士大夫的踪跡。士大夫集中城市。故入山採藥的技能。爲專守師傳一系所獨存。士大夫有政治力的掩護。故專守師說的一系。便退居鄉野而流爲草澤。（三國時的華陀、就是草澤醫、）於是中國醫學盡入文人士大夫之手。師傳與紀錄分道揚鑣。醫與藥也就此告別。中國醫學到此便起重大變化。就是由實驗轉到理論的一個階段。文人是當時的知識分子。他由紀錄上得到醫藥知識之後。對於律令式的紀錄和師傳。爲求知慾的促使。想進而求其所以然。這是各種學術由技進道的好現象。泰西醫學。也是由類似士大夫的僧侶階級來推進的。不過彼有自然科學發明的帮助。而此則爲時代知識所限。狠不幸走到五行陰陽的歧途上。（陰陽的見解、除代名辭而外、還有互根的信念、但與太極圖不同、醫學上有陽化氣陰成形二句、用科學術語來說明、氣是勢力、形是物質、陽化氣、就是陽爲勢力、陰成形、就是陰爲物質、凡力都寓於物、凡物都可生力、是陽根於陰、凡物都由力成、萬物固定的形態、皆由相當之壓力作用、就是陰根於陽、故陰陽尚有立足點、然中醫書籍的濫用陰陽、遮蔽眞理、實不敢爲陰陽恕、）我推究採用五行陰陽的動機。有下列幾個原因。（1）求知慾的促使。（2）無自然科學的發明。（3）從事實上疾病上試驗而得的事蹟。已爲文字紀錄所遺漏。而明此事蹟的師傳系。又退入草澤。（4）洪範五行說竄入儒經。爲儒門之文人士大夫所不疑。（5）五行陰陽已成爲當時的宇宙觀與人生觀。（不過我們對於中國醫學、除五行陰陽之外、還有那錯誤的生理見解、粗疏的解剖觀察、及道家靜坐時的精神作用、誤認爲營氣衛氣十二經脈路徑的種種說法、與六氣七情的病原見解、這種錯誤的理論、在師傳紀錄中也難免的、）自五行陰陽竄入醫學之後。文人士大夫一系醫生。使着這種理論來解釋律令式的師傳紀錄。使不患念念無詞的了。因爲有儒學的屏障。有政治的背景。自然不會有人來反對。他們以爲眞理在此。指鹿爲馬。積非成是。更進一步想建築一個中國醫學之理論基礎。來歸納不相連屬的師傳紀錄。於是把錯誤的生理見解。粗疏的解剖觀念。及當時尚能見到的實驗紀錄中所叙述之症候療法。雜湊遷作。演成了一部以五行陰陽爲基點的內經。（內經裡有一部分、確也是古人的師傳紀錄、）所以我敢肯定中國醫學的理論。是另一種理論。他的技術。又是技術。不要爲既有此術必有此理的一個信念所蒙蔽。當時如果有自然科學發明。他一定會不採五行而採自然科學的。一種形下的學術。當他要進到形上的理論時。與當代其他學術思想狠有重大關係。這是觀察中國醫學的涇渭點。也就是由實驗轉到玄理的分水界。所以我說這是中國醫學由實驗到理論的機轉。

（丙）後代崇奉內經的錯誤信念

文人士大夫系醫家造作內經以後。把師傳紀錄與五行陰陽合作起來。後代學者離古更遠。遺老無存。草澤師傳系又每況愈下。於是釀成了專從五行上追求的理論系。他們自然也是文人士大夫。不過他們已沒有明師指點了。推究他們崇奉內經的原因。（1）因儒者歎息三皇五帝的法制觀念。而建築了深帶的崇古思想。（2）應用內經一部分師傳紀錄。及含有師傳性質的傷寒方法。有驗於診治而歸功於五行。（3）當代大儒採用五行陰陽注解儒經。（4）五行陰陽之左右逢源。（5）無別種學術思想可代替。（6）五行陰陽已民衆化。成爲一切事物的基理。（7）內經託名黃帝。泯滅了當時採用五行陰陽之痕跡。（8）信仲景有採用素問九卷陰陽大論的自序。誤爲仲景也信仰五行陰陽。而不知仲景是採用素問大論的師傳紀錄。所以他們不但不懷疑。而爲表示其醫學有根柢起見。更發揚而光大之。藉博民衆之稱譽。有時運用五行陰陽。不足自圓其說。乃更旁及八卦佛學。如張景岳的醫易。喻嘉言的佛理。自純理論系出世後。中國醫學之思想界。便如野馬無韁。橫衝直撞。毫無拘束了。（肘後千金外臺本事聖濟諸書、雖受五行陰陽之毒、終尚保存述而不作的規模、思想之解放、實始於金元、而盛於明清、）有時並突出內經之外。而倡爲一種一以貫之的理論。如朱丹溪陽常有餘陰常不足說。李東垣脾胃萬病之本說。劉河間火論。張景岳命門先天說。把古來師傳紀錄。拋至九霄雲外。專在玄理上鑽研。而又是其是非其非。釀成中國醫學空前的五行陰陽戰。總而言之。是沒有認識理論與方技不符的原故。（但他們也有離開理論而從診治實驗上得到的治療法則、倒不可一概抹殺、我們於全部的中國醫書、都要存這樣一個觀念、）我對於這時醫學有個譬喻。「金屑入沙。看着閃目。於是認沙爲金。而說金本如是。」中國醫學到此簡直成了迷陣。隨你聰明絕頂。總突不出他的藩籬。就是現在外國人。見中醫治療上有時狠有奇蹟。而其理論覺這樣不可捉摸。不曉得有這樣一個烟幕彈。這好比儒書裡的井田制。一樣受着漢代僞書之禍。

（丁）清代醫學更趨衰落的原因

清代醫家的著作。如林。若以書籍數目來說。不但不衰落。且是進步。但他仍不脫離崇奉內經五行陰陽的錯誤信念。不過在五行陰陽裏多翻騰幾下。與醫學的思想沒有多大關係的。而葉天士派的輕清方法。却使醫生技術上退化不少。考輕清方法。原是糾正景岳溫補滋膩之弊而來。却因爲下列幾個原因。爲多數醫家所採用。（1）五行陰陽遮斷了古方之原意。後人不敢取用古方。（2）金元諸家倡古方不合今人之說。醫家憚用古方。（3）古方藥品性厚量重。中則覆杯而愈。不中則不死爲劇。責任重大。輕方於病反應小。可以卸責。（4）社會病家已受溫補滋膩之害。故樂受輕清。（5）輕方冒認人體自然療能之功爲己功。故醫家病人不見其弊。（6）葉天士爲當代名醫。醫家奉爲楷模。（7）不用輕方每爲同道所指摘。這是狠顯然的表示着醫家認識力退化。想用輕清方藥來敷衍塞責。他們有一句口號。叫「不求有功但期無過」。於是比較有力的藥品。如麻黃大黃附子乾姜等藥。也隨着他們認識力退化而退化了。他們對於藥物功效也有一種特別的見解。如說桑葉會發汗。絲瓜絡會通經絡。冬瓜子能清肺熱。他們懞憧中的生理見解。是肺氣喜降。脾氣喜升。肝氣喜降。胃氣喜降。一貫的不要肝升。而要肺降。除降肺胃清肝火之外。還有似是而非的津液論。有時因胃中分泌消化液的腺體。稍有阻碍。影響到口中分泌腺。舌苔失其滋潤。他們就認爲津乾液燥。而須用石斛麥冬。這種是非得失。我恐怕得罪同道。不欲深論。不過他們在醫理上却有個突破前人的地方。祇談寒熱升降津液。不大理會內經的五行陰陽。他們口裡說的內經。方上寫的內經。並不是眞信內經。是借作標榜的。但於仲景採用的古方。則格於古方不合今人一說。置之不問了。究竟是衰落還是進步。在這個輕方已成民衆化的時候。我却不敢曉舌。

（戊）草澤醫的退化原因

草澤醫退入鄉野已後。因爲下列幾個原因而日就退化。（1）社會上地位不如文人士大夫醫。故聰明才智之士不屑事此。（2）師傳矜祕。漸失眞相。每況愈下。（3）集合的口訣。因各個師傳矜祕的詳略不同。而重新分散。但他們還保存下列的技能。（1）保存師傳採藥製藥的技能。（2）保存按摩針灸的異訣。（3）因採藥的經驗深。悉單味藥性服後的反應。（4）用毒性藥的膽力。比大方脈醫生有把握。（5）把握着幾種狠有效的單方。

（己）西說傳入後的中醫思想界

第一期是拒絕態度。不但醫界拒絕。就是民衆也拒絕。第二期採用之以證中說之非誤。第三期信任他的理論。反對他的治法。第四期還沒到來。不敢預測。不過思想上的確受了狠大的變化。但到現在第一期第二期的人還狠多。這也有幾個原因。（1）習中醫的大都對於舊文學有根柢。易受儒門崇古觀念之影響。（2）對於西醫知識。因缺乏自然科學常識。不易了解他的理論及術語。（3）因外國文程度不夠。祇能看譯本書。而完善的譯本書寥寥無幾。（4）未認清理論方術之不相符合。以日常的治驗認為五行舊理之功。（5）中國臨床派的西醫。學識技術縱陋。設備不完全。其診斷療治。不甚可靠。有時治病成績。不如中醫。增加中醫之自大心。（其實也沒有統計過誰的成績好壞多少）（6）社會對於中醫術語及中藥效用。已普遍化。故常傾向於中醫。（7）西醫貴族化。中醫平民化。（8）恐怕舊理推翻後。中醫無立足地。

（庚）最近中醫界之鳥瞰

狠顯然的有下列幾派。（1）守舊派。以治驗的成績。認舊理絕對無誤。他們也分二系。（子）信用古方的。（丑）信用藥派輕清方的。（2）維新派。他們認理論與方法不符。要用譯本書上的西說來證明中說。及改正舊理。而仍用中國有效的方藥治病。因程度上的分別。（子）但求西說證明中說之不誤。仍有維護舊說的信念。用藥則絕對屏絕西法。不論其效力若何。（丑）理論上全部採用西說。不再作證明改正的功夫。想採用科學來說明中藥方劑之效用。使西醫亦得應用中藥。在藥物方面來與世界醫學謀握手。西法之有效者採用之。（3）營業派。專以營業為目的。不問學術的理亂。因經驗之深淺而有二類。（子）專長證候治療。不攻理論。因乃祖乃父及其本人之經驗。對於認症用藥。有實驗上的功夫。大都是世醫之後。狠為社會病家所信賴。每個城市總有一二人存在。我認為是國醫之粹。西醫之敵。他們雖不負學術上的興替責任。但與西醫相見疆場。角逐勝負。無形中維護了中醫的信譽。（丑）即普通醫生。

（辛）理想中的新中醫

我理想中的中醫要具列下述的條件（1）對於中國醫藥有深切之認識（2）有藥化學的完全知識及其技能（3）有西醫的完全知識（4）能用藥化學的知識技術研究中國藥物而確定其功效及用量（5）以藥化學及西醫的科學知識來解釋中國古今的有效方劑（6）溝通中西的病名合用中西的方法（7）把針灸術發揚光大（8）研究導引按摩的技術及其理論（9）醫病不限於服藥但恐非現在的中醫所能勝任也非一人一時的能力所可完成但相信總有這樣的一日到來吧。

傅青主女科之攷證

楊則民

陽曲傅青主。以文儒而通醫術。為世所稱。精通音韻。與當時顧炎武齊名。然撰著不及醫學。後世傳傅青主者多矣。如稽曾筠、王漁洋、阮吾山、鈕琇等。均著其經史音韻書目而未及醫學。近世乃有傅青主女科男科之刊。而女科尤稱行世。余嘗疑其書為偽託矣。

今本女科。於道光丁亥張鳳翔始校刊之。張序自謂得諸鈔本。祁爾誠序謂此書晉省鈔本甚夥。夫以陽曲之雅博。其所著性史、十三經字區、周易偶釋等。已於生前行世矣。豈有獨祕其書而不刊印者乎。無是道也。且傳傅青主者。歌頌備至。苟有其書。斷無不予著錄之理也。

攷今本傅青主女科。其書先列常解。繼伸己見。以定方治。體例與陳敬之傷寒辨證錄同。余嘗疑而取與比較之。始知今本女科。即陳敬之辨證錄第十一卷婦人門之全文不易一字者也。今本男科。即辨證錄之節取而稍稍更易文字者也。數載懷疑。一旦冰釋矣。

攷陳敬之名士鐸。清山陰人。即撰石室祕錄者也。著有辨證錄十四卷。其人怪誕不經。然辨證而不言脈。時有獨到之處。好自託神怪以自重。而不知后人乃竊其書轉附高名于青主。百年以來。人人知有傅青主女科。而不知有陳敬之女科也久矣。噫。

辨證錄十四卷。據郭淳章嘉慶二十二年序謂十六年（嘉慶）余宦于浙。亟求是書。得黃退庵刻本。又云其板之在浙者久經散失。是此書之刊行。只少在乾隆以前矣。今本女科始刊于道光初年。又得諸晉省傳鈔。是竊取于辨證錄之一明證也。

張鳳翔印今本女科時。不言有男科。而今乃有男科。其文字往往與辨證錄雷同。其爲纂竊更無疑也。陸懋修謂傅青主只有女科。安有所謂男科兒科者。陸氏雖不信男科。而仍信女科爲傅所自撰。亦賢者之一失也。別有所謂產後書或生化編者。相傳亦爲傅青主作。查其內容。仍爲辨證錄附末之胎產祕書割裂其一部分者耳。

中醫唯物論

張忍庵

醫學之對象爲疾病。致病之由不外二道。一是物質侵襲的。一是意識傷感的。物質侵襲。如風寒暑濕燥火六淫之氣及一切有形體者屬之。意識傷感。如喜怒哀樂愛惡欲七情之發及一切無形體者屬之。由於物質侵襲者。適宜於物質之診療。間有由意識療治之者。必其意識甚強。始克奏效。屬于例外。由於意識傷感者。適宜于意識之治療。間有用物質療治之者。祇能投治其標。當於對症療法之一名稱而已。太古時代。人民生活簡陋。思想質純。形體之疾。亦不常有。自神權興起。積久浸成意識。影響人體甚鉅。如謂善有善報。惡有惡報。隱隱之中。儼有神在職司賞罰。不爽毫釐。降及後代。狡黠者篡而憑之。療諸疾病。史稱巫醫是也。近世哲理昌明。利用精神作用。推行催眠術。但施暗示操縱意識。應診疾病。以由於意識傷感之疾病爲最易奏效。與吾國巫醫行徑。其出發點不同。而目的則一致。是卽意識傷感之病。適宜於意識治療之謂也。然唯意識者。爲利於操縱意識起見。不惜將科學眞理。故意隱藏。故巫醫催眠術者。雖能愈疾。因爲是唯心的。反科學的。已摒於醫學的範圍之外。吾國之所謂醫學者。自神農嘗百草。黃帝著靈素。以至於漢張仲景表彰傷寒。著傷寒論。其後名家輩出。分科精研。辨析毫芒。其爲診也。分望聞問切。其爲治也。有針砭藥餌。普通疾病。大多由於物質之侵襲。形體機能。發生變化。醫者臨之。審音察色。切脈視苔。而後投以方劑。是卽物質侵襲之病。適宜於物質診療之謂也。夫草必嘗而始入於藥。不曰藉推算而知爲具何功能也。靈樞素問之書。必講求臟腑經絡肌骨腠理之部位而始判爲病之何屬。不曰藉如何祈禱如何圓光而探知病之深淺或治之難易也。及知其病之所屬。則必投以藥餌而始敢望瘳。不曰畫幾張符。念幾句咒。而可以使肌體復原也。中醫如果以推算祈禱圓光畫符念咒而診療疾病者。則中醫誠非科學。摒棄之宜也。乃其於藥曰嘗。於靈樞素問所講求者是臟腑經絡肌骨腠理。於治以藥餌。間接直接。無一不在物質上深討。唯物而不謂之曰科學。吾不知何者之爲科學矣。

論白帶

吳煥成

婦人病中之最普徧最纏綿而最稱難治者。莫如白帶。白帶之爲病。不獨已嫁婦人患之。凡未嫁之少女。爲白帶所苦者。固不可勝計。且不獨已成年之婦女患之。卽未成年之女孩。亦能患之。又不獨大家閨秀。小家碧玉。鉅室之冢婦。蓬門之老嫗患之。卽金屋所藏之阿嬌。凈修慧業之師尼。刺繡之少婦。纏絲之女工。亦患之。其長幼老少。富貴貧賤。安逸勞苦。雖不必齊。然而病白帶則一也。古語謂十女九帶。證以醫家之經驗。斯言良信。

夫婦女之患白帶病者。既若是之普徧矣。若一究患此病者之苦楚。大凡輕者。時有清液出自私處。小衣斑垢。不能清潔。重者濁液橫流。終年不絕。襠下佩帶布絮。且白帶之液。含有腐蝕性者。因帶下之不止。浸漬陰唇會篡兩股之間。瘡瘍叢生。腥穢腐臭。不可嚮邇。久患者更精神衰憊。顏色蒼白。面容憔悴。肌膚枯瘠。毫無生人之樂趣。蓋吾國自古以來。婦女之爲此病所苦者。筆難罄述。而以江南之婦女爲尤甚。

扁鵲之過邯鄲也。自稱帶下醫。金匱亦以三十六病隸之帶下。夫扁鵲神醫。其所治不止帶下一症。而稱帶下醫。是可知帶下之爲重症矣。素問云。任脈爲病。男子內結七疝。女子帶下瘕聚。又曰脾傳之腎。名曰疝瘕。小腸寃結而痛出白。名曰蠱。是吾國婦女病帶下者。其歷史之悠久。又可知矣。

婦女之白帶。係陰道中流出之涎液。王孟英謂女子生而即有津津常潤。本非病也。但過多則爲病。至其病原。西醫謂凡能使小腹各臟。如子宮陰道等。虛弱無力。或血脈停滯。或感刺激。或發炎生瘡者。其結果皆爲纏綿不愈之白帶。如患肺病心病。皆能使小腹血脈壅塞。患貧血。患勞狂。患瘰癧。患軟骨症者。皆能使小腹之血脈營運不良。而生白帶。又或子宮位置變動。如下沉。或折而向後。或因痔肥腫。或內生瘤贅癥瘕。惡性癌腫。以及子宮鄰近器官。如卵巢、卵管、陰道生瘤之類。或經期中、產月中、感冒寒凉。及勞傷過度。或手淫。或用橡皮圈調正子宮。或封閉子宮口。或因他種寄生蟲生直腸中。有時由肛門侵入陰戶。致生蝕瘡。因而白帶纏綿者。亦復多有。而吾國自來言帶下者。各家所見。互有異同。如巢元方、孫思邈、嚴用和、楊仁齋、婁全善諸人。主風冷入於胞絡。劉河間張潔古張戴人羅周彥諸人。主濕熱。趙養葵薛立齋諸人。主脾虛氣虛。朱丹溪主濕痰。張景岳薛新甫主脾腎虛。方約之繆仲淳又主木鬱地中。究其所主之不同。蓋因吾國自昔禮教綦嚴。男女有別。切脈審色。已予醫者以困難。遑論細問。而諸家所診治者。又未必盡同。故解釋不免參差耳。

帶下病各家所主。既互有異同。其治法當然各別。有用大辛熱者。有用大苦寒者。有用大攻伐者。有用大塡補者。其所下之物。嚴主血不化。赤而成。張主血積日久而成。劉主熱極則津液溢出。雖立論製方。各有意義。然一考其所下之物。究爲何物。終未言明。惟丹溪云。婦人帶下。與男子夢遺同。顯然指着女精而言。千古疑竇。一言道破。此沈堯封所以稱之。而惜其所製之方。仍囿於痰火二字。未嘗詳究遺精所因。各有不同也。

然則治帶之法。究以何家爲是。王孟英云。濕熱下注者爲實。精液不守者爲虛。苟體強氣旺之人。雖多亦不爲害。惟乾燥則病甚。蓋營津枯涸。即是虛勞。凡汛愆而帶盛者。內熱逼液而不及化赤也。併帶而枯燥全無者。則爲乾血勞之候矣。彙而觀之。精也液也痰也濕也血也。皆可由任脈下行而爲帶。然有虛寒。有虛熱。有實熱三者之分。治遺精亦然。由此觀之。吾人治帶。當以王氏所言分虛實治之。爲可以得效。且須知帶病與經病互相關聯。於病者求治時。尤應詳問。勿稍忽略。蓋白帶在西醫爲子宮內膜炎及陰道內膜炎。子宮與陰道爲月經儲藏通行之處。其內膜既有炎症。安得與月經無關耶。又吾人治帶。既認爲與治遺相同。則古方之治遺精而有效者。皆可移以治帶。但當詳審其所因而擇其所宜者引用之。所應須分別者。白濁白淫類似白帶而證因不同。若與白帶混治則誤矣。

傷寒概論

朱國聞

傷寒古稱大病。治療棘難。仲景痛宗族之淪亡。傷橫夭之莫救。詳闡內難。本其實驗。著爲專論。後之學者。莫不鑽研探討。目爲典要。惜文字簡奧。初學得之。不無望洋興嘆。格格不入。若能條理不紊。亦何所難。茲將本病與變病。分述於左。

今且先言本病。所謂陰陽者寒熱也。內外者表裡也。夫人之生存。全賴陽氣以鼓舞。陰津以滋潤。彼傷寒者。傷於寒也。寒爲陰邪。其氣則從燥化。故寒邪之襲人也。若人之陽氣素衰。陽氣不能勝此寒邪。則陽從陰化。傷此陽氣。以成陰症。若人之陽氣素旺。寒邪不能勝此陽氣。則燥從火化。傷此陰津。以成陽症。但寒有客寒虛寒之異。熱有真熱假熱之分。更或輕或重。各隨其人稟賦之厚薄。感受之微甚而不同。則又非細細區別不可矣。

其傷人也。或客於表。或入於裏。在表則有皮膚肌肉筋絡爲之別淺深。入裡則有藏府。爲之別虛實。故仲景以實與熱屬陽。歸納於三陽。爲三陽之經府病。虛與寒屬陰。歸納於三陰。爲三陰之藏器病。復因皮膚爲太陽經所轄。故將惡寒發熱者。名之曰太陽病。肌肉爲陽明經所轄。故將反惡熱者。名之曰陽明經病。筋絡爲少陽經所轄。故將寒熱往來者。名之曰少陽經病。膀胱與小腸。爲太陽經之府。故膀胱之蓄水。小腸之蓄血。屬太陽府病。胃與大腸。爲陽明經之府。故胃之內實。大腸之大便難。屬陽明府病。胆與三焦。爲少陽經之府。故胆之口苦。三焦之咽乾。屬少陽府病。此爲三陽病也。至三陰、脾爲太陰。而司健運。腹滿自利。健運失職。爲太陰病。腎爲少陰。而藏眞陽。躁煩嗜臥。眞陽漸熄。爲少陰病。肝爲厥陰。而育一陽。厥逆除中。一陽不生。爲厥陰病。此爲三陰病也。夫以三陰三陽之六經、分主傷寒病者。肇於內經。經曰。傷寒一日。巨陽受之。故頭項痛。腰脊強。二日陽明受之。陽明主肉。其脈俠鼻。絡於目。故身熱目痛而鼻乾。不能臥也。三日少陽受之。少陽主胆。其脈循脅。絡於耳。故胸脅痛而耳聾。三陽經絡皆受病。而未入於藏者。故可汗而已。四日太陰受之。太陰脈布胃中。絡於嗌。故腹滿而嗌乾。五日少陰受之。少陰脈貫腎。絡於肺。繫舌本。故口燥舌乾而渴。六日厥陰受之。厥陰脈循陰器而絡於肝。故煩滿而囊縮。又曰。其未滿三日者。可汗而已。其滿三日者。可泄而已。觀此內經乃以傷寒爲熱病不論其在三陽三陰也明甚顧仲景反指在三陰者爲寒症虛症者何也要知內經一書早非完帙以上云云者特其祇就一面而言且古人淳樸不凋精神內守縱感外邪都成實症故在三陽之表者可遽汗之入三陰之裡者可遽下之而無事於溫補也迨秦漢以還俗漸瘠薄民趨紛華嗜慾日增元眞日剝一旦感受外邪則化虛化實從寒從熱古人之法有未盡適者矣易曰水流濕火就燥同氣相求則三陽爲陽實與熱歸之三陰爲陰虛與寒歸之爲理之當然者故邪之客於三陽之表者用麻桂柴葛以發之入三陽之裏者用十棗承氣以攻之若一入三陰則更轍改弦而溫之補之矣且仲景之著傷寒論乃盡傷寒之變而匡補內經所未備者也未嘗謂三陰無實熱可下之症如太陰病大實痛少陰病咽燥口渴厥陰病厥深熱亦深是謂三陰亦有未可遽溫者也從可知仲景亦嘗言三陰有實熱症之可攻者又何嘗與經旨相悖乎

本病既明。再言其變。但變局多端。有傳化失誤之分。所謂傳

者經府臟之相傳也。所謂化者。不相傳而變化也。所謂失者。醫者當攻不攻。當補不補也。所謂誤者。醫者於當攻時而補之。當補時而攻之。或攻補不如法也。大抵邪氣之傳變。隨人之正氣而轉移。可譬之水。水流低而就濕者也。故平日陽盛陰勝。偏燥偏濕。及有痰食瘀血之積者。一感外邪。不但傳變蠭起。且同一傳也。有循經而傳者。有越經而傳者。有傳一二經即止者。有傳徧六經而不已者。有但留於一經者。有不傳經而入府入臟者。同一化也。有化結胸。有化臟結。有化寒厥。有化熱厥。同一失也。失下有致撮空譫語。或昏蒙癲狂。失溫有致厥逆下利。或惡寒踡臥。同一誤也。中氣虛者。誤下而成痞氣。中氣實者。誤下而成結胸。他若誤汗亡陽。誤吐傷胃。種種變象。不一而足。其實亦不越新邪舊恙表裡寒熱虛實耳。知邪之在表者汗之。在裡者下之。虛者補之。熱者清之。知其由宿疾而引新邪。則兼顧宿疾。由新邪而引宿疾。則先理新邪。如是無論其爲傳爲化爲失爲誤。而綱領在握。條理不紊。應付自適當矣。此變病之大概也。

本校實習處之變更

本校爲推廣醫務及學生實習起見。向有施醫處二所。第一所在元井巷藥行公會。第二所在清波門直街。現因原有名稱。不甚適當。已更改爲診察所。幷將第二所移設於校內。在元井巷者名曰浙江中醫專校附設第一診察所。在本校者名曰浙江中醫專校附設第二診察所。均於九月十八日開幕。對於病家。仍照舊章。不論貧富。一律免費診治。

汪竹安業務上過失殺人案之鑑定

暨陽樓介卿。旅居紹興。生子甫六月。患瘄。延汪竹安診治。服藥一劑而殁。樓以業務上過失殺人訴汪於法。本校受高等法院檢察處之委託。經教務主任徐究仁先生根據藥方。爲之鑑定。并出具鑑定書如下。

查汪醫生診斷。時瘄失噴。化熱氣急。面青肺困。舌絳口乾關紫。瘄來上少下多。便泄兼沫等云。按張氏醫通洪金鼎痲症治例云。痲疹陽部宜多。陰部宜少。若陰部多而陽部反少。不透者。爲險。又云。頭面多者爲順。如從手足起。漸發胸腹背者逆。今樓孩上少下多。爲瘄毒陷於陰分而不得外達所致。已屬險症無疑。又幼科釋謎曰。痲出而喘者死。夫喘即氣急也。今樓孩痲雖出而反險。又兼氣急。其瀕於絕境也可知。又沈金鰲曰。春令發瘄從風溫。夏令發瘄從暑風。該樓孩患瘄。適當夏令。殆有暑風夾於其間。故名時瘄。瘄毒挾暑化熱。尤速。熱盛則灼津。津枯則毒陷。夫瘄毒猶舟也。津液猶水也。水足則舟浮。水涸則舟沉。擱而不行矣。故凡瘄之順逆。莫不以津之充否爲斷。瘄毒蘊於肺。爲氣急。逼於腸。爲便泄兼沫。氣急則動肝。面青者肝絕之兆。便泄則水分下趨。而津愈竭。津竭則熱愈盛。而毒亦愈陷。舌絳口乾關紫。皆其明證。查汪醫處方。類皆清熱增津解毒之品。尚無大訛。惟桔梗性升。似非氣急所宜。櫻桃核雖有透發之功。却爲酸溫刼津之藥。未免失當。

總之該症毒盛津竭。險逆自不待言。况生甫六月。氣血未充。臟府嬌嫩。用藥自較常兒爲尤難。即使處方與診斷悉相吻合。恐亦不易挽回也。

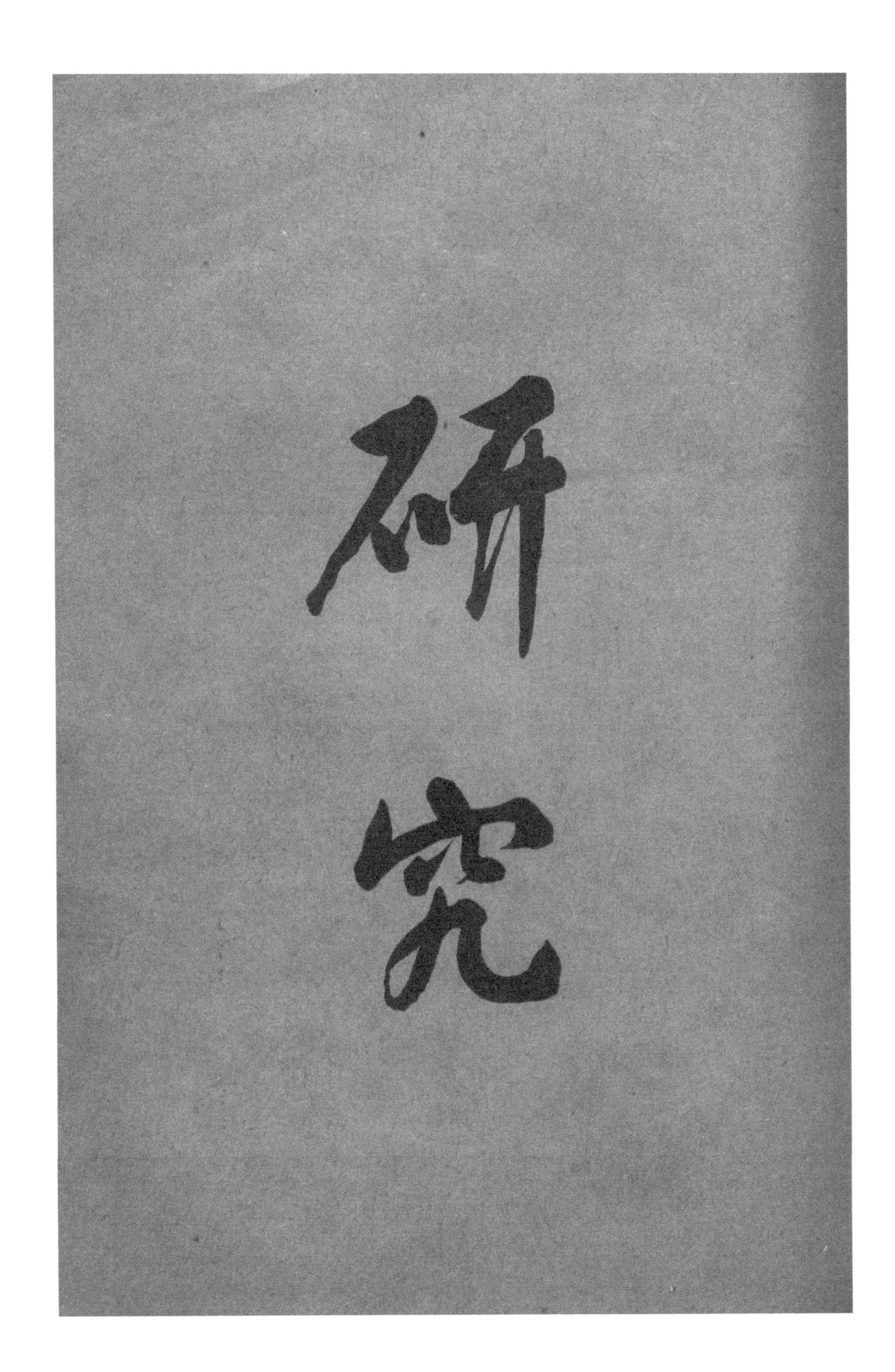
研究

· 白页 ·

國醫治病之原理

楊則民

疾病者。生活機能較健康時爲亢進或減退之謂也。外界事物足以使人爲病者多矣。賴吾人有調節機能以變動應付之。得以維持其健康。此機能而減退則病進。亢進則病退。若亢進過度。則其病又劇。此種生活機能之亢進或減退現象。謂之症候。故症候者。生活機能異常之謂也。

夫疾病爲生活之機轉。（卽病理機轉）吾人已知之矣。是故各種症候。皆爲反抗病因或恢復由外因發生障礙之自然妙用。爲積極而非消極之事。易言之。症候者。自然治愈之良能也。故異物入喉。則發咳以去之。有害物入胃。則嘔吐以出之。入腸則下利以排之。塵屑入目。則泌淚以滌之。疲勞素侵入筋肉與神經。則由淋巴吸收經靜脈以輸泄之。細菌入血液中。則白血球攝取而消滅之。結核菌入肺。則泌石灰質以埋葬且乾酪之。皮膚受害而起呼吸障礙。則肺行代償作用而咳嗽氣急。腎臟變化則皮膚起代償作用而多汗。有傳染病毒入血時。則發生與病毒對抗之抗毒素與溶菌素。黄疸則溺黄黄色素以小便爲尾閭也。尿毒則泄瀉。尿素自腸黏膜排洩也。創傷則分泌血漿以殺菌。出血失血則組織液竄自血管。又從造血器官再生血液以復舊觀。若此類者。不勝例舉。然固足以證明疾病有自然治愈之良能。症候爲生活之一種機轉。爲積極而非消極。爲反應性之調節現象也明矣。

治療者。所以補自然治愈之不足。或除去原因以縮短其經過無他異術也扁鵲有言「自生者我起之」內經曰「必先歲氣無伐天和」皆補助自然療能之謂矣蓋病雖有自然治愈之勢惟放任之則經過延長而有續發其他病變之慮且久則體虛難防外因六淫之再襲故須施以治療或恢復生活細胞之抵抗力或鼓舞細胞之自然療能以速其治愈之經過是治療不過一種輔佐方策眞正治病者非醫乃自然療能也西人之言曰「本自然療能之理選機處變以處置疾病此醫之天職醫之巧拙實由于選機處變之如何故自然者醫也醫者自然之僕也」（病理總論卷上商務版）明乎此而吾古先哲之醫道可以解治法可以明也

國醫治病以「自然之僕」自任而着眼于生活之自然調節換言之因病而生活機能變態者使復其常態而已變病理機轉而爲生活機轉而已故內經曰「高者抑之下者舉之溫者清之清者溫之散者收之抑者散之急者緩之燥者潤之堅者軟之脆者堅之衰者補之強者瀉之佐以所利和以所宜各安其氣必清必靜則病氣衰去歸其所宗」凡此皆調節生活機能勿因病的關係而亢進或減退之道也

內經又曰「寒者熱之熱者寒之微者逆之甚者從之堅者削之客者除之勞者溫之結者散之留者攻之燥者濡之急者緩之散者收之損者益之逸者行之驚者平之上之下之摩之浴之薄之刼之開之發之適事爲故」又曰「病生于內者先治其陰后治其陽……生于陽者先治其外后治其內」「諸寒之而熱者取之陰諸熱之而寒者取之陽」「熱因熱用寒因寒用塞因塞用通因通用必伏其所主而先其所因」「因其輕而揚之因其重而減之因其衰而彰之形不足者補之以氣精不足者補之以味其高者因而越之其下者引而竭之中滿者瀉之于內其有邪者漬形以爲汗」「大毒治病十去其六常毒治病十去其七小毒治病十去其八無毒治病十去其九……無使過之傷其正也……無伐天和」內經言此不勝繁引凡是皆本自然療能之機轉相機處變治無故常者也而國醫治療之原理亦盡于此矣

今試雜舉病例以明內經治病之理如腸寄生蟲則投驅蟲劑以排出之赤痢腸有毒素用下劑以掃除之乃「在下者引而竭之」「通因通用」之說也體溫放散過少鬱積成熱外有形寒則溫發以汗之乃「寒者熱之」「其有邪漬形以爲汗」之

說也勞淋遺泄而用補中益氣湯則「下者舉之」也拘攣急迫而用甘草大棗則「急者緩之」也便祕口乾液涸而用甘潤則「燥者潤之」也驚狂而用牡蠣龍骨代赭石等則「驚者平之」也積聚有形而用散塊消瘀除積則「留者攻之結者散之」也痞滿積實而用通瀉則「瀉之于內」也生活機能因病的亢進而發壯熱則清之乃「溫者清之熱者寒之」也雖發熱而全身機能依然衰弱則溫之即「熱因熱用」「因其衰而彰之」也全身細胞之生活力減退者興奮之以溫經回陽此「形不足者補之以氣」也全身細胞之原形質缺少者補益之用塡精補血此「陰不足者補之以味」「損者益之」也熱盛而閉腫滿堅實則用下劑即「強者瀉之」「堅者軟之因其重而減之」也眞熱假寒用「寒因寒用」眞寒假熱用「熱因熱用」氣虛而有痞悶便祕宜用參歸補之「塞因塞用」也胃有異物法宜吐出「其高者因而越之」也嘔吐不已有傷體力宜止嘔鎮吐則「高者抑之」也咳甚宜止亦抑法也內熱壅遏宜散則「抑者散之」也自汗亡陽宜斂元氣渙散宜斂則「散者抑之」也血中成分異常法當排泄若用汗法「其有邪漬形以爲汗」也若用利尿劑則「瀉之於內」也所謂「開之發之」也用按摩以促進血管系吸收滲出物之力則「摩之」是也沐浴以促進血行消失皮膚之障礙物則「浴之」是也內外有腫瘍用薄貼散之即「薄之」也神經肌肉痛用火用鍼用寒涼以充血或冷却法治之則「刼之」也膏粱厚味不事勞動發生腸胃病等非運動不足以治之則「逸者行之」也

細菌爲古人所不言然細菌而病即泌毒素入血而成中毒症狀此則古人所習知各種排毒解毒劑爲是設也外醫知其故用殺菌療法然無術以繼其后蓋細菌雖一旦被殺而細菌屍毒仍遍在人身可以引起病變者故治此不及中醫理想之高也攷古人用解毒劑時其注意點有二（一）用解毒劑時須令毒有出路或汗或利或下隨病理機轉定之（二）用毒藥時不令過劑此過劑非如外醫所謂極量致死量之意乃攻毒殺菌至某種程度時爲限其餘仍留自然療能抵抗之也故曰「大毒治病十去其六中毒治病十去其七小毒治病十去其八無毒治病十去其九無使過之傷其正也」或疑細菌爲古人所不知安能施殺菌解毒之劑不知細菌而病必有中毒症狀此固古人所能知者

如以輕粉治梅常山截瘧硫黃治陰腫如斗硃砂治驚（先天梅毒性）砒汞等治瘡瘍千金外台蠱瘡門中更有峻藥此皆有菌之病用殺菌藥治者也然古人非不得已或必須時始偶一用之不如外醫習爲家常也蓋古人於有毒症狀例用改造血液藥此不僅足以增進抵抗力且足使細菌爲不適之培養基也用汗利法以排洩血中細菌分解之毒素使其無害健體而亢進其自然治愈之良能如柴胡解毒普濟消毒荊防敗毒人參敗毒三黃解毒犀角解毒……諸方不可勝記要皆具有此種意義者也

西人盡力研究殺菌藥迄今有成效者只六〇六治梅血清治白喉雞那治瘧三種而已然六〇六有注射數十次仍不愈者雞那治瘧亦非特效人皆知之血清則取之生體利用其自然抵抗之力而已返觀中醫治病一切無特效藥無專方無成法惟順天和循良能依病理機轉之如何以審機應變往往覆杯而愈效如桴鼓無他爲自然之僕善於調節生活之機能而已

夫國醫治病之道一曰審虛實二曰斷輕重三曰定補瀉四曰分逆從依存乎自然療能以爲施治之準則古人所謂求本者也蓋天下之病變化雖多其本則一治療之方活法雖多對症則一確知爲寒則散其寒確知爲熱則清其熱拔其本而病自除故內經曰「治病必求其本」

實能受寒虛能受熱故補必兼溫瀉必兼涼大法也然用補之法貴乎輕重有度先輕后重務在成功用攻之法貴乎察得其眞先緩后峻及病則已故用攻必須專精尤宜勇敢久病遠病固宜緩治勿得孟浪若新暴之病虛實旣得其眞當以峻劑直攻其本斯時眞見裏實則以涼膈承氣確知裏虛則以理中十全表虛則耆朮建中表實則麻桂柴胡之類此皆調節爲治使病理機轉爲生理機轉之道也

靈樞有「病在上取之下病在下取之上在左取右在右取左」之說亦調節機能之治法也如尿閉毒症用下劑治大便泄瀉用利尿治噦逆及胃反食已即吐用下劑治（古人用大黃甘草二味）所以導胃中壅閉于大腸則逆氣自止矣腦充血腦膜炎牙痛目赤諸實症下劑可愈所以導血熱下行也胃熱多食而善飢爲中消可用下藥所以誘胃熱于下部也小便癃閉丹溪用吐法上竅通下竅亦隨通也其理與治便閉用開肺同陰挺脫肛下利不止用升提法治眼流淚多胃嘔水多用利尿法治下頦脫

曰用噴嚏治呃逆。用異常姿勢治此。外如齒痛。可刺虎口而愈。目有星翳。可刺背愈。針灸治病。更多類此。古人稱「欲求南風。先開北牖」。其實皆在上取下。在左取右之理。用人工療法。使病理機轉。復歸生理機轉而已。

治療有原因療法。與對症療法之異。古人則稱治本與治標。夫治病宜求其本。固爲醫者之理想。然而病情萬變。病本難求。當此之時。如有痛苦危險症候。消耗體力症候。不可不設法以除之。以消散痛苦。防止危險。維持體力。使自然治愈之機能。易于發揮。亦要道也。如中滿。如嘔吐。如大小便不通。如高熱持久。此皆足以危及生命。宜不顧一切而獨治其標。此急則治標之說也。

小兒驚風原理及治療之商榷

許勤勛

驚風爲小兒最險重之病。兒科方書。皆責之心肝兩藏。西昌喻氏。謂其鑿空妄談。甚欲革除此說。以免後累。最近惲鐵樵先生。因目擊時師之濫用辛涼。主用全蝎蜈蚣。舒緩神經。於保赤新書中。議論滔滔。發明盡致。然自鄙見論之。除喻氏矯枉過正外。二者皆不可偏廢。何以言之。自人類生理氣質言。溯上古而至中古。中古而至晚近。其間生理氣質。遞嬗變化。於是醫學上亦受其同等之趨向。古方固宜精研。而時藥亦宜酌用。若僅持古方。其弊失之拘泥。而濫用時藥。其弊失之浮泛。其間偏僻學說。亦宜加意糾正。况小兒驚風。病情至爲繁複。議論尤屬紛紜。苟或紙上空談。漫無標準。其爲害豈淺尠哉。爰舉三者學說一商榷之。

（甲）喻氏曰。驚風一門。古人鑿空妄談。後世小兒受其害者。不知千百億兆。蓋小兒初生。陰氣未足。性屬純陽。身內易致生熱。熱甚則生風痰。亦所恆有。腠理不密。易受寒邪。寒邪中人。先入太陽經。太陽之脈。起於目內眥。上額交巔。還出別下項。夾脊抵腰中。是以病則筋脈牽強。遂有抽掣搐搦。妄用金石腦麝開關鎮墜之藥。引邪深入藏府。千中千死。不知小兒易於外祗。惟傷寒爲獨多。世之妄稱驚風者。卽此也。又傷寒門中。剛痙無汗。柔痙有汗。小兒剛痙少。柔痙多。世俗見其汗出不止。神昏不醒。便以慢驚爲名。妄用參耆朮附。閉塞腠理。熱邪不得外越。亦爲大害。但比金石差減耳。所以治小兒之熱。須審其本元虛實。察其外邪輕重。或陰或陽。或表或裡。但當撤其外邪出表。不當固邪入裏也。仲景原有桂枝湯。舍而不用。徒事驚風。毫釐千里。豈可勝言。

（乙）惲氏曰。驚風抽搐瞤動。乃神經反射攣急所著之現象也。凡驚風蟲類爲特效藥。此皆事實上積久之經驗。執果溯因。可以斷定。蟲類能弛緩神經攣急。現在之生理醫化學。尚嫌程度幼稚。不足以知其所以然之故也。蟲之入藥。其來已舊。千金方中。芫青斑蝥蟯蛣蜘蛛蝱蟲蜥蜴。乃習見不鮮之藥。驚風家所常用者。不過前列數種耳。準此。蜈蚣全蝎。常人視爲可畏者。正無須疑慮也。顧雖如此。假使未見抽搐。則不得試服驚風有朕兆。老於醫者。一望能知。例如面青唇乾。啼時無涕淚。手握有力。拇指食指作交义式。皆可知其將作驚風。但當此之時。自有種種病證。按證施治。使之速愈。卽所以防微杜漸。蓋此時不過風寒食積。病不在神經。若先用驚風藥。則引熱入腦。以吾所見。小孩發熱。當將驚未驚之時。病家爲便利穩當起見。輒予以小兒回春丹。或金鼠矢。醫家於小兒發熱。予以疏解套方。如荆防淸水豆卷等。不能退熱。則予以回春丹。或太乙丹。如此。其結果什九不良。泰半皆極慘酷。

（丙）幼科釋謎云。驚風本於心肝二藏。肝風心火相煽發搐。小兒脾胃弱。肝易淩之。引動肝風。風主掣。不得心火。不能發搐。兒有病。氣血錯亂。心神不甯。引動心火。火主驚。不得肝風。亦不發搐。此心與肝相兼爲驚風之原也。驚風必挾痰熱。故有搐搦掣顫牽引竄視之候。凡搐時不得拘持。風氣方盛。若一拘持。痰卽流入脈絡矣。驚風大概由於過煖當風。多食辛辣。邪熱鬱於心而傳於肝。再受驚觸。未發時。夜臥不穩。啼哭嚙齒咬乳。氣促痰喘。鼻額有汗。忽而悶絕。目直視。牙緊口噤。手足掣。此熱甚而然。發則身熱面赤。引飲。口中氣熱。二便黃赤。兩目上竄。項背強直。痰涎潮響。脈數可辨。蓋心有熱。肝有風。心藏神。肝藏魂。風火相搏。神魂易動。故發急驚。

縱觀上說。彼喻氏嘉言。其平素之學力胆識。固甚高超。惟論驚風。反乎其義。惲鐵樵謂其抬出仲景以爲高壓。其言良是。不過小兒腠理薄弱。易感風寒。此是一端。因風寒而致痙發搐。又是一端。但不可盡把別有蹊徑。確有徵驗之學說。悉數而推翻之。挨排之。矧小兒感受風寒。自有症狀可據。萬密齋非幼科專家乎。其言曰。小兒感受風寒。喜人懷抱。畏縮惡風寒。不欲露頭面。面有慘色。不渴。清便自調者。此熱在表也。宜發散。由是觀之。業幼科者。豈盡盲人瞎馬。必待喻氏正其過失哉。至惲氏及時師等主張。大都亦各有心得。不可執著。彼因風寒致循環頓起障礙。官能失其調節。神經不由意志命令而痙攣。自當宗惲氏之說。全蝎散。截風丹。辰砂膏。牛黃丸。皆可選用。否則風熱傳變。木失水涵。筋無血養。風火大動。腦部充血。角弓反張。自當採用時方。羚角。鈎藤。竺黃。珠粉。猴棗。涼驚。抱龍。導赤等。斟酌而施。蓋由病邪各異。寒熱判然。而治法亦隨之而異也。惲氏之反對辛涼。與時師之濫用辛涼。自學理言之。惲固高人一籌。然而時師亦確有其長處。而不可一筆抹殺者也。如時師果殺人如麻也。則相率警戒。無人問津。何以一般社會。爛其盈門。反之。僅持一二成方。踽踽涼涼。不知權變。始終順舊。致令鄉愚攘臂。穩婆操算。辜負惲氏一片苦心矣。或曰。子言固執中矣。然而所以致驚。及因驚而風之理。可得聞乎。予曰。兒病之所以異於成人者。以小兒初生。組織未臻完固。體魄未臻健全。且秦半稚陰未足。肝旺脾虛。肝旺則易生熱。脾虛易釀痰食。倘猝聞鼓鈸嚷叫之聲。異物怪狀之類。以致魂魄飛揚。氣血擾亂。本體所有抵抗之能力。已極形恐慌。無復有對付外界之作用。於是外界寒溫之邪。皆足乘虛而入。然欲從事實上徵明之。亦頗困難。茲有一個相當之譬喻。譬如國家多事。干戈不息。內亂頻仍。安有餘力對外。惟無餘力對外。則對方敵國。正可利用時機。興兵寇邊。甚至長驅直入。而危害其國家矣。審是。驚風之原。及因驚而風之理。亦可稍悟一般乎。此外尚有種種原因。惲氏鐵樵巳申論之。不復贅也、

藥物研究一臠

王治華

高良姜

科屬　蘘荷科。山薑屬。

別名　（1）蠻姜　（2）埋光鳥藥　（3）比日連理花

產地　生於廣東瓊州。山西。福建。及東印度等處。

形態　爲圓柱狀。匍匐莖。鬚根頗多。長約二寸。粗約四五分。外部時或生有多節環。並被有細皺紋之薄皮。呈赤褐色。惟內部則爲白色。充實而呈纖維狀。質輕而作木質狀。

性味　味辛辣。性大温。

成分　爲揮發油、味辛性樹脂、越幾斯、澱粉、膠質等。

主治　煖脾胃。寬噎膈。破冷癖。除瘴瘧。下氣、堪平清涎之嘔吐。散寒、能止心腹之疼痛。

用量　輕用二分至三分。重用五分至六分。法國用量。每次〇·五至四·〇格蘭姆。

修製　洗淨。剉。黃土炒。

處方　（1）治脚氣心腹脹滿。兩膝疼痛。合當歸、檳榔、羌活、威靈仙、牽牛、蘿蔔子、桂心、陳皮、爲丸。（2）治產後霍亂。腹中疠痛。合當歸、草豆蔻仁、爲散。（3）治脾虛寒瘧。合炮姜煎湯。（4）治心脾冷痛。合五靈脂作散。

禁忌　胃火作嘔。傷暑霍亂。火熱注瀉。心虛作痛。均忌。

辨異　小泉榮次郎謂日本所產者。爲高良薑之一種。或視爲高良薑。其實非也。

治華按、高良薑入脾胃二經爲温中除寒引氣消水之品時珍謂心口一點痛者乃胃脘有滯或有蟲也多因怒及受寒而起遂致終身俗言心氣痛者非也用良薑以酒洗七次焙研香附以酒洗七次焙研各記收之因寒得用姜末二錢附末一錢因怒得用附末二錢姜末一錢寒怒兼用各錢半以米飲加入生姜汁一匙鹽一捻服之立止韓飛霞頗稱其功云劉若金云辛温辛熱之味温多就土以土喜暖也辛多就火同氣相求也有辛味勝於温熱者則又就金如辛温獨勝則能開滯散結辛温兼苦是又散而下行良薑之辛温固也然其治冷氣吐瀉反食噎膈乃其辛而兼苦有下氣之功也不然本草所列諸味爲辛温辛熱者亦多矣何可不細審也小泉榮次郎謂其辛熱煖胃散寒醒酒消食治胃脘冷痛亦深得斯品之功效也。西人往往用作芳香性健胃藥云。

胡椒

科屬　胡椒科胡椒屬。

別名　（1）木椒　（2）味履支　（3）丕蒲兒（西名）

產地　吾國多有之。東印度諸島。北美西部南美暹邏等處亦有之。

形態　爲蔓生灌木。在未熟時採而乾之。其狀圓如球。無果梗。直徑約五密米。果殼極薄。有黑褐色之皺襞。中藏種子一粒。與果層黏連。種子成於外胚乳。外胚乳中空。帶黃褐色。似角質。內作白色。狀如粉。

性味　味極辣。性大熱。

成分　爲胡椒素、軟樹脂、揮發油、脂肪、護謨、澱粉、有機酸、鹽類等。

主治　溫中下氣。入肺胃以除寒。開膈寬胸。消風痰以宣滯。治陰症霍亂。消冷氣上衝。

用量　輕用一分。重用二分。法國一日用量。〇・一至一・五格蘭姆。

修製　研極細末用。

處方　（甲）內服（1）治三焦肺胃虛寒。欬逆嘔吐。腹脅脹滿。不能飲食。合蓽撥、乾姜、欵冬花、甘草、陳皮、良姜、細辛、白朮。（2）治傷寒呃逆。合麝香、陳酒。（3）治心下大痛。合乳香、沒藥。（4）治霍亂吐利。合綠豆、研末吞。

（乙）外用（1）治積塊、寸白蟲、痛甚者。合黃芩、大黃、白馬毛、皂角、旱赤豆、莪朮、鉛粉、研末。以稀糊調和。貼痛處。以紙蓋之立退。（2）治箭頭竹木刺入肉。內合蜣螂，賭錢、牛蟲、米飯搗爛。和勻貼之。一二次即出。

禁忌　血分有熱。陰虛發熱。咳嗽吐血。咽喉乾渴。熱氣暴沖。目昏口臭。齒浮鼻衄。腸風藏毒。痔漏洩瀉等症均忌。如悞服即令諸症當時加劇。

辨異　胡椒有黑白二種。黑者爲未熟之肉果。白者爲已熟之肉果。色雖有殊。功效相同。

治華按。胡椒入胃大腸二經。爲除寒快膈純陽助火之品。日醫用爲健胃消化驅風齒痛藥。少服有增進消化之功。多用則有腸胃發炎之弊。能殺一切魚肉鼈蕈諸毒。故食料多用之。張兆嘉曰。胡椒能宣能散。開豁胸中寒痰冷氣。雖辛熱燥散之品。而又極能下氣。故食之卽覺胸膈開爽。又能治上焦浮熱。口齒諸病。至於發瘡助火之說。亦在用之當與不當耳。宗奭曰。胡椒去胃中寒痰。食已則吐水。甚驗。大腸寒滑亦可用。須以他藥佐之。過劑則走氣也。震亨曰。胡椒屬火而性燥。食之快膈。喜之者衆。積久則脾胃肺氣大傷。凡患氣疾人。益大其禍。也牙齒痛必用胡椒蓽茇者。散其中浮熱也。

乾姜

科屬　蘘荷科（或作薑科）蘘荷屬。

別名　（1）百辣雲　（2）因地辛　（3）嫩曰白姜　（4）炮黑曰炮姜

產地　生於四川、廣東、廣西等處。安南東京。亦有是品。

形態　爲多年生草本。其根晒乾。卽爲乾姜。狀扁平。分歧。無定形。外被灰色之栓層。亦間有剝去其一部者。破斷面帶白色。或淡灰色。作顆粒狀。多澱粉粒。出脈管束中央間墻極粗

性味　味甚辛。性大熱。

成分　含有揮發油。軟性樹脂。越機斯質。澱粉。巴蜀林等。

主治　溫中出汗。逐風濕痺。泄滿寬胸。平咳逆。氣通四支關節。去藏府陰寒。治腸澼下痢。療腎着腰疼。炮黑則味苦性和。入營補虛溫血。

用量　輕用五分至六分。重用八分至一錢。

修製　取生姜根水浸三日。去皮。置水中六日。更刮去皮。晒乾用。

處方　（1）治新痢冷痛。合高良姜。（2）治頭痛吐逆。合炙草。（3）治傷寒寒格。食物入口卽吐。並治胃虛客熱痞滿。合黃連、黃芩、人參。（4）治婦人傷寒。熱入血室。寒熱如瘧。或狂言見鬼。合柴胡、括蔞根、桂枝、牡蠣、甘草。

禁忌　陰虛內熱。咳嗽吐血。表虛有熱。自汗盜汗。臟毒下血。因熱嘔惡。大熱眼痛均忌。

辨眞　白淨結實者良。

治華按、乾姜入肺心脾胃腎大腸六經。為散結除寒回陽通脈之品。朱丹溪曰：乾姜入肺中利肺氣，入腎中燥下濕，入肝經引血藥生血，同補藥亦能引血藥入氣分生血，故血虛發熱產後大熱者用之。若止唾血痢血，須炒黑用。有血脫色白夭而脈濡者，大寒也，宜此辛溫以益血，大熱以溫經。東垣云：乾姜生辛炮苦，陽也，生則逐寒邪而發表，炮則治胃冷而守中。多用則耗散元氣，過辛則壯火食氣也，須配甘草緩之。以散裏寒，又同五味則溫肺，同人參則溫胃。張元素稱其有四大功用：（1）通心助陽，（2）去藏府沉寒痼冷，（3）發諸經之寒氣，（4）治感寒腹痛。乾姜本辛，炮之稍苦，故止而不移，所以能治裏寒，非若附子行而不止也。

吳茱萸

科屬　芸香科吳茱萸屬。

別名　（1）吳萸　（2）吳椒　（3）辟邪翁　（4）藥茱萸

產地　生於湖南常德、廣西左江、右江、龍州。而安南、東京亦有之。

形態　係落葉亞喬木。為黑色卵圓形之蒴果。大自二分至四五分不等。外皮厚如革，作五稜。油綫為無數之小孔，暴露於外。內分五房，每房藏種子二粒，滑澤而作倒卵圓形。

性味　味辛而苦。性溫氣香。

成分　其主要成分。為揮發油。

主治　煖中下氣，善治痰飲頭痛。積水吞酸。疏肝和胃。能止吐瀉腹痛。霍亂轉筋。開關格中滿。痰腳氣疝瘕。

用量　輕用一分至二分。重用三分至五分。　法國一日量一·五至五·〇格蘭姆。

修製　揀去閉口者。以滾湯泡七次。辛其濁氣。

處方　（1）治腸風水泄。赤白下痢。合百草霜、黃連、白芍、為丸。（2）治頭痛嘔涎。胸滿吐水。合潞黨參、生姜、大棗煎湯。（3）治腳氣衝心合生姜汁。（4）治肝火痰暈。合小川連。（5）治胸痺喉塞。不能下食。合半夏、赤茯苓、鱉甲、京三稜、前胡、青皮、厚樸、桹榔、白朮、桂心、枳殼。

禁忌　是物能損氣、動火、昏目、發瘡、傷神。故中病即止。不可

多用若一切陰虛之病及五臟六腑有熱無寒者均忌之

辨異 以開口而陳久者良

治華按吳茱萸入肝經兼入脾胃腎三經能散能溫能燥能堅能升能降爲下氣開鬱除風散寒燥濕之良品性雖熱而能引熱下行治濁陰不降厥氣上逆膈塞脹滿之症功效如神也張兆嘉曰吳茱萸本爲肝之主藥而兼入脾胃者以脾喜香燥胃喜降下也其性下氣最速極能宣散鬱結故治肝氣鬱滯寒瀉下踞腹痛痃瘕等疾以及中下寒濕滯濁均宜張元素謂其功用有三（1）去胸中熱氣滿塞（2）止心腹感寒疝痛（3）消宿酒 日醫小泉榮次郎謂其效能衛勵驅風收斂殺蟲云張路玉曰椒性善下茱萸善上故服吳茱萸者有衝膈衝眼脫髮咽痛動火發瘡之害而治暴注下重嘔逆吐酸肝脾火鬱之症亦必兼苦寒以降之如左金丸治肝火痰暈嘈雜最效

勞倦

楊則民

勞倦者亦病因之一也蓋身心疲勞以後體內產生毒素被血液吸收周流全身於是症候蜂起古人著目於此而遂爲論說者東垣之內外傷辨惑論也夫乏力怠倦嬾於動作四肢不收氣短音微疲憊嗜臥口不知味形似不足諸症固一望而知爲勞倦矣然而有壯熱頭痛肌表大熱氣高而喘煩躁悶亂目赤面紅惡熱煩渴溺赤便秘諸症形若外感實證而實爲內傷虛候者此其辨之最難而理亦難曉也

素問云「邪之所湊其氣必虛」夫正氣強病邪即不易乘之勞倦則正氣弱而不足以抗病矣「胃氣者生人之本」一身心交疲則消化營養等代謝機能皆爲之減退而生活力亦因之減却不能爲病的自救矣故皮下末稍神經衰弱則易於感冒風寒胃機能衰弱則口不知味食後痞滿腸機能衰弱則便溏飧泄泌

尿器衰弱。則小便頻數。腦神經衰弱。則目眩耳鳴嗜眠。全身衰弱。則疲憊不喜動作。心藏衰弱。則氣短氣喘。而脈浮大虛弱。凡此皆由勞倦而起之虛症也。且身心疲倦以後。病理學者多謂能生毒素。被血液吸收。則發熱刺戟神經及內藏器管。每為諸病之誘因。病與勞倦之關係。竊不大歟。

扁鵲曰「自生者。我起之。」指自然療能而言之也。吾人遇感冒。則以發熱汗出愈。胃有不習慣食物。則以惡心吐出愈。異物入氣道。則以噴嚏咳出愈。腸內容腐敗。則以腹痛排出愈。此皆正氣抗病。自然療能之習見者。然惟健體則然。疲勞以後。身心交瘁。正氣自衞之力不足以言。於是微恙可以成大病矣。夫發熱汗出。病理之常。勞倦者乃只發熱而不能作汗。古人知之。而有參蘇飲人參敗毒散之製。汗出熱解。又病理之常。勞倦虛弱者。則雖自汗而發熱也。如故。古人知之。逐有桂枝湯黃芪建中湯之作。煩渴引飲。白虎湯症也。勞倦者。則用當歸補血湯。頭痛發熱。而具少陽症者。用小柴胡。常法也。勞倦內傷者。則宜補中益氣湯。解熱宜用苦寒。而勞倦則用甘溫。氣急咳嗽。宣肺為急。而勞倦得者。則須補氣。小便赤澀。病屬內熱。法當清滲。而勞倦得者。則反宜滋水。凡此種種。不同。皆在扶益正氣。以促進其自然療能耳。

原夫疲勞之起。不必大勞。身體過用。精神春夏之間。因氣候而起。勞倦症狀者至多也。此由身體與腦神經共起疲勞之故。些小原因。每每轉成重症。如感冒小症也。然疲勞後得者（即內傷夾外感）有初起即當用補中益氣湯黃芪建中湯者也。因勞倦而起之感冒症。胃腸症。續發性貧血。發熱。毒素性發熱。一切皆以補中益氣湯為主方。小柴胡湯歸脾湯二方。於本症偏內偏外時。亦得斟酌用之。惟續發性貧血發熱。有以用四物湯六味丸為更有效者。毒素性發熱。有以大柴胡小柴胡四逆散用之更適當者。要之排除疲勞毒素。使血液恢復良好。則發熱自除。病狀可愈矣。

甘艸瀉心湯方解

王育

傷寒論太陽篇有甘艸瀉心湯一方治傷寒中風醫反下之因而中虛邪陷痞利兼作寒熱混淆虛實對峙之病也客熱內陷者實下利無度者虛乾嘔心煩者熱水穀不化者寒推之心下痞硬而滿亦不必盡屬陽陷之熱兼可想見陰凝之寒蓋痞者滿也雖多由誤下熱陷而得然中寒不運陽微陰凝者亦往往成痞況有下利日數十行穀不化口不渴之陰證乎設不知此義以為結熱而復下之其痞必益甚此仲景所以不用大黃黃連瀉心湯以獨攻其痞亦不用理中湯以獨止其利必須寒熱並進攻補兼施方能調濟陰陽去邪安正故立甘艸瀉心湯用芩連之寒瀉陽陷之痞熱乾姜之熱散陰凝之痞寒蓋痞有鬱結之義若芩連之苦但能驅熱未能開痞必得乾姜之辛以行芩連之氣斯熱邪可泄而痞結可開半夏善於逐飲止嘔佐以乾姜其功益著大棗可以補虛可以益氣皆寒熱並進所以調濟其陰陽也而獨任甘艸為君者以誤下裡虛其入復下利數十行馴至穀不化則胃氣無餘中空若谷非甘艸之守安足以砥柱中流耶且甘艸甘而能緩既可緩客氣之上逆又可緩芩連之迅降合乾姜小寓理中之意佐大棗微啟建中之功症本虛多實少方中獨取甘艸為君乃治痞之意輕而安胃之意重也更可法者以心煩去人參因氣虛逆生姜恐人參能滋熱生姜能散氣耳總之仲景立方之深與應用之精妙于此可見一般矣學者豈可忽略其書而不深究哉

黃疸

楊則民

黃疸為皮膚黏膜出汗、排尿。皆呈黃色之病。

巢氏病源分黃疸為二。黃有急黃、勞黃、內黃、癖黃諸候。疸有酒疸、穀疸、黑疸、女勞疸諸候。近世俱稱黃疸。別稱陰黃、陽黃、疫黃。而以黃胖附之。

黃疸之因。中醫以推測為說。核以今說。無一相合之處。惟推測為說。此病名所以混殺也。觀古人取義。大致以面黃為黃病身黃為黃疸。然面黃當亦有兼及身者。而身黃斷無有獨面不黃者。故不若外醫之別為急性慢性二種為更合理。若析以病理。則有肝性黃疸。胆性黃疸。而肝性黃疸分肝萎縮。肝硬化諸種。胆性分胆石。胆道狹窄。加答兒黃疸。傳染性黃疸。中毒性黃疸。溶血性黃疸諸種。

發黃之故。實有多種。其原皆在于胆。凡胆管因障碍而狹窄或閉塞時。則胆汁鬱於上部。血管淋巴管吸收之以運於全身。則發黃。　胆有積石。胆管輸送胆汁受障害。則鬱滯而發黃。　胃十二指腸炎症。胆汁流入腸管之出口受阻塞。則亦停滯發黃。　高熱赤血球崩壞。血色素增多。胆汁以血色素多而分泌多。溢出於血中而發黃。（溶血性黃疸）　肝腫瘍或變硬、或萎縮。則胆道因壓廹刺激而胆汁鬱滯。亦發黃。

發黃病理可得而言者已如右。據此以釋古人黃疸病方症之紀載。幾於迎刃而解。

傷寒發黃。指急性熱性傳染性中毒性等諸黃疸。言之因體熱不得發越。胃腸受熱而生炎症。則胆管受病而發黃。病菌毒素侵入肝臟。肝細胞障碍。而胆發生病變。其病之來也急。故爲急性。由瘀熱在裏。故爲熱性。由於病菌。故爲中毒性。病在胃腸。故爲陽明病也。（又疸病兩脅必腫大而硬。大便色必白。因肝脾腫大而胆汁流入皮膚故也）

穀疸者。金匱云「寒熱不食。食則頭眩。心胸不安。久久發黃。」此因胃炎而發之黃疸也。又云「酒黃疸。心中懊憹或熱痛。梔子大黃湯主之」此急性胃炎而發之黃疸也。因胃有炎症。故用梔子。胃有食積。故用枳實大黃以消積蕩熱。黃因胃起。故除胃炎則疸自愈矣。

女勞疸者（亦稱黑疸）金匱云「黃家日晡所發熱。而反惡寒。此爲女勞得之。旁光急。少腹滿。身盡黃。額上黑。足下熱……其腹脹如水狀。大便必黑。時溏。腹滿者難治。消石礬石散主之」按其症狀。與肝蛭病酷似。肝蛭侵入肝管。則肝臟胆道門脈俱起病變。胆管因戟刺而發炎。則起黃疸。門脈因壓廹而鬱血。則起浮腫腹水。（按即旁光急少腹滿）肝病影響及腸。則起下利。肝易出血。故便黑。病由漸進。故爲慢性。原因於蟲。故用消石礬石以殺蟲。因有下利。二石固有止瀉之功。腹滿爲病進。爲門脈鬱血已甚。故爲難治。

千金翼有黑疸之名。其症身皮大便皆黑。主用赤苓散治。其藥爲赤小豆茯苓雄黃之屬。此即外醫所謂副腎病。宜強壯法療

之實爲難治之病不得視與黃疸同科

癖黃者病源云「氣水因停滯積聚成癖熱氣相搏鬱蒸不散故脅下滿痛而身發黃」此當爲肝臟腫瘍胆石一類之病

黃疸病之可述者已如上若黃汗則黃疸病之表虛自汗症黃色素已由汗孔而出故用黃芪桂枝湯以固表和營不必治疸蓋黃汗本爲疸病之一分症也

五色疸爲黃疸色素之變不當與黃疸混立病名蓋一定量之胆色素混入血液則皮膚染黃而黃色素之量不能定故或金黃或硫黃或綠黃或黑黃也

萎黃病爲失血及病後常見之候此則爲血色素減少或漿液質病非黃疸也

黃胖者貧血及心或腎之浮腫病也與脫力黃疳黃等同其治法非黃疸也吳鞠堂謂閩有祕方治疸奇效用些許針砂皂礬和肉桂夜明砂同服正治黃胖之方非治黃疸之藥

黃疸治法除黃以小便爲出路淸熱以胃腸爲目的古人雖有瓜蒂散搐鼻出黃水法麻黃醇酒湯發汗諸法此則隨症而治難爲常法已

治黃疸宜分陰陽陽症爲濕熱屬陽明表實無汗麻黃連翹赤小豆湯表虛黃汗黃芪芍藥桂枝苦酒湯裏實茵陳蒿湯下之小便不利茵陳五苓散利之無表裡症梔子柏皮湯　陰症爲寒濕屬太陰小便利朮附湯小便不利大便反利五苓散自利理中四逆輩治之

徐大椿謂「疸之重者有囊在腹中包裹黃水藥不能入」蓋指胆石、肝硬變、梅毒性諸痼疾而言實則非無治法也

東人有大神湯謂治黃疸重症神效方爲茵陳、大黃、參、梔、苓、苓、草、砂仁者爲胆石則加用薏苡仁（見渡邊熙著和漢醫學津梁）

小兒生理之研究

孫家駒

小兒方離母胎。雛形初具。組織未全。同化作用異常旺盛。非如成人種種之組織與官能。均已發育健全。同化作用因之不甚亢進也。故小兒之生理狀態。與成人有異。茲將簡明之生理述之如左。

（甲）脈搏、　脈搏爲心房鼓動之餘波。小兒軀體較小。血液循環較速。因而心房之鼓動亦速。脈搏亦隨之而速矣。故小兒生後至一歲以內。每分鐘脈搏約百二十次至百四十次。自一歲至五歲。每分鐘脈搏約百次至百二十次。自五歲以上。每分鐘約九十次至百次。至于成人。大抵每分鐘七十五次左右。

（乙）呼吸、　肺之所以呼吸。由於呼吸中樞之延髓。而血之循環。全賴心房之弛張。（按血中濁質。端賴肺之呼吸。吐炭氣而納氧氣。以澄清之。呼吸中樞受血中炭酸之激刺。遂作用於體腔之膈膜。及脊骨間之筋肉。此膈膜與脊骨之筋肉。受刺激而起反應。遂協力合作而伸縮。肺葉亦隨之伸縮。）故肺之與心。關係頗切。約言之。呼吸由于血中炭酸之刺戟。而血之澄清。有賴于呼吸之排炭吸氧。得以維持平均也。大凡成人常態呼吸。約與脈搏爲一與四之比。每分鐘爲十六次左右。初生兒自一歲以下者。呼吸與脈搏爲二與七之比。每分鐘爲四十次左右。五歲以下者。每分鐘約三十次左右。自五歲以上。每分鐘約二十次左右。與脈搏一與四之比。逐漸相近。

（丙）體溫、　血行亢進。體溫隨之而高。小兒因血行亢進之結果。故常時體溫恆超出百度（華氏）以上。發熱時則更高。而成人輕微發熱時。亦不過若小兒之常溫也。故小兒實富有耐熱性。于臨床上。數見不鮮。

（丁）睡眠、　小兒因種種之組織與官能未健全。工作能力。當不逮于成人。然事實上之需要。其同化作用。反較成人爲旺盛。則其易于疲勞。可不待言。此小兒所以需較多之睡眠也。緣睡眠之目的。無非避免官能對外界之刺戟。與其引起之反應的消耗。而使同化作用。得以盡力攝取營養。供給生長。及補償其未睡眠時所消耗者。一方使血行神經。無外界之兼顧。得專力于運輸。營養與諸官能組織。相互輔助也。故小兒月內。除必要之授乳時間外。皆宜使在睡眠中。自三四月至一歲。每日夜需十六小時。五歲以下者。平均每日夜約需十三小時。五歲以上者。平均每日夜約需十一小時。至于成人。大多自八至十小時。

（戊）胃及飲食、胃作囊形。而小兒之胃。據解剖上報告。實不如成人之形態。而類圓柱形。故容積小。而胃液不發達。查胃之機能。端賴胃液中之胃液素與鹽酸。以融解澱粉質。及具有殺菌防腐之能力。今小兒胃液。不甚發達。而需求之急促。又有過于成人。則不得不求腸汁之輔助焉。按腸汁本爲於胃的糜化後。有繼續融化蛋白質。分解脂肪。消化纖維質等能力。因代償不足之胃液。而消化澱粉質。助胃機能之不足。故小兒食物之消化與分析。大部份在腸而不在胃。而無病小兒之大便成分分析。往往不及成人大便成分之純粹也。飲食與胃。關係彌切。以彼小量之胃。將不能容納多量之物質。若飲食過量。必起物理的嘔吐。大凡乳孩三月內。約二三小時食乳一次。三月後。約每三四小時一次。及至斷乳以後。每日約五次。四五歲後。約四次。而成人則大多一日三餐足矣。

（己）大小便、小兒之食物。類皆液汁。故大便中亦以液體爲多。而飲食之頻數。腸蠕動之增進。大小便亦因之而增多。故凡小兒大便。一歲以下。每日夜自三次至五次。一歲以上。約二三次。五歲以上。漸由二次減爲一次。小便則因食乳之故。初生兒約一二小時一次。斷乳後約二三小時一次。四五歲則漸減。然仍較成人爲多。

（庚）顱顖、小兒初生。頭頂有不整方形之窪處。有膜搏動。其起落與心藏之搏動相應。是爲顖門。有大顖門小顖門之分。小顖門生後不久卽行閉合。細心摸之。或略得一凹處而已。大顖門爲頭蓋骨之一部份待合之現象。此皆由化骨未完成也。大凡小兒生後十月。大顖門漸次增大。及至十八月後。漸次收小而閉合。至于先天不足之虛弱嬰兒。大多逾期尚未閉合。而稟賦有餘者。竟未至期卽呈現閉合之狀者。此強弱之分也。

衛氣爲淋巴說

侯杏香

我國醫學有一缺點。卽所用名詞。無正確定義。初學者每茫然不知所指。欲謀整理。宜先正名。今取「衛氣」一詞。略陳管見。

「衛氣」一名詞。在醫書上。有時單稱「衛」。「衛」係對「營」言也。有時單稱「氣」。「氣」係對「血」言也。然營猶血也。「衛」猶「氣」也。合稱「衛氣」。所以對營血言也。「營血」吾人名之曰血液。似無不可。「衛氣」吾人將名之爲何物乎。竊閱普通生理學。知其與淋巴頗合。淋巴之原名爲 Lymph。係譯音。以中國無相當名詞可譯。故用音譯。茲先述醫書中之衛氣。次述普通生理學中之淋巴。

我國醫書上之所謂衛氣。約有五特點。

（一）營衛異途。　謂營由脈中行。溢於諸絡。衛由脈外行。達於膚表。脈者。動脈也。絡者。靜脈也。血之途徑。在動靜脈之內。而衛氣之途徑。則在動靜脈之外。凡動靜脈不到之處。皆充以衛氣。直達於皮膚而止。

（二）營衛交會。　謂營衛交會於手太陰。肺臟爲營衛化合之所。手太陰在何處。及交會之點何在。雖無切實指示。而營衛有交會點。則甚明確也。

（三）營衛異速。　謂營行速。終日歷盡一周之體殊。衛行遲。終月始歷盡一周之體殊。終日終月之說。現雖無法證明。而衛氣流行之速率。不及血液之大。則宜爲學者所共悉。

（四）衛之功用。　謂衛氣出入形藏。分於晝夜。以固生身。莫總於此。形指軀體也。藏指內臟也。形藏卽人身所有各部之組織也。衛氣出入於全身各組織。不問五臟六腑肌肉血管骨髓腦經。無不流行週遍。使全身得以生長堅固。爲一種最微妙之作用。

（五）衛之變形物。　謂衛氣內走臟腑。外達皮毛。其上出之氣。出於口鼻。著於漆石。則爲水焉。其在口舌。則爲唾焉。其在於目。則爲淚焉。其在於鼻。則爲涕焉。其在於耳。則爲垢焉。其在於五臟外層。則爲涎焉。其熏膚潤肌。出於皮毛。則爲汗焉。其下出者。則爲溲焉。觀此則凡汗溲涕唾眼淚耳垢涸液及口中水氣。皆爲衛氣之變形物也。

衛氣特點既如上述。茲再取生理學中所載之淋巴。核與衛氣特點符合者。摘敘於下。

（一）血液與淋巴之分路。　當血液自動脈通過毛細管時。有液體由血中滲過此管之薄衣。輸送滋養料至組織。此種液體名曰淋巴。淋巴毛細管中之血轉入靜脈。廻至心臟。而淋巴則另由全身各組織。輸入淋巴毛管。由淋巴毛細管匯成淋巴管。此管通過所謂淋巴腺或淋巴結者。挾帶幼淋巴球。集合於淋巴總管。再由淋巴總管送至心臟。根據此點。淋巴與血液離心時均由動脈送出。囘心時血除在脾外皆不能離開血管與組織相接觸。而淋巴則不在血管之內。而且與全身組織相接觸。與衞氣行於脈外之說相吻合。

（二）淋巴與血液之會合。　淋巴與血液均須回至心臟。然則交會於何處乎。按淋巴總管又名胸導管。長約十八英寸。其直經平均如小鵝翎。起於第二腰椎骨之一囊。名爲乳糜池。由主動脈之後上行。經過膈。繼續向上。經胸而至第七頸椎骨相平之地位。即彎曲如弓形。而入左鎖骨下靜脈與左頸內靜脈交會處。乃與靜脈血匯合。赴心過肺。復循環於全身。按此淋巴與血液會合於左鎖骨下靜脈與左頸內靜脈交會處。則與營衞交會之說。亦吻合矣。

（三）靜脈血與淋巴液流行之遲速問題。　動脈中之

血與淋巴混合不分。自無遲速問題。迨分入靜脈與淋巴管之後。誰遲誰速。可以從其流行之原動力大小上決定之。靜脈血流行之原動力有三。（甲）由心及動脈傳來之血壓擁血前行。（乙）肌縮時壓靜脈之血。（丙）因心舒與胸張時之吸力。淋巴流行之原動力有二。（甲）肌縮時壓淋巴管之淋巴。（乙）胸張時之吸力。至於管肌與管瓣之作用。二者相同。故以原動力大小爲根據。以推測二者之遲速。則淋巴流行之速度。自然不及血液。此點與營行速衞行遲之說。亦甚相合。

（四）淋巴之功用。　人類軀體由各種不同之組織構成。組織之能生活者。特滋養料。循環器爲運送滋養料及攝取廢物之機關。然而血液除脾以外。不出於血管。其將血管內之滋養料滲透過毛細血管壁運送至組織。並將組織內因新陳代謝所遺棄之廢物。輸送至血液者。全爲淋巴之作用。故人身之組織全部似浸於淋巴中。此與衞氣出入形臟。以同生身之說。亦甚吻合。

（五）淋巴之變形物。　淋巴之組成由於蛋白質。如纖維狀蛋白元 Fibrinogen。血清球蛋白 Serum Globulin。

血清蛋白素 Serum albumin 等。及鹽類質。其渣質則為碳強酸尿素 Urea 等。此等皆屬於淋巴中之固體質。約佔全身百分之六。餘為水分。而固體質中蛋白質佔其半數。吾人呼出身體外之口氣。中有碳酸 Acid carbonate 及水氣。由淋巴中輸送至肺者。必居一部。淋巴腺中有涎腺三對。即腮腺頷腺舌下腺是也。故口中之唾成於淋巴。有淚腺在眶上外角。故眼中之淚成於淋巴。體內外之泗膜分泌泗液。皮膚之汗腺分泌汗汁。及腎之排泄尿質。皆直接間接以淋巴為源泉。故涕垢汗涎與小便。悉為淋巴之變形物焉。

上述關於淋巴之五點。均與國醫衛氣之特點相合。因作一假設曰「衛氣者淋巴也」。凡我醫界。倘能不以神祕哲學自命。取國醫之理論經驗而科學化。發榮滋長。正未有艾也。

科學方法講習會緣起

本校同學諸君。

誰都覺得中醫是有整理之必要的了。不論他是反對的或贊成的。對於整理中醫都是一致地主張着。可是怎樣整理呢。用什麼方法整理呢。用舊方法吧。從前的成績在那裡。用新方法吧。新方法是什麼東西。這是當前最迫切的問題啊。

中國醫學之有偉大的價值。這是全世界有識的人所同聲稱許的。然而這一個偉大的價值不過在一般人的心中憧憬着而已。要把它具體的提示出來。條分縷析地呈露出來。使前人給我們的偉大的精神遺產。重新活生生地獻給全世界的人們之前。這是一件鉅大的工程哩。諸君。我們要用什麼方法才可以完成這一個工程呢。

要建築一件工程。必要有設計。要造就一件器物。必要有工具。要研究一種學問。必要有適當的方法。那末我們想要整理中國醫學。應該用什麼方法呢。我們的答案是科學方法哩。

我們都震驚西洋人的學問奇異。西洋人不絕的發明。尤其崇拜西洋人對研究中國學問常有卓越的新解。然而西洋人並不都是天才。爲什麽比我們好了這許多呢。這不是別的、原來他們有一個「科學方法」的工具在手裡啊。所以中國的每個學者。如果能把握着這一件工具——科學方法。那就可以和他們一樣的、並駕齊驅。同理我們學醫的人。如能學習這個研究學問有效的工具。就可以得到莫大的成果。——這是我們組織本會的根本理由。

國籍的西醫屢次譏笑中醫未經科學的洗鍊。不能担任整理中醫的責任。大有「舍我其誰」的樣子。其實科學方法不是帝王的傳國璽。這是研究學術的公器。人人可以學習的。所以我們只要努力來學習這一個方法。運用這一個工具。就一定可以比他們的研究要進步得多、發明得多啊。這樣不但可以解嘲而已。而且是中華民族莫大的光榮。中醫史上無上的奇跡。

不過科學方法並不是一件簡單的事。它是十分精深博大的。我們必須要有最大的努力。十分的決心。始終不斷的精神去對付它。才行。

諸君。你如果想對中醫界露頭角。對國醫藥有探求眞理的決心。固然必須學習這一個工具。就是你想把你的辯才學得更好。把你的文章寫得更妥當。也必須學習這一個工具。而且、你如想把你解決問題的能力增高。把你思考的能力進步。把你對付自然和社會的認識力弄得更眞確時。尤其應該學習這一個工具。

我們相信以上的話一點也不帶誇大。只要你肯努力。在不久的將來。你會自己證明我們的話是太陽一樣的眞理。

同學諸君。你如果信仰我們的話。希望自己攷慮能不能有這樣的努力和決心。同時還須攷慮下列的必須遵守的規則。待一切攷慮了以後。認爲願意加入的話。就希望來報名。

這是我們發起組織本會和徵求會員的緣起。

發起人徐究仁陸冕英王治華方亦元楊則民邢友華許勉齋王若川

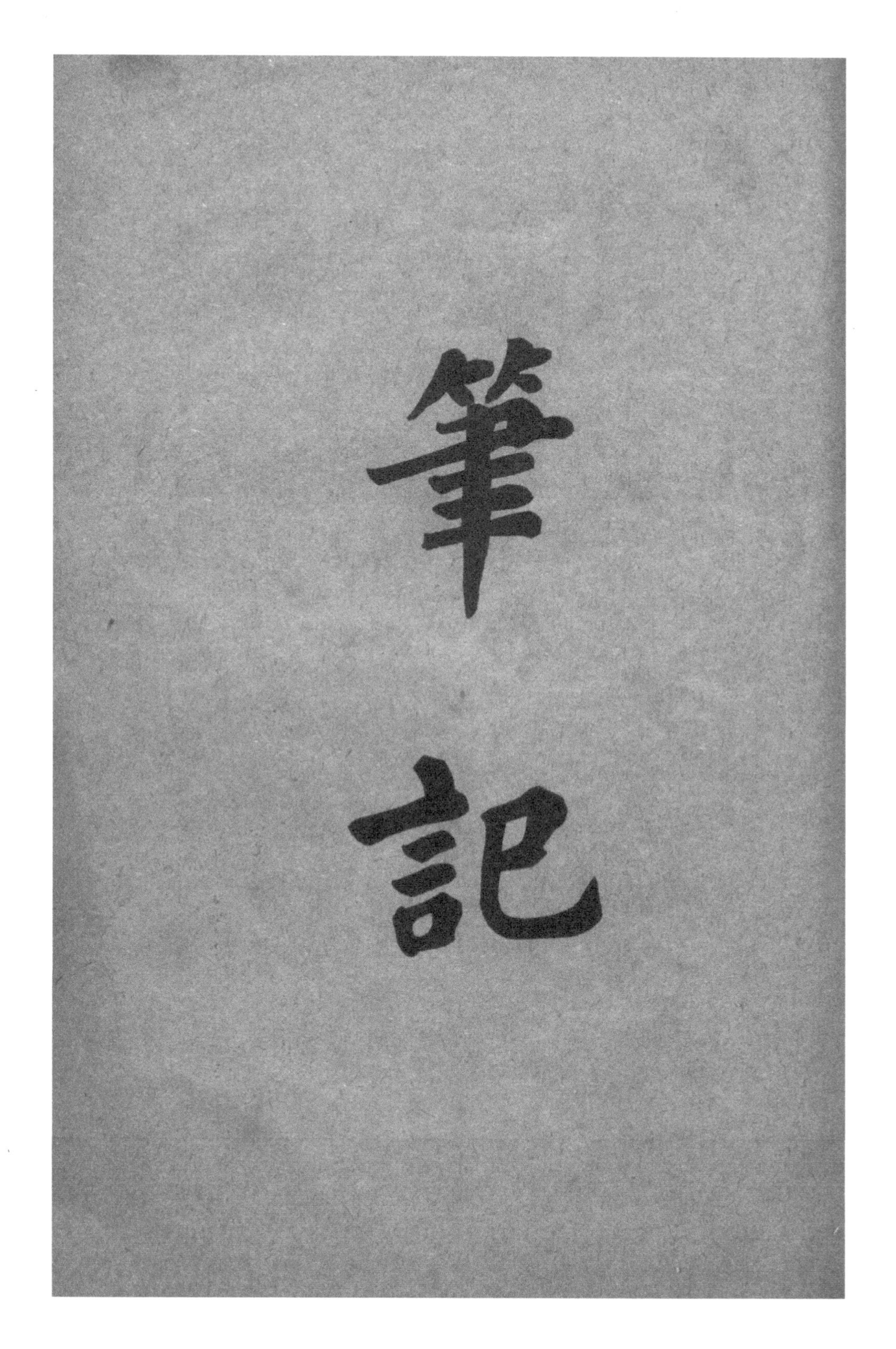
筆記

· 白页 ·

勉齋醫話

許勤勛

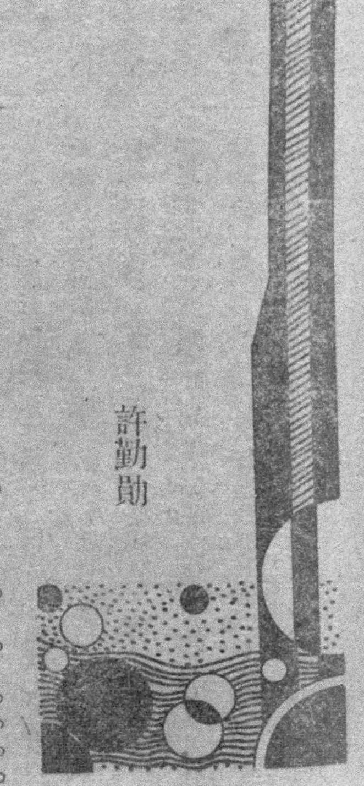

鄭左。年越耳順。向有痰喘。己巳春月。宿疾大發。脈左關尺虛弦。右關尺沉實。腹部脹急。有如帶束之狀。喉間㗋咯有聲。夜熱冷汗。汗透衣衾。反覺舒適。予知老人平素精力尚好。遂斷爲實喘而非虛喘。腹部如帶束者。乃痰爲流質。走竄無定。痰滯於腰。腰臍不利。故如帶束。夜熱冷汗。汗後較舒。以汗爲液體。痰火內熾。逼液外出而爲汗。汗後則氣火疏泄。故反舒也。然左尺虛弦。似宜兼固其本。以覆花紫菀蘇子蘿菔子乾姜五味熟地淡菜海蜇學齋合礞石滾痰丸投之。一劑而疾若失。

劉右。年踰古稀。戊辰臘月初。則傷風咳嗽。繼因挫閃。艱於轉側。偶或咳嗽。牽動脅肋。其痛更劇。予旋覆花湯加三七歸尾。脅痛立止。乃誤將驢膠調補。致胃納式微。釀成痰飲。予曰。脾爲生痰之源。胃爲貯痰之器。肺爲出痰之竅。脾肺虧虛。爲痰爲飲。津不上乘。有時口燥。腎陰不足。兼挾肝鬱。氣火鬱阻。有時腹熱。足痿不良於行者。以久臥床榻。經絡不舒故也。脈右尺帶弦。寸關未起。左手沉滑。症情複雜。頗費籌箸。茲擬補脾爲主。脾健則痰飲自化。而濁自降。上下拜受其賜。四旁咸蒙其益。予六君湯加牡蠣澤瀉川貝杏仁霍斛。隔數日。伊復函懇往診。並詳述前藥服後。納增氣平。經過良好。予曰。服補劑而納增氣平的係中虧之候。內經謂脾氣上歸於肺。肺中氣。下根於腎。建其中氣。則肺腎出納。有權。效不更方。仍守原意擴充。以黨參易吉林參。冬朮易江西朮。去牡蠣澤瀉霍斛。加茯神益智冬蟲艸廣橘白之屬。

李左年約四十左右。善食易飢。面目虛浮。足跗浮腫。症延日久。來局求治。診其脈弦而滑。許爲可治。用酸苦泄熱法。生白芍三錢。川連八分。烏梅肉一錢。佩蘭葉二錢。懷山藥三錢。炙艸八分。銀花三錢。黃芩八分。山梔三錢。宣木瓜穭豆衣各二錢。復診諸證減半。煩熱較退。惟寐中時有盜汗。脈至弦緩。似覺邪火一撤而空虛若谷也。遂於前方去佩蘭黃芩。加白朮芪皮淮麥。疊進數劑。盜汗亦止。後以黨參於朮炙艸及阿膠生地歸身等。壯水潛陽補土制木。至二十餘劑。方始停診。查此症古法用調胃承氣或三黃丸之類。然水不濟火。孤陽偏亢。腹無脹滯之形。何可妄施攻下。經曰善食而瘦。謂之食亦。彼不揣其本而齊其末者。烏足以語此哉。

咽痛一症。迺常陰虧水不制火。及因風燥燥火者居多。然陰盛格陽。龍雷失於潛藏。致飛越于上而痛者。亦當深究。律師毛翼雄夫人。辛未春月。偶覺咽喉疼痛。飲食艱難。購服元參麥冬滋陰清咽。不但無效。而反加甚。繼復感染時痘。顆粒明潤如珠。並且時吐稀飲。盈盞成盆。勢若汪洋。脈弦顴紅。舌腭生泡。斷爲陰盛火不歸窟。腎虛水泛爲痰所致。脈象沉弦者。痰飲之內蓄也。兩顴紅艷者。虛陽之上冒也。本擬大劑八味。導陽歸窟。溫化水濕。第水痘既佈。又須兼顧。乃酌予清水豆卷蟬衣大熟地懷藥萸肉丹皮伏苓澤瀉生熟薏仁等。另用猺桂五分。飯丸先吞。一劑諸證均差。毛君認爲有效。囑其連服四劑。後其妹患恙。復來相延。談及前藥應效頗速。并表示感謝之忱也。

上海濟生堂岑炳璜君哲嗣。年事方剛。上年因患咳嗽。該地名醫。有謂肺勞。有謂陰虧。其他傳聞單方。搜羅剔抉。遍嘗無效。於是愛克司光也。肺病療養院也。隨聲附和。人言孔多。予細按脈象。實弦硬少神。視其顏面。乃皖白無華。據此兩端。以上云云。亦不爲過。惟細聆咳聲。一如常人。則殊非虛勞或他種肺病可比。蓋肺爲五臟六府之華蓋。位居最高。職司清肅。風邪滯於肺絡。欬逆聲啞。此金實之不鳴也。五心煩灼。咽痛失音。此金破之不鳴也。今岑所患。無一於此。乃心肝鬱火衝肺爲咳。斗他如唇紅舌絳。小便短數。亦足徵心爲肝子。肝火旺則心火亦旺。遂授導赤散加硃茯神川雅連柏子仁遠志紫菀川貝阿膠。遵經旨實則瀉子例。服後謂有氣自上而下。鳴響如水雞聲。頓覺快感異常。惟咳嗽較甚。不知何故。予曰。新感舊恙。彌生枝節矣。詢之果有頭脹納鈍等證。急令前藥停服。暫予輕清宣解。幸其尊人略諳斯道。深以爲然。予至斯恍悟醫有際運。洵非虛語。否則雖將遇良材。棋逢國手。信仰不堅。疑竇叢生。反詆前藥失當。寃乎不寃。繼而咳嗽果瘥。原方去川連木通加桑麻黑梔竹葉。清理通潤。亦頗適應。再用肅肺和肝。攝納衝氣。如旋覆赭石兜鈴紫菀川貝生芍鱉甲牡蠣牛膝夏枯艸女貞子冬瓜子等。出入加減。盡五十餘劑全愈。後岑以年事終了。賦歸心切。乞擬膏滋調補。爰爲酌定方案如次。

心肝。鬱。火。衝肺。則。咳。面色。㿠。白。形神。萎。頓。前投。導。赤。散。加。味。以。治。標。纖。進。清。養。柔。肝。以。培。本。咳。嗽。日。見。減。瘥。精。神。日。臻。康。復。無。如。體。稟。木。火。不。時。氣。衝。當。靜。默。以。制。動。毋。煩。勞。而。自。擾。蓋衝。脈。動。則。諸。脈。皆。動。木。扣。金。鳴。亦。意。中。事。也。拙擬。清。養。肺。氣。使金。藏。得。肅。降。之。權。重。藥。鎮。攝。納。肝。衝。於。潛。藏。之。道。此。外。加。意。防。護。調。節。呼。吸。相。制。適。以。相。成。得。不。治。而。治。之。妙。鄙見淺陋。未敢云當。敷陳一二。錄候　教裁

西洋參一兩　枇杷葉二兩　北秫米三兩　白歸身二兩

京川貝二兩　冬瓜子三兩　鹽陳皮一兩　大白芍三兩

叭杏仁二兩　潼蒺藜三兩　白茯神三兩　鹽牛膝二兩

炒紫菀二兩　滁菊花一兩　蘇丹參三兩　女貞子三兩

代赭石二兩　製香附二兩　遠志肉八錢　旱蓮艸二兩

旋覆花三兩　夏枯草一兩　細生地四兩　左牡蠣四兩

上藥二十四味。煎三次去渣。加龜版膠半斤。鱉甲膠半斤。用陳酒墩烊。冰糖半斤。熔化收膏。每早晚開水冲服三匙。如遇傷風或停滯。暫緩再服。切切注意。

陳道隆

杏廬醫案

沈男　二十歲　杭州市板兒巷　一劑

脾陽式微。陰霾濕濁。充斥三焦。決瀆失司。遍身臃腫。胸高氣

促。腹脹臍突。目眩心悸。向常遺精。肝腎早傷。衛氣不固。根本搖動。脈來沉細帶濇。症已危殆。姑擬扶脾溫化之法。

猺桂心六分（飯糊爲丸） 澤瀉三錢 車前子二錢（包煎） 猪茯苓各三錢 陳皮一錢 菟絲子三錢 仙半夏二錢 川椒目二十一粒 覆盆子二錢 生牡蠣四錢 五加皮四錢

二診 二劑

投以溫化。脹勢已減。胸高氣促亦差。溲尚涓滴。便復鳧溏。膀胱氣化不調。脾腎氣失鼓護。再進溫化濕濁。煦助脾腎爲要。

土炒湖廣子錢半 五加皮四錢 車前子二錢（包） 炒牛膝三錢 澤瀉二錢 生苡仁三錢 猺桂心六分（飯糊爲丸） 陳葫殼五錢 縮砂殼八分 煨益智錢半 半夏粬二錢（炒焦包） 台烏藥一錢 川萆薢二錢

三診 五劑

下開已開。濕有去路。脹大減。溲便較調。肢懈神萎。懨懨思臥。胃納不揚。脈尚軟弱。脾陽不振。腎元已餒。扶中培補。以善其後。

米炒潞黨參三錢 茯苓三錢 澤瀉二錢 仙露夏二錢 香佩蘭錢半 懷山藥三錢（生打） 土炒於朮二錢 香穀芽四錢 車前子三錢（包） 陳皮錢半 菟絲子三錢 生薑一薄片 大紅棗五個

章幼 四歲 鹽橋 一劑

病延多日。身熱肩乾。顴紅面蒼。瞳神散大。額汗淋漓。痰聲轆轆。煩躁不安。肢冷脈細。小溲淡黃。便青多沫。舌苔薄黃。症已中虛暴脫。慢脾險象。假熱畢呈。扶中顧本。刻不容緩。方候明政。

土炒江西子錢半 仙半夏二錢 茯苓三錢 國產參一錢 廣木香八分 清炙甘草八分 杭白芍二錢 陳皮一錢 淡乾薑五分 澤瀉錢半 百益鎮驚丹一顆（化烊分服） 伏龍肝四錢（煎湯代水）

二診 三劑

昨進扶中顧本之劑。瞳神已斂。手足溫和。身熱煩躁。舌苔有絲刺。口渴喜飲。陽已獲回。陰液受傷。症已轉夷。今擬和中養液爲治。

金石斛三錢 清炙甘草五分 辰燈芯一捲 西洋參一錢（蒸） 川貝母二錢 叭杏仁錢半 剖麥冬三錢 杭

白芍錢半　懷山藥二錢（生打）　穭荳衣二錢　茯神三錢　青鹽陳皮八分

濕熱挾暑風案

王治華

（病者）詹光奎君之子福庠。八歲。住諸暨北鄉詹家蛟村。

（病名）濕熱挾暑風。

（原因）時當夏令。天之熱氣下降。地之濕氣上騰。人在氣交之中。感受其氣。蘊結於內。此濕熱之所由來也。兒童時代。漫無顧忌。烈日驕陽。結隊遊玩。池水鼎沸。成羣沐浴。此暑邪之所由感也。

（症候）始則身熱面垢。唇紅口渴。繼則肢痿溲赤。倦怠嗜臥。終則搐搦昏迷。譫語痰鳴。急延予往。未及臨診。頓呈身僵氣絕。厥死之態。舉家號哭。焚鏹送魂。余到之時。紙灰未冷。後事將具。其祖玉堂素與予善。乃謂曰。既來之。則診之。何如。余亦念平日感情。意良不忍。遂入內診察。身雖僵而猶熱。息似絕而微存。勉許疏方。冀效萬一。

（診斷）兩脈沉伏。牙關緊閉。既不得憑脈而論症。又不能藉苦而施治。惟詳察病原。斷爲濕熱化火。暑盛動風。火得風而愈熾。風得火而愈威。風火相煽。竟成棘手之險症矣。

（療法）經云。急則治標。今既噤閉。當以開泄爲首務。先予牛黃至寶丹。用竹葉捲心辰砂拌燈心玳瑁煎湯送下。以清心開閉。更用滑石銀花連翹梔子以去暑清熱。地龍秦艽鈎藤鈎忍冬藤以舒筋定風。片竹黃川貝母鮮竹瀝廣鬱金以化痰通竅。

（處方）飛滑石六錢　銀花三錢　連翹三錢　焦梔三錢　廣地龍一錢半　秦艽一錢半　鈎藤鈎三錢　忍冬藤三錢　川貝母二錢五分　鮮竹瀝半杯　廣鬱金三錢　片竹黃二錢五分　牛黃至寶丹一粒　玳瑁　錢　竹葉捲心四十支　辰砂五分拌燈心一丸

（次診）晉藥之後。夜半能言。合家狂喜。急差二人星夜促余復診。至則見神雖較清而倘昏。聲雖能開而不語。按脈濡數。舌苔灰膩極厚。溲如茶汁。身熱口渴。大便閉結。遂於前方去牛黃至寶丹。易萬氏牛黃清心丸。去廣地龍、鈎藤、忍冬藤。加全瓜蔞、炒枳實、郁李仁、萊菔子、以消積通便。加白知母、天花粉、以清熱解渴。

（三診）進前劑。神色既清。大便亦下。身熱較退。口渴亦差。驚浪危濤。始告平服。但舌苔雖退而光。脈象轉爲虛微。外邪固退。正氣亦衰。欲求速愈。洵非易事。擬化邪劑中。參用補元之品。如得脈象漸旺。舌苔微生。方爲佳兆。處方用

潞黨參二錢　炒扁豆三錢　炒米仁三錢　剖麥冬一錢五分　浙茯苓三錢　冬瓜子三錢　飛滑石四錢　西黃草二錢五分　川絲通一錢　佩蘭葉二錢五分　新會皮八分　炒條芩二錢五分

（四診）前方迭晉二劑。胃納頓開。脈轉有力。舌光依然。仍遵前法出入調理而安。

（附記）此症全愈之後。其祖玉堂謂余曰。寒門僅此一孫。幸慶更生。小兒之得延嗣續。老人之得娛晚景者。皆先生之所賜也。余因之有所感矣。間嘗閱史虢太子尸厥。國中治穰過於衆事。而扁鵲斷爲未死。治之果愈。前年吾鄉詹步庚之子乾基。亦患壅閉重症。咸謂不治。而余與家兄廷賚楊君錫安三人會診。竟進湯劑而甦。古今來類此者比比也。是兒已呈死態。似無生理。若竟委諸不治。未免枉死矣。然病家無生命常識。醫家診察不眞。類此而枉死者。古今來又不知幾何人也。願我同志。遇此存亡疑似之際。切勿掉以輕心。疏忽從事。苟有一線希望。務宜殫精療治。斯眞人羣之大幸。抑亦吾黨之天職也。與

齒衄治驗記

楊千鈞

去冬余在申江。以家兄患齒衄甚重。速余返杭。兄見余歸。相與問訊。余觀其神色。尚不十分頹唐。心爲釋然。當詢其病之始末。及治療經過。而記之如下。

家兄偶感身體疲勞。且夜不甚寐。以爲虛也。嘗服參茸丸二粒。詎知甫隔二日。忽患齒衄。色紫腥臭異常。且舌尖及牙齦均起紫泡。以針刺之。瓤而難破。破後則湧紫血。翌晨卽就杭州醫院王某診治。據謂此名壞血病。必須靜養。勿勞動。居常可多啖梨橘及青菜等富有水分之物。一面另開藥單。歸卽照服。齒衄依然不少止。遂改中醫費某診治。書以竹葉石膏湯加苓連丹地等。仍不奏效。嗣又改延西醫鍾某診之。詎知不特無效。血且愈多。甚至起臥非人扶不能動彈。復又轉延中醫王某診治。揆其方意。亦無非甘寒清胃與費醫如出一轍。不過再加犀角尖八分而已。一劑尚平。二劑而血又如泉湧。幾碗許。以如是大寒藥。尚不能殺其勢。或恐蹈程客覆轍。（所謂程客江西人。寓杭作客多年。前半月以齒衄過多殞命。據其症狀。略同。疊經大寒瀉火而血終不止。諸醫後來無辦法。囑其家人採白馬之腦以配藥云）故懼而召余視疾耳。余曰此病之造因實與天時氣候有密切關係今冬連月亢旱空氣中水分極感缺乏空中水分既缺則人體生理需要遂感不足而生障㝵是以咽喉口鼻常覺乾燥異常斯時倘多啖水果園蔬或可調劑今反進參茸之溫補是益其燥而助其虐可謂爲齒衄之導因也兄曰吾以爲上年慣服之品結果均良又烏知其病變一至於此余曰天時之常變殊足影響於人體生理之太過與不及上年天時無有如今冬之燥之甚者而況人體有時因種種關係亦能變其常態是不可執一也當爲診脈兩手均沉實微數重按有力舌色雖不甚絳而紫泡痕宛然口臭而食則易飢大便反溏以脈症論全是腸胃熱毒上蒸熱盛則齒齦間之微細血管因而破裂故出血不止夫齒齦牙床本屬乎胃今胃火熾甚故多食易飢熱毒瀰漫血分故出血而色紫血壓易常亢進故脈數而實也前醫徒事寒涼譬之揚湯止沸焉能有濟爲今之計急宜釜底抽薪一面用三黃瀉心湯降其上逆之火使不上炎通其陽明腑氣使從下泄一面用丹地蒲黃等涼血解毒使血液不至于沸溢如此雙管齊下或能中肯當用生大黃三錢黃芩一錢五分川連一錢黃柏一錢五分甘中黃二錢細生地四錢丹皮三錢白芍三錢木通一錢五分炒蒲黃一錢五分藥後腹微痛大便反得燥糞是夜遂能安寐。齒衄亦大減。不過涓滴滲出而已。後照原方加減分量。連服五六劑而瘳。夫此症本極平淡無奇。似無一記之價值。徒以疊經中西妙手。覺無寸效可言。而吾杭中醫前輩。其用藥祇知輕描淡寫。以求無過。又不禁爲之憮然久之。

診餘記驗

程周保

半坑汪明保次子。年三十餘。業農。辛未秋。患濕溫症。先由某醫診治。不效。繼復更醫。遷延四候有奇。不特毫無轉機。反瀕於危。始來乞診。按脈濡滑。察舌光紅。頭汗如珠。懶言神疲。時有鄭聲。大便溏泄。告之曰。病勢至此。內陷外脫。有如朝露。危矣殆矣。乃檢閱前方。先是辛溫表散。津液受戕。繼進苦寒沉降。中土受傷。不知濕遏熱伏。彌漫薰蒸。三焦氣化不能宣展。當時微苦微辛。芳香淡滲。宣氣化濕。自然熱達腠開。邪從汗出。且濕爲陰邪。最易傷陽。勞動之人。中氣素弱。投以寒涼。致難支持。所謂一誤而再誤也。所幸風痰未動。大便雖溏。未至洞瀉。乃以別直。龍牡。棗仁。遠志。茯神。斂汗寧神。固脫爲君。白朮。苡仁。扁豆。培中禦陷爲臣。霍斛。生津益胃爲佐。益元。荷蒂。升清宣利爲使。令服兩劑。險象漸退。調理旬餘而安。此方爲救逆權變之用。不可作外感常例視也。

庚午春。腦膜炎症盛行。來勢凶猛。療治稍疎。每遭不測。寧國胡樂鎮乾泰油坊經理、汪禹功先生幼子。年十餘歲。亦罹斯症。百般救治。渺無效驗。聞余善治此症。乃遠道而來。懇乞往診。至見表熱不甚。內熱頗熾。煩躁叫痛。四肢掣動。頸項強仰。喉有痰聲。唇腫而赤。脈象浮按不揚。重按洪勁。舌苔黃垢且糙。舌本色紅。四診之下。斷爲時行不正之氣。由口鼻入於肺胃。蘊鬱不達。有以致之。考陽明爲受溫之藪。其脈絡心房。環口唇。主宗筋。利關節。疫邪充斥。上蒸於肺。肺炎葉舉。咳嗽痰鳴之患作焉。陽明之熱。循經上升。唇腫口渴。勢所必然。太陽之脈。循項至巔。風陽上僭。故項強而頭痛。木旺於春。內應乎肝。其不引動肝風者。幾希。脈伏爲邪徵之徵。洪勁。乃溫重之象。若非大劑清溫熄風化痰通絡。不足以挫其凶燄。乃以桂枝白虎。重用石膏。加浙貝羚羊紫雪花粉銀連桑菊姜汁竹瀝萊菔汁瓜絡等品。一劑之后。風定痰平。神志亦清。惟項仍仰。腹部耕痛。口臭甚重。溫未清而有燥矢爲患也。以五仁加風化硝伸筋艸瓜絡等。服下。是夜下黑糞如牛糞者甚夥。諸症遂失。

臨證筆記

劉應龍

城北黃吉人之孫女。年七歲。陡然昏厥。痰湧。身熱肢搐。醫作癇治。投龍牡化柔之劑十餘帖。無效。肌削骨立。奄息垂危。其家人來懇救治。診脈滑數。苔乾黃厚。神昏肢厥。身熱口渴。痰鳴。便黑溏而溲赤。予曰。此暑濕痰熱內陷症也。不急治。不可爲矣。處方用磨羚羊、生石膏、知母、花粉、瓜蔞仁、清水半夏、象貝母、鈎藤、梔翹、黃芩、茯苓、至寶丹之屬。另以青蒿露、蘆根、竹茹等煎湯代水。一服神清搐平。便黑轉黃。再服而症去大半。又知其內有燥矢也。即以枳實玄粉知母麥冬橘紅等。行籬屎八九枚。後以清理法而愈。

余巷盧致中之婦。年三十餘。秋間患咳嗽咯紅。數月不愈。醫以杏蘇二陳及辛涼清肅法。未效。診脈弦滑。發熱惡寒。夜分較甚。余曰。此肝熱肺不肅降也。爲處前胡、地骨皮、杏仁、青蒿、款冬、百合、象貝、茯神、白芍、丹皮、桑葉、蘇子、薄荷、枇杷葉等。兩服全愈。亦不復發。

城東范雲五夫人。年四十。於季夏患腹脅脹痛。食少不化。面色青滯。脈搏弦滑。予思必肝橫膽汁鬱滯。轉輸不利。而現斯症也。處以越鞠之法。囑先服三帖。後來寓走告。謂藥服完後。週身皮膚發現青汁。似汗而出。用巾水拂拭皆青。而腹脹痛均消。飲食驟增。初未料其感應如斯之速也。亦足供研究者。

診餘隨筆

沈剛如

首都洪祕書之夫人。年三十九歲。產後未届兩月。左耳宿有耳聹之患。忽又復發。然僅流黃水。不甚痛苦。有勸就某醫院治之。該院囑看護婦爲其洗塗藥膏。乃因手術粗猛。當時即感劇痛。入夜不能安枕。翌日痛愈甚。而流出之黃水漸濃。又次日沿左頜左頰皆痛。尤以多年未發之偏左頭痛。亦一時大發。坐臥皆非。遂改就京中著名之耳目口鼻專家。諸恙仍若。其間以夜不能眠。最爲痛苦。乃就診於余。脈弦。苔黃。體蒼。形瘦。陰虛。肝旺。可無疑義。祇以痛勢甚劇。乃權投龍胆瀉肝。以緩其勢。痛即大減。再診。脈數。尺弱。是虛火。降而眞情露。乃用大劑甘寒。以培其陰。少佐酸苦。以斂其陽。並囑西洋參泡湯代茶。以善其後。

樓君突患耳鳴。甚則如雷鳴。如砲轟。頗以爲苦。前醫進滋腎平肝之劑罔效。問治于余。余曰。耳爲腎竅。心肺寄竅於耳。胆脈亦絡耳中。方剛之年。不慮陰虧。不清胆熱。徒用滋腎平肝。無益也。宜予苓柏山梔桑菊生地石決明苦丁茶之屬。方爲合拍。服之果效。

暑厥危症之治驗

樓翰香

傅紅弟。年二十。住義烏城南。開設饅頭店。今夏因車水歸。感受暑邪。其父與生姜紅糖湯。病增劇。其證目上視。汗如雨。四肢厥冷過肘膝。人事不省。臥於席上。徧延中西名醫。皆東手無策。後由某君介紹。乃邀香往診。脈沉滑。唇紅。苔黃而乾。其父曰。口渴喜飲。

尿赤便閉。已數日矣。香曰。此熱。厥。症。也。仲。景。所。謂。厥。而。脈。滑。厥。深。熱。亦。深。也。病已瀕危。急不容緩。命先購服紫雪丹三分。溫水下。又以鮮艾擦四肢。肢轉溫。其父曰。汗大洩。恐亡陽。香曰。汗。有。分。別。今汗。雖。多。而。不。黏。非。亡。陽。也。方以白虎承氣加減。令服二劑。

生石膏四錢　知母二錢　鮮石斛三錢　鮮生地三錢
生錦紋三錢　靑連翹三錢　赤芍錢半　生枳殼八分

病者服紫雪丹後。神頓淸。其父以紫雪太涼。不敢多與。翌日神昏譫語。前證又作。惟手足不厥。再延香往。香見其脣絳。左脈弦數。右脈洪大。更處一方。並謂其父曰。紫雪雖涼。然涼而能開。病勢至此。非此莫救。汝苟信任。余當力負仔肩也。方以玳瑁鬱金湯加減。去玳瑁用犀角。更將石膏加倍。候其服下始歸。

犀角尖五分。生石膏八錢。肥知母二錢。廣鬱金二錢。鮮石菖蒲三錢。靑連翹三錢。赤芍藥錢半。牡丹皮錢半。胆南星錢半。紫金片三錢。

近晚病者已甦。嗣後淸其餘熱。養其津液。調理數日全愈。

產後痢症治驗記

樓普惠

紹興昌安門外包某之妻。年二十餘。秋間患胎前水瀉。產後轉爲紅白下痢。日夜無度。腹痛如絞。惡露不行。寒熱交作。疊請就近醫生。及產科錢某。認爲新感時邪。皆用夏令一派通套方藥。服之數劑。反致胸痞氣悶。自汗如雨。呻吟床榻。勢甚危殆。邀余商酌。診得脈象浮數而弦。重按無力。舌苔黃膩而糊。余曰。非暑。病。也。係濕。熱。挾。食。至。產。後。惡。露。不。行。餘。血。滲。入。大。腸。所。致。遂擬就一方。生化湯去川芎。合芩芍湯去川連加味。當歸尾紅花桃仁各三錢。炮姜川朴木香各一錢。酒芩赤芍各二錢。陳皮二錢。神麯萊菔子蘇子各三錢。熟軍藿香各一錢。一劑寒熱胸痞腹痛自汗均減。惡露即源源來也。再劑諸症悉退。下痢亦差。

旅汴瑣記

王源祿

源祿自畢業後。即任開封地方法院醫職。閒嘗思及母校。雲泥遙隔。魚雁鮮通。頗多離索之感。茲將汴中景況。拉雜書之。儻亦爲校友諸君所樂聞乎。

汴中城內外多廣植柳樹。大者合抱。高可數丈。葉細而茂。每逢二三月間。士人恆採其嫩葉。用雜茶中。藉充眞茶。飲之每令人作瀉。醫家亦多有用代大黃者。

河南大學醫學院校舍甚好。成績未著。

河南醫學研究會附設之中醫學校。今春忽然停辦。聞俟經濟寬裕後。尚當續辦云。

汴人喜啖山藥。大小宴會。非此不稱佳筵。

開封隨地皆鹽。味苦略無鮮意。遠遜海鹽。

汴中無癩頭。（即禿瘡）及大脚瘋病。

汴垣衞生設施。尚未完備。大街小巷。糞尿雜陳。警察亦多不干涉。

汴中以水鹹。故池中不生魚鱉。惟產蛙與江浙無異。

開封風氣閉塞。民智未開。雖隆冬嚴寒。多喜冷食露坐。故中寒之病。恆較他處特多。

溫邪熱入心包。成法非牛黃丸。即至寶丹紫雪丹之類。然亦未可執定。余任法院醫職以來。看守所病犯每日不下六七十人。而病熱入心包者。幾佔十分之三。余僅用生地元參花粉竹葉捲心連翹心菖蒲鬱金銀花等。養陰泄熱。開竅宣絡之法。無不全愈。

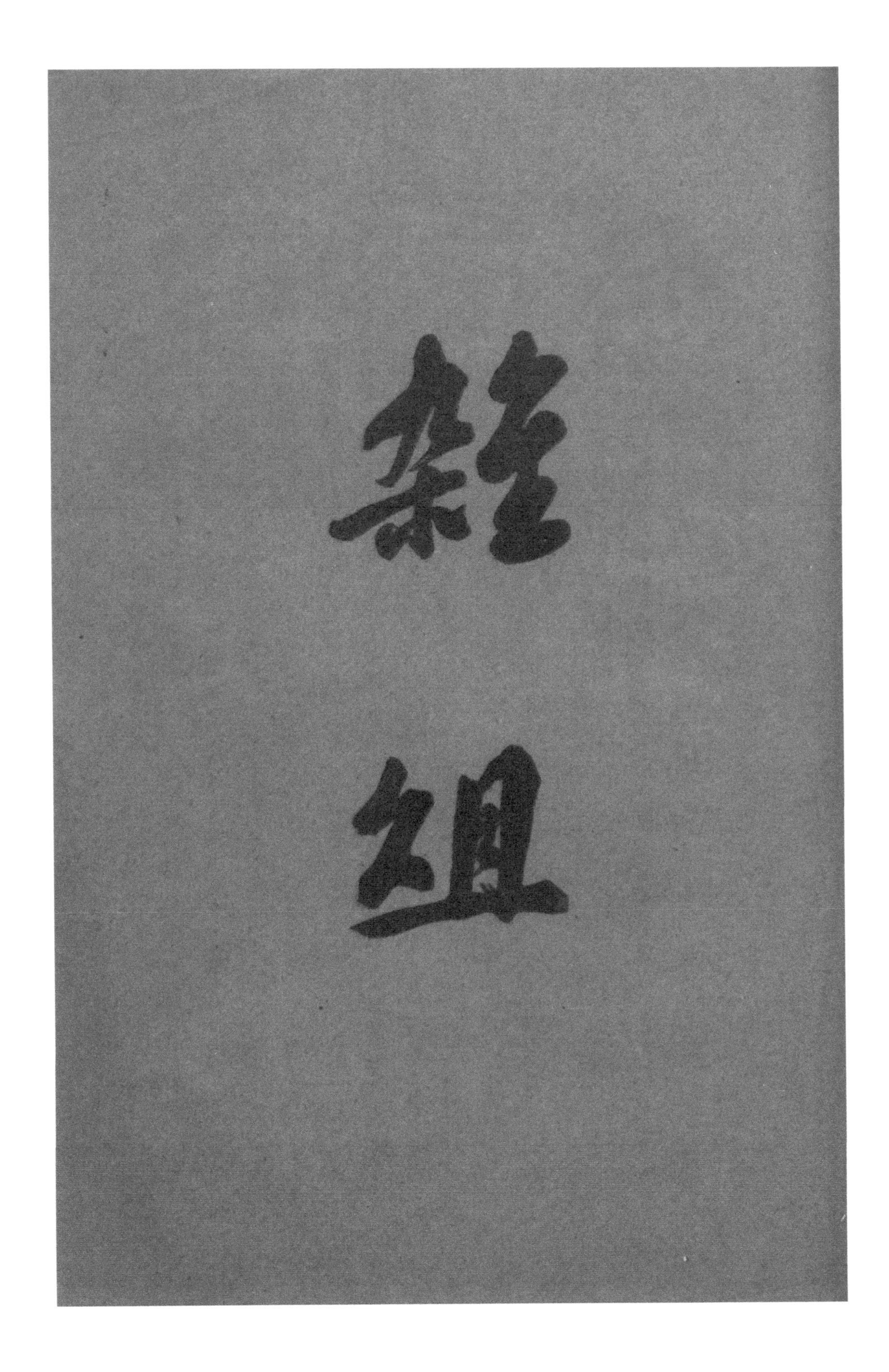
雜組

·白页·

我對中醫所感想者

王一仁講　王瑞爾記

宇宙是大自然。人身好像一個小自然。天地日月和寒暑不住的運行。所以人的生理也隨着不住的變化。生養人們的是天地。戕害人們也是天地。你看天地間那一樣東西不是賴天地氣化生長。但那一樣東西不是在天地間消滅。什麼東西都要受天地氣化支配着。牠能夠生養萬物。也能戕滅萬物。我們人差不多同別的東西一樣。起居飲食性情隨順牠的變化。就可康健。不然。就要生病。我國古人所說的衛生。就是指這『人應該順應天地』而言。再推而言之。一個人病了。起居飲食性情及天時。還可療病。這不是更眞實的因果律嗎。人能順從天時。使之中和。不偏不倚。就無病可說了。所以不論中醫西醫衛生和醫學是相連的。西醫以細菌爲疾病的原因。這話雖然經過顯微鏡底下證明的確。而且曉得什麼生物都由許多細胞而成。但我們要問這細菌是什麼東西變的。細胞賴誰生長。是否能脫離大自然環境獨立獨行呢。我們曉得這些東西都由天地陰陽醞釀出來。這些東西假定脫離天地。就沒有生長之可言了。所以我以爲中醫論天地陰陽之氣化。是注重先天與來源之學說。西醫論細菌細胞。是指一種東西的後天與形跡而言。中醫的治療。是根據天地氣化。乃解決疾病的原因的辦法。所以功效神妙。超過西醫。但是西醫的學說。不是說一定不好。本來是好的。大都因爲研究不深。稍稍聆悉一點皮毛。能夠喫了幾年的外國麵包。跑回本國來。就自矜自大起來人說細菌。他也說細菌。所謂『人云亦云』的庸醫。因此中國就少靠得住的西醫了。所謂細菌。所謂細胞。我們應該親眼看過。才能明其眞相。試驗管顯微鏡便應該備作時刻不離的法寶。否則徒聽人說長說短。圓的方的。以耳爲目。終不是眞正的求學辦法。

隨便那一國醫學的藥物。都沒有中國藥的多。這自然是歷史悠久的關係。也因爲天地大自然之氣化。其創造力實勝於化學家千萬倍。我們推論自然。備爲藥籠中物。當然日漸增多。我們看李瀕湖的本草綱目就有一千多樣藥味了。近年來發現的也不少。所以我們趕快扶植改進。能夠加上後天的人工創化力量。前途很有希望的。但是這個責任。是在諸位青年身上。諸位應該認明你們的責任。振作精神。來負這個使命。

中醫的學理經驗。是參究人身小環境與天地大環境的變化。悠久積累而成的。現在有所謂新醫。本其『盜憎主人』的偏見。要想將『陰陽』『五行』『六氣』等說。根本推翻。代以『細胞』『原子』『細菌』之學說。他就不曉得細胞原子細菌等原理。本與陰陽五行六氣諸說互通。因名詞上之不同。掉弄新鮮解說。以攻擊中醫學理。這種詭譎的陣勢。我們要認明白。不可隨聲附和。遂其拔趙幟立漢幟的詭計。更有一種時代潮流的擬議。尤爲奇異。就是說中醫的學理經驗。譬如弓、劍、油燈、獨輪車、帆船一樣。是不能再和機槍電燈汽車輪船的效用並論。這種說法。可謂知其一不知其二。要曉得日用物質的變遷。雖是日新月異。而我們人體的臟腑毛髮筋骸。並沒有與前人大異。因人身的小環境爲天地大環境所限。古今中外人的生理。可不能與人工所造的物質一樣變遷。所以中醫之學理經驗。依然有顛撲不破的價值。況且機關槍電燈汽車輪船。我們可以人工之力造成之。中醫之學理經驗。我人豈不能更進於廣大光明之境界的嗎。現在的有名中醫。大多數都是打牌吃酒。爲餘暇的消遣。不想想看我們中醫的地位。是在存亡危急之秋了。尚再不覺悟。大家起來努力。請問他們能不能糊塗到底的呀。

檢定中醫之試題

徐究仁

威海衛管理公署公安局於本年五月檢定中醫。函請本校代擬試題。按其規則計列考試科目十二門。(一)內難概要。(二)傷寒概要。(三)温病概要。(四)疫病概要。(五)女科概要。(六)外科概要。(七)兒科概要。(八)眼科概要。(九)喉科概要。(十)傷科概要。(十一)本艸概要。(十二)古方概要。以內難本艸古方爲必考之科目。稱大方脈者。須兼試(二)之(五)各科。稱專科者。得就(六)之(十)任試一科。近今中央政府。對於管理國醫條例。延未頒發。而各地方感於事實之需要。以單行法檢定中醫者。時有所聞。因無一定之標準。是以所定考試科目及資格程度。皆不一致。亟應求其統一。庶便整理。茲就管見。爲擬每科四題。以供該局之採擇。並披露於本刊。藉與同人共商榷焉。

內難概要

(一)內難二經。爲中醫基本書籍。亘古鑽仰。蘊奥靡窮。然或疑非黃帝扁鵲所著。似出秦漢人手筆。說可信否。

(二)繆希雍謂五運六氣爲虛位。譬之言算法之精微。非事物之實有其說通否。

(三)關格之脈。內難二經俱有論及。試述其異同。

(四)吾人研究內難二經。應用何種方法。

傷寒概要

(一)仲景傷寒論六經主證提綱。如太陽之爲病云云。是否專爲傷寒一症立法。試申論之。

(二)內經謂熱病者皆傷寒之類也。難經云傷寒有五。

陸九芝嘗五者既統名傷寒。則其治法。卽可於仲景傷寒論方中求之。其說當否。

（三）方中行張隱菴等註傷寒論。以三陰三陽分屬六氣。說可通否。

（四）傷寒陰證陽證之論究。

溫病概要

（一）內經冬傷於寒。春必病溫。與冬不藏精。春必病溫。二症有異否。

（二）仲景所謂風溫。與葉氏所稱之風溫有別否。

（三）論溫病與傷寒之異。

（四）溫病邪入心胞。與傷寒陽明實症。同有昏譫證狀。其鑑別何在。

疫病概要

（一）疫病之名。肇於古儺。後世研求者有幾人。試述其流派。

（二）仲景書非全璧。無片言及疫。近世喻嘉言張景岳吳又可。論究疫病頗詳。然三子治法懸絕。試析論之。

（三）何謂九傳。

（四）疫痙論治。

女科概要

（一）二陽之病發心脾解。

（二）論產後三大證。

（三）內經云陰搏陽別。謂之有子。難經謂按之不絕者。有孕也。何以仲景開章。却言陰脈小弱者名妊娠。試綜論之。

（四）書言經來色紫黯前爲熱。色淡黯後爲寒。然亦有色紫黯後。色淡黯前者。將何以辨之。

外科概要

（一）膏粱之變。足生大丁說。

（二）試言癰疽之別。

（三）論五善與七惡。

(四)瘡瘍已潰何以脈大爲逆。

兒科概要

(一)滑氏看虎口紋法實原於內經之診絡。試爲述其大略。

(二)自來論驚風者甚衆。獨吳氏解兒難中分屬痙瘛兩綱。其說當否。

(三)痘症一科。主溫主凉。衆說紛紜。究以何者爲正鵠。

(四)近世割疳挑疳之法。間有成效。然稽之古籍。鮮有紀載。試爲闡明其理論。

眼科概要

(一)目得血而能視說。

(二)衆精之窠謂之眼說。

(三)何謂五輪八廓。

(四)五風論治。

喉科概要

(一)一陰一陽結。謂之喉痺。試釋其義。

(二)洞仙扶微一書。諄諄以忌表爲戒。及觀其立方。開章之養陰清肺湯。仍用薄荷。除瘟化毒湯。且用葛根。似又不必泥於忌表者。試各抒所見以論究之。

(三)喉症陰虛火炎與實火爲病之辨證。

(四)八味丸對於喉症之適應證若何。

傷科概要

(一)血在脊下令人喘逆說。

(二)論接骨托骱大法。

(三)傷科不治證論。

(四)試言尾閭骨損傷之證狀及療法。

本艸概要

(一)藥有五味之用。陰陽升降浮沈之義。試略論之。

(二)藥物之用。有因形相類者。有因性相從者。有因氣相求者。有因質相同者。試分類略述之。

（三）論製藥大法。

（四）藥物畏反說略。

古方概要

（一）試論七方之義。

（二）汗者不以奇下者不以偶說。

（三）塞因塞用通因通用寒因熱用熱因寒用用熱遠熱。用寒遠寒論。

（四）服法論略。

桂枝能發汗與不能發汗釋疑

周懷濟

或曰。傷寒論中有「脈浮者可發汗。宜桂枝湯。」「反與桂枝湯以攻其表。」「服桂枝湯大汗出」等文。桂枝殆亦發汗藥歟。余曰。桂枝非發汗藥也。其所以能發汗。能攻表。能大汗出者。蓋別有汗法在焉。請就仲景書舉例以明之。論云。「傷寒發汗。遂漏不止。桂枝加附子湯主之。」附子能固陽止汗。而又用桂枝者。何也。又「過汗致心下悸。欲得按者。桂枝甘草湯主之。」且重用桂枝矣。而金匱虛勞篇十方。用桂枝者七。未聞虛勞之可從汗而愈也。其他可以證明桂枝非發汗藥者。更僕難數。本經云。「牡桂、氣味辛溫。主上氣欬逆。結氣喉痺。吐吸、利關節。補中益氣。」未嘗言解肌發汗也。至仲景始有桂枝本爲解肌一語。蓋指桂枝湯而言。乃後人不察。遂有解肌發汗之文。郢書燕說。滔滔皆是。可慨也。近人張錫純曰。桂枝非發汗之品。亦非止汗之品。其宣通表散之力。旋轉於表裡之間。能和營衛。煖肌肉。活血脈。味辛而甘。辛者能散。甘者能補。功在半散半補之間。」誠知言也。或曰。然則所謂別有汗法者。何在。曰、無他。即啜粥溫覆是也。桂枝湯下云。「服已須臾。啜熱稀粥一升餘。以助藥力。溫覆令一時許。遍身漐漐。微似有汗者益佳。」因桂枝湯本不能發汗故以物力助之意甚明晰而後世乃捨此別求宜乎不得其要領也人之汗孔遇熱則張寒則縮夏月多汗與冬月少汗其理甚明故服桂枝而能依法啜粥溫覆則桂枝鹹爲汗藥否則望其有汗也難矣試觀論中用桂枝者凡四十方而言汗者不過寥寥數則耳桂枝湯云「熱粥溫覆」桂枝加厚樸杏仁湯云「覆取微似汗」桂枝加葛根湯云「覆取微似汗」五苓散云「多服煖水汗出愈」餘則未之見也其又與麻黃同用而言發汗者如麻黃湯葛根湯「覆取微似汗」大青龍湯「取微似汗」可見一斑矣且枳實梔子湯以枳實梔子豆豉三味成方非發汗藥也而方下亦云「覆令微似汗」然則溫覆者鹹發汗之妙法也又嘗考古之汗法不一其猶及見於仲景書者有水攻火攻等法論云「復與之水以發其汗」「燒鍼令其汗」「反熨其背而大汗出」是也又如史記扁鵲曰「疾之居腠理湯熨之所及也」亦是今諸法俱淪所遺只溫覆一端耳而又略焉不講雖有行者亦復不明其理何以見之蓋於其藥溫覆不遺猶執桂枝爲汗藥也見之吾故曰桂枝非汗藥也若欲其汗必加以熱粥溫覆庶幾乎可

脚氣症在衛生上應注意之要點

祝春波

脚氣之症。由於平素脾失健運。胃失通降。以致濕濁下注。凝滯經絡。壅阻氣血。其症初發寒熱。類似傷寒。第脚脛或呈腫痛。或步履艱難爲異耳。重者或發爲喘嘔。或昏厥不甦。病至此則已成衝心之危候矣。此病原因。由下而受。經曰。傷於濕者。下先受之。良以脾主四肢。水性就下。故足先受。大抵卑下之地。濱海之處。此症流行最盛。左氏有言沃饒而近鹽。土鹽水淺。於是乎有沉溺重腿之疾。唐人稱爲江南之疾。昌黎云。江南多輭脚病。此即今之脚氣病也。丁氏福保。謂是症因食物而起一種特別中毒。日本某醫學

博士曾就飼米之雞而實驗之。結果謂飼純白米之雞。大抵經四月即斃。檢其症狀。全身起水腫及麻痺。心臟亦起麻痺。凡危及生命之證。均與吾人脚氣病相似。竊謂純白米之成分。澱粉較多。實爲此症之誘因。然仍不出濕熱壅滯之範圍。足證中西學說。原不相悖。故此症之原因症狀。中西均相符合。惟關於衛生上之講求。亦殊重要。列舉數則。分述於後。俾患者知所遵循焉。

（一）居住方面、居住爲吾人四大要素之一。屋宇之廣狹。無甚關係。惟屋基宜高燥而不宜卑濕。誠以卑濕之處。易釀成脚氣。故凡患脚氣者。宜遷居高燥之地。以免足脛時被濕氣所侵襲。

（二）飲食方面、查脚氣之原因。一由感受濕邪。一由營養不良。患此症者。宜選擇富於維他命B『Vitamine B』之食品。西人謂米糠中含維他命B最多。故一經患此。急宜廢食白米。專食糙米。或用麵包與麥飯代之。至醇醪肉類。及膏粱紹酒釀濕之品。亦宜禁忌。

（三）運動方面、運動能鍛鍊筋骨。強健體魄。此爲一般社會所公認。患此症者。雖有上述種種原因。然察其究竟。安逸多於辛勞。膏粱甚於藜藿。可爲明證。吾人爲防患未然計。最好平素加以運動。蓋運動能促進血液之循環。鼓舞臟腑之機能。按法履行。無稍懈惰。久而久之。自無此患。

（四）調節方面、吾人飲食之消化。端賴腸胃。蓋大腸爲傳導之官。小腸爲受盛之官。胃爲倉廩之官。此種器官。或因外邪刺激。或被食物內傷。均足違反固有之機能。而爲疾病之淵源。脚氣古稱壅疾。極言其壅滯而不通。治之當瀹疏決瀆。開其壅滯。觀於古方雞鳴散之用意。則知消化器官之調節。亦顯重要焉。

談談犀角之適應證

林成

余某初由露宿貪涼。過四五日後。即大熱如焚。口渴溲赤。神識昏督。有時較清。第舌苔灰黑而不燥。脈亦鬱數而不揚。醫謂熱入心胞。投以犀角。初服不覺。繼則胸高氣突。險象環呈。余細參脈症。以其苔雖黑而猶潤。知其爲濕熱挾痰濁之候。吾東南卑濕之區。患濕熱而挾痰濁者。十常八九。如該症以開泄痰濁。清理濕熱。使熱邪有開泄之途。斷不致此。乃竟投服犀角。涼遏痰熱。而致胸高氣突。不亦宜乎。考犀角之用。在熱入心胞。血脈沸騰。蓋犀爲靈獸。角味苦酸鹹寒。以其鹹能入血。酸能收縮脈管。寒能清熱。苦能解毒也。且角位頭部。氣血必上升爲之潤養。故能托解血分熱毒。西醫謂有收縮脈管之功能。其理論似仍一貫。何陳氏修園竟謂不宜血症。今人更大倡爲胃藥。尤以葉氏恃爲慣用利器。復有內閉外脫之言。經九芝力闢其謬。而於犀角多所辨論。惜又以神昏繫於胃。一若心熱不能使神昏之理。殊不知胃熱神昏。實胃熱熏蒸心包。腦神經亦被熱灼。而失其清靈之知覺。故神昏也。是陸氏雖力闢入胃之說。仍不能超出胃之範圍。以己之矛。攻己之盾。誠智者千慮之一失矣。

城鄉衛生之比較

胡貞吉

余自田間來。寓居城市。覺城市之衛生。每多不及鄉居。茲分陳之。以爲衛生者借鑑焉。

城市人烟稠密。廛舍櫛比。空氣塵濁。汚穢薰蒸。鄉間山明水秀。樹木葱茂。地勢曠闊。空氣新鮮。此其不同者一。

城市居民。往往晏眠晏起。晏眠則心旌搖亂。晏起則神志昏昏。休息既無定期。動作又乏常度。鄉民日出而作。日入而息。清晨即已飽餐。向夕亦均安睡。此其不同者二。

城市饜飫膏粱。徵逐酒食。市脯熟饌。每爲需要之供。宰鴨烹羊。亦屬尋常之事。貪口腹者。消化諸多不暢。納肥膩者。脾胃容易受傷。鄉間則園蔬適口。磕勝珍饈。畦菜生香。別饒風味。除慶弔以外。絕少醉飽之聚餐。雖年老龍鍾。亦覺甘美而健飯。此其不同者三。

城市溝渠易淤。宣洩不暢。澣穢滿腥。每任意而傾瀉。淘米洗菜。更積久而溷污。雖省垣有自來水之挹注。而各縣則仍屬缺如。是飲料之不潔。確為衛生之障礙。鄉間則泉水自清。河流亦暢。山腰瀑布。可沁詩脾。澗底鳴湍。能消瘴氣。紅塵不染。何從藏垢而納淤。綠水常流。更覺怡情而適性。此其不同者四。

綜上四端。即其明證。是以鄉居較為健康。城市易罹疾病。然欲易城市而鄉居。在事實上勢不可能。惟有防患未然。善加調攝。飲食有節。起居有時。多運動以利消化。習游泳以舒經絡。勤沐浴以暢排洩。然則雖在城市。其異於鄉居者幾希矣。

養生瑣譚

李曼

養生之道。大旨在生理上暢達自然為原則。設或違逆天機。勞碌過度。以有限之精神。為無窮之犧牲。勢必殆矣。苟能工作有時。游息有次。則清和之氣長存。神志湛然。自可永其天年。

近世婦女。雖自號文明。而猶緊束其胸。以為美觀。而妊娠為尤甚。殊不知妊娠而御窄衣。則乳汁不能分泌。胎兒致難發育。吾願普天下之婦女。快速覺悟。

孔子曰。食無求飽。陸放翁曰。多壽祇緣餐飯少。隨園詩話云。不飽眞為卻病方。皆深得養生要旨者也。吾人宜法之則之。

魚餒不食。肉敗不食。失飪不食。不時不食。色惡不食。臭惡不食。沽酒市脯不食。聖人養生。慎之又慎。吾人宜如何保重乎。

多慾則傷生。非藥餌所能彌補。好色者。若恃藥餌以恣慾望。是亡身之兆也。

閨房之樂。苟非邪淫。當無妨礙。然樂不可極。慾不可縱。樂極生悲。縱慾成患。古云服藥百帖。不如獨宿一宵。誠哉是言。

文藝

·白页·

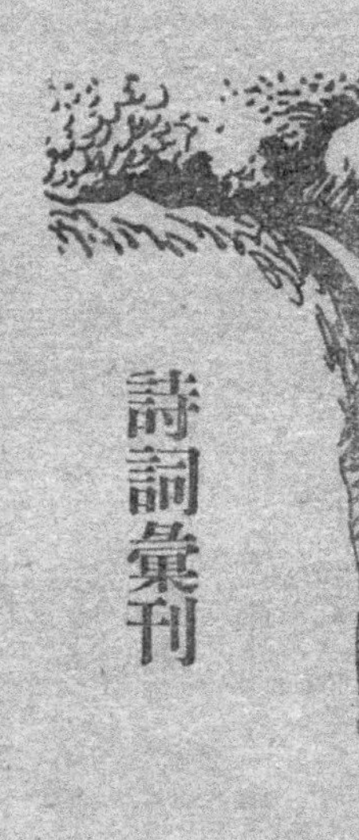

詩詞彙刊

飲靈隱天外天題壁 調寄齊天樂

徐駿

軟塵汙盡稽中散。輕輕被名韁綰。梵殿聯吟。金山擊鼓。空種無聊恩怨。浮雲總幻。讓猿洞高蹤。笑人緣淺。汔可休乎。暢懷來作賞春宴。　呼儔筍蔬煮饌。要千愁共解。扶醉相勸。酒印蘭襟。潮生竹枕。日暮流連忘返。冷泉舊剕。有水調歌頭。紫簫重按。鐵綽何消小紅腔。更曼。

癸丑四月三日偕長女式如遊靈隱登韜光

金耐庵

與爾來游到上方。禪參玉版筍羹香。峯迴路轉佛家地。屈指還巡羅漢堂。　遊完靈鷲上韜光。拾級分青竹兩行。最好鍊丹臺頂望。大千世界悟滄桑。

壬申五月九日從瑤姊汎雨西谿午憩茭蘆庵飽餐伊蒲謁樊榭祠時方由健廬擬議重葺未竣事也

前人

一圭山影瀉當門。幾兩能消謝屐痕。玉版清腴味禪悅。不因

搖落貫芳樽

猶遲秋禊薦蒓香小築三楹峙水鄉曠代風流徵好事蘆花寒拓百縑霜

雨中造秋雪庵登彈指樓延眺

前人

支筇拾翠飛雨蕩游氛冉冉烟障袂冥冥山洩雲吟魂囑秋雪虛閣入禪蕭朔雁銜蘆候風埃儻倦勤

吳梅村祭酒詩集有哭亡女詩三首僕以長女式如之亡也甚於喪明之痛因亦以詩哭之

前人

一慟嗟何及隨時觸景傷情關兒女痛別恨死生長詩橐搜零落泉臺隔渺茫相逢應不遠目下最難堪

既覺身孱弱（授課後困憊異常絕不自言）如何不攝生憂勞原促算造化本無情素抱齊嬰願偏遭鬼伯迎近來看日記老淚墮盈盈

落葉驚塵夢詩懷絕可憐（亡女詩有塵夢短於將落葉不料覺成詩讖）憶曾同顧曲誰料化秋煙茹素誠何益臨池亦枉然一生因憂患此恨永緜緜

高誼感難得（謂姻戚徐君曙岑及諸姚家之措辦後事）料量汝後身牛眠埋骨地鶴髮斷腸人大夢驚先覺前生定有因恨留殘喘在何日脫凡塵

附亡女遺詩

丁卯除夕

分來除夕酒又是一年過老至愁還逼身窮志未磨親知凋欲盡世事幻偏多最是兒童樂歡娛拍手歌

游仙十絕

九天閶闔啟森嚴仙夢惟憑黑睡甜奏上綠章春晝永乞將花影護重簾

跨鶴朝真玉闕遊滄桑閱盡幾春秋仙家自有長生訣不怕雙丸疾駛流

月窟天梯紫氣迎迢迢銀漢寂無聲自從餐得胡麻飯長與王喬把臂行

勝作人間陸地仙點金羸得杖頭錢五雲深處離塵垢

玉宇瓊樓幻大千

曉看扶桑旭日東學將辟穀吐長虹忽生遐想聽鸞嘯引頷層霄一御風

桂殿秋來玉露微羣眞會宴輒忘歸此身自是無羈絆仙骨曾披一品衣

天上雲霞五色妍銀河斜掛百重泉乘槎探得支磯石坐向瑤臺九品蓮

玉骨冰肌不受埃層雲踏破帝閽開仙人本是多情侶須遣麻姑搔癢來

海上成連夙著名琴音拂拂指間生霓裳一闋眞希有難得時聞仙樂聲

拔宅飛昇蓬島間丹砂鍊就駐童顏洞天福地尋游伴時與雙成共往還

題畫

徐駿

伊人宅畔種雙松影入秋泓墨雨濃萬古烟霞供洗目一天星斗盡羅胸雲迷黛影應留鶴風拂蒼髯欲化龍田海滄桑渾不管孤高恥拜大夫封(松)

長堤又見柳毿毿濺齒梅酸卯酒甘十里霧迷香影濃一簾香逐麴塵酣豪情灑上閒中忘舊夢鑪和靜裡參歲月堂堂思悄悄好花深處近江南(柳)

玄黃血濺怒龍驚激起胡塵驟斗杓春半尚無新草木時衰詎惜碎瓊瑤殘花多事香孤嶼斷句何堪憶灞橋蓬戶只饒詩畫債硯田猶喜薄征徭(梅)

池上秋痕淡欲無寒生角枕怯衾孤沛然時雨成追憶渺矣春風懶畫圖月落斗橫悲旅雁夢迴燈黯警啼烏傲霜耐冷渾閒事依舊餐英一故吾(菊)

自題畫菊

前人

石砌微花黯淡黃伴余扶夢過柴桑徑荒松冷秋依舊玉軫塵封月滿床

金風催雨釀奇寒憔悴花枝和淚看雪嶺墨池姑爾汝惆悵終古素心難

無花無酒度重陽人自無聊雁自忙我欲夢秋秋影杳忽驚鄰笛奏伊涼

架雲壓雨暮烟稠倦摘花枝唱酒籌寂寞故園人去後播愁

無帯兇離憂

自題畫梅

前人

九天吹澈玉參差靜放蟾光照玉姿畢竟林家天趣好月明風細鶴歸遲

中年中酒綠多感午夜忘眠爲誦詩拂曉寫梅驚似柳自憐憔悴似花枝

自笑疎狂阮步兵十年學畫一無成偶聽玉邃雲中落不向江城向管城

十里香塵春去來嫣紅姹紫又爭開何如獨上巢居閣逋老壙前酹一杯

題畫

前人

過客匆匆似指彈小園花事近闌珊攞來梵尾渾無語未解春風歎石頑(芍藥)

微波脈脈暗生香照見芳容淺淡妝波上宓妃渺何處高唐賦亦等荒唐(水仙)

涼催玉露溼蓮房香霧空濛繞畫檣寒碧影搖花並蒂詩人何必羨鴛鴦(荷)

倦向花前倒酒杯任花開落徧江隈一從冷落春風後圖畫重尋百事哀(梅)

壺室雜詩

呂文華

青囊滿貯太和春名隱壺中愛活人遮莫病魔多變幻靈犀一點妙通神

輕煙一縷藥爐香小住龍宮得祕方物理年來參仔細濟人夙具熱心腸

岐黃絕學一肩知海外新潮澎湃時把握陰陽司萬化此中消息問誰知

長生惟有學無生軀殼千年幾變更滿守靈魂常不滅願將冰雪喻聰明

蘇小墓

楊介樵

錢塘蘇小舊聞名千古風流屬有情留得一坏香土在勝他人向五湖行

賸有西冷片土留教人過此話風流誰知多少奇男子辜負風流白了頭

遊三天竺

許勤勛

撥雲撩霧陟崔嵬天竺徧遊晚色開明月東升林樹靜三生石上獨徘徊

登南高峯

前人

南峯却對北峯遙數里雲程入碧霄行到半山亭上望半湖烟水半江潮

崎嶇一路上高巔俯視羣峯帶翠烟絕好湖山明似畫雲鬟妙對鏡中天

七夕

姜貫虹

秋氣初臨草未凋銀河隱隱碧天遙多情留得半輪月好伴雙星渡鵲橋

夜思

黃鍾桓

清輝明月照空庭雁影翩翩集蓼汀萬里相思無限恨遠鄉愁隔萬峯青

暮遊南湖塘

劉光鑠

暮過南湖岸西山紅日馳風來黃葉落人至晚鴉疑倚樹輕談久聯肩欲步遲方期歡不盡新月過疎枝

登北城遠眺

前人

天寒驚歲暮極目景淒涼塚下羣羊走雲間隻雁翔墜心驚古道危涕隕蕪墻春氣何時轉來回大地荒

貢獻給時代的青年

張劍虹

永逝吧！你紅愁綠慘的往事，
消磨吧！你舊創新傷的瘡痕！
而今已不是你久留的日子！
而今已不是你獨樹的心旌！

× × × × ×

沉淪墮落的青年，
虛榮浪漫的少女！
此時已不是你們呻吟醉舞的時候！
此時已不是你們悲歌狂笑的良辰！

× × × × ×

時代的巨輪電掣風馳地前淩，
一九三三年的春光已開始更新，
你們是否願做時代落伍的青年！
你們是否願做失去時代色素的人們！

× × × × ×

祖國的光輝已被強鄰掩滅了淨盡！
祖國的版圖已被強鄰踏上了奇恥的斑痕！
被獲的羔羊是不會得到人們的憐救，
待斬的寃囚是不會得到人們的同情！

× × × × ×

今後我們要舉起公理的利劍，
斬斷強權者的生命！
今後我們要用鮮紅的熱血，
爲受辱的祖國刷新！

× × × × ×

墮落，沉淪是祖國將亡的預兆，
浪漫，虛榮是祖國將亡的象徵，
看前程的曙光已在發放！
看勝利的明燈已在指引！

新春的歌頌

張劍虹

殘冬隨着枯葉衰草逝去，
新春伴着嫩芽萌蕾降臨！
春之神吻着沉眠的大地，
春之神撫着僵凍的人們！

× × × × ×

春之神帶來了緋色的容顏，
送給一般妙齡的少女，
春之神帶來了白色的鬚髮，
送給一班暮年的老人！

× × × × ×

大地在開始更新，
人們在開始歌頌！
枯了的樹枝死而復活，
萎了的花枝死而還榮！

× × × × ×

知否？——
活潑的青年終一去而不返，
美麗的春光是不會久留在紅塵，

那緋色白色的禮物，不過她給與人們一點的虛僞瘢痕！

飄零曲

——給爲國犧牲的東北健兒——

姚湘魂

凄慘的沙場被陰霾籠罩，
幾個偉大的祖國靈魂往來奔跑，
他們披着璀璨的纓絡光芒的錦襖；
把民族的精神努力抬高。
當他抽出了明亮的寶刀，
無限的憤怒如火燄芒硝，
燃燒着那些醉生夢死者的心竅，
振盪得敵人們魂胆飄搖。

× × × ×

寶刀斬斷了黷武的纏縧，
於是敵人的頭顱立刻毀掉，
　敵人的鮮血向空飛飄，
　敵人的戰馬匆忙竄逃。
然而，這爲國奮鬥的健兒喲！
却沒有絲毫的驕傲，
并且，對着陰沉的太空引頸狂號；
這狂號的聲音似觱栗般地尖銳，
這狂號的聲音如中秋的驚浪怒濤；
振動了森林裡的小鳥，
振動了深閨裏愛人的心潮。

× × × ×

愛人喲！你丈夫的魂魄，
爲祖國的存亡而飄零，
爲祖國的生死而受盡艱辛；
愛人喲！我們期待着深夜來臨，
把這斷片的別意離情，
付諸熱烈的擁抱和狂吻。

秋雨

潘鳳儀

夜深人靜聲出樹間；
慘淡孤燈紛霏細雨，
掩映我的淚濡，冷冷清清！凄凄切切！

課程幾何成績，前程淚滿衣襟！

× × × × ×

點點滴滴雨聲不息；
滴滴點點滴霤穿石。
人們應覺悟眼前的課程和未來的前程努力！努力！

菊花

潘鳳儀

菊花！菊花！何處是你家鄉？
故園籬下，透到你徽香；
凜冽濃霜，摧殘你秋芳；
你的伴侶，都為牠慘殺，能不心傷！
何不避去那兒暴虐，度你安樂的時光？
哦，知道了！覺悟了！你終是一個勝利者！
獨在金風之下，精神抖擻，
不乞憐他人而自強！
可敬！可愛！艱苦備嘗。
希望你和寒霜爭雄，有勇知方！

歸夢

張劍虹

沒有跋越過重重的高山，也沒有奔涉過浩浩的江水；茫然地歸到我那生長的故地。

故里的鄉村依舊是一樣地綠水，一樣地溪橋；心頭忍不住的一陣亂跳，這亂跳的心呀！是代表我無限的歡情！遙遙地看見慈祥而衰老的母親望我含淚相迎。「孩子！你歸來了，好呀！」母親這樣地含淚而微笑地迎接她那遠方久別歸來的孩子；她眞有說不出心中無限的悲歡。

當我踏進了堂屋，看她在那兒回首偷揩眼淚；招呼茶飯，款待歸人。「母親：您人好麼？父親與弟弟那裏去了？」我沒有看見父親與弟弟出來，悵然地問着。「你父親在後房睡呢；你霞弟因爲時時掛念你，想望你的回信，他今天又到鎮上探問你的家信去了！你坐坐吧！我去叫你父親起身；唉！他現在也老了許多了！」母親這樣溫柔地說了幾句，就移動着她那衰弱的身軀往後房走去。

我在滿室打看着白的粉壁上，仍留着兒時的痕跡，心中祇覺得沒有那往日理想的歸家之樂，反感着一種無邊的寂寞。

蒼老而顯得特別嚴愛的父親，扶着一根祖父遺留下來的深紅竹杖，從房裏出來了，「孩子，你回來了！」他也和母親一樣地說不出別的話來；父親是笑着，仁慈的笑着，我細望着他的容顏，確實衰老了，而且身子也有些向前斜彎了。我怕再看他那蒼老的容顏，那滿刻着風塵勞碌的深痕底容顏！父親呀！數年未見，您怎麼衰老得這樣快呀！我幾乎要這樣叫出來了。

幾次，我想把我數年來飄泊的況味，風霜雨雪的痛苦，訴給他聽，但終於忍不住酸淚的奔流而止住了，接着，我又想到自己的沉淪困頓墮落荒廢，我覺得父親對我太過分地慈愛了，不然，爲什麼一句話也不責備我呢？……

景象完全變了，我彷彿走到一塊荒烟蔓艸的墓地，殷黃的墓土，罩着許多衰白的短艸；在記憶裏，我還認得是我亡弟——海的歸宿。凄然的寒風，吹動着墓上的衰草，那黃土的深處長埋着我亡弟的靈骸！將來，或許最近，我也會要歸到這樣的地方去，那時的人間，仍是一樣地喧嘩擾嚷，絕對不會因爲少了一個我，而添上一絲的寂寞吧！……亡弟的遊魂也許還在縈繞着這堆黃土……我想着，默然的想着。

遙遠地走來一個孩子，這孩子的輪廓我還認得出他是我久別的霞弟。「霞！」我叫着，狂跳地跑上前去與他握手；可是他祇冷淡地說了一聲「哥哥！你在這裡哭什麼？」慢慢的走過身邊去了。我心裏急得火一般的中燒，我失望了，我痛哭着，我要詛咒這汚濁的人間，爲什麼祇隔了短短的三年，他就這樣地對我冷淡了！難道人的情感也隨着時光的推刷一樣地消滅了嗎？他不是我理想中歸來的弟弟，他變了，竟完全變了！

對面的石橋上，走來了一羣似曾相識的人們，他們掠過我的身旁時，都同樣地給我一個冷酷的白眼，口中不住地辱駡我；尖諷的聲音，使我頓時起了一陣顫慄！我渺茫地想着這次的歸來，這次滿負創傷的歸來；忍不住倒在墓上痛哭！……

悠揚的軍號，趕走了周遭的景象。一陣心跳，茫然的夢境，仍留着深刻的印象！

窗外的曙光帶來了一陣淒然的曉風，輕輕地吻着我單薄的寒衾。唉！夢影兒怎不回過來！

畢業同學會成立記

本校自創設以來。畢業已十二次。現由畢業生方亦元陳道隆等。發起組織畢業同學會。以使聯絡感情。研究學術。於本年六月三十日舉行成立大會。到者有杭市暨各地畢業同學七十餘人。推金鏐爲主席。行禮如儀。經主席致開會詞後。即由籌備員邢熙平報告籌備經過。次討論會章。選舉執監委員。結果以金鏐華然青徐究仁邢熙平李培玉陳道隆王治華孫里千方亦元等九人當選爲第一屆執行委員。鄔思皋許勉齋楊介樵等三人當選爲監察委員。當即宣誓就職。散會後即繼開第一次執行委員會議。推定陳道隆華然青徐究仁爲常務委員。邢熙平爲文書。金鏐爲交際。方亦元爲調查。孫里千爲研究。王治華爲庶務。李培玉爲會計。復由常委互推華然青爲主席。並議決爲實地服務社會計。即日設立著期施醫局。由會員分任內外科診務。以濟貧病云。

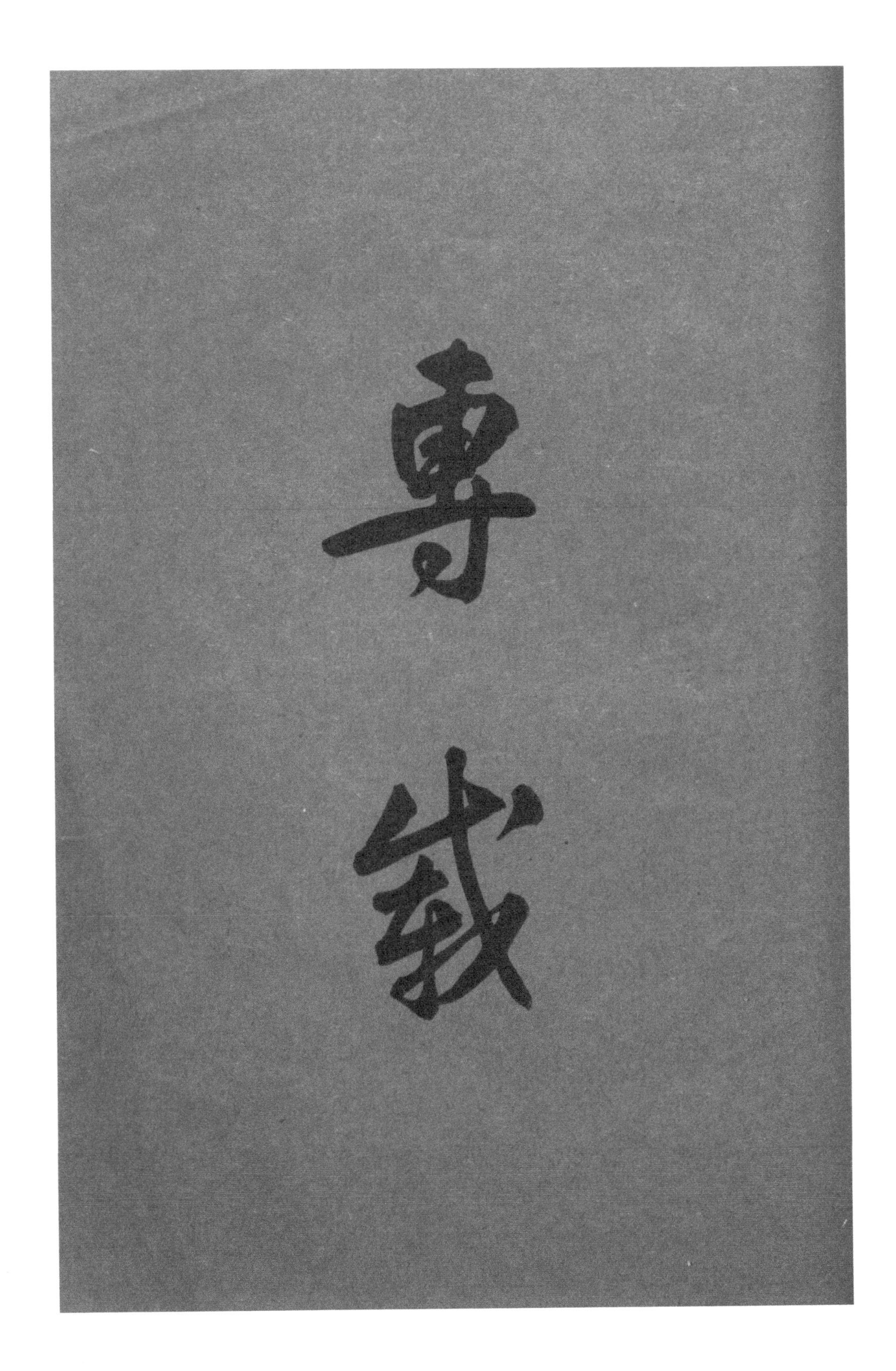
專載

·白页·

嬾園遺著叢編

（緣起）傅嬾園先生畢生致力教育。長本校十餘年。道德文章。久著海內。其撰述業經手訂者。醫學詩文約四五十卷。晚年校事鞅掌。診務倥傯。所作多未留稿。自歸道山。瞬逾兩載。深恐歷年愈久。散佚愈多。爰擬及時搜羅。先就本刊陸續編次。然後分類纂輯。薈爲總集。庶以存先生之宏博。資後人之楷模。本校校友。先生親故。藏有遺著者。尚希惠予錄寄。實深企幸。嗚呼。老成彫謝。尚有典型。載誦遺文。如親謦欬。凡我校友。當亦具此同感也夫。

訓本校畢業生

方亦元錄

諸生畢業。分道揚鑣。將各以所學問世矣。母校修業之日。至今日終。社會服務之日。自今日始。臨歧話別。此吾之所以不能已於言也。諸生須知醫家之事業。可生人亦可殺人。醫學之競爭。爭實力不爭口舌。醫術之優劣。在實地經驗。不在弋獲虛名。醫生之天職。是保社會之健康。不是謀一人之私利。昔孫在公立志濟人度世。龐安時存心。樂義輕財。華元化以矜老恤孤爲宗旨。朱嘉言以濟貧救急爲本心。所以姚蒙却酬金。重德不重利。夢英重心地。可敬亦可師。前型俱在。願諸生則之效之。末世庸醫。不求實學。夜郎自大。啟口則我是人非。坐井觀天。過眼則目無餘子。或因門戶之偏私。妄作戈矛之攻擊。不求社會少一患者。俾國家可增一分富強。但期社會少一醫生。俾我家可增一分利益。才高者妬之忌之。學富者謗之毀之。此庸惡陋劣之所爲。願諸生勿效也。至於書讀五車。食古尤宜能化。病端百出。應變尤貴隨機。愼勿膠柱而鼓瑟。當如圓珠之走盤。法可師。不可泥。智宜圓。不宜執。有舊學術而不可墨守於舊。有新知識而不可迷惑於新。是卽孫思邈所謂智圓行方也。願諸生書紳誌之。前程遠大。有厚望焉。

醫案一斑

許勤勛輯

先生醫案甚多。生前除婦科幼科。稍有數則。曾經手定分載本刊第五期及浙江醫藥月刊外。其餘惜皆散佚。羅致爲難。茲將本校附設施診所醫案。勤勛於侍診之際所錄存者。略加整理。錄付本刊。惟因當時就診者踵趾相接。黃門急就。已屬難能。勤勛隨侍杖履。又爲時苦短。簡約貽譏。知所不免。嗟夫木壞山頹。墓艸已宿。請益無從。追慕何及。唯有葆此遺型。藉資惕勵已耳。民國二十一年十二月勤勛幷識。

鄭右　形寒骨熱。咳嗽。有時痰中帶血。音嘶。脈至細弱無神。症延已久。體虛病實。難求速效。

炒紫菀錢半　阿膠珠二錢　山百合三錢　青蒿子三錢　肥知母二錢　仙半夏二錢　炙鱉甲三錢　川貝母二錢　鮮竹茹二錢　苦桔梗一錢

復診　服前方。形寒骨熱咳嗽均差。聲嘶未揚。再用前方加減爲治。

京元參三錢　炙鱉甲三錢　肥知母二錢　丹參三錢　青蒿子三錢　川貝母二錢　炙紫菀錢半　阿膠珠二錢　生竹茹二錢　苦桔梗一錢

三診　症係骨蒸癆熱。服前方。略有小效。仍用前方加減爲治。

炙鱉甲四錢　左秦艽二錢　木蝴蝶十片　青蒿子三錢　肥知母二錢　廣鬱金三錢　東白薇二錢　川貝母二錢　生甘艸八分

四診　服前方。寒熱較差。音嘶微揚。咳嗽亦差。脈至細數。仍予前方加減。

蘇丹參三錢　炙鱉甲三錢　川貝母二錢　京元參三錢　青蒿子三錢　生竹茹二錢　北沙參二錢　肥知母二錢　炒紫菀錢半　苦桔梗一錢

五診　蒸熱差而未盡。脈數苔膩。咽喉不利。治宜清透。

北沙參三錢　綠萼梅二錢　川貝母二錢　炙鱉甲四錢　桑白皮二錢　京元參三錢　青蒿子三錢　肥知母二錢　麥冬二錢　生甘艸八分　鹽青果四枚

六診　蒸熱漸差。咳嗽未除。脈至濡細。頭痛。苔薄白。再擬和養。

明天麻一錢　京元參三錢　肥知母二錢　白甘菊錢半　北沙參三錢　青蒿子三錢　紫丹參三錢　炙鱉甲四錢　川貝母二錢　炒竹茹二錢　苦桔梗一錢

張右　產後惡露已盡。下元不足。衝任失約。經行不止。愼防崩下。治宜固攝。

潞黨參三錢　大熟地三錢　遠志肉一錢　炒懷藥二錢　五味子四分　生甘艸八分　陳萸肉一錢　菟絲子二錢　補骨脂二錢　樗根皮二錢　海螵蛸二錢

復診　服固下之劑。經水已止。再用前方加減。

潞黨參三錢　遠志肉二錢　菟絲子二錢　大熟地四錢　陳萸肉一錢　補骨脂二錢　炒懷藥二錢　五味子四分　海螵蛸二錢　生甘艸八分

倪右　血虛經少。胸悶納鈍。咳嗽痰痙。脈至濡細。舌苔膩白。宜興和養。

潞黨參三錢　細生地三錢　煅瓦楞三錢　蘇丹參三錢　炒白芍二錢　川樸花錢半　全當歸三錢　川芎錢半　佩蘭葉二錢　佛手花錢半　廣鬱金二錢

復診　咳嗽痰痙較差。胸悶頭昏。脈至濡細。治宜疎和。

川樸花錢半　白甘菊錢半　川芎錢半　佩蘭葉二錢　全當歸三錢　白蒺藜三錢　石決明三錢　珍珠母三錢　佛手柑錢半　生甘艸八分

三診　經水已至。咳嗽痰痙較差。脘悶腹脹。脈至濡細。再擬疎和。

蘇丹參三錢　延胡索三錢　澤蘭葉二錢　全當歸三錢　茺蔚子三錢　川樸花錢半　炒白芍二錢　川芎錢半　佛手片錢半　製香附二錢　懷牛膝二錢　小青皮一錢

胡右　產後未滿月。血瘀痰痙。神經錯亂。脈至弦滑。舌苔膩白。治宜鎮心滌痰。

西琥珀一錢　石決明四錢　白甘菊二錢　辰茯神三

錢　珍珠母三錢　石菖蒲三錢　辰麥冬二錢　煅瓦楞三錢　生甘艸一錢

礞石滾痰丸二錢　癲癇白金丸二錢另分送

按服前方。症情大有轉機。照原方去礞石滾痰丸及癲癇白金丸。加竹瀝達痰丸三錢。

陸左　心陰不足。肝陽有餘。痰濁內滯。形神呆鈍。脈至左弦。右寸虛細。關滑。姑擬和養入手。

北沙參二錢　剖麥冬二錢　酸棗仁三錢　潞黨參二錢　明天麻二錢　柏子仁二錢　大生地三錢　辰茯神三錢　川貝二錢　石菖蒲一錢　五味子四分

復診　服前方神志較清。心仍不定。痰濁內秘。肝陽不潛。盜汗怔忡。脈至弦滑。苔膩白。再守前法。

白蒺藜二錢　辰茯神三錢　川貝母二錢　宣木瓜二錢　辰麥冬二錢　石菖蒲一錢　白甘菊二錢　竹瀝半夏二錢　柏子仁二錢

三診　疊進前方。症情脈象。均較前爲勝。再擬和養心腎。安定神志。

白蒺藜三錢　廣陳皮一錢　珍珠母三錢　石決明三錢　辰茯神三錢　石菖蒲一錢　竹瀝半夏二錢　辰麥冬二錢　川貝母二錢　柏子仁三錢

焦女　任衝失約。相火妄行。經水淋瀝。已延多日。當從天暑地熱經血沸溢例治。

炙坎版四錢　樗白皮二錢　菟絲子二錢　淡黃芩一錢　海螵蛸二錢　生甘艸八分　川黃柏一錢　小生地三錢

復診　前投壯水抑火之劑。經行略稀。再從前法加減。

炙坎版五錢　小生地三錢　樗白皮二錢　杭白芍二錢　黃芩二錢　生甘艸八分　製香附二錢　黃柏一錢

楊右　三陰虧損。風寒濕乘虛侵入。腫潰之後。致成鶴膝症。勢纏綿。殊爲棘手。姑擬溫補氣血。活絡舒筋。

潞黨參三錢　羌活錢半　大熟地四錢　炒白朮二錢　防風錢半　懷牛膝二錢　炙綿芪三錢　川杜仲三錢　安肉桂八分　生甘艸八分

復診　三陰虧損。寒濕內侵。腿瘦膕腫而潰。再擬溫補氣血。

通利節絡。

清炙芪三錢　生甘艸八分　酒白芍二錢　潞黨參三錢　大熟地四錢　川芎錢半　炒白朮二錢　全當歸三錢　安肉桂八分　淡附片八分　羌活一錢　防風一錢　川牛膝二錢　川杜仲三錢

三診　腿腫漸消。形神困頓。脘悶納鈍。脈至細弱。舌苔光絳。總由氣血虛損。仍擬補養。

炙綿芪三錢　生甘艸八分　酒白芍二錢　炒黨參三錢　大熟地三錢　川芎二錢　炒白朮二錢　全當歸三錢　羌活一錢　防風一錢　川杜仲二錢　破麥冬二錢

姚右　肺陰已虛。痰熱內滯。肺腎爲子母之藏。肺病及腎。腎不納氣。咳嗽氣逆哮喘。脈至細數。擬予肅肺納腎。清化痰熱。

桑白皮三錢　川貝母三錢　細白前錢半　地骨皮三錢　眞柿霜一錢　蘇子一錢　炒紫菀錢半　粉前胡錢半　鮮生地三錢　白果肉七枚

復診　咳嗽喘哮均差。脈尚細數。陰液未復。前法有效。無庸更張。

桑白皮三錢　炒紫菀錢半　細白前二錢　地骨皮三錢　川貝母三錢　炙蘇子二錢　鮮生地三錢　粉前胡一錢　沉香釉一錢　白果肉七枚　眞柿霜一錢

陳右　瘧邪久留。失於宣達。脈至細數。舌苔光絳。正虛邪實。症非輕可。姑用透解。

炙鱉甲三錢　粉丹皮錢半　川貝母二錢　青蒿子三錢　嫩白薇二錢　柴胡一錢　地骨皮三錢　知母二錢　生薑兩片

復診　伏邪不達。病延日久。脈至細數。苔絳已退。正氣大虛。攻補兩難。大便停留多日。不得不酌參通府之意。擬予青蒿鱉甲湯合脾約麻仁丸化裁之。

炙鱉甲三錢　肥知母二錢　川石斛三錢　青蒿子三錢　淡黃芩二錢　麸枳壳錢半　地骨皮三錢　川貝母二錢　枇杷葉三錢　粉丹皮錢半　嫩白薇二錢　脾約麻仁丸三錢

焦右　血虛經少。帶下不止。脈至細弱。和養爲要。

酒丹參三錢　製香附二錢　海螵蛸二錢　酒當歸三

錢　廣鬱金二錢　椁白皮二錢　酒白芍二錢　澤蘭葉二
錢
復診　經水已至。脈尚細弱。苔薄白邊絳。
酒丹參三錢　延胡索二錢　澤蘭葉二錢　酒當歸三
錢　廣鬱金二錢　茺蔚子二錢　酒白芍二錢　製香附二
錢　川芎錢半
三診　經水較前色正。脈至亦有起色。苔薄不絳。仍遵前法。
蘇丹參三錢　製香附二錢　廣鬱金二錢　酒當歸三
錢　澤蘭葉二錢　川芎錢半　酒白芍二錢　小生地三錢
生甘草八分
葉右　風濕入絡。阻礙氣血。氣不宣。則血不循經。以致脊骨
連腰牽痛。治擬活血祛風通絡。
左秦艽二錢　酒白芍錢半　五加皮錢半　童桑枝一
尺　川芎一錢　海桐皮錢半　全當歸二錢　青防風一錢
絲瓜絡三錢
復診　前方兩劑。脊骨連腰牽痛均差。治風先治血。血行風
自滅。
左秦艽二錢　全當歸三錢　防風一錢　川桂枝四分
酒白芍二錢　絡石藤三錢　童桑枝一尺　川芎錢半　炙
甘草八分
胡右　肺腎兩虛。腎不納氣。加以時邪外襲。牽動內氣。似難
接續。脈至虛濇。姑擬標本並固。內外兼籌。
冬桑葉錢半　太子參二錢　炒白芍錢半　炒蘇子錢
半　白茯苓三錢　煅牡蠣四錢　枇杷葉二錢　當歸身錢
半　炒焦金匱腎氣丸三錢入煎
復診　自汗已止。症情較昨稍穩。然氣喘未平。仍在險途。
太子參二錢　煅牡蠣三錢　川樸花錢半　白茯苓三
錢　炙枇杷葉二錢　炙甘草一錢　全當歸三錢　炒蘇子
一錢　桂枝四分炒白芍二錢　炒焦金匱腎氣丸三錢
王右　血不養肝。肝邪乘胃。胸悶脘痛。脈至細弦。治宜養血
疏肝。
白蒺藜三錢　川樸花一錢　製香附二錢　石决明四
錢　佛手花錢半　廣木香八分　黄甘菊二錢　廣鬱金二
錢　宣木瓜三錢　木蝴蝶十對

復診　服前方脘痛已愈。胸悶亦瘥。納鈍肢倦。症屬血虛木強土弱。脈至弦細。再擬疏養。

紫丹參三錢　川樸花錢半　廣鬱金二錢　全當歸三錢　佛手花錢半　製香附二錢　炒白芍二錢　石决明三錢　宣木瓜二錢　木蝴蝶七對

潘右　產後惡露。淋瀝不盡。紅紫成塊。脈至細弱。舌苦膩白。治宜祛瘀生新。

蘇丹參三錢　酒白芍二錢　延胡索二錢　根生地三錢　川芎錢半　炙艸八分　全當歸三錢　製香附二錢　南芡實二錢

某　久病陰虛。津液不足。形寒內熱。便堅。脈至細弱。症延日久。速效爲難。治宜和養。

蘇丹參三錢　大熟地三錢　姜半夏二錢　京元參三錢　炙鱉甲四錢　廣陳皮一錢　全當歸三錢　青蒿子三錢　清炙芪三錢　桂枝八分炒白芍二錢　土炒白朮錢半　生甘艸八分

復診　仍守原法。

酒當歸二錢　蘇丹參三錢　土炒白朮錢半　大熟地三錢　炙鱉甲三錢　清炙芪三錢　京元參三錢　青蒿子二錢　炙甘艸八分　桂枝八分炒白芍二錢

沈左　肝氣鬱結。腎臟虛寒。鬱怒成痞。狀似奔豚。脈至細弱。治宜溫疏。

白蒺藜三錢、枸杞子二錢　小茴香八分　宣木瓜二錢　全當歸三錢　製香附二錢　佛手柑錢半　撫芎錢半　廣木香八分　吳茱萸八分　小青皮一錢

復診　腎之積爲奔豚。煖肝煎主之。

白蒺藜三錢　宣木瓜二錢　小茴香一錢　吳茱萸一錢　小青皮一錢　廣木香八分　甘枸杞二錢　全當歸三錢　製香附二錢　佛手柑錢半　白茯苓三錢

婦科驗案

男炳然選錄

張右　住法院前　九月十四日初診

（原因）產後敗血阻滯。

（病狀）寒熱往來。惡露稀少。歷月餘未止。胸腹脹滿。氣滯而痛。面容枯槁。毫無血色。飲食不進。氣息奄奄。

（經過治療）先服金鷄納霜十餘天。無效。繼用三柴胡飲四柴胡飲。加減又用清脾飲草果飲七寶飲常山飲之類。亦無效。時已逾彌月二日矣。

（診斷）脈象右大左小。沈部弦數。右關獨滑。舌苔膩厚而黃。證係起於敗血流入陰中。而作寒熱。初起誤認爲外邪。治以截瘧解散等法。以致戕傷元氣。敗血停滯不行。遷延日久。根深蒂固。體弱病實。

（治法）擬行血去滯。疏通敗血爲先。用決津煎加減。

（處方）當歸三錢　牛膝二錢　熟地三錢　澤瀉錢半　肉桂一錢　香附二錢　木香八分　附片八分　酒炒紅花四分

九月十五日次診

（病狀）惡露暢行。寒熱已止。胸腹舒暢。面色潤澤。惟小腹冷痛。大便結澁。

（診斷）兩脈數象已除。舌苔膩黃。陰中尚有寒氣。小腹冷痛。大便結澁。是其明證。

（治法）用前方加減以溫小腹而潤大便。

（處方）當歸三錢　牛膝二錢　香附二錢　澤瀉錢半　肉桂一錢　熟地三錢　附片八分　吳萸八分　肉蓯蓉二錢

九月十六日三診

（病狀）小腹寒痛已除。惡露已淨。大便黃濇而潤。欲下而肛門收縮不得出。

（診斷）脈象和緩。苔化而薄。諸病皆瘥。元氣未復。

（治法）外治用蜜煎導法。大便自下。內治調補元氣。用八珍湯加減。服四劑以後。飲食調補。可不必服藥矣。

（處方）潞黨參三錢　土炒白朮二錢　茯苓二錢　炙甘艸六分　油當歸三錢　炒白芍二錢　熟地三錢　陳萸肉二錢　肉蓯蓉二錢

按凡治產後寒熱症。當先辨明外感內證。如發熱惡寒。爲感受客邪。脈必緊數。此蓋由於臨盆之時。露體用力不及顧到。以致寒邪乘虛而入。感之最易。然必頭痛身痛。或腰背拘急。此即外感證也。但此等外感。與正傷寒宿感者不同。不過隨感隨病。祇須略加解散。即愈。勿泥於新產忌表散之說。而延誤。唯用藥須辨其虛實而斟酌得宜耳。

如乍寒乍熱。先冷後熱。似瘧非瘧者。爲內證。其中當分爲三種。

（一）爲血氣虛損。陰陽不和。此病當先辨其陰勝陽勝。陰勝者寒必多。宜用四物去芎藥。生地改熟地。加當歸乾姜甘艸。重則加參附以回陽。陽勝者熱必多。宜用四物。生地改熟地。加棗仁甘艸。

（二）爲陽氣陷入陰中而發寒熱。則宜用補中益氣湯（參耆朮艸橘紅木香柴胡升麻）或補陰益氣煎（參當歸山藥熟地陳皮柴胡姜）加減。若陰陽俱虛。宜用八珍湯及十全大補加減。

（三）爲敗血流入陰中而作寒熱者。必惡露不行。或稀少。脈必弦數。舌苔黃膩。胸腹脹滿。飲食少思。雖似外邪。實係內證。

畫梅詩存

門人姚奚錄

爾從暨陽來。欲問桃源津。桃花猶未開。梅花正懷新。袖中梅花本。什襲爲之珍。飢不可爲食。寒不足蔽身。知子有深意。憂道不憂貧。（題姚奚所藏孏園梅册）

夜闌獨酌陶潛酒。林夔影上五株柳。酒酣濡染筆淋漓。墨花飛舞龍蛇走。孏園寫梅如寫字。醉李顛張不足比。寫時腕中蹲三昧。公孫大娘舞劍器。君不見兩大乾坤一芻狗。自古繁華今安有。雪泥留與後人看。隃麋一盞留香久。吁嗟乎。江上梅花有落時。紙上梅花長不朽。

百花發時我不發。到我發時都凍煞。要挽天地生物心。直使千鈞留一髮。不怕空山風雪侵。不改冰霜盤錯節。疏影橫斜傍水邊。剛強不屈堅如鐵。鐵骨冰心獨耐寒。槎枒老幹雄且傑。瑤琴一曲來春風。春回陽谷融和達。奇才造就和羹資。晚成大器尤奇突。我爲癯仙寫照來。白虹剪落三千尺。淋漓大筆潑墨揮。一枝橫生一枝活。雅宜什襲共珍藏。不逢驛使休輕折。

周生周生。既不能任浮沈。諧世俗。又不能勤四體分五穀。朝朝侍我蠡峯麓。痛飲清醪千萬斛。硯田飽灌淋漓墨。種梅不動藍田玉。槎枒老幹看不足。橫塗豎抹寫枯木。興來寫得千萬卷。任風吹去我不管。周生爲我拾落花。枝枝節節都入選。玉樹珊瑚鐵網收。什襲珍藏同瑚璉。欲付裝璜請賦詩。孏園莫道詩情孏。短詩賦罷又長歌。山人胸次墨汁滿。長歌賦就付周生。周生與我同一嘅。

（詩興未盡再走筆書此以給周驥）

山人欲寫胸中墨。亂杵隃麋盈滿斛。酒酣豪興勃於雷。橫塗豎抹霜毫禿。任風吹去我不管。存者三四失五六。誰與山人掃落花。掃得落花十餘幅。尹公門下庾公斯。小子楊生眞不俗。積頁成冊付裝璜。什襲珍之如珠玉。越羅蜀錦金粟尺。黃金爲飾玉爲軸。牙琴鍾賞得知音。我再爲君歌一曲。（題楊璜所藏嬾園冊頁）

山人性癖畫寒梅。萬樹千枝腕底開。寫罷任風吹散去。有人鎭日拾花來。黃金白玉增裝飾。蜀錦越羅任剪裁。不是知音誰顧曲。周郎洵是不凡才。（題周驥所藏嬾園梅冊）

螺子峯頭處士廬。管城饗盡慶朋孚。幸無車馬喧門戶。時有兒童乞畫圖。我本無心插楊柳。君將依樣畫葫蘆。越羅蜀錦加裝飾。買櫝休教還我珠。（題陳烜所藏嬾園梅冊）

昨宵畫徧籬邊菊。今日神傳崖上梅。本色肯教塵俗染。孤芳豈受朔風摧。訂交松柏心如石。歷劫冰霜志不灰。獨向春先爲首領。百花步我後塵來。（余向例每年九月爲螺峯籬菊寫照一月本年昨日已畢餘興未盡再爲螺峯映梅崖老梅寫照亦藉以遣興云甲子十月朔日嬾園并誌）

盤根錯節老巖阿。歷劫冰霜受折磨。不羨洛陽花似錦。浮雲悉任眼前過。

冷蕊疏枝別有神。冰心鐵骨玉爲身。孤山紙帳春同夢。曉起巡簷索笑顰。

隴口梅花憶故鄉。阿蘇莫漫動離腸。春風得意來空谷。枝上多情問上皇。

山人夙有林泉志。不畫官梅畫野梅。莫笑梅花生性直。枝枝南向不頭回。

流水高山一曲琴。世無和靖孰知音。自從嫁作林家婦。冰雪清操守到今。

梅花面目冷於冰。鐵石心腸却有情。未問和羹新事業。已數屬望徧蒼生。

天池南岸一枝梅。玉潔冰清不染埃。氣得先天春最早。百花頭上獨先開。

虬龍低臥傍蒼苔。江北江南夢乍回。玉作仙魂鐵作骨。天教桃李作輿臺。

高枝俯掛低枝仰。一樹梅花似兩歧。不是天心有軒輊。此中玄理耐人思。

風霜冰雪殄蒲蘆。衆卉彫零跡已無。欲挽天心回造化。全憑隻手補榮枯。

橫斜蟠曲一枝春。造化生成變態新。不假人工雕琢力。拈來信手見天眞。

亂杵隃麋水一杯。不分村野與官梅。酒酣濡染淋漓筆。寫出胸中本色來。

獨酌螺峯酒一杯。玉壺春入管城來。吹噓不藉東君力。試看梅花滿樹開。

疏影橫斜傍水低。春愁已徧斷橋西。孤山雨後添新漲。流水浮花欲上隄。

一寒至此骨偏傲。衆卉摧殘跡獨留。歷刼冰霜還本色。前身知有幾生修。

瓊枝玉骨自超然。冰裏丰神雪裏仙。醉墨淋漓揮灑去。龍蛇飛舞落蠻牋。

不堪楚尾酒三巡。廿四番風送盡春。欲挽天心憑隻手。管城春色十分新。

清醪一盞伴寒宵。醉寫瓊枝三兩條。信手拈來聊寄興。不分官野與溪橋。

江路梅花橫古渡。託根終不及巖阿。縱然博得風塵賞。無奈行人攀折多。

酒酣潑墨寫梅花。亂寫疏枝亂點葩。寫出梅花容亦醉。枝枝節節盡橫斜。

素娥青女共徘徊。歷盡炎涼幾百回。驛路忽傳消息至。東君送暖好風來。

月痕慘淡上窗紗。醉寫疏枝枝半斜。不道林逋曾娶去。玉魂猶在野人家。（月梅）

月落參橫天欲曙。羅浮夢斷已千年。霜毫寫出淸癯照。翠羽明璫尙儼然。（月梅）

山人淸癖寄梅花。醉寫瓊姿枝半斜。酒醒祇疑疎影落。朦朧寒月上窗紗。（月梅）

紫絲步帳簇春華。臥雪眠雲自一家。昨夜朔風摧落葉。滿身環佩玉無瑕。（雪梅）

玉笛江城吹落紅。憑誰人巧奪天工。霜毫挽得東皇駕。不盡飛花但畫風。（風梅）

雨潤瓊枝氣更清。不沾塵俗玉同瑩。爲霖縱有和羹料。願共烟霞過此生。（雨梅）

乾坤清氣寄梅花。映日停霜瘦影斜。腸胃文章須檢點。管城春色十分奢。（霜梅）

爛漫天眞大氣還。童顏莫作醉顏看。欲開絳蠟春風化。聊借孤山當杏壇。（紅梅）

一枝先占鏡臺春。買得胭脂點絳脣。不是紅妝隨俗尚。特從爛漫見天眞。（紅梅）

滿身碧玉玎璫佩。爲愛青山道在中。不染紅塵埃一點。欲將儒素守家風。（綠梅）

天眞不爲冰霜改。清潔因居廉讓間。魏紫姚黃皆後進。先留本色在名山。（白梅）

沈沈涼月夜黃昏。寂寂螺峯靜掩門。一盞青燈開寫照。暗香應返玉梅魂。（寒夜獨酌酒酣興勃對梅寫照）

山人性癖寫山梅。萬樹冰姿腕底開。一任狂風吹散去。掃花童子拾花來。

我識君家世愛蓮。何勞立雪到門前。有花莫漫分寒暑。且與周郎證畫禪。（小門生周驥學畫於徐駿。駿學畫於我。驥來觀吾畫梅。拾吾所棄什襲珍之。積頁成册。來請題辭。書此以應）

桃李紛紛步後塵。門人門下見門人。硯田墨海朋簪盍。莫道窮巖冷不春。（門人王斯挺以是頁轉贈其徒周驥來請加題書此以應）

折去螺峯春一枝。尹公傳授庾公斯。自慚衣鉢無他技。惟有梅花與小詩。（是頁係去年八月嬾園寫給煥今。煥擬轉贈小門人周驥作梅課之獎。來請加題再書短句）

崖上梅花崖下水。珊瑚玉尺映天池。煩君點綴螺峯景。特贈螺峯春一枝。（小門生周驥爲嬾園購紅鯽入天池時適池上映梅崖紅綠梅盛開碧綠清流鼓鬣頳尾崖梅相映色更鮮妍俯察仰觀天機活潑洵可樂也乘興潑墨寫此給之以作投桃之報云）

彭澤歸來酒滿樽。故園松菊喜猶存。硯田種得梅花後。桃李而今又滿門。（憶自辛亥歸田與二三子討論文學旁及繪事迄

今從遊日衆卽畫學一科已七十餘生而要惟徐駿爲最優今駿來請樣本嬾園以此給之）

爲訪揚雄頻載酒。愧無奇字告知音。中賢中聖分清濁。徐邈風流會此心。（及門畫學惟徐駿獨優余許改畫課及應親友徵求頗得此生臂助今因來求余畫特題此以示優異云）

七十英才侍燕居。管城鬵壺廢朋乎。問誰獨得黃荃祕。惟有徐熙沒骨圖。（給徐駿）

七載螺峯閒作主。小園桃李自成春。畫圖合倩徐崇嗣。依樣葫蘆步後塵。（同上）

七載螺峯立雪來。硯田折贈一枝梅。他年許爾和羹去。斫地王郎歌莫哀。（門人王新抱負不凡壯懷慷慨茲因來請樣本題此勗之）

雪裡浮花夢裡身。先生依舊廣文貧。硯田墨海朋簪盍。漫說寒梅冷不春。（給王新）

門外車停問字來。揚雄嗜酒且含杯。空山寂靜閒無事。笑與諸生論畫梅。（辛亥歸田螺峯息轍與二三子畫梅消遣門人王新以吾所給樣本積頁成冊欲付裝璜來請題句書此應之）

君是元章名士後。何勞載酒訪山人。別無奇字賚君問。惟有孤山一段春。（寫給王新）

山梅縱異水芙蕖。一樣芬芳莫毀譽。同是天生清潔品。休將冷熱判親疏。（是詩別有寄託特爲門人徐駿勉也）

一輪明月駐芳蹤。聊把癯仙作放翁。吩咐折花人去後。要將團扇播仁風。（爲陸昭畫扇）

我家故物靑氈外。惟有梅花種硯田。吩咐兒曹長保守。冰清玉潔是眞傳。（寫示大兒煥）

聊將衣鉢授吾徒。反正陰陽畢一隅。信手拈來皆化境。願君依樣畫葫蘆。（給王新）

舒如弦月捲如霞。袖裡春風欲放花。寄語吳剛休誤認。木樨今已換梅花。（爲吳郁畫扇）

螺子峯頭洽比鄰。菟絲又附蔦蘿新。投桃愧乏瓊瑤報。惟有孤山一段春。（贈佐季親家）

壽陽點額憶含章。紙閣蘆簾著孟光。玉鏡臺前雙粉蝶。金樽檀板好催妝。（賀王新嘉禮）

山人清癖惟書畫。一葉浮槎仿米家。我願兒曹懸且魯。硯田

鋤月種梅花。（賜四兒睦）

冰清玉潔淨無瑕。寒素家風守我家。折得一枝春去後。繁華莫羨牡丹花。（同上）

倦游歸著一編書。樂得英才侍燕居。墨海烟霞成別調。管城春色滿吾廬。

踏徧江湖歸去來。橫斜疏影硯田栽。閉門事業空山裡。兒女門生共畫梅。（余昔年橐筆嚴瀨秉鐸武庠卅年浪跡江湖倦游歸里息轍螺峯畫梅遺興門人兒女記錄吾言十有二卷名曰畫梅辯難均已付梓今諸生拾得曩時訂剩餘頁各分一紙付裱以留紀念來請書畫補白走筆作此應之亦藉筆墨以爲游戲云爾丙寅冬十月上澣孏園幷識）

滿園桃李手親栽。和煦光陰腕底來。老榦逢春先發輒。百花步我後塵回。（乙卯冬門人兒子請示老樹木紋肌理之法酒酣乘興潑墨寫此以爲引喤）

喚醒酣夢徧紅塵。說法何妨借現身。拈得梅花臨大會。曼陀羅雨散來新。（吾校藝術團專重化裝演講非從俗焉蓋以現身說法是佛教之慈悲五志相平實醫家之妙用名曰醒塵正欲發聾振聵起弱扶衰盡醫家之天職耳今將話別承諸君惠我銀盾譽加阿譽特作此以留紀念云已巳秋孏園幷誌）

歷刼冰霜泰運回。老梅先占百花魁。貞元一髮千鈞繫。要把乾坤旋轉來。（孏園畫梅不喜做作酒酣興勃任意揮灑並不計及樹中之木紋肌理凸凹陰陽而縱心順理暗與理會實未嘗稍有斧鑿痕跡於其間也同學諸生後塵誰步放情揮灑不失天眞則技也而進乎道矣丙辰春日示門人王斯）

賀盛蔚堂七五壽辰重游泮水

男炳然錄

半璧黌池鑑影明。膠庠人瑞尙耆英。松身鶴骨顏長駐。泮水鸞旂句再賡。千載難逢傳盛事。一時佳話足平生。待看耄壽開筵後。重賦秋風宴鹿鳴。

智水仁山德有鄰。天教洽比聖湖濱。（君居西湖螺峯之下余居西湖螺峯之椒相距僅數武耳）開蒙著屐登高訪。會記扶筇話舊因。笑我驥蠅思附尾。羨君龍馬健精神。十年彈指重游泮。可許衰翁步後塵。（憶余入泮後君十年）

悼小弟子陳烜

楊鉢蘇錄

斷盡衰親寸寸腸。（十二月二十三日烜父來山揮淚述烜經過病狀）可憐二豎入膏肓。（烜病因醫藥雜投致金水二藏皆傷吾早知其不救矣）靑囊縱有延年術。金匱難施續命湯。

十年樹木望成林。腕底梅花天地心。誰料一枝先夭折。零殘斷幅慨人琴。（十二月二十七日浮桴講室見烜墨梅有感）

四壁梅花滿座春。湖濱風景一時新。（正月初八日張蒼水公祠畫梅弟子雅集觸景有感）渾如重九登高日。徧插茱萸少一人。

六街三巷耀星光。（正月十五夜爛臺觀新市場燈有感）火樹銀花簇簇芒。一盞陳家燈尚在。與誰對哭夜昏黃。

靑藤詩話鱗爪

門人姚奚錄

煥問、題畫蟹七絕一首。看似隨手寫來。却頗具神理。然否。曰、是當分兩段看。首二句云。誰將畫蟹託題詩。正是秋深稻熟時。此二句却似隨手寫去。下二句云。飽却黃雲歸穴去。付君甲胄欲何爲。寄託深遠。實有至理也。但正是秋深稻熟時一句。已含下二句意在內。細思之。意味無窮。若但將全詩囫圇吞棗讀去。未有不失之皮相也。

又問、六言村家飲一首。是否熟而不爛。脫而不離。曰、極是。是亦當分而論之也。上二句云。新竹已成蛇尾。秋雲乍起龍鱗。是熟而不爛也。下二句云。不雨空啼布穀。乘風且脫紗巾。是脫而不離也。

又問、送張君會試一首。與大蘇日喻。可謂同工異曲。曰、不然。以形跡上觀之。却似同一詼諧之筆。而大蘇日喻。則全從一喻字下手。是詩則前半首以頌祝立意。後半首以詼諧作結。看似同。實有別也。

又問、千年獨有黃花瘦。爲伴行吟瘦屈原之句。純乎唐音。曰、不然。是詩上半首云。百草諸香百露溥。一時非不哭湘沅。此二句純乎宋人。下二句乃宋詩之貌。唐詩之骨。非純乎唐音也。

又問、送內兄潘伯海謁選詩。有見兄兼念妹。送舅祇擕甥之句。較杜工部老妻畫紙爲棋局。稚子敲針作釣鈎。哀樂則殊。熟脫則一。曰、所殊不獨哀樂也。杜詩寫景。此詩寫情。杜詩得天眞。此詩有深意。十字中蓋有無限深情。寄於言外。可謂與杜詩天涯涕淚等句。同工異曲也。

又問、法相寺看活石一首。統首不說石。祇有中間取蒲量石長一句。而前後掩映曲盡其妙。　曰、此詩雖不說石。而自起句至末句。無不注意於石。末二句雖似與石無關。而曰莫怪淹斜日明朝恐未開。仍有愛石不舍之意。惟能不說石而處處意不脫石。故能前後掩映。曲盡其妙。所謂不黏不脫。超以象外。得其圜中也。至於取蒲量石長。間竹到溪灣。二句。上句妙在言石而意不僅石。下句妙在不言石而意中有石。所謂言外有意。卽詩中有畫也。

又問、馬策之奉母住鳳凰山下之水樓一首。全詩寫景而不言情。何故。　曰、題有奉母二字。自當以寫情爲重。寫景次之。然是詩以表面觀之。雖似全詩寫景。而無一語言情者。抑知次韻正好敲冰求尺鯉。倍宜垂雪飯高樓。二句。實景中有情。至三韻月中醉客搖船夜。露下聽蟲助竹秋。二句、淡淡從景上寫來。而景外生情。已在不言之表。與沾沾焉以寫情爲事者。實有上下床之別。此正青藤先生之勝人處也。

又問、飲太白樓一首。有晉詩氣息。殆亦慕太白之醉酒沉江。而爲狂飲剸腎歟。　曰、不然。是詩全首有唐音。非晉人體也。子言狂飲慕太白。可謂深知青藤先生之心。至於以剸腎比沉江。則非也。太白沉江。由於豪放。青藤剸腎。發於牢騷。袁宏道謂其晚年憤益深。佯狂益甚。或自持斧擊破其頭。血流被面。頭骨皆折。揉之有聲。或槌其囊。或以利錐錐其兩耳。深入寸餘。卽此類也。石公曰。古今文人牢騷困苦。未有若先生者。此言誠不誣也。

又問、鈕大夫園林一首。殆如雲林山水。尺幅千里。　曰、不特此也。是詩全首有唐人氣息。與杜工部重九登高七律一首。實異曲同工也。

又問、雪中移居二首。有陶公所憂非貧賤之概。　曰、意却如是。情則異也。陶公之作。悉以冲和恬淡出之。如抱無絃琴而入桃花源也。是詩則抑鬱不平。牢騷困苦。均在言外。其爲體也。有杜工部漂泊一身之概。其爲意也。有漢人十九首淒涼悲惻之情。是卽袁宏道所謂如寡婦之夜哭。羈人之寒起是也。

又問、書夏珪山水一篇。文不滿五十字。而其忽褒忽貶。歸到贊歎。眞簡峭無比。　曰、是篇以舍形悅影四字爲主。其抑揚反復。褒貶曲折。言簡意賅。實有尺幅千里之勢。與王安石讀孟嘗傳同工異曲。洵稱傑作也。必如是。方許作短篇文字。否則不足觀也矣。

又問、婁叟像贊語解頤而意誠篤。誠極妙也。　曰、是與宗侄像三贊同一解頤。而此則獨以頌禱作結。蓋作像贊。詼諧易出色。

頌禱難見長。是贊佳處。妙在頌禱中仍寓詼諧。而又出以莊重。不失之輕佻。所以佳也。

又問四仙圖贊。以道語解頤。可謂戲而不褻。狎而不瀆。欲學甚難。如題他贊。亦可用是法否。曰、有何不可。此四贊妙處。皆在末句。有懸崖勒馬之勢。故佳。子如欲仿而學之。必須先有末句。而後再去做上三句。方可。否則。畫虎類犬也。

又問、古鏡一首。託物興感。是詩三百之旨乎。曰、詩皆三百首之流亞。託物興感。何詩不然。惟有興賦比之別耳。此詩手寫古鏡。神游鏡外。一氣到底。乃三百首中之比體也。此外有賦體者。有興體者。有興而比者。比而興者。要皆不出乎三百首之範圍耳。

楊鉢穌錄

聯語

本校大禮堂

縱觀二千年歷史。岐黃墜緒。若絕若存。續舊學以闢新知。問此責何人克任。

橫覽四百兆同胞。疾病瘡痍。待拯待救。出痛苦而登壽域。舍吾黨小子其誰。

輓鄭芝舫（代）

聯絡醫藥界。組織專門校。熱誠毅力。始終不渝。方期大廈同支。要向新流光舊物。

通商重信義。裕國見才猷。學粹品端。洵難多得。何竟道山遽返。傷心吾業失完人。

輓朱汲民（代）

十餘年立雪程門。方期高仰堅鑽。桃李長能依樾蔭。

一剎那悲風振響。詎料山頹木壞。涓埃愧未答師恩。

輓仲右長（代）

歷塵凡方五十一年。遽驚雲蓋仙歸。城裡芙蓉迎作主。

歸道山後元旦六日。回憶春風時雨。門前桃李共含悲。

輓梁麗生

去秋訪我到螺峯。已經契闊三年。寂寞山林來舊雨。

今日聞君歸鹿苑。又弱老成一個。親朋寥落似晨星。

輓戎谷香

數十年勤儉持躬。箕裘裕後。桂蘭齊芳。願膝前繼志有才。了却塵緣歸淨土。

五六月沉痾不起。脾腎俱傷。膏肓深入。愧我輩回春乏術。驚心吾校失干城。

壽邢汝烈六十

距元旦十日。元宵五天。春酒介眉。筵開花甲。有賢嗣二龍。賢孫三鳳。斑衣繞膝。福備林壬。

輓夏定侯（代）

因心衡慮。積憤塡膺。振一旅之龍驤。慷慨誓師。熱血滿腔噴秀水。彈盡鎗虛。勢孤援絕。化三軍爲猿鶴。從容就義。寒潮終古咽錢塘。

省立貧兒院十五週紀念

貧賤勵英雄。達必由窮。千古來玉成幾輩奇男子。

兒童宏教澤。蒙以養正。十五週造就一堂名世才。

輓蘇櫟生

卅餘年宰邑廉明。彭澤賦歸來。只贏得藏書數卷。名畫數箱。此外別無長物。

八旬壽精神矍鑠。聖湖資遊攬。方自喜強健即仙。淸閒即福。何期遽返道山。

輓孔尹甫

才長文學。術擅岐黃。五十年著作等身。靈素闡精微。書可壽人兼壽世。

肖子克家。賢孫繩武。七二歲考終令德。箕疇徵福備。詩符有壬亦有林。

自輓

寡過慽未能。幸天許遁跡山林。得以閉戶繩愆。暮景桑榆資補救。

塵緣纔了。卻歸地下。脫離軀殼。庶幾蓋棺論定。冰淵臨履釋戰兢。

集句

升降出入無器不有。

生老病死時至則行。

中華民國二十二年九月出版

編輯者　浙江中醫專門學校校友會
杭州市柴木巷樂安坊
電話第一四一五號

印刷者　大中央印書館
杭州市新民路一五九號
電話第一五三一號

·白页·

中国近现代中医药期刊续编·第二辑

新中国医学院院刊

新中國醫學院院刊

吳開先署

·白页·

編輯室

本刊因編印倉卒。編排校對等項。多未周詳。即希 諸君鑒原爲荷。又尚有各教授各同學佳作甚多。以限于篇幅。未及排入。容後發刊。特此致歉。

本學院開學典禮

本學院球隊合影

教職員合影

本學院附屬醫院內景

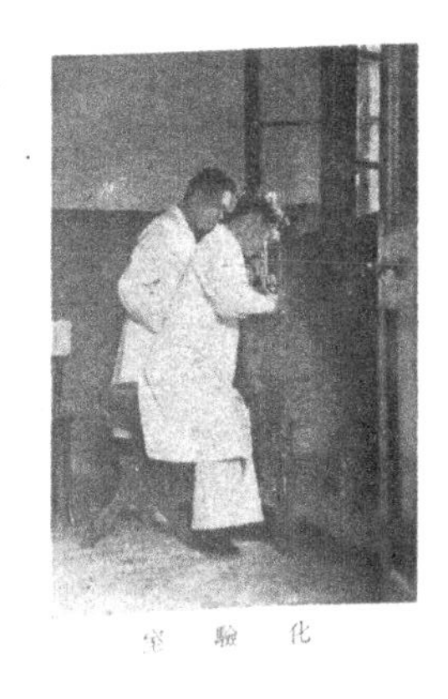

化驗室

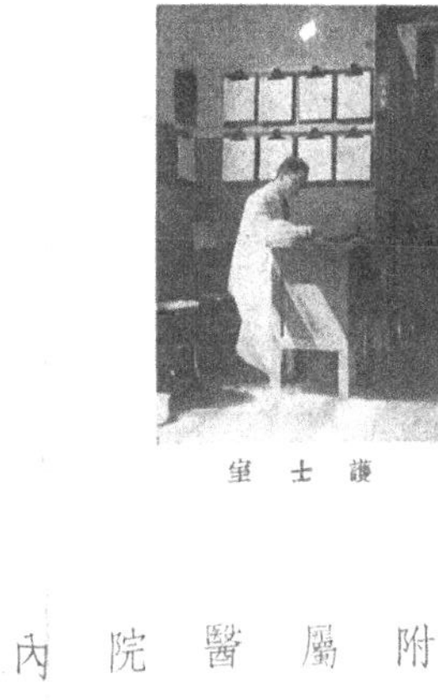

護士室

會客室

頭等病室

普通病室

內科門診室

外科手術室

新中國醫學院

醫學新聲

王曉籟

王曉籟

新中國醫學院

院刊紀念

生活在這非常時期；畏縮，妥協，中國醫學是不會復興的，勇敢的戰士們：聽！這里角號聲起了，前進吧！

張贊臣題

題詞

吾院創立　歇浦之旁　英才濟濟

來自四方　鑽研科學　探討岐黃

不厭不倦　入室升堂　院刊創始

各表所長　妄言力闢　眞理宣揚

醫林碩彥　莫吝匡襄　俾成完璧

爲國醫光

中華民國二十六年一月上旬朱南山題於院長室

本學院二十五年度第二學期招收插班生簡則如下

宗旨　研究固有醫學融合現代新知養成新國醫人才

修業　四年畢業——本學院爲學驗並重起見三四年級學生除派經本市各名醫處實習外且並於滬太路餘慶橋設立研究院及實習醫院以供高深研究及學生臨牀實習之用並聘中西名醫分任院長及各科主任醫師教授等職隨時指導並於閘北恆豐路設立第二施診所滬西另闢第三施診所以求充實學生臨診經驗

插班學額　（秋一級）十名（秋二級）十五名（春三級）十五名（秋三級）五名（男女兼收）

資格　（一）有同等學校轉學證件者（二）或有相當程度經考試合格者

報名　即日起來院取塡報名單連同四寸本身照片三張報名費一元保證金五元繳交本院招生委員會

考期　由招生委員會決定後臨時通告

詳章　函索附郵三分

院址　上海愛文義路王家沙花園本院

院長朱南山副院長朱小南朱鶴皋教務長包天白啓

院長朱南山先生

名譽院長顧渭川先生

副院長朱鶴皋先生

主席院董兼副院長及醫院婦科主任
朱小南先生

教務長兼教務主任包天白先生

事務主任黃寶忠先生

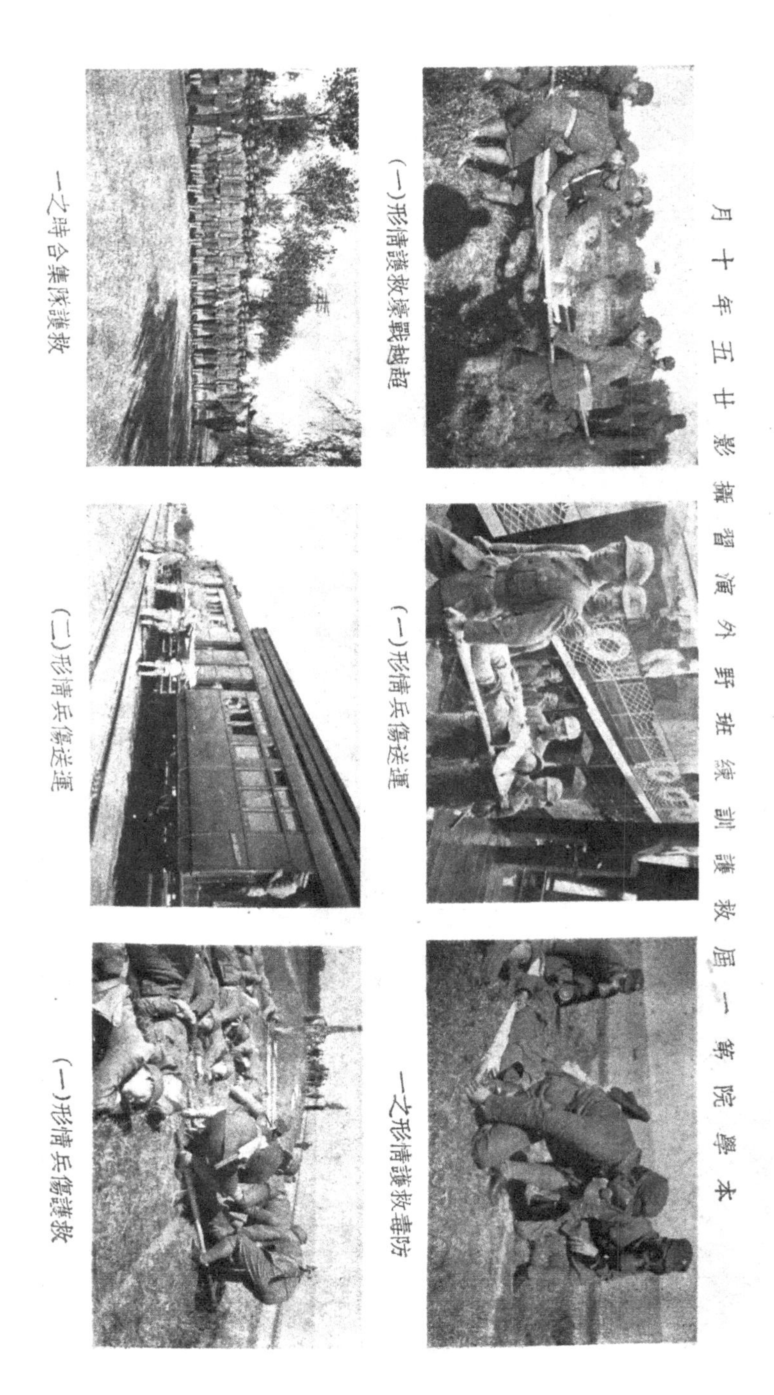

本學院第一屆救護訓練班野外演習攝影 廿五年十月

超越戰壕救護情形(一)

運送傷兵情形(一)

防毒救護情形之一

救護隊集合時之一

運送傷兵情形(二)

救護傷兵情形(一)

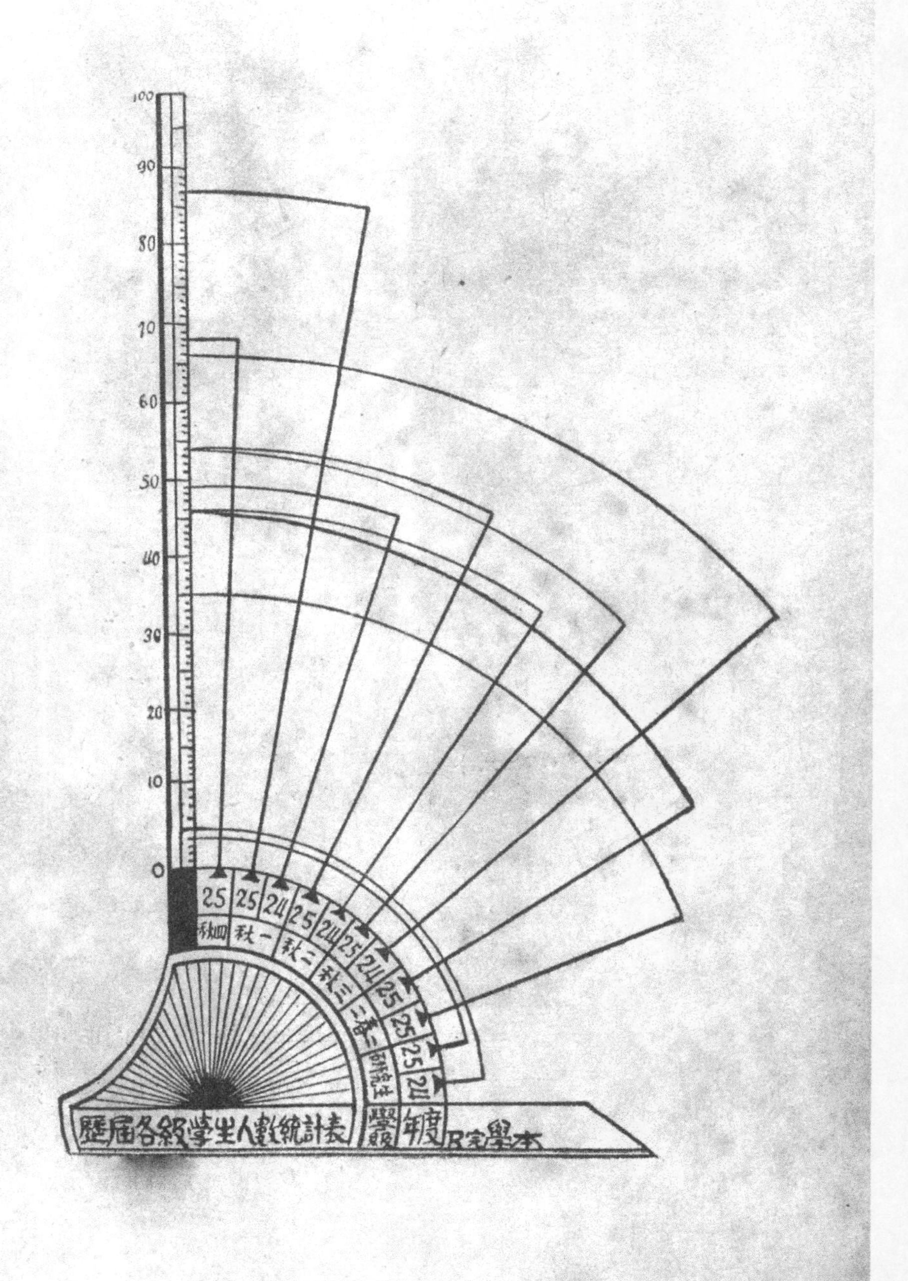
100
90
80
70
60
50
40
30
20
10
0
25
25
24
25
24
25
24
25
25
25
24
秋四
秋一
秋二
秋三
春二
研究生
歷屆各級學生人數統計表

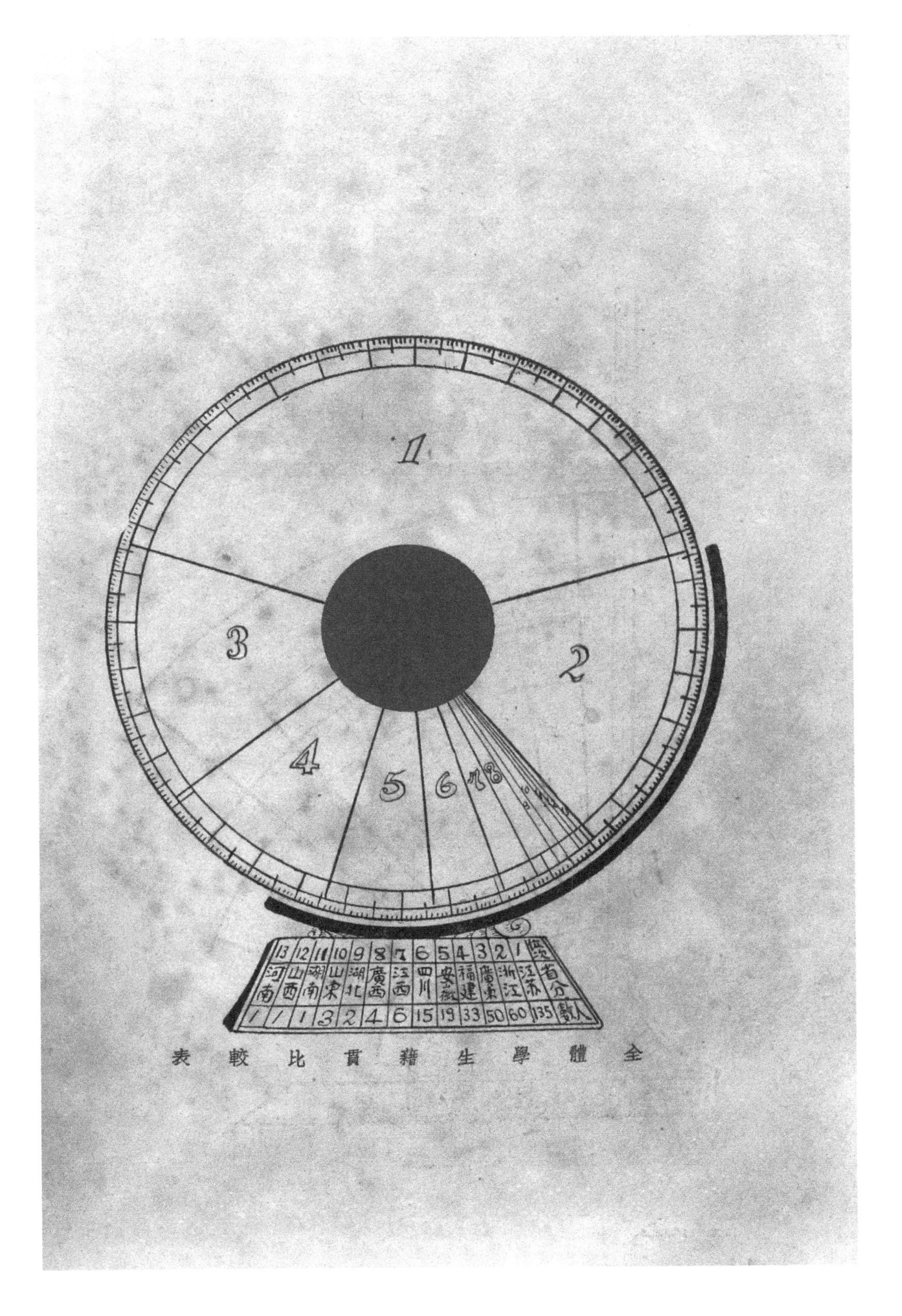

位次	1	2	3	4	5	6	7	8	9	10	11	12	13
省分	江苏	浙江	廣東	福建	安徽	四川	江西	廣西	湖北	山東	湖南	山西	河南
人數	135	60	50	33	19	15	6	4	2	3	1	1	1

全體學生籍貫比較表

卷頭語

包天白

有客過予而問曰。聞新中國醫學院創立一年。大有發展。對於中國醫學。頗有改進革新之成績。值此歲首迎新。舉國維新之際。亦將何以教我新也者。予笑而答曰。新之為新。以時新之。新之為新。以人新之。昔日之所新。今日舊之。今日之所新。他日舊之矣。故古書云。日日新。又日新。新固無永新也者。且思想文明。日有進步。一歲有新。一日有新。一時有新。思想文明。實無一刻不在進展之中。即無一刻不在求新之境。但此僅為時間上之定限。人之心視而已。然思想變遷不常。亦恆與事實歧異。又安知昔日之舊者。不為今日之新。今日之舊者。不為他日之新者哉。是在人之取捨不同。別之耳。又安知不人之所新者。我視為舊。我國人之所新者。他國人已視為舊矣。何況於醫學。當無所新舊。今日發明未有之事物。明日已為舊矣。昔所不明已有之學理。而今日明之。即為新矣。以明日之視今日。即時間區別之界限。今之視昔。亦人事行為之進步。吾人研究學術。不能不求進步。但不能限分新舊。而輕予喜厭。中國醫學之有謂舊者。以發明甚早也。然中國醫學之價值。未為新舊之別。而見棄於社會者。因中國醫藥。未因其發明之早。而失其治療之効驗價值也。醫藥本以療病救生為目的。既能適用於事理。而能收効果者。何可輕其舊而棄之。驚其新而喜之耶。若然。則粥飯之養生。不如麵包之時新。抑豈將拒粥飯之不合於新。而爭攫麵包乎。要之。學以事為務。術以精為衡。不論古人之書。近人之說。能合於理而足以表示其本身之價值者。皆當博聞熟習。以為研究之楷模。先賢謂溫故知新是也本學院教學之宗旨。即以中國本位文化之醫藥學術為根據。而對於古人之著述。加以研究發皇之推進。對於近世之學說。亦加以參合比較之採納。總之在學而能用。用而有效為主旨。所謂新舊之分。吾不知也。子如不棄。請閱此刊。

二十六年一月天白記於教務長室

院董台銜

（以姓氏筆畫多寡爲順序）

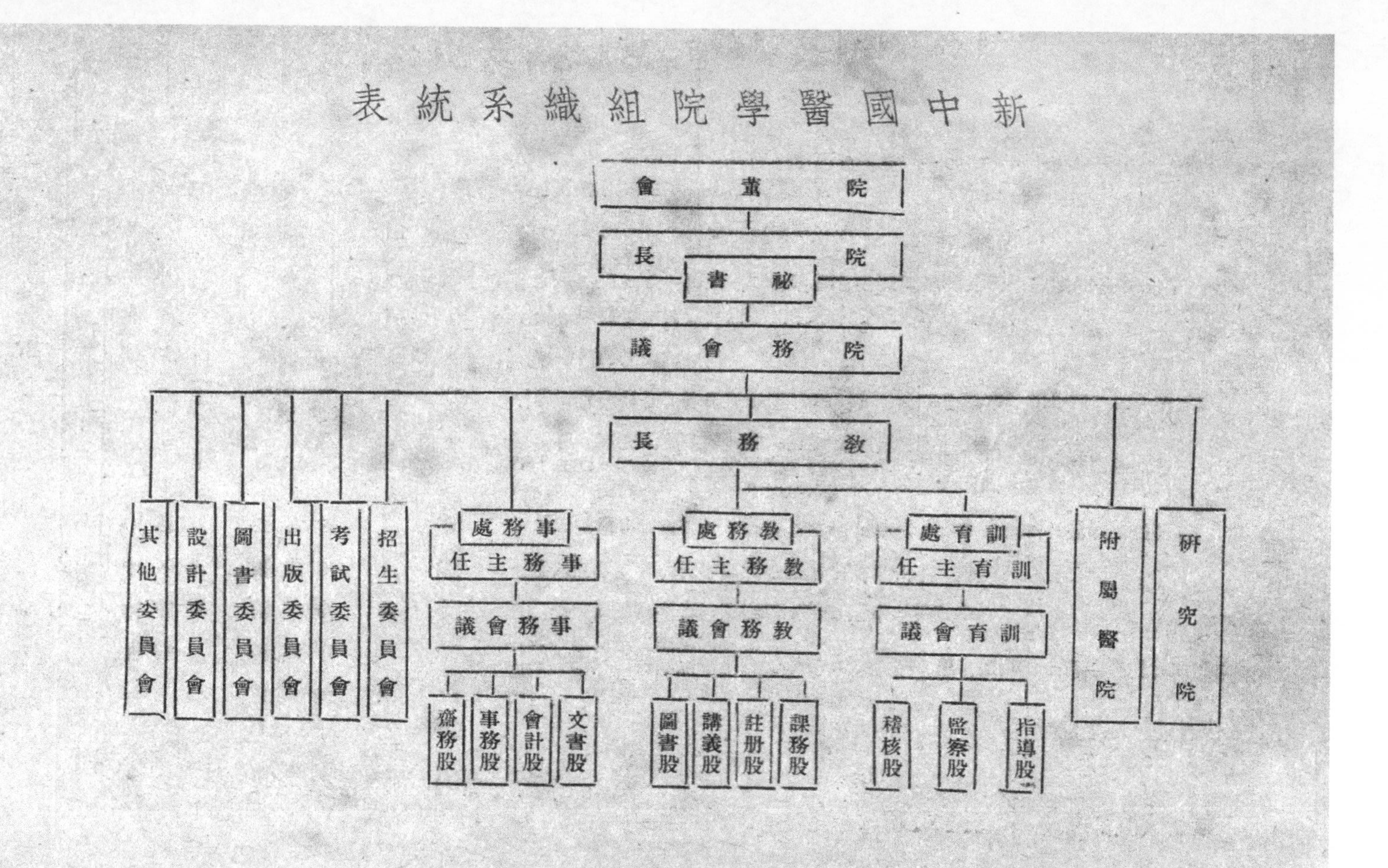
新中國醫學院組織系統表
院董會
院長
秘書
院務會議
教務長
招生委員會
考試委員會
出版委員會
圖書委員會
設計委員會
其他委員會
事務處
事務主任
事務會議
文書股
會計股
事務股
齋務股
教務處
教務主任
教務會議
課務股
註册股
講義股
圖書股
訓育處
訓育主任
訓育會議
指導股
監察股
稽核股
附屬醫院
研究院

本學院職員一覽表

姓名	職別	籍貫	履歷
顧渭川	名譽院長	江蘇	上海國醫公會常務委員神州國醫學會常務委員中央國醫館上海分館副館長歷任上海市衛生局中醫考試委員
朱南山	院長	江蘇	歷任上海市國醫公會常務委員上海市國醫分館董事
朱小南	副院長	江蘇	上海市國醫公會監察委員新中國醫院婦科主任
朱鶴臯	副院長	江蘇	上海市國醫公會執委中央國醫館名譽理事前中國醫學院主席院董兼副院長
祝味菊	研究院長	浙江	曾任四川省立官醫院醫務主任成都市政府衛生科長景和醫科大學教務長上海市第一屆衛生局中醫考試委員中央國醫館名譽理事神州醫學會執監委員中醫專門學校中國醫學院國醫學院等講師教授
包天白	教務長兼教務主任	福建	上海市國醫公會執委佛慈藥廠診療所所長歷任中國醫學院中醫專門學校教授
黃寶忠	事務主任	江蘇	上海市國醫公會執委前庶務主任歷任中國醫學院事務主任
盛毓駿	祕書	江蘇	正風文學院文學士曾任上海市社會局視察員交通部電機製造廠文書主任中國醫學院院董會祕書
倪壽常	教務員兼文牘	浙江	前全國醫藥總會文書中國醫學院書記
郭叔雄	訓育員	浙江	曾任中央憲兵司令部三團教導隊隊長
楊 枋	書記	江蘇	上海正風中學高中師範科畢業大夏大學肄業歷任江蘇海門張邵小學教導部主任海門縣農業推廣所棉作指導員
李如珍	書記	浙江	

陳文治 會計員 江蘇

邵正明 出納員 江蘇

樊忠文 庶務員 湖北

張光宇 齋務員 江蘇

梅韻 女舍監 浙江 愛國女子中學畢業

本學院講師教授一覽

謝利恆 江蘇 講師 前中醫大學校長中央國醫館常務理事

祝味菊 浙江 講師兼實習教授 前景和醫科大學教授上海國醫學院教授

徐小圃 江蘇 講師兼實習教授 上海市國醫公會監察委員本院附屬醫院兒科主任

秦伯未 江蘇 講師 中央國醫館名譽理事上海市國醫公會審查科主任歷任中國醫院教務主任上海市中醫試驗委員

程門雪 安徽 講師 歷任上海中醫學院教務主任兼雜病教授

章次公 江蘇 講師兼雜病藥物教授 前上海國醫學院教授紅卍字會中醫部主任

方公溥 廣東 講師兼實習教授 中央國醫館理事上海市國醫分館董事歷任中國醫學院教授上海市中醫考試委員

嚴蒼山 浙江 講師 上海市國醫公會執委歷任中國醫學院教務長

張贊臣 江蘇 講師 中央國醫館理事醫界春秋社主席

姓名	籍貫	職務	經歷
余伯陶	江蘇	實習教授	前神州醫藥總會會長神州醫專校長
龔醒齋		實習教授	神州國醫學會執委
仲晉濤	江蘇	實習教授	歷任神州醫學會執委
朱小南	江蘇	實習教授	歷任中國醫學院副院長
唐亮臣	江蘇	實習教授	歷任國醫公會執委
朱鶴皋	江蘇	實習教授	本學院副院長
蕭退庵	浙江	實習教授	神州國醫學會常委
俞岐山	浙江	實習教授	
張竺生	浙江	實習教授	上海四明醫院主任內科
劉康顯	江蘇	臨床實習教授	上海四明醫院住院內科醫士
吳和梅	江蘇	臨床實習教授	上海四明醫院住院內科醫士
唐濟生	江蘇	實習教授	上海四明醫院主任外科
朱堯臣	浙江	實習教授	上海滬南神州醫院醫士
孫劍庵	江蘇	臨床實習教授	上海滬南神州醫院住院醫士
樓警鏞	浙江	臨床實習教授	神州醫藥專門學校畢業神州醫院住院
王益之		實習教授	上海滬南神州醫院醫士
方佑仁		實習教授	上海滬南神州醫院醫士
黃寶康		實習淑授	上海滬南神州醫院外科醫士

本學院講師教授一覽

姓名	籍貫	擔任科目	履歷
戎明士	浙江	講師兼實習教授	上海四明醫院院長
包識生	福建	金匱經方醫經教授	歷任中國醫學院院長上海市中醫考試委員
俞大同	浙江	眼科兼實習教授	歷任各善堂眼科主任前中國醫學院眼科教授
吳顯仁	江蘇	黨義教授	上海法政學院畢業
張崇熙	江蘇	西外科花柳科德文教授	醫學士法學士歷任上海惠生產科學校教授中國醫學院教授滬太療養醫院主任東亞醫學編輯社社長
章巨膺	江蘇	溫熱病理婦科教授	歷任上海中國醫學院教授
錢公玄	江蘇	時方藥物學教授	歷任中國醫學院教授
尤學周	江蘇	兒科兼醫案教授	朱少坡門人歷任康健報編輯
包天白	福建	傷寒診斷教授	上海市國醫公會執委上海佛慈診療所所長歷任中國醫學院教授本學院教務長
沈嘯谷	江蘇	論文教授	歷任上海育材中學教員中國醫學院教授
虞舜臣	江蘇	喉科外科教授	歷任中醫學院教授
倪息庵	江蘇	醫史 授	上海國醫學會執行委員
柳鎮永	奉天	化學兼日文教授	朝鮮京城醫學專門學校畢業朝鮮京城儆新中學校平壤大成中學校理科教師
陳棨章	江蘇	衛生細菌兼化驗實習教授	上海醫師公會執委聯義善會西醫部主任
郭宗唐	浙江	生理解剖教授	東南醫學院畢業宗唐醫院院長
蔡一民	江蘇	國文教授	江蘇法政專門學校畢業曾任無錫商業中學國文教員無錫縣立中學訓育主任兼國文教員
顧渭川	江蘇	實習教授	本學院名譽院長
朱南山	江蘇	實習教授	本學院院長

戈榮生　實習教授　上海滬南神州醫院外科醫士

黃福康　實習教授　上海滬南神州醫院外科醫士

王子久　實習教授　上海滬南神州醫院外科醫士

本學院同學名錄

研究院本屆畢業生

陳拔羣　劉國輔　饒師泉　水惠羣

秋四年級學生

葉紫雲　方六書　徐學文　汪曾陶　阮　魯　張　鵬　王占先　周頤芳　高振華　呂景韓　陳羣益　趙學淵

黃錫照　張綬清　張頤蓀　卜益安　陸旭春　顧岳山　李相儒　鄭邦達　葉采明　鄺炳元　陳敏華　金國英

施作霖　朱駿逸　王輝華　徐天池　漆永霖　余耀華　程學偉　金儲之　張樹藩　程紹典　吳季周　吳耀東

于立忠　羅童松　周少梅　李少三　陳錦標　姚　能　王希韓　江宗權　潘伯隆　郭志皋　黃燕亭　張曉白

陳羨年　李鶴齡　曹淦泉　余嘉治　嚴文通　劉紹眞　林照光　陳鐵成　李國良　雷修育　水康民　陳德友

陳順源　吳維元　郭志祺　吳惠謙　陳儉澤　瞿德民　鄭崇岳　黎壽昌　陳乾慶　林國銘　陳崇仁

秋三年級學生

陳啓泰　黃清順　湯志雄　徐叔聖　杜錬霞　朱卓爲　余蔚南　王祖訓　張務誠　蘇元楨　劉文照　李　明

張沛虬　胡克儉　周雨苹　胡瑞庭　余長彬　陳德涵　錢祖煦　章鐵生　陳襟三　凌煥新　陳笳庵　龔國樑

楊　雋　楊　杰　羅家誠　林先和　范仲一　翁　恕　錢　英　黃應良　黃孫武　林猷文　鄧峻德　陳季淵

苗彭澤　朱楚帆　趙志安　劉道鎰　蔣炳湘　史席珍　李正言　江浦清　柳琴韶　曹克明　李光浩　丁逸致

金聲夫　蔡崇寬　陳謙益　鍾錫濤　季仲和

春二年級學生

羅警獨　邵恂如　陳邦武　唐介福　邢時民　黃美琴　孫建華　沈維君　沈壽仁　沈惠蒼　洪新潮　龔　權

季鍾模　黎直八　何　光　吳文彪　章　鏞　程仲襄　裘象純　倪渭漁　賀人勇　賀志勇　侯素心　施愫元

黃慧英　何光昶　陳錫源　蔡蔭庭　張宣文　顧福康　馬逢伯　沈麟章　徐瀾波　曾昭智　徐有玲　蔡少秦

許崇禮　臧德新　孫幼立　揚達卿　石昭慶　王惠民　鄭維喬　崔德音　徐志祥　汪祖慈

秋二年級學生

唐湘清　林祥煦　梁耀庭　薛存初　俞鉅昌　孫常法　周介生　符國林　朱勳蔭　張元奎　李文鑑　沈震初

嚴佐江　嚴惠忠　法悅寰　林　壬　顧文華　戴行祥　王玉潤　周壽亥　陳景文　陳慧君　仲榮貴　曾瓊璋

吳克禮　符逸民　瞿鴻銓　李燕秋　苗一中　蔡文義　陳葆成　邢錦湖　徐杏娥　朱桂雲　孫士傑　施一鳴

吳　眞　伍實之　程際平　劉東文　何忠毅　孫建綱　陳其昌　王修平　姚漢光　張　璐　汪樹芬　程寶鑑

朱琼珍　葉定方　陳鳳山　張子忠　左蔭黃　林應瑞　蕭懷青　張壽生

秋一級學生

孫兆賢 張步高 張梓材 桑賡文 楊春 陳榮盛 鄒佩芬 許毓秀 許毓芬 謝師清 劉中武 奚劍青
李欣霖 施柏生 于史華 施志章 張湘東 王惠芬 孫美娟 石麗雲 朱中德 唐慕堯 周仲笆 王光宏
羊宗彝 徐重道 張琴珠 黃國琤 汪麗珍 凌涵輝 陳德揚 翁昌鈺 徐翁之 黃學岐 徐祖佑 曹云虎
胡瑞珠 胡雪卿 戴念芳 廖芬 樂永昌 石澤仁 趙達人 張菊生 王昇平 吳益鴻 陶爲文 陶若璋
陳皓震 李宗茂 黃應福 宣梓祥 顧錦春 俞文榮 孟克明 鄭哲熙 劉淑香 沈大放 李月華 鄭征旅
仲靜珈 夏名揚 薛敏進 鄭鶴年 羅瑞棠 林思紓 黃儒堂 周霖 任季康 姚彭年 王鈞 徐傳剛
吳振中 黃九鼎 顧正雅 陳世思 金信 朱正 郭宗 姚錫嘐 張述莊 唐堯勳 王濟民 陸琦清
顏文亮 李震宇 嚴崇億 洪佐華

丹砂中西名詞之攷正（補白）

朱楚帆

近來有人謂中國之所謂丹砂，即相當西人之養化錄（Mercuric Oxide, HgO.）者：（見世界書局出版之吳氏高中化學）此誠大謬也。須知西人之養化錄，即相當我國之三仙丹。而丹砂係指硫化汞 HgS 而言。天然產者稱辰砂，人工製造者，稱銀硃，不可不辨也。

特載

本院創立宣言

吾國醫學肇自上古、四千年來，代有聖哲，降及清季，因循墨守，鮮所發揚，兼以海禁大開，歐西醫藥，挾其政治勢力，乘機侵入，遂致吾國數千年聖哲探求所得數百兆民族生命所托之醫學，備受排擠，一蹶不振，良堪浩嘆！

自民國十六年吾國民政府奠都南京以後，朝野有識之士，鑒於一國醫學之隆替，直接關係於民族之強弱，間接影響於國家之盛衰，於是競相提倡國醫，在中央有國醫館之設立，在各地則有中醫檢定之規章；而醫界先覺，更乘時而起，創辦醫校，以發揚國醫之眞義。七八年來，規模漸具，此未始非國醫界之福利，亦即爲吾民族之光榮也。

同人等從事國醫，歷有年所，服務醫校，亦稍獲經驗，數年來深感于各醫校尙不能完全適應時代之需求，由是不自揣量，聯合同志創辦新中國醫學院于經濟文化中心之上海，以『研究中國歷代醫學技術，融化新知，養成國醫專門人才，增進民族健康，』爲唯一宗旨，籌集鉅款，以充經費，而維久遠，廣聘醫界碩彥，分科教授，以利研習，更鑒于各醫校僅少數附設醫院，使學生得有實習機會，其餘僅派往別處作臨診錄方之工作，究其實際，不過略獲立方門徑，其程度不齊分派不均者，即處方亦茫無頭緒，本院同人以歷年辦理醫校感覺，知非自辦醫院敷設病房，不足以使學生獲得深切之經驗，故本院計劃，決除對于課程加以妥愼之編訂務求其系統分明，切實合用，俾學者循序漸進，日進有功，並設化學解剖病理等料，以啓學者新知而使固有醫術愈趨於科學化外特設研究院暨醫院，採取國醫爲體西醫爲用之旨，內外婦兒四科，各項設備，參照現行各大醫院辦理 籍作學生臨床實習之用，另設化驗室，聘請西醫數人主持化驗藥物診病等諸事宜，以供臨診之助，使見習學生，得以平日所習，充分探求實驗，一播普通僅作門診錄方，學無所用，用無抱握之弊，概括以言，本院之設，旨在研究及發揚吾國固有之醫術，兼採取現代必需之方法，俾學者融會貫通，爲增強吾民族之張本，並謀以國醫之眞諦，宣示於世，使在學術界樹立堅固之地位，得與東西醫術相頡頏，其斯則同人等所抱之主旨，而願努力進行，以冀其實現者也。

同人等才力綿薄，對此艱鉅之工作，誠未敢必克底於成，然亦不甘自諉其責，茲當創立之初，特揭此旨，以就正于當代賢達暨醫界同仁，如荷不棄菲葑，進而辱教，匡吾不逮，則非但本院之幸，抑亦國醫之福也，謹此宣言。

本院之過去情形及現在狀況

盛毓駿

本院係朱南山先生撥款創辦。以「研究中國歷代醫學技術，融化新知，養成現代國醫專門人材，增進民族健康。」爲宗旨。於二十四年十一月間推定朱小南、朱鶴皋、包天白、盛毓駿、等着手籌備，籌備處設長沙路九十六號。先聘定王曉籟、方公溥、包識生、朱南山、朱小南、戎明士、杜月笙、林康侯、祝味菊、徐相任、袁履登、陸士諤、陳濟成、張震西、焦易堂、虞冷卿、楊管北、謝利恆、顧渭川、龔醒齋、等爲院董、組織院董會、選任朱小南爲主席，顧渭川爲名譽院長，朱南山朱鶴皋爲正副院長，祝味菊爲研究院兼附屬醫院院長。繼即釐訂各項章程，發表創立宣言，勘定王家沙花園路爲院址，並購置用具圖書，聘請教授職員，登報招收學生，先後積極進行，至二十五年一月次第就緒，宣告成立。二月一日春季開學，四日正式上課、男女學生聞風陸續而來者，計達一百九十七人，分編三學級，又實習一學級。研究院及附屬醫院，即於是時着手籌備，研究院于三月一日開始講授，研究生計五人：醫院則於四月四日正式開幕，凡高年級生，均輪流派往實習。七月間分呈中央國醫館及市教育局請求立案，旋奉中央國醫館指令准予備案。九月一日秋季開學，學生突增至三百十七人，爰添設一學級，並擴大原有教室，以資容納。另於醫院及閘北恆豐路各設施診所一處，指派高級生輪往實習，聘定專員指導診斷。九月底，市教育局特派黄炳奎到院視察，當蒙稱許。同月，在滬西漕河涇添闢藥圃一所。十月，研究院及醫院，遷往餘慶橋新舍。十一月，開辦救護班，並加軍事訓練，男女學生加入者，計六十八人。此本院一年來經過之大概情形也。至現在狀況，爲明瞭起見，分項略述如左：

1.行政組織　本院設院董會，負經營院務之責。院長總轄院務，副院長輔佐院長進行，下設秘書教務處事務處訓育處及研究院，醫院，等，分別執行事務。

2.院舍　本學院院舍，計有三層樓洋房六座，運動場一所；施診所樓房二幢；研究院及實習病院樓房四座；又藥圃十二畝。

3.設備　本院各項設備，除一切教具院具圖書外，其他各種標本模型機械等，均分別置備，以應需要。

4.經費　本院經費，除學生繳費外，不敷之數，由創辦人及院董會設法彌補，二十五年份支出約達三萬餘元。

5.編制　本學院修業期限，定爲四年，內實習一年，不分科系。研究院設內、外、婦、幼、四科，修業期無定，但至少須滿一年，經考試及格才得畢業。

6.課程　本學院課程，分：生理、解剖、衞生、藥物、化學、細菌、病理、診斷、傷寒、溫病、金匱、雜病、內難、經方、時方、外科、婦科、產科、兒科、耳鼻咽喉科、眼科、皮膚花柳科、針灸科、推拿科、黨義、國文、日文、德文、救護、醫史、實習、等。

7.教職員　現任名譽院長、正副院長、研究院兼醫院院長、祕書、教務長、事務主任、訓育主任、教務主任、教務員、訓育員、事務員、書記、等十七人，各科教授四十三人，講師十人。

8.學生　本院現有男女學生，計研究院四人，秋一級八十八人，春二級四十六人，秋二級五十四人，秋三級五十四人，秋四級七十一人，共三百十七人。其籍貫幾徧各省，尤以江蘇浙江廣東福建爲多，南洋僑胞亦有數人肄業。

9.學生自治　本院學生自治會，呈經社會局核准組織，於二十五年十一月正式成立。由代表會選舉幹事十五人，候補幹事四人，組織幹事會，執行會務。內分學術、事務、兩部、部下設研究、出版、體育、遊藝、文書、庶務、會計、衛生、各股。

痧疹與泄瀉之關係及其調治法（補白）

（吳耀東）

小兒之疫，多與成人相似，其所異者，惟痧病、與驚風諸症耳，痧病，之病，少壯之人，間或有之，然在少數，是以痧疹一科，特立於小兒門內，代有專家，方書立論，琳琅滿目，學生晚出。豈敢信口雌黃，妄分黑白，以異說創言，爲炫玉求售之計也，願以之三年來讀書之所悟，偶獲纖維，其然也否也，未遑間焉。

夫痧疹者，務於肺胃兩經，雖有胎毒之爲患，然多屬時行之邪，其始也，肺胃之見症獨多，隱隱於肌膝之間，分佈於皮膚之上，大都由於風溫初起，如天時不正之氣，風溫疫癘之邪，容於手足太陰陽明之經，引動蘊蓄之熱，肺主皮毛，胃主肌肉，由裏達於表，但其發也，非欲其完全澈透，無毫厘之邪，方得出險人夷，俗謂有汗則吉，無汗則凶，蓋汗乃邪之出路也，痧疹與泄瀉，前賢亦論述精詳，但惜其論順也逆也，各執一辭，有以爲順者，有以爲逆者，有以爲未見點爲順也，旣見點後未逆也，異說分岐，致使學者，無所適從，以余所知病疹與泄瀉之關係，爲順爲逆，略叙于後。

痧疹發時，卽見自癘，日五六次，面痧疹仍透者爲順，確自發熱，而至痧回瀉不止者，亦屬吉象，夫肺與大腸相表裏，肺熱下移，熱得外泄之機也。

痧疹發出之後，突然暴瀉，而痧卽回者，爲逆，蓋中氣不足，無以托邪外出，脾先健運，淸氣下陷，濁氣上平也，宜劑補中益氣，以托痧邪外出，或可挽狂瀾於旣倒也。

論說

國醫學之立脚點

章巨膺

近年熱聞同道有口號曰。「吾國醫藥有四千年之歷史」以此爲矛。抵抗西醫之侵略。以此爲盾。庇護國醫之存在。夫道術果不良。雖有四千年之歷史亦當廢。一味賣老。矛鈍盾窳。不足恃矣。又有說者。西醫以理論見勝。國醫以治療見長。此說勝矣。然何以長於治療。而絀於說理。囫圇一句話。不足聳人聽聞、所以與人爭長短。而無充實理由。惟集會結社。貼標語。發傳單。請願於政府。乞靈於要人。幸而不廢。苟且圖存。終覺不了。且吾同道醉生夢死於太陽濕土陽明燥金之學說者。大有人在。混蹟浮沉於防變防厥豆豉豆卷者大有人在。以濕土燥金之學說。以防變防厥之診斷。以豆豉豆卷之治療。而曰保存國粹。發揚國醫。危乎殆哉。國醫國粹也。國醫得以延喘。非吾輩高呼有四千年歷史之功。實吾國醫學倘能與人爭一日長短。彼西醫應用科學雖精。然治療則不健全。其彰彰在人耳目者。如治熱病用冰。水腫抽水。中風放血。癥瘕剖腹。結果多不良，尚有多數細事。彼治療不效。而我則優爲之。吾常留心。此中所以然之故。扼要言之。我之治療能順自然。善利用人體之抗病機能。此實吾國粹醫學之立脚點。今撮舉舉數事。

熱病大要。初一步肌表受寒。戍層感覺神經受寒刺激。則凜寒。體溫集表抵抗。則發熱。此第一步病型。仲景之名曰太陽病。凡病體肌表受寒。體溫方有事於外層抵抗。內層卽有影響。有宿恙者。乘機竊發。其普通者。胃腸消化失職。若表層熱化久不解。第二步卽燥矢內結不行。組織興奮以爲救濟。於是乎腸炎。此第二步病型。仲景名之曰陽明病。

國醫治此。第一步。體温本集表以事驅逐外寒。使用汗法。幫助驅逐之力。汗出而熱解。雖第二步腸壁欲去燥炎。故分泌多量之液體。以事盪滌。故協熱下利。使用瀉法。幫助盪滌之力，炎去而病可除。凡此汗法下法。皆順自然利用人體抗病機能。以爲治療也。乃彼西醫每遇外寒。輒以瀉劑。病在表而治在內。體温方集表以抗外寒。內部受創。則返旆遄征。於是在表之邪。趁而陷裏。所謂誤下邪機內陷是也。於是病型悉亂。無所措手。但禁病者毋動。曰恐腸穿孔出血也。禁病者毋食。曰恐腸胃增加炎腫。一任病毒之進行。吾國有順自然之療法。彼乃聽其自然無辦法。黔驢技窮。乃無聊驗血驗菌。無補於事。幸而得愈。殆有命矣。

傷風之欬嗽。乃肺之抵抗作用。非本體之病。風寒侵襲。直接爲皮毛爲鼻腔。間接侵入於肺。肺起抵抗作用以驅逐風寒故欬。其相伴之見證。鼻塞嚏噴。鼻腔抵抗冷空氣也。多洟多痰。鼻黏膜分泌液體以抵禦冷空氣也。喉痒聲重。舌嗽因神經受刺激。傳入纖維報告大腦。大腦命令筋肉收縮作欬以爲驅逐也。國醫知此原理。宣肺疏風。幫助肺欬。此亦順自然之治療。風邪去欬自止。乃有西醫之白松糖漿。杏仁精拍落拓藥。專以潤肺止欬。正與肺之抵抗力量爲難。結果風邪束於肺不得宣達。急性釀爲肺炎。慢性轉屬爲肺勞。此非過甚其辭。傷風欬初起。當鼻塞聲重嚏噴多涕喉癢之時。誤服之。必釀患。若久欬不止。無以上伴見證狀。肺燥之欬。則宜服。却未可一筆抹煞。

國醫藥應積極復興論

倪息庵

夫，吾國醫國藥，肇自上古炎帝，黃，岐，雷公，扁鵲，諸聖。繼以仲景，華陀，丹溪，東垣，等諸賢。相垂四千餘年。代有名流。抉微闡奧。次第發揚。傳諸近世。堪稱全盛。祇緣歐風東漸。剖解之學重興。細菌之說日張。乃國人都喜新厭故。側重西醫。遂將素具悠久歷史之國寶。不惜古聖當年用心之苦。竟棄如敝屣。且愈是智識階級。愈要廢登。髣髴有外國月兒。比中國明亮之槪。殊不知各國之研究醫學者。未嘗不派員出國攷察。以期採長補短。從事改良。而結果非但不廢本國醫道。反足以助長進步。如英有英派。美有美派。德有德派。日有日派。各立門戶。各有專長。治病雖同。見解各異。且藥物，量器，用具。大有不同。彼等素號文明。未聞有將本國學術推翻。而全用外國來者。何吾國不幸。竟有欲廢棄此數千年歷史。諸聖賢苦心。十三科全備。堪稱有學皆具。無術不臻。已達全盛時代之國醫國藥。而反歡迎尙在研究發明時代之洋醫乎。

且夫，邇來東西各國。在窮研極究之下。已被發現吾國之醫學藥物。雖屬望，聞，問，切，而絕不借重儀器之診斷。樹皮，草根，而絕不美觀之品類。確具神妙莫測之効能。自然傾心佩服。故藥物方面。恆多產自吾國。移植外國者，有之。採吾原料。經製造回售吾國牟利者，有之。有仍本名相譯者。有完全化名者。國人不察。以爲來路貨對於病症之効驗。定必優勝。豈知在此種環境之下。嘗諸鄉姑娘進城。經過化粧店華服鋪。加一翻人工的修飾。已一變爲摩登姐兒。討得人人歡喜。誰知遮眼法迷住本性。反不如天眞自然之爲美矣。再如英美之考求中藥。日本之崇尙漢醫。雖均被虛心見到。但豈容遽入堂奧。惟外人愛國之心與研究之心並重。倘被再接再厲。亦堪爲慮。如日本爲同種起見。對於漢醫學術，方案。更精細探討。甚致派人來華。深入腹地。察攷孟河嫡派。（事見去秋報載）而歐西各國。亦另撥巨資。派員駐華各大埠。設立中藥研究所。從事採擇分析。雖一藥之微。每窮年累月。而不少怠。（事見新藥調查錄）預計彼等來日之進步。正未有艾。所幸當軸明察。早頒中醫之條例。同志熱心。競創醫專之學院。從茲切磋琢磨。國醫藥復興之前途。必有厚望。但尙盼諸同志積極努力。務使舊有者，完全復興。新得者。竭力增進。庶可發揚國光。保全國寶。推而廣之。漸及世界。方不負先聖賢之苦心結晶。亦吾儕應負之使命苟不然。必被他邦侵略殆盡。可不懼哉。可不勉哉。

吾輩之使命與希望

郭宗

環瞻我華。強隣壓境。虎視鷹瞵。遭其侵凌者。已數十年於茲矣。國難頻仍。於今爲烈。憂國之士。覩斯強敵野心。暴隣橫蠻。莫不惴惴於懷。然吾以強隣暴敵之所以虎視於吾者。實吾自召之也。蓋溯自吾國鴉片戰爭以還。喪師割地。主權頻失。執政者既委靡不振。而人民又復頹逸苟安。不知自振。當時雖有先知先覺之士。奔走呼號。欲一湔病夫之恥。顧積弱之國。欲振刷精神。強鍛身體。尙未易言。遑論乎雪國恥衛邦家耶。追革命軍北伐成功以後。正努力於建設。不幸而國難。愈趨嚴重。政府當局。雖勵精圖治。奮惕有爲。謀挽既倒之狂瀾。藉救危急之國運。第社會之病態已深。民族之孱弱已久。欲愈其病。欲濟其弱。實非一朝一夕所能爲力矣。

夫欲強其國者。必先強其種。此盡人皆知之。然人祇知種之當強。而不知所以強之之道。譬如醫者治病。必先有確實之診斷。而後始能定治療之標準。強種之道。亦猶是也。故欲強其種。必先究強種之理焉。

吾嘗默察吾民族孱弱之原因。熟思而明辨。一言以蔽之曰。醫學知識之缺乏。及衛生方法之施行。肇其端也。吾人寄身宇宙。卽受天然之支配。變化莫測之環境。猙獰可怕之病魔。日伺吾人之隙而進攻。人爲萬物之靈。安有不欲自衛其生者。徒以知識淺薄之故。昧於實行之準繩。譬如育嬰。固爲極重要之事。而一般家庭。動輒錯誤姑息。或誤於乖謬之傳統習慣。已達學齡之兒童。尙未與以種痘。致天花之發生。恆至釀成極可驚之兒童死亡率。又若預防注射。可以防止傳染病。然大多數之人。對於此事。仍畏縮不前。殊不知一己有病。勢必傳染於他人。時疫猖獗死亡相繼。皆由於一二人之苟且僥倖之心理造成之也。再若隨地吐痰。爲最不合衛生之惡習。於吐痰之時。或承以巾。或吐於盂。一舉手一投足之勞耳。然大多數之人。仍在公衆場合。隨地痰涕。肺結核病之廣播傳染。未始非種因於此。外人謂隨地吐痰。彷彿向人叢拋擲炸彈。斯亦可想見其危險矣。上述育嬰種痘。預防注射。及隨地吐痰三事。僅爲一種極渺鮮之常例。其他類是者。更不勝枚舉。觀夫衛生署頒佈之世界各國平均人壽比較表。我國平均人壽。僅得三十歲。再以世界各國人口死亡率比較表觀之。而我國一年中之死亡率。平均爲千分之三十。今以四萬萬五千萬人口計之。則每年死亡。將達一千三百五十萬人。其數字寧不令人驚心而動耶。

顧亭林曰。國家興亡。匹夫有責。吾輩既爲醫界一份子。所負責任。尤爲重切。余今正告吾醫界同胞。國難亟矣。民弱極矣。非羣策羣力。無以圖存。吾敢大聲疾呼曰。強國強種之使命。非吾輩之莫負。玆略分述之。

(一)充實本身學術　醫學爲極深奧之學術。醫生爲極艱苦之職業。病家就醫。不啻寧將生命之鑰。付之醫生。若疏忽從事。則貽害無窮。故凡吾醫界。皆須具有高深之學理。豐富之經驗。庶乎勝任愉快而無遺憾。

(二)宣傳醫學常識　普通民衆。知識淺薄。更因教育之不普及。故對極平常之醫學常識。恆少深切之認識。故吾輩須以通俗簡易之宣傳工作。將醫學常識。灌輸民衆。務使人人皆有普通避病防病及治病之知識。

(三)指導衛生方法　衛生之意義。即保衛吾人生活之義也。所謂衛生方法者。即合於吾人生理。適應吾人之各種事物內可資爲準則者也。我國人民。胥罔知衛生方法。故年有六百七十五萬人之枉死。(按諸現代學說每年每千人之死亡率數不應超過十五人以上而我國之死亡率爲卅人則其中之十五人爲不應死亡而死亡者故枉死(他若因營養之不良。致引起萎黃病佝僂病壞血病。飲料之不潔。致發生霍亂傷寒赤痢等。空氣不潔。致傳染肺結核肺炎性鼠疫腦脊髓膜炎天花等。行爲不檢。致染有梅毒淋病等。凡此諸病。一經發生。即彌漫不可遏止。追本推原。皆由不知衛生方法。有以肇其端也。至若吸食毒品。形同自殺。更勿論矣。

(四)協助公共衛生　公共衛生之設施。在我國目今情勢下。難望充分發展然吾醫界。實有協助公共衛生不及之義務。如指導民衆。知防癆常識。施種牛痘。施打預防針。及義務充任民衆醫藥問題。協助衛生機關。撲滅傳染病。並輔助政府禁毒。就能力之所及、均爲醫生應有之責也。

(五)組衆民衆保護社　社會一般民衆。或限於經濟能力。或缺乏擇醫智識。一遇疾病。每至莫知所措。或坐失治療機會。以致不可救藥。或就診於庸醫。以致死於非命。凡此情形。時有所聞。有保健社之設立。集中醫界人材。徵收極低廉之代價。使民衆得極穩妥之健康保障。苟吾醫界。能羣起而組織之。實社會健康之福音也。

吾輩之使命。旣如上述。請再言吾輩之希望焉。

(一)中西醫攜手合作　自新醫東漸以來。醫學科學化之呼聲。盛極一時。而我數千年傳統之國醫。幾有被排擠之趨勢。實在。新醫亦未見盡善盡美。而國醫雖學理陳舊。其診斷與經驗。確有無可諱言之功績。蓋新醫以科學爲基礎。有物質而無精神。故治療上。長於外科。短於內症。吾國醫專攻氣象。放棄物質。故治內科。獨擅其長。吾望中西醫界。不分畛域。舍短取長。攜手合作。相互探討。相得益彰。則造福邦家。匪淺鮮矣。吾謹馨香而祝禱者也。

(二)取締無執照醫生　現今社會上。無照醫生。多至不可數計。若輩溷跡醫界。妄事宣傳。揆其用心。無非牟利。致庸醫殺人之事件。層出不窮。若不嚴予取締。其危害民衆保健。影響醫界前途。關係至大。深望衛生當局。迅予調查。而嚴密取締之也。

(三)設立及補助醫校　吾國醫學人材。以吾國人口平均計之。仍覺供不應求。而具有醫學專門技術。研究不怠。存心爲社會謀福利者。誠如鳳毛麟角。社會上一般開業醫生、徒擁虛名而缺乏實學者，所在多有。故醫學院校之廣設。實爲當務之急。甚望政府當局。在可能範圍內。撥鉅款設立醫學專校。及補助已設立之公私醫校以廣造就。

(四)推行衛生教育　吾國幅員廣大。人口衆多。衛生教育之推行。殊難普及。除於學校教育注重衛生教育而外、公私立規模較大之醫院。須常有衛生教育之傳導。卽窮鄉僻壤。工廠監獄。皆須有衛生教育之灌輸。利用報紙刊物宣傳。電台廣播演講。電影幻燈巡迴放映等。皆可爲普及衛生教育之利器。此事關係民族健康至鉅。深望全國醫界。執政當局。相輔力行之。

(五)厲行優生政策　優生云者。即改良種族於先天之意也。溯其目的。在獲得身體與精神平行健康之後嗣。此實根本強種之要道也。考諸人種學。萎弱者之子孫。亦必萎弱。反之。則健康者之子孫。亦必健康。此即所謂生殖細胞之媒介。(父精母卵)遺傳於其子孫之現象也。優生之標準。除防止萎弱者之生殖。獎勵優秀者及健康者之生殖外。並須禁止幼年結婚。禁止血族結婚。及避免胚胎之受毒。(如梅毒癆病等病原煙酒等毒物)吾國人民之日漸衰弱多病。以及死亡之多。在醫學衞生之不昌明。固爲其癥。而根本素因。則大都爲先天衰弱之故。蓋衰弱國民之產生。遂增國家與社會之損失而已。四萬萬五千萬之中華民族。其受制於少數人之帝國主義者。其故何在。吾敢斷言之。曰人雖多而不強。兵雖衆而不勇。故根本強國強種之道。斯在吾政府厲行優生政策。藉政治威力。切實推行民族前途繫於斯矣。

事實昭示吾人。吾國民族之危機。已屆生死關頭。凡吾國民。固宜攘臂而起。發奮自強。而吾輩負有民族健康使命之醫界。尤須振作有爲。實行救國工作。希望政府與人民。聯合戰線。向前邁進。則吾中華民國之新興。可期而待矣。

中國醫藥學生的責任

張湘東

——爲新中國醫學院院刊作——

一　前言

「不爲良相，則爲良醫」，這是一般人的責任，因爲一般人的見解：良相和良醫。都能「生死人而肉白骨」的。

那末。「生是什麼」？物質的呢，精神的呢？一元的呢，二元的呢，還是多元的呢？這是醫藥哲學家的責任；因爲他是研究「生的根據」的。

如果生是一元的，那末一元是什麼？如果生是多元的，那末多元是什麼，多元間的相互關係又是什麼？這是醫藥科學家的責任，因爲他是組織醫藥知識的系統的。

我們現在應該怎樣延續我們的生命呢？軍事，政治，經濟的社會科學麼？優生，衞生，醫藥的自然科學麼？「事實所在，勝于雄辯」這是中國醫藥師的責任，因爲他是表示「生的效能」的。

不妄自菲薄，不妄自尊大！檢討過去，把握現在，創造將來，效法日本之整理，採取西醫之長處，另成第三者之新中醫醫術，這是中國醫藥學者的責任；因爲他是關于「生的技術」的。

秉承師訓，博覽羣書，搜集祖傳秘傳良方！歸納，演繹，歸納演繹！這是中國醫藥學生的責任——我的提議。

二，假設

教授有教授法，學生有學習法，學習心理學有心理學的方法，學習社會學有社會學的方法；學習哲學有哲學的方法。學習科學有科學的方法。

科學是有系統的知識，科學方法是把這系統的知識都建立于這系統的「假設」上的。

醫藥學上的假設是什麼？地水風火，血液，神經，靈魂，微生物，細胞，原子，電子呢？還是陰陽，五行，六氣，七情呢？這種假設，由于定義的呢，還是由于公理呢？在科學方法上都不問，科學方法所必要的條件是：這個假設在這系統知識中必須「自相一致」，如有若干假設，那末這若干假設，必須「各自獨立而不矛盾」。

譬如這裏有假設六個——風寒暑濕燥火，各自獨立而不矛盾，則統統成立，或統不成立，各得醫藥學一種；成立一假設或五假設，各得醫藥學六種；成立二假設或四假設，各得醫藥學十五種；成立三假設，則得醫藥學二十種？這裏所謂不成立，並不包含于其他已成立之假設——如暑濕燥火可用風寒說明，則僅二假設，而非六假設了？

因之，西醫所用的假設，如能對於中國醫藥上所用的假設，均能加以說明，則西醫可以消滅中醫，即中國醫藥包括于西洋醫藥之內，同時中國醫藥上的假設，如不能各自獨立而不矛盾，則不能組織一有系統的智識，而中國醫藥始終爲一術而不成爲科學。

三，歸納法

所以，假設的整理，是中國醫藥今日急要的工作。

科學方法上設立假設的方法，是用歸納法的，這是從特殊推至普遍的，於是經過1.調查2.觀察3.統計的手續而決定的。

在中國醫藥上，關于病名的整理，先以中土古今二者對照，次以西土本名譯名二者對照，然後以中西相對擇取其一，附以其他。

關于病理，先以內經各條爲綱，次以傷寒各家所發見者益之，然後統計共有若干定理，研究其那幾個定理是在一個系統下的，假設其共需公理若干。

關于驗方，山西中醫改進研究會已印有「審查徵集驗方」五集，浙江仙居朱壽朋氏之編輯民間草藥實驗單方集，此外還有許多實驗的結果，都可爲我們學生取法的。

四，演繹法

科學方法有了假設以後，如何組成一系統的知識，是採用演繹法的，這是從普通推至特殊的，就是根據假設，運用論理學組成定理，再加實驗，然後推行。

包師天白假定中醫教育的必要(假設)，主張創辦醫校(定理)，附設醫院(實驗)，同時刊行包氏醫宗以餉後學(推行)即其一例。

惟此僅及于專門教育，我們出校後，如能深入民衆，宣傳于鄉村，在各鄉村實驗，報告于包師，則并民衆教育推行及了。這也是中國醫藥學生責任之一。

五、歸納的演繹法

——科學方法——

歸納而後有假設，

假設而後可演繹，

但是演繹後，僅憑論理學，或流于空談，走入玄學之門；實驗不靈，又是碰壁，所以必須加歸納，循環不已，其用乃宏。

二十四年三月十七日中央國醫館二屆代表大會理事長陳立夫講演詞有云：「中醫方面，如能招收中學畢業生學習中醫，此輩學生，科學已有基礎，再加以中醫學識之灌輸，將來中醫必有長足進步，希望我們要改進國醫，先要有科學基礎的人，用科學方法去整理國醫」，我不敢說我自已有科學的基礎，但是我是中國醫藥學生，整理國醫，是我們應負的責任，所以拉雜書此。

二五，十一，二二。

非常時期中的醫者天責

薛存初

在二十世記潮流中，只有奮鬥才能生存，那末產生在風雨飄搖國運瀕危國家裏的人民，尤要計劃如何的努力奮鬥，才能鞏固國家，確立個人地位，醫者是救人疾苦，在平時是應付一般病家爲唯一天責，到了戰時正不止此一點，一部分有關國家存亡的使命正待着負担，非常時期中的醫者天責是如何的重大啊！

一 非常時期醞釀間的工作。

a.注意公共衛生　我國的衛生行政，幼稚得太可憐，以致生產率的減少，死亡率的增高，可做世界上有獨無偶的驚人統計，我們知道，非常時期是地盡所利物盡所用的當兒，人口的減少是促成亡國的主要因素，如何了得，爲醫者就應當國家在衛生行政不及處盡個人能力去幹公共衛生的工作。

b.灌輸醫療常識到一般人士　一旦戰事爆發，醫生就要應付戰時的需要，不能再像平日安居地替病家診療，因爲戰爭的時間不能確定，或是數月，或是數年，在這時期中只有使一般人士大家都有醫療疾病的智識與技術，才能穩度危機中的應付，所以在醞釀時期中須要有灌輸醫療常識到一般人士的工作，這是我們的當頭急務。

c.準備充分的戰時醫療術　平時醫療我們可以從從容容地幹去，一切動作都伴着我個人的思想，可是戰時的醫療完全不同，牠的特點(一)治療簡單化(二)行動集團化(三)生活紀律化，這幾個原則非在平時養成不可，否則無論有高明的醫學也不能應對非常時期的需要。

d.發揚國產藥物的用途以補西藥的漏巵　根據戰時醫療簡單化的原則，中藥煎湯研丸的服用在事實上發生困難，用西藥嗎，又不可能，(一)戰時經濟集中在戰鬥力上，無力購備衛生用品　(二)海口封鎖，國外交通斷絕，當然又是沒法採購，所以研究國產藥物的確實效用，服用法的如何使之簡捷，西藥止血消毒等劑的如何彌補等的闡揚正是醫藥界同志刻不容緩的工作。

二　戰爭期內的醫者天責

a.抱犧牲精神到戰地服務　爲了個人的生存斷不能單獨行動而無所依賴，所以才有社會組織的產生，反過來講，社會組織中每個份子應有某種貢獻的精神以供羣衆的需要，國家到了危急的時候，沙場上的將士犧牲自己的生命去抗敵，我們却可袖手旁觀嗎？既有醫療的技能，就可將此種技能去救苦戰沙場的戰士，何等神聖！何等偉大！

b.持救人就是救國的觀念去救人之苦　戰爭期內，一般同胞的生活是非常痛苦，居住不能安定，經濟不能充裕，消費方面當然力求節省，可是疾病發生是偶然的，無可避免的，並且我們要明瞭國民的康壯才能奮勇殺敵，我們的醫療就要存着「救人就是救國」的觀念，本着義務的精神，盡心竭力地幹去！

非常時期的醫者天責大概是如是，最後我希望國醫界同志們尤要努力地勝任救國的重負，語云「時勢造英雄」，我們要應着時代的需要，迎頭幹上，表現我國醫學的偉大精神，確立國醫地位的鞏固基礎，造成民族前途的康壯大道。

中西醫學談

唐湘清

歐風東漸，泰西醫學，流入中土，國內醫士，支而為派，反唇相譏，混淆聽聞，中醫詆西醫為霸術，外科猶可取，內科不足道，不能以醫西人之理，治中人之體，彼毀中醫盲從，全恃經驗，而無學理，藥石亂投，險象環生，民國十七年，西醫聯合會，呈文衛生部，欲將國醫全部推翻，於是中西醫大起爭執，互為水火，殊不知學有專攻，方法不一致，殊途同歸，理固有之，不可拘泥執一，是彼非此也。

西醫病理，有所謂「分利」(Krisis)，與渙散(Lysis)者，疾病之突然消散曰「分利」，疾病之緩慢消散曰「渙散」二者常發現於小便通利，(本不小便，而忽通利)大便爽快，(本不大便，或便而不爽，而忽大便爽快)汗出如瀋(本無汗，而大汗)及鼾然熟睡(本不安眠，而熟睡)之後，按疾病之經過曰「轉歸」(Ausgang)，轉歸有「分利」與「渙散」之現象者痊愈，否則殆亡。

中醫諺云：「風，寒，暑，溼，一汗而散」又曰：「尿多無病」又曰：「吃得下，屙得出」(意謂吃而不屙則病)又曰：「熟睡長精神」，據此則國醫之視疾，主重誘發「分利」與「渙散」也。何則，蓋國醫之治病，於氣曰理，於風寒曰宣發，於溼曰利，於消化曰疏導，於熱曰散，於外症曰發散，於毒曰解，於癥瘕曰消散，夫理也，宣發也，利也，疏導也，散也，發散也，解也，消散也，皆所以誘發其病之「渙散」與「分利」而由汗，溲，便，痰等以排泄其病毒者也。夫血液中之代謝排泄物，由汗溲以出之，卽病菌所分泌之致病毒質，亦以汗溲以泄出也，血液之污毒旣去，自然生理復原，而身體健康矣。

西醫根據科學，故學理昌明，由「解剖學」以洞悉人體之結構，及癥結之所在，由「細菌學」以灼見病源之所以然，與病菌之現象，由「醫理學」以深知藥石之效能，並藥性之反應，故對於西醫有深切之研究者，其視疾也，能對症發藥，着手成春，然診斷施藥之後，雖藉藥物之力，以殺滅病菌，但病菌之所以致病，不在病菌之本體，而在病菌所排泄之有毒排泄物，故直接以藥物殺菌之後，祇能斷病源，而不能去病象，卽不設法以去其有毒之排泄物，則病仍不能去也。欲去病菌之有毒排泄物，亦惟利便，發汗，安眠，（安眠能恢復機能，活潑生理，生理活潑，則排泄暢通）順痰而已，夫利便，發汗，安眠，順痰，所以催促「分利」與「渙散」，而使病消散，中醫之治病如是，西醫之治病亦如是，中西醫之方法雖殊，而其去病之理則一，此所謂異途同歸者也。

西醫之治「梅毒」（Sylislir）注射"Salvarsan"後，必發大汗，治「膨脹」（Ascitas）注射"Novasurol"後，必大汗與小便，治「霍亂」（Cholera）注射"Hexetonc""Anticholeravaccina"後，須施以利小便之"Theocin"或"Agurin"等，中醫之治「梅毒」，或施以「輕粉」「紅棗」等殺其致病之「鞭毛虫」，而使其毒由大便與痰涎出之，或服「蝦蟆酒」殺虫以取汗，令毒隨汗以出之，或嗅「鉛汞香」以殺虫，使毒由痰涎以泄之，治「膨脹」則服「胡瓜飲」（胡瓜，七葉荆，車前子，蓼草，陳酒藥，炒山查，淮木通，各等分）以利小便，治「霍亂」則用「藿香正氣散」（藿香，厚朴，陳皮，半夏，白朮，各二錢，紫蘇，白芷，大腹皮，茯苓各一錢，甘艸五分，薑片，紅棗各二。）以撲滅「霍亂細菌」，令其毒質由小便以泄出之。此三病者，中西醫之治法不同，而其去病之理則一，方之他病，莫不如是，此所謂異途同歸也。

或曰中醫不知病菌，所用藥物，得毋祇能去已致病之毒，而不能撲滅產毒之病菌乎？曰非也，國醫雖不知病菌爲何物，然病毒固知之，去毒之藥，乃悉爲殺菌者，中醫對於致病之菌，概以毒名之，如於「外症」謂淫毒，「丹毒」謂熱毒，「霍亂」謂熱邪，「傷寒」謂風邪，邪猶毒也，本艸謂「葱」「蒜」可以辟邪，西醫謂「葱」「蒜」之精，可以殺「霍亂菌」與「傷寒菌」，故喜食「葱」「蒜」者，不犯「痧疫」與「濕溫」，觀此則中醫不知致毒之菌，而知以毒攻毒；以毒攻毒，斯「病菌」死矣，於是乎病源絕矣，撰諸本艸藥性，甘而毒，辛而毒，苦而毒，寒而毒，溫而毒，鹹而毒，誅蠱，殺虫，殺疳蚘，殺癆虫等者甚多也，於此可以知中藥之以毒攻毒而殺菌與虫也。

病莫危於「併發症」，併發症者，同時有數症兼發於個體之謂；一身中數種病菌之毒，而生複雜之病，旣難診斷，又難用藥，此類病症，都屬不治，故中醫有不治之病，西醫有不救之疾，則是中醫之所難，而亦西醫之所窮也。

西醫直接對付病菌，去病源，見效速，故長于急救，中醫以誘發「分利」與「渙散」爲主，去病象易，去病源慢，見效緩，故長于調理，此則就醫者之所宜知也。

或曰西藥純而潔，配製精細，形式美觀，服之令人觀念佳而較爲衛生，此乃膚淺之言也，西藥之形式固佳，然或配藥時，偶一不愼，成分舛錯，比例不當，外觀不能辨別，服後大生問題，此西藥之注射或吞服之喪命，時有所聞也，且有機西藥，每爲細菌所寄附，不沸而服，危險殊甚，中藥之精製與包裹講究者，亦頗美觀，以其分別包裹也，可按方校對，無舛錯藥劑之虞，雖其雜汚，但經長時之滾沸，菌類早已死滅，服後萬無危險，不若西藥之似乎衛生，而實未必盡然也。

近年來，全國經濟委員會衛生處藥物系，分析中國之本草各藥，知中藥之效用，有勝于西藥者，以其「副作用」少而効力確也。如漢防已之治關節炎，浙貝母之調節呼吸及血壓，當歸素能使子宮弛緩與治月經不調，藏紅花流膏之收縮子宮，其効力皆遠勝西藥也。

彼西藥常譏國醫之「脈搏」爲對付病家之敷衍語，夫血液循環，爲生命之根源，爲代謝之中心，焉有身體患病，而血液不受影響者。豈但血液之溫度異，速力異，成分異，其循環之情狀，亦必有精細之奇異，非寒暑表之所可察驗，而或爲感覺敏銳之指尖之所能別也，病在何部，其循環之情狀，必有如何之變遷，故近來英國醫界，正以精密之儀器，研究病人之循環與脈搏，以診斷病症。其報告云云，有如中醫之脈訣也。

吾人研究醫學，當博覽羣書，潛心探求眞理，將中西醫學融會而貫通之，其庶幾矣。

醫術與迷信

程寶鑑

我國自古以神道設教。迄今已有數千年歷史。人民以宗教爲依歸。舍能得治平之益。蓋古人以民之冥頑不靈。智識未開。故於設禮義之教訓之外。又創神道以威惑之。所謂『舉頭三尺有神明』，所以禁民之自欺自騙也。乃後民信之篤而竟至於迷。雖木彫泥塑，亦皆虔忱供奉。遇有懷疑思慮。災禍疾痛。悉求決求救於神。以神通萬事也。

自古人民疾病。大都認爲病魔作祟。舍醫生不請。而以宗教之信仰及祈禱禁厭等事。而疾病得痊愈者。史書遞載。雖近代亦時有所聞。識者多視爲虛誕無稽。而付之一笑。殊不知其間有至理在也。

夫身體與精神至有密切之關係者也。此於生理及心理上極爲明確之實事。而醫者所不可否認者也。素問分疾病爲內外二因。內因中列舉喜怒哀樂驚悲恐等七情之變。此非自古即知精神作用。與疾病關係之明證乎。至精神作用波及於身體之影響。則大爲顯著者也。蓋吾人之身體器官。所至皆爲神經所分佈。而神經實分司知覺。運動、反射、分泌、營養、等之各機能。故神經中樞之腦髓。其作用直接或間接達於身體之各器官。而於其生理之機能。有種種之影響。此亦自然之理也。精神作用與疾病之間。既有一種關係。則迷信之能療愈疾病。亦決不能以虛誕無稽視之。如平時宗教信仰心極強之人。自信冥冥中必有神明爲之庇護。其疾病可無慮。而毫無恐佈煩憂之念。故其疾病往往能速痊。又如初患瘧疾者。以其寒熱之日來有時。以爲有瘧魔之作祟。故設計避逃他遷。以爲瘧魔將不我覺。而因此意志自壯。精神興奮。因此而體工抵抗力加強。微小之疾竟因此不藥而愈。此亦常有之實事也。

夫有解剖上之變化之疾病。固不能以精神作用之迷信行爲而痊復。然因於迷信得到之精神之安慰使疾病之經過佳良。而其向愈自速。此醫者所共認者也。至於由精神作用而起之官能的神經精神病。可不須醫藥之力而專以精神療法治之。徵諸歇私的里。神經衰弱等之實驗固可無疑。如彼祈禱禁厭等。雖因迷信而起。其實可視爲一種精神療法。故在官能的疾患諸種之神經病。往往全愈。解剖的疾患其症狀亦得稍稍輕減。

吾儕對於迷信。若神若佛。固在排除之列。然如祈禱禁厭等事。施於迷信之人。實爲一種之精神療法。其奏效之理與催眠術之暗示相同。故吾儕對於愚昧迷信之人。亦不必排斥迷信。若醫者。但以物質研究之結果。專注於形式來療治一切疾病。則不唯往往失效而已。且或反爲邪教淫詞之驅。亦未可知。故醫者實際之治療。當注意於精神與疾病之關係。不可忽略迷信與醫術無關。應於患者之知識。而處置之。如徒拘泥於醫。學之理論。而不知臨機應變之道。對於可以迷信之精神療法之治療之病者。而強以藥劑。則將徒增病者之憂悶煩鬱。而一無效果。彼患者。或你行祈禱禁厭等事。而竟得全愈。勢必以醫術爲不足恃。而爲邪教淫詞之迷信爲依歸。將來或罹於必須醫術之疾病。亦將狃於前者之奏效而仍惟祈禱禁厭之是務矣。醫術之與迷信。醫者直注意之也。

改良中醫之我見

林祥煦

夫醫之最終目的，爲救人於危，挽死回生，防患於未然者也，並無所謂中西醫之分，自海禁開，西說傳入，始有西醫之或立，其理論與中醫大相逕庭，其實施之方式，亦因之而不同，然其目的則一也。

中西醫之目的雖相同，因理論與實施之差別，各本其所是，各盡其所長，具理相爭，而無分等之別，形之既久，大有水火不能相容之概，余爲民族之前途計，國民之生命計，以客觀之立場，敢貢數語，以冀中西融會，聊表改良之心，藉收拋磚引玉之效，惟恐文辭簡漏，辭不達意，尙希賢達，加以指正。

我國醫道，行於數千年以前，神農氏出而集其大成，自此方漸有學理之發揮，傳至兩漢，羣賢倍出，學理方面，大有進展，日新月異，生氣蓬勃，若能於此時，加以公開之研討，得一確定之眞義，或著書以行世，或廣招門人以後傳，果如是，中醫之學理，焉得而不彰耶！無如國人之習性強於保守，將一己之所長，深恐爲他人所知，藏之祕府，私相授受，不知個人之生命有限，假遇驟變，則其所長，亦因之而中斷殄滅矣。

中醫用陰陽表裏五行虛實以繹症狀

中醫所謂之陰陽，範圍甚廣簡單言之，即所謂代表危詞也，如喻背爲陽腹爲陰，表爲陽裏爲陰，男爲陽女爲陰，例如同屬風邪之症，有發陰性症狀者，有發陽性症狀者，唯其因症狀之不同，而治法亦隨之而異案，若見脈沉伏，惡寒發熱，氣鬱悃動，好蟄居於一室是屬陰性症也，若爲陽性症狀，則恰與此相反，喻虛實以言人體之精氣，虧不足者謂之虛，盈有餘者謂之實，五行以言腑臟，喻表裏以言病症之輕重，由此觀之中醫之學理雖通，但無實驗之關係，陰陽五行，表裏虛實雖屬象徵之代表名詞，亦難脫虛妙空弦之弊，以致其理不揚，而將步入歧途之危，挽狂瀾於既倒，是則我輩青年之責任也。

中醫對症治療之精妙。

中醫之對症治療，確含相當之精義，例如同爲胃加答兒（即胃炎）其病症爲心窩疼痛，食慾不振，或嘔吐，或下痢，或便祕，或浮腫，或熱發，或有諸種之副症等，因其主症及副症之各異，其治當就參湯，柴胡湯，建中湯等中選用其一，以求對治主症並治副症，例如人參湯之主症爲心窩痞痛，胸中痺，而副症爲嘔吐下痢，心窩急痛，小便不利，喜唾口涎，與人參湯，治之最宜矣，故中醫治病，愈則主症及副症，均同時消滅，其對症治療之精妙，當能明瞭於中也。

中醫之單味藥，其成分少數已經西人加以科學方法之提鍊，證明其確有特效，而湯藥至今尙無法加以化驗，例如桂枝湯現今只能提鍊桂枝芍藥等所含之成分及其藥性，而湯藥合煮後，則其藥性不知何屬矣，藍色與紅色混合後，必呈紫色，故吾人須知，桂枝湯合煮後，其藥性因中知之關係，必有變更，而古人能以多味藥，應用於各種病症，其經驗之偉大，甚堪欽佩而化驗之工作，尙急待進行，故中醫搬入實驗室，亦爲當前之急務也。

吾人既明瞭中醫之利弊何出何從，事實業已顯明，至其改善之責任，唯吾輩同學是賴。融合中西，不分彼此，得一確切之眞義以救國救民之實效，方不致負醫者之慈善目的也。

然西醫之長處，亦爲事實所不可磨滅。如

(1)解剖學　爲研究人體構造之學科。

(2)生理學　爲研究人體生活機能之學科。

(3)藥化學　爲研究人體內新陳代謝和一切機轉之學科。

(4)寄生虫學　爲研究寄生虫爲害宿主之學科。

(5)細菌學　爲診斷及治療最基本之學科。

以上五種學科，均屬醫生之所必研究者，故余以爲現時中醫在病理方面，不妨加以檢討而切磋之可也。

不過中醫須改良，可爲吾輩青年研究醫藥之一大前提，至於應如何改良，余意須用冷靜之頭腦，熱情之赤心，將中西學說，加以深之研究，以決去從，因現時之中西醫，均未登峯造極，各有長短，故吾人定改良之標準，必須入其門，深加研討不可，俗語云「不入虎穴？焉得虎子」卽此意也。

其他尚有少數之急性青年同學，恐爲愛護中醫心切之所致，一見舊說而憎惡之，恨不能加以立卽之改良，接受新說，此不知「欲速則不達」之眞義，犯莫大之錯誤也，試問舊者只徒破壞，而新者尚未有適當之建設，其能成功者，幾希矣。

包師天白曰：「中醫之成敗，非以西醫而決定，成則成自學中醫之人、敗則敗自學中醫之人」觀諸事實誠非謬語也。

關於姙婦禁忌藥物之檢討

佘蔚南

第一節　所忌藥物之類別

(甲)直接影響胎胚之藥物

(A)子宮緊縮藥——川芎——紅花——牛膝——。

(B)子宮充血藥——紅娘子——益母草——鬱金——劉寄奴——野胡葵——。

(C)破血藥——乾漆——斑蝥——桃仁——水蛭——䖟蟲——王不留行——蘇木——丹皮——大蓼——歸尾——地鱉蟲——五靈脂——䗪蟲——。

(乙)間接影響胎胚之藥物

(A)峻下劑　1.植物性者——大黃——蓖麻子——三稜——蓬朮——葶藶——巴豆——蘆薈——藤黃——鼠李子——續隨子——牽牛子——甘遂——芫花——大戟——

2.礦物性者——朴硝——玄明粉——硫黃——瀉利鹽——。

(B)湧吐劑——藜蘆——瓜蒂——芥末——常山——胆礬——皂角——杜衡——。

(C)變質劑——土茯苓——砒石——雄黃——輕粉——硝石——昆布——海藻——粉霜——丹砂——水銀——海帶——。

(D)麻醉劑——烏頭——鬧羊花——半夏——南星——茉莉根——茵芋——延胡索——罌粟——蔓陀羅華——纈草——莨菪——大麻——密陀僧——雅片——二頭尖——。

(E)行水劑——商陸——黑丑——白丑——防已——芫花——。

(F)興奮刺激劑——附子——肉桂——麝香——樟腦——龍腦——馬錢子——。

第二節　所忌藥物之釋義

在未譚及妊婦所忌藥物之釋義前，吾人應先明瞭妊卵在母體之位置及其滋長發育作用，吾人知受精卵子由受精地點『受精地點多於輸卵管壺腹部』移行子宮腔時，待妊卵本身將其固有之養料消耗迨盡後，卽行掘穿附近之粘膜而開始着床，凡正常妊卵着床之位置在子宮體之上部，妊卵着床後其養料之貢給全賴母體，初起爲其中傳送養料及排泄代謝產物之媒介者爲原始營養胚葉，及後胎兒滋長由形成之臍帶間之臍靜動脈爲之替代，臍靜脈之作用，在傳送母體養料予胎兒，臍動脈之作用，在轉送胎兒排泄物予母體，故母體受有影響，直接連及胎兒，胎兒受有影響，直接連及母體，吾人依據上面之關係，知母體之循環，呼吸，消化，運動，及胎兒之循環，呼吸，消化，運動，實仍息息相關，連爲一綫，由是，吾人可再進而譚及妊婦所禁藥物之所以然矣，第一吾人先將直接影響胎胚之子宮緊縮藥及充血藥加以解釋，考子宮緊縮之作用，在壓迫子宮血管之收縮及促進子宮之收縮力，中藥之川芎，紅花，牛膝，依據化驗結果確爲子宮緊縮藥，依據古人經驗，謂用川芎以試胎，服川芎後覺腹內微動者，卽爲有孕現象，因此知腹之所以微動，實因子宮之緊縮作用引起胎兒之反射運動故，此外，古人又謂紅花之通經去瘀，牛膝之墮胎治惡血。無處非緊縮子宮作用之證明。由是可知，妊婦之所以禁用子宮緊縮藥，因其緊縮作用之刺激，使血管之收縮，甚易誘起粘膜與胎胚之剝離也，至於促進子宮充血藥之所以禁用，如前例鬱金，劉寄奴，紅娘子，益母艸等因恐充血作用，惹起粘膜之肥厚，血管之怒張破裂，胎胚之遊離也。至於破血藥所以直接影響胎胚者，(藥如前例之䗪蟲水蛭。蘇木乾漆，丹皮，地鱉蟲等)因此等藥，想像有促進子宮緊縮及催起生殖器充血之作用，如古人謂水蛭，䗪蟲之破惡血治積聚，蘇木之破瘀行惡血，乾漆之行瘀阻，地鱉蟲之通經破血，以理推論，不外緊縮子宮及促進充血通經行瘀之作用，故妊婦在所必忌也，且依據古人經驗方案之配合，如抵當湯，大黃䗪蟲丸等，內多破血之劑，用之非但能通經破瘀，且有下惡血之作用，由是可以證明破血劑之作用，一能調整血行之不利——瘀阻——二能引起骨盤臟器之充血，三能直接作用於子宮也。

第二吾人進而研究，間接影響胎胚之藥物，如峻下劑行水劑等，考妊婦所以禁用峻下劑及行水劑之理，依據古人說法，謂藥之下行者均足以誘起流產，然而對於所以誘起流產之作用，則略而不詳，今按之藥理作用，知瀉下藥之刺激，往往間接引起骨盤內臟器之充血及腹痛等，藥如前項舉例之大黃，藤黃，蓖麻子，蘆薈，朴硝等，吾人知骨盤內臟器之充血，往往易引起子宮內出血及月經過多，在妊婦則發生流產早產等危險也，至於利水藥如黑白丑，商陸，芫花，防已等，因此等藥之作用實不下於峻下劑之大黃，藤黃，朴硝也，况黑白丑，芫花，乃亦植物性之峻下藥，直接的間接的能誘起骨盤臟器之充血，能不防流產早產之虞乎？

第三吾人知湧吐藥於妊婦，所以禁忌之故，(藥如前例藜蘆，瓜蒂，胆礬等)因湧吐藥之作用，在急劇變化胸腔及腸腔之內壓。全爲一種反生理之運動，非但孕婦所忌，卽衰弱者及老人小兒亦須十分注意，况腸腔之內壓，腹肌之翻動，直接的影響子宮，安得不連及胎兒，在此吾人尤當切記者，在妊娠後期，及患有心臟病肺結核喀血傾向者，尤當絕對禁忌，否則妊娠者難免流產之虞，心臟病者難免虛脫之變，有喀血傾向者，難免咯之不已矣。

至於忌用變質藥（如砒石，雄黃，輕粉，硝石，昆布，海藻，粉霜，丹砂等）此類藥通常作爲外用，吾人知變質藥用以外用，內服，均含危險性在，尤以內服爲甚，如砒石輕粉能誘起急劇之腸胃炎而呈中毒現象，昆布，海藻之成分爲碘礦，用之亦有中毒作用，總之此類藥如昆布，海藻輕粉等。除梅毒惡性疔毒，甲狀脈腫（瘰癧）外概不宜施，況妊婦之循環，消化，呼吸，運動均異於常人也，再吾人尤須聲明，凡用變質劑藥類，均宜少服而持久，最好隔日作服，始免蓄積中毒之弊。

至於麻醉劑在妊婦所以忌用之理，吾人可分幾方面講，在全身麻醉藥如烏頭，鬧羊花，莨菪，茵芋，茉莉根等，因人體受此類麻醉藥之作用，大腦陷於麻痺全體機能均起變化，必直接的使胎兒生活亦起變化，萬一麻醉時久，母子同陷於失覺狀態，豈不危險，又如少腹局部麻醉藥如延胡索二頭尖更有破血作用也。

最後吾人研究興奮刺激藥何以妊婦亦須忌用，此理依據古人說法，謂附子，肉桂因其大熱大毒礙胎麝香龍腦續草因其香竄走泄，然攷之藥理，附子，肉桂能催起心臟之興奮作用，使循環血行均起變化，間接引起胎兒之循環，呼吸異常，況依據古人經驗，大熱之藥有動血之可能性，常見孕婦服刺激性之熱藥，每起流產早產之變化，以理推度，大概因興奮作用引起子宮之緊縮及充血以故，至於龍腦麝香因能迅速的使大腦神經異常興奮，及催進血行異常亢進，吾人知子宮除自身運動外，與神經有直接的關係，其中如交感神經即下腹神經，中有制止及催進二纖維連及子宮，刺激之即起作用，況此交感神經中，更包有血管收縮纖維也，如大腦及交感神經受興奮刺激，則一如電流之傳播，即達於子宮，子宮受刺激之影響，安得不起變化，而變化之著者，厥爲子宮之異常興奮及高度之緊縮也，由是吾人可知服麝香龍腦而流產早產者即因是故。

結論

此篇因時間之匆促關係，未能詳加討論殊感抱歉，關於上述所論妊婦禁忌『藥物』，係根據歷代古人經驗發現，及檢其合理者而言，吾人總括古人經驗凡藥之大毒大熱，及重墜下行，破氣破血者，均有礙於胎孕也，然考之實際，亦未必盡然，蓋孕婦之體質有異，有見屢服破血下墜之藥，，而胎始終不下者，有終日服安胎之藥，而胎墜落者，一方面固因體質之特異，他方面則因胎兒自身在母體之作用，如胎盤早期剝離，即不服子宮緊縮藥充血藥，胎孕亦必下墜，又如子宮外孕，即不服破血墮下藥，亦必小產也。

國醫術語談

唐湘清

研究任何學術，須先明瞭術語，我們研究國醫，對於國醫的術語，當然要有相當的檢討，唯舊醫籍的術語，在現代青年看來，神秘色彩太覺濃厚，什麼「陰陽」「八卦」「五行」「生尅」，簡直同那算命瞎子嘴裏出來的，毫無兩樣，但是眼見着老師應用陰陽五行的法兒去治病，確有良好的成績，因此青年們於國醫的理論，都是疑信參半，茫知所從，同學紛紛以國醫之術語相質疑，爰不揣譾陋，擇國醫學中普通術語，拉雜談之。

一、陰陽　過去的國醫界，反對陰陽舊說，好像是一樁非常摩登的事，有許多中醫，明知自己只有滿肚子的袋着陰陽五行，却也要老着臉兒發表反對陰陽的文章，最近這種似新實舊的人物，已不見得時髦，而一般無聊國醫，又高唱着復興陰陽的聲浪，彼輩所持爲最大理由者，就是德人日人都在研究我國的陰陽，不知德人日人的所以研究陰陽，乃好奇心所使然，並非陰陽眞有精妙的道理呢，古時因科學幼稚，醫者於某藥治某病，無法解釋其理，只得把陰陽五行附會到醫學上去，所以國醫的陰陽五行，不過代名詞而已，近人譚次仲氏以陰陽爲心臟的代名詞，拙見非是，蓋古時之陰陽，可包括萬事萬物，在醫學上，無論生理，病理，診斷，藥物等，都脫不掉陰陽兩個字，在科學的眼光觀之，以生理言，陰是代表人體有形的物質，陽是代表人體無形的機能，以病理言，陽盛是機能亢進的病，陽虛是機能衰弱的病，陰盛是分泌液過多及機能不足的病，陰虛是血虛或水分缺乏及腺體分泌不足等，以診斷言，凡脈搏洪大有力而有興奮之證象者，謂之陽病，脈弱無力而有沉衰之證象者，謂之陰證，以藥物言，能興奮細胞機能的藥物，謂之陽性物，能抑制細胞亢進或鎮靜神經的藥物，或滋養血液及刺激腺體分泌的藥物，前者謂陰寒藥，後者謂滋陰藥，此乃略舉數例而已，欲論其詳非區區篇幅能盡。總之，陰陽範圍大矣，而次仲以爲只是心臟的代名詞，誠千慮之一失，古人確是以陰陽爲治病的標準，但是在科學昌明的二十世紀，已無保存的價值，今試舉其空泛之弊，國醫論病，凡各種性神經衰弱，胃腸機能衰弱，心臟衰弱，以及滲出液過剩諸證，均泛指爲陽虛，至於古代的藥學，尤爲空泛，強心興奮的叫陽性藥，能發汗解熱的也叫陽性藥，我們要明瞭醫學是精深淵博的科學，豈可以陰陽等空洞浮泛的玄學爲根據！青年們呀！快些回過頭來！向科學的道上跑去!!

二、表裏　表裏是國醫治病用藥的標準，近人解釋表裏的很多，日本湯本求眞的解釋表裏，以爲表是病毒集中於皮膚，裏是病毒集中於消化管，半表半裏是胸腔腹腔中間部之義，我以爲湯本之說，實多可商，彼解釋表是病毒集中於皮膚，乃抄襲陳說，要知道古人所說的皮膚，並非指實質的皮膚而言，不過形容病毒之淺耳！解釋裏是病毒集中於消化管，亦不盡然，因爲消化管的部份很多，口腔，咽頭，食道，胃，腸，等，都是消化管，古人所說的裏證，如燥屎便祕等，一部份之腸病而已，焉可概括全部消化管！至於以胸腔腹腔之中間部，解釋半表半裏，尤是欺人的外行話，只要讀過普通生理的人，都明瞭胸腔的中間，藏有心肺；腹腔的中間，藏有胃，腸，肝，脾，腎，等等，怎樣可以籠籠統統的說半表裏是胸腔腹腔中間部呢！湯本的這種伎倆，只好騙騙頭腦冬烘的舊國醫，凡是有科學思想的新中醫，誰也不會信他的，本人從傷寒論上考徵，可得二說：所謂三陽之表，傳入三陰之裏，是急性傳染病轉入虛脫期，仲景又以太陽爲表，少陽爲半表裏，陽明爲裏，從各種證狀上推測，可知表裏是指急性傳染病發病的部位，表病是急性傳染病見呼吸系證狀，半表裏病是胃證狀，裏病是腸證狀，如表病之證狀，鼻塞，咳嗽，無汗，而喘等，都是呼吸系證，據近世西醫研究國藥的報告，中藥解表劑，麻黃青龍麻杏石甘湯等，都是理肺劑，由是表病是急性傳染病見呼吸系證狀之說，尤爲可徵，裏證如便祕燥屎等，也是顯明之腸證狀，半表裏之部位，是介於表裏之間，其證狀是胸滿嘔吐等，都是胃病的明徵，而小柴胡湯的柴胡，半夏，也都是理胃之劑，但是我們要明瞭中醫的立場，與科學醫根本不同，科學醫的論病，以細菌病灶定名，中醫論病，以所發證狀定名，依據所發證狀而施治療。

三、寒熱　國醫的寒熱，一種是實質的，傷寒論上「惡寒發熱」「寒熱往來」等，都是實質的寒熱，一種是「充血」與「貧血」的代名詞，寒是代表「貧血」，熱是代表「充血」，蓋國醫以面青，唇白，等貧血證狀，謂之寒證，而赤，唇紅，等充血證狀，謂之熱證。

四、虛實　內經通評虛實論曰：「邪氣盛則實，正氣奪則虛」，蓋古人以病毒盛，謂之實，抵抗力不足，謂之虛，病毒既盛，抵抗力又不足，謂之邪實正虛，至其治療，爲虛者補之，乃抵抗力不足，增加其抵抗力，實者瀉之，爲病毒正盛，當驅除其病毒，邪實正虛，治宜虛實兼顧，因病毒盛而抵抗力不足，一面用對證劑治其病，又用強心興奮劑增加其抵抗力；國醫之治療，在在合乎科學原則。

五、邪正　邪爲病毒，正是人身抵抗力，何以言之，蓋古人論「風邪」「寒邪」「暑邪」「濕邪」「燥邪」「火邪」，皆以六氣爲人身之病毒，所謂「邪正交爭」就是人身的抗毒素與病毒交戰，所以「邪爲病毒」「正乃人身抵抗力」乃顯而易見，無可疑議的。

六、標本　考標本之說，古人皆以「先病曰本，後病曰標，受邪爲本，見證爲標」，以現代眼光觀之，先病曰本，是原發病；後病曰標，是續發病，受邪爲本者，可知以病灶爲本，見證爲標者，可知以證狀爲標，吾人既明標本之義，則古人治標治本之道，亦可瞭然，視其所發證狀而施以對證劑，如欬嗽鎭咳，嘔吐止嘔，就是治標之道；科學醫謂之對證療法，探求疾病之原因，而施以特效的藥物，就是治本之道，科學醫謂之原因療法、根據近世醫學，治病當以原因療法爲上乘；但是我國四千年前內經，也早已告訴我們：「治病必其求本」，先哲王應震說：「見痰休治痰，見血休治血，無汗不發汗，有熱莫攻熱，喘生休耗氣，精遺不濇泄，明得個中趣，方是醫中傑」。由是看來，國醫的治病，素重原因療法的。

七、氣　余雲岫首創氣是神經，次仲潤雷均附和之，獨湘清不敢贊同，何則，古醫籍的氣，眞多得很，如寒氣、暑氣、正氣、邪氣……」等，你若費與功夫蒐集，至少可得到數百種氣，現在我請教余雲岫，那古人所說的寒、暑、正、邪等，難道也有神經的嗎？依本人的創見，國醫籍的氣，實在是「力」與「作用」的意義。古人所說的「元氣」「眞氣等，就是人體生理的基本原動力，「胃氣」「肺氣」「腎氣」等，是「胃」「肺」「腎」的生理作用，病理的氣，如「氣虛」「氣鬱」等，「氣虛」是生理作用減退，「氣鬱」是生理作用鬱滯，『陽虛不能化氣』是機能衰弱而不能發揮其生理作用，「憂鬱則氣滯」是因爲人常憂鬱之時，交感神經傳出刺激，腸胃之消化作用停滯，又有所謂正氣，邪氣、寒氣、暑氣、……　等。「正氣」是人身抵抗力，「邪氣」是病毒寖犯人體的力，「寒氣、暑氣……」等，是空氣變化，影響人體致病的力：凡各種病毒，各種生物，都各有其「力」，各有其「作用」，所以古人在各種「生理名詞」及「病理名詞」的語尾，均可加一「氣」字，古醫籍的氣，本人已一語道破，那班攻擊氣化的洋醫，以氣化自長的舊醫，以及說氣是神經的溝通派，都可以噤口了。

七、火　近人謂火乃刺激的證狀，此乃病理的火，然古人又以火爲人體的重要物質，如「少火」「命門之火」「君火」等，都是生理的火，「少火」與生理學上的燐質相似，燐質能發生燃燒，發達腦力，強健生殖，在人體極爲重要，所以內經上說「少火生氣」，至於「命門之火」因爲古人所說的命門，是生殖系統。（舊醫籍均以腎爲生殖系，又云兩腎之間爲命門，可見命門亦指生殖系統），生殖器內重要的精液，有燐爲主要成分，因此才有「命門之火」的名詞，

「君火」則異，古人說心爲君火，可見君火指心臟，心臟的主要作用是循環，循環的遲速，每關乎體溫的高低，所以古人以心爲「君火」。病理的火，可分「火衰」「火旺」兩大綱，火衰又有「少火衰微」「命門火衰」「君火衰」的不同，「少火衰微」是燐　缺乏，腦力不足的代名詞。「命門火衰」也是燐質缺乏，影響及生殖機能。「君火衰」可說就是心臟衰弱，再論火旺，火旺有「虛火」「實火」之分，「虛火」的原因很多，大概多因體內蛋白質消耗．或因醫者過汗過下，損耗體內蛋白質及津液，燐質起代償性燃燒，所發證狀，如發熱、消瘦、口燥、唇紅等。又有血液虧少，不能涵養"經，而發各種虛性興奮證狀，也謂之「陰虛火旺」，因此虛火也可說是虛性興奮的代名詞。「實火」的意義，是各種毒素分解而發生刺激的證狀，蓋各種病症有炎灶者，必有毒素分解，因而發生刺激的證狀，這種病理的機轉，古人也名之曰「火」。如急性喉頭炎毒素刺激體溫中樞，而致面赤目紅，則曰「風火」，外瘍初起，毒素分解被血液所吸收，而大熱煩渴，則曰「毒火」，腦神經受毒素的刺激而失眠，則曰「心火」，傷寒熱度持久．血液中充積桿菌毒素，因毒素的不絕分解與刺激，而體溫益高，則曰「火症傷寒」。所以因毒素分解而發生刺激的證狀，都是古醫籍上的「實火」。

本篇以科學的眼光，解釋國醫學中重要的術語，本擬繼續蒐集國醫學中各種術語，闢謬誤，闡眞理，奈因院方索稿孔急，不得已匆促完稿，後日有暇，當繼續奮筆，輯成專書，以備後學的參考。

現代青年之變態行爲

江浦清

時代之巨輪不絕在旋進，人們依着環境之轉變，而演出種種奇突之事實，以近世殺戮之方法爲例，鎗炮毒瓦斯飛機固然利害，而一般人們未嘗覺到若何恐懼，反嫌其不足以及身，而窮思別法以補足其缺憾，是眞怪事！擴大目光將吾國民族來透視一下，就可知正多着青年在管着滅亡自身的工作？——手淫——彼輩之行爲變態矣！抑瘋狂乎？何其不惜健壯之軀，將爲骷髏之體乎？夫鎗炮毒瓦斯，可使心驚胆裂，而其行也明顯，人易感到其 怕而興奮，而設法抵禦，可免身受其戕，手淫則不然，其儲有長久之歷史，藉着一時神經之衝動，具特有之快感，使人不知避免，以致死于斯，葬于斯，辜負父母之重望，墮其中以亡命，後繼者亦不以前車可鑒而稍僻其徑，竟不知困倦，樂予周旋 奇歟！悲哉！謹就余之所慽，而書其理原，是非與否？望指正焉！

其原因爲外界刺激而生之一種變態的行爲，按性者，現代名哲學家麥獨孤氏謂其爲每個人都有着的天性。——本能——是造物者于人們尚在母親腹中時，即賦予之行爲，不需要外界之刺激引動，而能活動發生。『食色性也』。此爲吾國至聖 言。致其義與麥氏之論無別，惟以事實證明之，若以上述之本能來肯切確定即爲性之成因，則殊難。蓋人類無論何種行爲，苟無絲毫外界之刺激，遂可發現者。實未覩見。今以性言，小兒漸次發育，迨於成年，性之行爲乃現，然發育之遲早不同，有十二三齡即已成年，有至二十歲左右方見發育，遲早懸殊，其因則爲地方之風情民智使然。誰曰非刺激乎？近人郭任遠氏主張，人之一切行爲，是身體細胞受外界刺激而起之反應作用。所謂刺激者，如小兒出胎以前，體中營養來自母體，出生以後，體內感着養氣缺乏而刺激肺細胞，以營呼吸，據學者之研究，小兒墮地，呱呱之聲，非啼哭而爲初次呼吸之現象。滋養料之缺乏而起食慾，更明顯之證明，如小兒通常俱喜愛慈母，佛洛特氏論爲此乃小兒性之集注最初爲慈母。不知其亦爲刺激而生者也。觀乎小兒之唯一問題，乃爲飲食，慈母能解決之。且慈母之性情溫柔。可使小兒所感到之其他痛苦不適，得以祛除而覺到安慰，如是長久，神經細胞慣常受同樣刺激，自然喜愛慈母。何關性哉！總言之。人之生存世界之各項現象，皆刺激而然。

兒時所受之最深刺激，厥爲父母之舉動，故父母所喜愛者，子女亦喜愛之，其或有不同者，必有特殊之原因。其次爲環境之刺激。手淫何能越其範圍。茲將其主要誘因分述之：

1. 父母給予之刺激 凡父母之形跡不斂，放蕩流連，以及尋花問柳者，子女多亦如此。即俗言迷信果報論之眞因。

更有甚者，吾國民間盛行一種陋習，卽睡眠時必須裸其體，此對於子女固無避嫌之必要，究竟礙於禮統。况此象在子女眼光中，似乎存在一種好奇之心理。雖曰其不避嫌爲在未成年小兒之前，然對於子女不無刺激。

2. 一般爲父爲祖者，一旦喜抱孫兒，情不自禁，旣欲顯示於親朋，及一時之高興，與假意祝賀之無意識之親朋，任意撫摸小兒之生殖器，以爲至樂，似將以此證明，弄璋非虛！與無上福澤也！亦有與小兒嬉戲之時，常將小兒以騎馬式坐於膝上或脚，更以左右上下搖動，不思兒之生殖器藉此摩擦，而神經細胞受長度之刺激，故每於小兒獨自玩耍時，多見下意識的以手撫摸生殖器。是亦爲將來變態行爲之一種誘因。

3. 不正當之書籍。青年之閱書趨向，雖以個性之不同，而大多數喜觀情性小說，其內容文字，蘊藏着温存之語意，婉娜之情焰、以綺麗之字句，寫出生動之事實。於青年之心理受到極大之刺激，尤以初成年之青年醉心於斯。故有無恥奸商，每以淫穢之詞，及不堪入目語句，編成淫書而美其書名，引誘青年，墮其術中。遂無力自拔，以此刺激而起性神經之興奮，若遇環境之壓迫，乃思以他法代替之，——手淫——經久不倦，以致戕賊身體！

4. 性教育之低落。吾國人民思想，以性之問題爲神祕，更且認爲羞恥而不願形於言。以致一般青年，不知性之眞理及其弊害之可怕。而前仆後繼，努力直追。患者日衆，此亦其因也。

上述四因，患者多中下階級之青年，富家之子女可以結婚而免除之，雖然，早婚之害與手淫等，但當別論。旣知其因，預防與制止當有方法，有第一項之不良習俗者。當極力屏除，好在此等幷無其他聯帶影響，行之當屬容易若小兒至七八歲，可令其獨睡一處，可得安眠以及免傳染等意外。第二項者，父母注意免[illegible]，勸告他人勿犯以外，現在一班負責普通教育，及提倡兒童幸福者，共同加以宣傳。俾便人民盡行瞭解。第三項 除出版界注重道德互相監視，不印行有害青年之刊物外，教師父母，切實督促，不閱無益之書，多讀修身格言，以及其他有益身心之書。第四項在人民方面是無可改革，且不能達到目的者。以吾國人民知識力薄弱，對于性是不會有眞的認識，若令彼輩以正當之方法，向子女解釋，是不可能的事。甚且可以鬧出笑話，不若教育界努力，替一班青年開發這幾千年已知而未曾開挖之寶藏。予青年以切實瞭解。并縱慾之危險，已患者給以嚴密之監視，予以精神上的安慰，靜心調養，方可無慮。玆再將其症狀，病理，治療，簡言於下。

症狀　初起祇覺頭暈眩，目花，甚或視物糢糊，身倦，次則消瘦，健忘，遺精，肢冷，食慾不振，再則腰腿痠痛，站立不穩，頭重項柔，常作垂頭傷氣之狀，咳嗽失紅，皮毛枯焦，形削骨立，而本病最要見症爲腰腿痠重。大凡青年患病羸瘦，而非外感者，卽有手淫遺精之嫌疑。

病理　睾丸製造精液，以備生殖，若儲久不瀉，則可滋補腦與脊髓。且生殖器神經密佈，若以不節之使用，非但神經因興奮過度而衰弱，且精液過泄，生產不及，以致空虛，腦脊髓滋補無物而生各症，內經云。『腎爲先天』而『藏精』，是混睾丸於一齊。今人有呼睾丸爲外腎者，亦非無因。靈樞經脈篇云：『人始生，先成精，精成而腦髓生』。古人已知精能生腦髓，而非近世之發明，惜乎語焉不詳。精既藏於腎，是則腎爲最重要之器官，腎藏有二。左爲腎水，右爲命火，精泄過多，腎水空虛，命火獨亢。肝胆相火互煽，克土凌金，而成難經『五損』之症而亡。

治療　初起六味地黄丸金鎖固精丸之類，補益鎭靜之品，若陰虛過甚，命相之火上灼，咳嗽毛焦失血之時，補陰甘寒之物可加。如天冬麥冬花粉知母玉竹之類，再則加入猪羊牛骨髓等，血肉有情之品，或冀其効，然猥褻妄想，須力加屏除，照前賢所著諸書之遺精虛勞門治之可也。

本症雖能治愈，不無棘手之處，第一以預防制止爲要，近觀某報副刊，偶見詳醫之大作云。手淫對於身體者有節制、并無危害，或者這位先生以爲手淫大可爲解决性慾之代替品，其實照事實講，節制云者，豈可得乎？

青年爲將來國家之主人翁，爲民族之棟樑，誰也不能否認，故其健康須極注意，吾曾見一十六齡之青年，父母左右扶腋而行，祇能數武，父母憂形於色，詢知爲獨生子，青年形容憔悴，必死無疑，惟死者無惑。咎由自取。生者之悲痛將何如乎？十數年之撫養，一旦先父母而魂歸道山?！惜乎？寫是篇以促關心青年者之早日加以研究發明，杜絕此患，豈但青年之幸哉？

內經木鬱達之火鬱發之土鬱奪之金鬱泄之水鬱折之然調其氣過者折之以其畏也所謂寫之之臨床應用

程紹典

初予讀內經，病其文奧意玄，無益於治療實用，恆掩卷他顧。今得臨床實習，間有應用內經治療術語以為施藥之準則者，屢驗焉。退思其故，揆徵邏輯參證西學，亦覺頗合符節，然後知曩予之評譏內經，輕毀內經者，果何異酌潢潦之水，而以為知海？覩甕牖之明，而以為知天？由是而皤然改曰：『內經之為偽書，信然也，內經之虛玄渺茫，亦然也，然而內經之治療術語，蘊蓄古人無限積驗，不可遽廢也！』然則以邏輯之眼光讀內經，以西醫之學理用內經，擷取內經治療學上原則術語之精華，加以科學之解釋，以為臨床應用斯為吾儕之責矣。爰例一二用質高明！

攷內經以五行配五臟：如肺金，肝木，脾土，腎水，心火，故五行之鬱，亦即五臟之鬱。以理『鬱』者，不過為某一症候羣之代名術語，如『土鬱』者，其症噫氣，呑酸，胸悶，腹脹，乃胃機能障礙，消化不良習見之候，臨床上遇此等症，往往以健胃劑，通便劑為目的，即所謂『土鬱奪之』也。所謂『水鬱』者，其症脹滿，浮腫，二便阻，致此之由衆多，臨床上鑑別其或為心臟性，或為肝臟性，或為腎臟性，抑為他種原因性，從而於發汗，瀉下，利尿，三法，擇宜施治，即所謂『水鬱折之』也。所謂『木鬱』者，其症胸脇滿痛，腹脹，噫噯，斯類後世所謂『氣機不舒』而治以『行氣』者，即『木鬱達之』之意，達之之劑，無非具神經鎮靜及麻醉作用。所謂『金鬱』者，其症乾嗆，喘促，胸滿，『

金鬱泄之』者，詔示氣管卡他之以袪痰，鎮咳，平喘爲目的。所謂『火鬱』者，其症發熱，煩渴，發疹，『火鬱發之』者，詔示體温上升，可以發汗退熱劑低降之，發疹性疾患宜使疹點透發之。觀其術辭簡晦，衡其藥效灼然，原則不背乎學理故也！

所謂『過者折之，以其畏也；所謂寫之！』蓋亦爲極有價値之治療術語。如『木鬱不已，當淸肺金』。『火鬱不已，當滋腎水』。『水鬱不已，當補脾土』。『金鬱不已，當引火歸源』。『土鬱不已，當養肝調氣』。皆以其所畏而治之，卽過者折之之義也。然則其價値安在？則必求諸臨床上所見者。

臨床上過肋間神經痛卽所謂『木鬱』者，投以達木之劑以鎭靜神經。麻醉神經而不愈，內經因有『過者折之』之法，卽『木鬱不已，當淸肺金』是也；肋間神經痛之起於劇烈而持續的咳嗆，如氣管卡他兒等者，投以『淸金之劑，如馬兜鈴，桑白皮，瓜蔞皮，批把葉等，袪痰鎭咳，咳止則痛自除；又用於結核之『淸金劑』如天麥冬，至竹，知母，兼有營養退熱之作用，皆爲原因療法，間接除去肋痛者。

所謂『火鬱不已，當滋腎水』者，大都貧血之人，每易發熱，發熱之結果，蛋白分解，體力衰耗，愈致貧血，循環因果，爲害彌深！內經因有滋水之經驗，滋水之品，如生地，燕窩，龜板，女貞子，悉屬強壯劑。能補給營養，恢復貧血，貧血愈則熱自退，此種熱國醫所謂『虛熱』而懸退熱劑爲禁忌者，滋水之法，亦爲原因治療之一端。

所謂『水鬱不已，當補脾土』非謂水腫之宜健胃也！國醫治腫以發汗瀉下，利尿，之三法悉爲體力心力充實者而設，若夫心臟代償機能障礙而起之水腫，或水腫久影響心力衰竭者，補脾之劑，恆以人參附子，肉桂，白朮爲主，是則吾人知利尿之必賞用強心劑矣！

所謂『金鬱不已，當引火歸元』者，結核患者之咳嗆爲頑固性，持續不已者，慢性氣管卡他兒之咳嗆宜恢復體力之健康者，『引火歸元』之劑如肉桂，有強壯，興奮，袪痰，退熱諸作用，則是的對矣！心臟性喘息之咳喘倚逆，『引火』之劑如附子，肉桂，黑錫丹，之類，已明示強心劑之投與矣！

所謂『土鬱不已，當養肝調氣』，蓋指胃症狀之因於神經性者，卽『肝病傳脾』也。『調氣』指青皮，木香陳皮，砂仁，香附之屬，能健胃鎮痛，故胸痞，胸痛，腹脹，嘈雜，噯噫諸所謂土鬱，得之而已，『養肝』如枸杞，山萸，首烏，菟絲之屬，則因胃腸機能障礙，營養不足，且示人進而補給之矣。

夫調其氣，諸鬱不已，當治所長，岐伯之言，寥寥焉不勝抽象，持以臨床應用，初不料治療意義，如此其廣也！

人參再造丸與小兒回春丹使用之正誤

倪息庵

余屢聞友人及病家。自謂體虛或因食量不增。或因精神衰弱。或因形容憔瘦。或因胎前產後。或因病後未復。甚致因有錢無病。入冬宜服補劑。堪以自慰。而爲簡便起見。大都服『人參再造丸』。但多半無効。此皆人參兩字之所誤也。僉以爲人參乃第一補品。服之、定能各病有再造之功。殊不知、此丸乃專治男婦眞類中風。左癱右瘓、口眼歪斜。半身不遂。手足麻木。腰腿疼痛。筋骨拘攣。步履艱難。及小兒急驚風等症。故藥肆丸散部。亦列入(傷寒諸風門)。而並不在(補益虛損門)。已可概見。且此丸服時。更須隨症用引。決非普通補品可比。茲將該丸藥品。詳敘如下。

眞蘄蛇　老山人參　兩頭尖　眞水安息　北細辛　龜板　烏藥　黃芪　母丁香　明乳香　麻黃　甘草　青皮　熟地
黃　犀角　沒藥　赤芍　羌活　白芷　虎脛骨　血竭　全蝎　防風　天麻　熟附子　當歸　骨碎補　香附　元參
首烏　大黃　威靈仙　葛根　沉香　白蔻仁　藿香　於朮　紅花　西牛黃　粉萆薢　黃連　草蔻仁　茯苓　薑黃
殭蠶　川芎　桑寄生　冰片　松香　辰砂　肉桂　天竺黃　地龍　穿山甲　胆星　厚朴　木香　琥珀　眞山羊血
廣三七　當門麝　白花蛇等。研末煉蜜爲丸。金箔爲衣。以上諸品。治風居多。且藥味溫涼補瀉。非常龐雜。故宜轉勸病家。勿再迷其名稱。而誤充補品。致失對症之効。而起反應之虞。爲是。

再藥局通售之『小兒萬病回春丹』。係專治小兒風痰異症。急驚發搐。痰涎湧盛。神昏不語。關竅不利。痰熱厥閉等症。查其配製。廣方者、僅川貝、白附子、雄黃、三味。本方大都用。

麝香 川連 珍珠 牛黃 胡連 半夏 貝母 石菖蒲 青礞石 陳胆星 天竺黃 辰砂等品。所合而成。與（抱龍丸）大同小異。故對于上述各症。確有奇效。今人多惑於萬病回春之名。無論嬰兒咳嗽。發熱、食滯、蟲積、甚致溫邪初起。均與喂服。殊不相宜。蓋此丹藥力香竄。性味寒涼。苟遇表症未解。或痧疹未透。或寒積不化。或慢脾驚風。一經服用。反是以引邪入裏。或抑遏不出。或助寒內閉。轉致病態增劇。是故、此丹家庭常備。以防小兒急驚痰厥則可。以治小兒萬病則不可。故亦亟宜向病家糾正者也。

喉腔結核的民間療法

陳啓泰

喉腔結核，這個名詞，是冒牌的西洋貨；在我們從前的中國是沒有的。但是病名雖然是沒有，病却是早已有了，非但有了這個病，而且已經有了有效的療法和認識在民間了。醫籍上呢，稱這種病叫「陰虛失音」或「虛勞失音」。這是也有充分的理由和意義的，因爲我們曉得喉腔結核是由結核桿菌侵襲而起，大多是肺結核的一分症。事實上，肺結核病而發現喉腔結核的時候，這肺結核的程度，大都已是很高深了。這時候除了喉腔結核而外，其餘的一般肺結核症象：如咳嗽、吐血、潮熱、骨蒸、盜汗、遺泄、經閉等。是決計不能避免的。這種咳嗽、吐血、潮熱、骨蒸等，在我們中醫籍上，統名爲「陰虛症」。至於喉腔結核本身的現象呢，除解剖上，可見喉腔後壁及聲帶粘膜生結節，繼成潰瘍，瘡面皸裂，邊緣肥厚或生肉等外；最顯明的特徵。就是「聲音嘶嗄」。甚則聲音完全沒有，這種形狀，我們叫做「失音」。「陰虛」證加上「失音」，所以叫「陰虛失音」。（因爲失音非喉腔結核所獨有，故加陰虛二字區別之），我們既明白喉健結核的症狀原因和中醫的病名，以後就可談治法，此症治法，西醫無特效法，只有注意全身衞生榮養，常投滋補強壯腔胃劑，因爲肺結核在現在西醫進化的程度上，還沒有特效的療法，肺結核既無法撲滅，喉腔結核當然也無法療治。中醫呢，又何尙不是這樣？中醫既名「陰虛失音」我們要曉得陰虛二字，不是從病理解剖或證狀定名而是從治法上定名的陰虛當養陰養陰藥，如二冬二地歸芎阿膠洋參玉竹等，都有營養性質的，所以牠的意思，也就是營養療法增進營養，增強自身抵抗力來間接殺滅結核菌，這是中西醫治療喉腔結核的共同目標，也就是中西醫治療喉腔結核的共同本領，但是這種療法的功效，是怪微弱的，簡直微弱得可憐，所以西醫的診斷上說，此病預後不良中醫呢，也不免在脈案裏寫上幾句病勢重險，敬佇高明，在這裏我可介紹一個目睹，收效簡便易舉，毫無流弊，民間流傳喉腔結核特效藥於諸君，希望諸君遇到這種病症時，不妨和養陰藥等同進，定可收意外之效，在下曾見服此藥，半日見效，二日全愈，這非在下瞎造謠言，有意吹噓。反正，諸位明白：若在下故意欺騙諸君，那徒然虛廢精神，自墜人格，是決計不會的，現在閒話少說，言歸正傳，把這特效藥，告訴諸位，這個特效藥，就是用鵝的聲帶（連氣管）一具，（把鵝殺死後取出牠的聲帶和氣管）不要落水，穿以銀針，置新瓦上用炭火煆焦，拔去銀針，研末去火毒，開水吞，一次不效，二次必應，至於牠所以能治喉腔結核的原理，把中醫古說來講，當然是「醫者意也」依我的愚見，以爲這也是一種臟器療法，究竟怎樣，尙望諸君加以研究，最後，告訴諸君，這是治喉腔結核的特效藥，千萬不要忘記牠的根本的病源，所以對於衞生營養，都宜十分注意。至於副證：咳嗽則加鎮咳劑，適宜的如百花膏枇杷膏。咽痛酌加緩和藥，如甘草湯，猪膚湯 這非本題範圍之內。毋需作者多贅了。

麻杏桂甘麻杏石甘麻杏苡甘之研討

葉彩明

明讀仲景方書，輒中夜不倦，蓋此中誠有妙處，例似『麻杏桂甘」「麻杏石甘」「麻杏苡甘」三方，僅以一味之不同，而其効用，已逕庭天壤，實非好學深思者，所能窺得其奧也。

夫麻杏桂甘，麻黃湯也，爲傷寒發汗之主方，主治（治傷寒太陽症發熱頭痛，身痛，腰痛，骨脊痛，項背強，惡寒惡風，無汗而喘，脈浮而緊。）本方以麻黃爲君，杏仁爲臣，桂枝爲佐，考麻黃功用有三。

（一）發汗除寒熱　（二）止咳逆上氣，（三）除水腫風腫，換言之，卽發汗定喘利小便是也。

蓋麻黃性味苦溫而散，其成分含有植物鹽基，舊說謂爲肺家之藥，故能宣肺發汗」，「若云平喘，以肺中之水分過多，肺主咽喉，司呼吸，肺中水分既多，則喉氣管爲其窒塞，人身之炭酸不能排泄，空間之養氣不能吸入，乃現氣急鼻煽而爲喘呼，今麻黃既能發汗，使肺中水分，由膚表而排泄之，於是喘自平矣」。「至若利小便則小便，亦水也，麻黃既能排泄水分，且含有植物鹽基，而肺藏又主人身之開合，小便不利，肺失職也，故麻黃之又能通利小便，於事實與學理不謬」，惟欲其歸功于何，則斷藉配合之妙，至若杏仁，苦溫宣肺，配以麻黃，助也，甘草爲緩急調和之藥，故傷寒論一百一十二方中，用此爲獨多，今三方用之，亦取其調和之義也，惟桂枝醫者往往謬解「有汗用桂枝，無汗用麻黃」一之古說，遂認桂枝能止汗，其實桂枝爲辛溫之品，辛能散，散能汗，苟麻黃湯不用桂枝，則發汗之力必不足，（按麻黃湯去桂。名杏子湯，治水腫，不取大汗，）其所以謂有汗用桂枝者，實指太陽中風桂枝湯症而言，非徒指桂枝一味也，蓋以桂枝之辛溫，得芍藥之寒斂，一寒一溫，一散一斂，遂成調和營衛之劑，今麻黃湯用桂，眞賴其氣味之辛溫，助以大發其汗也，惟桂枝發汗，與麻黃不同。麻黃發表膚之汗，表實用之，桂枝發肌肉之汗，肌實用之，麻黃症爲肌表俱實之症，故合而用之，於是其功乃著。

若云麻杏石甘湯，以麻黃湯中辛溫之桂枝，易一清涼之石膏，一溫一涼，又適得其反，（本方主治，「傷寒汗下後，身熱雖減，而肌熱尚壅於內，汗出而喘，不可用桂枝，因未化燥刼津，又非白虎症，宜用此湯，）傷寒論謂（發汗後不可更行桂枝湯，汗出而喘，無大熱者，可與麻杏石甘湯，又曰，下後不可更行桂枝湯，若汗出而喘，無大熱者，可與麻杏甘石湯，）綜傷寒所述，則本方著眼，在汗出而喘，由此可知麻杏石甘湯，非發汗之方，當以定喘二字，以彰其用，其理何歟，蓋以石膏爲清熱之品，乃陽明專藥，故白虎以石膏配知母爲君，以清陽明之肌熱，今配以麻杏，實欲其治肌熱氣喘之肺炎症，（即肺閉，）蓋麻黃本能定喘，得石膏之清，故其功益歸，遂失其發汗之效能，專長於定喘之力矣。

至若麻杏苡甘湯，較之發汗之麻杏桂甘劑，及定喘之麻杏石甘劑，去其桂枝及石膏，而易一祛風濕之薏苡，遂成爲祛風濕之劑，而麻黃氣蓋一世之發汗平喘力，至此均付諸流水，何也，蓋薏苡氣味甘寒，含有麥麩質脂肪油，故功能治濕行水，濕家本忌大汗，仍用麻杏者，眞賴其本有利水之功，俾同化而助以行水，故一變而爲利小便之方矣，試觀金匱麻黃加朮湯，以麻黃湯加一白朮，（按此方有桂枝，）已不能舒展其大發汗之功能，苟無桂枝，則雖欲微發汗亦不可得矣，寄語學者，經方不可渺視。

肺結核病理與治療

羅家誠

考證我國古醫書籍，于肺結核一證，素無確實病名，內經稱名爲虛瘵，虛損等名，金匱載此名爲血痺虛勞，外臺所謂虛瘵即傳屍骨蒸之名，今人始有肺結核之稱。

此病爲一種桿菌所染1882年 Baners Paeh 氏所見之，長約一、五、至四 n，兩端純圓，略形彎曲，而抵抗力甚強，，此菌在攝氏二八，以下或四十度以上，則發育停止，在日光中頃刻死亡至其傳染之途徑，皆由呼吸而侵入于肺，則爲肺結核，該菌侵入呼吸過後，乘肺臟因感冒咳嗽，或其他疾病等弱點而侵入肺之淋巴管，遂曼延于四圍之組織，致生乾酪樣變核菌有乾酪樣變而無硬變之限制，於是病益日增幾至不可收拾矣。

肺結核不僅爲空氣傳染，並可由血行或淋巴液傳染之多，而轉移于他例，其中之組織亦常有多量之漿液或漿液纖維素或純粹組織素，或並發出血性炎症。

至言其症狀，大別有二，一日急性，二日慢性，急性肺結核，病起時即有寒戰體温速升脅旁作痛痰中有鐵繡色血與急性肺炎相似，病起後八至十日之間。所期望之肺炎病極期，乃不顯病勢更劇，温度不規則，痰粘液膿性而色綠，此爲要徵，至第二三星期時病狀頑梗，醫者或認爲未退之肺炎，豈知症狀逐漸增重，而有肺軟化之理學徵狀，痰內有彈力性纖維素及結核桿菌，本病著明期最早者六日或十二日，大多延至三月之久更有病起驟突而且劇烈，後到症漸減而成慢性之類。

慢性肺結核，大別分三期，1.爲結核發生期2.爲結核軟化期3.爲成窩期，但此種分剖之病期，于臨床上每不相符茲特簡明言之，先論局部症狀，胸痛及早顯，或僅在咳嗽時覺之，繼則鬆而頻兼吐粘液膿性痰，或咯血，及痰內帶血，呼吸困難，氣促發熱，下午或至九十度半，有時亦見百度不定盜汗身體消瘦，若病勢進行，則體重逐漸減輕，故稱身體之重量，即可知病勢之進行，但病之早期消瘦最速，每一星期內可減五六磅，近至病勢之進行及温度低降，則病者之體重逐漸增加，每週增至二磅，即係佳兆，精力逐漸消耗，至死精神不昏寐。

此病主證有四1.咳嗆，2.潮熱3.盜汗4.咯血，尙有咳嗽與不，但其中又別爲二性二種，1.乾性，2.濕性，乾性即乾嗆無痰，濕性即嗽劇痰，痰分爲五種，1.粘液痰，2.膿痰3.漿液痰4.血痰5.纖維素痰，此向痰概由肺枝氣管發炎而成。

1.欬嗽，爲氣枝管發炎，呼吸器而引起反射作用，因氣道內容之變化，例如分泌物異物氣道被刺激而誘起欬嗽，此種欬嗽能擢殘氣力體力之消耗，凡輕微之欬，其作用能排除氣管之分泌物，爲人體一種自然療能，但其不能強止肺病之欬病，若乾性以及劇烈欬嗆，能損害肺之安靜，且能誘起咯血，佳力衰弱等象。

2.(潮熱)乃一定時期發作，稽留型之消耗熱，薰薰發熱是也，精髓內虧，津液枯涸，身熱而面赤等象，潮熱是戕賊病者物質鋒刃精神亦受大害，故治肺病潮熱以清熱爲急務。

3.(盜汗)汗之分泌增加，亦爲肺病必見之證狀之一屬，發于初期他症未現之前，或見于病勢方熾之時，而強留之際，收發者有之，初汗之初期，概於輕度運動及興奮後均足促進劇盜汗，每寢後即發，且每值盜汗時覺體內如蒙冷浴，不能安眠，因易致衰弱之增進也。

4.(咯血)肺病之咯血，亦有時見之爲肺循環之血壓亢進或肺循環有鬱血，乃以動脈瘤破裂爲多，時亦容易咯血，但言其與氣令方面亦有關係，至言氣令雖無學理，但其事實，亦不虛誣。

至咯血大別有二1.爲初起之咯血，癆瘵已成之咯血，又精神感動與肉體運動亦能促起咯血之誘發，有時大小出血稱破血性出血，性潰瘍面上小血管出血之誘發，有時大小出血，稱破血性出血，而引起肺出血，或隨咳嗽發作引起而出血。

肺結核之衇搏，吾人應堪注意者也，但此向衇搏，却頻數軟如然初期則於運動後或興奮後見頻數，似病勢進行則衇搏概變異，但其頻數愈甚者，豫後均不良，是故本病之衇搏較之體溫更爲重要。

本病之治療，世界各國學者，對本病目爲不治之症，蓋因缺乏著明之特效藥，但能全治愈者，其中亦不乏人，然第一二期，倘有治療之望，若三期形成廣大空洞，則幾完全絕望也，至我中醫對此病之治療方面，尙有不少功效，茲特錄之于後，以供海內賢者指正。

潮熱方面用養陰療法退熱，如秦艽別甲散，苦參湯河車大造丸，麥煎散，左歸丸，五蒸湯，此六方清攻滋陰，大至具㈣一乃節接退熱目的，在維持病者體力與營養每以安靜與天然療治，再用白芍與桂枝共研細末，以促進退熱，蓋桂枝內含安息香酸與枝皮酸，白芍合有安息香鞣酸及葡萄糖，能緩和攣急，歛攝神經，平降血壓故能有退熱之功效。

欬嗽方面應用淸肺法治之，如淸金丸，人參淸肺湯，靑蛤丸潤丸，百部飴月華丸麥苓白朮散，此七方爲淸肺養肺，虛則補母，實則瀉子，當以鎭欬袪痰爲急務。咯血應用止血藥治之，如十灰丸吐血驗方四生丸，淸唾湯，花蘂石散，生地丹皮湯，麥門冬湯，保和丸，白芨枇杷丸鍾乳補肺湯，柏葉湯，上方淸濕降補澀諸法，均以收縮血管凝固血液之功，植物性藥大都因吸收日光綫，內部含有鉄質，今世學者研究謂鉄質有補血之功，上方所用之藥物茲特簡明述之如下貝母爲袪痰鎭欬藥有收縮血管之功，阿膠爲滋養性之強壯藥，含有生膠組織之軟骨膠質等，用于出血性諸疾患，有增加血液之凝固及粘補血管之破裂之作用對于肺癆咳血，不僅有止血之功，仍有潤之力，爲陰虛肺癆治本之良藥，白芨內含有膠質，有收歛血管之功，麥冬爲滋陰性強壯藥，有袪痰鎭欬作用，用于虛癆欬嗽短氣短氣肺痿吐膿血有特效。草草數言，以代表中藥之特效。

內經云形不足者，温之以氣，精不足者補之以味，癆者温之損者益之，此數語爲治肺病不二法門也吾人當考之。

至此病主要療法，在食物營養，以促進抵抗力之增加。更須要良好空氣及環境以悅其心目，其次則與藥物作對症之法，以減其病者之痛苦而已。

中國針灸療法在各國學者，認爲此法爲最科學而適合近人之體質茲將日本醫學博士原兎太郎研究灸法主要效果特爲之介紹如下1.赤血球之繁殖。2.白色素之增加，3.赤血球沉降速度增進，4.白血球數量增加，5.白血球之食菌作用增進，6.血之糖份增加7.血液之凝固性流通，8.血清中補體量增加9.免疫體之產生機能增進，10恢復疲勞士施灸卽皮膚與血管亢血增新陳代謝之機。吾人如治肺病在可能範圍，亦可施用灸法代之。

在二十世紀科學萬能之時代，對肺病尙無精確之治療，不亦悲乎：尙望諸同學共相發明，以揚東亞醫光民族幸甚國醫幸甚！

專著

盲腸炎

錢公玄

考盲腸位於腹部之右下角。爲大腸之起端。在大腸與小腸銜接之處。另有一虫形之物突出於外者。名曰蚓突。事實上盲腸炎之炎症。俱爲蚓突發炎。故亦名曰蚓突炎。按斯病之原因。西說謂由於頑固之便祕而起者頗多。蓋堅鞕之糞便滯留腸中。粘膜受其刺激而損傷，對於各種細菌之抵抗力遂致減弱。於是引起該病。又謂由於他種疾病所誘起者亦不少。如腸結核之類。復有由於異物竄入蚓突而起者。如果核魚骨等物。則多由於激烈之運動或飯後運動所致。然此諸說雖皆有所本。徵諸事實。每有無上述諸種原因而猝然發生本症者。比比皆是。我儕臨床之時。切勿拘泥。宜以症狀爲斷。

本症症狀頗爲繁瑣。且其發作亦有急性慢性之異。大都腹部疼痛爲必見之症狀。其他則腹膨脹滿泛噁嘔吐嗳噫心煩身熱惡寒等症狀。每相夾雜見。病人舌多黃白或垢厚。而有口臭。脈多弦滑數。病人腹痛每以右腸骨窩爲最甚。及右足不能伸展。此二症狀爲本病唯一之特點。是以昔人命名斯症謂之縮脚腸癰者此也。但此二點。有時亦不能盡據以爲斷。蓋其症發之急性者。病起卽諸症雜陳。我儕細心診察。必有所獲。若其經過緩慢者。往往初起僅覺滿腹作痛。或爲發作性。或爲持續性。每向近傍放散。右足亦不拘攣。迨二三日則病已劇作。治療大感困難。此則於初起之時。宜以手遍按病者腹部。若按至右下側則痛不可忍者卽是也。速當依法施治。否則常易誤認爲傷食。亦有因其二腿拘急誤認爲夾陰傷寒者。毫釐之差。謬以千里。方治既誤。禍不旋踵。可不慎哉。

此病治療。西法常應用阿片劑以鎮痛。及鎮靜腸蠕動。於必要時則施用手術。但病之劇者。即用手術剖割。亦往往不能必其獲痊。其內服藥忌下法。然亦乏特效劑。外用冰囊置患部。尤無意義。國醫雖無剖割之術。但金匱大黃牡丹湯有偉效。此法近日知之者日夥。用之者日衆。方用大黃消炎。桃仁丹皮排膿去瘀。瓜仁芒硝排除積糞。引瘀下達。不論已成未成。皆可用之。誠聖方也。此藥生艸鉤藤苡仁鬱金川連等味。均爲要藥。極宜加入。其他隨症加減。日服二三劑。取效至捷也。病人應絕食。及宜靜臥，皆宜謹守。不可忽也。又有單方一紙。對此症極有功效。方用紅藤。（一名老佛藤藥。舖或有或不備若近處藥舖中無有可往南市元大藥行購買）一兩。紫花地丁一兩。酒二茶碗。煎成一碗服之。日再服。其病即已。此方前曾刊於某報。舍親前因患此病。經西醫斷爲蚓突炎。令入醫院治療。旋經友人抄示此方。姑試之應手而瘳。乃錄以贈余。用誌本刊以廣應用云。

吐血

饒煥垣

導言

我國醫藥，具五千餘年之歷史矣，昔者，無科學儀器等爲之助，故於病原病理，未能究其精微，數千年來惟注意於對症治療，是以對於病症，較有深切之認識。辨表裏，別寒熱，審虛實，明緩急，積歷來經驗與觀察之所得，對於疾病之處置及治療，實有確切不磨之論。而藥物之優良，配方之佳妙，則可貴之處尤多，用能救險扶危，功宏而效速，其得以卓然不拔，歷數千年而不替者，豈偶然哉！夫玄妙之理論，固當廢除，而實驗之治療，安容漠視，採科學之理論，闡固有之療法，斯爲得也。玆本斯旨而述是篇，其亦可以聊備參考之所需乎。

原因及診斷上之鑑別

吐血之症，最習見於胃潰瘍，胃潰瘍之吐血，常兼胃部劇痛，痛極則嘔吐而出血。若潰瘍在賁門，則食後立刻疼痛而吐；若潰瘍在幽門，則食後經一二小時始痛。十二指腸潰瘍之出血，亦有由口腔吐出者，但痛與吐在食後三四小時，且痛點較近右側而常兼黃疸之症。

潰瘍之外，胃癌亦有吐多量之血液者，血色呈咖啡樣褐色殘渣之形，病者榮養大衰，身體羸瘦，胃部往往可觸知腫瘍而疼痛，常發水腫，多見於老年之人，非若潰瘍之好發於壯年而榮養佳良者也。

大動脈瘤破裂而穿孔於食道時，亦吐大量之血，然甚罕見，其他則各種貧血疾病，肝臟疾病等，皆常有吐血之症，然而多與咳血下血皮下出血等症並見，非止吐血而已也。

古人所謂吐血之原因，或爲火，或爲虛，要皆是對於吐血後所現之脈證，指其脈浮洪而舌赤煩渴者爲因於火，指其脈沉細而神衰肢冷者爲因於虛耳。血之吐，非關火與虛，火與虛，固不得爲吐血之直接原因也。

呼吸器病之咳血，亦由口腔而出，易與吐血相混，其鑑別之點如下(一)吐血之血液由嘔吐而出，而咳血則因咳嗽而出。(二)吐出之血液紫黯色，無泡沫，常凝固成塊，混有食物之成分。咳出之血液鮮紅色，有泡沫，不凝固，混有粘液及膿痰。(三)吐血病在胃與肝，而有肝胃病之症狀，咳血病在肺，而有肺病之症狀。

經過及預後

胃潰瘍之吐血，可速愈，然大半曠日持久，且每易再發，除穿孔或大量出血致生命危險外，預後佳良。若穿孔則引起穿孔性腹膜炎，腹部膨滿，痛不可耐，四肢厥冷，脈搏細小，以虛脫狀態而死。

胃癌之經過，速則一二月，慢則一二年，殆無治愈希望；故吐血之因於胃癌者，預後不良。

若大動脈瘤破裂而吐血者，速死不治。其他因貧血及肝臟疾病而吐血者，其預後之良否，須視其原發病而定。

凡失血症，脈洪大者難治，脈沉細者易醫。華陀中藏經謂：「吐血衄血瀉血，其脈浮大牢數者死。」叔和脈訣曰：「唾血之脈沉弱吉，忽若浮大死來侵。」又曰：「鼻衄吐血沉細宜，忽然浮大即傾危。」誠以脈洪大則血壓高而衝決之力強，血管破裂之傷口，乃不易封鎖，血將出之不止，故難治也。

唐容川氏謂吐血而不發熱者，不咳逆者，大便不溏者，可治，若發熱或上氣咳逆者難治，大便溏則有死無生。致胃潰瘍並不發熱，大便多祕結，而胃癌則時或體溫上昇，大便或祕結或下利，胃癌固難治之症，故發熱便溏者爲難治也。若咳逆上氣而吐血，當是呼吸器病之咳血，咳血之病，多爲肺癆，故難治，若肺癆而大便溏薄，則消化不良而榮養之吸收益呈障礙；況有併發腸結核之虞，其危益甚矣。

看護及治療

當吐血未止之時及暫止之後，首宜圖胃之安靜。病者靜臥，少談話，戒惱怒，節思慮，且完全絕食，亦不宜妄飲湯水，蓋飲食入胃，觸及傷口，即更痛而嘔吐，吐則胃之逆蠕動劇烈而不得安靜，傷口益不能封鎖，血復隨吐而出矣。俟吐血已止而病者覺餓時，始可少進牛乳粥湯等易消化富榮養而無刺激性之流動食物。然若食入則痛且吐時，則仍宜絕食或引用滋養灌腸法。

出血後二週間，只宜進微溫之流動性食物。若堅固之食物，酒類，及過冷過熱之飲食品，凡難於消化或刺激大強者，宜戒至期年以上，以免復發。

醫者宜囑病家鎮靜，無庸慌忙而亂投藥餌，須知吐血苟非大量而持久，多不能直接致生命於危險，若亂進藥餌而反使吐血不止，病將益危矣。

藥物療法：以止血爲第一要着，唐容川爲治血名手，所著血證論一書，頗多發明，而辨治血首宜止血，血止始行消瘀一論，尤爲精確。

醫通曰：「吐血暴如湧潮，喉中汩汩不止，脈見虛大者，此火勢未歛，不可便與湯藥，飲以童便或藕汁，俟半日許，脈勢稍緩，乃可進調養之劑。」按童便含有鹽類，藕汁含有鞣酸，皆可用以止血，此急則治標之法，或湯藥未煎成時，亦宜用之，微溫之淡鹽水，可以代替童便，或調服十灰散，更佳。

若吐血不止，現脈洪大舌赤煩渴等症者，可用瀉心湯，現脈沉細神衰肢冷等象者。可用柏葉湯，而阿膠竹茹牛膝丹皮生地五倍子等亦可隨宜採用。大抵吐血之症，如能靜養而避免一切刺激，當自止，若持久不止。血液喪失大量，而起劇烈眩暈，脈微欲絕，四肢厥冷等虛脫症狀時，當急投以四逆湯強心救脫爲要。或加柏葉艾葉治之，亦可立止其血。

至於止血之藥物，如五味子五倍子藕節食醋等，具有鞣酸之收歛作用，皆可以凝結血液而藉以止血。又凡加鈣質於血液之中則作成鞏固之凝血，反之，血中除去鈣質，則血液卽失其凝結性，因此內服鈣劑，亦可使血液亢進其凝結性而呈止血作用。故經驗上用青蛤散（青黛一錢蛤壳一兩）對於咯血吐血頗效者，則以蛤殼含有多量鈣質故也。阿膠之作用，頗同鈣劑之能亢進血液凝結性，止血之效甚大。此外如側柏葉，祈艾葉，或寒熱劑如大黃，黃芩，黃連，乾姜等，皆有止血作用，而未明其理。

陳修園曰：「濟生烏梅丸治大便下血如神」（殭蠶、烏梅、爲末，醋糊丸，桐子大，每服四五十丸，空心醋湯下。）按此方卽用食醋以止血之例也。又曰：「新括竹茹三四錢，隨宜佐以寒熱補瀉之品，一服血卽止。」攷千金用竹茹治嘔吐及血症之例甚多，則血症對於竹茹，似宜採用。

血止之後，當審症之虛實以施治，症之實者，宜用攻散，即所謂第二步消瘀之方法是也。若症之虛者，急需補益，不可執消瘀之法而再行攻散矣。

一，虛證：

脈來微耎，精神困倦，是氣虛不能攝血。獨參湯。（醫宗必讀）

諸失血後，倦怠昏瞶，顏面失色，懶於言語，濃煎獨參湯加橘皮，所謂血脫益氣是也。（張氏醫通）

身熱脈浮而喘促足厥者，乃氣隨血洩，陰脫陽亡，危急之候，用獨參湯加附子稠煎。服後得臥，熱稍退，汗不出，氣稍息，則命根乃定。（血症論）

按：虛症者，即因失血太多而起之貧血症狀是也。每見眩暈，心悸，喘促，肢冷，面唇俱白等狀，輕者可用獨參湯，甚者，汗大出，脈微欲絕，必用四逆輩救之，然若兼身熱脈浮，血壓高而用薑附有困難時，則當宗血證論參附仝用為佳。

二、實證

脈洪有力，精神不倦，胸中滿痛，或吐血塊；用生地、赤芍、當歸、丹皮、桃仁、大黃之屬，從大便導之。酒傷者，加茅花乾葛之屬。（醫宗必讀）

胸腹滿痛，吐血，脈洪大弦長，按之有力，精神不倦，或覺胸中滿痛，或血是紫黑塊者；用當歸、丹皮、荊芥阿膠、滑石、酒大黃、玄明粉、桃仁泥之屬，從大便導之，此釜底抽薪之法。不知此而徒事於芩連知柏之屬，使血氣俱傷，脾胃多敗，百不一生也。（醫通）

吐血不盡，餘血停留，以致面黃便黑，（便黑，是血液與糞便混和之色，即潛出血是也）犀角地黃湯。發狂加大黃、黃芩。（劉完素）

吐血覺胸中氣塞，上吐紫血者，桃仁承氣湯下之。（朱丹溪）

有過啖炙煿辛熱等物而得者，上焦壅熱，胸腹滿痛，血出紫黑成塊者，可用桃仁承氣湯，從大便導之。（醫貫）

因跌打損傷以及用力努掙而得失血之症者，四物湯加參、芪、續斷、桃仁、紅花、陳酒、童便治之。（血證論），

按：胸膈滿痛，吐紫黑色血塊，是實症之據。而皆爲胃潰瘍胃癌當有之症，吐血已多因潰瘍與癌腫，自當兼見胸痛紫黑血塊之症，然則所謂實症者，吐血之本症也。所謂虛症者，乃失血大量而起之一種變症，虛象畢呈而本症反爲所掩也。他若貧血及肝臟疾病等之吐血，非關於胃有潰瘍癌腫之病變者，則胸膈之滿痛，自屬輕微，當於虛症之中求之。

治實症以消瘀爲主，大便祕結者，桃仁承氣湯。大便不祕者，犀角地黃湯加減治之，治虛症以補益爲主，參附湯之類治之。若實症而兼呈虛象者，則宜雙方並顧，聖愈湯加桃仁，紅花，枳實，香附之類，補瀉兼行，瘀去而正不傷。

迨血止瘀清痛定之後，可進調養之劑，或甘溫補益，或甘潤滋養，要不外對症治療，是卽寧血補血之法是也。吐血一症之治療，大致如斯。苟原發之疾病未除，則當另行論治。

醫案選錄

孫文恆治程兩峯，飲酒後，腹中滿，嘔噦不寧；次日面目皆黃，惡寒發熱，下午潮熱，煩躁，且鼻衄。腹痛，大便黑如墨，吐血黑如爛猪肺者椀許，目珠如金，面若薰橘，腹大有塊如碟，且堅硬，兩足浮腫，肢冷，小水赤，飲食不思。用當歸尾，丹皮，元胡，桃仁，葛根，赤芍，川芎，五靈脂，滑石，煎飲。下黑物甚多，腹仍痛，塊未軟，前方加青皮，山查，大黃，服後，大便三次，所去皆瘀與痰，塊消，黃退，足尚腫，改用六君加生薑，茜根，滑石，青蒿，而愈。

按：此症是十二指腸潰瘍之症，故吐血，下血，（以便黑知其便中混有血液）腹痛而兼發黃疸。

陸肖愚治費光宇，飲酒後，覺心口不快，隨吐，繼之以血液椀許，頭眩眼黑，遍身汗出如雨，發熱，但可靜臥，稍動卽吐，吐卽有血，口渴而湯飲不敢進，或與藥亦吐而血隨湧出，脈虛大無倫，面如烟塵。曰：「血隨吐出，吐因動發，令無動。」以井水調益元散，徐飲之，遂睡；半日方醒，人事清爽，熱退吐止。但倦甚，以生脈散調理數日而愈。

按：凡吐血者宜絕對靜臥，吐血不止時，更宜絕飲食。陸肖愚令病者無動，最是合理。此症是胃潰瘍之病，治潰瘍如治骨傷，若無刺激，不醫亦愈，此案恐非益元散之功。然益元散之大量滑石，可作被護劑，被護潰瘍使不受刺激；井水淸冷，亦可鎭靜神經及血管之興奮而作冷却麻醉之用；則病之得以速愈，亦與有力也。

蕭萬輿治陳克輝，連宵痛飮，復啖炙爆。數日，胃口嘈雜，嘔血椀許，六脈洪緩有神，無別症。投犀角地黃湯，入芩連花粉，三劑，仍令恣飲藕湯而愈。

滑伯仁治一人，盛暑出門，途中吐血數口，亟還，則吐甚。胸拒痛，體瞤頭眩，脈洪滑。先與犀角地黃湯，繼以桃仁承氣湯去瘀血蓄積，後治暑卽安。（以上見名醫類案）

中醫與科學載：宗叔譚槐三，年五十，突然吐下俱是血液，呈黑色。眩暈，肢厥，脈微欲絕，與理中湯加赤石脂，稍減，脈微益甚。隔三小時，吐下復作，血益多。乃以大劑四逆湯加柏葉蘄艾，附子一兩，乾薑六錢，炙草四錢，側柏蘄艾各四錢，頓服，吐下立止，血液全無，手足漸温，脈微未復；翌日，以四逆加人參湯收功。

又：家母素有胃病，忽某夜吐血不已，盡黑色，眩暈不能起，脈搏殊弱。連日諸醫疑寒疑熱，投藥無效。黑血續來。黎庇留先生一診卽決曰：「此症非温藥不可。」單以四逆湯，附子一兩，乾姜六錢，炙草四錢授之。吐巳，血止。後以眞武湯四逆湯間服，連續半月，頭暈始愈，其病遂瘳。

生產論略

方六書

緒言

孟子云。「不孝有三。無後爲大。」故人生偶以夫婦。既行夫婦之大道。必有生育之可能。然胎產一事。爲婦女之天職。順者尚難免乎痛苦。逆者誠有生命之虞。故世界上之婦女。莫不戚戚然憂心生產。蓋以生產爲一最大危險之事。俗云。「女子生產。介乎生死之間。如一足已入棺。一足在棺外。」然月足而產。其生理起自然之作用。雖有痛苦。不致有生命之危。但胎前受病。臨產失愼。致成難產。而生病患。又不可不知。謹將產前產後。正產難產。略而述之。望海內明哲。加以匡正。

流產之危害

流產者。不足月而產生胎兒之謂也。在十六星期以前者曰流產。又曰失產。十七星期至廿八星期者曰未熟產。又曰小產。胎兒無可救藥。自不待言。然母體亦常以種種原因。受莫大之害。昔薛立齋曰。小產重於大產。大產猶粟熟自脫。小產如生採其殼而斷其根蒂是小產難於大產也。致其原因有二。有天然流者。有人工流產者。天然流產者。由乎生殖器之構造異常。及子宮與卵之受刺激者。或施不適當之手術。或用藥及其他種直接間接之刺激。卵膜受傷。或產婦有梅毒等。或恣意任性。不知攝生。驚愕憤怒。劇烈之精神感動。然葡萄狀鬼胎。羊膜水腫。臍帶三眞結節捻轉纏絡。胎兒畸形。均足以致流產。惟一般無識偷安之愚婦。不願生育。或畏生育之難。遇姙娠卽行人工流產。或有被環境際遇。禮教廉恥疾病等而用人工流產法者。若在四月以前。其害尤烈。緣此時之胎盤。尙未成熟。胎兒之營養。恃孕卵四週之絨毛，全體藏於母體子宮中。剝離時。白難全下。此時之脫落膜亦厚。剝離尤難。易留殘片於子宮中。頸管擴大。而不縮小。子宮持續出血。致多傳染之機會。如化膿菌寄取菌侵入。則起產褥性敗血性內膜炎。治療之法。隨其症而治之。用藥之法。以生化湯加減。由是面觀。流產之危害。豈不重且大哉。

正產之時期及症狀

孕滿十月。待時而生自然之道。在將分娩前三四星期之際。子宮起輕微之收縮。孕婦每不自覺。或僅有少許緊張之感。及痛。是曰分娩前驅期。古藉名之曰試月。張景岳曰。「凡孕婦臨月。忽然腹痛。或作或止。或一二日。或三五日。但腹痛不密者。曰弄胎。」然陣痛發作極輕。子宮之收縮亦極弱。若收縮極烈者。陣痛亦強。如欲產焉。往往誤爲正產。在陣痛正規反復時。腹部下垂。小便頻數。肛門迸急。腰腹作痛。漸次加緊。陣陣相因。如初產之婦女。行坐可隨意。經產婦人。必需仰臥床上。加以安囑。在此時須謹記六字。一曰睡。二曰忍痛。三曰慢臨盆。蓋睡眠有縮短分娩經過之利。忍痛慢臨盆。有減免難產之危。臨產腰作痛。爲子宮壓迫胎兒出產門之生理作用。須竭力忍耐。順其自然。切勿心慌意亂。驚惶失措。站時宜穩站。坐時宜穩坐。不可將身右左扭擺。輕易臨盆坐艸。揉腰擦肚。致造成胎破漿涸。胎兒不能順勢而下。發生危險。試觀乎無恥淫奔之私生者。大都得能安全產下胎兒。甚少難產之危害。以其含羞惜譽。

能忍痛故也。是忍痛爲產婦之最宜注意者。由十分或十五分鐘始有一次之陣痛。變爲繼續不斷之陣痛。子宮口開大。至銅元大。卵膜之下部膨出子宮口外。於如氣球。名之曰胎胞。滿貯羊水。隨陣痛間歇〃收縮。痛則膨脹。歇則縮小。胎胞之收縮能補助子宮口之擴大。迨胎胞破裂。流出其中之羊水。即曰破水。溼潤產道。使胎兒容易滑出。羊水旣破。產婦取仰臥位。同時腹壓頓強。脈搏亢進。全身灼熱。顏面潮紅。往往神經興奮。用力努責。以冀胎兒早出。經過數囘之劇烈併陣痛。胎兒之下向部。被壓至子宮口緣。產婦覺陰道口。外陰部。及會陰部。非常緊張。如呈破裂狀態。往往發生目光宜射。出汗戰慄。此名曰戰慄陣痛。在初產婦。當兒頭撥露。而陰唇繫帶緊張時。或經產婦當兒頭露於陰裂間時。即當施行會陰保護法。不可坐失良機。胎兒娩出後。三至五分鐘。而臍帶搏動停止。然後在距臍輪三指横經處。及距此部二指横經處。各行結札。然後剪斷之。至胎盤卵膜。及一部份臍帶。漸漸排出。排出之期。起輕微之陣痛。胎盤等附屬品排出。並能壓迫血管。而閉鎖之。因胎盤等排出。係從子宮壁剝離而下。故常見有多量之血液。隨之〃下。但不久即自停止。

羊水之早期破水及早期離床

羊水爲充於羊膜囊內之液。似水樣透明。後因胎兒毳毛上皮等之混入。而多少溷濁。有特臭。反應中性。或鹼性。比重一〇〇六——一〇一二。冰點〇，四八度。有蛋白質。無機鹽類。及酵素等成分。在妊娠期中。隔離羊膜與胎兒。防止癒着。及免除各種壓迫。在分娩時期。形成卵管開大。子宮頸管。防止胎兒臍帶胎盤等。因陣痛之壓迫症狀。羊水過少。則防礙胎兒之發育。羊膜與兒體常癒著。而成羊膜膝條。胎兒常呈畸形狀態。如兎唇，四肢缺損等。在分娩時。陣痛劇烈。開口期延長。或胎盤早期脫離。若過多達二至十公升者。則病。其原由母患心藏炎。腎藏炎。糖屎病。胎兒臍帶異常及多胎妊娠等而成。有急發性與慢發性二種。急發性每有寒熱。然慢發性者居多。腹膨脹而滿。作緊張性疼痛。及下肢腰部神經痛。神不安靜。靜脈怒張。及浮腫，於是惹起早產。陣痛微弱。胎兒預後。往往不良。其正常分量。在妊娠末期之平均量。約一公升。當正規陣痛發作時。胎兒先進部。尚未嵌入於骨盆上口。子宮口亦未全開。此時如起卵膜破綻而漏泄。名曰早期破水。漿水盡下。產戶乾澀。多致難產。服藥宜服增其勢力之品。或施嚴密之手術。既分娩之後。須鎮靜安臥。雖歐西各國之習俗。大抵如斯近則科學昌明。歐洲醫師。有唱導早期離床者。即姙婦於產後之翌日。約廿分鐘至一句鐘之時間。起坐於床上。背部微以棉被襯靠之。進而移於安樂椅上。更進而長其坐之時間。漸漸步行室內。約於產後。第五第六日後。完全離床。其利點有五。（一）惡露之排行迅速。（二）生殖器復舊機轉快捷。（三）使弛緩之腹壁亦早恢復如常。（四）腸部運動佳良。營養可因之增進。（五）血行因之旺盛。不至形成血栓。然有利必有弊。此自然之理。早期離床之利如此。其害爲出血。發熱。誘起子宮位置異常。三種，故產婦是否能早期離床。須由醫師詳細診斷。指示下後，方可行之。切不可妄自任性。以罹病患。而喪失終身幸福。

分娩時胎兒之狀態

胎兒至十月滿足時。其位置分頭位。骨盆端位。頭位尚分後頭位。前顱頂位。顏面位四種。

a 後頭位　後頭位當子宮口分娩時。後頭部先出現於陰戶。

b 前顱頂位　分娩時先出現前顱頂部。

c 額　位　分娩時先現額位。

d 顏面位　分娩時先現顏面。

骨盆端位。分臀位。膝位。足位三種。

a 臀位　臀部當子宮口分娩時。先產出臀部。

b膝位　分娩時膝先產出。

c足位　分娩時足先產出。

以上各種胎兒之位置中。頭位最多占百分中之九十五。端位頗少。約占百分之五。而頭位中尤以後頭位爲多。約占百分之九十九。其餘位置之胎兒。頗爲稀少。約占百分之一。是胎兒之位置。與生產之難易。有密切關係。頭位易出。頭位中尤以後頭位爲最易。前顱頂位略覺困難。額位又次之。顏面位更次之。骨盆端位較難。橫位與斜位分娩更形困難。然胎兒在臨產時。因兒頭大而骨盆小。不可不選骨盆中最濶之部。以通過。故在母體稍變其姿勢。凡回轉三次。是曰胎兒回轉。

產時之準備與衛生

分娩之時。實是姙婦最重要之時期。一切應用之品。須早行設備。免致臨時匆匆。心慌意亂。應用品有下列數種。

(1)藥水棉花兩磅。用以吸收產兒時之汚血。

(2)洗淨之柔軟白布數丈。墊於產婦身下。

(3)白布褥數條。

(4)新而緊實之棉布二三條。長約三尺半。濶約八寸。用以綳紮產婦之肚腹。以別針扣定之。

(5)法蘭絨布或柔軟大毛布洗淨者。煮沸後晒乾。用以包襯嬰兒。

(6)消毒紗布一包。扯爲二尺長。四寸濶之布條。用以綳紮嬰兒之腰部。

(7)大爪刷一二個。爲備醫生。產婆。看護婦等。洗手之用。將該刷煮過後。置太陽內晒乾。藏於密閉玻璃盆內。或以酸性布包之。迨生產前幾小時。放在沸水內煮十分鐘。取出。放於利索兒水內。(Sysol)

(8)藥皂一塊。用以洗收生婆及看護之手指。

(9)體溫計一。浴水溫度表一。「在中等資產階級者。可以自備。但貧民產婦家。無力購置者。頗爲憾事。可由收生婆備就帶去。

(10)紗布一方三寸濶長三寸，中剪一洞，大小以能穿過臍帶爲度。

(11)硼酸粉一兩。用以散掩割斷之臍帶頭。

(12)襁褓一打。至二打。以棉布或輕軟之布所製者爲佳。又小四方布三四打。疊成三角形。用以包小兒之臀部。

(13)包於臀部之最外層。與襁褓之間。又有橡皮墊可備四五條。

(14)小棉紗卷一打。內塡以消毒藥棉。以備產後墊置於陰戶之前。

(15)利剪一把。須嚴密消毒。以便剪斷臍帶之用。

(16)消毒之棉紗線十條。辮結帶條。用以緊縛臍帶。

(17)容汚穢物之器。一具。磁罐或木罐均可。

(18)大小洗盆兩個。

以上爲必需之品。至產室須選擇寬大清潔而向陽者爲佳。但宜防止陽光之直射。過香及過惡臭之物。並無用之品。不可留置室內，室內溫度。保持列氏表十九度左右。更防戶隙之盜風，醫宗金鑑云。「產室之內。四時俱要寒溫適宜。若大熱大寒。均屬不宜。」夏月宜清涼。以磁器貯新水。置產室中。以辟熱氣。庶免炎熱而致產婦中暑。昏暈。冬日必須溫暖。產室內置火爐。常有煖氣。勿令嚴寒，以致血凝難產。產室中不可人多。喧嘩寘鬧。如經產婦有小兒女者。須行隔離。以免小兒之擾。另選一較爲伶俐之婦人。專任產室中一切事務。毋大聲疾呼。毋咨嗟太息。毋多言。毋訝駭。毋叱咤。毋祈神問卜。宜安靜如常。俾可秩序整肅爲產婦得以平心靜氣。產床之兩邊。皆不可貼壁。床中以清潔簡單爲主床身無須太寬。牀上先舖尋常之絮褥。過薄則舖兩層臥褥。臥褥之上。舖上一白毯。毯上放一與床同寬之橡皮褥。或不透水之油紙橡皮褥或油紙之上，蓋以白淨之棉布褥單。布褥單之四角。以安全針固定於下層臥褥上。上覆消毒之白布。棉被下亦宜襯以消毒之白布。能用羊毛氈代棉被更佳。床下放一小浴盆。以便不時移置於床上洗滌之用。另製大小不同之墊褥數塊中墊棉花。忱不可硬而太小。用以墊於產婦臂背之用。卽臂下及大腿間。亦用之。臨產時必須穿起新洗之臥衣。偶或離床。須爲備長襪。絨拖鞋。晨衣等。頭髮可以帶束之。如有髮髻者。可挽成一簡單球形狀髻。以防頭髮紛亂。分娩婦之常處仰位者。以爲易於屏氣而增加腹壓。且每當陣痛時期。產婦應屈其膝部。使人扶之。但當胎兒頭外出時。宜轉爲側臥防會陰之破裂。然側臥之時。惟背部須向亮處。可以監察會陰之破裂。與否。又易於保護會陰。亦有一種背位生產。反較側位爲佳者。特於經產婦爲然。但當時產婦之臀部。須以消毒之紗布忱頭墊之。始可。吾國舊法生產。產婦或立或坐。屬一人自後抱其腰際。產小兒於脚盆中。故分娩之痛苦。殊甚。有因用力過度。而致虛脫者。然坐立之產婦。搖搖無定。頗難處置。現則逐漸改良。令產婦平臥於床上而生。旣可免乎產婦坐立之勞苦。又可便利接生者之工作。陣痛正式來時。可行臥床。與其失之過遲。寧稍早爲妥。若欲大小便時。祇可就床行之。决不可令其起身。如陣痛微弱。精神不充者。可給與少量之葡萄酒。濃茶。咖啡等。脈搏微弱。心臟衰弱者。可注射強心之劑。庶免後顧之憂。以上各種應用之品與注射器。須行嚴密消毒。而後可。蓋空氣中及各種物體上。常有如許之極微細之微生物。爲吾人肉眼所不能見。須於顯微鏡上觀之。可以窺其輪廓。如侵入人體。卽易發生疾病。婦人當分娩之時。生殖器方面。不免發生創傷。抵抗力又薄弱。尤多侵入傳染之機會。故消毒首宜注意者也。消毒之種類繁多。以煑沸法爲最盡善盡美。蓋攝氏百度（沸點）以上之溫度。卽能使極微小之微生物。漸歸死滅。產床上所用之布類。接生醫師及助產士所用之器具。均可應用此法消毒之。其法卽以所需消毒之物。放入於有蓋乾燥之金屬圓桶中。密閉其蓋。置桶於鐵鍋上。鍋中盛水。覆以蓋。然後煑沸鍋水。經一小時以上。從鍋中取出金屬桶。臨用時以清潔之手取之。

產婆之選擇

接兒老嫗。俗名穩婆。在德國醫學史上。古代無所謂產婆也。即其親戚姊妹鄰婦。互相傳授。所得經驗。幫助產婦之分娩。此等婦人。於生產上。妊娠上。產褥之看護。均富有經驗，當時之人。以其年齡老成練達。且主要職務。爲抱起初生兒。故名爲 Hebahnen。即Heb有抱起意。Ahnen有老人意。變其音乃稱爲 Hebamen（即現在產婆之稱）。法人名爲 Sages femmes。亦即智夫人之稱。此時助產之業。盡入產婆掌握之中。然醫者不過於產婦難產時。偶一爲之診斷。於平產反無經歷之機會。夫知正常與病理之別。然後可以知所以適當之應付。醫者反無此種機會。以增其經驗。是其助產之智識。反不若產婆。迨夫後世。法國發展外科學以來。素遭輕視之助產界。亦得一綫曙光。近數十年來。各文明諸國。皆將產婆地位提高。凡爲此等職業者。必須受過學理的及實地的教育。與夫品行之修養。學識經驗之豐富。非數十年前可比也，吾國各科學皆未發達。而尤以助產界爲最。通都大邑。雖有西法助產。而窮鄉僻壤。則絕無助產士之足跡。則黑暗直等於西洋十五世紀時。所稱爲產婆者相符合。完全爲無知識之鄉婦。以互相傳授之助產方法。與其不合理之經驗。在平產尚可，當難產時。此等無知之婦女。竟敢手持刀剪。直向產婦生殖器內肢解胎兒。以婦人之性命。付託於此輩之手。無異陷之於阱。宜乎未受文明洗禮之鄉間。婦人因產而斃命者。不乏其人。女界對此有談虎色變者也。是產婆之選擇。不可不愼也明矣。

胎兒之處置

胎兒由子宮內自營迴轉而產下時。收生者。即以清潔之手。捧胎兒而置於已預備舒式之軟褥上。即察其鼻及口中。是否有不潔之物。呼吸有無障礙。如下地不哭。呼吸不能之胎兒。乃由胎兒在胎內缺乏養氣。而行肺呼吸。或假死而產下。面現青色。急以潔淨之鳥羽。及紙片。輕輕刺激其口鼻。或用手輕擊其臀部。或收生者以左手倒握胎兒之兩足。右手輕壓胎兒之胸部。稍稍壓之。再壓再放。約過數分鐘。即能呼吸啼哭。俗曰悶胎。若假死之胎兒。面現蒼白色。四肢弛緩下垂。呼吸將停。心藏衰弱者。恐難救治。惟有去其杜塞於呼吸道內之粘膜漿液。然後壓迫其胸部。放之於溫水內。或可挽救於萬一。非經驗豐富之產婆。鮮有能爲之也。如墮地即啼聲宏大。則其呼吸已通。可以消毒之利剪。剪斷其臍帶。臍帶剪好後收生者即以消毒之棉花。或柔軟富於吸收之棉布。爲之拭乾。以小被包之。俟將產婦處置後。再行爲小兒沐浴。有先爲小兒沐浴。而後處理產婦者。在乎隨機應變。不可拘泥。小兒沐浴之浴水。以攝氏卅五六度爲最適宜。須用溫度表測之。不可以手測其溫度。因婦女常從事於洗衣。其手之皮膚。抵抗熱力之性頗強。不能確實。蓋水溫太高。與太低。皆足爲害。故不可不謹愼從事。浴水之量。以使胎兒體全浸入爲度。浴時以左手握兒肩胛下。將小兒放於浴水中。枕其頭於左臂。使其頸及耳露出於水面。而以右手洗滌小兒。先洗顏面頭部。但水滴不可誤入眼中。兩眼清潔時。無須加以接觸。如有污穢不潔。則用特別預備之淨水。以消毒棉花。蘸水輕輕拭之。拭後即滴以五十倍硝酸銀水於眼中。防白濁菌入眼傳染之危險。次洗軀幹。四肢。兒體上附着之胎脂。必先去之。普通用胰子於海棉。或軟布拭去之。如胎脂過多。未易拭去。塗以卵黃。極易洗除。亦可先以油類塗於兒體。再用乾布擦去之。口腔內無淸潔之必要。或以消毒之布片濕以硼酸水清洗之。約三五分鐘。即須洗畢。抱出。以乾燥之軟布。輕輕擦乾之。在此裸體時。當觀察小兒之體格。姿勢。有無畸形。凡顏面。四肢。生殖器。脊柱。臍部。肛門等處。皆須注意及之。臍帶之結紮。更須細察。如稍見寬弛或出血等。即宜重結紮之。初生兒之衣服。以適體爲要。過大則易受風寒。太緊束其體則有礙發育。足部及腹部。須特別溫暖。頭部無須戴帽，但亦可戴輕薄而寬大之用布製或綢製帽。然寬大之帽。在睡眠中。易於滑下。覆於面部。而妨礙呼吸。惟耳廓之豎立。或外翻。可因戴帽之矯正。而防止之。

產後之攝生

新產之後。精神大受影響。生殖器各處損傷。欲其元氣恢復。創傷痊愈。非安靜臥床休養不可。並嚴避悲。哀。忿。怒。驚。恐之感。偶一不慎。遂遭病苦。是產後之攝生。安可忽視之乎。

(1)精神狀態　在產褥期內。精神務須安靜。不可勞働。初生兒若有畸形疾病等。宜暫爲隱祕。不可令產婦得知。如已知之。當百般安慰。爲丈夫者。尤宜體貼入微。在初產時二三日內。絕對禁止戚友之訪問。自三日以後。至起床以前。則僅容最親者略留片刻。凡家人之言動。皆須竭力低激。萬不可擾亂其睡臥。故產婦之產室。務宜靜寂無聲。管理家政與從事勞働。既耗腦力。又損體魄。皆非產婦所宜。愉悅之言詞。快樂之心境。足以奮發其精神。怡悅其心志。生產至第四日後。可使其嘗玩圖畫。或輕唸文詞。一星期之後。始可容其如平常之低聲誦讀。但爲時只暫而不可久。勿令目力或頸部有疲乏之象徵。惟看書之時。須在明亮處讀之。否則有礙衛生。

(2)身體　分娩後。產婦必須平臥。全身平臥。甚適於腹壁之復原。故早期起坐。腹壁之復元。必受障礙。飲食可側臥以行之。大小便可置簡便之器於體下。在床上排泄之。普通在產後三四日。第一次大便。至八日之後。可移一安樂椅上。安坐少頃。若腹部之包纏甚佳。第二日即可側面臥。須常常變動其體位。但往往因乳房之膨脹疼痛。至妨礙其側臥。產後所穿之腹帶。須備兩副。因其易汚於血液故也。若腹帶容易向上滑脫。則可特別穿於下部。腹壁過於弛緩。或有重腹之傾向時。必須用特別腹帶。如Rinde mononol及Tenfels Binde。與Herallbgurte等。切不可急速搖動身體。若不守此安靜之戒。則易爲出血。惡露淋漓不盡。且妨礙生殖器之復原。間或誘起子宮脫出。子宮下垂等。生殖器病狀。

(3)衣服　衣服宜適應氣候。涼暖適宜。務須清潔柔軟。乳房及腹部。切宜注意受冷小衣質料。更宜輕軟爲佳。

(4)飲食物　吾人食物。全賴脾胃之力。以消化之。產婦於努力分娩之餘。重以失血過多。生產之後。又復靜臥。且少行動。其消化器官之受障礙。當爲意料之事。是產婦之飲食物。以易於消化。且富有滋養者爲主。在產褥初期。以牛乳。雞卵。米湯。稀粥最爲適宜。蓋以其中含有蛋白質。脂肪。炭水化合物。礦物質等。昔有主張若過飽足以引起產褥熱。當以飢餓爲要。殊不知惟營養佳良之康健身體。然後可以能抵禦疾病之發生。倘因飢餓而致衰弱。則適足以減其抵抗力。宜與細菌以傳染之機會也。如產婦口渴時。可給以淡茶。或糖湯。非獨可以止渴。且可以促進乳汁之分泌。三四日後。可酌與固形物。惟醱酵而不易消化品。亦宜禁忌之。

(5)通便　產婦之大便。極易閉結。以腸之蠕動緩慢。並腹腔內壓下降。仲景所云。產婦易大便難是也。通常分娩後。二三日無大便。雖無大害，然秘結過久。有害心身。可用平和緩下之藥。和緩下之。即以蓖麻子油一匙。傾於咖啡。或膠囊內。於早晨空腹服之。或以甘油灌腸但灌腸不可粗鹵。會陰有裂傷者。尤宜留意。然灌腸不宜再三反覆。因多量水液。易招直腸過度擴張。致粘膜有裂傷之虞。

(6)利尿　產婦之排尿。再以臥位之關係。腹壁弛緩。及尿道壓迫而起小便困難，亦或有恐尿之刺激部會陰部。致不敢排尿者。然膀胱充滿過度。則害及子宮收縮。故產褥婦之小便。不可不時常排泄之。若產後三日許。尙無小便。可用溫濕布貼於膀胱部。或於膀胱部行摩擦壓迫法。若再無效。則用導尿通之。惟一切須消毒完密。否則細菌侵入創口。反多危害。

(7)陰部處置　分娩之後。產褥中陰部最宜清潔。凡附着之血液。胎水。粘液等。皆須潔淨除去之。即用浴於床上行之。當洗滌時。產婦曲其兩腿。以足抵床。高舉其臀部。看護者乃將盆插入於臀下。於其兩腿間。用棉花塊浸水。淨洗陰部。及其周圍。洗後用棉毛巾拭乾。其所用之水。可加以利索兒。或二%石炭酸。三%過猛酸甲。水宜微溫。洗後取棉花或棉紗卷。置於兩腿間。生殖器前。於是產婦又將臀部舉起。看護者抽去浴盆。及濺有血點之褥。產婦轉向一邊。將其背上淨擦後。又轉處背位。此時可進煮沸牛乳。或薄粥等物。如有創傷。則海碘方撒布掩貼陰部。防止不潔物之接觸。同時並可吸收惡露。免沾污小衣。會陰之已否破裂。爲產後所宜注意者。在二十八歲以後之初產婦。雖竭力留心保護。總不免微有破裂。即經產婦之全無裂傷者。亦甚鮮覯。凡破裂未至直腸。及肛門。而分娩中消毒嚴密者。則用適當之縫合。可保無痕。若已裂至直腸。或肛門時。雖行適當之縫合。亦難治愈。此最宜愼重於保護也。

(8)乳房　乳房爲營養小兒之要素。與小兒口腔接觸機會頗多。偶一不愼。於衞生即易傳染疾病。故授乳前後。須以三%硼酸水。或消毒微溫水。將乳嘴乳暈部拭淨。如發育時期。乳房受壓迫。致乳嘴爲平。或凹者。而不適於授乳。則以手指或吸乳器牽引之。然初產婦之乳嘴。皮膚柔弱者。每以不能勝任吸乳汁分泌之刺激。而該部表皮剝離者。當用三%硼酸洗淨後。或塗以甘油。或油類等。產後第一日。乳頭部並無創傷。亦有疼痛。特於經產婦爲然。初生兒之消化力薄弱。乳母之乳頭又疼痛。故在首三四日內。以少授乳爲佳。至第三四日。乳房腫脹疼痛。乳頭往往因之陷入。致小兒之吸吮困難。待乳房由飽脹而弛緩。乳頭即復突出。乳汁之排出亦易。乳房之脹痛劇烈。可用吸乳喞筒吸出其乳汁。原由乳汁之積滯所致。其身體不見發熱。

(9)體溫脈搏　產婦在產後十二小時內。體溫稍稍昇高。早晨產者。較晚後產者爲著。因體溫本晚高於晨。此時熱度不過攝氏三十八度。再經過十二小時。即漸漸退去。可用分時檢溫器診斷之。如體溫升高。則有被傳染之疑。多爲產褥熱之徵。計算脈搏。可將手指按其拇指邊掌側之腕部。而數其血管跳動之次數。常以每分鐘計之。產婦之失血不甚多者。脈性充滿。有力。且較緩慢。平人每分鐘七十至。在產婦則僅六十。或五十。或四十以下者。此種脈搏緩慢。並非病理。乃是生理。當精神興奮時。脈搏常數。但不可即復原狀。若脈搏持續頻數。則體溫雖不昇騰。亦宜注意及之。

(10)子宮　子宮內之胎兒。全部產出後。此大非薄之囊。乃收縮而爲一厚壁之藏器。其大如蘋果。內腔僅留一裂隙。其重量初爲一瓩。(kg)至六——八星期。則僅一百克。子宮之位置。初尙達臍部。十日之後。因其縮小。在腹壁外。

僅採得一小部分。子宮縮小。必有疼痛。初產婦在生後。第一日作牽引性疼痛。但亦有不覺疼痛者。經產婦亦常訴痛苦。且有持續疼痛。至數日者。當小兒乳哺時。痛苦較甚。凡授乳之婦人生殖器之收縮。較不授乳者爲易。因子宮與乳房密切相關也。

(11)房事　婦人生產之後。陰道及子宮均受創傷。機能不易恢復。房事更不可爲。恐其誘起子宮出血。故必須在四星期以後方可偶一爲之，惟須小心。切勿孟浪。能隔二月者更佳。

難產之病理與治療

產育本順事。不幸而至於逆。變起蒼猝安危係於片時。亦人生至急之事。極難之治也。此卽所謂難產。在產科學上名曰分娩異常。其原因甚複。應救之法。亦屬匪易。玆撮其要者而論之。因有六焉(1)娩出力異常。(2)生殖器之先天性畸形。子宮口之閉鎖。並狹窄。膣及陰道狹小。交骨不開。(3)胎兒發育異常。(4)卵膜之過早破綻。或延滯破水。(4)胎盤異常。(6)產道損傷。皆足以致難產。如胎兒手臂先出。俗名討鹽生。以手中指摩其肩。徐徐而正之。或依俗法。稍以鹽於其手上。若兒頭深在橫位。乃爲後頭位分娩機轉之一變態。兒頭過小。骨盆廣大。或骨盆底飲部甚弛緩之際。前進時。兒頭所受抵抗較少。故兒頭爲縱軸囘轉。橫走之矢狀縫合。達於骨盆下口。至此始因會陰之抵抗。而囘轉娩出。足先下之倒產。名曰逆產。俗云踏蓮花生。令慣熟之穩婆。剪去指甲。消毒後、用麻油潤手。然後將兒脚輕輕送出。再推兒上身轉宜。待身轉頭正。可服推生丹。加歸參。或佛手散加黑馬料豆。設或臍帶絆兒頸項。或肩胛。當急令安臥。收生者徐徐推兒近上。以中指按兒兩肩。而理脫之。此時愼勿輕易用力。若臍帶纏繞於項。復用力以注之。則纏愈緊。致子死腹中。不可不愼。有俗所謂盤腸產者。此由下焦素虛。不得收攝或用力太過所致。宜以溫湯潤之。溫慰產婦。勿驚慌恐怖。以好醋半盞。新汲水如醋十之七。調和噀噗產母面。或背。三次則收。或以蓖麻子搗敷產母頂心。視收入。速洗去。遲則有害。內服藥餌。可以補益升提之品。各種難產。均須令產母平臥。並令練達之醫師。施以手術。如胎兒壓出術。挽出術。外回轉術。內回轉術。雙合回轉術等法。隨其症候而施之。如子死腹中。必心腹脹悶。重墜異常。然尤須辨產婦之面舌。凡面赤舌青。指甲亦青。或口吐惡臭者。兒已死而母尚可救。舌赤面青。母主死而兒尚可救治。舌面唇口俱青。口沫出者。子母均不可救。或見面無黑氣者。亦主子死母可救。有黑氣者。子母均不可救。然胎死腹中。有三四日。或五六日。產婦之氣血已困乏。治療之法。不可專用降藥。若專用降藥。子下而母亦危。須以攻補兼施之法。用神造湯加歸芎。如氣血虛弱。精神疲乏者。可加人參。佛手散爲吾國治交骨不開之良方。施之頗效。產家當備之。以作急救之用。若臨產氣血兩虛而有虛脫時。可以獨參湯煎服。以接其力。而催生之劑。當推丹溪先生之達生散爲妥。蔡松汀之難產神效方。每奏奇功。若身重寒慄而發熱。乃胃氣絕而氣血兩虧。舌捲色現青黑。及舌反冷不溫。皆爲子母俱傾之候。切宜留意。

產後期中之症治

女子以血爲主。此古藉所言。溯女子產後。既失血。又勞神。勞力。各藏勢力衰弱。子宮陰道均受創傷。全身抵抗極微小。偶一不慎。即易致病。有延醫治藥所不及者。孫子所謂發於秋毫。廣於嵩岱也。

(1)惡露瀦留　惡露爲分娩時。褥婦自生殖器流出之排泄物。爲子宮創傷面之分泌物。並混以陰道及外陰部之分泌。有血液。粘液。膿汁。及脫落膜殘片。顯微鏡檢視。有白血球。赤血球。脫落膜細胞。扁平上皮細胞。脂肪小球。脫落膜斷片。圓柱上皮細胞。及類廢物等。正常之惡露。亦含細菌。但無惡臭。分娩後。至第二日。惡露幾全爲血液。所謂血性惡露。第三至第七日。則漸淡。所謂漿液性惡露。第八日則漸變白色。漿露。如產後因凝血卵膜片。子宮前屈及後屈。子宮口狹窄。或閉鎖直腸與膀胱起充滿而致壓迫及收縮不全。均足以障礙排泄。致誘起惡露瀦留。

瀦留之惡露。每因腐敗細菌發生毒素。引起高熱。少腹結痛。而脹滿。牽掣腰背。宜溫化去瘀之品。如生化湯加澤蘭。益母艸。延胡索等。

(2)後陣痛　其痛在分娩之後。其痛性如陣痛。乃產褥期中之子宮發作性收縮。經產婦其痛爲強。初產婦殆不感覺。有疼痛頗劇者。可以溫運法。定痛法治之。若因血凝成塊作痛。俗謂之兒枕痛。乃血瘀也。宜失笑散。

(3)胎盤遺存或癒着　胎兒娩出後。經相當時期。而胎盤仍未見從子宮壁之附着部剝離而下。名曰胎盤愈着。預後極凶。有不愈着而不見娩出者。名曰胎盤遺存。古籍所言胞衣不下。即此二者是。然胎盤遺存之原因。有三。(1)由子宮收縮不良而不剝離者。(2)因子宮壁之收縮不平等者。(3)胎盤已剝離。然在頸管等處。通過困難者。古籍謂爲血少乾澁。氣血虛弱。而產母力乏所致。虛者腹不脹痛。治當補氣助血。增其勢力。但惡露流入胞中。脹而不能出。漸衝心胸。爲脹痛。或喘急。非逐瘀破血不可。或由識見練達之老穩婆。以右手大指輕捻之。使血流盡自下。但此等手術。非有胆識者。切不可輕施與焉。

(4)產褥熱　婦人分娩時。子宮陰道陰唇等處。均受創傷。乾血兩虛。腠理不密。胃納不強。細菌易於侵入。致生病患。輕則外陰部與內膜發炎。重則起　褥敗血症。由連鎖球菌。葡萄球菌。侵入而起。昔所謂由產後不愼。風寒外襲。或去血過多。飲食停滯。或傷浮於外。熱生於內。或血脫陽無所附或陰氣虛弱。敗血停積。上干於心之諸因所致。其症象之發生。則在產後三四日內。惡寒發熱。似流行性感冒。但其熱多呈弛張型。或不規則之間歇型。每次體溫之昇騰。均伴有惡寒。時或戰慄。然弛張過久。往往衰弱增劇。多發生虛脫之象徵。脈搏細小。冷汗淋漓。遂瀕心藏麻痺者有之。檢視其血液。則赤血球減少。血色素減量。而白血球則增至八千或二萬以上。其毒素刺激神經。則起頭痛。譫語神昏。乍見鬼神。嘔吐痙攣。甚至鼓腸下痢。下膿性惡露。且放惡臭。腹脹而痛。呼吸促迫。肝藏起輕微之腫脹。時發腎炎。尿內含多數蛋白質。往往併發技氣管卡他。急性肺炎。腦膜炎。化膿性腹膜炎。虛脫等危症。治法宜袪瘀蕀解。隨其證狀原因而加減治之。勿膠柱鼓瑟可也。

(5)產後血暈　卽產褥惡性貧血。最爲危急之症。家居醫錄曰。「產後元氣虧損。惡露乘虛上攻。致眼花頭暈。」李東垣曰。「婦人分娩。昏冒瞑目。因陰血暴止。」神無所養。心中之血。前已蔭胎。胎下而心中之血隨胎而墜。所賴瀕危之氣以養之。今氣又虛而欲脫。血不歸經。而暈。陳良甫曰。「產後血暈。其由有三。有使力過多而暈者。有下血多而暈者。有下血少而暈者。」然細致其由。則有胎兒娩出前之出血。與胎兒娩出後之後出血。所致。然分娩出血之母體。反應性因人而異。健康之婦人。有出血量達一千CC以上。而倘未乜何種之變化者。其產褥中之恢復。亦頗迅速。惟衰弱之婦女。出血五百CC。已呈貧血之象徵。貧血徵最先發現者。爲腦症狀。初覺眼花閃發。眩暈耳鳴。繼則意識昏蒙。皮膚現蒼白色。心藏衰弱。脈搏頻細。旋發生攣瘞性聲音。呼吸頻數淺表。昏絕於地。不省人事。急令一婦女。以膝裹綿軟舊衣。(須清潔爲佳。)曲抵產戶。勿令氣泄。以鐵石器火燒焠醋。令室中常得醋氣。俾產婦得酸氣而甦。用藥宜別虛實。虛者其候昏悶煩亂。卒然暈倒。口張手撤。遺尿鼾聞。寸口脈微細。散亂。四支厥冷。此正氣大虛。宜清魂散主之。若痰壅氣急。失笑散主之。下血多而暈。宜補血清心。而安其神。下血少而暈。心下滿急者。當以破血行血之藥。經曰「虛者補之。實者瀉之。」爲醫者其細辨之。

(6)破傷風　金匱要略曰。「婦人有三病。一者病痙。何謂也。曰。新產血虛。多汗出。喜中風。故令病痙」。薛立齋曰。「產後發症。爲去血之故。」西藉謂爲產褥性破傷風。蓋產時破傷風桿菌。由產道創傷處侵入。或由產科手術不潔而帶入者。潛伏期爲四日至十八日。初發卽牙關緊閉。爲本病常見症候之一。其次現痙笑狀。顏面因之著明變化。仿佛老人。雖親知之人亦不相識。此曰破傷風面。背肌起強宜性痙攣。脊柱彎曲而成後弓反張，或前弓反張。腹肌緊張過甚，腹壁陷沒。呈舟狀而感板樑抵抗者。曰直立伸張。體溫在發病初期。僅現常溫。後漸漸騰達，卅七度五。至卅九度之間。重症屢及四十度以上。間有呈四十四度之過高熱。似緣於體溫調節中樞之障礙所致。如搖頭馬鳴。氣息如絕。汗出如雨。兩手模穴者。不可治。然其治療之法。或以鎮痙劑。鎮痛劑。滋養劑。三者擇而施之可也。

(7)產褥麻痺　產後麻瞀。皆因氣虛血少。不能充溢乎週身。故神經麻痺。尤以下肢爲甚。即坐骨亦麻痺。凡胎產用鉗子術者。多有此病。輕則自然不藥可愈。重則宜生血補氣。十全大補湯主之。

(8)惡露不止　乃產褥期子宮之內出血。徐徐而下。非如血崩暴下之多。當大補氣血。使舊血得行。新血得生不可輕用固澀之劑。

(9)無乳及多乳　乳房之分泌作用。於產後數時即開始分泌。經產婦常早於初產婦。乳汁漸漸充滿。乳房有重而緊之感亦或稍感覺疼痛。甚膨大。波及於腋窩。兩臂運動時。即有疼痛。乳房不宜太大。亦不宜太小。太小之乳房。早於初產婦太大之乳房。則因脂肪過多。而致乳汁分泌稀少。早產及死胎。分娩發熱。精神感動。素來分娩不授乳之婦人。乳腺萎縮。無乳者亦有之。至於多乳。則爲授乳經久過度。兩側乳房不斷分泌稀薄水樣乳汁。患婦往往因而面黃肢瘦。起貧血症狀。食慾不振。心悸亢進。視線短弱。須服滋養之劑。如乳汁不通。可流通之。如猪蹄湯之類。

(10)產褥勞　因於產後營養不良。失於調攝。延成蓐勞。俗名產勞是也。其候初起乍起乍臥。寒熱如瘧。關節疼痛。頭暈眼花。消化器機能衰退。食慾不振。衞不衞外。自汗淋漓。在此抵抗力減退時。肺結核菌最易侵入。防成肺癆。宜羊肉湯。或六君子。補中益氣湯投之，

結論

國家之興亡。人民之強弱。血統之嗣續斷絕。與生產實有密切之關係。故今舉其要而略述之，其外症候甚多。不勝枚舉。然生產之病。不外勢力衰退。故其治法皆以溫運增其勢力爲主。神而明之。治之可也，

妊娠略論

徐學文

(一)緒言

夫男女因有生理之不同，而偶以夫婦，旣行夫婦之道，則必有生育之可能，然閒有久室不孕，患伯道之憂者，亦非罕見，究其原因，所以能受孕與否，絕不能獨歸咎於婦人之身，蓋婦女雖負有胎產之專職，苟無健全之精虫，與卵子接合，則欲姙娠，安能得乎，至於婦人之病，緣生理之異。仲景有「婦女三十六病，千變萬端」之說：惟其要亦不外乎經帶、姙娠、產後三項而已：尤是由姙娠而生產之事，爲婦女界之所難免而憂心者也，若能順其自然，未嘗無痛苦之畏，逆者，誠有命亡之危。觀斯婦女之胎產，與個人宗祧之繼繩，國家人民之興衰，咸有莫大之關係，文有鑒及此，故特將姙娠之原理、診斷、攝生，與不姙等，以迨姙娠期內，所常見之疾病，略略述之，惟望海內明達之士，加以教正。

(二)姙娠之原理

上古天眞論云：「女子二七而天癸至，任脈通，太衝脈盛，月事以時下，故能有子。」易經云：「男女媾精，化生萬物。」又云：「陽精陰血，百脈齊到，始能有子」等神祕莫測之哲學理想，致後學者，視之茫然，亂絲無緒。現代科學昌明，得有顯微鏡之實驗，爲世界所公認；云女性所能妊娠之原理，由男性生殖細胞之精虫，與女性生殖細胞之卵子相結合而成者也，而所謂精虫者，吾人肉眼所不能見之蝌蚪狀，其長約○、五m,m，分頭、體、尾三部，浮遊于精液之中，善能運動，故一入女性之生殖器內，即能由膣門，轉至輸卵管，和卵子相融合，以繁殖新生命之用；而卵子竄於顯微鏡下，爲球形狀，直 約○、二m,m，有透明之卵膜，中含卵黃，內有小芽胞，更有細小之芽斑，其構造殊爲複雜，而其生活時間，約有二三日，不如精虫之生活時期，有一星期之久，所以受胎大多在月經後五六日以內，過這時期，則卵子頹萎，失其生活力，而無引攝精虫之功能，故難受胎，惟亦有不盡然耳，如在月經前而受胎者，絕非僅無，何也，此緣有精虫之生活力，較卵子爲長，留在女性生殖器中，有三週之久可活，遇下期月經之卵子，而成胎也，不過少數而已；蓋其子宮內之分泌液，有呈酸性時，則此時之精虫，易致死亡難活矣。故當卵子成熟，(月經來潮之謂)入輸卵管時，小芽胞分裂出卵黃之外，(名爲女性前核)此時若遇有精虫，至其周圍，入卵黃內，則卵黃之一部分，呈膨起而爲丘狀，遇着精虫之頭，(男性前核)丘頂陷沒，遂漸漸收容精虫於丘內，不復再納入他精虫；但亦因二卵巢，同時產出二卵，而皆受胎，或因二精虫，攢入於一卵之中，而成雙胎，此種現象，名曰受精，即所謂妊娠是也。而受精之卵子，運動力之不足，再藉輸卵管之氈毛上皮，送入子宮內，附着子宮前壁及後壁上部之粘膜，兩核合而爲一，漸次發育而成胎矣。後經一二星期之時間，卵膜之外面，生絨毛膜，絨毛膜接子宮內膜之部分，增肥迅速，與其部之子宮內膜，共變成胎盤，即舊說所謂胞衣是也；子宮內膜，被卵子附着後，其變化亦頗大，而生脫落膜於表面，此之脫落膜肥大亦甚速，與絨毛之一部，共組成胎盤外，更有胎盤之側緣，生蘚轉脫落膜，以包圍絨毛膜之表面，而絨毛膜之內面，有羊膜，內貯羊水，即俗謂胞漿水，胎兒居于其中，而胎兒臍帶，出自腹部，達於胎盤，得與母體血液相密接，以交換胎兒之呼吸，及營養，流通血液，全賴此臍帶，與胎盤之效用，於是則胎兒逐月發育長大，妊娠期滿，出產門而爲小國民矣。

（三）不姙之原因

不姙云者，即是在姙娠可能期間，雖屢行性交，而不懷孕之謂也。然何不孕者乎，察其原因，殊甚紊亂複雜，而斷不克以不姙之咎，獨歸于女子一方，而男子固亦占半數之過失也；惟窮思其因，可一言以蔽之，要不外乎男女生理上與病理上之變更而已。屬於女子一方者，其因如下：（1）生理的——按我國古籍，有五不女之學說，因限于時代思想之關係，僅從字體上解釋病狀，未精其理，而在今日之生理解剖學上研究之，較爲詳確；如往昔之（A）騾症：現骨盆畸形，如騾之不育，而因先天精力之不足，不能長大其骨骼，則器小失常，而成先天性骨盆狹窄畸形。（B）紋症：紋陰，古人爲陰竅屈曲，戶小如筋頭，僅可通溺之謂，故不適于性的生活，今之現代婦科專書，即所謂陰道狹窄彎曲，而生阻礙，及因局部神經知覺過敏，稍受刺激，即發生刺痛與痙攣之象，俗名小戶嫁痛，亦即西說之陰道痙攣是也，以致兩性者，不得遂其事矣。（C）鼓症……蓋謂鼓者，乃形容陰戶閉鎖，如鼓皮之繃急而無竅，亦即陰鎖症也；然陰鎖有位置之不同，攷近世婦科諸書，分處女膜閉鎖，陰道閉銷，子宮閉鎖，輸卵管閉鎖四種，在女子及期而不見來潮，生理障礙，故無成孕之可能。（D）角症……該症陰核肥大，左右大陰唇，一部分愈合，尿生殖器竇，開口於陰蒂下面，宛如男子尿道下裂，遇性慾衝動，則大陰唇，更見膨隆，陰核亦即挺舉，狀如陰中有角，形像男子，而人道不能通矣；在今日婦科學上，即指半陰陽，假性半陰陽而言者是也。（E）脈症……謂女子屆破瓜期，而無經行，成終身不行經，則當無機受精耳。此五種不姙，因生理之障礙而然焉。（2）病理的——女子不妊，屬於病理者，最夥厥爲月經不調，如（A）趲前落後之經期無定，（B）月經困難之痛經，（C）代償性出血之倒經，（D）月經閉止之積經，（E）性神經衰弱之經枯，（F）子宮不正常出血之崩漏；以迨血虧證之乾血癆，子宮瘜肉之石瘕，子宮瘤腫之癥瘕，並又因子宮轉位，而使陰道彎曲，因骨盤周圍發生疾患，（如骨盤結締織炎，骨盤腹膜炎等是。）而致後天性骨盆狹窄畸形，及因陰道之發炎，而生陰道狹窄，因陰部感覺敏捷，受刺激而卽起疼痛攣縮，或因嗎啡中毒，惡液質，精神嫌惡等等，皆可礙及受精，故難以姙娠矣。至於屬男子一方者：(1)生理的——多由于陰莖萎縮，全不發育，無交媾機能之先天性生殖器發育不全；卽古籍所謂天閹，或因先天性之陰莖畸形，或不能勃起，或因官能精神器質的，不能舉行性交等，則因乎此者而婦人無姙娠之獲爲必然之理焉。(2)病理的——則多數是因貪一時之快感，陷于手淫之危境，或房事過度，喪損身體，遂遭生殖器性神經衰弱之陽萎，精液漏症之滑精，及精冷、精薄、早失，或外傷與淋濁等，均爲男子使婦人不姙之原因也。綜上觀之，則關於不姙之因，可謂大體如斯，而得其要矣。

(四)姙娠之診斷

治病之要，貴在診斷，診斷不確，主客倒置，則藥石無功，而多僨事；尤爲吾人診斷婦人之是否姙娠，若以胎作病，以病作胎，豈不遺禍、不獨婦人有生命之危，而於胎兒之墮落，大有出入也。蓋婦人姙娠之後，生理上雖起種種變化，而姙娠初期，更難診斷，無論中外古今，迄無定法，率皆於疑似之間，推測臆度而已；故欲診斷婦人姙娠之是非，必須先明瞭，起于姙娠時，由母體之變化，及胎兒存在而起之姙娠徵候，然因亦有非姙娠特有之證候，而其他病變，亦得發生之，故近世中西，臨床意見，對于姙娠診斷上之價值，分有下列三種：

(1)不確徵——不確徵者，卽非生殖器部分，而來之變化，在不姙者，亦有發起，其主以消化器系，神經器系，及皮膚起變化，惟對于姙娠上，無絕對價值，徒爲診斷上之參攷而已，故謂不確云云。(A)消化器系之患疾……例如噁心嘔吐，呑酸嘈雜，嗜好之變化，口腔唾液分泌之增加，及大便常常祕結等。(B)神經器系之疾患……例如頭痛眩暈。齒痛薦骨痛，神經痛，夜寐驚惕，易於發怒，神志不甯，疲倦嗜臥，精神憂鬱等，(C)皮膚之徵候……例如皮膚着色，腹部有褐色，或帶白色細線狀斑點之姙娠線，(姙娠性雀斑)及腹部之膨大，顏面或呈浮腫，下肢部起靜脈瘤；其他有內經素問云：「足少陰脈動甚者，爲有子。」難經云：「三部脈浮沉正等，按之不絕者，爲有子。」斯古說之尺脈滑疾，亦多在不確之例。

(2)疑似徵——疑似徵者，爲生殖器起變化，在診斷上，比不確徵爲高越，診斷以妊娠初娠爲主，然不妊娠婦人，亦有起之，例如月經閉止不潮，生殖器改常，子宮之容積增大，陰道內外部弛緩，膣粘膜鬆疎，而帶紫赤色；並能聽得子宮內血管雜音，其乳房漸次而擴張，乳嘴堅硬而肥大，美麗淡紅色之乳暈，一變而赤褐之粟殼色，凸向外方，圈內有小斑，或小瘖，乳線充實，壓之有水樣分泌液流出之初乳，臍窩次第陷沒，而臍突出等症。

(3)確徵——此徵由胎兒存在而發，爲妊娠所特具。而非他人所能或有者也；然此種徵象，非至妊娠後半期，不足以瞭發見，即如(A)「觸知胎兒體部」，是在第四個月後，由雙合診時於前膣穹窿部，有如浮球之感。(B)「取胎兒心音」，大概在第五個月後，其腹壁上，可聽得胎兒之心音。(C)「觸知或聽到胎動」，則通常初產，在妊娠第二十週左右，妊婦之胎動自覺；而經產婦，則常早見一至二週，(D)「聽得臍帶之雜音」，而聽取時期，多在妊娠第五個月以後，妊娠初期，不可應用，且爲不定發生之症候。(E)「用X光線，照射胎兒骨骼部分」，宜在妊娠第四個月後，用X光線照射，可見胎兒形成之骨骼。(F)「木內氏妊娠尿診斷法」，蓋妊娠之尿，呈特有之變化，木內氏說妊娠之血，及尿中發現分解胎盤組織之破裂酵素，此酵素存在之證明，而可下妊娠之診斷，即以胎盤蛋白質，製成乾燥製材，名之曰寧歲靈，使作用於尿中之分解酵素，而證明其分解產物寧希得靈，或兵波樂兒之法也。惟其實施法，略而不贅，如設有上述六種之證明，則有妊娠無疑矣。

(五)妊娠期內男女之鑑別

吾人在婦人妊娠期內，欲辨其孰男孰女，實覺困難之至，雖古人論之特詳，有望、聞、問、切、四診察覺之，但均爲推測之法，既無眞理之說明，亦少確實之證據，不足以全信，茲姑錄之，因或可供他山之一助者也。如脈經云：左手脈疾爲懷男，右手脈疾爲懷女，兩手俱疾爲二子。又云：尺脈左偏大爲男，右偏大爲女，左右俱大，則產二子，又云：右手沉實爲男，左手浮大爲女，左右手俱沉實者，猥生二女。婦人良方云：左脈帶縱兩個男，右手帶橫一雙女，及左手脈逆生三男，右手脈順還三女。又云：「寸關尺三部皆相應，一男一女分形成。而千金方云：女腹如箕，以女胎背母足膝抵腹，下大上小，故云如箕，男腹如釜，以男胎向母背脊抵腹，其形正圓，故如釜也。又云：令婦面向南行，從其背後呼之，左迴首者是男，右迴首者是女，及脈經云：看妊婦上圊時，夫從後卽呼之，左迴首者是男，右迴首者是女，又云：「婦人有孕，令人摸之，如覆杯者爲男也，如肘頸參差起者，則爲女也，金鑑云：婦人有娠，左乳房有核是男，右乳房有核是女。而李東垣云：婦人經水甫淨，三日前交者成男，以精勝於血也。三日後交者成女，以血勝於精也。道藏云：月水淨後，一、三、五成男，二、四、六成女。褚澄云：血先至裹精則生男，精先至裹血則生女。程鳴謙云：精之百脈齊到勝乎血，則生男，血之百脈齊到，勝乎精，則成女等玄談。準斯以觀，我國古說，以男女之別，取於左右兩字，貴在右女左男爲斷焉。然多不確，而爲臆斷之言，絕無學理可說。至於歐西醫學，對於妊娠中之性別決定，雖亦學說繁多，但較爲合科學而精切。有（1）「受胎前決定說」——謂男女性決定之因子，係於受胎前，卽潛在卵子中者。並謂左卵窠生女，右卵窠生女者。（2）「受胎時決定說」——謂婦人排卵後，立卽受胎則爲女，時日稍久，而在月經將潮時受胎，則爲男。（3）「營養說」——謂妊娠期中，母體營養佳良，則生女，反之則生男，然咸類乎臆度，難以徵信；而似爲可靠者（1）胎兒心臟之搏動音，一分間在一百二十四以上者爲男子，在一百四十四以上者爲女子。（2）月經前十日以內受胎者爲女子，月經後十日以內受胎者爲男子。（3）胎兒在腹中易動者爲男子，安靜者爲女子。（4）以染色體辨之，蓋人類精母細胞之染色體數，凡四十有七，而性染色體，居其一；卵母細胞之染色體，則共四十有八，而性染色體，居其二，當其交合分裂時，精母細胞，乃成具有二十三，與二十四染色體（中僃含一性染色體）之二精絲，卵母細胞，則均含有二十四染色體（各含一性染色體）之二卵子，受胎之時，苟由二十三染色體之精子，與卵子結合，則成男由具有二十四染色體之精子，與卵子結合者，則成女也，惟此等之診斷法，雖爲比較合理，實仍無確鑿之把握，而吾儕之後學，尚宜深切研究之。

（六）妊娠之時日及分娩期之豫測

凡婦人懷孕之時日，通常自受胎至產期，平均爲二百八十日，如一月以四星期計算，則爲十月，若照曆書之月算之，則不過九月耳；而欲察其分娩預定日者，以推定受胎胎兒，達於一定之成熟期，而排出母體外之時期也。此分娩豫定之計算，歷來約分有下列四項：(1)由妊娠前月經最終日之算法——而於最後月經之第一日日數，加上七日，以後月數減去三個月，卽可得豫知分娩期之月日矣。例如今年九月十五日，爲最後月經之第一日，其豫測之方式，以(15+7=22日 9月−3=6月)卽明年六月二十二日，爲分娩期；如月數小於三，而不能減時，則加上九，及日數加七，而超過每月之日數時，則可順推至下月，例如最終月經爲二月二十一日，則分娩期之預定日，爲十一月二十八日；又如最終月經爲五月二十七日，則明年二月三十四日，卽三月六日，或三月七日，（遇閏）爲分娩期，惟婦人往往忘其月經之日期，或受孕之後，猶有非正常之月經，則無從算起矣。(2)由子宮之大，及子宮底之高之計算法，——妊娠初期，在十五十六之星期，驗子宮之大，四月以後，測子宮底之高，以定妊娠月數，然後加以殘餘之月數，定其預定日。例如三月十八日，診知子宮底，已在八個月之位置，則再加二個月，（每月作二十八日）知分娩期之豫定，爲五月十三日，餘可倣此。(3)由自覺胎動之第一日計算法——孕婦最初覺胎兒之運動，在初產婦，則於妊娠第二十週，（卽第五個月中發見）經產婦較早一至二週，故從自覺日起計算，約經二十週，（卽四個月另二十日左右）爲可預測分娩日，然多不確，因第一次胎動之時期不定，且動亦輕微，孕婦往往疎忽過去。(4)妊娠腹圍之大小之計算法——因腹圍之大小，與懷胎之時日，稍有關係，在姙娠末期爲百糎，但其膨脹，往往因皮膚之厚薄，胎水之分量，胎兒之發育狀況，與夫母體體格之大小，而有差異者也，所以亦難確當。況且胎兒之降臨，在分娩前四星期，因腹壁緊張，及肋骨弓妨礙子宮之膨大，而向下擠入於骨盤腔內，此下降之日期，亦不一定，蓋多數之婦人，尤其是經產婦爲然，緣腹壁寬大，無胎兒之下降現象，故此亦非推算分娩期之正確標準也。(5)受孕交媾日之計算法——可根據受孕日，加九個月，或減三個月，（亦即距性交之日加二百六十九日）即可預測臨產期矣；惟能知此日者，而罕有也，故在實際上，應用頗少耳。

（七）姙娠期間之攝生

婦人在姙娠時期，有良好之姙娠經過者，則其生產之經過，亦必安穩，此在普通，雖倘可信，惟揆其實際，則不盡然，蓋在姙娠時，全無痛苦，而分娩反見困難者，有初疑其必遭危險之生產，而分娩時，胎兒下地之速，反出人人意料之外者多有之，故吾人所以不喋喋於無爲之預言與勸告也，而正常經過之姙娠，無須特別之診治，其固有之身體與精神上之變態，祇需有相當之攝養即可，故宜遵守下例事項：

(1)精神狀態——孕婦之精神，須有相當之靜養，不可快樂過甚，至妨礙精神之平衡，凡如遊戲場中，一切惹人愉快，激動情感之事，多足以影響之精神平衡，且有關於胎兒之腦發育，故繁華之處，勿 爲是，興奮之生活 劇烈之感情衝動，與可驚可怪之事物，均宜禁止；以及過度之憂悲，難產致禍之見聞，咸須絕對摒絕，務使恬淡怡悅，精神常覺安適，至爲緊要。

(2)運動——運動爲生活力之重要條件，孕婦亦當如健康人，常從事於戶外運動，及諸種動作，但以醫師所許可之運動爲限；如屋外散步，呼吸新鮮空氣之適當運動，足使精神爽快，若一意戒絕運動，長時安逸，終日閉居，或久時讀書，非所以自處四處胎兒之道也，不但易致消化不良，及便祕失眠等病，且於分娩之時，往往因缺損強盛之排出力而成爲難產。尤是富家婦女，平常已慣安閑，至姙娠時，則更嬌養，終日臥床，不育輕易走動，故其結果之難產爲尤甚矣。惟運動過劇，亦足以使下腹充血，胎兒體位變常，而引起流產轉歸，或早期破水等危症，故除在家照料家務外，一切長途旅行，高樓升降，重物提舉，高處攀援，馳馬舞蹈等之過勞運動，必須嚴禁避免之。

(3)飲食——姙娠期間之食養，雖然不必強改平素之習慣，大概與平時無大差異，惟特別之食物，如芥子、辣椒、濃茶、咖啡、酒類等，均富有刺激性，及不易消化之品，則務宜禁之，應擇易消化，而富有滋養分者，適度攝取之，惟姙娠初期，有惡心嘔吐之時，宜在床上飲食，但每次不宜多食，食時須有定時，不若孕婦以爲一人，須兼營兩人之食，倘食之過飽，足以致病，則謬誤殊甚。

(4)服飾——孕婦衣服，宜適應氣候與生活，以保其常溫，因腹部漸漸膨大，則衣服亦須加寬闊爲佳，狹衣緊帶，均足有礙呼吸與血行，並能抑制胎兒之發育，切當避免，下腹及下肢，常使溫暖，腹部並宜用綳帶，或棉布製成之腹帶，輕包上腹部，可任意伸縮，以防腹壁弛緩之易於下垂，以形成垂腹，故不可不注意之。

(5)乳房——乳房必使其自己發育，最好以一軟墊，置於乳房下，而輕舉之，在分娩將近時，以煮沸水，或酒精浸於棉花，或軟布摩拭乳頭部，一日一二次，至二三次，則授乳時，不致有乳頭裂創，及乳頭軟弱之弊：若乳嘴發育不良，或陷凹者，宜常以清潔指頭提舉之，乳頭有痂皮者，則以橄欖油，或甘油等軟化之後，以肥皂水洗之，以及每日用微溫水，或冷水，洗滌全乳房，則可助其發育，亦助長乳汁分泌之一法也，我國束胸之惡習，相習成風，遺害非淺，足爲妨礙乳房發育之一大原因也，且易使乳頭萎縮不挺，有礙授乳之苦，故無論姙娠與否，不可不禁止而在姙娠時，尤須解放，所不能容緩者也。

(6)睡眠——睡眠爲恢復日常一切動作之消耗，故孕婦須有正常之早眠早起，在戶外行呼吸，而不宜夜中値事，及在就寢之前，胃部不宜過飽，其飲料之過熱，或具有興奮性者，不可飲之，最好在睡前，飲一杯糖水，有安眠之效，若孕婦夜間，有不能安寐時，則須探究障礙睡眠之原因，而除去之可也。

(7)沐浴——人體新陳代謝，無所障礙，則可康健不病，若全身肌膚之不潔，則新陳代謝障礙，有害物質積蓄於內，而不排泄，遂致發生疾病矣，因此孕婦身體，必須清潔，在妊娠初期，宜按照平素習慣，時加洗浴，以潔體膚，可持續勿斷，普通日用三十五度之浴水，夏日可用較涼；至於後期妊娠，因外陰部分泌不潔物增多，尤宜勤浴，惟不論全身浴，或局部浴，浴水須寒熱適中，不可過熱過冷，及時間太久，而費氣力，宜避忌之，以免影響自身及胎兒，且浴室必須溫暖，而不通風，不然，則易受感冒矣。

(8)通便——妊婦大便之排泄，須有規則，每日須一定之時間，上圊一次，若有便祕之傾向，宜加適度之運動，或每晨飲開水，或牛乳，飯後可進水果，勿使大便乾燥，或祕結；蓋便結，不獨能發生痔核，其影響更可及於全身，故凡食物能惹起便結者，須禁食之，如有便祕長久，而必須用藥時，宜擇溫和而有效者服之，如凈水、石鹼、食鹽水、甘油等灌腸之緩和劑，有毫不致害，而於短期間內，促其排便之效，而峻下劑爲忌，恐防有流產之危。

(9)利尿——婦人在妊娠期中，因子宮之膨大，而膀胱被壓，時常欲行小便，此生理之狀態也，決不可因恐人見笑，而故意忍耐；若溺量減少，尿色變常，宜即服利尿劑，勿使膀胱水分充盛，以防子宮後屈之虞。

(10)房事——房事爲偶夫婦者，當不免之事也，惟在婦人妊娠期內，房事雖無完全禁止之必要，然須有限止，及應小心行之，爲戒備小產起見；而妊娠之第一月，與妊娠末期，則宜絕對禁忌，恐對於產婦有傳染之危害，如產褥熱等證，咸因經於房事者，比比皆是也。

(11)藥品——妊婦除上述之外，而對於藥品，亦不可不注意及之，蓋一切猛烈峻厲有毒之品，均有催進墮胎之危險，故妊婦非不得已時，以不服藥爲妥，而醫者，切勿毫無顧忌，藥石猛投，不悉頃俄之間，有損傷胎兒之害，此是誰之過歟。

姙娠期間之證治

婦人於受孕後，生理上有重大之變化，故在姙娠期中，其身體之各器官，同時必起種種之變更，亦爲應有之現象，如神倦嗜臥，嘔吐泛噁，食慾不振之輕微精神障礙，與消化障礙，原可不治自愈；然有因體質之關係，七情外感之不同，而有障礙姙婦與胎兒之康健，且有危及生命者，則當求醫服藥，而不可輕視疎忽者也。文今將姙娠期內，所常見之疾病，與胎兒有關者，舉其要而略述之，倘望同道，以匡不逮。

(八)姙娠吐嘔

姙娠嘔吐，卽惡阻也，多在娠娠初期，因姙娠後之子宮收縮增大，而胃之交感神經，起反射刺激而生，卽俗謂月經停止，濁氣不隨月經下泄而上逆，犯於胃脘，以致胃中停水，而現噁心嘔吐，食思不振，食慾變化，且重者，往往食後發頑固性之嘔吐，非特滴水不能下嚥，而在空心餓肚時，胃口無攝取絲毫食物，亦劇吐頻作不休，至膽汁吐出，尙不得已，兼發胃部疼痛，呼吸迫促等，致營養障礙，如姙娠中毒之症狀，有謂其毒生於胞衣，或卵巢黃體，輸入血中，或消化液中而起；尤是神經質、虛弱、萎黃之姙婦較甚，惟此中現象，姙娠四閱月後，漸次消退，其持續或重者，可投小半夏湯，或橘皮竹茹湯，以和中安胃之療法，俾嘔吐得瘥可矣。

(九)姙娠腹中痛

姙娠腹中痛之名，卽古謂胞阻，由於姙婦素有內熱，或嗜辛辣，或恣服溫補，因此胎盤充血，而腹痛胎動，甚則有流產之虞；或緣子宮受寒，迨平素下元虛寒，腎陽衰虧，血脈停滯，礙及胎盤新陳代謝之機能所致也。舊說胞熱胞寒之故，頗爲相埒，其療法，屬於前者，可進清涼退熱之劑；如四物湯去川芎、加芩、連、白朮、丹皮、赤芍等品，以使充血爲平，屬於後者，宜進強壯溫宮之劑，如當歸生姜羊肉湯，加艾葉、川芎、炮姜之類，以使子宮溫暖，陰霾撤消，則腹痛可不治自愈。

(十)姙娠中生殖器出血

該症即古籍所言之胎漏是也，此係懷孕而下血，腹無痛感之症也。若在姙娠初期所起第一月，往往有仍行經者，及下紫黑瘀血塊者，爲在受孕前排泄未盡，停留於子宮內，固可不藥能止，無須醫治，惟在後半期，因姙婦體質虛弱，不能固攝胎元，或因子宮充血，而有早產流產之慮，其治療，因身體虛弱不健者，可以八珍湯主之。而因子宮充血者，宜阿膠湯主之，用溫用涼，用補用瀉，在醫者細辨之耳。此外苟因陰道部之靜脈瘤破裂，或外子宮口唇之糜爛，或子宮陰部道之潰瘍等之外傷，當施以對症治療。

(十一)姙娠音聲障礙

姙婦音聲障礙在姙婦後半期時，見有諸無所苦，而忽然聲音低細嘶嗄，後竟不能出言，言語無力者，是因胎盤擴大，而致音聲障礙；古言腎氣虛弱，心火上擾之子瘖是也，法宜補腎清心，然不易奏效，待其分娩日滿，胎兒產出，則自能言，勿藥亦可。

(十二)娠姙急癇

該症即所謂子癇是也，爲姙娠中，或分娩中，及產後所發之神經障礙，而其發作之前驅期，有頭痛眩暈，噁心嘔吐。眼華閃發等現象，次則全身痙攣，發作始於顏面，而上肢，而軀幹，而下肢，及於展轉反側，角弓反張，顏面呈紺色，牙關緊閉，言語蹇澀，痰涎壅盛，口噴泡沫，兩目直視，瞳孔散大，四肢搐搦，呼吸困難，不省人事等惡候，如此之狀態，不久即見間歇，但發鼾鼻聲，而呈昏睡狀。後漸醒覺，茫然不知其經過，若是者，爲一次之發作，然一回發作之後，第二回發作踵起，每回發作，費時約半至一分鐘，而一日有四五十次之反覆發作，而發作愈頻，則危險愈大，胎兒與母體，皆有死亡之虞，自不待言，且分娩時間，亦遲延稽留矣。然何以成此子癇乎？其原因，攷多數學者，認爲由胎兒，及其附屬物，產生之某種毒素，而使母體血液中，不能容解排泄而中毒，彼此姙婦，尤以高年，或幼年者，脂肪過多者，以及姙娠中，兼患腎病者，易致神經礙障，起一種反射作用，而發本病云，我國舊籍所言，由痰熱上攻，犯於心腦，有云，肝心兩經風熱所作之故，其治擬平肝熄風，如羚羊角散損益之，以弛緩其全身之痙攣，並宜安靜勿擾爲要務。

（十三）姙娠浮腫

姙婦因子宮發育旺盛，或異常著明肥大時，則起鄰接器官之壓迫症狀來，膀胱直腸障害，下肢下腹外陰部等起靜脈瘤，或浮腫，然此尚不足歸於病態；如浮腫延及上肢面部，胸背週身，甚至喘而不得臥者，始可視爲一般障礙之一症候，上肢面部浮腫者，應疑及腎病，可檢尿中，有無蛋白質存在，如無蛋白尿，則大抵因水血病而致浮腫，古謂脾胃虛弱，水氣溼邪，留滯不化，而成此子腫（又名琉璃胎）之症，而治以健脾導水，如補中益氣湯加減，或全生白朮散出入，或茯苓導水湯增損均可，在醫者之運用耳。若僅下肢浮腫，則可用利尿劑，與發汗劑，如炒白朮、雲茯苓、帶皮苓、漢防已、生姜皮、宣木瓜、懷牛膝、川桂木等品治之可也；迨宜高舉足部，以愈其靜脈鬱血，惟姙婦浮腫症狀輕微者，可無須服藥，待分娩後，即自消失矣。

（十四）姙娠脚氣

脚氣之病原，以前衆說紛陳，近今始斷定多食白米，缺乏乙種維他命所致，而地氣卑溼等，爲其誘因而已。至于婦人姙娠，亦爲脚氣誘因之一。故婦人大多於姙娠後半期發病，現兩足腫脹，漸至腿膝，腱反射消失，而步履艱難，甚則泛嘔嘔吐，心悸苦悶，呼吸困難，氣短喘急，面色蒼白等，脚氣衝心之凶象；即吾古籍所言之子氣子滿，殊爲脗合，其療法，遠西用維他命製劑，固不待論，而吾國醫，則以利尿強心之劑，如附子鷄鳴散主之，俾惡液質得泄，心藏振興，但並須安靜屏煩，及多食糙米，與新鮮野菜，以取其刺激少，而含蛋白質之品爲相宜，如此者亦爲治療上之一助也。

（十五）姙娠尿閉

姙婦之膀胱，因受子宮胞胎之壓迫，而利尿機能失常，每發生小便頻數，若子宮基底不向前屈，而向後屈者，則子宮頭壓迫膀胱愈甚，礙及排泄之路徑，致膀胱內有尿，而不得隨意營排尿之狀態，遂爲小便困難，苟因強忍小便膀胱括約肌之痙攣，則小便不通，而即舊說之轉胞症矣，古云，由天賦氣體虛弱，以致胎壓胞系，強制小便，則悉此小便不通，少腹膨脹，或脚腫，心煩不寐，飲水欲嘔等證，療法以補氣行水，如加味參朮飲，隨證加減治之可矣。

（十六）姙娠腎盂炎

孕婦發生腎盂炎，由于子宮壓迫，泌尿器障礙，而腎盂發生炎症；急性者，腎藏部疼痛，而向輸尿管放散，由壓迫而增劇，此外兼有惡寒發熱嘔吐，持續性尿意頻數，尿量減少，點滴而痛等病狀，尿呈酸性反應，其中含有白血球，膿球，蛋白等，慢性者，而尿量增加，亦呈酸性反應，而含多數膿球，溺意頻數，尿道口瘙癢，腎藏水腫，腎部有無痛性腫瘍，多由急性而轉變，斯即俗謂之子淋也，古云，因胎氣壅滿，膀胱溼熱之故，治宜分清利水之劑，如導赤散，與五苓散損益爲主，而醫者，且須命其安臥，整理便通，禁食刺激性食物，亦不可不知也。

(十七)前驅陣痛

前驅陣痛，爲在妊娠末期之分娩豫徵之一，當分娩前三四星期之際，因子宮起輕微之收縮，妊婦每不自覺，或僅有多少緊張之感及痛，而呈間歇性之陣痛；然子宮收縮，漸次加強，則陣痛，亦非常強烈，狀若欲產，却又不產，往往誤爲分娩開始，卽古人所言之試產者是，此爲妊娠經過中，生理的現象，無須治療，候數星期以後，卽正式分娩矣。

(十八)結論

先哲曰：「甯治十男子，莫醫一婦人。」信者，斯言也，蓋婦人之病，僅以妊娠而論，殊爲複雜，且多玄理之談，而無科學之見，故愚參以遠西之精良，而輔國醫之不足，然因篇幅有限，時間急促，祇得略而述之，以供蒭蕘之獻，其餘諸證，不能盡詳，乃待于後日，再以補續論之。

脚氣病分類診斷與治療

張沛虬

定義　夫脚氣病者，古名壅疾，內經名爲痺厥，兩漢間曰緩風，惟仲景謂脚氣，晉時呼爲脚中，唐人謂之軟脚病，韓昌黎書曰。「是疾也，江南之人常常有之」相傳江東嶺南，土地卑低，風濕爲多，易患此病，但在日本本病，尤爲流行，近則我國之上海，在學校工廠等，相罹日廣，其所患者，爲兩脚部起浮腫，神經麻痺，知覺消失，自足甲及下脚之內側爲始，漸次上進，及上腿腹部，而致危候，考其經過，有急性與慢性之別，急性者，猝然而起，症勢險惡，苟不速施治，豫後頗多不良，慢性者，症狀進行緩遲，若置之不治，雖呈不良之容態，惟豫後極佳，苟施治適妥嚴守密之養生不過經過三四週後便可痊愈。

原因　李東垣曰，「脚氣由水濕，蓋此病者，一種水毒地氣所生，而非風寒暑濕所致，其發必始于夏，終於秋冬，然近代對于此種原因，各異其說，有說本病爲一種瘴氣性傳染病，而歸原於多發性神經炎，多數學者，贊同此說，惟日本倍兒志，希居易倍，不主張此說，以患者之血液中發見種種之脚氣病原菌，今各醫家對于該菌之發見，各持一說，究爲何種細菌，尚未有徹底之詳細報告，其次則中毒說，如食米中毒，能誘發脚氣，但此種之學說，自古有之，其根據係脚氣流行之地，必以米飯作日常之食品，若以麥品作食者，殊爲鮮有、又說米飯固無脚氣之毒，而貯藏不善之米，（腐敗米類）含有脚氣毒食此等下種米飯者，而罹脚氣症之說，現今學者，多皆信之。

又有說缺乏乙種維他命時，亦能爲本症誘發之主因，此說現今學者，多皆根據之。

至其蔓延最盛之處，爲卑濕之地，外因之發，多由濕氣侵襲脚部，例如日本，地處諸多海濱，其感罹此病較他國爲多，但其日常所着者，係下駄（木拖鞋），脚部無適當之保護，濕毒侵入之門經較爲更易，可知我國古之書生，所着皆爲厚靴，或亦可豫防脚氣之意也。本症所感受者，以兵士，囚人，教師，學生著述家等，感罹爲多，若逢有其他補助原因，更易誘發，在感冒濕潤心力過勞憂慮焦思，暴飲暴食，房事過度，營養不良，低劣之勞働，狹隘不潔，空氣不良，妊娠產褥，授乳等，亦是本症之原因性。

症狀　按本病之主徵，運動與知覺障礙，以及心臟疾患之症狀是也，此種症狀，有輕重之別，輕者僅患者自覺之，就業毫無所苦，症重者，時訴其苦，或急劇致死，裴爾紫氏對于本病有四種之說，卽同外台所謂風濕脚氣，乾痺脚氣，脚氣衝心，水腫脚氣，因欲便於系統的辨別，區別四種如次。

一、神經性「感覺運動性，或麻痺性型」　本症之起，輕微緩徐，患者不能明示其徵候，僅如他種疾病，發數日或調餘日之前驅症，亦不過全力倦怠；不能就職，頭痛等，而已，然此種症狀，惟初起有之。

但與他症合併者甚多，如加答兒症候作本症之前驅症頗見，失加答兒，卽鼻加答兒，腸胃加答兒等是也。

本症之固有症候，爲脚部（以下腿爲最）之倦憊萎弱，步行易於疲勞，腓腸筋緊張，時或發疼痛，患者訴頭重口渴，易發脫汗，未幾肺部手指及口圍，知覺鈍麻，間或知覺亡失，下腿呈輕度之浮腫，下腹現知覺障害，有時現于眼瞼及耳殼，隨病勢之增進，延及于下肢手背前搏有之。

患者起暫事間心悸亢進，心窩苦悶，心悸亢進，在於疾病初期，惟運動時現之，其後則安靜時亦起，此外食氣缺乏，利尿減少，大便通常秘結。

是時診視患者，顏面白色，前額部發脫汗，脚部之粗大，而力減退，令患者步行，則膝關節與足關節易躓仆，上肢之粗大力，雖不甚萎靡，然以握力計檢之，則非康健者可知，壓迫其筋肉，則感覺過敏，腓腸筋尤然，壓大腿伸筋，二頭膊筋長迴後筋拇指球筋等，則發微痛，下腿前面呈輕度之浮腫，而膝蓋腱反射，于疾病初期亢進，至後則減退，脈搏之數增加，其性速大而軟，心臟機能亢進。

二、萎縮性，「軟性消削性脚氣」　本症如神經性症，常因脚部萎弱，腓腸部緊張，而徐起，其後脚部萎弱日漸增進，大腿（于腰關節）稍爲屈曲，下腿自膝蓋以下直垂不偏，足部內翻，呈馬足之狀，上肢之運動，障害于早晚間，該筋肉起萎縮，拇指球及小指球扁平而凹沒，患者多不能動作，萎頓于病蓐。

運動麻痺起於兩肢軀體者爲常，然在重症，則延及顏面，舌咽喉，現于運動麻痺之諸筋，握壓之，則感過敏，按觸之則患者，往往因痛楚而絕叫，脈搏與心臟不異常，惟運動之際，稍現亢進，浮腫亦甚微，或全無之。

萎縮之筋肉間，或陷于痙攣性攣縮，是多于腓腸筋見之，此際恰如呈痙攣脊髓癱瘓之狀。

本症在治療期甚爲緩慢，歷數月，或年餘者有之，然其併于腸窒扶斯，赤痢，肺結核，脊髓癆等，轉歸甚多或斃於全身衰弱之下。

三、水腫性　本病或如神經性症，由脚部之萎弱而徐發，或繼萎縮性症而來，步行困難雖漸進，然不呈萎縮性症之運動，痲痺及筋肉萎縮，浮腫爲本症之特徵，先現于脚部，漸延及于身體其餘之諸部，以至及於漿膜腔，患者心悸亢進，呼吸促迫，心窩苦悶，利尿減少，便通祕結。

心臟之右心室擴張殊甚，然往往爲心囊水腫所蔽，眞正之擴張不能明認，心尖第一音，變爲輕度之吹鳴性雜音，第二肺動脈音，旺盛而有打拍性，且分裂者多，胸水及腹水，多不顯著。

利尿幸而增加全身水腫漸次減退，則筋肉自然瘦削，該筋肉之電氣的興奮性，大爲減弱，往往呈變性反應。

四、急性惡性症（心臟性症）　本症之特徵爲急性心臟機能不全，最易侵少壯剛強之人體，其起病，或突發于健康之時，或爲輕症脚氣之前驅症候，患者心悸亢進，心窩苦悶，呼吸促迫，加之以體溫昇騰，顏色呈汚穢蒼白色，食思全失，煩渴異常，噁心嘔吐，利水之量頓減，大便常祕結，然病勢漸深，則亦間來下痢。

患者之脚部，起倦慵及重，感腓腸筋緊張，握壓之則疼痛，下肢呈輕度浮腫知覺鈍痲，未幾脚部之運動痲痺增劇，心悸亢進，心窩悶煩，日益增加，患者胸內如有物體炸裂，不堪其苦楚，眼目口腔鼻腔多開大，瞳孔散大，顏貌甚險惡，呼吸大爲促迫，體溫下降，患者精神亡失，斃于肺水腫症之下。

診斷　夫脚氣之診斷，先宜注意下肢之倦慵，下腿及指尖之知覺鈍痲浮腫，及腓腸筋之壓痛，膝蓋腱反射之亢進等，及其他說合之，始無遺珠。

脈搏　夫脈搏測病者重心臟之血壓也，凡診脚氣之脈，以細濇不調爲多，或濡弱不堪，濕邪阻滯，但除濇濡之外，倘有沉伏遲細浮弦洪數之脈，而其性終兼濡性，凡此等脈，露于指下，即可知爲脚氣之疾，且濡濇之脈，在沉伏方面而得者，則爲寒毒深入筋骨之持證，在浮數方面而得者，則脚氣屬于惡性之特證，蓋脚氣古人謂痺疾，痺于脈道有所阻而不利，故濇濇濡弱爲脚氣之主脈，其他均稱客脈，體溫之高升與否，甚有關係也，體溫升高，脈必洪數，體溫降低，則脈必沉伏，今除惡性脚氣洪數之外，濕性之重者，多見沉伏，考伏脈爲閉症所有，其狀爲隱匿不揚，渾渾難辨，甚或按不應指，惟傷寒陽明府證有伏脈之說，其症至脈伏時，病狀有顯然特異之點，本非難辨，若脈氣之伏脈，爲心力不達於四末，故脈波不應指，按之無似，推其原由，實由心臟衰弱，血行不強，有以使之然也，但遲脈者分有力無力二種，有力爲實，無力爲虛，但皆出于寒冷沉痼之症，故濕性脚氣之脈，多有之，較伏脈輕微多多、此二者之脈甚屬緊要，然與病情相合，正可用辛溫回陽之劑，易于恢復常態，設若沉細而緊，浮火而駃，則脈與病已屬相反，爲難以收拾之惡候也，迨至六脈沉伏，或浮亂無根，左尺寸俱絕者，死在頃刻。

舌苔　本病之舌診，不比傷寒之熱病，及他種傳染病之大起變化，觀其所現之舌色，不過如下述幾種而已。夫輕微之脚氣初起，其舌色有時與常人無異。在于消化呼吸尙無何種妨礙，如舌面有一層白潤之苔，爲陽重與心力衰弱之特症，患脚氣所常見者也，舌色紅潤帶紫暗，爲鬱血及血液含毒之特證，推乾性脚氣有之舌苔黃白相兼，爲濕毒蘊盛之特證，亦爲脚氣所常見，至於苔之之診斷，爲胃氣變化之表現，胃氣之如何變化，則每由他臟腑之變化而所現也，如濕濁迷漫，或溫度太過，或熱力不足，或氣血弱衰，或血不潔，毒素所積，皆能致舌苔現于脚氣病之症相，但其病，屬心力衰弱偏寒者，爲多偏熱者爲少，舌色白潤，初爲偏寒，而用強心壯陽之劑，易於自痊，惟慮治療錯誤失機，則白潤之蔽滿全舌，必至陽光消滅生氣斷絕而死，然心力衰弱必賴胃氣暢旺，乃有箇接強心之可能，故每多治愈，至舌苔黃白，恐有前驅症之發點，變爲惡性脚氣，舌色紅潤帶紫暗，宜數排毒，不可誤認爲痿症，而投滋補之藥也。

面色之診斷　患脚氣病之面色，常現蒼白色，大凡屬于白血病卽貧血症也，然有眞性假性之分，本症則係假性白血，因病脾爲濕困，淋巴管壁內皮細胞，受其剌激而變性，以致淋巴分泌過多，害及淋巴線而發生腫脹，於是水液停瀦，妨礙血中之養分輸于組織之作用，因以乏少，所以患者漸漸顏面蒼白，呈貧血之狀，然此在水腫性則有之，且水腫性脚氣顏面蒼白之中，兼帶浮肿之形，不如乾性之顏面瘦弱，而兼蒼白色，但惡性之呈紫褐色者，其理由是由血液之污毒素日積致使心臟衰弱，而疫癘之氣血鬱壓于中，而現于上，試稽古人逢惡性脚氣施要之症以重用犀角即爲強心解血液毒素之明證也。

觸診診斷　本症之形腫部分試以手指按壓則有陷痕，久留不去，所謂按之則窅而不起也，其原因由組織被水腫之濾出液浸潤，固有之彈力消失之故，然此指手足之部而已，若在腰部則按之隨手而起，蓋腹之彈力強于末稍部也。

望診　本症之形腫部分，現一種黃白光澤之色，由于血管之濾出液壓迫之故。

預防及療法　預防的法規，爲本病治療中不可輕視之一種，宜戒暴飲暴食，及過度勞働，居住的宜處要充分空氣，體居要清潔廣潤之處夏期宜淡泊飲食，以使容易消化，避陰鬱褥暑之氣候。

對于治療異說頗多，各執一端，莫衷一時，千金方，惜補瀉甚簡，聖惠方，雖敷衍之說，頗爲精確，玆錄以備參致，曰，夫脚氣病者雖虛羸不可多補藥，補藥令人心腹脹氣實便死，非瀉不瘥，又不可見虛而不瀉也，見氣實而死者甚衆，十中無一人服藥致虛而殂者，縱甚羸，亦須微微通泄而時取汗也。

凡脚氣兼腫滿之候者，皆屬水濕，治法不拘陰陽虛實，須以利爲先，經曰：緩則治本，急則治標，遲則變症多端，禍不旋踵也，脚氣腫滿，元自兩途焉，然至衝心者則無異矣。

包氏醫宗曰：『脚氣衝心之症，危症也，當以瀉劑（瀉水氣）使其氣下達』，夫人之水氣，滲出腸胃，留瀦膀胱，下出爲溺，此生理之常也，今患者變常，欲利所留之水氣，自非嚴禁鹽味，猛制膏粱，服藥無效矣，腸胃分泌水穀，譬如漉濁水桶底穿穴，從宜納砂乎其中，則水漉漉而出，使若砂成滿則水道壅塞而不出，是同一理。不禁鹽膏，則猶納砂盛滿矣，乃治此病初不問其由，嚴禁滋味鹽氣，使之啖紅豆碎麥糠及淡薄之品，兼用下劑，但在削消性者尤宜注意營養。

蓋紅豆麥糠等，以現今科學之演進，經化學之研究，所含成分以殿粉質纖素及乙種維他命等爲最多，故近遠西之所治脚氣者，無不自視靈丹，如日本之鈴木代將，用科學方法，製爲注射劑之Orisonin都築氏亦有 Antileriblrn 之射注藥等所爲含充分之營養素，然我國根據古人之經驗，治脚氣而用豆者，其方案方法，不知盈數，各外台之大豆湯，崔氏脚氣方，千金麻子湯，集驗腫滿方，黑豆湯，禹水湯，决水湯……等，莫不以豆作爲主品，甚則肘後方內，僅以小豆一味，計一斛，『令極爛，得四五斗，汁溫以漬膝以下，日日爲之，數日消盡，若已入腹者，不復漬，但煮小豆食之，莫吃飯及鮭魚鹽，又專飲小豆汁，無小豆，大豆亦可，……』則於古人之用藥雖無科學之名，已科學之大義矣。

蓋今對于脚氣之治療，醫界最信任而作神效者，首推雞鳴散，蘇叶吳萸桔梗生姜木瓜橘皮檳榔然不知該方之效與不效也，不分症狀莫辨虛實故每一波未平而一波已起，則其所配之症爲水腫性或神經性，即感風濕流注，脚痛不可忍，是則服後如神，並不服後更作異痛，且下黑糞水，此爲藥物中之嘉象也，餘則金匱桂枝芍藥知母湯，桂枝芍藥知母白朮，烏頭湯烏頭芍藥黃耆甘草麻黃之類亦效頗篤。

若脚氣腫痛，大小便滯結，宜羌活導滯方，羌活獨活當歸防己枳實大黃，症象瘥後，則用越婢加朮湯，或恩仙木圓等隨症施治，而加減之。

乾性脚氣之治法，與痿痺性不過大同小異，甚一方可以同用，如小續命湯之辛散御風，當歸拈痛湯之苦燥逐濕羌活續斷湯，四物之潤血淸煩風引湯，千金越婢加朮湯，救液除熱，烏頭湯之祛寒逐濕八味腎氣丸之溫腎祛寒皆功如良相也。

惡性脚氣者，其危險較以上之種更烈，其症狀如同傷寒，亦名傷寒脚氣，以其症勢凶惡，其性上衝，又名之曰衝心脚氣，至其病勢進行如傷寒者宜桂心湯，桂枝當歸麻黃防風，檳榔，條苓犀角茯苓，若忽然而發，衝心悶亂，四肢煩疼，而身有寒熱者，宜犀角散，犀角木香紫蘇茯苓檳榔白芍紅花，若忽然而發，表實無汗，而外有寒熱等，急宜汗之，宜服攢風散，麻黃桂枝杏仁甘草萆薢川烏，若熱多宜疎泄風毒，追風毒剉湯，檳榔　防風　桑葉　獨活　郁李仁　大豆

黑豆 如壯熱頭痛，嘔吐口乾者，蘆根湯主之鮮蘆根茯苓葛根知母，淡竹葉，麥冬甘草檳榔大黃生姜。

附章次公先生醫案

翁幼 杜神文路

據其症狀乃衝心脚氣之重症，何以知其有衝心之險以嘔吐胸悶氣逆故也，擬以疎化

附子 桔梗 木瓜 防已 牛夕 吳萸 蘇葉 橘紅 赤小豆 檳榔 痧瘟丹一粒

翁幼 復診

脚氣以少腹痲木爲惡，何况氣逆嘔吐。

生附子三錢 片姜黃三錢 公丁香一錢 木瓜四錢 吳茱萸二錢 威靈仙三錢 川椒一錢 肉桂二分分二次冲

生蒼朮三錢 赤小豆二錢 氣急時呑醫門黑錫丹二錢 氣急甚時服羅氏狄加令 每次服五滴

徐右 貝勒路

濕熱下受兩足浮腫，而木韓文公所謂軟脚病者也，此症最忌嘔吐，擬附子雞鳴散

附子 蘇葉 吳萸 桔梗 木瓜 梹榔 橘紅 連皮姜 玉樞丹 生蒼朮 杏仁

徐右 復診 貝勒路

脚氣漸次就瘥，以勞動而復作，周身痲痺泛噁嘔吐關鍵在脈軟可知其心臟不隱固擬烏頭赤石脂丸防已黃芪湯當歸五物湯

附塊 赤石脂 黃芪 防已 蜀漆 乾姜 甘草 白朮 當歸 蒼朮 赤小豆

講壇

肺結核

劉緒梓博士演講稿

鄙人今天蒙　貴學院祝味菊包天白兩先生之邀得與諸君晤敍一堂，至覺愉快囑爲講肺結核症，因範圍廣大時間短促，玆約略拉雜述之末講，本題以前先應說明者，厥爲該病之定名，我國人往往以肺病代肺結核，似乎於義不合蓋肺病爲肺臟疾病之，總稱而肺結核爲肺臟病之一種，似不能彼此混而爲一也。

肺結核爲一極普遍極可畏之疾患，爲人類之大敵年年死於此症者，不知凡幾，我國現尚無精確調查與統計據，德國統計每年之死於結核症者，有十萬人，其中便有十分之九死於肺結核，查此病與年齡、職業、環境、均有相當關係，一二歲嬰孩，多有死於此症者，自二歲起至二十歲之間，其死亡率逐漸減低，至二十歲以上則隨年齡而遞增老年結核，亦屬常見就職業統計，例如石匠鏟工之死亡率幾倍於皮鞋匠，成衣匠，而該兩項之死亡率，則又倍於農夫，教員，又據德國亨堡城調查該城之勞工區，罹結核症較多於住宅區，此足以證明工人之環境，及營養差於生活優逸輩也。

查結核之有傳染性由 Villemin 於1868年用動物接種試驗證，實之直至1882年始由 R. Koch 發明結核之傳染菌，名曰結核桿菌。

結核傳染之途徑，以由呼吸器傳染者爲多，肺結核患者，痰中及其他排泄物中，往往含有結核菌，當其咳嗽噴嚏以及談話之際，其含有結核菌之略痰黏液等，成爲細小泡沫，散佈空中與之接近者，吸之遂成傳染，此即所謂小滴傳染是也，又咯痰乾燥後與塵埃相混合而飛揚，吸入者亦易致病如小孩剛值能在地上爬行年齡，受傳染亦多間，亦有由消化器傳入者，如攝取含有結核菌之食物而致傳染，但其例殊少。

結核傳染既如上述，以由呼吸器爲最多，而呼吸器中，其最先被害者，爲肺尖，蓋肺尖呼吸運動，甚爲微弱，且其換氣作用，較他部爲少故達於肺尖之塵埃及細菌排出較難咳嗽時之分泌物，由運動敏活之下，肺部直接被驅竄入肺尖，又肺尖之血液，供給較少於他部，亦可助結核之發生進行。

肺結核之一般症狀：本症初期初無準確之現象，累多略有咳嗽，或因食慾不振而誤爲感冒，或胃炎而不介意，至婦女則因貧血面黃，月經不調等而疑爲萎黃病者，果能及早注意，細加檢查，當能減免失察之咎。

發熱盜汗：本病患者之體溫，往往較常人微高蔓延愈速者，熱愈高有如傷寒之稽留熱，然尋常肺結核之熱，爲間歇性午後熱昇，往往惡寒，入夜熱降，熱降之時，往往發汗，此之謂盜汗，間亦有晨昇而晚退者，此之謂鏡子形熱。

心臟：本病患者之心臟，往往較常人爲小，心跳脈搏較速，血壓較低，神經感應較敏，凡具此症狀者，不宜高山療養。咳嗽：初起往往爲一種乾性短咳欬出之痰，爲黏液性膿性，或偶帶血絲，或血點，其由空洞而欬出之痰入水即沉

咯血：在任何一期均可發現咯血，初期咯血其預後非必不良，蓋患者見此必生恐懼，因而就醫，往往得獲根本治療

至於咯血與病勢之影響如何，可就體溫測得之，如熱度因咯血而增高，並連續不退者，則當以有關病勢論，否則殊可以並不若何嚴重視之。

營養：飲食不振，消化不良，如腸亦同遭傳染，常起頑強難治之下痢。

診斷：本症切期診斷，甚屬不易已如上述，其惟一之確實證據，則爲痰中檢得結核桿菌，及彈力纖維，但遇檢痰陰性時，不能驟加否認，蓋閉鎖性結核，因其病灶不與氣管枝相通致檢查無結果耳，藉打診聽診所得之結果，亦足爲診斷上之一助，至於其他特種檢查尚多，姑從略。

療法：本病之治療不外普通療法，及專門療法二種，前者，即對症用藥，如咳嗽鎮咳咯血止血等是，專門療法，有用結核菌乳劑或類乎該劑注射者，有用人工氣胸術者，其種類繁多，要視病人病勢之如何而加以取捨，他如營養起居亦須力事講求，蓋療養兼施收效較易也。

查本病爲傳染性疾患，自無庸贅倘能及早就醫實爲可治之症，但揚湯止沸何如釜底抽薪，此預防之所以較治療爲尤要也。

新中國醫學院研究院講座

鄭邦達記

祝味菊院長第一講

病理大綱

今天是我們新中國醫學院研究院開院的第一日。同時也是我們研究工作的開宗明義第一章：

我們爲什麼不用上課的方式；而採取設立講座的方式呢？

因爲我們現在是採取公開的態度，佔在學者的立場，不僅是對中國醫學加以研究，而是要集合全世界的醫學，來下一種系統的研究工作：

但在工作未開始以前，我們的出發點，和今後的趨向，應該定下一個目標，來做我們研究的途徑，一步一步的做去；

我們現在第一步應該解決的，就是中西醫學理，是否能夠融匯貫通的？這一個問題，我覺得極容易解決，因爲中西醫的目的，均注重在治愈疾病，而研究疾病的基礎學，就是病理學，現在我們只要將中西病理的基礎，來討論一下，就可解決了：

西醫病理學，現在仍以細胞病理學爲基礎，在中醫方面，亘古及今，總不離乎陰陽二字，內經上說，「陰陽者，天地之道也，萬物之綱紀，變化之父母，生殺之本始，」……即是言宇宙間之變化生殺，皆不離乎陰陽，易經上陰陽，是根據太極之一動一靜而來的，然則中醫病理學，卽應以太極爲基礎，太極之分兩儀，四相，八卦，是不是與細胞增生例之一分二、二分四、四分八同、太極之動則爲陽，靜則爲陰，是不是又與細胞之動則有一種勢力表現，靜則只有物質存在相同，故內經上又說，陽生陰長，陽殺陰藏，陽化氣，陰成形，這些話又是不是說的細胞之物質與勢力呢？

細胞之物質與勢力起變化就是內經上說的陰不平陽不祕陰陽離決精氣乃絕……

如此研討起來，中西醫病理基礎之不同點，不過名詞而已；

我們人體，旣是由細胞分裂增殖而組合，其生活現象，當不出乎由物質而發生勢力之原理：

細胞生活力，有時受環境上一切事物之障礙，如氣候、寒暖、飲食、起居、七情、六慾、器械、菌毒……之原因，則發生各種不同之病變，中西治療方法之目的，均係在除去障礙，以回復固有之生活機轉：

我們從上面事實理論證明起來，中西醫之學理，絕無有不能匯通的道理：

但在過去一般研究國醫學者，從不用邏輯的方法，如陰陽二字，乃是代表物質勢力之一種名詞，絕不能任意假借，如說表爲陽，裏爲陰，背爲陽，腹爲陰，府爲陽，藏爲陰，……等說，均在革除之例：

因爲我們要知道，人身無處不有細胞，卽無處不有陰陽，豈能分此處爲陽，彼處爲陰乎；

如仲景傷寒論之三陽病，不是後人所說的三陽經病，卽是勢力障礙，或減退，或亢進之種種病變，要在三陰病裏，始有物質的變化可言：

所以國醫治療種種有細菌傳染的疾病，并無殺菌的專藥，而治愈速而且確者，即是能運用陰陽虛實自然療能的道理：

現在我們既認定陰即細胞之物質，陽即細胞之勢力，以後在診斷上即不能再蹈前轍，濫與移用；

以上皆係個人的認識，這種理論，將來成立不成立，到是另外一層問題，如果有人推翻，至少必有他的理由和事實的根據，那就是整個國醫前途的光榮了。

今天所說的，是個人過去所感受的悶苦中，得來一種覺悟的結果，所以不惜零零碎碎，拉雜的說了許多出來，以後我們就根據這個病理基礎的認識。來作研究的系統，一一做去。

個人希望各位同學，不要像過去在教室裏聽講時，人云亦云的態度，而是要拿出一種研究的眼光，來執經問難，只要你們有充分的理由，僅管提起質疑。假使個人方面，不能夠答覆的問題，亦必提交學術研究會，討論一種結果，決不是會放棄自身所負的使命。

要是這樣做去，才對於研究，有進步可言，如果大家馬馬虎虎，又何必創辦這個研究院，來公開研究呢。

第二講

鄭邦達記

診斷大綱

中醫病理學，在第一講時，我們已將學理及事實之證明，與西醫細胞病理，實相脗合，是基礎方面，已能溝通，對於其他診斷治療，本此標準前進，實無多大障礙問題。

醫師臨床，所最需要者，厥爲診斷學，診斷學者，即總合各種症狀，確定疾病性質之謂，其範圍至廣，中醫以望聞向切爲四大綱，西醫雖則除用肉眼和手觀察外，尚有物理化之助，但亦不出此四綱之外：

然必先明人體解剖生理病理等學，方能得其精蘊，否則有如修理機械師，而不明機械原理，及內部之構造，是必動手便錯，誤事良多：

中醫診斷學，自古無完善專藉，又複雜而無系統，故我們欲知加以整理，自非採西醫之方式，助舊法之不逮，不易爲功。

故欲整理診斷之程序，當先將病者一切證候，分爲下列二種。

一、自覺症

二、他覺症

自覺症者，爲病人自行感覺之身體異常，如疲倦、脹重、疼痛、痲痺、惡寒、發熱之類。

他覺症者，指一切由醫者五官所可證明之病變而言，如中醫之望聞問切及西醫理化器械所檢查而得者，皆屬於此類，然後再以下列各種方式，將前二類症狀診察所得之結果，以作斷定疾病之證據。

一、望診——即西法視診，與理化細菌顯微鏡等檢察所得，皆係他覺症候，在舊法亦不僅察色而已，如痰涎，二便・皮膚，色澤，舌苔變化，行往坐臥舉止動靜皆應注意：

二、聞診——即自覺症而兼有他覺症者，西醫聽診，皆不出聞字範圍，不過採用器械處甚多，此不能不認爲科學發明之助；

世界萬彙，皆優勝劣敗，故凡對於我們有益者，無不盡量採用，何況活人之術，獨能外此公例耶。

舊法但聽病者有聲息而已，每多病灶，不能診察確切，而西醫於此，多能確定，較中醫實多進步，我們採用這種方法，即不獲救，亦知其病因所在，于良心責任上，方覺過得去；

三、問診——亦是自覺症而兼他覺症，但病者自覺病，往往易於忽視，醫者即當於其忽視處，詳加考察，在古法亦有問其先後天，及常貴後賤等，并有十法，此與西醫之探問既往症現症等，亦極脗合，就中如問既往症時，不是每病必問，遇原因不明之處，則非詳爲探問，不能診斷；

四、切診——不僅是切兩手脈搏，便爲畢事，凡需手以檢察之者，皆屬此範圍內，如西醫打診觸診等均是，中法舊有按腹及察尺膚澤否，正與西醫摩腹法，及切皮下組織同，但中醫每多古法，往往爲後人忽略，或遺棄而不用耳；

至於切脈一端，以左手爲心肝腎，右手屬肺脾命者，均縹渺無憑，內經亦無此武斷之語，始作俑者，厥自難經，獨取寸口，謂肺爲百脈之宗，可察全身之疾，而瀕湖脈學，復大放厥詞，分寸關尺以論病，尤爲荒謬，此種書直應燒却：豈以撓骨間一條動脈，而有脈瓣膜膈之爲三乎，卽信而有徵，人指有疏密，以切固定之臟府，則指稍有上下，心肝腎之脈，亦將隨手而上下矣，來西醫之譏宜矣：

內經三部九候之法，較後人手上分寸關尺者，差有理由，但九候仍屬附會之詞，三部診法，亦不過診察其附近之器官障礙，理尚可通耳。

我們知道人身動脈三大支，上中下三部，各二支，故人迎，氣口，趺陽，卽其經過之道路，中法診其動脈稍，故謂可測其附近臟器之障礙：

對於切脈一端，於血液循環抵抗力之強弱，實可診查，故全身障礙，如傷寒流行性感冒等病，及司溫放溫機能不調節，則任何一部，均可察出；

中醫分脈波爲三十種狀態，精細過於西醫，以人體之氣血方而爲觀察點，如既病之後，氣之變化如何，可於脈之勢能上得之血之變化奚若，可於脈之形態上求之，因種種病，而現種種脈，皆從臨床經驗得來，與西醫之謹計其大小遲數者，誠未可相提并論：

以上四診，我們在現代醫學中，不能認爲滿足，必當採用西法，如細菌理化學之檢查，方有進步可言：

故診斷病人，自始至終，皆有一定之程序，玆爲分列於左。

一、既往症

即自姓名，年歲，職業，住所，男女，及既往迄於今日之病狀，以及平素生活法，習慣，有無遺傳疾病等，皆屬既往症探問之範圍。

二、現病前之既往症

即探問病人在本病之前，曾患他疾否？因病者從前所患疾病，往往與現在所患有關者，所謂貽後病是也，例如白喉猩紅熱之後，多發腎炎，白喉之後，或留痲痺，急性往往續發心瓣膜病，他例尚多，不及備舉，而遇婦女，尤須注意應探問之事項。

亦有病一次不致再發，所謂免疫性者，如痘猩紅熱傷寒等是也，然有極易復發者，如丹毒，肺炎，流行性感冒……等皆是，故臨床於現病前之既往症，尤當綿密詢問。

三、現病前既往症

當分下列二項

一、先問病人自知之疾病原因；

二、自發病就醫時，初期症候及經過；

此內自覺症甚多，而他覺症範圍，則在醫師之詳爲考察，并注意其所述病情，是否出於想像，尤當注意者，即病人多有詐述病，此以婦女爲最多，故個人方面，當以爲醫者除應用學科外，當加一種偵探學，遇必要時，增加我們益處不少：

四、現症

即本日所看病人現在狀態，除應用望聞問切及器械助診外，即應注意其他應注意之事件。

五、診斷

現病探測後，症候已悉，即將所診查之症狀，下一斷語，辨明病因病名，然後定其陰陽眞假，內外虛實，皆診斷內應有之事項。

六、治療

原因病變既明，始根據之以立治法，然後處方用藥，方可以言治療。

七、經過

即自本日起，服藥後之病變經過如何？分早晚上午下午以察之，如其狀態，脈搏，體溫，舉動，是否增減，效驗如何，有反應及亢進與否？皆必詳爲記錄，以備攷察。

八、治愈

分全愈不全愈二種。

一、全治愈——即自病變時，身體所受之障礙，經過治療後，而恢復其生理之常態是也。

二、不全治愈——所謂半治是也，例如一人爲炮彈傷斷其手或足，雖傷處獲愈，而手足則不能復生，又如肺癆病者，亦是此例。

九、豫後及轉遠

豫後者，豫察疾病變動之機，以下後來之轉歸是也，如良豫後，不良豫後，疑豫後，全治，或不治，死亡是也。

探問既往症，與診查現症時，已如上述，如將所得詳細記錄，即所謂病歷是。

病歷爲診斷治療方面，最有關係之記載，如治療成績良好，我們固郎用以爲法式，如死亡者，其經過情形，亦足助我們經驗，其有不治之症，而我們竟能完全治愈者，此則于醫學上，增加新治療與進步，亦可於病歷上見之矣：今將託錄方式，揭載於左，用作初學添攷之資料。

第一　診查之年月日

第二　病人姓名年歲住址職業

第三　問既往症

一　問現症前之既往症

遺傳關係

體質及兒時健否

習慣及生活法

往時疾病或外傷婦女尤須問月經狀況配偶生子及產褥經過等事

二　問現病之既往症

現病之誘因（病人自認爲現病原因者如感冒過勞不衞生傳染機會外傷等）及發病年月日

現病發生時之狀況及發病後之經過既往之治法及其效驗如何

既往症探問已畢將診查時宜將人所苦之自覺症（卽主訴）簡單再問一次在小兒須問生齒步行言語及智力發育如何

第四　診查現症

一　診查大概症狀

體格及體質

營養狀態

臥位體位姿勢步行狀態等

精神狀態及容貌（在小兒須觀頭形及顖門之狀態）

皮膚狀態（其營養狀態爪髮異常色澤乾溼之度及有無發疹瘢痕之類）皮下蜂窩織狀態（水腫氣腫等）

體溫（寒戰發熱發汗等）

脈搏（至數脈調等）

此外顯明之症狀及病人所陳述如疼痛之類

二　診查身體各部

呼吸系——鼻腔症狀（腫脹潰瘍鼻臭鼻腔通塞衄血等）喉頭症狀（嘶嗄疼痛不快之感覺等）咳嗽（度數發作時）咯痰（量肉眼顯微鏡及細菌學所見）胸形呼吸度數（呼吸困難）胸廓擴張胸痛（其部位是否刺痛或鈍痛抑在嗽時）此外如胸部之視診觸診打診聽診等

循環系——心藏部視診（心藏部搏動心窩搏動心部隆起）觸診打診聽診（心音清濁）檢查動靜脈及血液（肉眼顯微鏡及細菌學檢查）

消化系——唇舌狀況（乾溼及有無舌苔）食欲口味嚥下困難吞酸嘈雜噯氣噁心嘔吐（其度數分量外症狀味是否食後卽吐抑飲食何物之後同時有無咳嗽）檢胃內容腹鳴腹內不快之感覺或疼痛（其部位性質）便通（祕結下利分量外觀等）此外卽胃腸肝脾之視診觸診打診聽診

泌尿系——尿之分量度數色比重異常成分沈渣排尿時有無疼痛及障礙腎及膀胱部有無疼痛

生殖系——在男子爲生殖機能（遺精手淫等）女子爲月經狀態（其初發無月經不順順持續月經前後之痛苦閉止等）分娩次數產褥經過有無流產現在孕否等）

神經系——頭痛不眠違和健忘眩暈昏瞶失神卒倒譫語抑鬱痙攣痲痺疼痛知覺障礙五官障礙異常或脫失耳鳴重聽等

第五　診斷——病名

第六　治法

第七　以後之經過——病之經過最宜詳記惟記錄時務述簡要最好自行執筆

第八　轉還——全治半治不治死亡

第三講

鄭邦達記

治療大綱

關於病理及診斷大綱，我們已於前面提出研究，今日所要談的，即是治療方面的問題。醫生自下診斷後，不得便爲完事，必用種種工具，將病治愈，方爲工作完結，故在診斷確實後，施用一種工具，以治愈疾病，即是治療學。

中醫治療方面，法式甚多，不僅湯液膏丹丸散，內服外用而已，據我們所知，亦有針灸薰漬按摩等法，尤各盡其妙。

在西法治療方面，除內服外擦，及注射電療種種方法外，其最擅長者爲割治：

然中國過去，亦有此術，如漢華元化，即爲此中能手，惜其術失傳，今所存者，惟閹雞狗牛馬之法而已，牛馬閹然大物，手術易施，至於小雞，亦剖腹去睾，隨着地上，生活如常，即此一端，已見手衆精妙，其失傳者，因我國人，夙抱人道主義，故有身體髮膚，受諸父母，不敢毀傷等語，故認此種非仁術，并以一術字屏棄而不用，遂專注重於湯液治療，只要能避免用手術之處，無所不用其極，此種毫無學術觀念，彼國粹湮沒而不彰，良可惜也：

在治療方面，中西各有系統，及其方式，歸納起來，只二字足以代表之。藥、物、是也。

凡內外需用藥以治療者，皆屬於藥品之範圍，凡需器械以施治療者，即屬於物質的範圍。此雖西醫最新療法，亦不出此二端。

我們試將中西治療，一為比較，則中法對於藥的方面，頗佔優勝，但對於器械方面，不能不讓西法，所以我們不能以一方面之優點，便以為滿足。

當知醫者責任，在救人生命，凡有效方法，不分中西，在可能範圍以內，皆應採用，故有內服藥效能遲緩時，及藥所不能為力者，即應採西法之長，如注射割治等，以為補救。

如在內地農村，設備不易，固無法可施，但學醫的人，不能因環境關係而不學，總應該盡量研究，萬不可因噎而廢食，有如研究藥物者，自不能以本地產物為範圍，而對於各地產物，亦在研究之列，此方足以致博學精進：

至中藥長處，則人人皆知，談理則疑信參半，其理由有下列數點。

現在的人，多數對於生理解剖，已具常識，豈五行氣化的空談，所能入耳，此其一。

同一正式醫生，同診一病，病因病名之相差，竟不可道里計，此其二：

在各種傳染病，據新學說，皆為細菌致患，而中醫方藥，并無殺菌能力，其效能何在，均不能以合乎生理病理之解釋以說明之，此其三。

故今日所言治療大綱，首應解决的問題，卽是中西治療，其愈病之理，是否相通？

我們試思，世界人類之生理同否？病人所感之痛苦同否？雖中西治法，方式不同，而愈病則一，又焉有不通之理；

卽如中藥不能殺菌，而有細菌之病者，亦能獲治，其理由安在，今以舊說正盛邪衰，正衰邪盛等語，取西說以釋之。

在生理學上，謂人身防禦侵害裝置，抵抗疾病機能，非常嚴密。

任病理學上，謂人身有調節機能，與自然療能。

以上兩點，卽舊說所謂正氣，故正氣盛則病邪卽衰，其理極相通。

故西法利用動物某種病愈之血淸，卽以之治某種疾病，其理由卽是增加人體抗毒素，以殺滅病菌，與正盛邪衰之理亦相通。

人身固有抗毒素，遇某種障礙而欠缺者，中藥之療能，卽在除去障礙，囘復自然療能，增進抗毒素，細菌卽無繁殖之可能，故中藥雖不直接殺菌，而亦見滅菌之效能。

中醫對於病因，則注意誘因，若病菌等類，只是以一毒字括之，如內經所謂大風苛毒，卽不啻指動植物菌而言；例如發熱一端之治療，原因甚多，就傷寒而論，有汗用桂枝湯，無汗用麻黃湯，有汗而不澈者，則有桂枝二麻黃一，桂枝麻黃各半等法，他如勢力不足，則加附子以扶陽，物質不足，啜粥與水以益陰，是又非西法用藥之單簡；

在外因病中，體溫昇騰，多係自然療能推進，所起之一種反應現象，若西法之冰袋，與中藥之淸涼劑治療，皆係違反自然療能之機轉，故多續發病及危險，苟非抵抗太過之陽明症，絕不能用；

在物質方面，中醫之針灸療法，頗有至理，但過去之研究此道者，大都有手術而欠學理，株守經絡之說，創爲玄妙之談，而於愈病之正法，藏，反爲莫須有。

若以生理病理等學，從事研究，則知針灸治療，卽爲神經治療，藉神經力量，促進血行，以抵抗病毒，然必其人之體力充足者，方能發生有效作用，苟爲羸弱者，卽需用，亦當佐以內服藥，匡其不逮，曩昔生理不明，故理無從通，處今時代，自應用種種方式，力求精進，此種治療，不特於醫學發明上有關，并可大衆化，如在內地農村，購藥不便之處，身有針艾，卽可已病，何便如之。

至剖腹開胸之大手術等，自非採西法不可，於產科尤宜盡量採用，倘以內服藥爲可靠，則眞正難產，必致誤人於死。

又西法用太陽燈及×光等電器治療，在都市固可應用，如在內地，無此設置者，中醫灸法之療效，亦頗相等，大可參用。

以上舉出的例子，在事實及學理方面之證明，中西治療，根本無二。

倘從事實業及學理漸漸的合併研究起來，目前有中西之分，恐十年二十年後。已無此界限之存在。

我們已將病理，診斷，治療，提出標準討論，研究大綱，已具楷模，今後方開始分別各科以研究之。

癌腫之研究

劉伯楷先生演講
朱楚帆　王祖訓筆記

小引

兄弟到上海來前後總共三次，第一次在前淸光緒三十一年到日本去，回來在民立報投過一些稿，第二次乃代表湖北省沙市醫藥團體，來此參加全國醫藥代表大會，此次爲應范筱泉將軍電台，診治黃膺白先生之肝癌而來，兄弟于二次由滬返鄂後，對于癌腫一症，曾有深刻之研究，今蒙　貴學院高誼相邀，特借此機會，與諸君談談。

一、癌腫字義之攷證，及其分類。

癌腫一症，稽之古籍，只有乳癌兩字，後傳之日本，彼邦學者，努力研究，名之曰癌，遂成爲醫學上之新名詞，今吾國咸以舶來品目之，實皆吾國固有之舊物也，癌之一症，以其性質，分有硬性，軟性，惡性三種，硬性多不潰爛軟性則潰爛而多痛，惡性乃介在兩種之間，以其所在之部位言之又有食道癌、乳癌、胃癌、肝癌、子宮癌、直腸癌六種，肝癌多屬男子疾患，女人患肝癌者少，患子宮癌者多，諸癌一般症狀，爲嘔吐不食腹痛，血壓低降，脈搏增加，外症爲皮膚甲錯等，普通以肝胃癌，患者居多，其他則鮮見。

二、癌腫之病因(附奇經八脈在生理上之攷證)

凡病皆當求其因，得其因，治其本，則病未有不效者，命匱以邪從內藏而起所謂七情，(喜怒憂思悲恐驚)之侵略襲者，爲內因，邪在四肢九竅皮膚經絡血脈而入所謂六淫(風寒暑濕燥火)之侵襲爲外因，病從刀兵水火跌打房室勞役飲食及虫獸咬嚙而生者，爲不內外因，兄弟嫌其有不足處，于三因之中，復加入一半內外因，以風寒暑濕燥火之六淫代之，金刃跌打水火虫獸所傷，改爲外因，房室勞役飲食所傷，改爲不內外因，其爲四因次序井然，似于義亦較準確。

癌腫之病因，日本雖研究有素，然不能究其竟，吾個人對于此病，則以外因由于補藥，半內外因由于燥，內因由于怒，實皆原於本身衝脈之病變，何以知其然，請先言衝脈之生理，欲究衝脈之生理，不能不以十二經脈，及奇經八脈，先提出討論之，十二經，乃太陽少陽陽明太陰少陰厥陰，別分手足，互有表裏，布行于人體，前後左右，內外各部，分屬于五藏六腑，徑路分明，有條不紊，循經治病，效如浮鼓，獨奇經八脈，雖有經路可指，但古書皆未實指是何藏器，在治療上，縱有相當價值，在事實上，終欠確切研究，數年來，兄弟對于此層，曾有深刻之探計，雖不敢說新發明，但以供學者之參攷，或屬可能之事。

夫督脈者起于下極之俞，並於脊裏，上至風府，入屬于腦，按下極卽脊骨之端，風府正當小腦與延髓之間，合之于近世生理解剖，確爲腦脊髓神經，系統，此說久已風行，無可駁斥。

任脈者，起于中極之下，以上至毛際，循腹裏上關元至咽喉，按中極之下，即會陰穴也，此脈由會陰起上行由人之前身，而至咽喉，適合於動靜二脈管，蓋即循環系統也，此說近世亦多有能瞭釋者。

衝脈起於氣街，難經云並足陽明之經，圖經云並足少陰之經，總之是夾臍上行至胸中而散、恰爲人體之淋巴系統，攷淋巴腺共有三大部，其系統貫穿縱行于人身中，有顯流暗流兩種，西醫只知有顯流不知有暗流淋巴腺之源何來西醫亦不能知之，只知淋巴與血交流于靜脈弓部，殊不知其源乃起于脾臟，脾生津液，化爲淋巴，倘將脾臟割去，淋巴腺雖能代其工作，終不如前之充足，而現萎黃病，肌膚粗糙，及腦力遲鈍等，此何以故，蓋脾臟割去，則淋巴之大本營已壞，減少與血管之交流使紅血球不能發揮其作用故現萎黃，脾主肌肉，乃由我國古人經驗所得，今因淋巴減少，不能潤澤肌肉故令皮膚粗糙，又因淋巴液枯竭不能供給神經液，故腦力遲鈍，因是知淋巴腺爲輸送人身津液之總機關，倘下淋巴腺受毒則爲類似魚口之症，西醫治以二六六九一四而無效，其次爲中淋巴腺受毒，則爲夾腋症，上淋巴腺受毒則爲瘰癧，淋巴枯竭，波及臟腑則爲癌癧，是衝脈與癌癧之關係，有如是之密切者。

現爲研究奇經起見，連帶的說到帶脈，帶脈者起于季脅，迴身一周、內經只見帶脈兩字，未言其質，難經則謂環腰一周，有如帶形，因名帶脈，攷之針灸圖經，則不盡然，蓋圖經帶脈，只有三穴，即帶脈五樞維道是也，帶脈在季脅下一寸八分，五樞在帶脈下三寸，維道在章門下三寸，按其部位，爲縱行，且左右各一、合之繞腰一週之說，一縱一橫，殆占腰腹之全部，從此徵知，自腰以下至少腹，皆可爲帶脈之領域，且證其病狀于難經，曰帶之爲病主帶下腹滿而腰溶溶若坐水中，尤足明其部位，與水道有關、由此種種，參以生理釋剖，則知帶脈，爲人體之板油，亦即肋膜腹膜、及腎上𦟌，腎旁腺也，板油爲全身之水道，凡血液中之有餘水份，滲入板油，由板油滲入腎臟，及膀胱，而後由小溲排出之，所以板油發生障礙，則水份停積于腹膜內，故腹脹滿而腰溶溶若坐水中，以帶脈與板油之症狀相同，乃斷言帶脈即板油也，或謂板油，惟馬牛犬豕等有之，人體未有也，何得謂帶脈卽板油，然人體雖無板油，而仍有肋膜及腹膜，而膜中富有水管，以利水道，更有腎上腺，腎旁腺，皆爲脂肪之變體，以助其行水之功用，合爲一系，至于獸類，則有板油，而腎上腺部，或極小或全無而功用亦全以板油代之，國醫之所謂命門者亦屬帶脈系，但命門有三，一爲二目，乃經脈之命門，一爲啓人生命之命門，又可名之曰生門，卽陳修園所主張之命門，屬心胞絡臟，一爲制人死命之命門，又可名之曰死門，卽兩腎中間之命門，此乃屬于帶脈系者，故帶脈可易以新名詞曰，人身之油膜系統。

復次靈樞云，蹻脈者，少陰之別，起於然骨之後，上內踝之上，直上循陰股入陰，上循胸裏，入缺盆，上出人迎，之前，入頄屬目內眥，合于太陽陽蹻而上行，氣幷相還則爲濡目，氣不榮則目不合，內經云，邪客于足陽蹻之脈，令人目痛，自內眥始，故有陽蹻症，則目不合，陰蹻症，則目不閉等症，傷寒少陰篇，少陰之爲病，脈微細，但欲寐，從可見蹻脈之作用，在于目，再證諸生理解剖，凡人目上下瞼之能開合，及瞳孔之分辨物質，皆由視覺神經主持之，而視覺神經之中樞，則在于大腦前部，有×形物之處，爲目能見之源，證之物理亦然，夫電燈之能發光照物，端賴其有磁石，而人目之發光視物，亦必有一磁石，磁石爲何，卽當顋門中之×形物，此語有證乎，曰有，人死顋門中之×形物仍不死取小針一枚，從足心刺入，翌日解剖人腦，則小針懸于×形物上，非磁石吸鐵發電之理而何，故曰蹻脈者卽人身之磁性×形器也，此名稱、在生理上，及醫界，未之前聞，乃兄弟所獨創，杜撰之誚所不敢辭。

陰陽二維據難經，知其維絡于身，溢畜不能環流灌溢諸經者也，故陽維起于諸陽之會，陰維起于諸陰之變觀此可知陽維陰維，與人體各經脈，皆有溝通，而能涵養節制全體之發育者也，致之近世生理，適與甲狀腺之功能相符，甲狀腺者，生於頷下頸中，能保持人體發育之平衡。使各部組織，皆適合中度，倘于先天時，該腺變異特大則產生後，軀幹及肢部，成細長形，發育後較常人爲高，而頭則尖小，如先天將該脈損傷，令該脈過小，則軀幹及肢部不能有適度發育而成短小之侏儒人，獨頭部發育較常人爲大，陰陽維之爲病亦然，如人于跳躍時，偶一不愼，將足跌傷，其傷部在然谷穴，則其人必患長期之足痛，漸漸萎瘦，趾端腫大出膿，如鳥糞，漸傳彼足，又漸上行，至膝則不能行，至尻則不能坐，至腰則不能轉側再上至肩由肩而臂，而手，及指，亦如足狀，病之所至，則枯瘦如柴，凝縮不能少動，轉至于手，則手作死鳥爪形，而全身皆似死廢，獨其頭依然如好人，談笑飲食，無異常人，此名縮骨癆，如于此時檢查甲狀腺，則損壞而腫脹，聞者多疑此說，以爲病起于足，何以能及于甲狀腺，殊不知然谷穴（足少陰第二穴）者陰維之起點也，病自陰維，循經而上故曰陰陽維，即人身之甲狀腺系統，綜上所述，始知奇經八脈，即人身之六大系統，并無不合科學處，明乎此，然可談癌腫之發生，及其病理矣。

三、癌腫之發生及其病理

八脈之中，以衝帶二脈之病狀爲最多，癌腫之病雖原于衝脈，而外因之燥，與內因之怒，亦當爲其誘因，今先以肝胃二癌而言之，夫肝者，爲迴血之總匯，古人謂肝與胆相表裏，胆有上口而無下口，膀胱有下口而無上口，此語絕對不確，須糾正之，復攷西學血液之循環，在軀幹部經過微血管即流入小靜脈，再入大靜脈，而入右心耳，在胃脾肝腸等則不然，動脈血經過胃腸脾等，由門脈皆入于肝，再經過肝內微血管，然後出肝入總靜脈，以至右心耳，因此肝內藏有迴血甚多內經所謂肝藏血者是也，肝除藏血外，尙有一種功能，乃吸收食物中所含之糖分，與上項迴血合化，而成肝液，入膽囊而爲胆汁，注入腸中，以助消化，如是循環不已，而呈健康狀態，若其人發怒，則肝藏膨脹而鬱氣，血因氣鬱亦從而鬱。其怒愈甚，則鬱血亦甚，遂形成廢血蓄同時肝臟失其吸收糖分性能，不能製造胆汁，以助消化于是食物不得不充積腸胃，而爲便祕，久之則脾藏之津液缺乏，淋巴液減少，且被燥氣嘍入胃中，化爲大量之惡涎，肝臟不得淋巴之營養，亦亂燥乾，而鬱血有增無減，于是而癌腫以成矣，如怒輕則肝不膨脹縱有癌腫當發于胃，而成胃癌，其在女子則變爲子宮癌，乳癌，其憂愁過甚者，常發于食道，而成食道癌、或發于直腸，而成直腸癌也。

四、癌腫之治療

癌腫之病因，既如上述，起于人身衝脈之病變，及其病狀，爲大便祕結，衝氣上逆等，其療法，當如何，綜合古書，常以挑核承氣湯，爲主方，凡人有氣上衝胸，及脚氣衝心，奔豚氣上衝等，皆以桂枝爲主藥，復致該方之藥效，本草以最能治衝氣降逆等，莫桂枝若，故該方亦以此味爲主，桃仁爲副，桃仁降血之力強，以甘草緩之，瘀血既降，以大黃芒硝下之，使由大便出，古人治病，不外汗吐下三者，汗下二法常用，而吐法則不常用，如以發汗爲目的，須顧其陽，汗多亡陽，重在救陽，救陽非人參不可，因人參補氣，補氣即屬陽矣．若以下解，爲目的，須顧其陰。下多亡陰，法當救陰，救陰莫如養血生津，救桃仁承氣，合大承氣，加當歸白芍爲方，以之治癌腫，效用即在此，因當歸白芍，能生新血，滑大腸，重用當歸，雖用大承亦不傷正，此就肝癌而言，若以治胃爲目的，可于原方加厚樸枳實，重則酌加三稜莪朮，廣三七等，故以桃核承氣爲治療癌腫之主方，誰曰不宜。

五，附錄黃膺白先生肝癌之治療經過

轟傳一時之黃先生肝癌，久爲西醫認爲不治，經范將軍與兄弟會診結果，現已漸脫危險，兄弟未診治以前，氣如游絲，舌本麻木，大小便不通，唇泛赭色，脈搏96，血壓92，體溫37°8c 今已逐漸呈良好現象，服藥後，下如魚腦之惡涎，及混合瘀血之臭糞約 1000cc. —以上小便每日增加，多至900c.c. 血壓昇爲98脈搏減至82體溫減至 36°8 唇已不乾，能扶起略坐，究竟能否全惹，如無其他關係，或當有八分把握，惟經西醫闢刀放水後，傷正過甚，故進展甚緩，爲可憾也。

案黃先生病，經鄙人治療，其成績如立竿見影（前北平市長袁文卿批評如此，殆後受其至親某，數度刺激，黃氏大爲恐慟，其脈立亂，症狀倏然變壞，或終至不救，使鄙人前功盡棄，殊堪惋惜，設黃氏不愈鄙人之方亦不能確定爲能治肝癌之效方，但願我國醫諸同志。再加努力，或就本方擴而充之，或另覓其他效方，依鄙人意見，金匱大黃䗪虫丸，亦在可用之列，未審明達以爲然否？

野樵謹識

中風瑣談

章次公先生講
佘雟南速記

中風一詞。爲一空洞抽象名詞。大概根據內經之：『諸風掉眩皆屬於肝』及『肝之變動爲握』及『風淫末疾』及『風善行而數變』等詞連想而得。吾人知古人所謂肝之爲病者，十九皆隸於神經系統。『眞中風』症。卽今西醫改謂神經系腦髓疾患中之之『腦溢血』Gehirnblutung 然腦溢血之主因。實因血管病變之故。據最近之研究，凡有梅毒，出血素質（白血病，惡性貧血，敗血性疾病）及血管硬化，脂肪變性，持續性血壓亢進，心臟肥大，大動脈瘤，腎萎縮，以及卒中質者每易誘發『卒中』，然卒中發生之動機，則又有二項連繫之關係。

（A）血管壁脆弱起硬化　（B）突然心力亢進，血壓持續增高　（C）血管周圍腦實質失抵抗力量

以上三者，往往互爲因果。大凡血管硬化，腦實質失抗抵力量者。則血壓亢進時　最易惹起出血　吾人知年老者最易『卒中』卽因老年之血管多硬化，血壓多亢進之故，尤其在精神刺激之後，血壓更易持續增高。古籍內經云『血之於氣並走於上則爲大厥』『血菀於上使人薄厥』依此文義着想，所謂『氣血並走於上，血菀於上者。』意卽爲血壓向腦部亢進時所起之卒中狀態也。

（註一）所謂卒中質。卽指頸項粗短。胸部寬廣之人。因此種體質。容易發生卒中。

本症在前驅症。爲頭內充血。暈眩耳鳴。言語澀滯。精神興奮。失神發作。半身知覺運動障礙等預兆現象。在卒中發作時期。卒然不省人事。陷於昏睡狀態。運動知覺及反射俱廢絕。口眼喎斜。除呼吸及心慟外。殆於死者無異。往往有卽死者。在陷於昏睡狀態中。則顏面潮紅。脈搏強實而緩。呼吸深長而發鼾聲。瞳孔散大。或左右不同而反應缺如。有時或發嘔吐。及兩便失禁。如此卒中狀態。若形持續。則呼吸疾速不止。喉頭及氣管之粘液積聚而發喘鳴。在舊籍

卽所謂『痰迷心竅。』如其喘鳴不絕。脈速而不整調者。殆近於死期矣。綜上而論。旣明腦溢血之病原。及其症候之經過。則可進而談其治療也。在施治腦溢血患者時。首先令其極度鎭靜。勿使騷動。免其震盪力障礙血液之凝固及出血之吸收。並令高舉頭部。使血下行。要之本症初期之醫療。不外使血行下降。與夫促進血液之凝固及吸收力而已。玆分述之。

(一)血壓亢進期：如患者臉色潮紅。脈象洪大而有力。以及眩暈耳鳴精神興奮等現象。則治療之法。當用緩下之劑。引血下行。古方當歸龍薈丸加牛膝爲適應之劑。該丸中大黃龍薈二味。爲植物性下劑。黃連黃柏黃芩龍胆四味爲鎭靜心力亢進減退血壓之劑。當歸古人以爲辛温。用於此症。雖不相當。但古人謂此藥祛瘀通經。大致有傳下部充血之效。據中央衛生試驗所報告。此藥能弛緩子宮。與祛瘀之說相符合。用於中風與牛膝相伍。可以導血下行。木香爲調味藥。麝香古人以爲香竄。用於虛風內動者。將益鼓舞風火上騰之勢。其實此藥有強心之效。與西藥之毛地黃相等。西藥治此症毛地黃劑非常愼審。以能亢進血壓之故也。但麝香用少量。則不妨。蓋中風者大者高年。大黃蘆薈猛悍竣下。藉少許麝香強心之力。不致虛脫。此國醫方劑配合之妙用也。在此血壓亢進期內。惟須注意對證治療。凡屬興奮性亢進血壓。及辛溫刺激之劑。均爲禁忌。如人參黃耆桂枝肉桂等。然此中更有奇妙者。卽桂枝不可用。而麻黃則可用。肉桂不可用。而附子恰可用。此何以故耶。蓋桂枝者興奮心臟之劑。而麻黃爲減退頭部血壓。促進末稍血管充血之劑也。肉桂爲興奮血液之劑。而附子則爲麻痺神經之劑故也。又本症在血壓亢進期內。又可使用外治法。如頭部置冷手巾。使血壓減退。卽西醫用冷囊法之意。及於是心下用生附子與麝香搗爛縛住。以誘導法引血下引。然此亦對證療法之一也。

(二)輕度卒中時期：如發熱呼吸偪促。喉間痰聲漉漉喘鳴等症象。治當祛痰及緩下法。如竹瀝、遠志、天竺黃、生萊菔汁、生薑汁、貝母等。此中遠志爲祛痰劑。天竺黃爲鎭靜劑。萊菔汁生薑汁爲化痰劑。竹瀝爲緩下之劑。貝母爲調劑血壓之劑也。在此期中。時醫施之所謂「平肝熄風」療法者。通常使用者卽爲菊花、蒺藜、天竺黃、川貝母、生白芍、石决明、遠志肉、石菖蒲、竹瀝等。此亦輕劑之姑息療法耳。惟更須瞭解者。卽在此期中。喉間喘鳴。因呼吸中樞在延髓。因出血之壓迫使然。多痰是氣管分泌激增之故。是屬後發證之現象。

(三)神經麻痺期：如精神萎頓。半身運動知覺消失。顏面神經及舌下神經四肢麻痺。此等現象。舊說爲動風。在此如無血壓亢進等興奮現象。則先用補陽還五湯等。此湯藥內藥劑有黃耆大地龍等品。黃耆爲強壯神經興奮藥。大地龍爲蟲類袪風劑。亦有興奮作用。蓋吾人須明白。中醫之所謂風者。卽包括麻痺拘攣掣搐等現象而言。前者黃耆爲強壯性興奮神經劑。後者蟲劑大地龍爲刺激性之興奮神經劑。蓋神經強壯而興奮。可使掣搐拘攣麻痺等現象減退。此亦對證之療法也。如神經麻痺持續。而呈衰弱之現象。繼之可服人參再造丸及大活絡丹。且神經麻痺。又可外治。應用理學的療法。如針灸按摩等。此在西醫則使用注射。及電氣療法是耳。然中西醫在此診療上。亦不外以種種輔助機能作用。增進興奮與刺激之力量。促其恢復而已。

(四)神經麻痺持續期：如半身運動知覺消失。及顏面舌下神經久時麻痺。則須設法恢復。勿陷頹廢。在此時期。古人用養血袪風法。如桂枝加當歸湯玉屏風等爲適應劑。如患者素體衰弱。古人歸之所謂「腎虛。」可用虎潛丸蓋所謂腎虛云者。大概指神經衰弱及內分泌缺乏之意。而所謂養血袪風者。卽恢復麻痺神經之興奮刺激劑也。統觀先賢治中風方。在此麻痺持續時期。均於營養藥中加興奮刺激藥也。

本症在此時期內。除內治外。更可外治。民間療法用川烏、草烏、紅花、毛薑。煎劑薰熨。並用樟木桑枝使患者於麻痺處摩動。其目的在使麻痺之神經。促其恢復。

(五)虛脫性危險期：如脈搏細小而亂。小便失禁。自汗肢冷。喉間痰涎壅塞。而發短氣喘鳴。四肢麻痺。呈於昏迷狀態。則此危險時期。是屬『外脫內閉』之候。至此預後大多不良。惟治療法。則宜雙方兼顧。在外脫之候。如見自汗肢冷小便失禁。脉細而亂等現象。則在此危險當頭。須急則治標。用參附湯加龍骨牡蠣。蓋龍牡爲潛陽止汗之劑。參附爲強壯心臟囘陽救逆之劑也。至於內閉者。如喉間痰塞。短氣喘鳴等現象。惟此時當先注意其窒息。急用民間療法明礬皂角湧吐痰涎。以利氣機。蓋皂角含多量石鹹素。能刺激胃膜引起嘔吐。大量並有泄瀉作用。明礬爲礦物性收斂劑。可使分泌機能收縮。又在此「內閉」之危險期內。亦可服三生飲（生南星、生川烏、生附子、木香）以宣其閉。體弱者可佐以人參，維持體力也。然綜上所談。亦不過舉其重要之例。言其梗概而已。

赴雲貴採藥之片斷

張曉白先生講
江浦 清速記

今天剛從南京囘來貴校，朱院長和包教務長請我到此地來演講，非常榮幸，但是我一點沒有預備，恐無好的貢獻，現在就拿赴雲貴採藥所見，和諸位談談：我們從南京出發，經過重慶，到貴州省邊境，的金佛山地方，這座山有二百二十多里長，若是步行要跑七天，才可跑完，山的最低者有三千尺，其高的要有五六八千多尺。這地方的 產爲桐油雅片。從金佛山過去，就是貴州省境，省內都一千年前的老林，林的長有二三十里者，跑進去須二三天方可出來，金佛山全部成「非」字形。我們去的時候，是從此山之西北部，名新梯子的山路進去。這新梯子的附近是沒有人居住，野獸很多所以到此地，是極危險的。必須帶着兵士保護方可。如進老林去須在外面開槍，嚇走野獸，然後可以進去採藥。

在這些林中有一種半開化的土人，非常凶蠻。他們不着衣服，祇以破布之類蔽體，吃的大多爲洋山芋，其他亦沒有別的食物，其吃法都是用火烤。不過他們打野獸的本領却好極，沒有新式的鎗，所用的武器，是古代的遺傳物，刀箭之類，不但是射技精熱，并且在他們所用的箭頭上，倘塗有毒藥，這種毒藥就是射罔。中醫本草綱目裏面也有這藥的記載。據考察這種射罔，就是毛梗烏頭；梗有光烏頭，是平常用以治病的烏頭，至于毛梗烏頭現在沒有人認識他，及詳細之形態計載，故不能得到該物。土人採集該藥後，將它製成膏狀物。其製法，據說是將該藥草放入鍋內，加水用火煎熬，約一月左右，將煎成之水澄清，水上現出油狀物，盛起該油，另貯一器。再將前水放於火上煎熬，半月左右，又有油狀物浮起，取出再煎。如此煎至油盡。把油共放一鍋內，煎至膏狀即可應用。將該膏物塗在竹做成之箭頭上，待乾再塗，如是者數次，此箭即可用以射獵。假如被射者爲虎，（他種動物亦然，）這虎在七步以內倒地，和死的一樣，這時土人就趕快的拿出刀來，把這如死的虎就地開割，使它遠魂乏術。如果不是這樣，這虎過了二小時，仍然會得活起來逃走的。其實射罔給毒性！不過麻醉性質而已，如被其射中，就有危險。若將射罔加以探討研究，豈不是西醫所用的麻醉藥的代替品嗎？我們在樹林中曾經打死一隻野猪，有六七百斤，倘然醒過來那時的危險可想見一班了！

七千多尺高的金佛山，最高峯山路的寬度，祇可一人側行！數十里內沒有居住的人，山頂上有兩個廟宇，單身客人經過，發生危險，是意中事。跑過一段山路，約四十多里，即到新梯子下，新梯子乃木頭製成的一條長梯子。製法粗笨，一不小心，跌下去眞是要連骨骼都要粉碎，甚至連碎屑都找不着！梯子共七級，每級長三丈，斜斜的靠在峯壁上，爬上梯子的盡頭，即是金佛山的頂。

在來山的時候，從北碚鎮經過，得着中國西部科學院盧作孚先生的幫助不少，北碚中國西部科學院。爲國內有數的科學機關。這院裏分地質，化學，植物，礦物，生物五部。盧先生在院裏派了動物植物兩部主任和工人等和我們去。同時在南川路縣又帶了幾個兵士，一共二十一人。跑此艱險的山路，和梯子，整整的耗去大半天，纔到山頂，四望雲海峯巒隱現風景因極險而造成。更覺可愛。這時間爲陰歷五月的天氣，業頂各處盛開着血紅的杜鵑花，這些杜鵑花樹高可三丈，并且成爲二十里路長的林，在杜鵑林中，稀疏的生着一種名叫山木香的樹，它的花五瓣黃蕊並不大，不過發出特有的一種香味，數里外，就可嗅到。林中倘有少數黑色的猴子，高祇一二尺，眼睛紅色，迨始即頗名貫的墨猴。在血紅的杜鵑樹上，爬來跳去眞是美麗，在江浙等省是不會見到的。也曾經過這樣的樹林。在這樣的林中前進時採到一種眞的完活。按羌活和獨活。在中醫本草中記載，係一類二種。那是不錯的。但是現在藥商售賣的羌活。色黑有穿。不知用何物替代。獨活羌活的根和當歸相像，土中挖出之新鮮的，看他的根是沒有兩樣，惟葉則羌活爲羽狀複葉，而獨活爲三缺刻掌狀葉，若以氣味來分別羌活的味比較強烈些。總之藥之奇突者，皆須生在七千尺以上的高山上。凡生在二千尺以下的藥物。江浙兩省俱有出產。因高山上的在頭石，經年代久遠腐爛成黏土，質地很肥。况且雲霧範圍與陸地截然不同，所以生在山上的野蘭長的極好，經我們搬到山下栽種，無論如何的盡心培植，終至死亡，野生黃連亦復如是。

從梯子爬上山頂，經過一座三十多里的杜鵑林，而到了一個廟宇內，廟名鳳凰寺這廟內和尚二十餘人，尙有十幾個窮佃戶，專爲這廟在山頂的平原上幫他們種田。滿山長着一種矮竹子，僅二三尺高。據和尚說：他們下山不走新梯子，是走山東北獅子口經大河堪而進城。因此路較有人來往，其實這來往的人，每年中很難找到四五個。廟東南十五里地名黃柏坪種有黃柏大黃黨參川芎四種藥物。黃柏爲木本，通常用的是黃柏樹的皮，可供應用，須待十多年此樹充分長成方可，故出產量很少。大黃爲牛舌大黃，全山皆有，廟內種者，爲錦紋大黃，係草本，爲草本中最大的植物，他莖的直經一寸至四寸，葉的縱長約有五六尺，葉柄的直經，差不多也有二三寸，全草的高度幾一二丈，所以簡直可以稱他爲草類中的「大王。」須長到七八年後方可採用，這草在山上幷不爲奇。川芎爲分根種植的，先把泥土耙鬆，將灰糞和在裏面，一月施肥一次，他的根盤漸漸放大，二三年後就可採用。黨參因其出產潞安府上黨縣而得名。山上野生及家種者俱有，以其種子栽植，二三年後，就可開放花朵，結成果實，五年後其根可供採用。

據廟內的掌家說：𡶶高峯上有一個山洞，三國時徐庶曾到過此地，所以裏面古蹟很多，我們於五月間，某天的上午十時進去在別地可以穿單衣，而洞內却異常陰涼，必須要穿棉袍，方可抵禦。洞長有四五里路，進口處極狹窄，且又屈曲不堪，經留心之下，共有三十三曲，用五百尺電炬照不見頂，曲折盡得一平原，大可二萬人在此聚會，平原直經有一里左右，周圍約四五里。從這平原變過去，是一個城門形的半圓形洞。洞石滑路平如柏油造成。經三曲折有兩里許始抵洞口洞口位絕壁上，上下左右皆無路西北望兩百里之長江猶明淅可見，立於此大有不寒而顫。毛骨辣然之概。至此洞路已罄，遂從原道退出，時已下午一時了。

在出洞時於洞之進口外，見數個土人彎腰曲背的在地上挖土取物，問及土人，才知他們在挖取冬虫夏艸，此草長得極小，又生在茅艸叢中，每天每人祇可挖到一兩左右，與市上所買的較瘦。本草拾遺說此艸在冬天爲虫，夏天就變爲草，實在幷不是這樣。此虫據考察，係一種生在山地上的土蠶，活時色白 自出生後六七日，因氣候食物的關係，就變老了。鑽到地下去，專吃草根，至七八月的時間，爲其產卵期。因此等山地從八月之後，至陰歷第二年的二月的長期凍着。二月後方開凍，所以卵產極生深，是不會找得到的，而老蟲仍舊在泥下二三寸深的地方，吃艸根活着，到九月內他就凍死在這樣深的泥內。這時他的頭上已寄生有松菌一類的東西，到第二年的二三月間，開凍之後，就從他頭上生出一血紅的莖，但此莖不久卽自腐爛，故土人在三月開凍後，卽將山上的茅艸放火燒去。使生出的紅莖易于看見，紅莖之長約自一寸至二寸，過時則不易找到。照此情形乃虫生於夏而草長於春。所以我說要呼他爲夏虫春草。似較冬虫夏草爲確。

在這山上住了四十天左右，工作大部完畢，乃由獅子口下山，當時攝有影片，製成標本不少，惜乎今天沒有帶來，下次如有機會，當帶給諸位觀察。(完了)

【記者附言】張曉白光生爲 總理陵園植物試驗場國藥組的主任，奉令赴四川峨嵋山採藥考察。此講爲到峨嵋山前。在貴州金福山之採藥經過，所受艱難與危險處，已溢於言表。欲到其地，必須有充足之經濟，更須有切實的武器之護衛，方可勉成竟功。不然則生命有立傾之危！縱有壯志，而不能得到政府資助者，亦何能如願，現在朱院長已邀得張先生之同意，擬闢地種藥，以供學生之研究，雖然。普通者易見，而生於高山絕嶺者，終難移植地上。本講中有供吾人參考者，爲射罔一物。今人無確知其詳細形態，從無採取，非物之絕無也。不然，何苗人有此以製之而供射獵乎？

現在我國西醫界所用之麻醉藥，（他藥亦然）均購自外國，且有他國已發明，而吾國尙未能據以製造者，譬是「以逸待勞，」在兵家爲必勝之道。不過以此用於醫學上，我看有些不妥，且有貽笑外人之虞？今苗人既有用射岡以獵獸，吾人不以加以深切之探求研究，製造應用，爲西藥麻醉劑之代替品，可塞漏巵，亦可顯示外人，我國朝野之士，非盡爲無能之輩！又可供我國醫界外科手術之用，同時還希望西醫界的博士，學士，先生們，也一降尊處卑」（？）的來幫助一下！切勿以國醫小道，學說陳腐，不値一顧，要知大的發明，往往細的事體中發現。西哲也曾這樣說過。

再者，我們國醫界的同志，也要醒來，急起直追。其他關於冬虫夏艸羌活之眞僞，惟在治療上未發現若何影響，最好也須找出確證來，起來努力能！將數千年的國粹，發揚而光大之，傳播到世界的盡頭去！（完）

醫藥隨筆

湘濤

譚次仲傷寒論講義太陽之含義篇：「以太陽之第二含義，爲熱性 之前驅期。」然熱性病若腸窒扶斯之類，即驅期的證狀，每介於少陽陽明之間，毫不涉及太陽。瘧疾之證狀，尤爲少陽之明徵，唯急性肺炎、支氣管肺炎、流行性感冒、喉痧、麻疹等之前驅期證狀，才是眞張實貨的太陽證。

「表裏」兩個字，國醫祇用於急性傳染病，其他雜病，並無表裏之說。

吳鞠通謂「溫邪上受，首先犯肺。」與仲景之治療相合，蓋仲景於太陽之治療，除因心臟衰弱唯有強心，不能用峻劑外；餘若麻黃、青龍、麻杏石甘、越婢諸方，以現代科學研究之，都是獨一無二的理肺劑。然鞠通「溫邪」二字，不能概指一切溫病，如濕溫當在例外。

譯述

傷寒論是醫界之寶典

中山忠直著
俞文榮譯述

以上是敘述漢醫與西醫之診斷法，比較西醫何者為優？則可斷言漢醫勝與西醫。——雖然診斷病名西醫較為詳細，而其按病名投藥，於治療上實未能收任何效果。由于病症投藥所謂漢醫之優點已無異議。

再以診斷上難易而言，所謂診斷病名與病症之誰易誰難，則診斷病症為困難其治療上之優果亦與僅診病名者大相差支。如見赤痢為赤痢，斷腸炎為腸炎，診肺結核為肺結核，此凡行醫者皆能知之，——困難即能見出其病勢至何程度，由此而異其治療之洞察力是也。

西洋醫學不知由病症之不同，而異其治療之法，僅僅拘泥於病名上之醫治，此實非醫學投藥正道。尤因西洋醫學向抱按病名投藥，故對疾病之正症與假症，不能區別，對假症以為是對症投藥然其往往治之不愈者有之。反之，漢醫不注重附症，常診察其主症，確定主症以後，附症假症均由主症治療。於是各症一舉而收全功。因此漢醫診斷較西洋醫學進步者，其能窮究病根之內在因素故也。

以行世之傷寒論而言，則譏為舊式醫學之城壘等種種輕蔑之語，層出不窮，誠為不可思議已極。是書實為熱性病疾患及病菌起因之理法應用寶典，熱性病治療之南針，其中更有優秀學理之根本，在西洋醫學者尚未有所認識。然現今在西洋醫學最簡單之腸炎治療迄茲未有確當之原理出世。而在傷寒論且把此治療原理敘述甚為明白矣。

所謂傷寒論於第三世紀，出于後漢長沙太守張仲景之手，著有傷寒雜病論十六卷，實為千古之醫聖。當時病菌尙未發現，疾病之一部分病原體無從知悉，完全由於病勢之歸納，從教訓中成功一種切與實際之治療法。

傷寒論已衝破近代基礎醫學之弱點，——若傷寒論以近代之術語翻譯則對西洋醫學不啻爲一根本之大革命。—動輒持有輕蔑傷寒論之心境，實對其眞理缺少認識之故，有者甚至未曾讀過一頁謾駡百出此輩僅爲喜駡而駡之。今以傷寒論之主論，腸炎病之療法，作一簡單敍述如左：

凡是治病，不出三法。(一)直接殺菌法(二)抗毒素法(三)驅除毒素法。第一法是直接殺滅細菌法，其療法以器械，溫熱，化學殺菌，用此法病菌往往不除，如以皮膚創傷內之化膿而現，其如此困難即知之矣。又溫熱殺菌與化學殺菌，患害細胞甚烈，故不能多以實用。自抗菌素療法發現以來，細菌學者大事應用，然其結果，對於既患病毒者，不外再添加病毒、使病勢惡化，遂致死不救者甚多，臨床家皆不認是法爲有效之治療術。第二法是抗毒素法，發源於裁拿之種痘法，其作用完全基防毒一法。第三法即驅除毒素法，以援助人體生理之自然療法，使其毒素急行排出之法。

以上第一二兩法皆被西洋醫者採用，然其效果甚少。漢醫則以第三法驅除毒素法作爲治療上主要醫術，如腸炎病，因寄生於腸粘膜中之細菌繁殖、其產出之毒素，被血液吸收，冒犯其他各種臟府組織，遂現惡寒發熱之全身症狀。—此惡寒發熱係細胞以熱力滅弱毒菌之繁殖，並將細菌所產出之毒素鬥逐於體外，故有惡寒發熱併作之症，亦即自然治療之生理作用也。故如西洋醫學之冰囊冷却法，實爲蔑視自然治療之生理作用，徒致病勢轉劇而已。

反之，漢醫是更助以生理之自然治療作用，以發汗排出毒素，並復活細胞之生活力。而此受毒素壓迫之細胞活力得以復活則細胞中產出之抗毒素，對腸內病菌加強戰鬥力，使毒素無法肆虐，必自行死滅矣。

如在皮膚發熱之生理作用衰弱，或其作用不完全時，則毒素不能排出皮膚外，則在表之毒素起囘竄作用，向肺部侵襲，此謂生理代償作用。此時即現脈浮遲弱，胸脇苦悶，寒熱往來，嘔咳等症，變成氣管枝炎，治宜使其戰汗狂汗，能將皮膚及肺部之毒素一鼓蕩平，病患悉除矣。

較上述更患重症者，任皮膚及呼吸器之病毒，不斷繁殖時，開始向胃腸進攻，轉入陽明症，而此時治療應以下劑或靜熱劑，使菌毒由肛門排泄而出。

綜上所述，傷寒論實爲一目瞭然，其病理之透徹，使西洋醫學墮入五里霧中。雖輕重同是一法，然治療時之根本，則大有出入。——譏傷寒論爲迷語者，其不知自身爲一不解醫學書之蠹物也。傷寒論若能以近代解剖學及病理學之術語平易翻譯之，則西洋人必五體投地尊爲寶典。西洋之腸炎療法卽此治療標準之一。

以傷寒論，僅視作西洋醫學中之一部古熱性病論，實爲未識傷寒論者浮薄之言。例如，痛風（關節炎）。消渴（糖尿病，腎臟炎）。腸癰（腸盲炎）。脹滿（鼓脹）。肺痿（肺結核）。淋瀝（淋症）反胃（胃炎，消化不良）。漏下（子宮出血）。癥病（子宮筋腫，和卵巢囊腫）。咽喉痛（扁挑腺炎）。吃逆（妊婦嘔吐）。及其他轉胞喘息黃疸等，非熱性病。實不勝枚舉。

然而治療是等疾病之方劑，現今西洋醫學效能不及者亦有之，如舊醫學之處，能虛心研究；則新醫學亦能創造，若對傷寒論有古舊之思想無異以衣服來決定人品之類，

我對於中醫界的幾句話

我們五千年相傳不絕的國醫命脈，當茲國學支離致迭遭各方摧殘，幾成一蹶不起，迨至今年二月二十二日始由中央頒佈國醫條例，得與西醫受同等待遇，此皆爲我國醫藥界奮鬥的結果，宜乎各地醫藥界慶祝也。

但是要圖永久和最後之爭存與發揚；一，固要看我們醫界本身之毅力以爲斷，二，還望各人摒除私見，同向眞理進展。要知學術無國界，祇有合理與不合理之可分，斷無仇視互罵之可語，然而中醫理論之不健全，是無可諱言，而成績卓著，實不可抹煞也，是望國人之業中醫者，運用科學的方法；來改革這抽象玄妙之學理，刷新藥物，不要再在陰陽五行這烟幕底下跳圈子吧！最低要做到一望善一按脈就能說出病名與治法這種地步。

同時並望學中醫者，在這不切實際之說理，未有具體明白之前，不必高談闊論，信口毀罵惟望對於科學化之醫理虛心去研究可也。

夫察病之能力實基於學識，查吾國醫書籍，多爲己見，互相純駁，對於學子颇有望洋興嘆之概，是又望國醫館㑹立教材，使有系統之歸納，卽學院亦得正鵠而教授之，則學者庶不致徬徨於岐路也。

詞句之不確處請編者删改，則寫者幸甚！　　亦鳴。11,28,寄

文藝

警獨彝民日永雨蒼諸兄

遊大場寶華禪寺偶咏兩絶　朱楚帆

一路風塵興不賒。車聲轆轆起飛沙。諦交同是他鄉客。且證前因問寶華。

久困一城似楚囚。出行頓解異鄉愁。天高氣爽江山好。肯讓他人放釣鉤。（報載日前某國人垂釣此地被鄉人驅逐）

舊作五首　陳覃益

弔黃花岡詞民廿三年作

毛雨下三月，黃花瘦未死。有客憑吊到岡頭，一劍杯酒橫浩氣。哲人已遠見碑名，燐光不滅照青青。七十二人同一擲，二百數年清鼎傾。事敗功成瞑不目，於今國難年年促，盜奸願為虎作倀，倭寇意長遼東戳；豎子喪心竟登場，傀儡釀成帝滿局。因來掬心道諸君，泉下能無曠怨言？生者偷生逝者已，神州期以待沉淪。誰為荊軻刺仇賊，易水寒聲流寂寂。辛亥由來感慨多，吁嗟文章又奈何。肯拚頭顱濺碧血，馳入沙場任干戈。版圖將改河山色，憑陵書生漫悲歌。一隅愁籠一隅土，烈魂抱恨終千古，杜鵑紅落正黃昏，淒風吹灑林梢露！

菩薩蠻病中作

青烟縷縷燃爐藥，晚來無奈春寒虐。獨自倍清淒，愁聽杜宇啼。　蕭條生四壁，扶起殘肢力。構思苦成吟，耗心更惜心。

前調對月有懷

夜闌更靜寒侵骨，倚欄凝望中天月；月在今宵圓，人誰共細看。　去年成往憶，紅淚青衫漬，長夜未曾眠，嫦娥却肯憐。

臨江仙 甯城旅次作

回首堪憐舊地，風塵兩鬢消磨。城樓高處起笙歌，是霓裳十二，彈淚爲伊多。 如是心悽欲絕，呻吟又奈誰何？相逢應悔邀相過。又行裝翌日，前路接烟波。

詩一首憫國

吳維元

瓊酒烽烟兩不堪。心驚難作笑中談。終風暴雨吹華北。
玉板紅牙拍越南。只見荒涼堆白骨。常聞顯貴供青龕。
高山流水知何處。欲避人間結一庵。

憧憬及其他

陳羣益

憧憬

（一）炎火燃燒着青春的韶華，
心在活躍着，
血液也在奔流着。
看哪！到底會長出什麼的鮮花？

（二）這裏我播下一顆種子。
我沒有想其他肥壤的土地，
也沒輕易把我的熱情到別處去澆輸。
我知道撒下的種子是一類什麼的科屬，
才把我所有的熱情應用在肥種後施播。
夏在從前的留戀中輕輕兒溜過去了，
秋也消逝過去了，
冬也就要走盡了，
但是還看不見牠抽芽！

（三）這裏我走着一般路程，
環境只許我擇取那樣的一條途徑。
路途上伴跑着大夥兒，
他們却不是朝前走，
也不會把前進的號吹奏；
暴風雨來了，路也漸漸兒崩潰了，
他們在狂風暴雨中遙遙地落後！
落後，我也雜在隊羣裏動浮。
路還沒倒坍了嗎？
我振起了我的勇氣，

我竭盡了我的力量，
從那落後的羣伍中衝出尋求光明的方向！
(四)猋大燃燒着青春的韶華，
心在活躍着，
血液也在奔流着。
看哪！到底會長出什麼的鮮花？

一九三六，十二，廿一晚作。

業精于勤五古

唐堯勳

士農與工商，各各自爲羣，其業雖無異，其精在於勤。公輸何以巧，韓柳何以文，非因天所賦，皆由勤中尋。吾生愚且陋，擬志效古人，奮勉五更火，從此倍股勤。

遊蘇有感

葉采明

平生詩酒樂陶然。亂世閒身即是仙。十載芸窗書有價。九年面壁筆無權。滿箱醫論參奇術。一曲洞簫足悟禪。爲解文章增命薄。名山遠水且流連。

國醫治療表病之合理化

秋一俞文榮

大凡治病，離不了三個方法，即(一)直接殺菌法(二)抗毒法(三)驅逐法。

國醫是採取第三個方法治病，因爲國醫是不忘人體的自然生理作用，以人爲有機體做主，絕不視人體似同機械。所以太陽病以發汗排除毒素爲療法。它的作用，完全是輔助抗毒素的力量，回復細胞的生活力，使細胞更容易把毒素排泄體外。

身體的發熱是細胞和毒素抗戰的結果，細胞以熱力來減弱毒素的生育力，並積極地驅除毒素於體外，有時患太陽病者，並不經過醫生，亦能發熱汗出而自愈，這就是證明人體生理的自療作用。不過身體不健全者，或自療生理作用薄弱者，患了病症，體內的毒素便沒有能力自行排出體外，此時便要用到醫生，投表藥來幫助他驅除體內的毒素而發汗了。但是洋醫往往把熱度高增的病人，用冰枕來減低體溫，這實在是違反了生理自療作用，阻毒素不能排出體外，反而內陷致成重症，這是多麼危險的一件事啊！

蟹中毒之預防與急救

唐湘清

時維秋冬，正黃花紫蟹之佳節，飲酒持螯，賞菊吟詩，洵文人雅士之快事也，然蟹性醎寒，質有小毒，嗜之者每有中毒喪生之虞，樂極生悲，豈非憾事乎。吾意味美如蟹，若慮其中毒而不食，未免有負上帝惠我之厚意，爰草是篇，詳述食蟹中毒之預防及急救，凡醫界同志，與夫詩友酒客，幸留意焉；

蟹中毒之預防　一、奇形怪狀之蟹，不可煑食，如目赤者，獨螯者，獨目者，四足者，六足者，足有斑者，兩目相向者，腹下有毛者，腹中有骨者，頭背有星點者，活時殼呈黃色者；以上之蟹，皆有大毒，切不可食。二、須食蒸已熟透之蟹，蟹未熟則色青，半熟則青黃相間，熟透則全黃，若未經熟透之蟹，切不可食，因未熟及半熟之蟹，腸胃中毒質及微生物未曾死滅，食之最足害人。三、蟹殼上端之三角胞，係蟹之腸胃，其色紫黑，毒質寒性，全在於此，又蟹殼外面之一片，(雄者尖而雌者寒)中通腸胃，亦不可食。四、宜與紫蘇生薑等同煑，可減去寒性毒質？五、嗜蟹者大多飲酒，而蟹與史國公，五加皮兩種藥酒，不可同時進腹，否則能致人死命。六、不可與柿子同食。七、食時宜細嚼緩嚥·不可狼吞虎食，因蟹肉消化不易也。八、取活蟹以酒和醬油漬之，越宿即取食·味甚鮮美，然最足害人，蓋酒和醬油消毒力甚弱，不能殺滅蟹之胃腸中毒物，食蟹致病者，多屬食此類製品者，切宜避忌，幸勿貪口腹而輕生命也。

蟹中毒之急救　已中毒者，急以紫蘇叶煎湯濃飲可解，其他若大蒜搗汁、蘆汁、黑豆煎汁、解蟹毒俱甚有效，食蟹過多。每致脹悶，謂之蟹積，可用紅麴二合，煑爛連渣服，或山查炭爲丸服。積自解、食蟹牙齦腫脹者，用牙皂數條，火上炙焦。泡生地黃汁內，半日取出，再燒再泡，三次後，焙乾研末，冷透敷之，其腫自消。

湘濤曰：不愼飲食而致中毒斃命者衆矣。而晚近社會黑暗，世途崎嶇，因憤世而服毒自殺者，尤爲數見不鮮之事，故醫者於中毒急救之法。亦宜詳加研究，今此類醫藉，尙付缺如，湘有鑒於此，特著中毒救護法，內於各種中毒之急救與預防，皆詳述無遺，今脫稿有期，不久行將問世，存心濟民者，各宜人手一編也。

中国近现代中医药期刊续编·第二辑

新中国医学院研究院
第一届毕业纪念刊

新中國醫學院研究院

第一屆畢業紀念刊

童作白題

新中國醫學院研究院第一屆畢業紀念刊

目　次

新中國醫學院研究院

揲荒闡秘

林森

醫理精邃

新中國醫學院研究院

孫科題

學闡農黃

新中國醫學院研究院

居正

商量舊學
揄搉新知

新中國醫學院
研究院
梁寒操

學乃國光 醫為仁術
跡導犧炎 奇搜化益
研索功深 新知愈出
祁祁英材 畢程甫鑄
效實儲能 目營心述
桃李陰濃 杏林露茁
壽我蒸黎 大同祉福

新中國醫學院研究院畢業刊
潘公展題

院長兼內科主任祝味菊先生

顧問梅卓生先生

顧問包識生先生

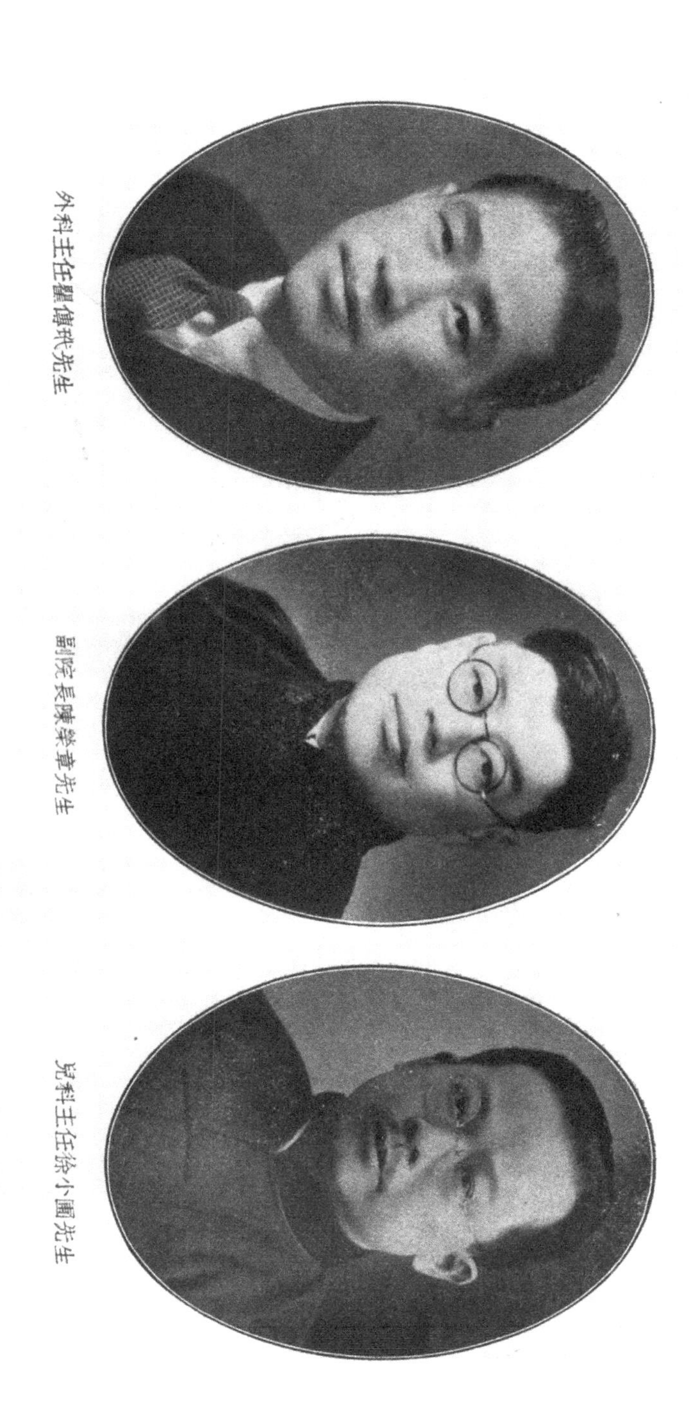

外科主任瞿傳玳先生

副院長陳榮章先生

兒科主任徐小圃先生

第一屆畢業同學合影

祝　味　菊

本院第一居同學畢業，將他們的論文彙印成這本紀念的册子。各同學因爲所受基礎教育頗有不同，他們對中醫學術的認識和修養未能一致，在這文字中可以看出的。

當我答應學院當局來負責創辦研究院的時候，雖然早有具體計劃；但因時局人事與經濟種種困難問題，私願未獲一一實現，諸同學學業不免稍受影響，這是我深以爲歉的，溯自民十七西醫倡議廢中醫，中醫有識之士方從夢中驚醒，知迷於玄學籠罩中的中國固有醫學，非經過一翻「刮垢磨光」的工夫，實不足與世界一致的西醫爭短長，而獲得全人類之同情與勝利。於是「整理中醫」「科學化中醫」的呼聲，一唱百諾，不數年間，學會學校之振興，遍佈全國及海外，成績斐然，大有可觀，其間言整理與言科學化者，雖不免發生強烈之爭論，然而事實勝於雄辯，凡無科學的基礎醫學作工具者，其所整理者，亦屬徒勞。故中醫科學化一事，已成爲現代中醫一致的標的。中醫必須科學化。固無論矣。中醫如何始能科學化？這才是「圖窮匕見」最重要的關鍵。從前一般同志——個人亦非例外——都偏從文字下手，而其結果，收効雖多，紛爭亦大。故個人近年主張則以從「實踐」改造爲是。新中國醫學院研究院。就是這種理想的實現。今次雖未能成功　甚望諸同學入社會後，能得多數人之同情，而予本院以助力，俾能早臻完善，是所厚望焉！

陳　序

我國醫學。肇端甚早。凡一症一方。均先施以試驗。然後推究其理論。泰西醫學。萌芽較遲。每一病一藥。皆首立學說。而次第加以實施。前者以經驗爲依歸。理論多弗確也。後者以學說爲前提。經驗尚未充也。是故兩者各有短長。苟能棄短取長而合爲一。豈非蔚然成一較完善之醫學哉。於是近年以來。中西匯通之說。風起雲湧。一唱百和。惜多因組織之未健全。或僅恃紙筆而尚空談。是故成効甚尠。當斯時。新中國醫學院之研究院。乘時設立。秉發皇國粹融會新知之宗旨。以求得醫學之眞諦爲目的。善者從之。謬者闢之。破除門戶之見。冶中西於一爐。如設講座以爲學說貫通之討論。創醫院用作臨床實驗之研究。卽其犖犖可數之大者。

初主其事者。祝君味菊梅君卓生輩。皆名噪一時之中西醫士也。本年秋。添聘榮章長本院。余早蓄鑽研中西醫藥之志。苦無門入。今得此機緣。遂欣然允諾。並將本院卽日遷至大場新址。積極擴充。自建院舍。奠定穩固之基礎。復設藥圃。用作生藥之研究。更畜生物。以爲動物之試驗。再置儀器。藉達化驗之實踐。值此初步計劃未終之時。而第一屆同學修業之期已滿。行將畢業他適。欲發行紀念刊一種。以爲異日之雪泥鴻爪。並將一寒暑來之心得。用表社會。藉覘研究之一斑。索序於余。余雖不文。喜其熱忱。爰樂爲之序。丙子冬陳榮章。

朱　序

本院研究院，以「實現國醫科學化，養成國醫高深人才，以應社會需要；並以科學方式，證明國醫理論及治療經過，藉供各國醫界之研究。」爲主旨。創設以還，經院長祝味菊先生之熱忱主持，院務得以蒸蒸日上，深爲快慰！茲值第一屆研究生畢業之期，諸同學特以畢業論文，彙刊成册、以資紀念，披覽之餘，深覺頗有心得，良用欣悦！因綴數語爲諸同學告：一、學無止境，不進則退，諸同學畢業問世，以平日所學，見諸實行，愼思明辨，對症發藥，固無論矣：但此外，尤應隨時隨地繼續研究，俾所學能隨時代而進化，不至故步自封，而受天演之淘汰。二、醫學爲科學之一，學理精深，變化萬狀，有非文字所能盡述者。今後諸同學出而問世，實驗所及，當有意外之獲得或懷疑，本院深盼諸同學以此種情形，與本院諸師長隨時通訊，切磋琢磨，以啓新知；俾岐黃一脈，愈趨於光明之境，而卓立于世界醫林。凡此二端，可爲本院之臨別贈言，尚望諸同學共喻斯旨，身體力行，此則非特本院之幸，抑亦國醫之福也。

中華民國二十六年一月上浣副院長朱鶴皋序

徐　序

新中國醫學院研究院第一屆畢業典禮告成。余維吾國醫學，源流至遠，欲窺其奥，非殫精探討不能爲功。研究院之設，蓋欲於醫學根抵旣具之後，使得廣其識見，宏其經驗也。今茲莘莘學子，成績斐然，其效已大著矣！嗣是以往，精進無窮，起吾國醫之衰而光大之，其在斯乎！其在斯乎！

民國廿五年十二月十一日小圃徐放識於海上五雲雙星研齋

包 序

中醫長于經驗。西醫長于說理。吾聞之矣。中西醫學。亟宜互相溝通。吾亦聞之矣。中醫須求科學化以發皇四千餘年聖哲相傳之精義。吾更習聞之矣。然如何而可合中醫經驗西醫說理之長於一體。如何而可以溝通中西學術於一脈。如何而可以使中醫達於科學化。而得發皇中國醫術之精華於現代。吾聞之而未見行之者也。有之。則多屬紙上文章。否則雖徵行之而不能融合中西溝通學術也。今歲春，新中國醫學院研究院成立。得朱院長之熱忱創設。祝院長之卓毅主持。各主任之盡心指導。經一年之時間。並用醫院之臨床實驗。科學之化驗證明，中西學者之虛心研討。其目的卽欲融會學說溝通醫術者也。近復添聘陳榮章先生主理院務。以求通力合作之更多進展。今者研究院同學。以一年之時間。已將作第一屆畢業而去矣。竊以在此一年之中。吾同學雖得不少之新知。唯本院以初辦之規模。或未能予同學以充分滿意之收穫。然學無止境。研究亦無止期。且吾以為研究同學之卒業。僅為造成研究人材而已。若以有限期之研究。而謂為對於學術已得功績。竊期期以為尚遠也。惟素知吾畢業同學。皆具有勤奮好學之志。他日根據所學。窮其智力於研究。則茫茫大地皆多材料。淵淵學海。必有發明。歸而以供獻於本院。行用於社會。宣揚於世界者，則非僅本院之切望。亦中國醫學前途之光明榮幸者也。畢業同學其不河漢斯言乎。是當與同學共勉之矣。

中華民國廿六年元旦包天白序於新中國醫學院教務長室

畢業論文

以姓氏筆劃爲序

中國治療學綱要

陳拔羣

目　次

緒　言

溯自歐風東漸，國人之習西醫者，每詆中醫爲五運六氣，空談玄想，且曰：「有藥無醫，與其提倡國醫，不如提倡國藥」。此殆因對於中醫學理缺少研究，而妄作客觀之批評者也。雖中醫自唐宋以後之學者，每以五行，陰陽、神仙道佛之謬說，穿鑿於醫學之中，阻礙於治療也甚大。然中醫數千年來，能使社會人士信仰者，非穿鑿之理論，乃有實用之治療法則存乎其間也。況醫學理論，乃包涵於整個社會思想之中，整個社會之變遷，便爲醫學之新陳代謝；吾人處於今日科學昌明之社會，苟能本現代科學之思想，將其實用之療法整理之，將無稽之理論矯正之，使中醫之實用治療學，得以發揚而光大，其造福於世界人類，豈淺鮮哉！若因其理論穿鑿，便連實用之治療學而亦不屑研究之，則誠醫壇之憾事也。茲特不揣淺陋，將中國之治療學，挈綱摘要，述之如次，以資學者之探討。然掛一漏萬，在所難免，深望高明之士，有以指正之。

病因——和田啓十郎曰：「不究原因而從事於治療者，反乎治療之法則也」。故將施療病之法，當先窮其受病之原因。而疾病之原因，不離於七情六氣，七情者何？喜、怒、憂、思、恐、悲、驚、是也。六氣者何？風、寒、暑、濕、燥、火、是也。能窮此而療之，厥疾弗瘳者鮮矣。今之西醫，根據解剖理化之學理，如急性傳染病，雖大都由細菌原虫所致，殊不知細菌原虫固足爲病原體，苟無七情六氣之誘因，則抵禦充實，抗毒力強，雖有細菌原虫，亦難遂其發育，故中醫療病，必先明乎七情六氣之誘因也。

病勢——內經曰：「因其輕而揚之，因其重而減之，因其衰而彰之」。大論曰：「觀其脈證。知犯何逆，隨證治之」。此病勢之定義也。病勢變遷，本屬無窮，然歸納而言之，不外表裏陰陽四字。表者、指皮膚而言也。病邪集中於此，所發之證狀，即稱表證。裏者、指消化管言。病邪集中於此，所發之症狀，即稱裏症。陰者，即消極的或寒性之意，病勢沉伏，難以顯發；其脈多沉遲、沉弱、沉細、沉微、而無力；其證多惡寒厥冷等。陽者，即積極的或熱性之義，病勢發揚，無不開顯也；脈亦準之浮數、浮大、滑大、洪大、而多發熱也。明此變化，以運用汗吐下和温及其他等方法，則無難收立竿見影之效。反之，猶用兵者之不知山川險要，不諳敵情，其不自陷絕地也幾希矣！

一般治療

心理療法——心理療法，能幫助一切療法之效能，故吾國古時常以祝由科治愈疾病也。蓋心理療法，可解關係身體之景象，使病者之痛苦得以稍減也。夫腦在腦囘膜內，能司身體全經之功用，故體內一切部份，全被管於腦囘；腦有何種景象，身體即覺其功效，而身體患何病症，腦亦知之。如同時腦覺有二種反對印象，何種印象有力，腦即覺其反應。若病有疼痛之印象，同時外界呈一種極愉快印象，當其時，純視腦之印象若何？則以有力之印象爲斷，此其比列也。由此類推，可知人患病時，如室中有透明之光線，及護病者有和藹之面貌，與愉快之聲音，而病態得以稍減者，此皆心理治療法也。心理治療：一爲使病者之神經常存良好之觀念，勝於身體之痛苦。一卽增加腦力，管身體之功用。此種療法之要點，首在病者對於醫師與藥物之信仰如何耳。蓋醫以信心與先入爲主，勢使然也。故或置小符於袋中，或與先人之遺物，或名人之嘉言，或神佛之祈禱，或一藥方，或一冒充醫士，或一著名醫家，視病者信心如何，而前此種種，均無甚關係矣。由此可知慰藉之功效極大，信心爲一切之心理治療法者，卽此理也。惟用心理療法，最要者同時須多用衞生法，如冷浴、運動、臥於美好之空氣室等是。護生護病時，其責任卽視病者能否日用此種種衞生法，更宜使病者不多慮自己之任何難點，可任用何法壯其精神，亦宜令其自作諸衞生法不視爲難事，亦可用各種方法補其心志也。他若音樂，亦爲補助心理療法之一。平常人對於音樂，恆視爲愉快事，但經試驗後，確有療病之效能，。音樂極有功於聰明樞也。其功效不同，則視所奏者爲斷。例如激昂者能使人奮發因悠揚者能引人睡眠。亙古迄今，以爲音樂療病，確爲心理治療法，而多數心理學士，亦謂音樂能愈憂鬱者之一。職是之故，護士如工於歌唱，亦屬分內事也。

熨法——凡拘急攣縮痛痺不仁，係血氣之凝結者，皆可用之。內經曰：「形苦志樂，病生於筋，治之以熨引」。又曰：「寒痺之爲病，留而不去，時痛而皮不仁，以藥熨之。用淳酒二十斤，蜀椒一升，桂心一斤。凡四種皆㕮咀，漬酒中，用棉絮一斤，細白布四丈，幷內酒中，置酒馬矢熅中，蓋封塗勿使泄」。又有用葱白熨臍下，用黑豆熨前後心者。

灌漬法——灌者，以水灌之之謂也。今每見熱病用井水雪水灌入口內，旋得大汗而愈，此中病理，有酷暑雷雨之應；所謂熱者寒之是也。古時華陀療婦人寒熱注病，用冷水灌之。千金外臺治石發有冷水洗浴之法。南史載徐嗣伯用灌水治房伯玉之病。張戴人浴痘兒，出於儒門事親。玉函經曰：「過經成壞病，鍼藥所不能制，與水灌枯槁，陽氣微散，身寒溫衣覆令汗出，表裏通利，其病卽除」。漬者，以熱水浸漬之謂也。本草衍義曰；「熱湯助陽氣，行經絡，患風冷氣痺之人，多以湯渫脚至膝上，厚覆令汗出週身，然亦別有藥，終假陽氣而行耳，四時暴泄利，四肢冷，臍腹疼，深坐湯中，浸至腹中，頻頻作之」。又曰：「生陽諸藥無速於此」。朱愼人治風疾，掘坑令坐坑內，以熱湯淋之，良久以簟蓋之，汗出而愈。今之西醫，應用此法極廣，或以之發汗，或以之通便，或以之止血，或以之補助心力，不過其技術有所不同耳。

麻醉——麻醉亦稱蒙汗，古時華陀善用此法。後漢書華陀傳言，疾發結於內，鍼藥所不能及者，令先以酒服麻沸散，即無所覺。因刳破腹背，抽割積聚，若在腸胃，則斷截煎洗，除去疾穢。既而縫合，傅以神膏，四五日創愈。張介石資蒙醫經云：蒙汗一名鐵布衫，少服止痛，多服則蒙汗。其方鬧楊花、瓦楞子、自然銅、乳沒、熊膽、硃砂、麝香。凡九味爲絕細末，作一服。用熱酒調服，乘飲一醉，不片時渾身麻痺。今之西醫對於外科解剖多用此法，然有局部麻醉法，全身麻醉法之分，西醫外科學述之極詳，玆不多贅。

灌腸——灌腸即仲景導便法也。凡腸內閉塞，汚物不下者，宜導而出之。蜜煎導、土瓜根、猪膽汁、皆能潤竅滋燥，從其便而用之可也。袁枚云：回回病不飲藥，有老回回能醫者，熱藥一桶，令病者覆身臥，以竹筒插入穀道中，將藥水乘熱灌入，用大氣力吹之，少頃腹中汩汩有聲，拔出竹筒，一瀉而病愈矣。氣體虛弱而腸中有燥屎者，此法最爲穩善。

導尿——導尿爲小便閉塞危急時所應用之法也。千金方、凡尿在胞中，爲胞屈僻，津液不通，以葱葉尖頭內陰莖孔中，深三寸，微用口吹之，胞脹津液大通，即愈。外臺引救急方主小便不通，其方取印形鹽七顆搗篩作末，用青葱葉尖盛鹽末，開便孔納葉小頭于中吹之，令鹽末入孔即通。一醫用猪脬吹脹，以翎管安上，插入陰孔，捻脬氣吹入，即大尿而愈。

敷法——敷法不特外科學上應用極廣，內科之應用此法者亦復不尠，蓋其能助內服之不逮也。仲景方中有溫粉、有摩散、外臺载塗臍下通洩便之方，幼幼新書塗五心少小客忤，聖惠方塗手心以緩筋急，閻孝忠方塗足心能引上病而下之。內經曰：「有熱則筋弛縱，不勝收故僻，治之以馬膏，膏其急者，以白酒和桂，以塗其緩者。」

嚏法——嚏法乃用以發洩鬱邪，開達壅塞者也。金匱頭中寒濕內藥鼻中，千金翼及外臺删繁方，搐鼻並用瓜蒂。聖惠治風頭痛，吹鼻散用瓜蒂麝香等五味，先含水滿口，後搐藥半字，深入鼻中。又中風牙緊不能下藥，卽鼻中灌之。又治眼睛如鍼刺疼痛，聖濟以治小兒天鈎，幼幼新書治小兒急慢驚風，易簡方卒中口噤，用細辛皂角各少許，或只用半夏爲末，以蘆管入鼻中，俟噴嚏其人少蘇。

𤊹法——𤊹法亦稱薰烟法，用于上部最爲有效，本草綱目治中風痰厥氣厥中惡喉痺一切急病，咽喉不通，牙關緊閉，用巴豆薰法，其法爛巴豆綿包，壓取油，作撚，點燈吹滅薰鼻中。或用熱煙刺入喉內，卽時出涎或惡血便甦，御藥院方龍香散，治偏正頭痛，用地龍、乳香、細末摻紙上，作紙撚，令聞煙氣。濟寮方，徐介翁薰頭風方，于上方加指甲，每用一撚，向香爐內慢火燒之，卬以紙卷筒如牛角狀尖，留一孔以鼻承之，薰時須噙溫水令滿口。千金療欬薰法，細熟艾薄佈紙上，廣四寸，後以硫黃末薄佈艾上，務令調勻，以荻一枚如紙長。卷之作十枚，先以火紙纏，下去荻，其烟從孔中出，口吸取烟嚥之，取吐止。惟此法用之不當，流弊殊多，須審愼施之。

角法——凡瘀血凝聚，㿉腫疼痛，發見於皮表者，視其所在角之，則瘀血去而疾患除。其法用鍼刺破患處，納絮火于竹筒中，急點着鍼口，則火氣能吸血，候血行，放筒去。外臺有角療骨蒸法，又引古今錄驗，蠼螋人以角療之，及療金瘡得風，身體痙強，口噤不能語，瓠瓤燒麻燭薰之。證類本草引兵部手集方，治發背頭未成瘡及諸熱腫痛，以青竹筒角之。

蜞鍼——夫瘍科用蜞鍼吸毒膿惡血，可省刀鍼之苦，古時多應用之，今則失傳矣。外科精要載洪丞相蜞鍼法，凡癰疽覺見稍大，便以井邊淨泥敷瘡頂上，看其瘡上有一點先乾處，卽是正頂，先以大筆管一筒，安于正頂上，却用大馬蜞一條安其上，頻以冷水灌之，馬蜞當吮其正穴，膿血出，毒散卽效。如毒大蜞小，須三四條方見功。腹旁黃者力大。若吮着正穴，蜞必死矣，其瘡卽愈。若血不止，以藕節上泥止之，白茅花亦妙。

鍼灸——鍼刺能刺戟神經，興奮神經，促進或減緩血液之運行，亢進或制止內臟之分泌與蠕動，及排除神經之障礙，而恢復其常態也。故一鍼之微，萬百疾病，皆得而治焉。灸法之主要作用，爲一種温熱性與化學性之刺激，有亢進細胞之生活力，調節各種之內分泌，誘導生理起緊張作用，或反射作用，使血壓上升，血球倍增，榮養旺盛。故年來東西各國，皆認爲唯一之物理療法，而設有專科以研究之也。吾國古時對於此法之應用極廣，素問刺熱刺瘧諸篇，卽爲鍼灸治療之源。至於歷代醫家應用此法而起沉疴者，更不勝枚舉。例如秦越人刺維會起虢太子之尸厥，徐文伯刺合谷陰交，下婦人之胞胎，狄仁傑刺腦空而墜鼻瘤，甄權刺臂臑而袪臂痛，皆載之史册，古今傳爲美談者也。

藥物治療

汗法——汗法之目的，在驅逐外邪，由體表而出。凡病之在表者，皆可用之。內經曰：「邪在皮毛者，汗而發之」。又云：「體若燔炭，汗出而散」。是也。然體表有虛實之異，故傷寒論中發汗方法，有麻黃桂枝之不同。大論曰：「太陽中風，陽浮而陰弱，陽浮者、熱自發，陰弱者、汗自出，嗇嗇惡寒，淅淅惡風，翕翕發熱，鼻鳴乾嘔者，桂枝湯主之」。此爲體表虛者之發汗法也。又曰：「太陽病，頭痛，發熱，身疼，腰痛，骨節疼痛，惡風，無汗、而喘者，麻黃湯主之」。此爲體表實者之發汗法也。至若氣體素虛，而又必需發汗者，則發汗與扶正並重。例如麻黃人參芍藥湯之類是也。

吐法——吐法之目的，在驅逐胸脅間之實邪，由口腔而出。凡纏喉鎖喉諸症，或食停胸膈，消化弗及，無由轉輸，脹滿疼痛者，皆可用之。內經曰：「其高者因而越之是也」。然其方法有吐風邪與癰膿者之不同，桔梗白散，爲吐癰膿之主方也。金匱要略曰：「外臺桔梗白散，治咳而胸滿，振寒，脈數，咽乾不渴，時出濁唾腥臭，久久吐膿如米粥者爲肺癰」。瓜蒂散爲吐風邪者之主方也。傷寒論曰：「病人手足厥冷，脈乍緊者，邪結在胸中，心下滿而煩，飢不能食者，此胸中實，當須吐之，宜瓜蒂散」。

下法——下法之目的，在驅逐腸胃中之實邪，由大便而出，凡腸胃中有實邪積聚者，皆可用之。然其積聚有寒、熱、水、血、之不同，故其下法亦因之而各異。調胃承氣湯，大承氣湯，小承氣湯，爲下熱邪積聚之方也。備急丸，大黃附子湯等，爲下寒邪積聚之方也。十棗湯，大陷胸湯等，爲下水毒積聚之方也。桃仁承氣湯，抵當湯，大黃牡丹皮湯等，爲下血積之方也。

和法——和法之目的，在和解胸脅間之虛熱。凡邪在半表半裏，而寒熱往來，胸脅苦滿者，皆可用之。然而和解法中，尙有側重於表裏虛實之異，是又不可不辨也。玆擧例如次：「傷寒六七日，發熱，微惡寒，支節煩疼，微嘔，心下支結，外證未去者，柴胡桂枝湯主之」。此爲和解中側重其表者之方法也。「傷寒五六日，已發汗，而復下之，胸脅滿微結，小便不利，渴而不嘔，但頭汗多，往來寒熱，心煩者，此爲未解也，柴胡桂枝乾薑湯主之」。此爲和解中側重於裏者之方法也。「傷寒陽脈濇，陰脈弦，法當腹中急痛，先與小建中湯，不差者，與小柴胡湯」。此爲和解中側重於虛者之方法也。「按之心下滿痛者，此爲實也，當下之，宜大柴胡湯」。此爲和解中側重於實者之方法也。

溫法——溫法之目的，在補助體溫之不足，強壯內臟之抗毒力，凡病之因汗、吐、下、而內臟虛寒，或因氣體素寒，而驟患外感者，皆可用之。玆擧例如下：傷寒論曰：「發汗、病不解，反惡寒者，虛故也，芍藥甘草附子湯主之」。此爲過汗而內臟虛寒之溫法也。又曰：「太陽病，當惡寒發熱，今自汗出，不惡寒發熱，關上脈細數者，以醫者吐之過也，一二日吐之者，腹中饑，口不能食，三四日吐之者，不喜糜粥，欲食冷食，朝食暮吐，以醫吐之所致」。此爲過吐而內臟虛寒，應以溫法之證也。又曰：「下之後，復發汗，晝日煩躁不得眠，夜而安靜，不嘔，不渴，無表裏證，脈沉微，身無大熱者，乾薑附子湯主之」。此爲過下而內臟虛寒之溫法也。至於身體素寒而驟患外感者之溫法，可於傷寒論之太陰少陰厥陰三經中求之，玆不多贅。

結論

總而言之，中國治療學之失傳者多矣。現代醫家，除鍼灸而外，治病多用藥物，而藥物治療之所以分汗吐下和溫五法者，乃審病邪集中之部位與程度，及病者體質之如何，而用適應之方法，以補助體工抗毒力而徹底驅逐之也。然値藥物之所不能及者，每有束手無策之憾。方玆高唱改進國醫聲浪之際，一方面固當力採西醫之解剖、生理、病理、等基礎醫學，及理化學等之自然科學，以補其不逮，一方面對於古時之特效療法，亦有提倡之必要。蓋西醫最新發明之治療術，而中醫習用已久，視爲故常者，不知凡幾，如紫光電太陽燈，乃西醫之最新治療術也，然其功效，却不如吾國古時之熨法灸法迅速而經濟，此其一例也。夫學術在於實事求是，本無國界之分，况醫學乃救濟人類之疾苦者，凡有所幫助於治療者，皆應採而用之，不能以中西名詞之不同，遂界若鴻溝，而互相詆譏，以古今時代之遷異，遂視爲鄙陋，而不屑應用也。

拾遺三則

以仁

我國自來關於治療疾病所施方法，陳君拔羣作之「中國治療學綱要」一篇，搜集甚詳；據余所知，倘有推拿，導引，起泡三法，今補述於下：

(一)推拿——推拿之術，由來尙矣，昉自何時，無從稽考；惟以遜淸駱潛庵氏之推拿祕書，論之最詳，後世多緣之，推者，以一指或數指在穴道上推擦。拿者，以手指或全掌在穴道上揉搓，藉代藥石以療病也。又以其動作方式之不同，更分列有運耳肩臂『雙鳳展翅，黃蜂入洞，蒼龍擺尾，猿猴擲果，水中撈月，二龍戲珠，打馬過天河等名。此法治病之功效及原理，似與近代歐西之按摩術相同。

(二)導引——導引之法，卽運動肢體也，此法首見於內經，素問異法方宜論云：中央者，其地平以濕。其民雜食而不勞。其治宜導引按蹻。明曹元伯著保生祕要一書，專論導引治病之法。後世道家多研究之。醫家知者已鮮矣。

(三)起泡——起泡療法，卽今之所謂自家血淸療法是也。歷代醫家，用者頗多，唐王燾外臺祕要載用此法以治乾癬；淸李時珍本草綱要載用此法以治瘧疾，卽爲二例。其法以藥物如斑蝥之類，爲末製膏，貼項後脊椎，或寸口等處，良久，作泡如火燎，呼之爲天灸，俟後其病卽趨全愈云

痲疹彙要

劉國輔

目　　次

(一)開場的話

「痲」「痘」「驚」「疳」這四病，自古以來，稱爲兒科四大要症；而尤以「痲」「痘」兩症，差不多是每一個小孩，必經的階段；因爲它的經過，變化多端，症狀險惡的緣故，死亡率是很高的；所以我國民間，就有「痧神關」「痘娘關」的名稱，假使一個孩子，要是還沒有經過這兩重難關的話，不能算是成人；就是說：他還靠不住哪！由這一點可以證明「痲」「痘」與孩童關係的密切和重要了。

因爲要減少小兒痲痘死亡率的緣故，古代的我國和印度，首創種痘的方法，不過危險依舊很大；嗣後此法傳至歐洲，經那南（Edward Jenner 1749-1833年）氏悉心的研究改善，才有現代種牛痘法的發明，始行穩妥，而痘疹的猖獗，才得稍殺；但是痲疹呢？因爲沒有什麽好的預防方法，所以它的肆毒，至今與往時一樣。

歷代的醫家，以爲痲疹的經過，不如痘瘡的危險，易於致命，於是乎就忽略了它，而專在痘瘡上研究發揮；所以曩昔以來，敍述痲疹的專書，寥若星辰；就是有的話，也是附帶的講講，不是略而不詳，就是簡而不賅，並且學說紛紜。例如：論病原，有的說是胎毒，有的說是時行；至於治法，有的主張淸涼以解毒，有的主張溫培以托氣；結果鬧得黑白混亂，硃墨不分，給他人以批評攻擊的機會，甚爲痛心。國輔不敏，謹以餘暇，將歷來各家對於痲疹的學說，加以整理，留其精華，去其糟粕，並參以新的理論，欲使其成爲一篇較完善的作品，貢獻給醫林，替患者謀幸福，這就是寫述本文的動機。

(二)麻疹的歷史

痲疹的學說和名稱，在漢唐以前的醫籍，都沒有記載，是故痲疹發生在何時，流行於何地，漫不可考。淸光緒己卯年，華壎氏著疹痲明辨，序文中說：「上古之世。茹毛飲血。不火而食。所以鮮疹痘之患。秦以前相去未遠。雖經烹飪。其氣質猶未盡變。故亦無之。迨自伏波征南。由軍士傳染而來。始有所謂虜瘡者。是卽痘症之肇端也。而疹則未之前聞……」考伏波將軍南征交趾的時候，正在東漢光武帝時，那時還僅有痘瘡的傳說，痲疹的症象，仍舊沒有提起，他又說什麼上古之世，茹毛飲血，不火而食，所以鮮痲痘之患，這都是些理想的話，不可遽信。

宋朝的時候，痲疹的傳說，始散見於各家著述中，例如：龐安常氏著的傷寒總病論說：「……此病有二種。一則發斑。俗謂之痲子。其毒稍輕。二則豌豆。其毒最重……」，又朱奉議的南陽活人書說：「……小兒瘡疹……有身熱、耳冷、尻冷、咳嗽……」，又錢仲陽小兒藥證直訣上說：「……小兒瘡疹。面燥顋赤。目胞亦赤。呵欠頓悶。乍涼乍熱。咳嗽嚏噴。手足稍冷。夜臥驚悸。多睡。並瘡疹證。此天行之病也……」，再閻孝忠小兒方論說：「……小兒耳冷尻冷。手足乍冷乍熱。面赤。時嗽嚏驚悸。此瘡疹欲發也……」 以上諸家所述，都是關係痲疹方面的文字；可知此時各處，痲疹已見流行，不過還沒有深切的認識罷了。

到金元的時侯，四大家出，對於痲症，也大發議論，但叙述已日趨詳明，病名也漸次確立；例如：劉河間保命集上說：「……斑疹之病。其狀各異。瘡發焮腫於外。屬少陽三焦相火。謂之斑。小紅靨行於皮膚之中不出者。屬少陰君也。謂之疹……」又朱丹溪幼科全書說：「……疹雖毒結。多帶時行。其發也。與痘相類。其變也。比痘匪輕。初則發熱。亦似傷寒。目出淚而不止。鼻流涕而不乾。咳嗽太急。煩躁難安。以火照之。隱隱皮膚之下。以手摸之。磊磊肌肉之間。其形若疥。其色若丹。隨出隨沒。乍隱乍現……」 上面所舉的兩段，不過略表一斑；但是已經把痲和痘，分辨得很明白；痲疹的證狀，也描繪得活靈活現了。

自明清以來，羅田萬黃良佑謝玉瓊俞茂鯤等輩出，先後著有痲痘祕法痲科活人書痧痘集解疹科纂要痘疹心法等集，痲疹始有專書，它的叙述和認識，更較以前詳盡了。 例如：羅氏說：「……痘瘡之症。其初發生。與傷寒相似。但疹子則面頰赤。咳嗽噴嚏。鼻流清涕。目中淚出。呵欠喜睡……」又說：「……痲子只要得出。便減輕……旣出便身涼。諸病悉解……」又說：「……疹子欲出未出之時。宜早發散以解其毒。則無餘災……」對於痲疹的證狀、預後、治法，述得很明白，並且都是些經驗話，值得我們注意的。但是有時也會有些什麼「……痘子大而掀腫者。少陽三焦火也。疹子小而碎密者。少陰心火也……」等穿鑿附會，荒謬不根的話，這是我們應該闢去的。

痲疹在我國歷史上的梗概，已經述過了；至於國外叙述痲疹的書籍，當以第九世紀時，阿剌伯名醫拉齊氏 (Rhazes) 著的「天然痘與痲疹」一書，奉爲鼻祖；它的內容，是把痘瘡和痲疹的界限，首先劃清；並謂痲疹的起因，是由胆汁混於血中的緣故；其他還有症狀、初期處置法、治療法等的記載。 這時仍舊認爲痲疹、風疹、猩紅熱、是一體；直到十七世紀的末尾，痲痘大流行於歐洲英意荷蘭等國，勢頗猖獗，這時有一位英國的醫生，名叫薛得赫姆 (Sydemhen) 的，由詳細的臨牀考察，才將痲疹和猩紅熱鑑別，並且發現除天然痘外，還有所謂假痘的；著有內科學一書。 一八二〇年到一八八五年的時候，丹麥國的花落 (Faroe) 羣島，痲疹流行；有Peter Ludwig Panum氏，在該島仔細觀察，才確定它的潛伏期。 一八四二年匈牙利 Michael Katona 氏，對於一一二二例的痲疹患者，仿種痘法，用病人的淚，或發疹期的血液，試行接種。 一八八一年在倫敦舉行了一次國際的醫師會議，纔把痲疹與風疹，詳細區別。 一九一六年里氏(Nicole)和康氏(Coneaie)，首創恢復期的預防血清；一九二二年，又經丹氏(Degkwitz)，作有系統的研究，實驗的結果，成績良好。 一九二三年春，意大利學者可樂納(Coronia)氏，在痲疹病人的血液和分泌物內，發現一種微小的球菌，可氏以爲就是痲疹眞正的病原體；最博得全球學者的同情。 以上這些實驗的情形，和研究的報告，在痲疹的歷史上，都是値得記述的。

(三)複雜的病名

痲疹因爲流行得很普遍，而且各處的風俗習慣方言又不同，所以命名也異常複雜；例如：江蘇人以其所發疹子，瑣碎如沙粒，所以稱牠爲「痧子」。兩湖的人以其好似蚤咬的痕迹一樣，所以叫它爲「瘙子」。江西人因爲疹子一粒粒的，好像麻子，而名它爲「痲子」。浙江人又因爲忌食酸斂性醋(恐其不發)的緣故，而命牠爲「瘄子」。山西陝西稱它爲「糠瘄」「膚瘄」「赤瘄」。四川河南叫牠是「麩瘄」。河北一帶稱爲「溫疹」。兩廣平津叫它「疹子」。古人還有「赤瘄子」「赤疹」「赤斑瘄」「丹疹」「糖疹」「瘙疹」「瘟疹」「痧疹」等名。 再有疹出時，症輕而經過短，或者發在痘瘄以前的，稱它爲「媔疹子」。假使疹出時，症重而經過較長，或者發於痘瘄以後的，叫它是「正疹子」。在尙未彌月的嬰孩所發的，謂爲「爛衣瘄」；或稱爲「胎痲」。要是在百天以內幼孩所發的，名爲「百日瘄」。倘使在出痘的時候，併發痲疹的，稱爲「痘夾疹」。反過來說，在發痲疹時，併發痘瘄的，又稱爲「疹夾痘」了。

至於歐西各國，對於本病的名稱，德國爲 Die Maserm. 英國爲 Measles. 法國爲 Rongeole. 拉丁文是 Morbilli. 我國翻譯爲「疹熱症」、「痲熱症」、「疹症」、「時疹」等名。

痲疹的別名很多，前面所舉的，已有二十幾個，特地的將它寫錄出來，以供隨時隨地的査考；因爲有時，我們看見某書上，或者聽得他人說到別名的時候，恐怕我們想不到牠，就是在說痲疹咧。

(四)病原的學說

我國歷來諸家，對於本病起源的學說，異常混亂，多半是出於理想，不可靠的；玆舉數家學說於後：

1. 聖濟總錄說：「小兒稟受純陽。府臟蘊熱。自內出外。隨氣熏蒸。散於榮衞肌肉之間。留連肉腠。或因飲熱乳。或因遇時疫。熱氣乘其肌腠嫩弱。遂變瘡胗。微者其邪在腑。發為細胗。狀如蚊喙所螫。點點赤色。俗號麩瘡……」
2. 錢仲陽氏說：「小兒在胎十月。食五臟血穢。生下則其毒當出。故瘡疹之狀。皆五臟之液……」又道：「……此天行之病也……」
3. 陳文中氏說：「凡小兒斑駁疹毒之病。俗言疹子。是肺胃蘊熱。因時氣薰發於外。狀如蚊蚤所咬……」
4. 羅萬田氏說：「痘疹皆胎毒所發。毒者。火也。故痘子大而掀腫者。少陽三焦火也。陽道常饒。故大而腫。疹子小而碎密者。少陰心火也。陰道常乏。故小而密……」
5. 夏禹鑄氏說：「痘出於臟。痲出於腑。痲乃大腸之毒氣蒸肺。故發咳嗽……」
6. 張景岳氏說：「疹者。痘之末疾。惟二經受證。脾與肺也。內應於手足太陰。外合於皮毛肌肉。是皆天地間沴戾不正之氣。故曰疹也……」
7. 聶尚恆氏說：「……痧痘俱胎毒……」

歸納以上各家學說，可知前人論痲疹的原因：一為「天行」，二是「胎毒」。「天行」就是說，藉天地間沴戾不正之氣而流行，與現在傳染的意思，尚無不合；但是「胎毒」的理論，覺得荒謬了些，這個因為時代進化的關係，是不足為古人非的。近人余君雲岫，對於前人誤認痲疹原因為「胎毒」「天行」，已經有文字駁議，現在將它錄在下面：

「……前旣以為天行。此又以為胎毒。鼠首兩端。其謬一。血旣穢矣。有毒矣。何能養胎兒。使發榮滋長。今之婦人懷胎者。苟母體有梅毒。卽能致胎兒於死。穢毒之血。能害胎兒。不能養胎兒。明矣。其謬二。前醫以痲痘皆爲胎毒。今小兒旣患痘者，又復患疹。且往往有終身不出痘疹。或竟有出至二次以上者。胎毒何以有多種。且一出再出而不已。或竟不出。不出者。其在胎中。所食何物乎。其謬三。以痘疱斑疹爲同一病源。其謬四。今之患痲疹者。涕淚必多。旣曰斑疹主血。何以反多涕淚。錢氏曰。病疱者。涕淚俱少。譬胞中容水。水去則瘦故也。其意謂患疱者。體中之涕淚成分。皆去而聚於疱中。故眼鼻之涕淚。爲之減少也。然據此以說病疱者。涕淚俱少。尙可勉強支持。而病痲疹者。涕淚加多。則不能加以說明矣。蓋患痲疹者。其疹中水分。未嘗較尋常皮膚減少。則涕淚之增多。其成分何自而轉移乎。然則以膿疱水疱屬之涕淚。以斑疹屬之血。此說不可通矣。又其脾爲裹血之語。不知裹血爲何物何事。其謬五。」

讀了上面這段文字後，「胎毒」是病原的學說，錯誤是很顯明了；但是近代出版，可稱爲洋洋大觀的吳氏兒科，裏邊還說：「……痧子先天之毒爲多……蓋兒居母腹。以母之氣血爲氣血。夫入孰無飲食之所傷。六淫之所侵。毒之伏於母體者。胎兒莫不感之。且當成胎之時。精華者供榮養。糟粕者棄胞中。則積漸所蘊。皆足成毒。胎兒日處其間。又安能免於無毒所染。故胎兒各組織中。悉含有毒素。可以斷言。比其生也。其新陳代謝之作用。倍增於往時。故其毒有宣洩之必要……」下文又說：「……毒之盛者聚者。自隨初生去毒之法。由人力以逗之外出（指痘痧言）。然毒之輕者散者。則一時不易發出。伏蘊於內。待時而動。於是乎痧子一症。遂爲小兒人人必經之症矣……」想不到現在名爲兒科專家的，也發表了這些妙論，眞是令人弗解；以上所錄出的這些謬處，並不是有意駁難，實在是因爲它的守舊習慣太深了。

痲疹是一種具有劇烈接觸傳染性的疾病，此由經驗得來，是毫無疑義，舉世都公認的。傳染的媒介，直接的是由鼻涕、痰沫、涎液、血液、皮膚等。間接的是由用品、玩具、衣物等。但是這種病原體，是原蟲，是細菌，現在還不能夠明瞭，不過在一千九百二十三年春天的時候，意大利的學者可樂納（Coronia）氏，發現一種細微的球菌，並將研究的結果，公告全世界，博得許多學者的歡迎和同情，現在且把各個學者他們研究的報告，寫述在後面：

1. 賀姆氏—把痲疹病人的皮膚，使其小破損，以流出來的血液，滲在一塊小布片內；更在別一個健康人，稍損傷他的皮膚；就用那滲有病人血液的小布片，緊貼在健康人皮膚的破損上，經過一定時間，那健康的人，也就發起痲疹來了。賀氏用這種試驗來實驗的結果，十有九靈，是很可靠的。

2. 凱通氏—在痲疹患者的發疹期中，吸取水疱疹子的內容物，接種在常人的皮膚內；那麽接種部周圍的皮膚，先發紅暈，一二天後，紅疹雖已消失，七天以後，發熱和種種前驅症狀，陸續的現了出來；再過二三天，痲疹也就發現了。（用病人鼻涕來接種的時候，也能得同樣的成績。）

3. 罕克通氏—採取痲疹病人的血液，培養在腹水（從水臌病人腹壁裏抽出來的液體。）中，貯藏在孵卵器內，經過二十四點鐘後，用顯微鏡檢查，並不能得什麽細菌；但用那種液體，接種在健康人的皮膚內，就發起痲疹來了。

4. 安追耳孫和高爾德貝干耳氏—以疹子患者的血液，接種在一種猿類的皮膚內，約經八九日的潛伏期後，就發熱出疹，同時鼻黏膜及眼結膜，也發生炎症。再者若用鼻涕、唾液、注射到猿的皮下，也能夠傳染；但是取表皮上的落屑來試驗，卻失掉感染的效力。

5. 皮勒克和揣斯克氏—用水洗滌初期發痞病人的口鼻，將此種液體，注射入猿，後來那猿的皮膚和口內的黏膜，居然也發生痞疹 與人類的痞疹很相像；假使割取牠發疹部的皮膜，施行組織學的研究，結果牠組織上的變化，也和人類痞疹部的皮膜相同。

6. 意大利可樂納氏—在痲疹病人的血液、眼淚、鼻涕、口涎等內，發現一種細小的球菌，有的個個分離，有的雙雙相連，並且可以培養而得；假使培養得來的病原體，加以痞疹病人的血液，然後檢查它的作用，則有凝集反應和補體結合反應；不但如此，再取培養的病原體，接種於小孩，來看牠是否傳染，結果居然也發出痧瘖。所以可氏研究報告的結論裏說，這種小球菌，就是瘖痧的病原體；一時喧騰於全世界，博得許多學者的同情。

7. 皮格瓦擂氏一謂一千九百二十一年，在德國已有瘖痧病原體培養成功的工슈。

8. 頓格氏一在一千九百二十四年，由病人的血液中，培養得連鎖狀球菌；他以爲這就是痲痧的病原體。

9. 日本草間滋氏一在一千九百二十三年冬季的時候，取病人的血液，移植在日本猿的體內，等到發病後，就把牠殺死，取牠的腎臟，培養得一種雙球菌，同發疹傷寒的病原菌很相像；後來他又發表議論說：由培養得來的病原菌，每因培養的條件不同，而形態可以變易，或者是桿狀，或者桿狀球狀兼有，或者又是單球，或者成爲雙球；假使是濾過性的話，那麼在顯微鏡下，就不能觀察它了。

10 其他一一九二七年高納得培西絲氏（Guordabassi）在瘖痧病人的血液中，培養得三四個相連的短連鎖狀小球菌。一九二八年飛利氏，又有連鎖狀球菌的報告。去維爾和海白爾得氏，績有球菌的培養。祇有Bürgers氏，對於可樂納氏的痲痧病原球菌說，表示反對罷了。

以上所列各家對於痲痧病原的學說，已可以看見全球學者研究的一斑，但是還沒有得到相當的結論，這是引爲遺憾的；更希望各個學者，作進一步的研究，我們跟隨着努力的實驗，對於痲痧的病原體，作一個確切的證明；大家期待着罷，我想爲期也在不遠咧。

據說痲痧的病原體，是很富有揮發性的，並且抵抗力也很薄弱，它在人體的外邊，祇能保持極短時間的生活力；例如：痲痧病人所住的房屋，和所穿的襯衣，只要使空氣流通，或者曝露在日光底下，大約幾點鐘的功夫，就可以使感染的物質，完全死滅。

（五）感染的狀況

感染的氣候不一定，差不多春夏秋冬四季，都有感染的機會。現在拿黑希(Hdirsh) 氏的統計，來做參考；他說：在歐洲和北美五百三十回的流行裏面，寒冷的時候，佔去了三百三十九回，其餘的一百九十一回，是在溫暖的季節裏；並且流行的氣候，多從寒冷時開始，一到溫暖的季節，就逐漸的減少下去，大約是在冬春兩季較多；不過有時，每每有一時性和地方性，那就不能一概而論了。

感染的年齡，也有相當的關係，以一歲至五歲的幼兒，感染得最多；次之，就是五歲到十歲的小孩，以一歲以下和十五歲以上，感染的較少， 本病經過一次出疹後，就可以得到免疫性，但是也有復感的，不過是極少數罷了。還有在發疹期內，若食雞鴨、魚肉、麵醋、生冷等物，每易再感，這是得之於經驗；現在正在研究中，想在學術上，尋求出一種原理來。更把巴爾退耳斯氏在五百七十個的痲疹病人裏，依他們感染的年齡，做成統計，列表於後，以供參考：

圖表一 巴氏痲疹病人感染年歲統計表

總數	年齡	人數	百分率
五百七十人	一歲以下	三一	五・四
	一 — 五歲	二七一	四七・五
	五 — 十歲	二二六	三九・五
	十 — 十五歲	三二	五・六
	十五 — 二十歲	四	〇・八
	二十 — 三十歲	三	〇・六
	三十歲以上	三	〇・六

傳染的路徑，據歷來的考察，凡沒有發過痲疹的人，倘使偶然和患痲疹的小孩，略爲接近，就有感染的可能，尤其是在那病人黏膜發炎的時候，傳染的力量最強；當他們咳嗽噴嚏的時候，從鼻腔和嘴裏所噴出來的唾涕小泡沫，就散布在空氣裏，同空氣內的灰塵和肉眼所不能見的水氣相混合，隨空氣的鼓盪，流動不定：假使近傍沒有害過痲疹，得到免疫性的人，將那含有病原的空氣，吸了進去，就被感染了。 此外還有玩具、器械、衣被、飲食物等，也能做傳染的媒介；疹子的落屑，是否可以做傳染的媒介，迄今尚無確論；不過等到痲疹在慢慢消退，皮膚落屑開始

的時候，傳染力就大大的減弱，這是臨牀上的事實。

(六)症狀和經過

(一)主要症候：

1.發熱——潛伏期時，縱然有些發熱，也是很微，每不易覺察；到前驅期的第一天，則體溫上昇，約在三十八度至三十九度之間，但是到了第二天，體溫又形下降；直到發疹期開始的那天，再現高熱，繼續下去，又變成弛張熱，約在發病的一星期後，體溫卽能逐漸恢復常態；要不是這樣，必定又在發生什麼合併症了。痲疹這種溫度一定的昇降，叫做熱型，現在製圖如下，籍作參考，並附兩個已經發生合併症的熱型圖，以資參照。

圖表二　痲疹熱型圖之一

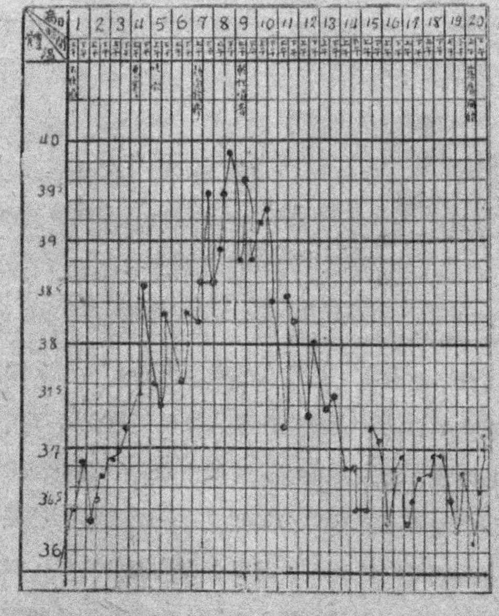

正常經過　小兒三歲

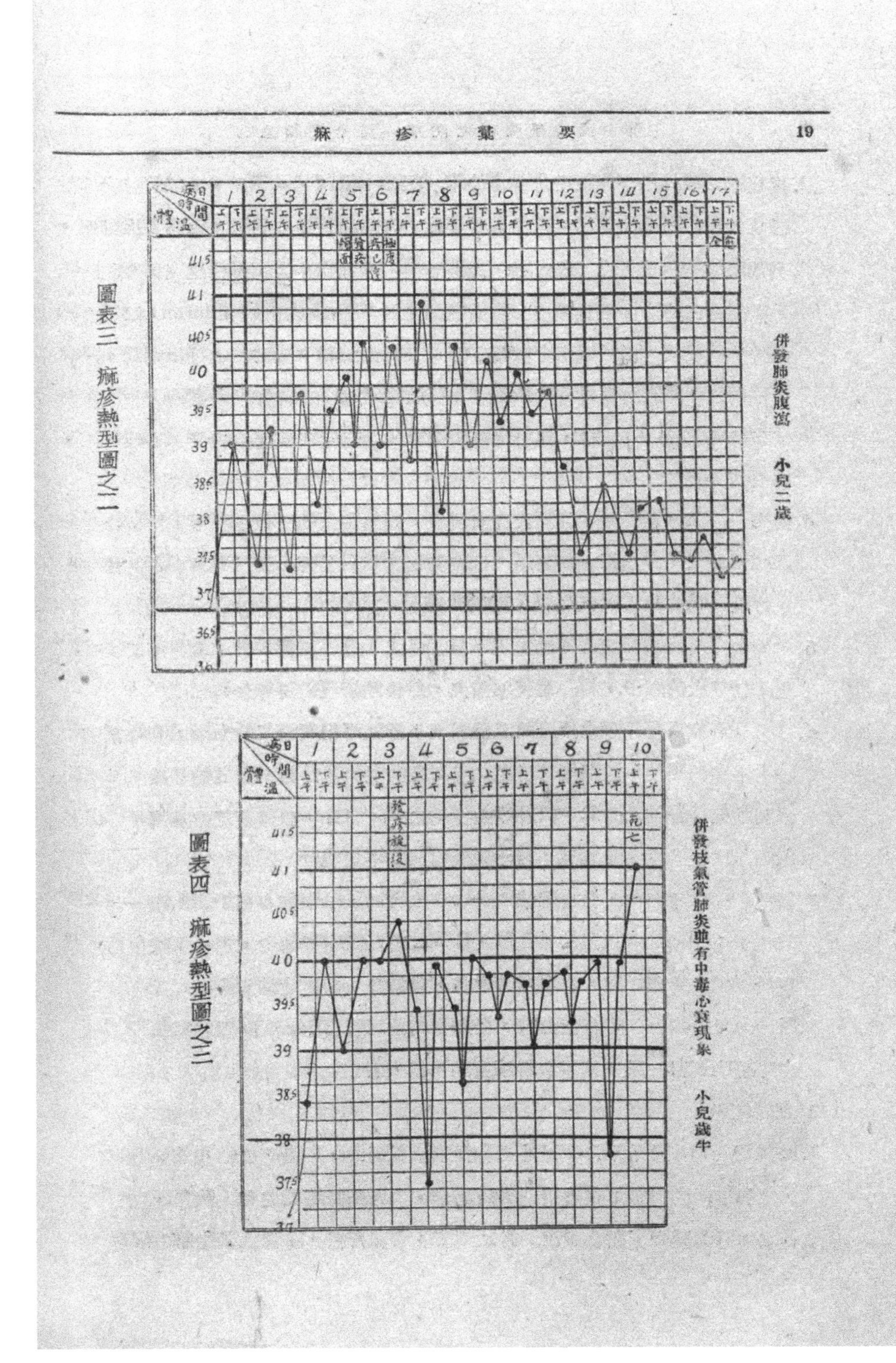

圖表三 痲疹熱型圖之一

併發肺炎腹瀉 小兒二歲

圖表四 痲疹熱型圖之二

併發枝氣管肺炎並有中毒心衰現象 小兒歲半

2.炎症——因爲已經先後發生鼻卡他爾、咽頭卡他爾、氣管炎、或氣管枝炎等的緣故，所以現鼻塞流涕、咳嗆聲嗄等症；有時結膜發赤腫脹，流淚多而羞明。

3.科氏斑——科普里克(Koplik)氏斑——一八九六年美國科普里克氏發現——是發生在臼齒旁，頰黏膜上，白黃色的點粒，它的直徑是1至3mm，四周有赤色的暈輪圍繞，由數顆至十數顆不等；有時齒齦和下口唇，也可以見到。據說此種斑點，係脂肪化之上皮細胞，和頹敗物所成；在百個患者裏面，有九十個是在發疹前一——二日，卽出現此種斑點的；有時在痲疹出現後，這種斑點，倘遺留着殘痕的。

4.內疹——又名黏膜疹，是科氏斑出現後。繼續發生的一種不整形，稍微隆起的粟粒至豆大的赤色斑，在咽頭、口腔黏膜、和腸黏膜，都可看到；尤其是在頰、口蓋、扁桃腺等處的黏膜，更爲明顯。

5.早期發疹——與科氏斑同時出現，見於外皮，是一種揮散性，境界不明，暗赤色，扁豆大的疹子，約一兩天卽消失，然後陸續現出眞性發疹。

6.發疹——痲疹是一種由帽針頭至豌豆大小色紅而稍微隆起的疹點，有時數疹愈合，疹點的顏色，漸漸轉爲暗赤；發疹最初現的是頭部，尤其是耳後，其次擴張到顏面、背部、胸部、四肢等處，約二——三日，卽能蔓延達於周身；但肘關節、膝蓋、手、足等處，有時發疹而表皮不出現。

7.血象——發疹期內，白血球減少——一立方m.m.中約存三千到四千——淋巴球更少；Arneth氏血像爲左傾，Eosin嗜好細胞雖減少，但一至恢復期，則復於正常。再發疹期，白血球若增多，每爲發生合併症的徵象。

8.尿——尿量減少，時有蛋白質，發疹初期狄阿曹(Diazo)反應爲陽性(70%)；有時現Urobilin尿，但併發腎臟炎的，很少看見。

(二)正常經過：

1.潛伏期——普通爲十日，但是也有多到十五天的，不過至少總在感染的第八天，才現顯明的病態；在潛伏期間的症狀，不過全身略感違和，飲食減少，很覺疲乏，時有咳嗽，歡喜啼泣，睡眠不安，顏面蒼白，午後或發微熱；倘使再受了風寒，那麽就要發較高的熱了；此外還有併發鼻炎、泄瀉、淋巴腺腫、和枝氣管炎等症的。

2.前驅期——大約有三四天，體溫漸漸昇騰，倦怠慢慢增厲，常常說惡風頭痛，初起鼻內流出稀薄黏性液的涕，後來逐漸變成黃色濃性液；又因爲鼻腔內，黏膜充血的緣故，鼻管閉塞不通，噴嚏頻作不止，並且往往流出鼻血來；再說到眼睛，眼瞼結膜，發赤腫脹，眼球結膜，也水汪汪的發紅；淚腺分泌量極多，尤其是當早晨起來的時候，黏液膿性的分泌物，從眼瞼緣流出，因牠的一部分乾燥了，就將上下的眼瞼緣黏着，結成痂皮，很不容易把它剝掉，在病人也因爲眼瞼有一種壓迫和怕光的感覺，所以雖在白晝，也常常歡喜閉着眼。　在前驅期的第一天，咽頭黏膜，微微有些發赤；到了第二天，充血得更厲害，不僅僅口蓋弓和懸壅垂（俗稱小舌）附近的地方，發生不規則斑紋狀的潮紅，就是扁桃腺，也腫脹得很大了。　又因喉頭和氣管黏膜，發生炎症的結果，往往就有一種連接短促的乾咳；痰雖是少，但異常黏稠，病人很感覺痛苦；倘喉頭受強烈侵犯的時候，聲音嘶啞，咳嗽的時候，好似犬吠一樣；若喉頭充血過強，往往惹起呼吸困難，且常常發作窒息的現象；再在頰黏膜等處，出現科普里克氏斑，普通是從六個到二十個不等，這種斑點，在痲疹的早期診斷上，頗具價值，只要一見這斑，可以知道一兩天內，就要發生痲疹了，但是有時候——一歲以內的嬰孩，或極輕的痲疹等——極少數的患者，沒有這斑，是不可不知道的；還有一點，在檢查斑點時，須注意的，就是要在日裏光線充足的地方，不然的話，在晚上燈光下面，有時很容易忽略過去。　繼科氏斑後，在軟腭硬腭和懸壅垂的附近，發生形狀不一的內疹，小的像粟粒，大的如扁豆，有的又似線條，存在的時間很短促，且往往有始終不發的，所以在診斷上，也不及科氏斑的重要。　當以上各種黏膜症狀出現的時候，體溫也隨之上昇，普通到三十八度以上　經過幾小時後，熱勢頓形減退；在第二天和第三天裏，常在三十七度和三十八度的中間，或竟完全無熱；從第三天到第四天，體溫再漸漸的上昇，而入發疹期。

3.發疹期——經過三四天的前驅症狀後，各種黏膜炎症加重，熱勢昇高，皮膚上的瘄疹，也就在這時出現了；最先發出的是頭部，尤以耳殼前後的地方，和口眼的周圍，最先見到，漸次蔓延頸部、胸背部、而至軀幹全體，以及四肢等處；大約在疹點出現後的一天半到二天的時候，疹點全身各部都密佈，尤以顏面的中央、鼻、口唇等處，聚集得更多，並且格外顯明，這時可稱爲發疹極盛的時候了。痲疹初現的時候，平常多是鮮紅的，嗣後顏色逐漸加濃，就變成暗赤色，試將發疹的皮膚，用手指一壓，或把皮膚緊張起來，皮膚就會暫時褪色；倘使是出血性痲疹的話，血液每從毛細血管滲出在外邊，那時候雖將皮膚壓迫，或使牠緊張，也就不會褪色了。痲疹的形狀，起初大小和帽針頭一樣，是圓形的，慢慢的發育起來，就變成橢圓形，各個疹子的四周，屈曲如鋸齒一般，或有更不規則的邊緣；還有當疹點密集的時候，新舊各疹，就互相合併起來，變成紅塊的模樣，並且稍爲隆起，但仔細辨認的時候，在各疹點中間，仍舊可以覓到健康的皮膚；病人的顏面，因爲疹點聚合的緣故，好似浮腫；眼瞼也腫脹，怕光流淚，膿樣的眼渣，結成痂皮，把上下兩方的眼瞼，緊緊的膠着；鼻腔分泌黏稠黃色的液體；又上唇的皮膚，因爲時常受着鼻液的刺激，往往糜爛；口圍各部，多生濕瘡；聲音嘶嗄，咳聲粗厲，舌苔乾燥，有時白膩，有時灰褐，要是黏膜症狀利害的時候，還可以使口內上皮稍爲脫落。再當患者咳嗆的時候，每自訴說：胸部內有疼痛感覺，如施行聽診，在大的枝氣管相當的部位，可以聞到乾性囉音。在前驅期終了的時候，病人的熱勢，已在逐步的昇騰，一到痲疹散布的時候，體溫更形怒張——通常爲攝氏表四十度，但竟有高達四十二度的——脈搏也隨之迅速，呼吸也非常促迫，胃口呆滯，食機全廢，口內煩渴，肢疼頭痛，甚至於見終日昏睡，譫語痙攣，等神經症狀。此外還有白血球的減少，和屢見熱性蛋白尿等。發疹期的持續，普通是三天到五天，這是本病極重篤而最關緊要的時期，因爲各種合併症和貽後症，都是這時釀成的。

4.落屑期——當痲疹消褪的時候，多在晚上；那時遍體出汗，熱勢也就頓時減退了，但也有慢慢地退卻，遲一天半或二天，才恢復常溫的；痲疹的消褪，每有一定的次序，就是從先發的部位退起，逐漸輪到最後發生的地方，但是往往也有例外，不能一概而論的。痲疹退去的舊跡，暫時還留着棕色的斑痕，不久之後——三日至週許——皮膚糠粃狀的落屑告終，棕色的斑痕，也隨落屑而消失了；白膩的舌胎。復形清淨；胃口漸開，食物知味；睡眠安靜，昏沉譫妄等症狀，也無形中消除了。其次黏膜炎症的減退較遲，大約起初，是眼瞼的腫脹消去，膿性的分泌物減少；再隔幾天後，呼吸器各部——喉頭氣管和氣管枝等——的發炎症候，也逐漸輕快；嘶嗄的聲音，也就開了；咳嗽的次數，也減少了；略痰的時候，也爽快了。

(三)異常經過：

1.輕疏性痲疹——體溫昇騰不顯著，一般症狀，也很輕微，大約四五天，即可全愈。

2.頓挫性痲疹——全身症狀和發疹，都很輕微；前驅期的持續，還不到一天，發疹期僅二三日，就轉入落屑期。

3.無疹性痲疹——在前驅期的時候，黏膜的炎症，非常著明，發熱的情形，也和尋常的痲疹一樣，傳染的路徑，也很明瞭；但是一到發疹期的時候，不但不發皮疹，就是一切黏膜炎的症候，也頓時輕快，體溫也頓形低降，這種稱作無疹性痲疹。平常診斷，很覺困難；不過這種症狀，是很稀少的。

4.中毒性痲疹——體溫徘徊在四十二度左右（所謂最高熱），神志昏迷，不省人事，或見心臟衰弱，或見痙攣等象，全身症狀，異常惡化，終至於不救。

5.無熱性痲疹——體溫不見昇騰，但發疹依舊很顯著；多見於患重症營養障礙的小孩。

6.敗血性痲疹——在異常經過中，也是惡性的一種，據說是一種連鎖狀球菌作祟；假使見了敗血症後，祇要幾天就可以斃命。

7.出血性痲疹——在發生疹子的時候，皮膚的毛細血管壁，非常疏鬆，有容易濾過的特性；試把發疹部的皮膚撮起，用指頭捻壓的時候，每發生點狀出血，就是一個證明；所以平常的痲疹患者，往往有少量的血色素，在疹點中滲出，呈一種極細的點狀出血，但是也有稍大的溢血，竟佔疹斑的全部，也有變成各種不規則的形狀的，也有各個斑點合併，和皮下出血（紫血斑）一般，以後慢慢地變做暗紫色或青色的，這已是比較的危險了。倘使是具有出血性素質的人們，同時發生鼻出血、吐血、便血、尿血等各部出血的症狀，或者全身的痲疹，都變成黑色或紫色，預後多屬不良。

8.水疱性痲疹——在紅色斑點的上面，形成粟粒大的水疱；或者再因汗汁的刺戟，變做膿疱，也是數見不鮮；它所以如此的原因，不是皮膚的營養不好，就是抵抗力薄弱，對於整個的症狀，是沒有多大妨礙的。

9.丘疹性痲疹——瘄疹有時互相合併，在皮膚上隆起，形成小結節狀的，名爲丘疹性痲疹。 倘使此項丘疹，發在臀部，被大小便所污染，受刺激，那麼丘疹擴大，每生浸潤。

10融合性痲疹——當發疹極盛的時候，疹子的斑點，彼此密接，互相融合，變成一片紅色，好像紅痧的疹子——但只須仔細的觀察，終可以找到健康的皮膚面，可藉此來和痧瘄（猩紅熱）鑑別——所以又有稱作「猩紅熱性痲疹」的。

11無內疹性痲疹——不發見內疹，即出現皮疹；這種在臨牀上，時常可以遇到的。

12痲疹突然陷落——經過前驅期後，疹點漸漸的散佈出來，假使突然停止蔓延，或者已發出的，又在迅速消退，變做慘淡的紫色或蒼白色，使人難以識別，甚至於健康的皮膚，也同時發青色或灰色；一方面呼吸促迫，鼻翼閃動，胸廓下方，向內凹陷，兩肩聳動，協助呼吸，頸部靜脈怒張，連接咳嗆不爽，用聽診器檢查，各部都可以聽到細小的水泡音，這時毛細枝氣管的黏膜炎症，非常顯明，並且在全胸的各部，到處都能夠聽得枝氣管呼吸音；每每還有見脈搏頻數緊張，輭弱不整等心臟衰弱症狀的；此外更有全身痙攣，沉迷昏睡，或現出無知無覺的態度，眼窩凹陷，口唇青紫等重症，這時危險已是達到極點；要是大便再見溏瀉，尿中或含血液，那眞是呼天都不應了。 痲疹驟然消稳的原因，大約有兩種：一則是因爲內臟發生充血，或血液循環衰竭所致；一則是由於併發重症呼吸器病——肺炎——而來。

13其他——衰脫性痲疹、窒扶斯性痲疹等。

(四)併發症及貽後症：

1.氣管枝炎——這是併發症內，最常見到的，有時還要波及微細氣管枝炎，或者誘起氣管枝肺炎；它的症狀是呼吸困難——每分鐘呼吸達九十餘次——咳嗆不爽，喉中痰聲漉漉，胸廓的底下部，在吸氣時，屢呈凹陷；倘在肺面全部，施行聽診，可以聽得微弱的呼吸音，和乾濕性的水泡音，若氣管內，給滲出液壅塞着的時候，那麼水泡音，不能聽見，祇能聽得呼吸音的變化；施打診，則現濁音，此時有引起小葉肺炎的憂慮，是很沉重的；從前的人以爲是什麼『毒火內結。邪熱阻逆。不得發越所致之氣促胸觝。』就是指本症而言啊。

2.頓咳(百日咳)——咳嗽是痲疹固有的症狀，本來是不足詫異的；若是乾咳連續不斷，甚則氣逆面目浮紅，這是併發百日咳的症象，就是古籍上所載『火邪凌灼肺金』的頓咳；要是處置失宜的話，往往也會發生許多險象，最容易成功的，是氣管枝擴張，或是結核菌乘機侵入，也是常有的事。

3.卡他爾性肺炎——在痲疹起病的時候，卡他爾的症狀，不過在上氣道，後來漸漸的由枝氣管卡他，而轉成卡他爾肺炎了；這時皮疹已出現，體溫或更增高，呼吸感到常異困難，鼻煽口張，吸氣的時候，胸廓凹陷，四肢顏面，發生紺斑；若用器械聽診，肺部各處的呼吸音，都很微弱，且有乾性或濕性的水泡音，尤其以枝氣管呼吸音和有響性水泡音，更爲顯著；倘再施打診，在患部上，可聞有濁音；症情重的，每致意識漸行溷濁，脈息微軟細弱；古人所稱『氣促鼻煽。喘滿痰鳴。胸高腹脹。神蒙色皖。肺氣將絕。肺熱熾盛。』等不治的壞症，就是這一類了；在二三天之內，就能致人於死。　併發本病的時候，倘使加以適當的治療，和看護得周到，也能轉危爲安，變成慢性的肺炎，在數星期內，除仍見一弛一張的熱型外，還是能出現旁的症狀；雖然本病結果，總算治愈，但多貽以肺萎縮症，每爲肺結核所乘——痲疹的結核感受性頗大——或引起潛伏結核的出現，所以在出過痲疹後，續患結核病是很多的。

4.肺癆（肺結核）——自痲疹的症狀出現後，體內的抵抗力，也隨之消失，以前的陽性皮氏（Pirquet）氏反應、這時已化爲烏有，所以身體對於防衛結核菌與其毒素（Jbe Bacillen und Toxin）的力量很薄弱，肺結核的細菌，牠也乘這個機會，侵入人體，勢行猖獗，就是伏着無力的結核菌，這時也大爲活動起來，於是結核性腦膜炎、粟粒性結核症等，均有發作的機會。歷來我國關於疹回後病症的記載，說什麼「虛羸」「驚搐」「咬牙」「嘔噁」「譫妄」「昏睡」等症，也包括肺結核和它變症的一部分在內，不是單純的罷了。

5.急性喉頭炎——古人以爲的「瘖啞」，就是本症；病的來勢很急，多在痲疹將發以前出現，主要的症狀，是聲音嘶嗄，咳嗽粗獷，體溫微昇，幼兒在睡眠時，每忽然發生窒息的現象，呼吸因氣道逼仄，每致迫急，但是很快的就恢復常態，所以前賢說的：「……瘖啞乃痲之常候。多吉少凶……」是具有相當道理的；不過這個「瘖啞」，並不是言語聲音，完全啞失，這一點要注意，因爲這一點，可以用來和眞性格魯布鑑別，因爲眞性有時也往往和痲疹併發的。

6.鼻衄——在述前驅期症狀的時候，不是說過鼻腔黏膜充血得很利害嗎？何況還有黏膜的分泌物，阻塞鼻孔不通，而陸續不斷的打噴嚏呢？那是更容易引起出血的了；不過出血有多少，出血少的話，本來沒有什麼關係，並且往往鼻腔的炎症，因此而告愈，所以痧痲明辨上有說：『……或衄血者。乃火邪熾盛。載血上行。而毒熱因之外解。毋庸治也……』的理論；要是有出血素質的人們，那確出不得了，因爲不但鼻血出個不休，每每伴發吐血、便血、和溺血等的症象，那就很危險了，內經上不是有「奪血者亡」的話嗎？這時應該趕快設法去制止它。

7.牙疳(口炎)——是疹子回後，常見的貽後症；上下牙齦，發生腐爛，是本病的主徵；要是患的是走馬牙疳(又名水癌、或稱壞疽性口內炎)的話，來勢洶洶，牙齦黑爛，肉腐血出，甚至於通齦白色，齒落口臭，不見膿血，面頰浮腫，環口青黑，要是見頰漏腮穿，脣崩鼻塌的時候，都屬難治的症，每由高熱下利虛脫等全身症狀，遂至於心臟衰弱而歸於死亡。本病的病原，現在還沒有發現，不過以臨床上經驗來說：在三歲以下，患本病的最多，並且十分之七八，是由熱病和消化不良所引起。

8.白喉——痲疹的經過中，併發本病，也是個很危險的症狀；因爲當患痲疹的時候，白喉血清的效力，大爲減少，所以救治也無相當把握。

9.膿胸——痲疹流爲膿胸的，常佔百分之七以上，多侵犯循環衰弱的小孩；如疹點不能充分發透，每有延爲本病的危險；我國醫籍所載的「痲後胸口痰甚」頗相類似；它的症狀，體溫昇高而漫無規則，呼吸浮淺而急促，或咳嗽等；有時每易誤爲痲後衰弱的結核繼發症，殊不料胸部的下段，已蘊蓄着幾千c.c,的膿液咧！此種膿液，有人曾施用顯微鏡檢查，以白膿球菌爲最多，其次就是練球菌，其他的肺炎球菌、結核桿菌、也偶然可以看到。要預防本病的發生，唯一的方法，是在痲疹的初期，就應用強心利尿劑；倘使已成，惟有用穿刺法以放膿。

10.痘瘡——歷來醫籍所稱的「疹夾痘」或「痘夾疹」，就是這兩病併合發生的症狀；在發疹初期，識別很難，俟水疱膿疱狀的痘瘡與痲疹的症狀，顯露出來的時候，就容易識別了；此兩病併發，多數死亡，就是前人所說的「……乃毒氣太甚也。治頗不易……」。

11.目疾——發痞疹的時候，因爲結膜充血的緣故，往往繼生眼眶紅爛、羞明赤腫、眵淚生翳等貽後症。

12.其他——痄腮(腮腺炎)、風疹、腸炎、疳積、鼻淵、水腫、鵝口瘡、腦膜炎等病症。

(七)病理和解剖

大凡各種傳染病，當皮膚過度感覺的時候，就發出一種疹斑，同時病症轉變緩和；大約是皮膚產生某種物質，使起病體變化，所以病症也自行消退，這種作用，可以叫做皮膚免疫。痲疹自然也不能例外，是故需要充分的發疹，不然的話，一定有許多併發症或繼發症，絡繹的發生。

因爲本病的病原體，還沒有確定的緣故，所以研究關於它病理的人很少；據呂

氏 (Reaktionskrankheit) 說：「自痲疹病原體，侵入人身後，體內即發生一種抗體，這種抗體，大約要八天至十二天的時間，才能充分形成(就是潛伏期)；俟後痲疹病原體和抗體，互相作用，生出一種毒性物質，名 Apotoxine. 這種物質，倘使作用於神經中樞，則現發熱症狀，作用於皮膚，或者是黏膜，那末就引起發疹，或者出現內疹了。

在施行本病屍體解剖的時候，所見卡他爾和發炎的狀況，沒有甚麽特性；致命的病，多顯枝氣管肺炎和劇烈的枝氣管卡他爾；全身的淋巴組織，例如：腭扁桃、淋巴腺、腸孤立淋巴結等，都形腫脹；但脾臟腫大者，很少遇到；再在恢復期的時候，每易激發潛伏着的結核性病竈。

以上已經說過，關於痲疹的病理和解剖，學者研究的很少；我們院內，因爲是初創，設備欠缺，這一步現在尙難着手，所以還沒有完善的理論；前面所舉的兩段，不過略示研究的一斑罷了。

(八)診斷的種種

假使要一個病診斷得確切，首先對於牠各期的症狀，要有相當的認識；痲疹的主要症狀和經過情形，在「症狀和經過」欄，已經說得很詳細，這裏恕不再論了；現在要述的是類似疾病的鑑別、白血球的診斷法等，把它寫在後面：

(一)早期診斷——在痲疹流行的時候，一個未曾出過痲疹的孩童，要是見了發熱、咳嗆、鼻塞、噴嚏、流涕、面赤、眼光如水……症狀的時候，就有本病的嫌疑；倘使頰內的黏膜上，發現黃白色小粒的科普里克氏斑，這時證據，已經確鑿了，還知道牠不久或者陸續的在口腔黏膜上，發生許多內疹哩。　我國古來醫家，對於測候痲疹，製有歌訣，都是根據臨牀上症候的觀察做成，又經後人略爲增删，尙有一讀的價值；現在附錄在後面：『痲疹將出有先兆。惡風怕冷身大熱。眼光如水淚汪汪。噴嚏呵欠鼻涕出。眵多睛赤腮頰紅。胸悶聲啞頻頻咳。煩躁驚悸指尖冷。口內先現小斑赤。或吐或瀉胃不開。大便清兮小便濇。熟此歌訣臨痲症。見微知著能預測』。

(二)類症鑑別——和痲疹的症狀和疹點相彷彿的疾病很多，假使不加以詳細的分辨，在臨牀上，往往會誤認，而致診斷錯誤，診斷要是錯誤，那末用藥治療，就失卻標準，可見它們關係的重要了。現在把類似的各種病症，分舉在下面：

1.風疹——風疹的經過和症狀，往往和痲疹相似，所以不易下確切的診斷；大約風疹的初期，是缺少科氏斑，黏膜的炎症，也是沒有（即是有也是極輕微的），並且風疹的斑點，顏色紅得比痲疹淡，疹子的形狀，既不如痲疹的密集，並且全身症狀，也不及痲疹的沉重，甚至於有不發熱的；還有一層，就是風疹的病人，他頸項部的淋巴腺，多半是腫脹的。　以上這些症狀，可以拿來作鑑別的根據；再者有時，痲疹常常和風疹併發，這點也不可不知道。

2.痧瘀(猩紅熱)——痲疹在發得最旺盛的時候，因為牠融合成一片的緣故，所以往往會發生些誤會，但是分辨是很容易的；例如：痧瘀的皮膚，是一片迅發性的發赤，分不出各個疹子的界限；痲疹雖然是密集融合，但在各疹點的中間，仍舊是可以找到健康的皮膚，假使仔細檢查一下的話，疹子個個可辨，還具有鋸齒模樣的邊緣；況且痧瘀發疹的時候，嘴唇周圍的皮膚，不但沒有疹子，而且反現蒼白的顏色；痧瘀的斑點，不是呈丘疹形狀，並且先發於軀幹，然後漸漸蔓延到頭面等部；痧瘀發病的時候，是突然而來，沒有什麼前兆症狀；這幾點是絕對和痲疹不同，並且是相反的地方；其他如熱型、血像、舌苔等，都是各異，用不到再詳細寫述了。　還有疹子已在消褪，倘使要斷以前所發的，是痲疹，或是痧瘀，也是很容易的事，現在附帶說說：殘留下來的舊斑，假使是棕色的，這種斑點，早則幾天，遲則十數天以後，才行消滅，且當疹子消褪的時候，皮膚落下糠粃樣的皮屑，就可以推知以前所發的，必是痲疹。反過來說，痧瘀的疹子，消褪以後，沒有着色的舊斑，並且落屑的日期也較遲，落下的皮屑也較大，呈薄膜狀。

3.痘瘡(天然痘)——痘瘡因為有氣管枝炎、鼻卡他爾、結膜炎等症狀，並且在發疹期初起的時候，每現痲疹樣的發疹，是故與瘖疹——尤其是丘疹性或水疱性痲疹的時候——有鑑別的必要。痘瘡在前驅期內，不見有科普里克氏斑；但常在大腿的內面，或手灣的裏側，發生一種硃紅色的融合皮斑，爲痲疹所無，消失得很快，甚不易覺察；再在痘瘡起病的時候，就見怕風惡寒，發生高熱——四十一度上下——並現劇烈頭疼腰痛等重篤全身症狀，如果到痘子一出現的時候，體溫就驟然降低下去；痲疹則適得其反，等到看見疹子的時候，熱勢反形加重，若痘子經過二三日發育後，丘疹的尖端，形成水疱，那就和痲疹極容易分別了。

4.水痘——起病的時候，因爲也具有各種黏膜炎症的緣故，所以常常和痲疹初期渾誤，但是水痘的丘疹，在短時間內，構成小水疱，這點與痲疹迥然不同。

5.發疹傷寒(温毒發斑)——本病在初期和發疹期的時候，很容易誤認是痲疹；鑑別的方法：患痲疹的，以小孩爲多，斑點先見於顏面，漸次蔓延到他部，氣道和結膜的炎症很利害，熱勢初甚昇騰，到發疹期再昇，嗣後漸次消散；但罹發疹傷寒的，以壯年較多，皮疹初發於腹部，然後始及他處，氣道和結膜的炎症很輕，且體温呈稽留性分利下降。

6.敗血膿毒症——本症雖亦呈痲疹樣發疹，但不見結膜炎、鼻卡他爾、氣管枝炎等症狀，祇須稍爲注意它的經過，識別是很容易的。

7.感冒——流行性感冒在前驅症狀的時候，很和痲疹類似；但是痲疹一入發疹期，就發生特有的皮疹，與流行性感冒，立刻判然了。

8.蕁痲疹——有劇烈的瘙癢，無黏膜的症狀。

9.薔薇疹——傷寒症的薔薇疹，大約在發病後十天左右出現，不如痲疹發生的密，並且還有脈遲、脾腫、韋達爾(Widal)氏反應等，所以區別不難。 梅毒性薔薇疹，多見於大人，並且缺少咳嗽、噴嚏等呼吸器黏膜症狀，還可以考查牠的既往症和梅毒病狀，所以和痲疹分辨，更無問題。

10藥疹——服阿斯匹林、水楊酸鈉、科派巴漿、安知必林、和碘劑等後，每有與痲疹相似的發疹；尤其是在僅現發熱、咳嗆、鼻塞、流涕等症狀，還不知是某種疾病之前，倘投以阿斯匹林等解熱劑後，每現出一種疹子，此種疹子與痲疹，有鑑別的必要；就是藥物的發疹，決定沒有顏面最密。軀幹四肢，漸次稀疎的道理，並且一停藥後，很快的囘復到蒼白色，不如痲疹的定型不變，倘使續服那藥，又復現前疹。

11登革熱（Dengue Fieber）——皮膚也顯充血性紅色斑點，和痲疹相彷彿；但是具有厲害的頭疼和關節痛，並且熱型又不同，可以拿來和痲疹區別。

12粟粒熱——本病以突然非常的發汗、高熱、和固有的胸悶等症狀開始，並且沒有痲疹固有的科氏斑，和黏膜的卡他爾等，所以診斷也不難。

13其他——種牛痘以後，過了十天左右，也常常會發如痲疹一般的疹子；注射血清（如白喉等）以後，也能發疹；流行性脊髓腦膜炎，或哺乳兒發生胃腸障礙的時候，也能發疹；這裏恕不分辨了。

（三）白血球診斷法——白血球診斷法，在診斷內科諸疾病時，是具有相當的價值；尤其以在傳染病的類症鑑別上，很有幫助；因爲只要將白血球像之狀態，加以精密的觀察，就可以下斷語；現在把痲疹病人，白血球的各種變化，逐條分述於下：

1.總數的變化：

a.正常的情形——痲疹在疹子發生前十天，所謂潛伏期的時候，白血球的總數，顯明增多；等到潛伏期終了，前驅期出現的時候，白血球的總數，又次第減少，尤其是發疹後的一二天，數目最少；嗣後熱度下降，其數又漸漸的增多，至正常的數目爲止；有時也往往超出正常數的，但到恢復期終了的時候，又入於常態。

b.異常的情形——在疹子出現以後，白血球旣不減少，而反急劇增多，就可以根據這一點，來推知它必有合併症發生；因爲痲疹的合併症如肺炎等，都可以使白血球的數目，很快的加多咧。還有時候，合併症已經很顯明，但是白血球並不增多，或一時增多而隨卽減退；這是骨髓造血機能障礙的緣故，其預後往往不良。

2.百型的變化：

a.中性嗜好白血球——本血球在各時期的增減，和白血球總數的變化，大概相同。

b.Eosin 嗜好白血球——本球在潛伏期的時候，開始也是增加，但一入發疹期，則非常減少，甚或至於完全消失；大約要等到體溫恢復常態，這種血球，才重行出現，慢慢增多，每每超出正常的數目，而起所謂傳染病後期 Eosin 嗜好白血球增多症。

c.淋巴球——在痲疹的潛伏期中，卽漸趨減少，一直要持續到發疹末期，假使熱度下降，它就很快的又形增多。

d.大單核白血球——本血球在痲疹的經過中，時常出現，有時竟佔百分之十以上。

e.骨髓細胞——本白血球，亦往往出現。

現附痲疹白血球變化的圖解在後面，以供參考。

圖表五　痲疹白血球變化圖解

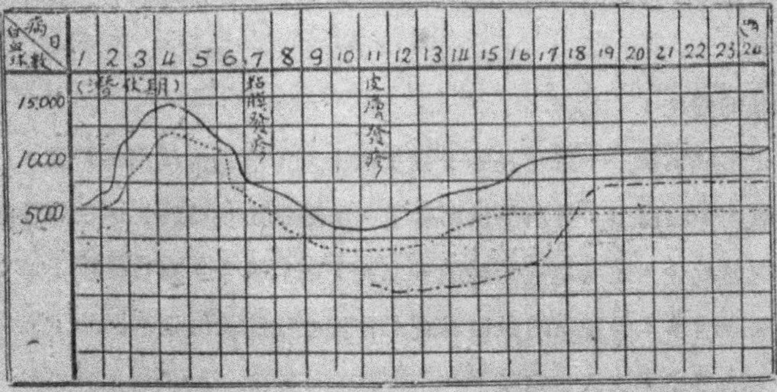

———中性嗜好白血球　……………淋巴球　—·—·—·EOSIN 嗜好白血球

(四)疹子順逆——本病在發疹子的時期中，是診斷上，最繁複，而且最重要的時候，是需要加以相當注意的。

1.部位——疹子在初出的時候，歷來醫書所載，總以爲頭面先出，漸漸蔓延到軀幹四肢的爲順；要是從手足起，而漸發生肚腹背部的爲逆；又說：疹子以頭面密集的爲吉，尤其是要鼻尖發得多並且透，那更好；倘使胸腹發得密，顏面部少的話，就是通俗所稱的「白面痧」或「白鼻痧」多凶；以上這些議論，都是古人從經驗上得來的。但據我臨床上的經驗，頭面隱約不現的，多軀幹上部內面充血得很利害，所以每見氣管炎肺炎等症狀；若胸腹透發不出的時候，又每見下利泄瀉等下部軀幹內面充血的病象；屢試不爽，是確切的證明。

2.色澤——古來的醫家，以爲疹子的顏色，最喜通紅，以爲痧疹鮮紅，毒得盡出，是正常的，要是疹色慘淡色白，是心血不足的緣故，就是貧血體虧的意思，往往引起併發症，或者貽後症；疹子若見紫黑晦暗的顏色，以爲毒火熾盛，多屬難治的症，就是現代所稱的出血性痲疹，因爲出血性痲疹的人們，多具有出血性的素質，常常引起全身各部的器官出血，那是很令人寒心的，結果多屬不良。

3.形態——疹子以略形高聳而整齊的爲好現象，等到滿佈全身和離肉已經收根，那便是出得很透澈的徵象，不會再發生其他的什麼變化；要是在初出時，皮膚中發現紫色、靑色、或黑色的硬塊，將手摸上去，覺到礙手的，（俗稱爲皮裏疔，是由鬱血所致）。是大危症。　疹子的形狀，斑爛地像晚霞一般，而聚合成一塊塊的，或者在塊上發癢，或者在塊子上，又生出許多平塌的小點子，或皮膚紅腫；這些都是前人所謂熱盛而發的鬱血現象，就是疹子雖透，還須防他毒未出盡，而發生其他的變化呐！這種症狀，我在臨牀上，見到的很少，還要留待繼續的實驗和研究。

4.出沒—— 疹子見點後，約三日左右，斑點聯絡成片，好似堆沙一般的，就是疹子已經出齊發透的現象；過後又形慢慢地回落，先從頭面開始，漸次及於軀幹四肢，點則一日少一日，色則一天淡一天，嗣後由落屑而歸於全愈，這是正常的經過。至於異常的經過；疹子未經三日的正常經過，而卽隱沒的，古人以因感冒風寒，或內食酸斂，或中氣本虛，或熱邪內陷引起，每致肌熱不退，氣急鼻煽，多歸死亡；疹子倘經三日以上，還沒有出淸的話，前人說是體內有餘熱烘托，紅色一下不能散去；假使點燥色白，隱約現於皮膚中間的話，又說是什麼衛氣素微，不能焮發於外，或者是居處不暖，和衣被單薄，以致遏鬱於中使然；疹子要是一出沒卽隱沒的，古人謂爲毒邪內陷，乃由感冒風寒引起，每喘滚鼻扇，終至難於挽救；疹子已經隱伏，忽又繼續發出的，前人說是發熱的時候，不避風寒，致令邪氣鬱於肌肉之間，留連不散的緣故，要是沒有其他雜證併發的話，是無關重要的。 總之：疹子出沒或遲或早，與預後有極大的關係，普通疹點的早出隱速，大都是發生合併症（肺炎、出血、泄瀉等）的緣故；假使遲現稽緩，又多半屬於體弱缺乏抵抗力所致。

五 其他——還有婦人在姙娠時間，或是月經來時，感染痲疹等；分舉於後：

1.婦人在姙娠的時間內，患着痲疹，要是熱勢重的時候，有墮胎的危險，在診斷和治療上，都須要格外的小心。

2.婦人在月經正來（來過後二三天）或是逢到產後的時候，偶然感染痲疹，每有夜熱、譫語、腹痛等症狀發現，病勢更較嚴重了。

3.再有一種久發高熱，然後始見出疹，不從顏面，先由軀幹開始的，凡此等例，它以後的經過，必現異常狀態，這是可斷言的。

（九）預後的情形

痲疹預後的良與不良，須要根據患者平素體質的強弱，流行時期病勢的輕重，和時令的如何等而定。大凡二歲以上強健的小孩，和五十歲以下的成人，倘能按着正常的定型，逐步經過，預後多屬良好；就感染的年齡來說：在半歲以內的小兒，不但罹病的極少，大概病症也很輕，死亡數也比較短少；在半歲以上，三歲以下的小孩，不但有併發重症——毛細枝氣管卡他爾、枝氣管肺炎等——而且常呈異象，所以在統計的結果，牠的死亡率也最高。

凡是由營養不良，以致貧血的，或剛纔患過別種傳染病，而正在恢復期中的，若是發了痲疹，有很大的危險；倘使還具有腺病性和結核性的體質，那麼經過的惡化，預後的凶險，更不用說了。此外消化器，發生障礙，見有嘔吐、下痢、胃呆等症，雖然在預後上，沒有直接的影響，但是間接的足以使病兒的營養不良，也不是好現象。

痲疹若已入發疹期，驟然之間，發疹停止，或者痲疹和其他各部的皮膚，突然變色；一定是毛細枝氣管的黏膜，發生炎症，是很可慮的，尤其是幼稚的嬰兒，十分祇有三四分希望了。

還有本病患者的皮膚，突現蒼白，疹點忽然隱去，是內臟出血的主徵，也是難以挽救。

中耳炎也是痲疹常有的併發症，倘使那時熱度，忽然增高，小兒發生不安的現象，乳嘴突起部（在耳朵的後方），忽然發赤腫脹，這是發生乳嘴突起炎的症候；倘然病毒再向內方進行，跑到腦裏，發生腦膜炎、腦膿瘍、或敗血症（病毒入腦靜脈內），前途卽不堪設想。　再者當出痲疹的時候，各部炎症強盛，抵抗力衰減，結核菌乘機侵入，誘起結核的續發症，這是多麼令人害怕的事。

病人體溫的高低和疹點的形態，對於預後的好歹，也有很密切的關係：例如：疹子業已出齊，熱度仍高昇不已，或已進入落屑期，而體溫仍不下降，這都是凶險朕兆；至於疹子，以顏色鮮紅，又係漸次蔓延到遍體，且散佈得稀疏，這是吉兆；倘發現過遲，或色淡至隱約難見的，預後概屬不良。

痲疹的死亡率，我國還沒有統計過；據歐洲各國的報告是百分之三到六。日本的報告是百分之五到十五，這是大概的情形；其他還要根據年齡、病勢、熱度等如何而消長，有時死亡率，竟會增到百分之八十，那就不能一概而論了。

我寫到這兒，痲疹的預後和死亡率，都已說完，本來預備擱筆，忽然想到我國歷來痲疹的專書，也有關於本病預後的記載，是以症狀爲主題，以經驗爲依歸，倘屬切要，特抄錄附在這裏，藉供參考：

(一)輕症1.或熱或退，四五日出者。

2.發透三日而漸沒者。

3.淡紅滋潤頭面勻淨而多者。

4.先從胸腹出起而後發於四肢者。

按：以上所舉四端，都是正常經過的情形，決不會發生什麼危險，當然是屬於輕症。

(二)重症1.咽喉腫痛不食者。

2.冒風早沒者。

3.頭面不出及疹點乾燥者。

4.熱毒移於大腸變痢者。

5.大熱昏沉七八日始出者。

6.煩躁狂亂譫語者。

7.先發於手足後出於胸腹者。

8.疹黑暗乾枯一出卽沒者。

9.張口抬肩目無神者。

10.心腹絞痛徧身汗出如水者。

11.疹回遍體溫涼如故，但下肢厥冷過膝者。

12.牙疳臭爛者。

13.舌捲囊縮者。

14.痲回，大熱不退昏瞶不抬頭者。

15.痲出卽沒氣急鼻扇無涕淚者。

16.嘔吐不食洞泄不知或口渴目閉四肢不溫者。

按：咽喉腫痛，胃不思納，是消化機能減退的現像，恆因營養不良，而致預後凶險。冒風早沒，或疹黑乾枯一出卽沒，多緣內臟器官充血或出血，或抵抗力不夠所致。頭面不出及疹點乾燥，是營養不良的現象。熱毒移於大腸，而倂發痢疾，也不是輕症。大熱昏沉七八日始出，或煩躁狂亂譫語，這都是見的神經症狀。氣急鼻煽，涕淚俱無，或張口抬肩無神等象，肺炎已成，心臟又衰，多無生望。牙疳臭爛，是敗血現象。舌捲囊縮，是末梢神經麻痺的症狀，均屬重候。

(三)死症1.兩頰紅暈咬齒吩齒者。

2.舌腫昏亂者。

3.臉上灰色似停塵者。

4.鼻如烟煤冲積者。

5.口鼻氣冷，四肢厥逆，目睛上吊，瘈瘲者。

6.徧身無汗天庭一片汗出如水者。

按：兩頰紅暈咬牙吩齒，或舌脹昏亂，或目睛上吊瘈瘲，這都是神經重篤的症狀。臉上灰色似停塵，或四肢厥冷，這是貧血已極的現象。鼻如烟煤冲積，是已無排泄機能的表徵。天庭一片汗出如水，多屬臨終時所出的虛汗。所以稱它等爲死證。

『附』痲後牙疳不治症——1.自外生入內者・2.無膿者・3.血白者・4.穿頰者・5.臭爛不食氣促痰鳴者。

(十)預防的方法

痲疹在各種急性傳染病中，經過要算很輕，並且差不多是人生必經一次的，那又何必一定去預防它呢？不是這般說法，因爲有許多身體羸弱，或者患着肺結核等病的小孩，不能再受痲疹的感染（假使再受感染，病勢更加重，越發不可收拾）。那末預防的方法，是需要的了。

預防的方法，從前不過僅施行隔離法，就是把已患痲疹的小孩，和未患的小孩，互相隔開罷了；料不到這種方法，是沒有什麼功效的，因爲痲疹的傳染，異常容易，何况在疹子未出現以前，已經能夠傳染了啊；不過在發現科普里克氏斑的時候，立刻隔離，比較又有些效果。

近來有許多學者，在研究用血淸注射來預防的方法，據說現在試驗，已有些成功；我想再進一步的話，以後的痲疹，一定也和痘瘡一樣，可以先行接種，免掉病變的發生，這又是一個何等可喜的消息啊！現在繼續把他們研究的情形，寫述在後面。

自從可樂納氏發現細微的痲疹球菌後，有很多的學者，製造免疫血淸，舉行試驗，結果多歸於失敗；其中僅以里氏（Nicole）和康氏（Consail）所創，並經丹氏（Degkwitz）作系統實施的恢復期血淸，最爲有效，成人血淸，稍爲差些。

(一)恢復期血清——丹克維氏說：在出過痲疹恢復後的人，他的血清內，有中和痲疹病原體毒性的物質，來抑制痲疹發生的能力，這種血清，名叫痲疹恢復期血清(Masern-Rekonvarescenten Serum)簡名爲 M.R.S. 使用這種血清試驗的，已有一千數百例，據統計的結果，使用恢復期血清接種後，仍不免發生痲疹的，不過百分之二三罷了。

供給血清人的年齡，要在三歲以上，並且是剛纔經過了發疹，還沒有出恢復期，更要不發合併症的爲條件。

採取的時間，最好是在病人熱度全退後的第七天到十四天之內；因爲這時，血液裏面的抵抗物質，含量最充足的緣故。

採取的手續，是用一具消毒完密的注射器，在患者的肘窩靜脈內，採取血液；大凡三歲以上，五歲以下的小孩，可採取60cc，五歲以上的小孩，可採取70——80cc的血液，決不會發生什麽障礙。

採取來的血液，首先把牠注入滅過菌的試驗管中，藏於冰箱內，經過三十六小時後，在每40cc的血清內，加以5％的石炭酸水一滴，拿來作爲防腐之用，然後細密的封固貯藏起來，留待隨時應用。此外更取血清數滴，施行檢驗，有無梅毒反應，因爲有梅毒反應的血清，是不能用的。

還有時候，恐怕一人的血清，所含免疫體的分量不確實，或是太少的時候，常有採取三四個痲疹患者恢復期的血清，互相融合起來，製成所謂混合血清的，每3cc爲一免疫單位：這種血清，把它藏在冷室裏面，經過八個月後，仍然保存着偉大的效力，如果製成乾燥血清的話，那效力更可以持久，不待言了。

注射血清的分量，和小孩的年齡體質，同受痲疹病毒接觸後的日數，具有很大的關係；現在列一個表在下面：

圖表六　痲疹患者注射恢復期預防血清單位的體質、年齡、和感染後日數、支配表。

體質	年齡	感染後		
		未染者或一——四日	五——六日	七日
健康	一——四歲	一單位	二單位	三單位
	五歲以上	二單位	三單位	
有病或衰弱	一——四歲	二單位	三單位	
	五歲以上	三單位	四單位	

注射的部位，以臀部的肌肉，最爲適宜；倘使染病在八日以上的話，就是大量的注射血清，預防的能力，不但無效，並且連減輕病象的希望都沒有；但是在未感染和已感染第一天到第六天的時候，依表內的單位，施行注射，是非常有效驗的，可以保持四年的免疫力；七日以上，那卻十成祗有七成把握了。

假使一時找不到恢復期小兒血清，就是用成人血清 20 —— 30 cc 以上，也可以減輕和緩病勢，但是能否達到完全預防的目的，現在還沒有確切的報告。

(二)成人血清——須採取已經罹過痲疹，身體健康（最緊要的須要沒有梅毒結核）人的血液。

採取的手續，是在肘靜脈內，抽出 60 —— 100cc 的血液，就是十二三歲的兒童，也可以採取50——80cc的血液；採取了後，注入玻璃瓶內（玻璃瓶內，預先貯以玻璃球數十個，並且須要經過嚴密的消毒）。將瓶亟力搖盪，約五六百囘，那麼纖維，就分析了出來；然後再以滅菌的遠心器，分離其血清，結果所得的血清，約在百分之五十以上。

注射血清的分量，是20——35cc。注射的部位，是臀部肌肉。

(三)父母血液 ——父母同胞血液注射的方法，是郦氏(Gerlach) 所創；供給的血液，以父、母、同胞兄弟等的，最爲相宜；因爲可以省去一番血型檢驗的工作，所以在臨牀上，很感到便利。

施行的手續，就是在大人靜脈內，取得血液後，即刻注射入小兒的臀部肌肉內，立告成功；有人因爲恐怕血液凝固的緣故，每加以少許的枸橼酸曹達液(其量約爲血液的二十分之一);也有將血液仍照前法,除去纖維,以消毒紗布濾過,再行應用的,不過又較爲麻煩了。

據祁氏的報告說:所用的血液,分量不必過多,大約10——20cc,已經足夠,仍舊要使小孩稍形發疹,因爲輕微的發疹,既沒有什麼危險,反較完全預防,爲有益啊。

最近有許多人稱,用Tunicliff抗雙球免疫血清,可以防止痲疹的發病;又謂用健康馬血淸,也能預防痲疹的議論;這些學說,不但沒有得到全球學者的公認,並且還有很多人,在反對着。更有一部份人說:注射血淸預防,有效的時間,不過三四星期;倘用大人血液,才可得到永久的免疫性,但是又引起一些學者,表示反對;所以現在的學說,依然很混亂,莫衷一是。

我國自來對於痲疹,也有預防的法子,譬如:「用絲瓜一枚。風乾。歲除日。新瓦面上煅灰。攤地上去火氣。研末。以百沸湯冲服。每歲如此。服至三四次。小兒可永無痲疹之患云云。」即是一例,因爲沒有經過實驗的緣故,不能判知牠是否有效果。

(十一)治療和攝生

痲疹這病,前面已經說過,差不多是人生必須經過的一個階段,只要身體強健,調護得法,自然不會發生什麼危險,而平安地渡過去;所以要施用藥石的,不過是去防止和治療它引起的併發病症,或者因爲身體薄弱,要用些治法,去增強增強本身的抵抗力罷了。

(一)攝生的方法:痲疹的本身,是沒有什麼危險的,只要調護得適宜,照正常的經過渡去,決不會引起什麼併發症和貽後症,到相當的日期後,牠就自然的全愈,用不到服藥物來幫助的;假使你在痲疹的正常經過中,看到了發熱咳嗆等症狀,你以爲是病,就用藥去解它的熱,止它的咳,結果往往弄出許多變端,有時反可使你束手無策。

痲疹是不會致人於死命的,致人死命的原因,是牠的併發症和貽後症,但是所以誘起併發症和貽後症，除一小部分，原於身體虛羸外，一大部分，是由於調養、和看護的不得法，從這一點看來，攝生的重要，可想而知了。

1.空氣——病房裏的空氣，第一應該新鮮清淨，沒有塵埃；使空氣新鮮的方法，惟一的是時常開放窗戶，但是病人又不能受着空氣直接的通過，和冷風的吹襲，所以只能在鄰接的房間開窗，使空氣間接的变換，就是最少的限度，也要在開放的窗戶前，置以屏障。第二要空氣潤濕；最好是用蒸氣噴霧器，時常在病房裏噴霧，病人常用吸入器，吸入水蒸氣；此外或在房內，掛着濕潤的布片；若用火爐，應當在火爐的上面，放一盆水，使蒸氣時常蒸發。以上這兩點，是很重要的；不然的話，塵埃飛揚，空氣乾燥，對於病人的呼吸器，是大不相宜的，極容易誘起合併症。

2.溫度——病房裏的溫度，須要適宜，保持平均（大約攝氏表二十度左右）；因爲溫度急速的變化，是病人最忌的事情。民間有一個舊習慣，以爲痲疹是要蒸出來的，越熱越好，所以有許多人家，把門窗關緊，燒起火爐，還不算數，更要用厚的衣被，把他裹得氣都透不過來，眞是遭的活孽；殊不知出痲疹的時候，只要房間裏溫和就得了，用不着這樣的煖熱法呀！

3.光線——患痲疹的病人，因爲眼結膜發生炎症的緣故，是十分畏怕光線的，所以病房裏面的光線，也要講究些；最好是病人睡在稍暗的一角，其他的地方，仍舊讓日光射到；在晚上。使明亮的電燈，圍以綠紗，現出一種慇靜的景象，那就夠了。有的人家，故意要把病人，搬到黑暗的房間裏面去居住，這是錯誤的；第一：房間裏太黑暗了，好像有一種慘淡的景況，也未免使病人發生沉鬱的情感；第二：在光線十分不足的地方，各種病菌很容易發育，使病人多一層合併傳染的危險；第三：在黑暗中，住得太久了，一到恢復期，反使怕光的感覺增強；以上這三點，就是弊端。

4.飲食——疾病的擇食問題，我國歷來是極講究的；譬如痲疹這病，俗話也有說；『痲家肉子並魚雞。禁忌當過七七期。鹹酸辛甘俱是忌。須知爽口是危機』。此外還有什麼飲食八忌，據說都是由經歷得來的，現在姑且把牠記在後邊，以供證實。

a.忌葷腥……葷腥壅氣，痰喘之所由來也。

b.忌生冷……生冷傷脾，瀉利之所由起也。

c.忌炙焫……炙焫熾火，疔毒之所由生也。

d.忌辛辣……辛辣助陽，狂衄之所由發也。

e.忌鹹味……鹹味走血，煩渴之所由成也。

f.忌甘甜……甘甜蘊熱，牙疳之所由自也。

g.忌酸斂……酸斂伏邪，迷悶之所由致也。

h.忌硬物……硬物壅腸，脹滿之所由見也。

王肯堂氏說：痲疹的忌口，比痘瘡更要注意；假使誤食雞魚，遇到本病流行的時候，每又重出；倘食酸醋，每令咳不止；若食五辛，令生驚熱；這一類物品，通常都懸爲禁例，必待四十九天後。方無妨礙。要是哺乳的小孩，乳母也須吃素；在人工營養的小孩，按着年齡的大小，用適量的沸水，把牛奶冲淡；在熱度沒有退盡，和在下痢的時候，更加緊要。

病孩適宜的飲食物，以蝦湯和筍湯較佳，因爲能夠助疹子的透發；常飲開水，也很有益處；如果小孩不願多飲，可和入沒有酸性，和不過於甜的菓子露。

5.口腔——在痲疹的全個經過裏，病人的口腔，應該十分清潔，使各種病菌，不能在口腔內發育繁殖，那末可以免除口瘡、走馬牙疳、鵝口瘡、中耳炎等種種疾病。 清潔口腔的方法：在七八歲以上的小孩，可以用3%過氧化氫水，或3%硼酸水等漱口；在幼稚的小孩，只可以用1%食鹽水，時時淸拭；還有嘴唇，可用硼酸軟膏、甘油軟膏、或羊毛脂塗布，以預防糜爛。

6.眼睛——在每天的早晨，應該用溫開水慢慢的洗滌，把眼滓洗去後，用3%硼酸水，或0.5%鉛糖水，施行罨法，或續選搽甘油、鋅華、降汞等油膏；倘結膜炎症劇烈的時候，用千分之一硝酸銀水點眼後，並立刻用千分之九的食鹽水洗滌。

7.鼻腔——可以時常用消毒的脫脂棉球拭淨，使他常常清潔；鼻腔閉塞時，用1%鹽酸科卡音(Cocainum Hydrochloricum)液，每天塗布二次。

8.皮膚——皮膚極癢的時候，可用1%薄荷腦酒精，或1%麝耳羊毛脂(Thymol-Lanolin)塗布或揩搽。

9.靜養——發病的當初，就要使病人上牀安睡；按着氣候的冷熱，用適宜的被褥，保護體溫。退熱以後，至少還須靜臥一星期，才可離牀。在恢復期內，很容易感冒，所可起牀以後，更當隨年齡的大小，在溫和的地方，靜養八天至四星期；在冬季寒冷的時節，更要留心。

10其他——在疹子落屑的時候，可以用溫水浴的方法，來促進它的落屑；假使有心臟衰弱的現象，可與葡萄酒、或行樟腦注射，狄吉他林(Digitalis)尤不可缺；倘咳嗆困苦，可用熱濕水敷胸，並吸複方安息香酒氣；若有白喉嫌疑的時候，應卽注射四千倍的血清以預防。如果耳中發生疼痛（多係中耳炎），用1.5%醋酸鉛水，透浸棉花，貼在耳外，並用石炭酸甘油（石炭酸0.9甘油10.0）點入耳內，假使中耳化膿，或是乳嘴突起發炎，要施行手術的時候，那處置就困難得多了。

（二）一般的治法：普通治療本病，須要根據兩個原理：第一、就是要用升提的方法(誘導方法)，來發汗，使皮膚血管，充血膨脹；疹子才會透發出來，病毒始從皮膚上排泄，這是所以宜於發表，不宜於攻裏的理由。第二、當疹子還沒有消褪的時候，不要急切的求其退熱，爲什麼緣故呢？因爲病人的發高熱，是一種天然的殺菌作用，疹子還沒褪盡，就是殺菌的工作，還沒有完畢，這時倘使急急的要把熱解掉，豈不是「養癰遺患」嗎？

依着第一個原則，須令病人，全身溫暖，時常有些微汗，然後病毒得隨汗以排泄在皮膚的外面；常用的藥是麻黃——倘本有汗，可以不用——桂枝、升麻、西河柳、葛根、荊芥、防風、蘇葉等味；非萬不得已，莫用大黃、玄明粉一類攻下藥。

依據第二個原則，就是疹子出後，機能過分亢進，而致熱度太高，需要用些清熱鎮靜的藥品，不過要兼顧到病人的體質能受爲度，所謂中病即止，切忌濫用大批苦寒之劑；考自古以來，所謂性味苦寒的藥物，雖具消炎，降熱、鎮靜等功效，但有壓抑心臟的副作用；假使誤服後，多見脈搏減弱，而起眩暈等症狀；或發生嘔吐、汗出、肢冷、呈虛脫的狀態，以致死亡。

痲疹在出疹的前後，本來有發高熱的症狀，身體稍虛羸的人，經過這次高熱後，每現心臟衰弱的象徵；是時用強心劑(如附子、乾薑、黑錫丹等)，還恐怕來不及，難道再可以亂投以抑制心臟的藥劑，豈不是「雪上加霜」，更糟了嗎？ 俟疹消熱退後，甘涼養陰的藥，或者還可以用用，因爲我曾經聽過章次公先生說：「古人之所謂甘涼養陰。無非是營養療法而已。」

自從古時到現在，關於痲疹的方案，不下萬千，要是全部抄錄下來的話，眞是繁不勝繁，並且沒有什麽意思，也是篇幅上和時間上，所不許可；現在把正常經過各期的處方，略舉數例於後。

1.前驅期：

a.平素身體強健，感染痲疹後，現形寒、發熱、噴嚏、頭痛等症狀，頰內見科氏斑或內疹，是疹子不久將出的預兆，用葛根湯（葛根、麻黃、桂枝、芍藥、炙草、生薑、大棗、）。倘嘔吐的加半夏。

b.前證兼見自汗出的，可用桂枝加葛根湯（桂枝、葛根、芍藥，炙草、生薑、大棗、）。

c.假使胸脅滿，脈弦長，出汗，不煩渴，用蘊要柴葛解肌湯（柴胡、葛根、黃芩、人參、半夏、甘草、生薑、大棗、）。

d.倘前證，汗不出，煩躁口渴，用濟安柴葛解肌湯（葛根、柴胡 麻黃、桂枝、赤芍、炙草、大棗、黃芩、石膏、半夏、）。

e.若初有汗，疑似出疹，尙未確定的；可用備急升麻散（升麻、葛根、赤芍炙草、）。

2.發疹期：

a.疹點初見，瘙癢口渴——宣明防風通聖散（防風、川芎、當歸、赤芍、薄荷、麻黃、連翹、石膏、黃芩、桔梗、滑石、甘草、荆芥、白朮、梔子、生薑、）。

b.若已出未透，咽喉腫痛，病輕無他症——局方消毒散（牛蒡、甘草、荆芥、）。

c.疹出未齊，熱盛小便少——大連翹飲（連翹、瞿麥、滑石、車前、牛蒡、赤芍，山梔、木通、當歸、防風、黃芩、荆芥、柴胡、甘草、）。

d.疹出後，譫語，小便不通——回春導赤散（地黃、滑石、木通、甘草、燈草、）。

e.疹色如胭脂，熱盛而實，大便數日不通——保童升麻飲子（升麻、黃芩、梔子仁、通草、犀角、大黃、芒硝、）。

f.疹發於頭面胸膈，脈象浮洪，咽痛——郭氏升麻牛蒡散（升麻、牛蒡、甘草、桔梗、葛根、麻黃、玄參、連翹、生薑、）。

g.疹子出時，皮膚紅腫，理例荆防敗毒散（荆芥、防風、人參、黃芩、甘草、前胡、柴胡、川芎、羌活、獨活、桔梗、枳殼、薄荷、生姜、）。

h.疹大面紅，溶合成片，疹下有溢血狀態——活人陽毒升麻湯（升麻，犀角。射干，黃芩、人參、甘草、）。

i.疹子出後，熱高煩渴，遍身瘙痛——正宗化斑解毒湯（玄參、知母、石膏、人中黃、黃連、升麻、連翹、牛蒡、甘草、）。

j.疹色青紫，唇舌乾燥——正宗羚羊角散（羚羊角、防風、麥冬、玄參、知母、黃芩、牛蒡、甘草、）。

3.落屑期：

a.熱退神安，疹點消褪，調理善後——正宗胃脾湯（白朮、茯神、陳皮、遠志、麥冬、沙參、五味、甘草、）。

㈢併發症和貽後症的療法：痲疹的併發症和貽後症，是異常的多，現在要說的，不過舉其最要的罷了。

1.肺炎——一名肺脹、又叫做肺風：它的治法，以麻黃爲主，從前的人，把牠分作陽盛陽虛兩種：所謂陽盛的，大都是指初發症狀的一羣，什麽氣急、鼻煽、咳嗆、痰鳴、舌絳、口乾、脈搏數疾，這一類，宜以麻杏石甘湯爲主方；要是遷延失治，現了脈息虛軟不整、神蒙、色晄、四肢厥冷等象，是表示心臟已經衰弱了，是屬於所謂陽虛的一類，那就要把麻黃附子細辛湯加減，來治療它。

2.頓咳——一名百日咳、又叫做鷺鷥咳；咳的本身，是沒有什麽重大危險的，但是咳久了，到底有些担憂，內經上不是說：『久咳則傷肺』嗎？久咳之後，每易引起肺炎肺癆等重症，那確討厭了。歷來醫家，治療本病，每主張用鷺鷥涎丸（杏仁、山梔、石膏、蛤粉、花粉、甘草、牛蒡、射干、青黛、麻黃、細辛、鷺鷥涎、），此方是從小青龍湯變化而來，據說：宣肺豁痰，頗著偉功；近代醫家，也有報告說：用細辛、五味、乾薑、萊菔子、旋覆花、代赭石、桔梗、紫菀等藥治頓咳，也有相當的效驗。

3.牙疳——一名口內炎；是痲疹的一個重要貽後症，尤其是走馬牙疳，那眞是危險得很。至於治法：外用蘆薈散塗搽，或用砒棗散，加西牛黃研末吹患處，或敷金鞭散；內服人中黃、川連、石膏、玄參、犀角等藥，也不過是挽救於萬一罷了。

4.肺癆——又名肺結核，也是疹子出後，最重的貽後症；現在還沒有什麽特效的治法，雖然據說「養陰淸肺」，所謂營養療法的，有些效驗；但是心臟的盛衰，腸胃的能力，也更須要加以相當注意的。

5.其他——腸炎（泄瀉）、疳積、痢疾、鼻衄、肺痿、皮膚病等合併症、概不詳述了。

（四）外治的方法：外治的方法，是一種誘導的作用，唯一的目的，使疹點發得透罷了。

1.薰法a.使疹易發——用水楊枝，或西河柳葉，或櫻桃根剉碎煎湯，傾入大盆內，上架以木架，抱孩坐上面，乘熱薰之使出汗。

b.使疹透發——葱頭（三觔）連鬚搗爛，放盆內，置牀上帳中，盆面橫一板，將兒坐在板上，然後將滾水冲入盆內，以葱氣薰兒周身，稍溫即抱起，切不可受絲毫風寒。

c.痲疹透緩 — 小米連殼煎水，乘熱薰之。

d.痲疹不發，氣喘欲死——芝麻五合，以滾水泡之，乘熱薰洗頭面即發。

2.洗法a.使疹透發——用西河柳枝葉一大札，煎湯一盆，去渣，加入酒精半杯至一杯，候稍温，抱孩在內洗浴，然後以熱巾輕輕揩乾，切不可感冒風寒。

b.使疹易出——水楊枝和防風煎湯來洗。

3.擦法a.使疹透發——用清水一斤，放入胡荽四兩，煎沸後，除去渣滓，候稍温，加入酒精一杯，乘熱蘸巾揩擦頭面、軀幹、和四肢，務須勻遍，以皮膚紅潤爲度，勿使冒風。

b.使疹易出 — 用生麻黃、紫浮萍、西河柳、胡荽，四味煎湯揩面，每小時一二次。

4.刮法a.凡痲疹欲出不出，面紅而天庭不起，皮厚而毒邪壅滯的，用洗擦法後，可再用薄木片或銅圜(取其方便)刮之，額角、天庭、頸項、背膊等處，皆可刮洗，刮紅再洗，並陸續的飲藥以取汗。

5.刺法a.凡痲疹不得透發，煩躁悶亂，細檢患兒頭頂髮際，有紅筋紅絲時；用消毒的針，將它刺破，並針手大指少商穴，俱以出血爲佳。

(五)單方的療法：民間所傳的單方，有些很有效驗，我們不要因爲牠簡便，而忽略了它。

1.芫荽菜，又名香菜，是透發疹子的良藥，取新鮮的，連根帶葉搗爛，約用三錢，以開水半杯，冲黃酒半杯，泡汁服之，透達更速，若無苗葉，用子研碎內服亦可；倘加白芝蔴同研服，更妙。

2.櫻桃仁也能透疹。凡小孩發熱，取櫻桃核，打碎，依照小孩年齡，每歲七粒，煎湯飲下，果是痲疹，服後即發，倘非痲疹，也無妨礙。

3.取櫻桃四五斤，入磁罐內，密封，埋土中，過二三月後，俱化爲水；凡遇痲透不疹，危急的時候，取此汁灌下三西湯匙，極有效驗。

4.西河柳是透疹的聖藥，冬天用枝梗，春夏用苗葉，每用一錢，煎湯服；年大者，多服一二次更妙。

5.痲疹喘咳煩悶，躁亂狂越，非西河柳不能解，繆仲淳嘗獨用西河柳葉，風乾研末，水調服四錢，喘躁立定，水漿不能入口的，灌之可生，用量亦可以加到兩許。

6.穿山甲炒酥爲末，用西河柳一兩，薄荷葉五分，煎湯調服一錢至二錢，治疹發不透，甚效，加酒尤佳。

7.疹痲不透達，可用一味葱白濃煎，時時與服，使稍得微汗即佳。

8.痲疹發出緩慢，用鷄蛋三四個，打開加陳酒，於鍋內熬成圓形的薄薄餅狀，趁熱覆於肚上，也能催疹透表。

(六)血清的療法：血清療法，是近來學者研究的新發現，還沒有十分的成功，現在略舉幾家的學說，以窺一斑。

1.史莫呂(Smoira)氏謂，用成人血清10cc，注射於已在發疹的小孩，大能使其經過和緩輕微。

2.西川中山兩氏，謂四歲的小孩，用成人血液10cc；六歲的小孩，則用20cc，加以枸橼酸曹達，注射於肌肉內，可以見到瘖疹的消褪和熱度的低降，都較爲迅速。

(十二)寫在篇末

這篇痲疹彙要，居然在短促的三星期中完成了；說起來眞慚愧得很，因爲學識經驗都淺陋的緣故，所以全篇都在人云亦云之中，沒有什麽闡發的地方，連自己都覺得不滿意。假使或者因此能夠引起醫界明達之士的指教或補充，完成所謂「拋磚引玉」之舉，那作者眞要雀躍三百，期待着罷。

民國廿五年聖誕節前三日脫稿

主要的參考書籍雜誌目錄：

1. 豪慈氏乳嬰及小兒科。美國 L.E.Holt J. Howland原著。中華醫學會發行。
2. 兒科學。中村政司原著。同仁會發行。
2. 內科學。小澤修造原著。同仁會發行。
4. 痲疹風疹及水痘。劉崇燕編著。商務印書館發行。
5. 歐氏內科學。歐司勒(W. Osler)原著。中華醫學會發行。
6. 內科全書。余巖等編著。商務印書館發行。
7. 近世小兒科學。齊藤秀雄原著。商務印書館發行。
8. 現代小兒科學。尹莘農編著。大東書局發行。
9. 內科鑑別診斷學。繆徵中著。大東書局印行。
10. 傳染病預防及看護法。菊池林作原著。羣益書社出版。
11. 痲科活人全書。謝玉瓊纂輯。廣益書局印行。
12. 痧痲明辨。華壎編輯。千頃堂書局發行。
13. 痲瘄必讀。徐棣三校正。千頃堂書局印行。
14. 幼幼集成。陳復正辨訂。錦章圖書局印行。
15. 幼科鐵鏡。夏禹鑄編著。錦章圖書局印行。
16. 活幼心法大全。聶久吾編著。千頃堂書局發行。
17. 痲疹闡註。張霞谿著。世界書局發行。
18. 中西合纂幼科大全。顧鳴盛編。大東書局發行。
19. 中國急性傳染病學。時逸人編訂。中醫改進研究會發行。
20. 吳氏兒科。吳克潛編著。大衆書局發行。
21. 社會醫報。余雲岫等編。社會醫報館發行。
22. 明日醫藥。王藥雨等編。明日醫藥雜誌社發行。
23. 中醫新生命。謝誦穆編。陸淵雷醫室發行。

兒科疳病之探討

饒師泉

目次

(一)緒論

兒科重要之疾病，曰痲、痘、驚、疳。驟覩之，一若各爲獨立之疾病也者，及按其實際，乃知非盡然也。夫「痲」之爲痲疹，「痘」之爲痘瘡，形諸外而有可憑，固不致與他病混稱而各爲獨立之一種疾病；然「驚」若「疳」，則非有特點之可徵，而僅據一羣症候以診斷，此羣症候既爲多種疾病所皆有，則「驚」「疳」二者，亦自爲混合之病名，包含多種疾病，非如痲痘之單純矣。所謂「驚」者，指神經系疾病及各種急性傳染病胃腸病等之侵及神經系而現瘈瘲驚惕搐搦反張等症者而言，是猶有一定之症狀可憑也。至於「疳」所包含之疾病，則病原既不一，症候復不倫，勉強湊合而成，其複雜之程度，更有遠甚於「驚」者。

昔吾初習醫時，以疳病僅爲腸寄生蟲之病耳。及攷之兒科醫籍，觀其所載之疳證，至爲複雜，幾可爲慢性病、消耗性病之總稱。如慢性腸炎之久瀉者。謂之「疳瀉」；慢性赤痢之久痢者，謂之「疳痢」；久瘧不止，發生惡液質者，謂之「疳瘧「

；結核喘嗽，盜汗而骨蒸者，謂之「疳癆」。他若寄生虫病及消化不良之症，凡病久而榮養衰落，形體瘦削者，莫不以疳病名之；以是知疳，實非一獨立之疾病也。

國醫之於疾病，素注重治療，而於病名未免混稱，不惟疳病然也，卽傷寒、温病，又豈得爲一種獨立疾病之專稱耶？醫者凡遇各種急性傳染病，如腸窒扶斯，發疹傷寒、流行性感冒、回歸熱等，及各種呼吸器病、消化器病，如氣管枝炎、肺炎、肋膜炎、胃腸炎等，大抵病驟起而有寒熱者，莫不以傷寒或温病稱之。是則傷寒也、温病也，亦不過爲一羣疾病混稱之總名而已，夫然，則何獨怪乎疳！

今欲言疳，固不可不先爲疳下一定義。疳之定義爲何？詳致古人所謂爲疳病之原因者，曰：「乳食不節，甘肥肆進。」曰：「食不運化，積久生虫。」等，是因於消化不良者也。曰：「小兒數歲，猶戀乳食。」曰：「嬰幼闕乳，粥飯太早。」是因於營養不足者也。夫病原已因於消化不良及營養不足，則其病變當不外消化器病及營養障礙。質言之，卽疳病所包含之疾病，當不能超出消化器病及榮養障礙之範圍，其有非營養障礙及消化器之疾病，而亦混稱爲疳者，皆當在摒棄之列。

古籍上疳病之名目雖繁，而求其能合乎上述之條件者，僅脾疳、蛔疳、丁奚疳、哺露疳而已。實則疳病亦僅此四者，餘皆強湊之名也。丁奚、哺露、以形體瘦削爲主徵，是榮養障礙之疾；脾疳、蛔疳、以腹大嗜食爲主徵，是消化器病之症。

近代臨床家，對於疳病之意義，已不若古籍上範圍之廣泛，惟見小兒形體瘦削，腹部膨滿，煩躁多啼，知饑嗜食之症時，始以疳病名之。此症卽丁奚，哺露，脾疳，蛔疳之通候也。玆篇言疳，亦卽以此爲標準，從而闡述之。

古人又有謂十六歲以前爲疳，十六歲以後爲癆者，是視疳與癆爲一病，而以年齡分之也。癆爲結核，其貧血消瘦之狀，有似乎疳病，故古人視疳爲癆，而小兒之結核疾病，亦併之於疳而以疳癆稱之。然疳之與癆，其病原及病理機轉，各不相侔，豈可以混爲一談者？

(二)原因

根據古籍而歸納之，約有五端。

(一)「因乳母寒熱不調，或喜怒房勞之後，哺乳而成。」此因於乳汁之變化者也。
(二)「因甘肥肆進，或乳食過殘，積滯日久，面黃肌削而成。」此因於過乳過食者也。
(三)「由小兒數歲，猶戀乳食、生養不良而成。」此因單食乳汁而陷於榮養不足者也。
(四)「由嬰幼闕乳，粥飯太早。耗傷形氣而成。」此因單食穀粉而陷於榮養不足者也。
(五)「由小兒食不運化，積久生虫而成。」此因於腸寄生虫者也。

總之，哺乳兒所患疳病，多因於前列四條原因，而其病多屬丁奚哺露；離乳後所患疳病，多原於甘肥不節及腸寄生蟲，而其病多屬脾疳蛔疳。

此外又有以「汗下太過，亡失津液。」爲疳病之原因者。然而疳病之來，多由乳食不調，甘肥不節，以漸而成，未必由於藥誤。其汗之下之而津液亡失者，亦無由成疳。故以此爲疳病之原因者，非也。

(三)病理

由上列之原因，可知疳病之因於乳食失調者四，因於腸寄生蟲者一。其腸寄生蟲之足使小兒貧血消瘦而病疳，因屬明而易知。然前列四者。則有進而探求其病理之必要。卽乳汁變化者，過與乳食者，及單飼人乳或穀粉者，究何以致其兒發生疳病是也。於是吾人乃更作乳汁之研究，及乳兒榮養之探討。

乳汁之分泌，原於生殖腺，尤其是胎盤黃體刺激素之作用。其他則神經之刺激，及乳房之吸引等，亦與乳汁之分泌有關；如蜂房積乳已滿，則乳腺之分泌暫時停止，然若將乳汁吸出，乳腺又恢復其分泌之機能。簡言之，卽哺乳得以刺激乳汁之分泌，捨棄哺乳，則無異禁止乳汁之分泌。是以產婦若不自哺其兒，則乳汁之分泌，將見停止。且普通乳腺之機能，乃愈哺育而愈亢進，其分泌亦可漸增，故乳汁分泌不足者，須努力授乳焉。苟當授乳期間，而乳母又再受姙，則乳汁之成分漸行變化，其分泌亦日以減少，終至於停止。

乳腺雖無專司分泌之神經，然神經之作用及血液之多寡，可以影響乳汁之分泌也無疑。是以授乳婦之月經、姙娠、及胃腸障礙、精神變動等，咸能使乳汁變化，或有害物質移行於乳中，乳兒有惹起消化不良症者。又乳母患病而致血液異常，乳汁變化，亦常令乳兒發生消化不良之疾。由此觀之，則第一條疳病之原於乳母寒熱不調或喜怒房勞之後哺乳而成者，其病理明矣。喜怒房勞，即精神之變動也。寒熱不調，患病時之惡寒發熱是也。而飲食之冷熱不調，致生胃腸障礙，亦可歸入寒熱不調之中。凡此皆能使乳汁變化或有害物質移行乳中，致兒起消化不良之症者。

又乳兒之患消化不良症，多因過飲所致。蓋經口腔而入於胃中之乳汁，因凝乳酵素而分爲乾酪素凝塊(固體)及乳清(液體)二部份，乾酪素凝塊，因凝乳酵素、胃液、及鹽酸之共同作用，自其表面漸被消化。若乾酪素凝塊尚未完全消化之時，又攝取乳汁，則凝塊之周圍，附着新凝塊，於是在內部者不受胃液之影響，而生所謂凝固核，因其中所存黴菌之作用，遂生揮發性脂肪酸，而刺激胃粘膜，乃生嘔吐下痢諸消化不良之症。由此觀之，則第二條疳病之原於過飲乳汁者，其病理明矣。至於甘肥肆進之足以引起消化不良而現吐瀉各症，固無庸解釋也。

於此應附帶說明者，上二原因所致之疾病，雖僅呈嘔吐下利之消化不良症，未得稱爲疳病。然進一步即轉爲重症榮養障礙之消耗症，貧血、消瘦、腹大、嗜食、而疳病成矣。是則消化不良症乃疳病之過程，而此二原因實爲疳病之遠因也。

人乳雖爲乳兒最適當之榮養品，然年長兒，則人乳之榮養難以完全。因其成分缺乏，尤其是鐵質之缺乏，則將惹起食餌性貧血之疾。此外乳兒長至一歲以上，如用乳汁以爲榮養，亦不能滿足。以兒體既長，食量亦增，僅恃有限之乳汁，不能滿足其兒之所需也。是必以他種食物輔助之。若「小兒數歲，猶戀乳食。」則因其成分之缺乏與分量之不充，榮養不良，其足以貧血羸瘦而成疳也，夫復何疑。世人有見其兒身體素弱，不忍早行離乳而哺至三四歲者，原其意，實欲多哺母乳以使其兒壯健也，孰知其結果之適以相反乎！

小兒生後一月，雖有澱粉分解力；然澱粉消化力，在生後三個月內，極爲微弱，迨能攝取混合食時，始發揮其能力焉。故哺乳兒對於澱粉之消化作用，尚未充分，而早期即哺以米湯穀粉粥飯之屬者，多呈消化不良而致榮養障礙。且若僅以米湯穀粉粥飯爲榮養者，其分量即使充足，而必需之蛋白、脂肪、鹽類等，實不足也。夫榮養不足，則發育已自不良，加以消化不良，而榮養益呈障礙。於是形體羸瘦，嘔吐下利，久之而疳病成矣。闕乳而粥飯太早，及數歲而猶戀乳食，其所以致於病疳，實因榮養缺乏，所謂質與量之饑餓是也。

以上爲乳兒因榮養障礙而患疳病之病理。此外則小兒疳病，發於離乳之後者不少，故又當論及關於小兒離乳之問題。

授乳期之長短，各民族各國土間頗不一致。我國普通習慣，哺乳期較歐美各國爲長。小兒離乳，多至二三歲後，及其母再受姙時，始不得已而離乳。然授乳之期間太長，兒體之發育已自不良，且有害及於母體之榮養，法非善也。適當之離乳期，當在生後六至八月開始，至一歲時完全離乳爲佳。然若離乳期適在夏季，則宜避之，或早期施行，或秋後施行，始爲適當。蓋乳兒離乳後，易感饑餓而致亂進食餌，胃腸常因之受傷，時値夏季，爲消化機能一般薄弱，胃腸易生病變之秋，故不宜離乳，求免加其胃腸受病之機會也。

每見小兒離乳之後，往往知饑嗜食而體反日瘦，且常兼泄瀉、腹滿、口渴、煩躁等症者，何也？是即因小兒離乳後，突然另換一種食物，以習慣之變遷及酵素之未充等故，對於所進之食物，耐力薄弱，未能消化，不消化則不能吸收以爲榮養，而徒從大便排出，故糞便中有多量不經消化之食物。一方面又因榮養不足而力求多食，然雖多食而榮養猶不能充足，是以體反日瘦也。更因傷食而胃腸受病，乃現泄瀉、腹滿、貧血、煩渴之症，久之而疳病成矣！且離乳之後，因飲食之不衛生，致腸寄生虫之卵及幼蟲多侵入兒體之機會，此亦小兒離乳後易生疳病之一大原因也。

（四）症候

觀緒論之所述，知疳病實包含多種疾病，而古人將此多種疾病混稱爲疳，則疳病之症候，自極複雜。古籍中雖亦曾將疳病作分類之舉，然其分類之法，不根據其病原，徒區別其症狀，更或出之臆測，杜撰病名，雖非疳病，亦強以疳病名之，徒使後人之從事整理者，覺其紛繁無緒。

然近世醫家所稱之疳症，亦卽臨床上所常見而合乎定義之疳症，其症候大約可別爲二型，卽胃腸型及羸瘦型是也。

(一)胃腸型 此病最習見，常發於二至五歲尤其是離乳後數月之小兒。主徵爲貧血消瘦，食慾亢進，腹部膨滿，大便溏薄，榮養狀態，一般不良。食益多而瀉益頻，形日癯而腹日脹。或現異嗜之症，米飯不思，反欲食鹹炭水泥生米等物。肌表發熱，微有咳嗽，口渴引飲，煩躁善啼。病久則常併發眼症狀，乾燥澀癢而揉眉擦目，或生白膜而視物昏朦。

此爲慢性胃腸炎之疾病，尤多爲腸寄生蟲所致。欲確斷其是胃腸炎抑爲腸寄生蟲病，當行糞便檢查，察其有無蟲卵，及曾否吐下蟲體，若僅據一般症狀，每難區別。然因於寄生蟲者，除上述之症狀外，更見：(一)食慾甚爲亢進，並多異嗜之症。(二)腹痛陣作，其痛爲咬性，每於食後反覺輕快。(三)反射之症狀，如眩暈、頭痛、瞳孔散大、痙攣發作、及視覺聽覺之障礙等。(四)患兒自覺鼻孔奇癢，常以指挖鼻，乃致鼻下赤爛生瘡。據此諸症狀完全時，亦不難與胃腸炎區別也。胃腸炎病昔稱脾疳，寄生蟲病昔稱蛔疳。

於此吾人應加以研究者有二點：一、多食而反消瘦，即所謂飲食不爲肌膚，其理安在？二、小兒疳病，何以多惹起眼疾？

關於第一點，得以下列二項說明之。(1)腸內有寄生蟲，食入之榮養資料，爲之吸收殆盡，因之兒體之榮養不良而消瘦。且寄生蟲又吸取人體之血液，使小兒陷於貧血而羸瘦。(2)新陳代謝之機能障礙，所攝取之食物不能消化與吸收，致榮養不良而體瘦。其食慾之所以亢進者，不外因於缺乏榮養之饑餓所致。

關於第二點，頗費深思。承章次公先生誨我以缺乏甲種維他命之故，乃得恍然大悟。蓋榮養不良之小兒，對於所需之維他命，必多形缺乏。若體內缺乏維他命甲，則誘發眼病，初則結膜及角膜之表面乾燥，自覺眼球澀癢，繼則角膜外側發生白翳，重症者，眼球結膜乾燥粗糙，呈灰白色，遂至浸潤而化膿，甚至於角膜破壞而失明。 致維他命甲多含於動物之肝臟中，是則古人以肝臟製劑如羊肝鷄肝之屬療治疳眼，實有深理在焉。至於腸寄生蟲病之引起眼炎，則因蟲體含有毒素而使患兒發生中毒之症狀故也。

(二)羸瘦型　胃腸型之再三反覆及遷延不愈者，每易移入本型。牛乳榮養兒、穀粉榮養兒、因消化不良榮養障礙而續發本症者亦不少。至於人乳榮養兒，其單純榮養障礙之疾，不過消化不良而已。鮮有至如本症之甚者。

本型以身體極度羸瘦爲主徵，頸小、肢細、尻削、骨露，顏蒼老而多皺紋，有似猢猻。惟腹部獨形膨脹，兼有嗜食、煩渴、及吐瀉等胃腸症狀。體溫一般低降，而增加榮養時，有呈異常反應而發熱者。此卽古籍所謂丁奚哺露之疳病是也。

於此當注意者，卽高度羸瘦而獨腹部膨脹之症候，於腹膜結核之病亦見之，古人對此，與疳病無甚區別。然腹膜結核多見於五歲至十歲之小兒，而本病則多生於離乳期前後榮養障礙之小兒；腹膜結核常續發於其他臟器之結核疾病，有潮熱、盜汗、咳嗽、瘰癧等症，而本病則續發於消化不良，有嗜食、煩渴、吐瀉等症：是亦不難鑑別。腹膜結核者，昔稱爲疳癆，疳癆之不當列入於疳病，前已言之。

每於夏秋之交，常見小兒之病，其家人陳述之主症爲口渴引飲，小便清長，其一日夜排尿之次數，自四五十次至一二百次不等。因之夜寐不甯，煩躁殊甚，肌燥無汗，發熱不退，且常與嗜食腹大等症並見，有如糖尿病尿崩病之狀，究其因則多起於久病瀉痢之後，吾以此病亦爲疳病之類而症狀不全者也。其所以多發於夏秋之交者，以是時爲消化器最易招致疾病之故。然而近世醫家，旣鮮有以疳病名之者矣。

此外則心疳、肝疳、肺疳、腎疳、疳癆、疳瀉、疳痢、疳熱、疳渴、鼻疳、眼疳、口齒疳、走馬疳等，皆不得於疳病之分類中，佔一位置。試略述如下：

五疳：　古人之於疾病，每強分爲五臟之病，如瘧疾則分爲心瘧、肝瘧、脾瘧、肺瘧、腎瘧；(見陳無擇三因方)如水氣則分爲心水、肝水、脾水、肺水、腎水(見金匱)等是；非獨疳病爲然也。疳病之分爲五疳，亦正如瘧疾水氣等分屬五臟之不當耳。進而致其五疳所列之症狀，則益足以證明古人杜撰病名，拉雜成章之妄。夫五疳中，只有脾疳是爲疳病之本體，若肝疳不外疳病之兼有眼症狀者，肺疳不外疳病之兼有呼吸系症狀者耳！然而古人於尋常眼結膜炎、支氣管炎等病，亦有混於肝疳、肺疳，以濫竽充數者矣。至於心疳所列之症狀，如身體壯熱、口舌生瘡、咬牙弄舌、面黃頰赤等、無非急性熱病之通候，安得稱爲疳病？腎疳所列之症狀，如兩耳內外生瘡、脚如鶴膝、頭縫不合、或齒縫臭爛、變成走馬牙疳等，是乃強合先天不足、發育不全、及齒牙之疾病，而以腎疳名之也。其勉強牽扯以求湊合五疳之心，於茲畢露。

且關於五疳之症狀，諸家亦參差不一：重見叠出，莫能劃然區別。如「喘促氣粗，是呼吸器病，屬之肺疳是也，然同時又列於脾疳之中。如「目生白膜」，古人以目爲肝竅，則屬之肝疳宜也，然同時又載於脾疳之中。又如「周身瘡癬」，見於肝疳，又出於腎疳；「身體壯熱」，屬於心疳，又列於肺疳。模糊影響，無俾實際，徒令學者目眩心迷，無所依歸已耳。

雖然、名目分別而治療不離主體，猶可言也！若以其病名爲心疳，則徒用硃砂茯神等以養心；以其病名爲肝疳，則徒用胆草青黛等以瀉肝；反置疳病於不顧，則尤大謬不然矣！

疳瘧：　據幼幼集成所載，曰：「瘧久不已；胃虛成疳，此必有癖。」是乃因瘧疾而續發惡液質，呈貧血蒼白羸瘦浮腫之症者。所謂癖，卽指脾腫也。瘧疾之不能混於疳病，自無待言。

疳癆：　其症爲潮熱往來，五心煩熱，盜汗瘰癧，喘嗽枯瘁，缺乏胃腸之病徵，純是結核之症候，不得稱爲疳病。

疳瀉疳痢：　幼幼集成曰：「久泄不止，胃虛成疳。」「久痢胃虛成疳。」此卽患消化不良症或慢性腸炎慢性赤痢等病，日久之轉成疳病者是也。然則瀉也、痢也，不過爲疳病之原因；若疳病已成而仍瀉痢者，則瀉痢亦只屬疳病之一種症狀而已，非可以獨稱爲疳也。

疳熱是疳病之發熱，疳渴是疳病之口渴，眼疳是疳病目生白膜之名。鼻疳是疳病鼻癢赤爛之候，不過爲疳病中之一種症狀，當然不能獨稱爲疳，而與脾疳蛔疳等並立。

口齒疳，雖常見於小兒，然不過為一種口腔炎症而已；(亞布答性口內炎)與疳病無關也。走馬牙疳，(壞疽性口內炎)雖多續發於榮養不良之小兒，然已成走馬牙疳，則當屬之口腔疾病之中，而不得列入疳病篇幅之內。

此外猶有腦疳、脊疳、無辜疳等名目，未能明其究竟，然據其症狀，乃患榮養不良而兼有皮膚病者。小兒具滲出性體質者多此。亦或有寄生虫，梅毒、及皮膚病等，夾雜其中。

總之，小兒疳病之範圍，以因於榮養障礙及消化器病而現貧血羸瘦腹大嗜食瀉痢等症狀者為限。其不涉於上之原因症狀者，皆在摒棄之列，不得混稱於疳。

(五)診斷

症狀完全者，不難診斷。凡此病之小兒，煩躁殊甚，一入診室，見其煩怒號哭之狀，可卽置疑於是病；若再見病者體瘦而貧血，則多能確診其病之為疳，得以列舉其症狀，無煩病家之告訴矣。

問其平日榮養之狀況，則可以別其病之因於榮養過剩或不足。至欲確診其是否因於腸寄生虫，若未見其曾經吐出或瀉出虫體，則非檢查糞便不為功。有僅據其舌苔白而有紅點，謂是有腸寄生虫之徵者，不甚可靠。

(六)預防

預防之法，宜力避足以成為疳病之原因。

(一)育兒者當知不規則哺與乳食之有害，必須經過一定之時間，使兒胃空虛，方可再進飲食。不宜姑息，愛之適足以害之也。若既因過食致生消化不良之病時，更應節其飲食而行饑餓療法。一方面調整其胃腸。消導其宿食，勿使遷延而成疳，

(二)若母乳缺乏時，除僱用乳媼外，當行混合榮養，以人乳及牛乳相間與之。不得

已時，單用牛乳榮養可也。不宜早用穀粉榮養，致陷於消化不良而榮養障礙。

又小兒哺乳之期，最長不宜過二歲以上，所以免於榮養上質與量之缺乏致消瘦成疳也。

(三)小兒離乳，宜自生後七八月開始，初以牛乳粥湯羹湯等，一日一二次，少量試與之。日數漸久，漸增其分量及回數。而人乳之哺給，則日漸減少，至一歲既滿而離乳。徐徐使其食餌與成人相接近，不可卒然完全離乳而易以他種未經習慣之食物。以避免其消化不良症之發生，而消弭疳病於無形。

(四)寄生虫之卵及幼虫，多附着於蔬菜及猪、牛、魚等肉類中，苟以是等爲兒饌者，必須熟煮之後，方可給與，以免其致腸寄生虫之疾。蓋鑑於小兒疳病，多發於斷離母乳而移行於混合食之時，則此着實不宜忽視也。

夫疳病旣因於飲食不愼所生，苟能愼其飲食，自可預防疳病。若疳病旣成，貧血消瘦腹大嗜食等症已見，則尤當注意於榮養，非可專恃乎藥石。

(七)治療

醫之於病，當深知致病之原因與病理之機轉，夫而後可以言治療。卽如疳病，若已知其因於腸寄生蟲者，則自以驅除蟲體爲最大目標，其餘各症，若瀉痢煩怒熱渴眼鼻諸疾，皆可認爲因寄生蟲所引起，於驅蟲療法之外，從末治之可矣。或已知其因於榮養障礙者，則自以改良榮養爲根本療法，其餘各症，於榮養療法之外，再以藥物治之可矣。夫如是則成竹在胸，不致茫無頭緒，莫知措置。

古籍上對於疳病之治療，非不羅列方劑，洋洋大觀也。顧吾旣摒棄五疳瘰癧等病而不列入於疳病之範圍，則疳病治療之篇幅，乃因之大縮。

古法治疳，大部不外清熱、殺蟲、消積、補益四者，清熱之劑，如胡連、黃連、黃芩、胆草、青黛，蘆薈之類；殺蟲之劑，如使君、蕪荑、雷丸、鶴虱、檳榔、川楝、蟾蜍之類；消積之劑，如三稜、莪朮、川朴、靈脂、靑皮、鱉甲、桃仁之類；補益之劑，如人參、白朮、當歸、地黃、黃耆、砂仁、肉桂之類是也。諸法多混合運用，而對於病初體實者主先攻後補，病久體虧者主攻補兼施之療法，尤爲諸家之所同。

然吾對於古方治疳，常用胡連、蘆薈、膽草、黃芩、山梔、青黛等所謂清熱之藥，頗不謂然。以疳病之煩怒、嗜食、口渴引飲等症狀，並非內熱使然，而needs大劑此輩以清之也。至於疳病之發熱，則更非此類無解熱作用之藥物所能爲力。清熱云何？此類苦味之藥，雖有健胃之能，但多用而大量，則呈寒性作用，對諸衰弱之病兒，益足以壓抑其體力，致於萎靡不振，所謂：「苦寒伐生氣」者是也。故吾以爲用苦味藥時，當於致慮之下行之，勿濫爲善。

玆仍分列二型，各述其治法如下：

(一)胃腸型　此病是否因於腸寄生蟲，雖可由檢驗糞便及曾否吐下蟲體以斷之，然僅據一般症狀，時亦可斷其爲寄生蟲病。兒體腸寄生蟲之最習見者爲蛔蟲，蟯蟲及十二指腸蟲等次之。於確診之下，欲行殺蟲療法時，當先作驅蟲準備。

服藥前一日，宜食流動性食餌，是晚投以輕瀉劑，以排除宿便，使腸內容比較空虛，蟲體易受藥物之作用。翌日空腹時，即與以殺蟲劑。殺蟲藥之佳者，爲使君子、石榴根皮、川楝根皮。使君子宜研末用，夾於黑棗之內，蒸熟以飼病兒，每次約使君子末二錢，黑棗五六枚許。石榴根皮、川楝根皮，每次一兩至兩半，鮮者佳，爲二百西西煎劑，(一飯碗許)內服。服藥後二三小時，再進瀉藥一劑，蟲當出。蟲去則諸症自可漸除。苟一次不能盡驅其蟲，則隔數日之時間，可反復行之。惟使君子服後常致呃逆，石榴根服後每發腹痛及嘔吐，川楝根味苦難於內服，尙難爲理想之驅蟲劑耳。

檳榔子含有植物鹼檳榔素，亦可爲驅蟲劑，末服一錢許。

又有用鉛粉以殺蟲者，攷其所以殺蟲之故，不外因其毒性，能使蟲體之知覺及運動麻痺，而奏驅蟲之效。然對於人體亦易起中毒現象，故以不用爲佳。但鉛粉內服，腸管之吸收緩慢，苟用適當之量，且服後二小時內，更與以瀉下劑，使藥之毒性未被吸收而即行排出，在僅足以麻痺蟲體而無害於人之條件下，則亦未嘗不可以一用也。然理論雖如是，而實際若何，尙有待乎以後之研究，先爲介紹於此，願吾道注意及之。

西藥山道年，誠爲驅除蛔蟲之特效藥，每與瀉下劑甘汞同用。宏興藥房鷓鴣菜，聞卽是此類之製劑，驅蛔之功甚大。

上藥若獨用一味其效微時，則合數味同用亦可。或爲煎劑，或爲丸劑、散劑，或加糖類爲賦形品，製成食餌模樣，使易於內服，尤善。

蟲體尙在腸內，未經瀉出時，昔者無法以分別其蟲之屬於何種，卽疳病之因於腸寄生蟲者，亦非單由蛔蟲所致，而其病名則皆統於蛔疳，故用藥無所區別。然分而言之，使君子肉、川楝根皮等，宜用於蛔蟲，石榴根皮、檳榔子等，宜用於條蟲十二指腸虫。條蟲古稱扁蟲，蛔蟲古稱蚘蟲，十二指腸蟲昔稱寸白蟲者是，以長如寸許也。又有稱蟯蟲爲寸白蟲者，以其白如絲線也，然其長不過二三分而已，非可以寸名之。十二指腸虫能致貧血消瘦諸疾，蟯虫則多使人肛門癢爛，古所謂䘌病者是矣。

他若烏梅、蕪荑、雷丸、鶴虱等藥，昔時皆用作殺虫之品，效力能否確實，未可知也。仲景治蚘虫，用烏梅丸一方，烏梅、黃連、乾薑三藥同用，甚有意義。因虫病之小兒，必煩怒多啼、口渴引飲、大便溏瀉。烏梅之酸味，旣能刺激腺體之分泌而奏止渴之功，復以其有收歛之性而來止瀉之效。黃連可以緩其煩怒多啼之神經刺激症狀，乾薑可以治其大便溏泄，消化不良。且薑連並用，已不致因連之苦寒而增其溏瀉，亦可免因薑之辛熱致加其煩躁，此寒熱並用，方劑配合之妙也。

與驅虫藥並重者，卽健胃劑強壯劑之投與是也。凡驅虫藥皆未免有害於胃腸，而使食慾減退。矧疳病之小兒，大都體力孱弱，將不勝驅蟲藥之刺激，則健胃強壯劑之投與，其可緩乎？且對於寄生蟲病未能確定而在疑似之間時，於健胃劑中加入二三味驅虫之品，亦常奏驅虫之功，而使症狀輕快也。所謂健胃及強壯藥者何？人參、白朮、附子、乾薑、砂仁、蔻仁、黃耆、肉桂之屬是。

上所述爲蛔疳之治法。至於脾疳，卽慢性胃腸炎，除謹愼其飲食，注意其衞生外，藥物療法，自當以健胃劑爲主。餘則以止瀉之目的，常採用肉蔻、訶子、故紙、罌粟殼等藥；以鎮靜煩渴躁擾之目的，常採用烏梅、花粉、川連、石膏、磁石、龍齒、茯神、棗仁等藥；然疳病之煩躁，頗難速效，只隨各種症狀漸次輕減而已。

對於疳病之發熱，發汗解熱劑如麻黃桂枝羌獨荊防等，每每無功，改用葛根柴胡青蒿地骨皮等，頗收良效。然胃腸之病愈，則發熱自罷，是則對於發熱一症，不加治療亦可。

疳病腹脹，腹脹是腸胃病症，但健其胃腸，用乾薑，蒼朮、川朴、大腹皮、青皮等藥，緩緩圖功可也。若欲求速效，用大黃、芒硝、牽牛，巴豆等峻下之劑，非其治矣。

(二)羸瘦型　若由胃腸型反覆遷延而移入本型者，仍當參照上法治之，若原於代謝障礙及榮養不良所致者，則治療之法，其當改良榮養，固無待言。至於藥物療法，不外強壯其體力，增加其抵抗而已。設不注意於榮養，而徒恃夫藥物，是猶揚湯以止沸也，欲其奏效，不亦難乎。

(甲)榮養療法　牛乳榮養兒，患消耗症而成爲本病者，治之莫善於用天然榮養法，即廢棄牛乳，改用人乳是也。初與少量，若症狀有轉愈之機時，即將分量速即增加，以達於所需要之程度。然亦只能漸漸恢復；至完全健康之期，至少須在二三個月之後也。若不能得人乳時，則不可不用脫脂乳，（以新鮮牛乳靜置之，除去其集於上層之乳脂後，謂之脫脂乳。）因本病者於脂肪之代謝發生障礙，若用富於脂肪之榮養，益足以使其體內發生異常酸類，甚屬危險故也。脫脂乳加水或米湯稀釋之後，可再加糖類。以增其榮養之價，亦先由少量開始，漸次增量以達於常度。

穀粉榮養障礙之小兒，每呈羸瘦型之病狀，治之當廢止穀粉而代以乳汁。對於嬰兒最良者爲人乳，初期給與少量，速即增加。所以如此者，因小兒尚未食慣人乳，其對於人乳之消化力，自必薄弱，若初期即與以大量，將招致消化不良之症，而榮養益呈障礙矣。若欲以牛乳爲榮養品，則給以與年齡適當之稀釋乳，暫不加以糖類，或初加少量之糖，（百分之一至百分之二）而後漸次增量。

穀粉榮養障礙之小兒，在給與缺乏鹽類之穀粉時，則呈羸瘦型之病狀，若給與富於鹽類之穀粉，則生浮腫症，皮膚蒼白，皮下脂肪組織柔軟。四肢浮腫，古籍所謂疳腫脹者是也。治法與前者同。又患慢性胃腸炎呈嘔吐下利之症者，久之亦現浮腫貧血之候，此爲臨床上所習見，古人亦以此包括於疳腫脹一名之中。然二者於疳病之症候不全，近人不名爲疳，故吾亦不列入此篇之內。

（乙）藥物療法　內服藥物，宜以興奮劑強壯劑爲主，餘則對症治之，（參照胃腸型）然只能令其緩慢平復，非旦夕所可速效者也。

疳病之小兒，眼球澀癢昏矇及生翳膜者，已知因於缺乏維他命所致，則治之之法，自以補充其維他命爲前提，徒恃藥物，難期其效也。古人對此，以肝臟製劑爲治，誠屬卓見，若指爲肝火上攻，而大用芩、連、梔、蘗、胆艸、青黛等所謂瀉肝之藥，則謬矣。然維他命甲非獨含於肝臟也，若牛油、若鷄蛋、及白菜、菠菜等，皆有豐富之含量，而可應治療之所需。古方雖有用肝臟，但量少而效微，必當於藥治之外，多食此類食品以補其缺。且夫不獨眼疾已成者，始用之以治療也，卽疳病之初起，眼疾未生時，及一切榮養不良之病者，皆可令其選食此類食品，以防患於未然，方爲上着。

茲略述古方數首於后，亦足以窺其一斑。但宜注意者，眼疳爲疳病之一種症狀耳，當於治療疳病之外，兼用此治眼疳之劑，非可徒治其眼，而置疳病於不顧也。

一、退翳丸　治目生翳膜

蟬蛻　白菊花　夜明砂　車前子　連翹各五錢　黃連一兩　蛇蛻一條

研爲末，米泔煮猪肝，和丸如梧桐子大，每服三十丸，薄荷湯送下。

二、消疳無價散　治小兒疳眼

石決明煅一兩五錢　爐甘石　海螵蛸各五錢　雄黃二錢　硃砂一錢　冰片五分　共研細末，量兒大小，或三四分，或五六分，用不落水鷄肝一具，竹刀切破，上開下連，摻藥在內，用線紥好，加淘米水入砂罐煮熟，連湯食盡。雖疳積瞎眼，可以復明。

三、羊肝散

青羊肝一具去筋膜切韮葉厚片　人參　羌活　炒白朮　蛤粉各等分　共爲細末，令勻聽用。

將藥置荷葉上，如錢厚一層，鋪肝一層，包固。外以新竹青布包裹，蒸熟，任兒食之。如不食及夏月恐腐壞，則晒乾爲末，早晚白湯調下。服完再合，以愈爲度。

疳病兼鼻下赤爛生瘡而癢者，當兼用外治之法，先用甘草白礬湯洗淨，後以蘆薈、黄連、黄柏、爲末敷之。或用下方敷治。

一、蟬殼散　外用治小兒鼻疳癢

蟬殼　青黛　蛇蛻皮燒灰　麝香　滑石各等分

搗細，羅爲散，研令勻，每用如綠豆大，吹入鼻中一日三次，疳䘌盡出。

二、青金散

銅青　白礬各一錢

爲末，每用少許傅鼻下。

三、治鼻旁濕爛外用藥

青黛　當歸　赤豆　瓜蒂　地楡　黄連　蘆薈各等分　雄黄少許

研細末，能斂瘡。

夫藥物療法，除極少數之特效藥屬原因療法外，大部分皆屬對症療法，既云對症治療，則凡一種疾病，其證候之詳略不一，而用藥之增減自殊，固不能訂一方以應付一病，執一不變，若鼓瑟者之膠之於柱也。

茲篇不過言用藥之法則而已，臨床上固當審其虛實，明其緩急。對症以治之。所列古方數首，聊資介紹云爾。

集聖丸

蘆薈　五靈脂　夜明砂　砂仁　橘紅　木香　莪述　使君肉各二錢　川連　川芎　乾蟾炙各二錢　當歸　青皮各一錢半

爲細末，用雄猪胆汁二個，和麵糊爲丸，量大小服。

按：此方於健胃殺蟲消積諸法皆備，爲一切疳病通用之方，臨症上加減用之。

掃蚘散

使君肉三錢　五靈脂錢半　梹榔錢半　雄黃八分　苦楝根皮三錢

共爲末，仍用苦楝根皮煎湯下。

金蟾丸

乾蝦蟆五個燒灰　胡黃連　宣連　鶴虱　雷丸　蕪荑　苦楝根白皮　蘆薈　肉荳蔻各三錢　雄黃少許

爲末，麵糊爲丸，綠豆大，雄黃爲衣，每服十五丸，飯飲下。

按：上二方純是殺蟲之藥，欲行驅蟲療法時，亦可採用及之。

保童丸

胡黃連　龍膽草炒紫色各半兩　使君子　木香　蘆薈各一錢　川苦楝二錢半　大麥芽半兩　巴豆三十個、去皮心、同麥芽炒、令芽紫色、去豆不用、以芽爲末、爲細末，同研令細，用醋糊爲丸，如綠豆大，每服十粒至十五粒，米飲下，不計時。此藥大治疳腹脹。

按此殺虫劑瀉下劑同用之例，寄生虫病而體尚實者，可以一用，虛者非宜，以健胃強壯藥太少故也。

蘆薈丸

木香　丁香各二半錢　訶子　肉荳蔻各半兩　使君子肉　蘆薈各四錢　棗子肉一兩薄切用瓦盛慢火焙乾

除使君子肉薄切，乳缽內杵極細，仍將前四味濕麵裹煨至香熟，取出地上候冷，去麵剉焙，同棗肉蘆薈爲細末，再入乳缽，同使君子杵勻，煉蜜丸作麻仁大，每服三十丸至五十丸，溫米湯下，空心服，兒小米湯化服。

按：此方治蛔蟲病之瀉利者，殺蟲藥與健胃止瀉藥同用，處方甚佳。

小兒慢性之病，經過多纏綿難愈，苟嫌湯藥麻煩及難以灌服時，不可不於諸方中擇其丸劑散劑以治之。又身體衰弱而有寄生蟲者，當內服丸劑以治蟲，湯劑以健胃補虛，庶得以雙方並顧。

(八)結論

常觀小兒疾病，冬春之季，多因流行性感冒痲疹等而轉發肺炎，夏秋之交，則多因消化不良榮養障礙等而轉成疳病。是疳病於兒科，實佔一重大之位置也。作者有鑑於斯，乃就年來臨床經驗之所得，並參以中西醫籍，而作是篇，其目的不過將疳症作一個研討而已，非對於寄生蟲病消化器病榮養障礙等疾，有所論述也。惟是作者年輕識淺，尚希海內名賢，有以教之，幸甚。

參 考 書 目

1. 近世小兒科學(商務)
2. 兒科學(同仁會)
3. 生理學(蔡翹)
4. 歐氏內科學(博醫會)
5. 中醫與科學(譚次仲)
6. 中西合纂幼科大全(顧鳴盛)
7. 幼幼集成(陳飛霞)
8. 吳氏兒科(吳克潛)
9. 張氏醫通(張石頑)
10. 保赤新編(任樂齋)
11. 幼科鐵鏡(夏禹鑄)
12. 小兒藥證直訣(錢仲陽)